Le meilleur dictionnaire
FRANÇAIS-ANGLAIS
ANGLAIS-FRANÇAIS jamais publié
à un prix aussi bas

Expressément conçu pour la plus grande variété possible de lecteurs: étudiants, professeurs, touristes—au bureau et à la maison . . . Plus de 25.000 mots dans l'ordre alphabétique, la prononciation figurée du français et de l'anglais, les locutions et les idiotismes les plus répandus dans les deux langues.

Rédigé tout récemment par les plus éminents spécialistes en matière de lexicologie française, il est à la fois concis et précis. C'est un guide indispensable et une excellente acquisition.

The above text [illegible] cover.

DICTIONNAIRE LAROUSSE

FRANÇAIS-ANGLAIS ANGLAIS-FRANÇAIS

DEUX VOLUMES EN UN SEUL

par

MARGUERITE-MARIE DUBOIS
Docteur ès lettres, Chargée de Conférences à la Sorbonne

DENIS J. KEEN
B. A. (Cantab.)

BARBARA SHUEY
M. A. (University of California)

avec la collaboration de

LESTER G. CROCKER
Chairman of the Department of Romance Languages
Western Reserve University (Cleveland)

WASHINGTON SQUARE PRESS, INC. NEW YORK

LAROUSSE'S

FRENCH-ENGLISH ENGLISH-FRENCH *DICTIONARY*

TWO VOLUMES IN ONE

by

MARGUERITE-MARIE DUBOIS
Docteur ès lettres, Chargée de Conférences à la Sorbonne

DENIS J. KEEN
B. A. (Cantab.)

BARBARA SHUEY
M. A. (University of California)

with the assistance of

LESTER G. CROCKER
Chairman of the Department of Romance Languages
Western Reserve University (Cleveland)

WASHINGTON SQUARE PRESS, INC. NEW YORK

LAROUSSE'S FRENCH-ENGLISH ENGLISH-FRENCH DICTIONARY

WASHINGTON SQUARE PRESS edition published 1961
10th printing.....................October, 1962

This WASHINGTON SQUARE PRESS edition may not be sold in France, French Union and Belgium, except by Librairie LAROUSSE.

L

Published by
Washington Square Press, Inc.: Executive Offices, 630 Fifth Avenue; University Press Division, 32 Washington Place, New York, N.Y.

WASHINGTON SQUARE PRESS editions are distributed in the U.S. by Affiliated Publishers, a division of Pocket Books, Inc., 630 Fifth Avenue, New York 20, N.Y.

PREFACE

The present work is the first handy-sized French-English, English-French dictionary to treat the American language with the same importance as the English language. Intended for a wide public, this book aims at satisfying the requirements not only of tourists, but also of students, teachers, technicians, business people, manufacturers and even those who have just a general interest in matters of language. More than 30 000 words, arranged in their alphabetical order, make possible a ready translation of the most varied ideas. Difficult turns of phrase are clearly explained and illustrated by examples, rules and idiomatic expressions; careful discrimination is made between Americanisms and Anglicisms; the latest neologisms and even present-day slang enrich the standard vocabulary; the usual abbreviations add to the accuracy of the text; and a perfectly clear type enables the root-word to be distinguished at a glance from the compound word or the colloquial phrase deriving from it.

Words of the same family have, for reasons of greater etymological accuracy, been grouped together in paragraphs; and to avoid possible misinterpretations, we have clarified the meaning or the implication of certain words by the use of explanatory terms placed between square brackets.

The spelling used throughout the work invariably follows American usage, brackets indicating where necessary the English forms. E.g. : *hono(u)r; travel(l)ed,* etc.

A summary of English and French grammar enables the reader to refer to irregular forms without difficulty, and to use the fundamental rules indispensable for correct speaking or writing.

The phonetic pronunciation used is both simple to understand and scientifically accurate. The transcription adopted reproduces textually, by means of familiar letters, the symbols of the International Phonetic Alphabet. In the English-French section, we have given preference to the American pronunciation as recorded in the dictionary of J. S. Kenyon and Th. A. Knott; in the French-English section, we have followed the method of A. Barbeau and E. Rohde.

Finally, conversion tables for money, weights and measures will prove of real service to travelers spending some time in one or another of our countries.

PRÉFACE

Voici le premier dictionnaire bilingue français-anglais, anglais-français qui, dans un format réduit, donne à la langue américaine autant d'importance qu'à la langue anglaise. Destiné à un vaste public, ce livre s'adresse aussi bien aux touristes qu'aux étudiants et aux professeurs, aux techniciens, commerçants ou industriels comme aux simples curieux amateurs de linguistique. Plus de 30 000 mots, présentés dans l'ordre alphabétique, permettent de traduire sans peine les idées les plus variées. Des exemples, des règles, des expressions idiomatiques précisent les emplois difficiles; les américanismes et les anglicismes différenciés avec soin, les néologismes les plus récents, l'argot courant lui-même enrichissent le vocabulaire de base; les abréviations usuelles, aisément comprises dans les deux langues, ajoutent à la précision du texte; enfin, une typographie parfaitement claire permet de distinguer au premier coup d'œil le mot souche du mot composé ou de l'expression familière qui en découlent.

Les mots de la même famille ont été groupés en paragraphes — une plus grande précision étymologique en résulte — et, pour éviter des confusions de sens, nous avons placé entre crochets quelques termes explicatifs qui précisent la signification ou la portée de certains vocables.

L'orthographe donnée dans le cours de l'ouvrage reproduit toujours l'usage américain, des parenthèses indiquant au besoin la graphie anglaise. Ex. : *hono(u)r; travel(l)ed,* etc.

Un précis grammatical de l'anglais et du français permet de retrouver sans peine les formes irrégulières et d'utiliser les notions indispensables pour parler ou écrire correctement.

La prononciation figurée est présentée selon un système clair et scientifiquement exact. Les notations adoptées reproduisent textuellement, au moyen de graphies commodes, les symboles de l'alphabet phonétique international. Dans la partie anglais-français, nous avons donné de préférence la prononciation américaine d'après le dictionnaire de J. S. Kenyon et Th. A. Knott; dans la partie français-anglais, nous avons suivi la méthode de A. Barbeau et E. Rohde.

Enfin, des tables de monnaies et de mesures rendront de réels services aux voyageurs et aux touristes qui séjournent dans l'un ou l'autre de nos pays.

ABBREVIATIONS

abbrev.	abbreviation.	abréviation.
adj.	adjective.	adjectif.
adv.	adverb.	adverbe.
agr.	agriculture.	agriculture.
Am.	American.	américain.
anat.	anatomy.	anatomie.
arch.	architecture.	architecture.
art.	article.	article.
artill.	artillery.	artillerie.
astr.	astrology.	astrologie.
aux.	auxiliary.	auxiliaire.
aviat.	aviation.	aviation.
bot.	botany.	botanique.
Br.	British.	anglais.
caval.	cavalry.	cavalerie.
chem.	chemistry.	chimie.
colloq.	colloquial.	familier.
comm.	commerce.	commerce.
comp.	comparative.	comparatif.
conj.	conjunction.	conjonction.
constr.	construction.	construction.
culin.	culinary.	culinaire.
def.	definite.	défini.
defect.	defective.	défectif.
demonstr.	demonstrative.	démonstratif.
eccles.	ecclesiastical.	ecclésiastique.
econ.	economics.	économie.
educ.	educational.	éducatif.
electr.	electricity.	électricité.
ent.	entomology.	entomologie.
f.	feminine.	féminin.
fam.	familiar.	familier.
fig.	figuratively.	figuré.
fin.	finance.	finances.
geogr.	geography.	géographie.
geol.	geology.	géologie.
geom.	geometry.	géométrie.
gramm.	grammar.	grammaire.
hist.	history.	histoire.
hort.	horticulture.	horticulture.
hyg.	hygiene.	hygiène.
impers.	impersonal.	impersonnel.
ind.	industry.	industrie.
indef.	indefinite.	indéfini.
interj.	interjection.	interjection.
interrog.	interrogation.	interrogation.
jur.	jurisdiction.	juridiction.
lit.	literature.	littérature.
m.	masculine.	masculin.

math.	mathematics.	mathématique.
mech.	mechanics.	mécanique.
med.	medicine.	médecine.
metall.	metallurgy.	métallurgie.
meteor.	meteorology.	météorologie.
mil.	military.	militaire.
min.	mineralogy.	minéralogie.
mus.	music.	musique.
naut.	nautical.	marine.
pers.	personal.	personnel.
phys.	physics.	physique.
pharm.	pharmacy.	pharmacie.
phot.	photography.	photographie.
pl.	plural.	pluriel.
p. p.	past participle.	participe passé.
poet.	poetry.	poésie.
pol.	politics.	politique.
pop.	popular.	populaire.
poss.	possessive.	possessif.
pref.	prefix.	préfixe.
pron.	pronoun.	pronom.
pr. p.	present participle.	participe présent.
prep.	preposition.	préposition.
pret.	preterit.	prétérit.
prop.	proper.	propre.
psych.	psychology.	psychologie.
railw.	railway.	chemin de fer.
refl.	reflexive.	réfléchi.
rel.	relative.	relatif.
relig.	religion.	religion.
s.	substantive.	substantif.
sup.	superlative.	superlatif.
surg.	surgery.	chirurgie.
techn.	technical.	technique.
telegr.	telegraphy.	télégraphie.
teleph.	telephony.	téléphonie.
text.	textile.	textile.
theat.	theater.	théâtre.
theol.	theology.	théologie.
topogr.	topography.	topographie.
typogr.	typography.	typographie.
univ.	university.	université.
v.	verb.	verbe.
v. *	irregular verb.	verbe irrégulier.
vet.	veterinary.	vétérinaire.
zool.	zoology.	zoologie.

PART ONE

FRENCH-ENGLISH

L'ESSENTIEL DE LA GRAMMAIRE ANGLAISE

L'ARTICLE

L'article défini *the* est invariable. Ex. : le garçon, *the boy;* la fille, *the girl;* les rois, *the kings.* — Il se prononce **zhî** devant une voyelle ou un *h* muet, et quand il est seul ou fortement accentué. Dans tous les autres cas, on le prononce **zhe**.

L'article défini ne s'emploie pas, dans le sens général, devant : 1° les noms pluriels; 2° les noms abstraits; 3° les noms de couleur; 4° les noms de matière (pain, vin, bois, etc.) ; 5° les noms de langage; 6° *man* et *woman*. Ex. : les chats, *cats;* la colère, *anger;* le rouge, *red;* le pain, *bread;* l'anglais, *English*. Mais il faut toujours l'employer, comme en français, quand le sens n'est pas général. Ex. : l'homme que je vois, *the man that I see.*

L'article indéfini a deux formes : 1° Devant les consonnes (y compris *w*, *h* et *y* initial, et toute voyelle ou tout groupe de voyelles ayant le son *ye* ou *you*), on emploie la forme **a**. Ex. : un homme, *a man;* une dame, *a lady;* une maison, *a house;* un usage, *a use* (° yous) ;

2° Devant une voyelle ou un *h* muet, on emploie **an**.

L'article indéfini n'a pas de pluriel. (V. L'ADJECTIF, *Quelque*.)

L'article indéfini s'emploie devant tout nom concret non précédé d'un autre article, d'un possessif ou d'un démonstratif. Ex. : mon père, officier de marine, était veuf, *my father, a naval officer, was a widower;* sans foyer, *without a home.*

LE NOM

Pluriel. — On le forme en ajoutant **s** au singulier (cet *s* se prononce).

Exceptions. — Les noms terminés en **o, s, x, z, sh** ajoutent *es*. Ex. : box (boîte), *boxes;* potato (pomme de terre), *potatoes.*

Les noms terminés par **ch** ajoutent *es*, sauf lorsque le *ch* se prononce *k*. Ex. : church, *churches;* monarch, *monarchs.*

Les noms terminés en **y** forment leur pluriel : 1° en *ys* quand l'*y* est précédé par une voyelle; 2° en *ies* quand l'*y* est précédé par une consonne. Ex. : boy, *boys;* fly, *flies;* lady, *ladies.*

Les noms terminés par *fe* et dix noms terminés par *f* (*calf, elf, half, leaf, loaf, self, sheaf, shelf, thief, wolf*) forment leur pluriel en *ves*. Ex. : *knife, elf, self* : pl. *knives, elves, selves.*

Man, woman, child, ox font *men, women, children, oxen.* **Foot, tooth, goose** font *feet, teeth, geese.* **Mouse** et **louse** font *mice* et *lice.* **Deer, salmon, sheep, trout, swine** et **grouse** sont invariables.

Genre des noms. — La plupart des noms anglais sont du masculin quand ils désignent un homme ou un être mâle, du féminin quand ils désignent une femme où un être femelle, du neutre dans tous les autres cas. *Parent* désigne le père ou la mère, *cousin* un cousin ou une cousine; les mots en *er* comme *reader* sont du masculin (lecteur), du féminin (lectrice) ou du neutre (livre de lecture).

Les principales exceptions sont : *child* et *baby*, généralement neutres, *ship, engine*, généralement féminins.

Formation du féminin. — Comme en français, le féminin se forme de trois façons : 1° par un mot différent. Ex. : *father, brother, son, boy* ont pour féminin *mother, sister, daughter, girl;* 2° par un mot composé : Ex. : *milkman* a pour féminin *milkmaid;* 3° par une désinence. Ex. : *lion, actor, prince* font au féminin *lioness, actress, princess. Widow* (veuve) fait au masculin *widower* (veuf).

Le cas possessif. — Le cas possessif ne peut s'employer que lorsque le possesseur est une personne ou un nom de mesure. On le forme en plaçant le nom possesseur, suivi d'une apostrophe et d'un *s*, devant le nom de l'objet possédé (dont l'article est supprimé). Ex. : le livre de Bob, *Bob's book;* une promenade d'une heure, *an hour's walk.* — Les noms pluriels terminés par *s* prennent seulement l'apostrophe. Ex. : les livres des élèves, *the pupils' books.*

L'ADJECTIF

L'adjectif est invariable et se place avant le nom qu'il qualifie. Ex. : un bon garçon, *a good boy;* une bonne fille, *a good girl;* des dames aimables, *kind ladies.*

Le **comparatif** et le **superlatif** des adjectifs de plus de deux syllabes se forment avec les adverbes *more* (plus) et *the most* (le plus). Ex. : plus actif, *more diligent;* la plus élégante, *the most elegant.*

Les adjectifs d'une syllabe forment leur comparatif en prenant la désinence *er* et leur superlatif en prenant la désinence *est*. Ex. : petit, *small;* plus petit, *smaller;* le plus petit, *the smallest.* (V. LE VERBE, *Règle du redoublement de la consonne finale.*)

La plupart des adjectifs de deux syllabes, et notamment tous ceux terminés par *y*, forment leur comparatif et leur superlatif comme ceux d'une syllabe. Ex. : narrow, *narrower, narrowest.* (Ceux en *y* prennent *ier* et *iest* : lazy, *lazier, laziest.*)

Comparatifs et superlatifs irréguliers. — Good (bon), *better* (meilleur), *the best* (le meilleur) ; bad (mauvais), *worse* (pire), *the worst* (le pire) ; little (petit), *less, lesser* (moindre), *the least* (le moindre) ; far (éloigné), *farther, the farthest;* old (vieux) fait *older* et *the oldest* dans le sens général, mais *elder* et *the eldest* dans le sens de aîné; fore (antérieur) donne *former* (premier de deux, opposé à *latter,* dernier) et *the first* (le premier de tous, opposé à *last,* dernier).

L'adjectif numéral cardinal. — *One, two, three, four, five, six, seven, eight, nine, ten, eleven, twelve, thirteen, fourteen, fifteen, sixteen, seventeen, eighteen, nineteen, twenty, twenty-one, thirty, forty, fifty, sixty, seventy, eighty, ninety, one hundred, one hundred and one, two hundred..., one thousand, two thousand..., one million...*

Dozen, score (vingtaine), *hundred, thousand* et *million* prennent un *s* au pluriel quand on les emploie comme substantifs.

L'adjectif numéral ordinal. — *First, second, third, fourth, fifth, sixth, seventh, eighth, ninth, tenth, eleventh, twelfth, thirteenth, fourteenth, fifteenth, sixteenth, seventeenth, eighteenth, nineteenth, twentieth, twenty-first..., thirtieth, fortieth, fiftieth, sixtieth, seventieth, eightieth, ninetieth, hundredth..., thousandth..., millionth.*

Adjectifs démonstratifs et possessifs. — V. LE PRONOM.

Quelque se traduit par *some* ou *any*. *Some* s'emploie surtout dans les phrases affirmatives. Ex. : j'ai quelques livres, *I have some books.*

Le véritable sens de *any* étant « n'importe quel », on s'en sert surtout dans les phrases interrogatives, négatives et dubitatives. Ex. : je lis n'importe quel livre, *I read any book;* il ne lit aucun livre, *he does not read any book* (*he does not read some books* voudrait dire : il y a des livres qu'il ne lit pas).

L'article partitif se traduit souvent par *some* ou *any*. Ex. : voulez-vous du pain? *Will you have some bread?*

Quelqu'un : *somebody;* quelques-uns : *some.*

Personne : *nobody, not... anybody.*

Quelque chose : *something* (**rien :** *nothing, not... anything*).

Beaucoup de : *much* (sing.), *many* (pl.).

Peu de : *little* (sing.), *few* (pl.).

Un peu de : *a little* (sing.), *a few* (pl.).

LE PRONOM

Pronoms personnels sujets. — *I, you, he* (m.), *she* (f.), *it* (neutre) ; *we, you, they.* Le pronom *thou* (tu) n'est guère employé que dans les prières pour s'adresser à Dieu; même dans l'intimité, les Anglais et les Américains se disent *you.*

Pronoms personnels compléments. — *Me, you, him* (m.), *her* (f.), *it* (n.) ; *us, you, them* (*thee,* toi, ne se dit qu'à Dieu).

Adjectifs possessifs. — *My* (mon, ma, mes), *your, his* (m.), *her* (f.), *its* (n.) ; *our, your, their* (tutoiement : *thy*).

A la troisième personne, l'adjectif possessif, comme le pronom, s'accorde avec le possesseur. Ex. : son chapeau (de Jean), *his hat;* (de Jeanne), *her hat;* son toit (de la maison, neutre), *its roof;* ses livres (de Jean), *his books;* (de Jeanne), *her books.*

Pronoms possessifs. — *Mine* (le mien, la mienne, les miens, les miennes), *yours, his, hers, its* (*own*) ; *ours, yours, theirs* (tutoiement : *thine*).

On emploie le pronom possessif pour traduire l'expression « à moi, à toi, etc. ». Ex. : ce chat est à toi, *this cat is yours.*

Pronoms réfléchis. — *Myself* (moi-même), *yourself, himself* (m.), *herself* (f.), *itself* (n.) ; *ourselves, yourselves, themselves.* Toutes les fois que le pronom complément exprime la même personne que le sujet, on le traduit par le pronom réfléchi. Ex. : il se flatte, *he flatters himself;* parle pour toi, *speak for yourself.*

Adjectifs et pronoms démonstratifs. — *This* (pl. *these*) correspond à « ce...-ci » et indique un objet très proche. Ex. : *this day,* ce jour-ci (aujourd'hui) ; *these books,* ces livres (-ci) ; *this* pronom veut dire « ceci ». *That* (pl. *those*) correspond à « ce...-là », et comme pronom à « cela ». Ex. : *those people,* ces gens-là; *on that day,* ce jour-là.

Celui de, ceux de... se traduisent par *that of, those of...*

Celui qui, ce que : V. *Pronoms relatifs.*

Pronoms relatifs. — Le pronom relatif *that* est invariable. Ex. : l'homme (la femme) qui parle, *the man* (*the woman*) *that speaks;* le livre (les livres) que je vois, *the book* (*the books*) *that I see.*

Le pronom *that* ne peut s'employer que lorsqu'il introduit une subordonnée déterminative, indispensable au sens de la phrase. L'autre pronom relatif *who*, qu'on peut employer dans presque tous les cas, a quatre formes : *who* (sujet m., f., sing. et pl.), *whom* (compl. m., f., sing. et pl.), *whose* (cas possessif; v. *dont*) et *which* (neutre sing. et pl.). Ex. : l'homme (la femme) qui vient *ou* que je vois, *the man* (*the woman*) *who comes* or *whom I see;* les livres qui sont là (que je vois), *the books which are here* (*which I see*).

Ce qui, ce que se traduisent par *what* quand « ce » appartient grammaticalement à la proposition principale et « qui » ou « que » à la subordonnée, par *which* quand tout le groupe « ce que, ce qui » appartient à la subordonnée. Ex. : je sais ce que je dis, *I know what I say;* ce qu'il dit est très intéressant, *what he says is very interesting;* je sais ma leçon, ce qui vous surprend, *I know my lesson, which surprises you.*

Quoi se traduit comme ce qui, ce que.

Celui qui, celle qui, etc., se traduisent pour les personnes par *he* (m.) ou *she* (f.), *him* (m. compl.) ou *her* (f. compl.), *they* (pl.), *them* (pl. compl.) suivis de *who* (sujet) ou *whom* (compl.) ; pour les choses, par *the one which* (pl. *the ones which*). Ex. : celui que vous voyez, *he whom you see;* je vois celle qui parle, *I see her who speaks;* prenez celui (le livre, neutre) que vous voudrez, *take the one* (*which*) *you like.*

Dont (**et de qui, duquel, de laquelle, desquels, desquelles**) se traduit par *whose* toutes les fois qu'il exprime un rapport de possession et que le possesseur est une personne. Dans les autres cas, il faut décomposer *dont* en *de qui* et traduire séparément les deux mots. Ex. : l'homme dont je lis le livre, *the man whose book I read;* l'homme dont je parle, *the man of whom I speak.*

On se traduit le plus souvent par le passif. Ex. : on m'a puni, *I was punished;* on dit que vous êtes riche, *you are said to be rich.*

Autres façons de traduire **on** : on frappe à la porte, *somebody is knocking at the door;* on pourrait dire, *one might say.*

Un Français dira à un Anglais : en France on boit du vin, en Angleterre on boit de la bière, en Chine on boit du thé, *in France we drink wine, in England you drink beer, in China they drink tea.*

En, y se traduisent de différentes façons selon qu'ils sont pronoms ou adverbes. Ex : j'en parlais, *I was speaking of it;* j'en viens, *I come from there;* donnez-m'en, *give me some;* j'en ai assez, *I have enough* (*of it*) ; j'y songe, *I think of it;* vas-y, *go there.*

L'ADVERBE

L'adverbe anglais se forme en ajoutant *ly* à l'adjectif. Ex. : *poor*, pauvre; *poorly*, pauvrement. Les adjectifs terminés par *y* (sauf ceux en *ly*) forment leur adverbe en *ily*. Ex. : *happy*, heureux; *happily*, heureusement.

Les adjectifs terminés en *ly* sont aussi employés comme adverbes.

LE VERBE

Les verbes anglais n'ont que trois désinences ; **s** pour la troisième personne du singulier de l'indicatif, **ed** pour le passé simple et le participe passé (toujours invariable), **ing** pour le participe présent. Ex. : je travaille, *I work;* il travaille, *he works;* il travailla, *he worked*; travaillé, *worked*; travaillant, *working*.

Règle du redoublement de la consonne finale devant une désinence commençant par une voyelle (*ed, ing* des verbes; *er, est* du comparatif et superlatif; *er* suffixe correspondant au français « eur, euse »; *y, ish* suffixes pour adjectifs; *en* suffixe verbal, etc.). — La consonne finale d'un mot d'une syllabe doit être doublée si elle est précédée par une seule voyelle. Ex. : *to stop*, arrêter; *stopping; stopped; stopper; red*, rouge; *redder, the reddest; to redden; reddish.*

La consonne finale d'un mot de deux syllabes suit la règle précédente, si l'accent porte sur la deuxième syllabe. Ex. : *to prefer* (préférer), *preferred; to offer* (offrir), *offered.* La consonne finale d'un mot de plusieurs syllabes suit la même règle, si la dernière syllabe porte un accent.

Les **verbes terminés en « y »**, lorsque *y* est précédé par une consonne, forment leur troisième personne du singulier de l'indicatif présent en *ies* et leur passé en *ied*. Ex. : *To study* (étudier) : il étudie, *he studies;* étudié, *studied.*

L'imparfait français se traduit parfois par le passé simple (ou prétérit), mais le plus souvent par la forme progressive (v. plus loin) quand il indique la continuation ou par la forme fréquentative (v. plus loin) quand il indique l'habitude.

Le **passé simple** (ou prétérit) se forme en ajoutant *ed* à l'infinitif; il a la même forme à toutes les personnes : *I worked, you worked*, etc. Il s'emploie pour traduire le passé simple français dans tous les cas, et le passé composé lorsque celui-ci exprime une action complètement passée dans un temps qui exclut le présent. Ex. : ma montre s'arrêta (ou s'est arrêtée) hier, *my watch stopped yesterday.*

Le **passé composé** se forme comme en français avec l'auxiliaire *avoir* et le participe passé, mais il ne s'emploie que pour indiquer une action qui se continue dans le présent ou qui embrasse une période comprenant le présent. Ex. : j'ai reçu beaucoup de lettres cette année, *I have received many letters this year.*

Le présent français suivi de « depuis » ou précédé de « il y a... que » se traduit par un passé composé en anglais. Ex. : j'habite Londres depuis six mois (*ou* il y a six mois que j'habite Londres), *I have been living in London for six months.*

Le verbe « avoir » se traduit en anglais par *to have,* qui garde la même forme (*have*) à toutes les personnes du présent de l'indicatif, sauf à la troisième du singulier (*has*). Le verbe *to have* sert d'auxiliaire du passé à tous les verbes, même neutres et réfléchis. Ex. : il est venu, *he has come;* elle s'était flattée, *she had flattered herself.*

Le futur anglais se forme au moyen de deux auxiliaires (*will* et *shall*) et de l'infinitif. D'ordinaire, on emploie *shall* pour la 1re personne et *will* pour la 2e et la 3e. Ex. : je viendrai, *I shall come;* tu iras, *you will go;* elle vous verra, *she will see you.*

A la première personne, *will* indiquerait la volonté; aux autres personnes, *shall* indiquerait le commandement, l'obligation, la promesse ou la menace (v. *Verbes défectifs*).

L'impératif anglais se forme au moyen de l'auxiliaire *let* (laisser), du pronom personnel complément et de l'infinitif, sauf à la 2e personne, où l'on emploie seulement l'infinitif. Ex. : qu'il parle, *let him speak;* parlons, *let us speak;* parle, parlez, *speak.*

Le conditionnel se forme au moyen de deux auxiliaires, *should* pour la première personne, *would* pour la 2e et la 3e. Ex. : il viendrait, *he would come;* j'irais, *I should go.*

Le subjonctif est très rarement employé en anglais. Il ne diffère de l'indicatif qu'au présent et seulement à la 3e personne du singulier (qui ne prend pas d'*s*). On traduit le subjonctif français tantôt par *l'indicatif* (notamment après « quoique », « avant que » et « jusqu'à ce que »), tantôt par *should* et *l'infinitif* (après « de peur que »), ou par *may* (passé *might*) et *l'infinitif* (après « afin que »), parfois par *l'infinitif.* Ex. : je veux qu'il travaille, *I want him to work.*

L'infinitif anglais est généralement précédé de *to.* Principales exceptions : on n'emploie pas *to* après les verbes défectifs (sauf *I am, I have* et *I ought*) et après les verbes de perception (voir, entendre, etc.).

L'infinitif français se traduit généralement par l'infinitif. On le traduit par le *participe présent :* 1° après toutes les prépositions; 2° après les verbes de commencement, de continuation ou de fin; 3° quand l'infinitif joue le rôle d'un nom. Ex. : avant de parler, *before speaking;* il cessa de chanter, *he stopped singing;* nager est très sain, *swimming is very healthy.*

Le passif se conjugue comme en français avec le verbe *être* et le *participe passé.* Ex. : tu es aimé, *you are loved.*

Le verbe « être ». — Ind. pr. : *I am, you are, he is, we are, you are, they are.* Passé s. : *I was, you were, he was, we were, you were, they were.* P. comp. : *I have been, he has been...* Pl.-q.-p. : *I had been...* Fut. : *I shall be, you will be...* Fut. ant. : *I shall have been, you will have been...* Cond. pr. : *I should be, you would be...* Cond. p. : *I should have been, you would have been...* Subj. : *I be, you be, he be...* Subj. pr. : *I were, you were, he were...* Inf. : *to be.* P. pr. : *being.* P. p. : *been.*

Verbes défectifs. — Ils sont fréquemment employés comme auxiliaires.

Pouvoir se traduit par le défectif *can* lorsqu'il indique la capacité personnelle, par *may* quand il indique la permission ou la possibilité.

Devoir se traduit par *ought to* quand il indique l'obligation de la conscience, par *must* quand il indique l'obligation extérieure ou la nécessité.

Le futur, on l'a vu, se sert de *will* (volonté personnelle) et de *shall* (obligation extérieure).

Les verbes défectifs n'ont que deux formes au plus : *can* fait au passé *could; may* donne *might; would* (passé de *will*) et *should* (passé de *shall*) forment l'auxiliaire du conditionnel; *ought* et *must* n'ont qu'une forme.

Aux temps qui leur manquent, les verbes défectifs sont remplacés : *can* par *to be able, may* par *to be permitted, must* par *to be obliged to.* On supplée souvent au conditionnel passé en faisant suivre le verbe de l'infinitif passé.

Ex. : elle aurait pu dire, *she might have said* (elle pourrait avoir dit).

Conjugaison négative. — Un verbe négatif doit toujours contenir un auxiliaire (sauf aux cas 3° et 4°).

1° Pour conjuguer négativement un verbe auxiliaire, on place *not* après ce verbe. Ex. : je veux, *I will;* je ne veux pas, *I will not.*

2° Pour conjuguer négativement un verbe non auxiliaire, on fait précéder l'infinitif de *do not* au présent de l'indicatif (*does not* à la 3e personne du singulier) et de *did not* au passé simple (tous les autres temps se conjuguent avec des auxiliaires). Ex. : il parle, *he speaks;* il ne parle pas, *he does not speak;* il s'arrêta, *he stopped;* il ne s'arrêta pas, *he did not stop.*

3° A l'infinitif ou au participe, on place *not* devant le verbe. Ex. : ne pas dire, *not to tell;* ne voyant pas, *not seeing.*

4° Quand la phrase contient un mot négatif autre que *not* (c.-à-d. *nobody, nothing, nowhere,* etc.), le verbe reste affirmatif. Ex. : il voit quelqu'un, *he sees somebody;* il ne voit personne, *he sees nobody.*

5° L'infinitif négatif en français est parfois traduit par l'impératif : ne pas se pencher au-dehors, *do not lean out.*

Conjugaison interrogative. — Un verbe interrogatif doit toujours contenir un auxiliaire (sauf lorsque le pronom interrogatif est sujet : qui va là?, *who goes there?*).

1° Pour conjuguer interrogativement un verbe auxiliaire ou un verbe à un temps composé, on place le sujet après l'auxiliaire. Ex. : allez-vous bien?, *are you well?;* votre père le saura-t-il?, *will your father know it?;* avait-il parlé?, *had he spoken?*

2° Pour conjuguer interrogativement un verbe non auxiliaire, au présent ou au passé simple, on retiendra la formule *D.S.I.* : *D* représentant *do* pour le présent (*does* pour la 3e personne du singulier) ou *did* pour le passé, *S* représentant le sujet, *I* représentant l'infinitif du verbe. Ex. : savez-vous? (*D* : do, *S* : you, *I* : know) *do you know?;* votre père voit-il cela? (*D* : does, *S* : your father, *I* : see) *does your father see this?*

Verbes réfléchis. — Les verbes réfléchis se forment avec le verbe et le pronom réfléchi. Ex. : elle se flatte, *she flatters herself.* — Beaucoup de verbes réfléchis français se traduisent par des verbes neutres en anglais. Ex. : il s'arrêta, *he stopped.*

Verbes réciproques. — On les forme avec les pronoms *each other* (ou *one another*). Ex. : ils se flattent (mutuellement), *they flatter each other.*

Forme progressive. — Particulière à l'anglais, cette forme consiste à employer le verbe *être* avec le participe présent (dans le sens de *être en train de*). Ex. : fumez-vous?, *are you smoking?* (*do you smoke?* signifie : fumez-vous d'habitude, êtes-vous fumeur?).

La forme progressive est commode pour traduire l'imparfait (de continuation) [v. imparfait]. On l'emploie aussi dans l'expression « il y a... que ». Ex. : il y a six mois que j'apprends l'anglais, *I have been learning English for six months.*

Forme fréquentative. — Elle consiste à employer *would* (ou *used to*) devant l'infinitif pour indiquer *l'habitude* (v. imparfait). Ex. : je fumais un cigare de temps en temps, *I would smoke a cigar now and then* (*used to* indiquerait une habitude plus régulière).

VERBES IRRÉGULIERS

NOTA. — Les verbes qui n'ont qu'une forme dans cette liste ont la même forme au présent, au passé simple et au participe passé.

Les verbes qui ont deux formes sont ceux qui ont une forme identique au passé simple et au participe passé.

Les formes entre parenthèses sont d'autres formes également employées aux mêmes temps.

To abide, abode : demeurer.
To arise, arose, arisen : se lever.
To awake, awoke, awoke (*awaked*) : s'éveiller.
To be, was, been : être.
To bear, bore, borne (*born=né*) : porter.
To beat, beat, beaten : battre.
To become, became, become : devenir.
To begin, began, begun : commencer.
To behold, beheld : contempler.
To bend, bent : ployer.
To bereave, bereft (*bereaved*) : priver.
To beseech, besought : supplier.
To bespeak, bespoke, bespoken : commander.
To bid, bade, bid (*bidden*) : ordonner.
To bind, bound : lier, relier.
To bite, bit, bit (*bitten*) : mordre.
To bleed, bled : saigner.
To blow, blew, blown : souffler.
To break, broke, broken : briser.
To breed, bred : élever.
To bring, brought : apporter.
To build, built (*builded*) : bâtir.
To burn, burnt (*burned*) : brûler.
To burst : éclater.
To buy, bought : acheter.
To cast : jeter.
To catch, caught : attraper.
To chide, chid, chid (*chidden*) : gronder.
To choose, chose, chosen : choisir.
To cleave, cleft, cleft (*cloven*) : fendre.
To cling, clung : se cramponner.
To clothe, clad, clad (*clothed*) : vêtir.
To come, came, come : venir.
To cost : coûter.
To creep, crept, crept : ramper.
To crow, crew (*crowed*), *crowed :* chanter (comme le coq).
To cut : couper.
To dare, durst, dared : oser.
To deal, dealt : trafiquer.
To dig, dug : creuser.
To do, did, done : faire.
To draw, drew, drawn : tirer.
To dream, dreamt (*dreamed*) : rêver.
To drink, drank, drunk : boire.
To drive, drove, driven : conduire.
To dwell, dwelt : demeurer.
To eat, ate, eaten : manger.
To fall, fell, fallen : tomber.
To feed, fed : nourrir.
To feel, felt : sentir, éprouver.
To fight, fought : combattre.

To find, found : trouver.
To flee, fled : fuir.
To fling, flung : lancer.
To fly, flew, flown : voler.
To forbear, forbore, forborne : s'abstenir.
To forbid, forbade, forbidden : défendre.
To forget, forgot, forgotten : oublier.
To forgive, forgave, forgiven : pardonner.
To forsake, forsook, forsaken : abandonner.
To freeze, froze, frozen : geler.
To get, got : obtenir.
To gild, gilt (*gilded*) : dorer.
To gird, girt (*girded*) : ceindre.
To give, gave, given : donner.
To go, went, gone : aller.
To grind, ground : moudre.
To grow, grew, grown : croître.
To hang, hung (*hanged* = pendu par le bourreau) : pendre.
To have, had : avoir.
To hear, heard : entendre.
To heave, hove (*heaved*) : se soulever.
To hew, hewed, hewn : tailler.
To hide, hid, hid (*hidden*) : cacher.
To hit : frapper, atteindre.
To hold, held : tenir.
To hurt : blesser.
To keep, kept : garder.
To kneel, knelt (*kneeled*) : s'agenouiller.
To knit (*knit* ou *knitted*) : tricoter.
To know, knew, known : savoir.
To lade, laded, laden : charger.
To lay, laid : étendre.
To lead, led : conduire.
To lean, leant (*leaned*) : se pencher.
To leap, leapt (*leaped*) : bondir.
To learn, learnt : apprendre.
To leave, left : laisser.
To lend, lent : prêter.
To let, let : laisser.
To lie, lay, lain : être couché.
To light, lit (*lighted*) : allumer.
To lose, lost : perdre.
To make, made : faire.
To mean, meant : vouloir (dire).
To meet, met : rencontrer.
To mistake, mistook, mistaken: se tromper.
To mow, mowed, mown : faucher.
To pay, paid : payer.
To pen, pent : parquer.
To put : mettre.
To read, read [pron. rèd] : lire.
To rend, rent : déchirer.
To rid : débarrasser.
To ride, rode, ridden : chevaucher.
To ring, rang, rung : sonner.
To rise, rose, risen : se lever.
To run, ran, run : courir.
To saw, sawed, sawn : scier.
To say, said : dire.
To see, saw, seen : voir.
To seek, sought : chercher.
To seethe, sod, sodden : bouillir.
To sell, sold : vendre.
To send, sent : envoyer.
To set : placer.
To sew, sewed, sewn (*sewed*) : coudre.
To shake, shook, shaken : secouer.
To shape, shaped, shaped (*shapen*) : façonner.
To shave, shaved, shaved (*shaven*) : raser.
To shear, shore (*sheared*), *shorn* : tondre.
To shed : verser.
To shine, shone : briller.
To shoe, shod : chausser.
To shoot, shot : tirer (un projectile).
To show, showed, shown : montrer.
To shred : lacérer.
To shrink, shrank (*shrunk*), *shrunk* : se ratatiner.
To shrive, shrove, shriven : confesser.
To shut : fermer.
To sing, sang, sung : chanter.
To sink, sank, sunk : sombrer.
To sit, sat : être assis.
To slay, slew, slain : tuer.
To sleep, slept : dormir.
To slide, slid, slid (*slidden*) : glisser.
To sling, slung : lancer.
To slink, slunk : se glisser.
To slit : fendre.
To smell, smelt (*smelled*) : sentir (une odeur).
To smite, smote, smitten : frapper.
To sow, sowed, sown : semer.
To speak, spoke, spoken : parler.
To speed, sped : se hâter.
To spell, spelt (*spelled*) : épeler.
To spend, spent : dépenser.
To spill, spilt (*spilled*) : répandre.
To spin, spun (*span*), *spun* : filer.
To spit : cracher.
To split : fendre (en éclats).
To spoil, spoilt (*spoiled*) : gâter.
To spread : étaler.
To spring, sprang, sprung : jaillir.
To stand, stood : se tenir debout.
To steal, stole, stolen : voler.
To stick, stuck : coller.
To sting, stung : piquer.
To stink, stank, stunk : puer.
To strew, strewed, strewn : joncher.
To stride, strode, stridden : enjamber.
To strike, struck : frapper.
To string, strung : enfiler.
To strive, strove, striven : s'efforcer.
To swear, swore, sworn : jurer.
To sweat : suer.
To sweep, swept : balayer.
To swell, swelled, swollen : enfler.
To swim, swam, swum : nager.
To swing, swung : balancer.
To take, took, taken : prendre.
To teach, taught : enseigner.
To tear, tore, torn : déchirer.
To tell, told : dire.
To think, thought : penser.
To thrive, throve, thriven : prospérer.
To throw, threw, thrown : jeter.
To thrust : lancer.
To tread, trod, trodden : fouler aux pieds.
To understand, understood : comprendre.
To undo, undid, undone : défaire.
To upset : renverser.
To wear, wore, worn : porter, user.
To weave, wove, woven : tisser.
To weep, wept : pleurer.
To win, won : gagner.
To wind, wound : enrouler.
To withdraw, withdrew, withdrawn : retirer.
To withstand, withstood : résister à.
To work, wrought (*worked*) : travailler.
To wring, wrung : tordre.
To write, wrote, written : écrire.
To writhe, writhed, writhen : se tortiller.

LES SONS DE LA LANGUE ANGLAISE
EXPLIQUÉS AUX FRANÇAIS

SIGNE	MOT TYPE ANGLAIS	SON FRANÇAIS VOISIN	EXPLICATION
i	sick	sic	Son anglais entre *sic* et *sec*.
ì	bin	(bo) bine	Le son anglais est plus bref.
î	eel	île	Le son anglais est plus long.
è	beck	bec	Son anglais entre *è* et *é*.
e	a(gain)	re(gain)	C'est notre *e* muet.
ẽ	burr	bœufs	Son entre *bœufs* et *beurre*.
œ	puff	paf	Son entre *paf* et *peuf*.
a	bag	bague	Son entre *bague* et *bègue*.
à	can	canne	Le son anglais est plus bref.
â	palm	pâme	
o	boss	bosse	Son entre *bosse* et *basse*.
au	law	lau(re)	Comme le précédent, mais plus long.
ou	pool	poule	Très long, sauf dans *good*, *book*, etc.
éi	pay	pays	*i* final à peine prononcé.
ai	tie	taille	
aou	cow	caou(tchouc)	*ou* final à peine prononcé.
oou	low	lôhou	Le son *ou* final à peine perceptible, sauf en Angleterre.
èer	air	air	Remplacer le son *r* par un *e* muet.
ier	dear	dire	Remplacer le son *r* final par un *e* muet. Cet *r* se prononce quand il est lié à une voyelle suivante.
t, d	Placer la langue plus en arrière que pour le son français, et serrer un peu les dents.		
l	Bloquer les bords de la langue et en creuser le centre.		
r	Placer la langue comme pour rouler un *r* et ébaucher le roulement.		
w	C'est le son *ou* très bref que l'on prononce dans *bois*.		
y	Toujours comme dans *yeux* et dans *yes*.		
g, g	Toujours dur (get = guette).		
h	Aspiration, comme dans *hem!*		
th, zh	Le th est tantôt un *s* blésé (avec la langue entre les dents), tantôt un *z* blésé. On prononcera thick comme *sic* avec un *s* blésé et on prononcera *breathe* (brîzh) comme *brise* avec un *z* blésé.		
ng	C'est le son le plus difficile de l'anglais : il ressemble un peu à *gn* français dans *signe*, mais la base de la langue reste bloquée, ce qui accentue le son nasal.		
r final	Rarement prononcé par les Anglais (sauf quand il se lie à la voyelle initiale du mot suivant), il est plus nettement prononcé par les Irlandais, les Ecossais et les Américains, qui le roulent avec plus ou moins de force.		
s	Ne se prononce jamais *z*.		

Accent. — Prononcer plus fortement la voyelle ou diphtongue en italique. Les monosyllabes sont toujours accentués.

Remarques importantes. — Les sons français **u, an, on, in, un,** eux n'existent pas en anglais. *La prononciation indiquée dans le dictionnaire est toujours la prononciation américaine.*

MONNAIES, POIDS ET MESURES ANGLAIS ET AMÉRICAINS

MONNAIES (calculées avec la livre à 1 000 francs).

En Angleterre.

Farthing	1/4 d.	1/4 de penny.	F 1,05
Half-penny	1/2 d.	1/2 penny.	2,10
Penny	1 d.		4,20
Shilling	1 s.	12 pence.	50
Florin	2 s.	2 shillings.	100
Half-crown	2/6	2 shillings and 6 pence.	125
Crown	5 s.	5 shillings.	250
Half-sovereign	10 s.	10 shillings.	500
Sovereign	£ 1	20 shillings.	1 000

A five-pound banknote : un billet de banque de cinq livres (5 000 F).
A one-pound Treasury note : une coupure d'une livre (1 000 F).

La guinée (21 shillings : 1 050 F) *n'est plus en circulation, mais certains prix d'objets de luxe sont encore évalués en guinées.*

En Amérique.

Le dollar américain ($) est divisé en 100 cents. Avec le dollar à 350 F, le cent vaut donc 3,50 F, le dime (10 cents) 35 F, le quarter dollar 90 F, l'eagle (10 dollars) 3 500 F.

POIDS (Système *avoirdupois.*)

Grain (gr.).........	0,064 g	Hundredweight (cwt) : 112 lb	50,8 kg
Dram : 27 grains....	1,772 g	Ton (t.) : 20 cwts....	1 017,000 kg
Ounce (oz.).........	28,35 g	*Am.* 25 pounds	11,34 kg
Pound (lb.) : 16 oz...	453,592 g	*Am.* 100 pounds	45,36 kg
Stone (st.) : 14 lb....	6,350 kg	*Am.* A short ton......	907,18 kg
Quarter (Qr.) : 28 lb.	12,695 kg	*Am.* Central, Quintal..	45,36 kg

(Système *troy* pour les matières précieuses.)

Grain (gr.).........	0,064 g	Ounce troy : 20 dwts..	31,10 g
Pennyweight (dwt) : 24 grains	1,555 g	Pound troy : 12 oz...	373,23 g

MESURES DE LONGUEUR

Inch (in.) : 12 lines..	0,0254 m	Chain : 4 poles......	20,116 m
Foot (ft.) : 12 inches.	0,3048 m	Rood ou furlong : 40 poles	201,16 m
Yard (yd.) : 3 feet..	0,9144 m	Mile (m.) : 8 furlongs.	1 609,432 m
Fathom (fthm.) : 6 ft.	1,8288 m	Knot ou nautical mile: 2 025 yards	1 853 m
Pole, rod, perch : 5,5 yds	5,0292 m		

MESURES DE SUPERFICIE

Square inch : 6,451 cm²; square foot : 929 cm²; square yard : 0,8361 m²; rood : 10,11 ares; acre : 40,46 ares.

MESURES DE VOLUME

Cubic inch : 16,387 cm³; cubic foot : 28,315 dm³; cubic yard : 764 dm³.

MESURES DE CAPACITÉ

Pint	0,567 litre	*Am.* Peck	8,81 litre
Quart (2 pints)......	1,135 —	*Am.* Bushel	35,24 —
Gallon (4 quarts).....	4,543 —	*Am.* Liquid gill	0,118 —
Bushel (8 gallons)...	36,347 —	*Am.* Liquid pint	0,473 —
Quarter (8 bushels)..	290,780 —	*Am.* Liquid quart	0,946 —
Am. Dry pint	0,551 —	*Am.* Liquid gallon ...	3,785 —
Am. Dry quart	1,11 —	*Am.* Barrel	119 —
Am. Dry gallon	4,41 —	*Am.* Barrel petroleum..	158,97 —

FRANÇAIS-ANGLAIS

A

a [à], *see* **avoir.**
à [à] *prep.* at, in; to; from; of; on; for; by; with; *à la française*, French style; *tasse à thé*, teacup; *machine à coudre*, sewing-machine; *à la barbe grise*, with a grey beard; **au, aux** = **à** + le, les.
abaissement [àbèsma^n] *m.* drop, fall; humiliation. || **abaisser** [-é] *v.* to lower, to drop; to reduce; to bring down; to humble; **s'abaisser**, to subside; to sink; to humble oneself; to stoop.
abandon [àba^ndo^n] *m.* surrender; waiver; abandonment; neglect. || **abandonner** [-òné] *v.* to give up; to forsake; to abandon; **s'abandonner à**, to give oneself up to, to indulge in.
abasourdir [àbàzûrdîr] *v.* to dumbfound, to amaze. || **abasourdissement** [-ìsma^n] *m.* stupefaction.
abâtardir [àbâtàrdîr] *v.* to debase; **s'abâtardir**, to degenerate.
abat-jour [àbàjûr] *m.* lamp-shade; eye-shade; sun-blind; skylight.
abats [àbà] *m. pl.* offal; giblets.
abattage [àbàtaj] *m.* felling [arbres]; slaughtering [animaux].
abattis [àbàtì] *m.* felling [arbres]; slaughter [gibier]; *pl.* giblets. || **abattoir** [-wàr] *m.* slaughter-house. || **abattre** [àbàtr] *v.* to pull down; to fell; to demolish; to dishearten; **s'abattre**, to fall down; to subside; to become depressed. || **abattu** [-ü] *adj.* dejected; dispirited; downcast; *p. p. of* **abattre.**
abbaye [abéì] *f.* abbey. || **abbé** [-é] *m.* abbot; priest; curate. || **abbesse** [-ès] *f.* abbess.
abcès [àbsè] *m.* abscess.
abdication [àbdikàsyo^n] *f.* abdication. || **abdiquer** [àbdiké] *v.* to abdicate.
abdomen [àbdòmèn] *m.* abdomen.
abeille [àbèy] *f.* bee.
aberration [àbèr(r)àsyo^n] *f.* aberration; error.
abêtir [àbètîr] *v.* to dull; to make stupid.
abhorrer [àbòré] *v.* to abhor.
abîme [àbîm] *m.* abyss. || **abîmer** [-ìmé] *v.* to spoil, to damage; **s'abîmer**, to sink; to be submerged, plunged in [pensée, chagrin]; to get spoiled.
abject [àbjèkt] *adj.* abject, base. || **abjection** [àbjèksyo^n] *s.* abjection, abjectness, abasement.
abjurer [àbjüré] *v.* to abjure; to forswear; to renounce; to recant.
abnégation [abnégàsyo^n] *f.* abnegation; self-sacrifice.
abol [àbwà], **abolement** [-ma^n] *m.* bark(ing); *aux abois*, at bay; with one's back to the wall.
abolir [àbòlîr] *v.* to abolish, to suppress. || **abolition** [àbòlìsyo^n] *f.* abolition.
abominable [àbòmìnàbl] *adj.* abominable; horrible [temps].
abondamment [àbo^ndàma^n] *adv.* abundantly, plentifully. || **abondance** [-a^ns] *f.* abundance; plenty; copiousness. || **abondant** [-a^n] *adj.* abundant; plentiful, copious. || **abonder** [-é] *v.* to abound; to be plentiful.
abonné [àbòné] *m.* subscriber; commuter [train]. || **abonnement** [-ma^n] *m.* subscription; *carte d'abonnement*, *Br.* season-ticket, *Am.* commutation ticket, commute-book. || **abonner** [-é] *v.* to take out a subscription (*à*, to); **s'abonner**, to subscribe; to contract.
abord [àbòr] *m.* approach; access; *pl.* approaches, surroundings, outskirts; *d'un abord facile*, easy to approach; *d'abord*, at first; *tout d'abord*, first of all. || **abordable** [-dàbl] *adj.* accessible. || **abordage** [-dàj] *m.* collision; boarding (naut.); coming alongside [quai]. || **aborder** [-dé] *v.* to land; to approach; to board (naut.); to attack; to engage; to embark upon.
aboucher [àbûshé] *v.* to join

together; to connect (techn.); **s'aboucher**, to parley.
about [àbû] *m.* butt-end (techn.).
aboutir [àbûtìr] *v.* to lead, to come (*à*, to); to end at; to result in; to succeed; *ne pas aboutir*, to fail. || **aboutissement** [-ìsmaⁿ] *m.* issue, outcome; result; effect; upshot; materialization [projets].
aboyer [àbwàyé] *v.* to bark; to bay.
abracadabrant [àbràkàdàbraⁿ] *adj.* staggering, astounding, amazing.
abrégé [àbréjé] *m.* summary; abridgment. || **abréger** [-é] *v.* to abridge; to shorten; to cut short.
abreuver [àbrœvé] *v.* to water [bétail]; to prime [pompe]; to soak; to steep. || **abreuvoir** [-wàr] *m.* watering place; watering-trough.
abréviation [àbrévyàsyoⁿ] *f.* abbreviation; contraction; curtailment.
abri [àbrì] *m.* shelter; cover; refuge; dugout; *à l'abri*, sheltered, protected, under cover; *à l'abri du besoin*, secure from want; *abri blindé*, bombproof shelter.
abricot [àbrìkô] *m.* apricot. || **abricotier** [-tyé] *m.* apricot-tree.
abriter [àbrìté] *v.* to shelter; to protect; to shield; **s'abriter**, to take shelter; to take cover.
abrupt [àbrüpt] *adj.* steep; abrupt; blunt [parole].
abrutir [àbrütìr] *v.* to brutalize; to daze; to stupefy; to besot; **abruti**, stupid.
absence [àbsaⁿs] *f.* absence; *absence d'esprit*, absent-mindedness, abstraction. || **absent** [àbsaⁿ] *adj.* absent, missing, away; *m.* absentee. || **absenter (s')** [sàbsaⁿté] *v.* to leave; to be absent; to be away.
abside [àbsìd] *f.* apse.
absinthe [àbsiⁿt] *f.* wormwood (bot.); absinth [boisson].
absolu [àbsòlü] *adj.* absolute, complete, total; peremptory; positive.
absolution [àbsòlüsyoⁿ] *f.* acquittal, discharge (jur.); absolution. || **absolvant**, *pr. p. of* **absoudre**.
absorbant [àbsòrbaⁿ] *adj.* absorbent; absorptive; absorbing. || **absorber** [-é] *v.* to absorb; to soak up; to imbibe; to consume; to interest; **s'absorber dans**, to become engrossed in. || **absorption** [àbsòrpsyoⁿ] *f.* absorption.
absoudre [àbsûdr] *v.** to absolve; to exonerate. || **absous** [absû] *p. p. of* **absoudre**.
abstenir (s') [sàbstᵉnìr] *v.* to abstain, to refrain. || **abstention** [àbstaⁿsyoⁿ] *f.* abstention.
abstinence [àbstìnaⁿs] *f.* abstinence; abstemiousness.
abstraction [àbstràksyoⁿ] *f.* abstraction; *abstraction faite de*, leaving.... out of account. || **abstraire** [àbstrèr] *v.* to abstract; to separate. || **abstrus** [àbstrü] *adj.* abstruse, recondite.
absurde [àbsürd] *adj.* absurd, preposterous; senseless. || **absurdité** [-ìté] *f.* absurdity; nonsense.
abus [àbü] *m.* abuse, misuse; error; breach. || **abuser** [-zé] to abuse; to take unfair advantage (*de*, of); to impose (*de*, upon); to deceive; to delude (*quelqu'un*, someone). || **abusif** [-zìf] *adj.* improper, wrong; excessive; unauthorized.
acacia [àkàsyà] *m.* acacia.
académicien [àkàdémìsyiⁿ] *m.* academician. || **académie** [-ì] *f.* academy; University; nude. || **académique** [-ìk] *adj.* academic.
acajou [àkàjû] *m.* mahogany.
acariâtre [àkàryâtr] *adj.* cantankerous; shrewish.
accablant [àkàblaⁿ] *adj.* overwhelming [preuve]; crushing [désastre]; overpowering [chaleur]. || **accablement** [àkàblᵉmaⁿ] *m.* pressure [travail]; dejection; prostration. || **accabler** [àkàblé] *v.* to crush; to overthrow; to overpower; to overcome; to overwhelm (fig.).
accalmie [àkàlmì] *f.* lull; calm.
accaparement [àkàpàrmaⁿ] *m.* monopolizing; cornering. || **accaparer** [-é] *v.* to monopolize; to corner; to hoard. || **accapareur** [-œr] *m.* monopolist.
accéder [àksédé] *v.* to have access (*à*, to); to comply (*à*, with).
accélérateur [àksélératœr] *m.* accelerator. || **accélération** [-àsyoⁿ] *f.* acceleration; hastening; speeding up. || **accélérer** [àksélére] *v.* to accelerate; to quicken; to hasten; *pas accéléré*, quick march.
accent [àksaⁿ] *m.* accent; stress; tone; pronunciation; strains. || **accentuation** [-tüàsyoⁿ] *f.* accentuation; emphasis. || **accentuer** [-tüé] *v.* to stress; to emphasize; to accentuate.
acceptable [àksèptàbl] *adj.* accep-

table; agreeable; welcome. || **accepter** [-é] *v.* to accept; to admit; to agree to; to acquiesce. || **acception** [àksèpsyo^n] *s.* acceptation; meaning.
accès [àksè] *m.* access, approach, admission; fit, attack (med.); outburst [colère]. || **accessible** [-sìbl] *adj.* accessible; approachable. || **accessoire** [-swàr] *adj.* accessory; additional; secondary; *m.* accessory, fitting; *pl.* appliances; accessories; properties (theat.). || **accessoiriste** [-swàrìst] *m.* property man (theat.).
accident [àksida^n] *m.* accident; mishap; wreck; casualty; fold, feature [terrain]; *sans accident,* safely. || **accidenté** [-té] *adj.* hilly, uneven; rough, broken (topogr.); checkered [carrière]; eventful; *m.* victim, casualty, *pl.* injured. || **accidentel** [-tèl] *adj.* accidental; adventitious; haphazard.
acclamation [àklàmàsyo^n] *f.* cheering; acclamation; applause. || **acclamer** [-é] *v.* to acclaim; to cheer; to applaud; to hail.
acclimatation [àklìmàtàsyo^n] *f.* acclimatization; *jardin d'acclimatation,* zoo. || **acclimater** [-é] *v.* to acclimatize; **s'acclimater,** to become acclimatized.
accointance [àkwi^{n}ta^{n}s] *f.* intimacy; *pl.* dealings; relations.
accolade [àkòlàd] *f.* accolade; embrace; brace (typogr.). || **accoler** [-é] *v.* to couple; to bracket.
accommodant [àkòmòda^n] *adj.* easy-going; accommodating; good-natured. || **accommodation** [-àsyo^n] *f.* adaptation; conversion. || **accommodement** [-ma^n] *m.* compromise; settlement; arrangement. || **accommoder** [-é] *v.* to suit; to season; to accommodate; to arrange; to adapt; to dress [repas]; **s'accommoder à,** to adapt oneself to; **s'accommoder de,** to put up with, to make the best of.
accompagnateur [àko^{n}pañàtœr] *m.* accompanist. || **accompagnement** [-ma^n] *m.* accompaniment; escorting. || **accompagner** [-é] *v.* to accompany; to convoy; to escort.
accompli [àko^{n}plì] *adj.* accomplished; finished; perfect; thorough. || **accomplir** [-ìr] *v.* to accomplish; to do; to perform; to fulfil(l); to achieve, to carry out, to finish. || **accomplissement** [-ìsma^n] *m.* accomplishment; completion; performance; fulfil(l)ment.
accord [àkòr] *m.* accord, agreement; settlement; harmony, concord; chord (mus.); tuning [radio]; *d'accord,* agreed; *mettre d'accord,* to reconcile; *se mettre d'accord,* to come to an agreement. || **accordéon** [-déo^n] *m.* accordion; *en accordéon,* pleated, crumpled up. || **accorder** [-dé] *v.* to reconcile; to grant, to concede; to admit; to harmonize; to award (jur.); to tune [piano]; **s'accorder,** to agree; to come to terms; to harmonize (*avec,* with). || **accordeur** [-dœr] *m.* tuner.
accoster [àkòsté] *v.* to come alongside, to accost; to approach.
accotement [àkòtma^n] *m.* side-path.
accouchement [àkûshma^n] *m.* delivery; child-birth; confinement. || **accoucher** [-é] *v.* to be confined; to be delivered; to deliver (med.). || **accoucheur** [-œr] *m.* obstetrician. || **accoucheuse** [-ëz] *f.* midwife.
accouder (s') [sàkûdé] *v.* to lean on one's elbows. || **accoudoir** [àkûdwàr] *m.* elbow-rest.
accouplement [àkûpl^{e}ma^n] *m.* coupling; joining; linking; pairing; mating; connection (mech.); copulation (med.). || **accoupler** [-é] *v.* to couple; to connect; to mate, to pair; to yoke; **s'accoupler,** to pair, to mate.
accourir [àkûrìr] *v.* to run up.
accoutrement [àkûtr^{e}ma^n] *m.* costume; « get-up » (fam.).
accoutumance [àkûtüma^{n}s] *f.* habit, usage. || **accoutumer** [àkûtümé] *v.* to accustom; to inure; to familiarize; **s'accoutumer à,** to get used to; *à l'accoutumée,* usually.
accréditer [àkrédìté] *v.* to accredit; to confirm; to authorize; **s'accréditer,** to gain credence. || **accréditif** [-ìf] *m.* credential.
accroc [àkrô] *m.* tear; rent; hindrance, hitch, snag (fam.). || **accrochage** [-òshàj] *m.* hooking, catching, fouling; clinch; engagement (mil.); coupling (techn.). || **accrocher** [-òshé] *v.* to hook; to hang up [tableau]; to catch on a nail; to engage (mil.); to ram (naut.); to clinch [affaire]; *accrocher quelqu'un,* to buttonhole

someone; s'accrocher, to get caught [obstacle]; to cling [à, to]; to have a set-to.
accroissement [àkrwàsmaⁿ] m. growth; increase. || **accroître** [àkrwâtr] v.* to increase; to augment; to enlarge; s'accroître, to grow, to increase.
accroupir (s') [sàkrûpir] v. to squat; to crouch.
accueil [àkœy] m. reception; greeting; welcome. || **accueillir** [-ïr] v. to greet, to welcome, to receive.
acculer [àkülé] v. to drive back; to corner; to bring to bay.
accumulateur [àkümülàtœr] m. accumulator (electr.); storage battery. || **accumulation** [-àsyoⁿ] f. accumulation. || **accumuler** [àkümülé] v. to accumulate; to amass; to hoard.
accusateur [àküzàtœr] m. accuser; prosecutor, indicter (jur.); adj. accusing. || **accusation** [-àsyoⁿ] f. charge; accusation; indictment. || **accuser** [àküzé] v. to accuse; to charge; to indict; to impute; to show up; to bring out; to indicate; to acknowledge [réception]; s'accuser, to accuse oneself; to stand out, to be prominent.
acerbe [àsèrb] adj. sour, bitter.
acéré [àséré] adj. sharp, keen, cutting. || **acérer** [-é] v. to steel; to sharpen; to edge.
achalandage [àshàlaⁿdàj] m. custom, trade, connection; goodwill. || **achalander** [-é] v. to get customers.
acharné [àshàrné] adj. eager in pursuit; inveterate, keen [joueur]; fierce, bitter [haine]; stubborn, strenuous [lutte, travail]. || **acharnement** [àshàrneᵉmaⁿ] m. relentlessness; determination; stubbornness. || **acharner** [-é] v. to flesh [chien]; s'acharner à, to go for; to work away at, to slog at.
achat [àshà] m. purchase.
acheminement [àshminmaⁿ] m. way; course; progress; forwarding; routing [marchandises]. || **acheminer** [-é] v. to direct, to forward, to route; s'acheminer, to proceed, to move.
acheter [àshté] v. to buy; to purchase. || **acheteur** [-œr] m. buyer.
achèvement [àshèvmaⁿ] m. completion, termination; conclusion. || **achever** [àshvé] v. to finish, to terminate; to complete; to do for, to finish off (fam.).
acide [àsid] m. acid; adj. acid, tart, sour. || **acidité** [àsidìté] f. acidity. || **acidulé** [-ülé] adj. acidulated; *bonbons acidulés*, acid drops.
acier [àsyé] m. steel. || **aciérie** [-rì] f. steelworks.
acompte [àkoⁿt] m. instalment; payment on account; margin.
acoustique [akûstìk] adj. acoustic; f. acoustics.
acquéreur [àkérœr] m. acquirer; buyer. || **acquérir** [-ìr] v.* to buy; to acquire; to obtain. || **acquêts** [àkè] m. pl. acquisition; windfall.
acquiescer [àkyèsé] v. to consent; to comply; to agree; to assent.
acquis [àkì] adj. devoted; acquired; *mal acquis*, ill-gotten; m. experience. || **acquisition** [-ìzìsyoⁿ] f. acquisition; purchase; pl. attainments.
acquit [àkì] m. discharge; receipt. || **acquittement** [-tmaⁿ] m. acquittal; discharge; payment. || **acquitter** [-té] v. to acquit; to discharge; to receipt [note]; s'acquitter de, to fulfil(l); to discharge; to carry out.
âcre [âkr] adj. acrid; pungent; sharp; bitter. || **acrimonieux** [âkrìmònyë] adj. acrimonious.
acrobate [àkròbàt] m. f. acrobat.
acte [àkt] m. action; act; deed; document; certificate; record; instrument, writ (jur.); *acte de décès*, death certificate; *acte de naissance*, birth certificate; *acte notarié*, notarial deed; *prendre acte de*, to take note of. || **acteur, -trice** [-œr, -trìs] m., f. actor, actress; player. || **actif** [-ìf] adj. active; busy; agile; m. assets; credit [compte]; *armée active*, regular army. || **action** [àksyoⁿ] f. action; deed; operation; engagement (mil.); share (comm.); stock; suit (jur.); *entrer en action*, to come into action; *hors d'action*, out of order; *action de grâces*, thanksgiving. || **actionnaire** [-yònèr] m. f. stockholder. || **actionner** [-yòné] v. to set in motion (mech.); to sue (jur.); to stimulate.
activer [àktìvé] v. to stir up; to quicken; to activate; to push on. || **activité** [-ìté] f. activity; action; briskness; active service.
actualité [àktüàlìté] f. actuality;

reality; *d'actualité*, of topical interest; *pl.* current events; news. || **actuel** [àktüèl] *adj.* real; current; present. || **actuellement** [-man] *adv.* now; at the present time.
acuité [àküìté] *f.* sharpness, acuteness, keenness.
adage [àdàj] *m.* saying, adage.
adaptation [àdàptàsyon] *f.* adaptation; adjustment; *faculté d'adaptation*, adaptability. || **adapter** [-é] *v.* to adapt; to adjust; **s'adapter**, to adapt oneself; to suit.
addition [àdìsyon] *f.* addition; bill; check [restaurant]. || **additionner** [-yòné] *v.* to add up; to tot up.
adepte [àdèpt] *m.* adept.
adéquat [àdékwà] *adj.* adequate.
adhérent [àdéran] *adj.* adhesive; *m.* adherent. || **adhérer** [-é] *v.* to adhere, to cling; to join [parti]. || **adhésion** [àdézyon] *f.* adherence; membership.
adieu [àdyë] *m.* farewell; good-bye; leave-taking.
adjacent [àdjàsan] *adj.* adjacent; adjoining; neighbo(u)ring.
adjectif [àdjèktìf] *m.* adjective.
adjoindre [àdjwindr] *v.** to unite; to associate; to enroll. || **adjoint** [àdjwin] *m.* associate; assistant; *adjoint au maire*, deputy mayor.
adjudant [àdjüdan] *m.* warrant officer.
adjudication [àdjüdìkàsyon] *f.* auction; allocation, award; *Br.* tender. || **adjuger** [àdjüjé] *v.* to award; to knock down [enchères].
admettre [àdmètr] *v.** to admit; to allow; to let in; to permit; to grant; to assume [supposition].
administrateur [àdmìnìstràtœr] *m.* administrator; director; guardian; manager; trustee. || **administration** [-àsyon] *f.* administration; management; direction; trusteeship; *conseil d'administration*, board of directors. || **administrer** [-é] *v.* to administer; to direct; to govern; to manage; to control.
admirable [àdmìràbl] *adj.* admirable, wonderful. || **admirateur, -trice** [-àtœr, -trìs] *m., f.* admirer. || **admiration** [-àsyon] *f.* admiration. || **admirer** [-é] *v.* to admire; to wonder at.
admis [àdmì] *adj.* admitted; accepted; conventional. || **admissible** [-sìbl] *adj.* admissible; eligible; allowable. || **admission** [-syon] *f.* admission; entry [douane].
admonester [àdmònèsté] *v.* to admonish; to reprimand.
adolescence [àdòlèsans] *f.* adolescence; youth.
adonner (s') [sàdòné] *v.* to devote oneself; to become addicted [*à*, to].
adopter [àdòpté] *v.* to adopt; to take up; to espouse [cause]; to pass [projets de loi]. || **adoption** [àdòpsyon] *f.* adoption.
adorateur [àdòràtœr] *m.* adorer; worshipper. || **adoration** [-àsyon] *f.* adoration; worship. || **adorer** [àdòré] *v.* to adore; to worship; to dote upon.
adosser [àdòsé] *v.* to back against; **s'adosser**, to lean [*à*, on].
adoucir [àdûsìr] *v.* to soften; to mellow; to smooth; to tone down; to sweeten; **s'adoucir**, to become mild. || **adoucissement** [-ìsman] *m.* softening; mollifying; appeasement; mitigation.
adresse [àdrès] *f.* address; cleverness; skill. || **adresser** [-é] *v.* to address; to direct; to recommend; **s'adresser à**, to apply to, to appeal to, to address.
adroit [àdrwâ] *adj.* skil(l)ful; deft; clever; crafty.
aduler [àdülé] *v.* to adulate; to flatter; to fawn upon.
adulte [àdült] *m., adj.* adult; grown-up.
adultère [àdültèr] *m.* adultery; adulterer; *f.* adulteress.
advenir [àdvenìr] *v.** to happen; to occur; to turn out; *advienne que pourra*, come what may.
adverbe [àdvèrb] *m.* adverb.
adversaire [àdvèrsèr] *m.* adversary; opponent; enemy; antagonist. || **adverse** [àdvèrs] *adj.* opposing; hostile; adverse. || **adversité** [-ìté] *f.* adversity.
aération [àéràsyon] *f.* airing; ventilation. || **aérer** [àéré] *v.* to aerate; to air; to ventilate. || **aérien** [-yin] *adj.* aerial; elevated. || **aérodrome** [òdròm] *m.* airdrome. || **aérogare** [-ògàr] *f.* air terminal. || **aéronautique** [-ònôtìk] *f.* aeronautics; aerial navigation. || **aéronef** [-ònèf] *m.* airship; aircraft. || **aéroplane** [-òplàn] *m.* airplane. || **aéroport** [-òpòr] *m.* airport.
affabilité [àfàbìlìté] *f.* affability. || **affable** [àfàbl] *adj.* affable.

affadir [àfàdîr] *v.* to become insipid; to make insipid.

affaiblir [àfèblîr] *v.* to weaken. || **affaiblissement** [-ìsmaⁿ] *m.* weakening; attenuation.

affaire [àfèr] *f.* affair, business; matter; engagement (mil.); case, lawsuit (jur.); duel; *pl.* things, belongings; dealings, business; *dans les affaires,* in business; *avoir affaire à,* to deal with; *avoir affaire avec,* to have business with; *cela fera l'affaire,* that will do it; *son affaire est faite,* he's done for; *chiffre d'affaires,* turnover; *affaire en instance,* pending matter. || **affairé** [-é] *adj.* busy. || **affairer (s')** [sàfèré] *v.* to be busy; to fuss; to bustle.

affaissement [àfèsmaⁿ] *m.* subsidence; depression; prostration (med.); collapse. || **affaisser** [-é] *v.* to weigh down; to overwhelm; **s'affaisser,** to sink; to sag; to give way; to become depressed; to flop.

affamé [àfàmé] *adj.* hungry; starving; famished. || **affamer** [-é] *v.* to starve.

affectation [àfèktàsyoⁿ] *f.* affectation; appropriation; mannerism, affectedness; *Am.* assignment (mil.); *Br.* posting (mil.). || **affecter** [-é] *v.* to affect; to allot; to pretend, to feign; *Am.* to assign (mil.); *Br.* to post (mil.).

affection [àfèksyoⁿ] *f.* affection; ailment, disease (med.). || **affectueux** [-tüë] *adj.* affectionate.

afférent [àféraⁿ] *adj.* relevant, applicable, pertaining.

affermer [àfèrmé] *v.* to rent; to lease; to farm out; to let.

affermir [àfèrmîr] *v.* to strengthen; to steady; to consolidate; **s'affermir,** to harden.

affichage [àfìshàj] *m.* bill-posting; flaunting (fig.). || **affiche** [àfìsh] *f.* bill, poster, placard. || **afficher** [-é] *v.* to post up; to placard; to display; to flaunt; **s'afficher,** to show off.

affiler [àfìlé] *v.* to sharpen; to whet.

affiliation [àfìlyàsyoⁿ] *f.* affiliation. || **affilier** [-yé] *v.* to affiliate.

affiner [àfìné] *v.* to refine; to improve.

affirmatif [àfìrmàtìf] *adj.* affirmative; positive. || **affirmation** [-àsyoⁿ] *f.* assertion. || **affirmative** [-àtìv] *f.* affirmative. || **affirmer** [àfìrmé] *v.* to affirm; to assert; **s'affirmer,** to assert oneself.

affleurer [àflœré] *v.* to level; to make flush; to crop out [mine].

affliction [àflìksyoⁿ] *f.* affliction. || **affliger** [àflìjé] *v.* to afflict; to distress; **s'affliger,** to grieve.

affluence [àflüaⁿs] *f.* flow, flood; affluence, abundance; crowd; *heures d'affluence,* peak, rush hours. || **affluent** [-üaⁿ] *m.* tributary [rivière]. || **affluer** [-üé] *v.* to flow; to abound; to flock; to crowd; to throng.

affolement [àfòlmaⁿ] *m.* distraction; panic. || **affoler** [-é] *v.* to madden; to drive crazy; to disturb (mech.); **s'affoler,** to fall into a panic; to get crazy (*de,* about); to spin [boussole].

affranchir [àfraⁿshîr] *v.* to free; to frank; to exempt; to prepay; to stamp [lettre]. || **affranchissement** [-ìsmaⁿ] *m.* liberation; emancipation; franking; postage.

affrètement [àfrètmaⁿ] *m.* chartering; freighting. || **affréter** [àfrété] *v.* to charter. || **affréteur** [-œr] *m.* charterer; freighter.

affreux [àfrë] *adj.* horrible; frightful; hideous; dreadful.

affront [àfroⁿ] *m.* affront; insult; snub. || **affronter** [-té] *v.* to confront; to face; to encounter; to brave.

affût [àfü] *m.* gun carriage; mount (mil.); hiding-place; *à l'affût de,* on the lookout for. || **affûter** [-té] *v.* to set; to sharpen [outil]; to grind.

afin [àfiⁿ] *adv. afin de,* in order to; *afin que,* in order that.

africain [àfrìkiⁿ] *m., adj.* African.

agaçant [àgàsaⁿ] *adj.* aggravating, provoking, annoying. || **agacement** [-maⁿ] *m.* irritation; annoyance. || **agacer** [-é] *v.* to irritate; to entice; to lead on.

âge [âj] *m.* age; period; epoch; *bas âge,* infancy; early childhood; *jeune âge,* childhood; *Moyen Age,* Middle Ages; *entre deux âges,* middle-aged; *hors d'âge,* over age; *d'un certain âge,* elderly; *quel âge a-t-il?,* how old is he? || **âgé** [-é] *adj.* aged; old; *plus âgé,* older; *le plus âgé,* the eldest.

agence [àjaⁿs] *f.* agency; bureau; branch office; *agence immobilière,* real-estate agency. || **agencer**

[-é] *v.* to arrange; to dispose; to set up; to fit up; to adjust.

agenda [àji^{n}dà] *m.* memorandum-book; agenda; diary.

agenouiller (s') [sàjnûyé] *v.* to kneel down.

agent [àja^n] *m.* agent; medium; *agent de police,* policeman, cop (fam.); *agent de change,* stock-broker; *agent de liaison,* liaison agent; **agent-voyer,** road surveyor.

agglomération [àglòméràsyo^n] *f.* agglomeration; mass; aggregation; built-up area; caking. || **aggloméré** [-é] *m.* compressed fuel; conglomerate. || **agglomérer** [-é] *v.* to agglomerate.

aggraver [àgràvé] *v.* to aggravate; to make worse; to increase [taxation]; **s'aggraver,** to grow worse.

agile [àjìl] *adj.* agile, nimble; supple. || **agilité** [-ìté] *f.* nimbleness, agility, suppleness.

agioter [àjyòté] *v.* to speculate; to gamble; to play the market.

agir [àjìr] *v.* to act; to take action; to operate; to proceed; to work; to carry on; to behave; **s'agir de,** to be a question of; to concern; *de quoi s'agit-il?,* what is it about? || **agissant** [-ìsa^n] *adj.* active, effective; drastic (med.). || **agissements** [-ìsma^n] *m. pl.* doings; goings-on, machinations. || **agitateur** [-ìtàtœr] *m.* agitator. || **agitation** [-ìtàsyo^n] *f.* agitation; shaking; tossing; waving; perturbation; excitement; restlessness; roughness [mer]. || **agiter** [-ìté] *v.* to agitate; to shake; to wave; to disturb, to excite; to discuss; **s'agiter,** to get agitated.

agneau [àñô] *m.* lamb.

agonie [àgònì] *f.* death-throes. || **agoniser** [-ìzé] *v.* to be dying; to be at one's last gasp.

agrafe [àgràf] *f.* clasp; buckle; fastening; clip; clamp; *agrafe et porte,* hook and eye. || **agrafer** [-é] *v.* to clasp; to buckle.

agraire [àgrèr] *adj.* agrarian.

agrandir [àgra^{n}dìr] *v.* to enlarge; to increase; to augment; to elevate; **s'agrandir,** to expand, to grow, to extend. || **agrandissement** [-ìsma^n] *m.* enlargement, expansion.

agréable [àgréàbl] *adj.* agreeable; pleasing; pleasant. || **agréer** [àgréé] *v.* to accept; to recognize; to approve; to suit; to please.

agrégat [àgrégà] *m.* aggregate. || **agrégation** [-syo^n] *f.* aggregation; conglomeration; binding; competitive university examination.

agrément [àgréma^n] *m.* assent, approval; pleasure, amusement; charm, gracefulness; accomplishments [arts].

agrès [àgrè] *m. pl.* rigging, tackle (naut.); apparatus [gymnastique].

agresseur [àgrèsœr] *m.* aggressor; assailant. || **agression** [-yo^n] *f.* aggression; attack; assault.

agricole [àgrìkòl] *adj.* agricultural, farming. || **agriculteur** [-ültœr] *m.* farmer; agriculturist. || **agriculture** [-ültür] *f.* agriculture; husbandry; tillage; farming.

aguerri [àgèrì] *adj.* seasoned; hardened; inured.

aguets [àgè] *m.pl.* watch, watching; *aux aguets,* on the lookout.

ahurir [àürìr] *v.* to dumbfound; to daze; to bewilder; to flabbergast. || **ahurissement** [-ìsma^n] *m.* stupefaction.

aide [èd] *f.* aid; help; assistance; rescue; *m.* aide, assistant; helper. || **aider** [-é] *v.* to aid; to help; to assist; to relieve [pauvres].

aïeul, aïeule [àyœl] (*pl.* **aïeux** [àyë]) *m.* grandfather, *f.* grandmother; *pl.* ancestors; forefathers.

aigle [ègl] *m.* eagle; genius (fig.); *f.* standard, banner.

aigre [ègr] *adj.* sour, bitter; harsh, acid, tart; **aigre-doux,** bitter-sweet. || **aigrefin** [-^{e}fi^n] *m.* sharper. || **aigreur** [-œr] *f.* sourness, bitterness; tartness; acidity; ranco(u)r. || **aigrir** [-ìr] *v.* to embitter; to make sour; **s'aigrir,** to turn sour; to become embittered.

aigrette [ègrèt] *f.* aigrette, egret, tuft, crest.

aigu [ègü] *adj.* sharp; acute; pointed; keen; shrill; piercing; critical. || **aiguille** [ègüìy] *f.* needle; hand [pendule]; point [obélisque]; *Am.* switch, *Br.* point (railw.); needle (med.); *travaux d'aiguille,* needlework. || **aiguiller** [-é] *v.* to shunt; to switch (railw.). || **aiguilleur** [-œr] *m. Am.* switchman; *Br.* pointsman. || **aiguillette** [-èt] *f.* aiguillette; shoulder-knot (mil.); strip of flesh [viande]. || **aiguil-**

lon [-oⁿ] *m.* goad; spur; stimulus; sting [guêpe]; prickle (bot.). ‖ **aiguillonner** [-òné] *v.* to spur; to stimulate; to urge on. ‖ **aiguiser** [ègüìzé] *v.* to sharpen; to whet; to point; to stimulate [appétit].

ail [ày] (*pl.* **aulx** [ô]) *m.* garlic; *gousse d'ail,* clove of garlic; *ailloli,* garlic sauce.

aile [èl] *f.* wing; pinion; sail; whip [moulin]; blade [hélice]; aisle [église]; brim [chapeau]; fluke [ancre]; *Am.* fender, *Br.* wing [auto]; vane (mech.); *rogner les ailes à,* to clip the wings of; *voler de ses propres ailes,* to stand on one's own feet. ‖ **aileron** [-roⁿ] *m.* aileron; wing flap (aviat.); pinion (mech.; zool.); fin [requin].

ailleurs [àyœr] *adv.* elsewhere; *d'ailleurs,* besides; moreover; furthermore; *par ailleurs,* incidentally.

aimable [èmàbl] *adj.* kind, amiable, pleasant, nice.

aimant [èmaⁿ] *m.* magnet; lodestone. ‖ **aimanter** [-té] *v.* to magnetize.

aimer [èmé] *v.* to love; to like; to fancy; to be fond of; *aimer mieux,* to prefer.

aine [èn] *f.* groin.

aîné [èné] *m.* elder; eldest; senior.

ainsi [iⁿsì] *adv.* thus, so; hence; therefore; *ainsi que,* as well as; *ainsi de suite,* and so on; *s'il en est ainsi,* if so; *pour ainsi dire,* so to speak; *ainsi soit-il,* amen.

air [èr] *m.* air; wind; appearance; look; tune; *avoir l'air,* to look, to seem; *courant d'air,* draft; *air de famille,* family likeness; *se donner des airs,* to put on airs.

airain [èriⁿ] *m.* brass; bronze.

aire [èr] *f.* area, space; surface; threshing floor; eyrie [aigle].

aisance [èzaⁿs] *f.* ease; comfort; sufficiency; freedom [mouvement]; *fosse d'aisances,* cesspool. ‖ **aise** [èz] *f.* ease; comfort; convenience; content; *adj.* glad; well-pleased; *être bien aise,* to be very glad; *à votre aise,* as you like; *mal à l'aise,* ill at ease. ‖ **aisé** [-é] *adj.* easy; comfortable; free; well-to-do; well-off.

aisselle [èsèl] *f.* armpit.

aîtres [ètr] *m. pl.* ins-and-outs.

ajonc [àjoⁿ] *m.* furze, gorse.

ajouré [àjûré] *adj.* perforated; openwork; pierced; fretwork.

ajournement [àjûrnᵉmaⁿ] *m.* adjournment; postponement; subpoena; deferment from draft (mil.). ‖ **ajourner** [-é] *v.* to adjourn; to postpone; to delay; to defer from draft (mil.).

ajouter [àjûté] *v.* to add, to join.

ajuster [àjüsté] *v.* to adjust; to set; to adapt; to fit; to aim at; to arrange; to settle. ‖ **ajusteur** [-œr] *m.* fitter.

alambic [àlaⁿbìk] *m.* still.

alanguissement [àlaⁿgìsmaⁿ] *m.* languor; weakness.

alarme [àlàrm] *f.* alarm. ‖ **alarmer** [-é] *v.* to frighten; to alarm; **s'alarmer,** to take fright; to be alarmed.

albâtre [àlbâtr] *m.* alabaster.

alcool [àlkòl] *m.* alcohol; spirits; *alcool à brûler,* methylated spirits. ‖ **alcoolisme** [-ìsm] *m.* alcoholism.

aléa [àléà] *m.* risk; hazard. ‖ **aléatoire** [-twàr] *adj.* risky, chancy; problematical.

alêne [àlèn] *f.* awl.

alentour [àlaⁿtûr] *adv.* around, round about; *m. pl.* neighbo(u)rhood; vicinity; surroundings.

alerte [àlèrt] *f.* alarm, warning, alert; *adj.* alert; vigilant; brisk, quick.

alevin [àlviⁿ] *m.* fry, young fish.

alezan [àlzaⁿ] *m., adj.* chestnut [cheval].

algarade [àlgàràd] *f.* scolding; dressing-down; prank, escapade.

algèbre [àljèbr] *f.* algebra. ‖ **algébrique** [-ìk] *adj.* algebraic.

Algérie [àljérì] *f.* Algeria. ‖ **algérien** [-yiⁿ] *m., adj.* Algerian.

algue [àlg] *f.* seaweed.

alibi [àlibì] *m.* alibi.

aliénation [àlyénàsyoⁿ] *f.* alienation; transfer; derangement (med.). ‖ **aliéné** [-é] *m.* lunatic, madman, maniac. ‖ **aliéner** [-é] *v.* to alienate; to unhinge; to estrange; to transfer [propriété].

alignement [àliñmaⁿ] *m.* alignment; line; dressing (mil.). ‖ **aligner** [-é] *v.* to draw up (mil.); to line up; to align; **s'aligner,** to dress (mil.); to fall into line.

aliment [àlimaⁿ] *m.* aliment; food; sustenance. ‖ **alimentation** [-tàsyoⁿ] *f.* rationing; subsistence;

food; nourishment; feeding; feed (mech.). || **alimenter** [-té] *v.* to feed; to supply (mech.).
alinéa [àlìnéà] *m.* paragraph, indentation.
aliter [àlìté] *v.* to confine to bed; to keep in bed; **s'aliter**, to take to one's bed.
alizé [àlìzé] *m.* trade wind.
allant [àlaⁿ] *m.* initiative; energy; dash; *adj.* active, busy, buoyant.
allécher [àlléshé] *v.* to allure; to attract; to tempt.
allée [àlé] *f.* alley; walk; path; drive; *allées et venues*, comings and goings.
alléger [àlléjé] *v.* to lighten; to alleviate; to relieve; to unburden.
allégorie [àllégòrì] *f.* allegory.
allègre [àllègr] *adj.* lively, cheerful. || **allégresse** [àllégrès] *f.* liveliness; cheerfulness; joy.
alléguer [àllégé] *v.* to adduce, to allege; to assign, to cite, to plead.
Allemagne [àlmàñ] *f.* Germany. || **allemand** [àlmaⁿ] *m., adj.* German.
aller [àlé] *v.** to go; to proceed; to move; *m.* departure; outward journey; one-way ticket; *aller à pied*, to walk; *aller à cheval*, to ride; *aller en voiture*, to ride, to drive; *aller en bateau*, to sail; *comment allez-vous?*, how are you?; *aller chercher*, to go for; *allons!*, come on!; *cela vous va*, it fits you, it suits you; *il y va de sa vie*, his life is at stake; *aller à la dérive*, to drift; **s'en aller**, to go away, to depart; to die; *au pis aller*, at the worst; *aller et retour*, *Am.* round-trip ticket, *Br.* return ticket.
alliage [àlyàj] *m.* alloy. || **alliance** [-yàⁿs] *f.* alliance; union; marriage; wedding ring. || **allié** [-yé] *m.* ally; kin. || **allier** [-yé] *v.* to ally; to unite; to alloy; to combine, to blend [couleurs]; **s'allier**, to ally; to alloy; to harmonize; to marry into [à une famille].
allo [àlô] *interj.* hullo; hallo.
allocation [àllòkàsyoⁿ] *f.* allocation; allowance; assignment; allotment; *allocation familiale*, family allowance.
allocution [àllòküsyoⁿ] *f.* address, speech.
allongement [àlòⁿjmaⁿ] *m.* lengthening; extension; elongation. || **allonger** [-é] *v.* to lengthen, to extend; to stretch; to elongate; to lift [tir]; **s'allonger**, to grow longer; to stretch out; to lie down at full length.
allouer [alûé] *v.* to allow; to grant; to allocate; to award.
allumage [àlümàj] *m.* kindling, lighting, ignition (mech.); *couper l'allumage*, to switch off the ignition. || **allumer** [-é] *v.* to light; to kindle; to inflame; to set fire to; to stir up [passions]; **s'allumer**, to catch fire. || **allumeur** [-œr] *m.* igniter (mech.); lighter.
allure [àlür] *f.* gait; manner; aspect; style; behavio(u)r; walk, pace; rate of march (mil.); *à toute allure*, at top speed; *régler l'allure*, to set the pace; *personne d'allures libres*, fast person.
allusion [àllüzyoⁿ] *f.* allusion, hint; *faire allusion à*, to refer to.
aloès [àlòès] *m.* aloe.
aloi [àlwà] *m.* legal tender; quality; *de bon aloi*, genuine.
alors [àlòr] *adv.* then; so; in such a case; *alors que*, whereas; *et alors?*, so what?; *alors même que*, even though.
alose [alôz] *f.* shad.
alouette [àlwèt] *f.* lark.
alourdir [àlùrdìr] *v.* to make heavy; to weigh down; to dull [esprit]; **s'alourdir**, to become heavy.
aloyau [àlwàyô] *m.* sirloin.
alphabet [àlfàbè] *m.* alphabet; reading-primer. || **alphabétique** [-étìk] *adj.* alphabetical.
alpinisme [àlpìnìsm] *m.* mountaineering. || **alpiniste** [-ìst] *m., f.* alpinist; mountain-climber.
altérable [àltéràbl] *adj.* alterable. || **altérant** [-aⁿ] *adj.* thirst-producing. || **altération** [-àsyoⁿ] *f.* adulteration; deterioration; debasement; faltering [voix]; heavy thirst [soif].
altercation [àltèrkàsyoⁿ] *f.* altercation, dispute.
altérer [àltéré] *v.* to alter; to change; to adulterate; to spoil; to fade; to make thirsty; **s'altérer**, to undergo a change; to alter; to degenerate; to deteriorate.
alternance [àltèrnaⁿs] *f.* alternation; rotation (agr.). || **alternatif** [-àtìf] *adj.* alternate, alternative. || **alternative** [-àtìv] *f.* alternative, option. || **alterner** [-é] *v.* to alternate; to rotate.

altier [àltyé] *adj.* haughty, proud. || **altitude** [-itüd] *f.* altitude, height. || **alto** [àltô] *m.* alto, viola.
aluminium [àlüminyòm] *m.* alumin(i)um.
alvéole [àlvéòl] *m.* cell [miel]; pit cavity; socket [dent]; alveolus (med.).
amabilité [àmàbilité] *f.* amiability; affability; kindness.
amadou [àmàdû] *m.* amadou; *Am.* punk; tinder. || **amadouer** [-wé] *v.* to wheedle; to soften up; to coax; to get round.
amaigrir [àmègrír] *v.* to make thin; to emaciate; to grow thin; to slim. || **amaigrissement** [-isma^{n}] *m.* growing thin; thinning down; emaciation; slimming.
amalgame [àmàlgàm] *m.* amalgam; medley. || **amalgamer** [-é] *v.* to amalgamate.
amande [àma^{n}d] *f.* almond. || **amandier** [-yé] *m.* almond-tree.
amant [àma^{n}] *m.* lover.
amarre [àmàr] *f.* mooring rope; hawser; cable. || **amarrer** [-é] *v.* to moor, to cable; to lash [cordage].
amas [àmâ] *m.* heap, pile; hoard; mass; accumulation. || **amasser** [-sé] *v.* to heap up; to amass; to hoard; **s'amasser**, to pile up, to crowd together.
amateur [àmàtœr] *m.* lover, amateur, dilettante; *amateur de musique,* music-lover.
ambages [a^{n}bàj] *f. pl.* circumlocution; *sans ambages,* forthrightly, outspokenly.
ambassade [a^{n}bàsàd] *f.* embassy. || **ambassadeur** [-œr] *m.* ambassador.
ambiance [a^{n}bya^{n}s] *f.* environment; surroundings; atmosphere.
ambigu [a^{n}bigü] *adj.* ambiguous. || **ambiguïté** [-güité] *f.* ambiguity.
ambitieux [a^{n}bisyë] *adj.* ambitious. || **ambition** [-yo^{n}] *f.* ambition.
ambre [a^{n}br] *m.* amber.
ambulance [a^{n}büla^{n}s] *f.* ambulance; surgical hospital (mil.); dressing-station. || **ambulancier** [-yé] *m.* orderly (med.). || **ambulant** [a^{n}büla^{n}] *adj.* travel(l)ing; itinerant; *marchand ambulant,* hawker, peddler.
âme [âm] *f.* soul; spirit; sentiment; heart; feeling; bore [canon]; core [cable]; soundpost [violon]; *âme damnée,* creature, tool, stooge; *grandeur d'âme,* magnanimity.
améliorer [àmélyòré] *v.* to improve; to ameliorate.
aménagement [àménàjma^{n}] *m.* arrangement; equipment; fitting up; preparation; fixtures [maison]; accommodation. || **aménager** [àménàjé] *v.* to prepare; to fit up.
amende [àma^{n}d] *f.* fine; penalty; forfeit; *amende honorable,* apology. || **amender (s')** [sàma^{n}dé] *v.* to mend one's ways; to improve; to reform.
amener [àmné] *v.* to bring; to lead; to conduct; to introduce [style]; to induce; to occasion; to haul down (naut.); to strike [pavillon]; to lower [voile]; **s'amener,** to arrive, to turn up.
aménité [àménité] *f.* charm, graciousness; *pl.* compliments.
amenuiser [àm^{e}nüizé] *v.* to pare; to whittle; **s'amenuiser,** to dwindle, to decrease.
amer [àmèr] *adj.* bitter; *m.* bitters.
américain [àmériki^{n}] *m., adj.* American. || **américaniser** [-ànizé] *v.* to Americanize. || **Amérique** [àmérìk] *f.* America.
amerrir [àmérír] *v.* to alight on the water (aviat.).
amertume [àmèrtüm] *f.* bitterness.
ameublement [àmëbl^{e}ma^{n}] *m.* furniture; furnishings.
ameuter [àmëté] *v.* to train [chiens]; to stir up, to rouse [foule]; **s'ameuter,** to assemble.
ami [àmì] *m.* friend; *petite amie,* mistress. || **amiable** [àmyàbl] *adj.* amicable, friendly; *à l'amiable,* amicably, by private contract.
amiante [àmya^{n}t] *f.* asbestos.
amical [àmikàl] *adj.* friendly; amicable.
amidon [àmido^{n}] *m.* starch. || **amidonner** [-òné] *v.* to starch.
amincir [àmi^{n}sír] *v.* to thin, to reduce; **s'amincir,** to slenderize, to slim.
amiral [àmiràl] *m.* admiral; flagship; **contre-amiral,** rear admiral. || **amirauté** [àmirôté] *f.* admiralship; admiralty; *Br.* Admiralty House.
amitié [amityé] *f.* friendship; affection; kindness; *mes amitiés à,* my kindest regards to.
ammoniac [àmònyàk] *m.* ammonia; *adj.* ammoniacal.

amnésie [àmnézî] *f.* amnesia.
amnistie [àmnìstî] *f.* amnesty.
amoindrir [àmwiⁿdrîr] *v.* to lessen; to reduce; to depreciate; to belittle; **s'amoindrir**, to diminish.
amollir [àmòlîr] *v.* to soften; to unman; to enervate; to weaken.
amonceler (s') [sàmoⁿslé] *v.* to heap up. || **amoncellement** [àmoⁿsèlmaⁿ] *m.* accumulation, heap.
amont [àmoⁿ] *m.* upstream water; head waters; *en amont*, upriver.
amorçage [àmòrsàj] *m.* priming [canon]; capping [obus]; starting (electr.); baiting [poisson]. || **amorce** [àmòrs] *f.* primer; priming; percussion cap; fuze (electr.); detonator; beginning (fig.). || **amorcer** [-é] *v.* to prime [canon]; to start; to embark upon; to bait [poisson].
amorphe [àmòrf] *adj.* amorphous, shapeless; flabby; slack.
amortir [àmòrtîr] *v.* to deaden [son, douleur]; to muffle; to subdue; to absorb [choc]; to pay off [argent]; to amortize. || **amortissement** [-ìsmaⁿ] *m.* abatement; deadening; absorption [choc]; redemption [finance]; soundproofing [son]; *fonds d'amortissement*, sinking funds. || **amortisseur** [-ìsœr] *m.* snubber; shock-absorber; shock-snubber; fender; dashpot; damper (electr.).
amour [àmûr] *m.* love; affection; passion; *f. pl. premières amours*, calf-love; *mal d'amour*, lovesickness; **amour-propre**, self-pride; self-respect; (*faire l'amour* does not mean « make love », and is not in polite use). || **amouracher (s')** [sàmûràshé] *v.* to fall in love (*de*, with), to fall for. || **amourette** [àmûrèt] *f.* passing fancy, crush. || **amoureux** [-ë] *adj.* loving, enamoured; *m.* lover, sweetheart.
amovible [àmòvìbl] *adj.* revocable [poste]; removable; detachable.
amphithéâtre [aⁿfìtéâtr] *m.* amphitheater; *Br.* amphitheatre.
ample [aⁿpl] *adj.* broad; ample; wide; spacious. || **ampleur** [-œr] *f.* width; fullness; intensity; volume. || **ampliation** [-làsyoⁿ] *f.* amplification; certified copy (jur.). || **amplificateur** [-ìfìkàtœr] *m.* amplifier [radio]; enlarger (phot.); *adj.* magnifying, amplifying. || **amplifier** [-ìfyé] *v.* to amplify, to magnify; to enlarge. || **amplitude** [-ìtüd] *f.* amplitude; vastness; extent; scope.
ampoule [aⁿpûl] *f.* ampulla; phial; bulb (electr.); blister (med.).
amputation [aⁿpütàsyoⁿ] *f.* amputation. || **amputer** [-é] *v.* to amputate; to curtail.
amusant [àmüzaⁿ] *adj.* amusing, diverting. || **amusement** [-maⁿ] *m.* amusement; entertainment; diversion; recreation. || **amuser** [-é] *v.* to amuse; to divert; to fool [créanciers]; **s'amuser**, to amuse oneself, to have a good time; to enjoy oneself.
amygdale [àmìdàl] *f.* tonsil.
an [aⁿ] *m.* year; *avoir six ans*, to be six years old; *le jour de l'an*, New Year's day; *bon an mal an*, taking one year with another; *l'an dernier*, last year.
anachorète [ànàkòrèt] *m.* anchorite, hermit.
anachronique [ànàkrònìk] *adj.* anachronistic. || **anachronisme** [-ìsm] *m.* anachronism.
analgésie [ànàljézî] *f.* analgesia. || **analgésique** [-ìk] *adj.* analgesic.
analogie [ànàlòjî] *f.* analogy. || **analogique** [-ìk] *adj.* analogical. || **analogue** [ànàlòg] *adj.* analogous, similar.
analyse [ànàlîz] *f.* analysis. || **analyser** [-ìzé] *v.* to analyze. || **analytique** [ànàlìtìk] *adj.* analytical.
ananas [ànànâ] *m.* pineapple.
anarchie [ànàrshî] *f.* anarchy. || **anarchiste** [-ìst] *m., f.* anarchist.
anatomie [ànàtòmî] *f.* anatomy.
ancestral [aⁿsèstràl] *adj.* ancestral. || **ancêtre** [aⁿsètr] *m.* ancestor; forefather, forbear; gaffer.
anchois [aⁿshwâ] *m.* anchovy.
ancien [aⁿsyiⁿ] *adj.* ancient; old; elder; former; senior; early; past; bygone; *ancien élève*, alumnus; *Br.* old boy; **anciennement**, formerly. || **ancienneté** [aⁿsyènté] *f.* seniority; oldness; antiquity.
ancrage [aⁿkràj] *m.* anchoring; anchorage. || **ancre** [aⁿkr] *f.* anchor; brace [construction]; *jeter l'ancre*, to cast anchor; *lever l'ancre*, to weigh anchor. || **ancrer** [-é] *v.* to anchor; to brace; to tie; to secure; **s'ancrer**, to establish oneself, to dig in.
andain [aⁿdiⁿ] *m.* swath.

andouille [a^{n}dûy] *f.* chitterlings; (pop.) fool, boob, ninny.
âne [ân] *m.* ass, donkey; *bonnet d'âne*, dunce's cap; *coup de pied de l'âne*, last straw; *dos d'âne*, ridge.
anéantir [ànéa^{n}tîr] *v.* to annihilate; to exhaust; to overwhelm; to blast; to destroy. ‖ **anéantissement** [-ìsma^n] *m.* annihilation; destruction; ruin; prostration.
anecdote [ànèkdòt] *f.* anecdote.
anémie [ànémî] *f.* an(a)emia. ‖ **anémier** [-yé] *v.* to make an(a)emic. ‖ **anémique** [-ìk] *adj.* an(a)emic.
ânerie [ânrî] *f.* stupidity. ‖ **ânesse** [-ès] *f.* she-ass.
anesthésie [ànèstézî] *f.* an(a)esthesia. ‖ **anesthésier** [-yé] *v.* to an(a)esthetize.
anévrisme [ànévrìsm] *m.* aneurism.
anfractuosité [a^{n}fràktüòzìté] *f.* anfractuosity; sinuosity; winding [route]; rugged outlines [terrain].
ange [a^{n}j] *m.* angel; *être aux anges*, to walk on air. ‖ **angélique** [-élìk] *adj.* angelic; *f.* angelica.
angine [a^{n}jìn] *f.* tonsillitis; quinsy; angina (med.).
anglais [a^{n}glè] *m.* English; Englishman; English language; *adj.* English.
angle [a^{n}gl] *m.* angle; corner; quoin [bâtiment]; edge [outil]; *angle visuel*, angle of vision.
Angleterre [a^{n}gl^{e}tèr] *f.* England. ‖ **anglican** [a^{n}glìka^n] *m., adj.* Anglican. ‖ **angliciser** [-ìsìzé] *v.* to anglicize. ‖ **anglo-normand** [a^{n}glônòrma^n] *adj.* Anglo-Norman; *les îles anglo-normandes*, the Channel Isles. ‖ **anglophile** [-fìl] *m., adj.* Anglophil(e); pro-English. ‖ **anglo-saxon** [-sàkso^n] *m., adj.* Anglo-Saxon; Anglo-American.
angoisse [a^{n}gwàs] *f.* anguish; agony; spasm; distress; anxiety; *poire d'angoisse*, choke-pear. ‖ **angoisser** [-é] *v.* to anguish, to distress.
anguille [a^{n}gìy] *f.* eel; *anguille de mer* (*congre*), conger.
angulaire [a^{n}güler] *adj.* angular; *pierre angulaire*, cornerstone. ‖ **anguleux** [-ë] *adj.* angular.
animal [ànìmàl] *m.* animal, beast; *adj.* animal, brutish.
animateur [ànìmàtœr] *m.* animator; moving spirit; *adj.* animating, life-giving. ‖ **animation** [-àsyo^n] *f.* animation, liveliness; excitement; quickening. ‖ **animer** [ànìmé] *v.* to animate; to quicken; to enliven; to stir up. ‖ **animosité** [ànìmòzìté] *f.* animosity; hostility; spite.
anis [ànì] *m.* aniseed.
ankylose [a^{n}kìlôz] *f.* anchylosis; cramp; stiffness. ‖ **ankyloser** [-é] *v.* to stiffen.
annales [ànnàl] *f. pl.* records, annals.
anneau [ànô] *m.* ring; link; ringlet; hoop; *anneau brisé*, split ring.
année [àné] *f.* year.
anneler [ànlé] *v.* to curl [cheveux]; to ring [porc].
annexe [ànnèks] *f.* annex; appendix; enclosure; supplement; *adj.* annexed, enclosed; *lettre annexe*, covering letter. ‖ **annexer** [-é] *v.* to annex. ‖ **annexion** [-yo^n] *f.* annexation.
annihiler [ànnìlé] *v.* to annihilate; to annul.
anniversaire [ànìvèrsèr] *m.* anniversary, birthday.
annonce [àno^{n}s] *f.* announcement; publication; advertisement; notification; banns. ‖ **annoncer** [-é] *v.* to announce; to declare; to proclaim; to usher in; to presage; to foretell; to advertize; *s'annoncer bien*, to be promising. ‖ **annonceur** [-œr] *m.* advertizer; announcer [radio]. ‖ **annoncier** [-yé] *m.* advertizing agent.
annotation [ànnòtàsyo^n] *f.* annotation; note. ‖ **annoter** [-é] *v.* to annotate.
annuaire [ànnüèr] *m.* yearbook; directory; annual; almanac; *annuaire du téléphone*, telephone directory. ‖ **annuel** [ànnüèl] *adj.* annual; yearly. ‖ **annuité** [ànnüìté] *f.* annuity.
annulaire [ànnüler] *adj.* annular; ring-shaped; *m.* fourth finger; ring-finger.
annulation [ànnülàsyo^n] *f.* cancellation; annulment. ‖ **annuler** [-é] *v.* to annul; to repeal; to nullify; to cancel; to rescind.
anoblir [ànòblîr] *v.* to ennoble; *Br.* to raise to the peerage. ‖ **anoblissement** [-ìsma^n] *m.* ennoblement.
anodin [ànòdi^n] *adj.* anodyne; mild; harmless.
anomalie [ànòmàlî] *f.* anomaly.
ânon [âno^n] *m.* ass's foal; (fam.) fool. ‖ **ânonner** [ânòné] *v.* to drone, to mumble.

anonymat [ànònìmà] *m.* anonymity. || **anonyme** [-ìm] *adj.* anonymous, nameless; Inc. Ltd. (comm.).
anormal [ànòrmàl] *adj.* abnormal.
anse [aⁿs] *f.* handle; ear [pot]; loop [corde]; creek; cove (geogr.).
antagonisme [aⁿtàgònìsm] *m.* antagonism. || **antagoniste** [-ìst] *m.* antagonist.
antan [aⁿtaⁿ] *m.* yesteryear.
antécédent [aⁿtésédaⁿ] *m.* antecedent; *adj.* previous.
antenne [aⁿtèn] *f.* aerial; antenna; feeler; lateen yard (naut.); branch line (railw.).
antérieur [aⁿtéryœr] *adj.* previous; former; anterior; prior. || **antériorité** [-iòrìté] *f.* priority.
anthracite [aⁿtràsìt] *m.* anthracite; stone coal.
anthrax [aⁿtràks] *m.* anthrax.
anthropophage [aⁿtròpòfàj] *m.* cannibal. || **anthropophagie** [-ì] *f.* cannibalism.
antiaérien [aⁿtìàéryiⁿ] *adj.* antiaircraft.
antichambre [aⁿtìshaⁿbr] *f.* anteroom; waiting room; *faire antichambre chez,* to dance attendance on.
antichar [aⁿtìshàr] *m.* antitank weapon; *adj.* antitank.
anticipation [aⁿtìsìpàsyoⁿ] *f.* anticipation; encroachment; *par anticipation,* in advance. || **anticiper** [-é] *v.* to anticipate; to forestall; to encroach.
antidérapant [aⁿtìdéràpaⁿ] *adj.* non-skidding, non-slipping; *m.* non-skid tire.
antidote [aⁿtìdòt] *m.* antidote.
antienne [aⁿtyèn] *f.* anthem; antiphon; story (fam.).
antigel [aⁿtìjèl] *m.* antifreeze.
antigivre [aⁿtìjìvr] *m.* de-icer; de-icing.
Antilles [aⁿtìy] *f. pl.* West Indies; *mer des Antilles,* Caribbean Sea.
antilope [aⁿtìlòp] *f.* antelope.
antiparasites [aⁿtìpàràzìt] *m.* suppressor [télévision].
antipathie [aⁿtìpàtì] *f.* antipathy, aversion. || **antipathique** [-ìk] *adj.* unlikable.
antipodes [aⁿtìpòd] *m.pl.* antipodes.
antiquaire [aⁿtìkèr] *m.* antiquary; antique-dealer. || **antique** [aⁿtìk] *adj.* antique, ancient. || **antiquité** [-ìté] *f.* antiquity.
antiseptique [aⁿtìsèptìk] *m., adj.* antiseptic.
antre [aⁿtr] *m.* den; lair.
anxiété [aⁿksyété] *f.* anxiety; concern. || **anxieux** [-yë] *adj.* anxious; uneasy.
aorte [àòrt] *f.* aorta.
août [û] *m.* August.
apache [àpàsh] *m.* apache; tough, hooligan, hoodlum.
apaisement [àpèzmaⁿ] *m.* appeasement; quieting; calming. || **apaiser** [-é] *v.* to appease; to pacify; to calm; to soothe; to allay; to lull; to satisfy [faim]; to quench [soif]; to assuage [douleur]; *s'apaiser,* to subside; to quieten down; to cool down [colère].
apanage [àpànàj] *m.* appanage.
aparté [àpàrté] *m.* aside; private conversation.
apathie [àpàtì] *f.* apathy. || **apathique** [-ìk] *adj.* apathic.
apatride [àpàtrìd] *m.* stateless person.
apercevoir [àpèrsᵉvwàr] *v.** to perceive; to catch sight of; to glimpse; *s'apercevoir,* to realize, to be aware of, to notice. || **aperçu** [àpèrsü] *m.* glimpse; insight; summary; outline; approximation; rough estimate.
apéritif [àpéritìf] *m.* appetizer.
aphone [àfòn] *adj.* voiceless.
aphte [àft] *m.* aphta; gum-boil.
apiculteur [àpìkültœr] *m.* beekeeper. || **apiculture** [-ür] *f.* apiculture; beekeeping.
apitoiement [àpìtwàmaⁿ] *m.* compassion. || **apitoyer** [-àyé] *v.* to arouse pity in; to move; *s'apitoyer,* to feel pity.
aplanir [àplànìr] *v.* to level; to smooth; to plane; to iron out, to be removed [difficultés].
aplatir [àplàtìr] *v.* to flatten; to clench [rivet]; to plaster down [cheveux]; to knock out [personne]; *s'aplatir,* to flatten out; to collapse.
aplomb [àploⁿ] *m.* equilibrium; perpendicularity; uprightness; balance; self-possession; coolness; cheek; stand [cheval]; *d'aplomb,* vertical, plumb, steady; *ça vous remettra d'aplomb,* that will set you up.
apogée [àpòjé] *m.* apogee; zenith; peak.
apologétique [àpòlòjétìk] *f.* apolo-

getics. || **apologie** [-ī] *f.* apologia, vindication, defense.
apoplexie [àpòplèksī] *f.* apoplexy; cerebral hemorrhage; *attaque d'apoplexie,* stroke.
apostasie [àpòstàzī] *f.* apostasy; *Br.* ratting (fam.). || **apostasier** [-àzyé] *v.* to apostatize; to abandon. || **apostat** [-à] *m.* apostate.
apostille [àpòstīy] *f.* note, sidenote. || **apostiller** [-īyé] *v.* to annotate; to endorse [requête].
apostolat [àpòstòlà] *m.* apostolate. || **apostolique** [-ìk] *adj.* apostolic; papal.
apostrophe [àpòstròf] *f.* apostrophe; reprimand. || **apostropher** [-é] *v.* to apostrophize; to scold.
apôtre [apôtr] *m.* apostle; *bon apôtre,* hypocrite.
apparaître [àpàrètr]*v.*° to appear; to come into sight; to become visible. || **apparat** [-à] *m.* show, pomp, display.
appareil [àpàrèy] *m.* apparatus; plant; machine; mechanism; instrument; device; plane (aviat.); camera (phot.); telephone; appliance (surg.); show, pomp, display. || **appareillage** [-àj] *m.* fitting up; installation; preparation; outfit; equipment; accessories; getting under way (naut.); matching [couleurs]; pairing, mating. || **appareiller** [-é] *v.* to install; to fit up; to spread [filet]; to trim [voile]; to get under way (naut.); **s'appareiller,** to pair.
apparence [àpàraⁿs] *f.* appearance; semblance; likelihood; trace; *sauver les apparences,* to save face, to keep up appearances. || **apparent** [-aⁿ] *adj.* visible; noticeable; apparent; conspicuous; *peu apparent,* inconspicuous.
apparenter [àpàraⁿté] *v.* to connect; to ally [mariage].
appariteur [àpàritœr] *m.* usher; beadle; laboratory assistant. || **apparition** [-ìsyoⁿ] *f.* apparition; appearance; vision.
appartement [àpàrtᵉmaⁿ] *m.* flat; apartment; rooms; quarters.
appartenir [àpàrtᵉnīr] *v.*° to belong; to suit; to concern; to fit; to appertain to; **s'appartenir,** to be one's own master.
appât [apâ] *m.* bait; allurement; *pl.* attraction; feminine charms. || **appâter** [-té] *v.* to lure with bait; to entice; to cram [oie].
appauvrir [àpôvrīr] *v.* to impoverish; to thin [vin]; **s'appauvrir,** to become impoverished.
appel [àpèl] *m.* appeal, call; roll call; callover; summons; muster (mil.); *appel téléphonique,* telephone call; *faire l'appel,* to call the roll; *faire appel à,* to appeal to; to call on; *interjeter appel,* to lodge an appeal; *juger en appel,* to hear on appeal (jur.). || **appeler** [àplé] *v.* to call; to name; to summon; to call in; to call for; to hail; to require; to send for; to draft (mil.); *en appeler à,* to appeal to; **s'appeler,** to be called; to be named; *je m'appelle Jean,* my name is John. || **appellation** [àpèllàsyoⁿ] *f.* name; term; nomenclature.
appendice [àpiⁿdìs] *m.* appendix (med.); supplement; annex; appendage. || **appendicite** [-ìt] *f.* appendicitis.
appentis [àpaⁿtì] *m.* lean-to, penthouse; shed; out-house.
appesantir [àpᵉzaⁿtīr] *v.* to make heavy; to weigh down; **s'appesantir,** to grow heavy; to dwell on.
appétissant [àpétìsaⁿ] *adj.* appetizing. || **appétit** [-ì] *m.* appetite.
applaudir [àplôdīr] *v.* to applaud; to clap; to approve; to praise; to acclaim; to compliment; to commend. || **applaudissements** [-ìsmaⁿ] *m. pl.* applause; clapping; cheers; acclamation.
applicable [àplikàbl] *adj.* applicable, appropriate. || **application** [-àsyoⁿ] *f.* application; assiduity; diligence; industry; sedulousness; laying-on; *mettre en application,* to apply; to administer. || **applique** [àplìk] *f.* ornament; wall bracket; bracket candlestick, sconce; mounting, setting. || **appliquer** [-é] *v.* to apply; to put on, to lay on; to put to use; to carry out; **s'appliquer,** to apply; to apply oneself; to devote oneself (*à,* to); to work hard (*à,* at).
appoint [àpwiⁿ] *m.* addition; contribution; odd money; balance. || **appointements** [-tmaⁿ] *m. pl.* salary; emoluments. || **appointer** [-té] *v.* to put on salary; to pay a salary to; to sharpen [crayon].
appontement [àpoⁿtmaⁿ] *m.* wooden

pier; flying bridge; landing stage. || **apponter** [-*é*] *v.* to deck-land (aviat.).

apport [àp*ò*r] *m.* contribution; share [capital]; deposit; bringing up (mil.). || **apporter** [-*té*] *v.* to bring; to fetch; to supply; to provide; to produce; to cause.

apposer [àpôz*é*] *v.* to affix; to place; to add; to stick [affiche]; to insert. || **apposition** [-ìsy*o*ⁿ] *f.* affixing; apposition.

appréciable [àprésy*à*bl] *adj.* appreciable. || **appréciation** [-yàsy*o*ⁿ] *f.* appreciation; estimation; estimate; valuation. || **apprécier** [-y*é*] *v.* to appraise; to estimate; to appreciate; to value; to esteem.

appréhender [àpréaⁿd*é*] *v.* to apprehend; to dread, to fear; to arrest. || **appréhension** [-sy*o*ⁿ] *f.* apprehension; fear; dread; arrest.

apprendre [àpr*a*ⁿdr] *v.** to learn; to inform; to find out; to teach; *ça t'apprendra,* serve you right.

apprenti [àpraⁿt*ì*] *m.* apprentice; beginner. || **apprentissage** [-s*à*j] *m.* apprenticeship; articles.

apprêt [àpr*è*] *m.* preparation; dressing [nourriture]; finish (techn.); sizing [encollage]; affectation, « frills ». || **apprêtage** [-tàj] *m.* dressing; sizing (techn.). || **apprêter** [-t*é*] *v.* to prepare; to dress; to finish; to prime; to cook; **s'apprêter,** to get ready; to be imminent, to be « cooking » (fam.).

apprivoiser [àprìvwàz*é*] *v.* to tame; to domesticate; **s'apprivoiser,** to grow tame; to become more sociable; to get used (*avec,* to).

approbateur [àpr*ò*bàtœr] *adj.* approving, approver. || **approbatif** [-àt*ì*f] *adj.* approving. || **approbation** [-àsy*o*ⁿ] *f.* approval; approbation; consent.

approchable [àpròsh*à*bl] *adj.* approachable, accessible. || **approchant** [-*a*ⁿ] *adj.* approximating. || **approche** [àpr*ò*sh] *f.* approach; advance; oncoming. || **approcher** [-*é*] *v.* to approach; to draw near; to bring up; **s'approcher de,** to draw near to.

approfondi [àpr*ò*f*o*ⁿdì] *adj.* elaborate; careful; extensive; thorough. || **approfondir** [-ìr] *v.* to deepen; to master; to fathom; to excavate; to go deeply into.

appropriation [àpròprìàsy*o*ⁿ] *f.* appropriation; embezzlement; allocation; adaptation. || **approprier (s')** [sàpròprìy*é*] *v.* to appropriate.

approuver [àprûv*é*] *v.* to approve; to agree to; to consent to; to authorize.

approvisionnement [àpròvìzyònm*a*ⁿ] *m.* supplying; supplies (mil.); victualing, catering; stock; store; provisioning. || **approvisionner** [-*é*] *v.* to supply; to feed (mil.); to store; to victual; **s'approvisionner,** to get in supplies.

approximatif [àpr*ò*ksìmàt*ì*f] *adj.* approximate; approximative.

appui [àpü*ì*] *m.* support; backing; prop; stay; bearing (mech.); *documents à l'appui,* supporting documents; *être sans appui,* to be unprotected; to be friendless; *appui de fenêtre,* window-sill; *point d'appui,* fulcrum, purchase; **appui-bras,** arm-rest. || **appuyer** [-y*é*] *v.* to support; to strengthen; to second; to lean; to stress; **s'appuyer sur,** to lean against; to rest on; to depend on; to rely on.

âpre [âpr] *adj.* rough, harsh; bitter, tart; peevish, severe; ruthless.

après [àpr*è*] *prep.* after; *adv.* afterwards; later; *d'après,* according to; *après que,* after; *après tout,* after all; **après-demain,** the day after to-morrow; **après-dîner,** evening; **après-midi,** afternoon.

âpreté [âpr*ᵉ*t*é*] *f.* roughness; bitterness; sharpness; asperity; acrimony; sourness; tartness.

apte [àpt] *adj.* fit, apt; suitable; qualified; appropriate. || **aptitude** [-ìtüd] *f.* aptitude; capacity; turn (*à,* for); qualification; fitness; efficiency; qualities.

apurement [àpürm*a*ⁿ] *m.* audit. || **apurer** [àpür*é*] *v.* to audit.

aquarelle [àkwàr*è*l] *f.* water colo(u)r. || **aquarelliste** [-*ì*st] *m., f.* watercolo(u)rist.

aquarium [àkwàry*ò*m] *m.* aquarium. || **aquatique** [-àt*ì*k] *adj.* aquatic; watery, marshy.

aqueduc [akd*ü*k] *m.* aqueduct; culvert; conduit.

arabe [àr*à*b] *m. f., adj.* Arab; Arabic; Arabian.

arabesque [àràb*è*sk] *f.* arabesque.

arable [àr*à*bl] *adj.* arable; tillable.

arachide [àràsh*ì*d] *f.* groundnut, peanut.

araignée [arèñé] *f.* spider; grapnel.

arbitrage [àrbìtràj] *m.* arbitration; arbitrage (comm.). || **arbitraire** [-èr] *adj.* arbitrary; despotic; discretionary; lawless; *m.* good pleasure, discretion. || **arbitre** [àrbìtr] *m.* arbitrator; adjudicator; referee, umpire; disposer; *libre arbitre,* free-will. || **arbitrer** [-é] *v.* to arbitrate; to umpire, to referee.

arborer [àrbòré] *v.* to raise; to erect; to set up; to hoist [pavillon]; to step [mât]; to flaunt, to sport.

arboriculteur [àrbòrìkültœr] *m.* arboriculturist, nurseryman. || **arbre** [àrbr] *m.* tree; arbor, shaft, spindle, axle (mech.). || **arbrisseau** [-ìsô] *m.* shrub; sapling. || **arbuste** [àrbüst] *m.* shrub.

arc [àrk] *m.* bow; arch; arc [cercle]; *tir à l'arc,* archery; **arc-boutant,** flying-buttress; prop, stay; **arc-en-ciel,** rainbow. || **arceau** [àrsô] *m.* arch; croquet hoop.

archaïque [àrkàìk] *adj.* archaic.

arche [àrsh] *f.* ark; arch [pont].

archéologie [àrkéòlòjî] *f.* arch(a)eology. || **archéologue** [-òg] *m.* arch(a)eologist.

archet [arshè] *m.* bow.

archevêché [àrsh^{e}vèshé] *m.* archbishopric; archbishop's palace. || **archevêque** [-èk] *m.* archbishop.

archipel [àrshìpèl] *m.* archipelago.

architecte [àrshìtèkt] *m.* architect. || **architecture** [-ür] *f.* architecture.

archives [àrshîv] *f.* archives, records.

arçon [àrso^n] *m.* saddlebow.

ardemment [àrdàma^n] *adv.* ardently, eagerly. || **ardent** [àrda^n] *adj.* burning; hot; scorching; eager, fervent; ardent, passionate. || **ardeur** [-œr] *f.* ardo(u)r; heat; earnestness; eagerness; spirit, mettle.

ardoise [àrdwàz] *f.* slate. || **ardoisière** [-yèr] *f.* slate quarry.

ardu [àrdü] *adj.* steep; abrupt; arduous; difficult, knotty.

arène [àrèn] *f.* arena; *pl.* amphitheater; *Br.* amphitheatre.

arête [àrèt] *f.* fishbone; crest, ridge; chamfer [moulure]; angle.

argent [àrja^n] *m.* silver; money; *argent comptant,* cash; *argent disponible,* available money; *argent liquide,* ready money; *argent monnayé,* silver currency. || **argenterie** [-trî] *f.* silver, silver-plate, silverware.

argile [àrjìl] *f.* clay; *argile réfractaire,* fireclay.

argot [àrgô] *m.* slang. || **argotique** [-òtìk] *adj.* slangy.

arguer [àrgüé] *v.* to deduce; to argue; to plead; to allege. || **argument** [-üma^n] *m.* argument, reasoning; evidence; summary, outline. || **argumenter** [-üma^{n}té] *v.* to argue. || **argutie** [-üsî] *f.* quibble, cavil.

aride [arìd] *adj.* arid, dry; sterile; barren. || **aridité** [-ìté] *f.* aridity.

aristocratie [àrìstôkràsî] *f.* aristocracy.

arithmétique [àrìtmétìk] *f.* arithmetic.

arlequin [àrl^{e}ki^n] *m.* harlequin; *en arlequin,* in motley.

armateur [àrmàtœr] *m.* ship outfitter; ship owner. || **armature** [-ür] *f.* frame; brace; armature (electr.); key signature (mus.); backbone, core (fig.). || **arme** [àrm] *f.* weapon, arm; branch of the service; *à armes égales,* on equal terms; *arme de choc,* striking weapon; *être sous les armes,* to be under arms; *faire des armes,* to fence; *faire ses premières armes,* to make one's first campaign; *passer par les armes,* to shoot; *prise d'armes,* military review, parade. || **armée** [àrmé] *f.* army; *armée de l'air,* air force; *armée de mer,* navy, fleet, sea forces; *armée de terre,* land forces; *zone des armées,* theater of operations. || **armement** [àrm^{e}ma^n] *m.* armament, arming; equipment; commissioning (naut.); manning (techn.); loading, cocking [armes]. || **armer** [àrmé] *v.* to arm; to equip; to fortify; to man, to commission (naut.); to load [canon]; to cock [arme à feu]; to mount [machine]; to wind (electr.); to set [appareil]. || **armistice** [-ìstìs] *m.* armistice.

armoire [àrmwàr] *f.* wardrobe; locker; cupboard.

armoiries [àrmwàrî] *f.* arms, armorial bearings; coat of arms. || **armorier** [àrmòryé] *v.* to emblazon.

armure [àrmür] *f.* armo(u)r;

weave (techn.). || **armurier** [-yé] *m.* armo(u)rer; gunsmith.
aromate [àròmàt] *m.* aromatic, spice. || **aromatiser** [-ìzé] *v.* to give flavo(u)r, aroma (*à*, to).
arôme [àrôm] *m.* aroma, flavo(u)r.
arpent [àrpa^n] *m.* acre. || **arpentage** [-tàj] *m.* land surveying; land measuring; survey. || **arpenteur** [-tœr] *m.* land surveyor.
arquer [àrké] *v.* to bend; to arch; to curve; to camber.
arrachage [àràshàj] *m.* pulling up, uprooting. || **arracher** [àràshé] *v.* to tear out, to tear away; to pull out; to extract; to draw [dents]; to wrench [clou]; to strip; to extort; **d'arrache-pied,** unremittingly, at a stretch.
arraisonnement [àrèzònma^n] *m.* boarding; hailing; visiting of a ship. || **arraisonner** [àrèsòné] *v.* to board, to visit (naut.).
arrangement [àra^{n}jma^n] *m.* arrangement; adjustment; ordering; agreement, terms; understanding. || **arranger** [-é] *v.* to arrange, to adjust; to set in order; to get up, to organize; to settle [querelle]; to fit, to be convenient; **s'arranger,** to manage, to contrive; to come to terms, to settle matters (*avec,* with).
arrérages [àréràj] *m. pl.* arrears.
arrestation [àrèstàsyo^n] *f.* arrest; apprehension. || **arrêt** [arè] *m.* stop, stoppage, stopping, halt; interruption; sentence, award, judgment, attachment (jur.); detention; seizure; *aux arrêts,* under arrest; *arrêt de mort,* death sentence; *chien d'arrêt,* pointer; *maison d'arrêt,* prison; *prononcer un arrêt,* to pass sentence. || **arrêté** [-té] *m.* decision; order; ordinance; decree; by-law; *adj.* decided, determined; settled. || **arrêter** [-té] *v.* to stop, to check; to arrest; to fix, to fasten; to draw up, to determine, to decide; to settle [comptes]; to engage, to hire [employé, chambre]; to cast off [maille]; **s'arrêter,** to stop; to halt; to pause; to cease.
arrhes [àr] *f. pl.* earnest money; deposit.
arrière [àryèr] *m.* rear [armée]; stern (naut.); back part; *à l'arrière,* aft; *en arrière,* behind; backward(s); in arrears; **arrière-garde,** rear-guard; **arrière-goût,** aftertaste; **arrière-grand-mère,** great-grandmother; **arrière-pensée,** ulterior motive; **arrière-plan,** background; **arrière-saison,** *Am.* late fall, *Br.* late autumn; **arrière-train,** back, rear part [véhicule]; trailer; hind quarters [animal].
arrimer [àrìmé] *v.* to stow (naut.); to trim; to pack (aviat.).
arrivage [àrivàj] *m.* arrival; new consignment [marchandises]. || **arrivée** [-é] *f.* arrival [personne]; coming; inlet, intake (techn.); winning post. || **arriver** [-é] *v.* to arrive, to come; to happen; *en arriver à,* to come to; *arriver à,* to succeed in, to manage to. || **arriviste** [-ìst] *m., f.* pusher, thruster, climber.
arrogance [àròga^{n}s] *f.* arrogance; haughtiness. || **arrogant** [-ga^n] *adj.* arrogant, overbearing. || **s'arroger** [sàròjé] *v.* to arrogate, to assume [privilège].
arrondir [aro^{n}dìr] *v.* to make round; to round off; to rub down [angles]; to round [période]; **s'arrondir,** to become round, to fill out. || **arrondissement** [-ìsma^n] *m.* rounding off; district, ward [ville].
arrosage [àròzàj] *m.* watering, wetting; moistening; sprinkling; irrigation; basting; dilution [vin]. || **arroser** [-é] *v.* to water; to wet; to moisten; to sprinkle; *ça s'arrose,* that calls for celebration. || **arrosoir** [-wàr] *m.* watering van; watering can; sprinkler.
arsenal [àrs^{e}nàl] *m.* arsenal; armory; dockyard; navy yard (naut.).
arsenic [àrs^{e}nìk] *m.* arsenic.
art [àr] *m.* art; skill; artfulness; artificiality.
artère [àrtèr] *f.* artery (med.); thoroughfare [rue]. || **artériel** [àrtéryèl] *adj.* arterial.
arthrite [àrtrìt] *f.* arthritis.
artichaut [àrtìshô] *m.* artichoke; spiked barrier (mil.).
article [àrtìkl] *m.* article; item; thing; commodity; clause; entry; matter, subject; *articles de Paris,* fancy goods; *faire l'article,* to show off, to vaunt; *à l'article de la mort,* at the point of death.
articulation [àrtìkülàsyo^n] *f.* articulation; joint; connection, coupling; deployment (mil.). || **articuler** [-é] *v.* to articulate; to link;

to joint; to pronounce, to utter; to subdivide (mil.).

artifice [àrtifìs] *m.* artifice; guile; contrivance; stratagem; expedient; *feu d'artifice,* fireworks. || **artificiel** [-yèl] *adj.* artificial. || **artificier** [-yé] *m.* artificer; pyrotechnist. || **artificieux** [-yë] *adj.* artful, cunning.

artillerie [àrtìyrî] *f.* artillery; ordnance; mounted guns; *artillerie de campagne,* field artillery. || **artilleur** [-ìyœr] *m.* artilleryman; artillerist; gunner.

artisan [àrtìzaⁿ] *m.* artisan, craftsman; artificer; agent (fig.). || **artisanat** [-zànà] *m.* craftsmen *m. pl.*

artiste [àrtìst] *m.* artist, performer. || **artistique** [-ìk] *adj.* artistic.

as [âs] *m.* ace.

ascendance [àsaⁿdaⁿs] *f.* ancestry. || **ascendant** [-aⁿ] *adj.* ascending; upward; mounting, rising; *m.* ascendant; ascendency; influence; *pl.* ancestry; *prendre de l'ascendant sur,* to gain advantage over. || **ascenseur** [àsaⁿsœr] *m. Am.* elevator; *Br.* lift. || **ascension** [-yoⁿ] *f.* ascent; Ascension; climb.

asepsie [àsèpsî] *f.* asepsis. || **aseptiser** [-tìzé] *v.* to asepticize.

asile [àzìl] *m.* asylum; retreat; home, shelter, refuge.

aspect [àspè] *m.* aspect; sight; appearance; look; point of view.

asperge [àspèrj] *f.* asparagus. || **asperger** [-é] *v.* to sprinkle; to spray.

aspérité [àspérité] *f.* asperity, roughness, harshness.

asphyxie [àsfìksî] *f.* asphyxia. || **asphyxier** [-yé] *v.* to asphyxiate, to suffocate.

aspic [aspìk] *m.* asp, serpent, coral snake; aspic.

aspirant [àspìraⁿ] *m.* candidate; midshipman (naut.); officer candidate (mil.). || **aspirateur** [-àtœr] *m.* suction van; vacuum cleaner; aspirator (mech.). || **aspiration** [-àsyoⁿ] *f.* aspiration; inspiration (med.); inhaling; suction; longing; intake. || **aspirer** [-é] *v.* to aspire; to inspire, to inhale; to breathe in, to suck in; to desire; to long (*à,* for).

assagir [àsàjîr] *v.* to make wiser; to sober, to steady.

assaillant [àsàyaⁿ] *m.* assailant; besieger; aggressor. || **assaillir** [àsàyîr] *v.** to attack; to besiege; to assault; to assail.

assainir [àsènîr] *v.* to make healthier; to decontaminate; to purify; to cleanse. || **assainissement** [-ìsmaⁿ] *m.* cleansing, purifying; sanitation; disinfecting; decontamination; hygiene.

assaisonnement [àsèzònmaⁿ] *m.* seasoning; flavo(u)ring; dressing. || **assaisonner** [-é] *v.* to season, to dress.

assassin [àsàsiⁿ] *m.* murderer; assassin. || **assassinat** [-ìnà] *m.* murder; assassination. || **assassiner** [-ìnè] *v.* to murder; to assassinate; to pester.

assaut [àsô] *m.* assault, attack; onslaught; match; bout; *donner l'assaut,* to storm, to charge; *enlever d'assaut;* to take by storm; *monter à l'assaut,* to storm.

assèchement [àsèshmaⁿ] *m.* drying, draining. || **assécher** [aséshé] *v.* to dry, to drain.

assemblage [àsaⁿblàj] *m.* assemblage; gathering, collection; assembly; combination; connection, coupling (electr.); joint (techn.). || **assemblée** [-é] *f.* assembly; meeting; congregation; gathering. || **assembler** [-é] *v.* to gather, to assemble, to join; to fit together; to joint, to connect (electr.); to collect; **s'assembler**, to assemble, to meet.

assener [àsᵉné] *v.* to strike; to land [coup]; to hit.

assentiment [àsaⁿtìmaⁿ] *m.* agreement, consent.

asseoir [àswàr] *v.** to seat, to set; to settle, to fix; to place; to lay; to establish [impôt]; **s'asseoir**, to sit down; to settle.

assermenter [àsèrmaⁿté] *v.* to swear in.

assertion [àsèrsyoⁿ] *f.* assertion.

asservir [àsèrvîr] *v.* to enslave; to subject. || **asservissement** [-ìsmaⁿ] *m.* slavery, subjection; bondage.

assesseur [àsèsœr] *m.* assessor; advisor.

assez [àsè] *adv.* enough; rather; fairly; sufficiently; *j'en ai assez!,* I'm fed up with it!; *assez!,* that will do!

assidu [àsìdü] *adj.* assiduous, diligent; regular. || **assiduité** [-üìté] *f.* assiduity, diligence.

assiégeant [àsyéjaⁿ] *m.* besieger.

|| **assiéger** [-é] *v.* to besiege; to surround; to beset; to mob; to dun.
assiette [àsyèt] *f.* plate [vaisselle]; seat [cheval]; trim (naut.); stable position; basis. || **assiettée** [-é] *f.* plateful.
assignation [àsiñàsyoⁿ] *f.* assignment; summons; subpoena. || **assigner** [-é] *v.* to assign, to allot; to fix, to appoint; to allocate, to earmark; to summon, to cite, to subpoena (jur.); to sue (*en*, for).
assimilable [àsimilàbl] *adj.* assimilable; comparable. || **assimilation** [-àsyoⁿ] *f.* assimilation. || **assimiler** [-é] *v.* to assimilate; to compare; to give an equivalent status to.
assis [àsì] *p. p. of* **s'asseoir**; *adj.* seated, sitting; established. || **assise** [-iz] *f.* foundation; seating; layer, stratum, bed, course (techn.); seat [cavalier]; *pl.* Assizes, criminal court (jur.).
assistance [àsistaⁿs] *f.* audience, spectators, bystanders; congregation; presence, attendance; assistance; *assistance publique*, public relief administration; *assistance sociale*, social welfare work; *assistance maritime*, salvage; *assistance judiciaire*, free legal aid. || **assistant** [-aⁿ] *m.* assistant; onlooker, bystander, spectator. || **assister** [-é] *v.* to assist; to aid, to help; *assister à*, to attend, to be present at.
association [àsòsyàsyoⁿ] *f.* association; partnership; combination; coupling (electr.). || **associer** [-yé] *v.* to associate, to unite; to join up; to connect (electr.); **s'associer**, to share; to join; to participate; to go into partnership with. || **associé** [-yé] *m.* partner; associate [société savante].
assoiffé [àswàfé] *adj.* thirsty, thirsting.
assolement [àsòlmaⁿ] *m.* (crop)-rotation. || **assoler** [-é] *v.* to rotate.
assombrir [àsoⁿbrir] *v.* to darken; to sadden, to make gloomy; to cloud; **s'assombrir**, to darken; to become cloudy.
assommer [àsòmé] *v.* to fell; to knock on the head, to stun; to bore, to weary. || **assommoir** [-wàr] *m.* bludgeon, blackjack; loaded cane; breakback trap; low dive, *Am.* deadfall, dram shop.
assomption [àsoⁿpsyoⁿ] *f.* assumption.
assortiment [àsòrtimaⁿ] *m.* matching; assortment, range; variety; suitability; set. || **assortir** [-ir] *v.* to match; to pair; to assort; to stock [comm.]; **s'assortir**, to match.
assoupir [àsûpir] *v.* to make sleepy, drowsy; to soothe [douleur]; **s'assoupir**, to become drowsy; to doze off; to wear off [douleur]. || **assoupissement** [-ismaⁿ] *m.* drowsiness; doze, nap; sloth.
assouplir [àsûplir] *v.* to make supple; to break in. || **assouplissement** [-ismaⁿ] *m.* breaking in; relaxation [formalités].
assourdir [àsûrdir] *v.* to deafen; to muffle [son]; to tone down.
assouvir [àsûvir] *v.* to glut, to satiate; **s'assouvir**, to gorge, to become sated (*de*, with).
assujettir [àsüjétir] *v.* to subjugate, to subdue; to compel; to fix, to fasten; to tie down; to secure; **s'assujettir**, to subject oneself. || **assujettissement** [-ismaⁿ] *m.* subjugation; fastening, securing.
assurance [àsüraⁿs] *f.* assurance; self-confidence; certainty; pledge, security, safety; guarantee; insurance; *assurance contre les accidents du travail*, workmen's compensation insurance; *assurances sociales*, social security; *assurance contre l'incendie*, fire insurance. || **assurer** [-é] *v.* to assure; to secure; to fasten; to insure; to affirm; to ensure [résultat]; **s'assurer**, to ascertain, to make sure; to secure, to get hold (*de*, of); to get insured; to seize (mil.).
astérisque [àstérisk] *m.* asterisk.
asthénie [àsténî] *f.* debility.
asthme [àsm] *m.* asthma.
asticot [àstikô] *m.* maggot, gentle.
astiquer [àstiké] *v.* to polish; to smarten.
astral [àstràl] *adj.* astral, starry. || **astre** [àstr] *m.* heavenly body; star.
astreindre [àstrìⁿdr] *v.** to subject; to compel, to force; to bind. || **astringent** [-iⁿjaⁿ] *adj.* astringent; binding.
astrologie [àstròlòjî] *f.* astrology. || **astrologue** [-òg] *m.* astrologer.
astronome [àstrònòm] *m.* astrono-

mer. || **astronomie** [-*ì*] *f.* astronomy.
astuce [àstüs] *f.* guile, craftiness; wile, trick. || **astucieux** [-yë] *adj.* crafty, astute, artful.
atavique [àtàvìk] *adj.* atavistic.
atelier [àtelyé] *m.* workshop; studio; repair shop [réparations].
atermoiement [àtèrmwàman] *m.* delay; renewal (jur.); *pl.* procrastination, shilly-shally. || **atermoyer** [-àyé] *v.* to put off; to defer; to procrastinate.
athée [àté] *m.* atheist; *adj.* atheistic.
athlète [àtlèt] *m.* athlete. || **athlétique** [-étìk] *adj.* athletic. || **athlétisme** [-étìsm] *m.* athletics.
Atlantique [àtlantìk] *m.* Atlantic Ocean.
atlas [àtlàs] *m.* atlas.
atmosphère [àtmòsfèr] *f.* atmosphere. || **atmosphérique** [-érìk] *adj.* atmospheric.
atoll [àtòl] *m.* atoll, coral island.
atome [àtòm] *m.* atom; speck [poussière]. || **atomique** [-ìk] *adj.* atomic.
atone [àtòn] *adj.* atonic; unstressed; dull, vacant. || **atonie** [-ì] *f.* atony, sluggishness.
atours [àtûr] *m. pl.* finery.
atout [àtû] *m.* trump; courage; setback.
atrabilaire [àtràbìlèr] *adj.* atrabilious; melancholy; cantankerous.
âtre [âtr] *m.* hearth.
atroce [àtròs] *adj.* atrocious, dreadful, grim; cruel. || **atrocité** [-ìté] *f.* atrocity, atrociousness.
atrophie [àtròfì] *f.* atrophy; emaciation. || **atrophier** [-yé] *v.* to atrophy.
attabler (s') [sàtàblé] *v.* to sit down to table; to come clean (fam.).
attachant [àtàshan] *adj.* winning, endearing. || **attache** [àtàsh] *f.* bond, tie, link; cord; strap; attachment; paper clip; joint, brace (mech.); *port d'attache,* home port. || **attacher** [-é] *v.* to attach; to fasten; to tie; to attract; **s'attacher,** to attach oneself; to cling; to devote oneself; *s'attacher aux pas de,* to dog the steps of.
attaque [àtàk] *f.* attack; assault; onset; *attaque d'apoplexie,* apoplectic stroke; *attaque de nerfs,* fit of hysterics. || **attaquer** [-é] *v.* to attack; to assail; to assault; to contest; to lead [cartes]; to operate (techn.); **s'attaquer à,** to attack, to fall upon.
attardé [àtàrdé] *adj.* belated, behindhand; old-fashioned; backward; *m.* laggard. || **attarder** [-é] *v.* to delay; to make late; **s'attarder,** to delay, to linger, to dawdle.
atteindre [àtindr] *v.** to reach, to attain; to hit [cible]; to strike; to overtake; to affect, to injure. || **atteinte** [-int] *f.* reach; stroke, blow; shock, touch; harm, injury.
attelage [àtlàj] *m.* harnessing; team, yoke; coupling (techn.). || **atteler** [-é] *v.* to harness; to couple; to yoke; **s'atteler à,** to set to; to buckle to; to get down to. || **attelle** [àtèl] *f.* splint; *pl.* hames.
attenant [àtenan] *adj.* adjoining, adjacent; neighbo(u)ring.
attendant (en) [àtandan] *adv.* meanwhile; *prep.* pending; *en attendant que,* until. || **attendre** [àtandr] *v.* to wait for, to await; to expect; to look forward to; *faire attendre,* to keep waiting; **s'attendre à,** to expect.
attendrir [àtandrìr] *v.* to make tender; to soften [viande]; to move, to touch; *se laisser attendrir,* to become tender; to be affected, to be moved. || **attendrissement** [-ìsman] *m.* making tender; hanging [viande]; compassion; pity.
attendu [àtandü] *prep.* considering; on account of; *m.* ground, reason adduced; *attendu que,* considering that; whereas.
attentat [àtantà] *m.* criminal attempt; outrage; *attentat à la pudeur,* indecent assault, offense against public morals (jur.).
attente [àtant] *f.* wait, waiting; expectation; *salle d'attente,* waiting room.
attenter [àtanté] *v.* to make a criminal attempt (*à,* on); *attenter à ses jours,* to attempt suicide.
attentif [àtantìf] *adj.* attentive, careful, heedful; mindful. || **attention** [-syon] *f.* attention; care; heed; *faire attention à,* to pay attention to; to mind, to heed; *attention!,* look out! mind! || **attentionné** [-syòné] *adj.* considerate.
atténuation [àténüàsyon] *f.* extenuation; attenuation; mitigation; reduction. || **atténuer** [-üé] *v.* to

extenuate; to attenuate; to reduce.
atterrer [àtèré] *v.* to astound, to dismay.
atterrir [àtèrîr] *v.* to make land; to ground (naut.); to land (aviat.). || **atterrissage** [-ìsàj] *m.* landfall; alighting; grounding; landing; *train d'atterrissage;* undercarriage.
attestation [àtèstàsyo^n] *f.* attestation; testimonial; certificate; affidavit. || **attester** [-é] *v.* to certify, to testify.
attiédir [àtyédîr] *v.* to cool; **s'attiédir,** to cool down.
attifer [àtifé] *v.* to dress up, to get up; **s'attifer,** to rig oneself up.
attirable [àtiràbl] *adj.* attractable. || **attirail** [-ày] *m.* outfit; gear, tackle; pomp. || **attirance** [-a^ns] *f.* attraction. || **attirant** [-a^n] *adj.* attractive. || **attirer** [-é] *v.* to draw; to attract; to entice; to lure, to allure.
attiser [àtizé] *v.* to stir up; to poke; to stoke; to feed (fig.).
attitré [àtitré] *adj.* appointed, regular, customary.
attitude [àtitüd] *f.* attitude; posture, pose.
attraction [àtràksyo^n] *f.* attraction; attractiveness; *pl.* variety entertainment; floor show.
attrait [àtrè] *m.* attractiveness, charm; liking.
attrape [àtràp] *f.* trap, snare; trick, hoax; **attrape-mouches,** flypaper; **attrape-nigaud,** boobytrap. || **attraper** [-é] *v.* to entrap; to trick; to catch; to scold (fam.).
attrayant [àtrèya^n] *adj.* attractive.
attribuer [àtribüé] *v.* to attribute; to ascribe; to assign; to allot; to grant. || **attribut** [-ü] *m.* attribute. || **attribution** [-üsyo^n] *f.* conferment; allocation; *pl.* competence, powers, duties.
attrister [àtristé] *v.* to grieve; to sadden; **s'attrister,** to become sad.
attroupement [àtrûpma^n] *m.* mob; unlawful assembly; disorderly gathering; riot. || **attrouper** [-é] *v.* to gather; to assemble; **s'attrouper,** to assemble, to crowd.
au [ô], *see* **à.**
aubaine [ôbèn] *f.* godsend; windfall.
aube [ôb] *f.* dawn.
aube [ôb] *f.* paddle, float.
aubépine [ôbépìn] *f.* hawthorn; whitethorn.
auberge [ôbèrj] *f.* inn, tavern.
aubergine [ôbèrjîn] *f.* eggplant.
aubergiste [ôbèrjìst] *m., f.* innkeeper.
aucun [ôkü^n] *adj, pron.* not any, none, any; *d'aucuns,* some [gens]. || **aucunement** [-ünma^n] *adv.* by no means, not at all.
audace [ôdàs] *f.* daring, boldness, audacity; *payer d'audace,* to face the music. || **audacieux** [-yë] *adj.* bold, audacious; daring.
au-dessous [ôdsû] *adv.* below. || **au-dessus** [ôdsü] *adv.* over; above. || **au-devant** [ôdva^n] *adv.* forward, ahead; *aller au-devant de,* to go to meet.
audience [ôdya^ns] *f.* sitting, session; hearing; *audience publique,* open court. || **auditeur** [-ìtœr] *m.* hearer; auditor [comptes]; prosecutor (jur.). || **auditif** [-ìtìf] *adj.* auditory. || **audition** [-ìsyo^n] *f.* hearing; recital; auditing (comm.); audition. || **auditoire** [-ìtwàr] *m.* auditorium; audience; attendance; congregation.
auge [ôj] *f.* trough; manger.
augmentation [ôgma^ntàsyo^n] *f.* increase, enlargement; rise [prix]. || **augmenter** [-é] *v.* to increase, to enlarge; to raise, to rise.
augure [ôgür] *m.* augur; augury, omen; *de bon augure,* auspicious; *de mauvais augure,* ominous.
aujourd'hui [ôjûrdüì] *adv.* today; nowadays; *d'aujourd'hui en huit, en quinze,* today week, fortnight.
aulx [ô] *pl. of* **ail.**
aumône [ômôn] *f.* alms, charity; *faire l'aumône,* to give alms. || **aumônerie** [-rì] *f.* almonry. || **aumônier** [-yé] *m.* chaplain; almoner.
aune [ôn] *f.* alder [arbre].
auparavant [ôpàràva^n] *adv.* before; beforehand; previously.
auprès [ôprè] *adv.* near; close to; close by; *auprès de,* beside, near; *auprès de la Cour,* attached to the Court.
auquel [ôkèl] *pron., see* **lequel.**
auréole [ôréòl] *f.* aureole, halo; halation (phot.).
auriculaire [ôrìkülèr] *adj.* auricular; *m.* little finger.
aurifère [ôrifèr] *adj.* auriferous, goldbearing. || **aurifier** [-yé] *v.* to fill with gold.

aurore [ôròr] *f.* dawn, daybreak; *aurore boréale,* northern lights.
auscultation [ôskültàsyo^{n}] *f.* auscultation. || **ausculter** [-é] *v.* to auscultate, to sound.
auspice [ôspìs] *m.* auspice, omen.
aussi [ôsì] *adv.* also; as; so; therefore; *aussi bien,* besides, for that matter; *moi aussi,* so am I, so do I.
aussitôt [ôsìtô] *adv.* immediately; at once; *aussitôt que,* as soon as.
austère [ôstèr] *adj.* austere, severe, stern. || **austérité** [-érìté] *f.* austerity, sternness.
autant [ôta^{n}] *adv.* as much, as many; so much; so many; *d'autant plus que,* all the more as; especially as; *en faire autant,* to do the same; *autant le faire vous-même,* you might as well do it yourself; *autant que,* as far as.
autel [ôtèl] *m.* altar.
auteur [ôtœr] *m.* author, originator; writer, composer; perpetrator; *droits d'auteur,* royalties.
authenticité [ôta^{n}tìsìté] *f.* authenticity, genuineness. || **authentifier** [-ìfyé] *v.* to authenticate. || **authentique** [-ìk] *adj.* authentic; certified [document].
autobus [ôtòbüs] *m.* motorbus, bus.
autocar [ôtòkàr] *m.* motor coach.
autochenille [ôtòshnìy] *f.* half-track vehicle; caterpillar-tractor.
autoclave [ôtòclàv] *m.* sterilizer; *adj.* self-regulating.
autodidacte [ôtòdìdàkt] *m.* self-taught person.
autodrome [ôtòdròm] *m.* motor-racing track.
autographe [ôtògràf] *m., adj.* autograph.
automate [ôtòmàt] *m.* automaton. || **automatique** [-ìk] *adj.* automatic, self-acting.
automitrailleuse [ôtòmìtràyëz] *f.* combat car.
automne [ôtòn] *m.* autumn, *Am.* fall.
automobile [ôtòmòbìl] *f.* automobile; car; *adj.* self-propelled; *canot automobile,* motor boat. || **automobiliste** [-ìst] *m., f.* motorist, automobile driver.
automotrice [ôtòmòtrìs] *f.* railcar.
autonome [ôtònòm] *adj.* autonomous. || **autonomie** [-ì] *f.* autonomy.
autopsie [ôtòpsì] *f.* autopsy; postmortem.
autorail [ôtòrày] *m.* railcar.
autorisation [òtòrìzàsyo^{n}] *f.* authorization; permission; leave; license; warrant. || **autoriser** [-ìzé] *v.* to authorize; to empower; to permit. || **autoritaire** [-ìtèr] *adj.* authoritarian. || **autorité** [-ìté] *f.* authority; legal power; *avoir de l'autorité sur,* to have power over; *faire autorité en,* to be an authority on.
autoroute [ôtòrût] *f.* express highway, motor highway.
autostop [ôtòstòp] *m.* hitch-hiking; *Am.* thumbing rides; *faire de l'autostop,* to hitch-hike, *Am.* to thumb a ride.
autour [ôtûr] *adv.* about, around.
autre [ôtr] *adj., pron.* other; another; different; further; else; *quelqu'un d'autre,* someone else; *l'un ou l'autre,* either; *ni l'un ni l'autre,* neither; *l'un et l'autre,* both; *l'un l'autre,* each other, one another; *tout autre,* anyone else; *une tout autre femme,* quite a different woman; *autre chose,* something else.
Autriche [ôtrìsh] *f.* Austria. || **autrichien** [-yi^{n}] *m., adj.* Austrian.
autruche [ôtrüsh] *f.* ostrich.
autrui [ôtrüì] *m.* others, other people.
auvent [ôva^{n}] *m.* penthouse; weatherboard; porch roof; hood.
aux [ô], *see* **à**.
auxiliaire [ôksìlyèr] *adj.* auxiliary; subsidiary; *m.* auxiliary, assistant; *bureau auxiliaire,* sub-office.
auxquels [ôkèl], *see* **lequel**.
avachir [àvàshìr] *v.* to soften; **s'avachir,** to lose shape; to become sloppy.
aval [àvàl] *m.* downstream.
aval [àvàl] *m.* endorsement (comm.).
avalanche [àvàla^{n}sh] *f.* avalanche.
avaler [àvàlé] *v.* to swallow, to gulp down; to gobble; to lower; to pocket [affront]; to inhale [fumée].
avaliser [àvàlìzé] *v.* to indorse.
avance [àva^{n}s] *f.* advance; progress; loan (comm.); lead, travel (mech.); *avoir de l'avance sur,* to be ahead of; *d'avance,* beforehand; *être en avance,* to be fast; *prendre de l'avance,* to take the lead. || **avancé** [-é] *adj.* advanced; forward; progressive; overripe [fruit]; high [viande]. || **avancement** [-ma^{n}] *m.* promotion; projection; advancement; progress; pitch (techn.);

recevoir de l'avancement, to be promoted. || **avancer** [-é] *v.* to move forward; to advance; to promote, to push; to hasten; to proceed, to progress; to be fast [montre]; to pay in advance; **s'avancer,** to move forward, to advance.

avanie [àvànî] *f.* affront, snub.

avant [àvaⁿ] *prep.* before; in front of; *adv.* beforehand; previously; forward; *m.* bow (naut.); forward [football]; front, fore part; *en avant,* forward; in front; *plus avant,* further; *avant que,* before; **avant-bras,** forearm; **avant-coureur,** forerunner; precursor; harbinger; scout; **avant-dernier,** penultimate; next to last; last but one; **avant-garde,** advance guard, vanguard; **avant-goût,** foretaste; **avant-hier,** the day before yesterday; **avant-port,** outer harbo(u)r; **avant-poste,** outpost; **avant-première,** dress rehearsal; private view; **avant-projet,** rough draft; preliminary plan; **avant-propos,** introduction; foreword; **avant-scène,** proscenium; **avant-train,** limber (mil.); forecarriage [véhicule]; forequarters [animal]; **avant-veille,** two days before.

avantage [àvaⁿtàj] *m.* advantage, profit; benefit; gain; *donner l'avantage,* to give odds; *tirer avantage de,* to turn to advantage. || **avantageux** [-ë] *adj.* advantageous, profitable; becoming; conceited, self-satisfied (fig.).

avare [àvàr] *m.* miser, niggard; *adj.* miserly, avaricious, stingy. || **avarice** [-ìs] *f.* avarice; stinginess.

avarie [àvàrî] *f.* damage, injury; *pl.* deterioration; *subir une avarie,* to be damaged. || **avarier** [-yé] *v.* to spoil, to damage.

avatar [àvàtàr] *m.* avatar; *pl.* vicissitudes, ups and downs.

avec [àvèk] *prep., adv.* with.

avenant [avnaⁿ] *adj.* prepossessing, comely; *m.* codicil, rider, clause (jur.); *à l'avenant,* in keeping, appropriate, to match.

avènement [àvènmaⁿ] *m.* coming; arrival; advent, accession. || **Avent** [àvaⁿ] *m.* Advent.

aventure [àvaⁿtür] *f.* adventure; chance, luck, venture; *dire la bonne aventure,* to tell fortunes; *à l'aventure,* at random. || **aventurer** [-é] *v.* to risk; **s'aventurer,** to venture, to take risks. || **aventureux** [-ë] *adj.* venturesome, risky, reckless. || **aventurier** [-yé] *m.* adventurer.

avenue [àvnü] *f.* avenue, drive.

avérer [àvéré] *v.* to establish, to authenticate; **s'avérer,** to prove, to turn out.

averse [àvèrs] *f.* shower, downpour.

aversion [àvèrsyoⁿ] *f.* aversion, dislike; reluctance.

avertir [àvèrtir] *v.* to warn, to notify. || **avertissement** [-ìsmaⁿ] *m.* warning; foreword; notification. || **avertisseur** [-ìsœr] *m.* warning signal; hooter; alarm [feu]; call bell; horn [auto]; callboy (theat.).

aveu [àvë] *m.* admission; avowal; confession; consent; acknowledgment.

aveugle [àvœgl] *m.* blind man; *f.* blind woman; *adj.* blind, sightless. || **aveuglement** [-ᵉmaⁿ] *m.* blinding; blindness [moral]. || **aveugler** [-é] *v.* to blind; to dazzle; to stop [fuite]. || **aveuglette (à l')** [-èt] *adv.* blindly, gropingly.

aviateur [àvyàtœr] *m.* airman; aviator, flyer. || **aviation** [àvyàsyoⁿ] *f.* aviation; air force; flying; airplanes.

aviculture [àvìkültür] *f.* bird fancying; poultry farming.

avide [àvìd] *adj.* greedy, eager (*de,* for). || **avidité** [-ìté] *f.* avidity; greediness; eagerness.

avilir [àvilìr] *v.* to debase, to degrade, to lower. || **avilissement** [-ìsmaⁿ] *m.* debasement, degradation, depreciation.

aviné [àviné] *adj.* tipsy, drunk.

avion [àvyoⁿ] *m.* airplane, plane; *Br.* aeroplane; **avion-tourisme,** air-plane; *avion radio-commandé,* wireless-controlled airplane; *par avion,* by airmail.

aviron [àviroⁿ] *m.* oar, scull; rowing.

avis [àvì] *m.* opinion; advice; notice; notification; intimation; warning; *à mon avis,* in my opinion; *changer d'avis,* to change one's mind; *jusqu'à nouvel avis,* until further notice; *sauf avis contraire,* unless I hear to the contrary. || **avisé** [-zé] *adj.* shrewd, sagacious. || **aviser** [-zé] *v.* to catch sight of; to inform, to notify; to advise; **s'aviser de,** to think about

aviso [àvìzô] *m.* dispatch boat.
aviver [àvìvé] *v.* to brighten; to touch up [couleurs]; to revive [feu]; to burnish [métal]; to sharpen [outils].
avocat [àvòkà] *m.* barrister; counsel; lawyer; advocate, pleader, counsel(l)or; *avocat général, Br.* Public Prosecutor, *Am.* Attorney general.
avoine [àvwàn] *f.* oats.
avoir [àvwàr] *m.* property; possession; credit; fortune; *v.** to have; to possess; to hold; *avoir chaud,* to be warm; *il y a trois jours,* three days ago; *qu'est-ce qu'il y a?,* what is the matter?; *en avoir contre,* to have a grudge against; *doit et avoir,* debit and credit.
avoisiner [àvwàzìné] *v.* to adjoin; to border on; to be near to.
avortement [àvòrtᵉmaⁿ] *m.* miscarriage; failure; abortion. || **avorter** [-é] *v.* to miscarry.
avouable [àvwàbl] *adj.* avowable. || **avoué** [avwé] *m.* solicitor. || **avouer** [avwé] *v.* to admit, to acknowledge.
avril [àvrìl] *m.* April; *poisson d'Avril,* April fool joke.
axe [àks] *m.* axis; axle; *axe de manivelle,* crankshaft.
axiome [àksyòm] *m.* axiom.
ayant [èyaⁿ] *pr. p. of* **avoir**; *ayant droit,* rightful claimant.
azotate [àzòtàt] *m.* nitrate. || **azote** [àzòt] *m.* nitrogen.
azur [àzür] *m.* azure, blue.

B

baba [bàbà] *m.* sponge-cake steeped in rum.
baba [bàbà] *adj.* (pop.) flabbergasted, amazed; *en rester baba,* to be dumbfounded.
babeurre [bàbœr] *m.* buttermilk.
babil [bàbìl] *m.* prattle [enfants]; twittering [oiseaux]. || **babillard** [-ìyàr] *m.* chatterer; *adj.* talkative, garrulous.
babine [bàbîn] *f.* pendulous lip; chop (zool.)
babiole [bàbyòl] *f.* toy, plaything; curio.
bâbord [bâbòr] *m.* port (naut.).
babouche [bàbûsh] *f.* Turkish slipper.
bac [bàk] *m.* ferry-boat; tank; vat (techn.); *passer le bac,* to cross on the ferry.
baccalauréat [bàkàlòréà] *m.* school leaving-certificate, *Am.* bachelor's degree.
bacchanale [bàkànàl] *f.* orgy.
bachelier [bàshᵉlyé] *m.* bachelor [Académie].
bachique [bàshìk] *adj.* Bacchic.
bachot [bàshô] *m.* dinghy.
bachot [bàshô] *m.* (pop.), *see* **baccalauréat.**
bacille [bàsìl] *m.* bacillus.
bâcler [bâklé] *v.* to bar, to bolt [porte]; to close; to hustle, to hurry over [travail].
bactérie [bàktérî] *f.* [usually *pl.*] bacteria. || **bactériologie** [-ìòlòjî] *f.* bacteriology.
badaud [bàdô] *m.* stroller; gaper, *Am.* rubber-neck. || **badauder** [-dé] *v.* to stroll about.
baderne [bàdèrn] *f.* fender (naut.); *vieille baderne,* old fog(e)y.
badigeon [bàdijoⁿ] *m.* whitewash; distemper [murs]. || **badigeonner** [-òné] *v.* to paint; to daub; to whitewash.
badin [bàdiⁿ] *m.* joker, banterer; *adj.* playful. || **badinage** [-ìnàj] *m.* banter. || **badiner** [-ìné] *v.* to toy, to trifle; to dally; to tease.
bafouer [bàfwé] *v.* to ridicule, to scoff at.
bafouillage [bàfûyàj] *m.* nonsense. || **bafouiller** [-ûyé] *v.* to stammer; to splutter [moteur]; (pop.) to talk nonsense.
bâfrer [bâfré] *v.* (pop.) to guzzle, to gorge.
bagage [bàgàj] *m.* baggage; luggage; *plier bagage,* to pack up and leave; *dépôt des bagages,* luggage office; *bagages non accompagnés,* luggage in advance.
bagarre [bàgàr] *f.* scuffle, brawl; free fight.
bagatelle [bàgàtèl] *f.* trifle; *interj.* nonsense!
bagne [bàñ] *f.* convict prison; hulk.
bagnole [bàñòl] *f.* cart; (fam.) car.
bagou(t) [bàgû] *m.* (fam.) glib-

ness; *avoir du bagout,* to have the gift of the gab.
bague [bàg] *f.* ring; band.
baguenauder [bàgnôdé] *v.* (pop.) to loaf; to waste time.
baguette [bàgèt] *f.* stick; wand; rod; bread [pain]; beading (techn.).
bahut [bàü] *m.* trunk, chest; cupboard.
bai [bè] *adj.* bay [cheval].
baie [bè] *f.* bay (geogr.).
baie [bè] *f.* berry (bot.).
baignade [bèñàd] *f.* bathe, dip. || **baigner** [-é] *v.* to bathe; to bath; to steep; to wash [côte]; **se baigner,** to take a bath; to have a bathe. || **baigneur** [-œr] *m.* bather. || **baignoire** [-wàr] *f.* bath, bathtub; lower box (theat.).
bail [bày] (*pl.* **baux** [bô]) *m.* lease; *prendre une maison à bail,* to lease a house.
bâillement [bâymaⁿ] *m.* yawn; gaping. || **bâiller** [bâyé] *v.* to yawn; to gape; to be ajar [porte].
bailleur [bàyœr] *m.* giver; lessor; *bailleur de fonds,* silent partner, financial backer.
bâillon [bâyoⁿ] *m.* gag. || **bâillonner** [bâyòné] *v.* to gag.
bain [biⁿ] *m.* bath; bathing; *salle de bains,* bathroom; *bains publics,* public baths; **bain-douche,** shower bath; **bain-marie,** water-bath, *Br.* jacketed saucepan, *Am.* double-boiler.
baïonnette [bàyònèt] *f.* bayonet.
baiser [bèzé] *m.* kiss.
baisse [bès] *f.* lowering; going down [eaux]; ebb [marée]; fall [prix]; *en baisse,* falling. || **baisser** [bèsé] *v.* to lower; to let down [vitre]; to turn down [lampe]; to decline; to drop; to abate; **se baisser,** to stoop; to bend down.
bajoue [bàjû] *f.* chap, chop, jowl.
bakélite [bàkélìt] *f.* bakelite.
bal [bàl] *m.* ball; dance.
balade [bàlàd] *f.* (fam.) stroll; ramble; excursion. || **balader** [-é] *v.* (fam.) to take for a walk; **se balader,** to go for a stroll. || **baladeur** [-œr] *m.* saunterer; selector rod [auto]. || **baladeuse** [-ëz] *f.* trailer [auto]; street-barrow; handcart; portable lamp.
balafre [bàlàfr] *f.* gash; scar. || **balafrer** [-é] *v.* to gash, to slash.
balai [bàlè] *m.* broom; brush; *Br.* windscreen-wiper, *Am.* windshield-wiper.
balance [bàlaⁿs] *f.* balance; scales, weighing-machine; hesitation; *faire pencher la balance,* to turn the scale; *faire la balance,* to strike a balance. || **balancement** [-maⁿ] *m.* rocking; swinging. || **balancer** [-é] *v.* to balance, to poise; to waver; to sway, to swing; to hesitate; **se balancer,** to swing; to rock; to ride [bateau]. || **balancier** [-yé] *m.* pendulum [horloge]; balance-wheel [montre]; screw-press (mech.). || **balançoire** [-wàr] *f.* see-saw, swing.
balayage [bàlèyàj] *m.* sweeping; brushing. || **balayer** [-èyé] *v.* to sweep; to sweep up [poussière]; to scan [télévision]; to scour [mer]. || **balayeur** [-èyœr] *m.* sweeper, scavenger. || **balayures** [-èyür] *f. pl.* sweepings.
balbutiement [bàlbüsìmaⁿ] *m.* stammering. || **balbutier** [-yé] *v.* to stammer; to mumble.
balcon [bàlkoⁿ] *m.* balcony; dress-circle (theat.).
baleine [bàlèn] *f.* whale; whalebone; *blanc de baleine,* spermaceti. || **baleiner** [-é] *v.* to stiffen. || **baleinier** [-yé] *m.* whaling [industrie]; whaler [navire]; whale-fisher [pêcheur].
balise [bàlìz] *f.* beacon; ground-light (aviat.); *balise flottante,* buoy. || **baliser** [-é] *v.* to beacon (naut.); to buoy, to mark; to provide landing-lights (aviat.)
balistique [bàlìstìk] *f.* ballistics; *adj.* ballistic.
balivernes [bàlìvèrn] *f. pl.* nonsense.
ballade [bàlàd] *f.* ballad.
ballant [bàlaⁿ] *m.* swing; *adj.* dangling; swinging; slack [corde].
ballast [bàlàst] *m.* ballast.
balle [bàl] *f.* husk, chaff.
balle [bàl] *f.* pack; bale [coton].
balle [bàl] *f.* ball; bullet (mil.); shot; (pop.) franc.
ballerine [bàlrìn] *f.* ballet-dancer. || **ballet** [bàlè] *m.* ballet.
ballon [bàloⁿ] *m.* balloon; ball; football; ball-signal (naut.); flask (chem.); rounded hill-top; *envoyer un ballon d'essai,* to put out a feeler. || **ballonnement** [-ònmaⁿ] *m.* swelling. || **ballonner** [-òné] *v.* to swell out; to balloon; to distend; to bulge.

ballot [bàlô] *m.* pack, bundle. || **ballottage** [-òtàj] *m.* tossing; shaking; second ballot [élections]. || **ballottement** [-òtma^{n}] *m.* tossing. || **ballotter** [-òté] *v.* to toss about; to shake, to jolt; to rattle [porte]; (pop.) to deceive.
baluchon [bàlüsho^{n}] *m.* bundle, pack; kit.
balnéaire [bàlnéèr] *adj.* watering; *station balnéaire,* spa, bathing resort.
balourd [bàlûr] *f.* awkward, clumsy person; *adj.* awkward; silly. || **balourdise** [-dîz] *f.* blunder, stupid mistake.
balustrade [bàlüstràd] *f.* balustrade; handrail; baluster, banister.
bambin [ba^{n}bi^{n}] *m.* (fam.) kid, brat, youngster.
bambocheur [ba^{n}bòshœr] *m.* (pop.) reveller.
bambou [ba^{n}bû] *m.* bamboo.
ban [ba^{n}] *m.* proclamation; applause; ban; *pl.* banns [mariage]; *mettre au ban,* to outlaw, to banish, *Br.* to send to Coventry.
banal [bànàl] *adj.* commonplace; banal; vulgar. || **banalité** [-ìté] *f.* commonplace, banality, triteness.
banane [bànàn] *f.* banana.
banc [ba^{n}] *m.* bench, seat, pew [église]; bench (mech.); bank; shoal [sable]; school [poissons]; *banc des témoins,* witness-box.
bancal [ba^{n}kàl] (*pl.* **bancals**) *adj.* bandy-legged; unsteady.
bandage [ba^{n}dàj] *m.* bandaging; bandage; *Br.* tyre, *Am.* tire (techn.); winding up [ressort]; *bandage herniaire,* truss.
bande [ba^{n}d] *f.* band, strip; stripe; belt [terre]; cine-film; list (naut.); wrapper; *donner de la bande,* to list, to heel over.
bande [ba^{n}d] *f.* band, party, gang, troop; pack [loups]; flock; *bande noire,* set of terrorists.
bandeau [ba^{n}dô] *m.* headband; diadem; bandage.
bander [ba^{n}dé] *v.* to bind up, to bandage; to wind up; to key in (arch.); to be tight; *bander les yeux,* to blindfold.
bander (se) [s^{e}ba^{n}dé] *v.* to band together.
banderole [ba^{n}dròl] *f.* streamer; sling (mil.).
bandit [ba^{n}dì] *m.* bandit, brigand; (fam.) rogue, ruffian.
bandoulière [ba^{n}dûlyèr] *f.* shoulder-strap; *en bandoulière,* slung over the shoulder.
banlieue [ba^{n}lyë] *f.* suburb, outskirts; *de banlieue,* suburban.
banne [bàn] *f.* coal cart; basket, hamper; awning [boutique].
banni [bànì] *m.* outcast; outlaw; exile; *adj.* banished. || **bannir** [-ìr] *v.* to outlaw, to exile.
bannière [bànyèr] *f.* flag; banner; ensign.
banque [ba^{n}k] *f.* bank; banking; *billet de banque,* banknote; *banque par actions,* joint-stock bank; *faire sauter la banque,* to break the bank [jeu].
banqueroute [ba^{n}krût] *f.* bankruptcy; failure; *faire banqueroute,* to go bankrupt. || **banqueroutier** [-yé] *m.* fraudulent bankrupt.
banquet [ba^{n}kè] *m.* feast, banquet. || **banqueter** [-té] *v.* to feast, to banquet.
banquette [ba^{n}kèt] *f.* bench, seat; bank [terre]; bunker [golf].
banquier [ba^{n}kyé] *m.* banker; *adj.* banking.
banquise [ba^{n}kîz] *f.* ice-floe, pack ice.
baptême [bàtèm] *m.* baptism, christening; *nom de baptême,* Christian name.
baptiser [bàtìzé] *v.* to baptize, to christen; *vin baptisé,* watered-down wine.
baquet [bàkè] *m.* tub, bucket.
bar [bàr] *m.* bass [poisson].
bar [bàr] *m.* bar [hôtel, café].
baragouin [bàràgwi^{n}] *m.* (pop.) gibberish. || **baragouiner** [-ìné] *v.* to gibber; *baragouiner le français,* to murder French.
baraque [bàràk] *f.* hut, shed, shanty.
baratte [bàràt] *f.* churn. || **baratter** [-é] *v.* to churn [lait].
barbare [bàrbàr] *m.* barbarian; *adj.* barbaric; uncivilized; barbarous, cruel. || **barbarie** [-î] *f.* barbarity. || **barbarisme** [-ìsm] *m.* barbarism (gramm.).
barbe [bàrb] *f.* beard; whiskers; burr (techn.); *se faire la barbe,* to shave; *rire dans sa barbe,* to laugh up one's sleeve; (pop.) *la barbe!* shut up! || **barbeau** [-ô] *m.* bar-

bel [poisson]; cornflower (bot.). || **barbelé** [-ᵉlé] *adj.* barbed. || **barbet** [-è] *m.* water-spaniel. || **barbiche** [-ìsh] *f.* short beard; goatee. || **barbillon** [-ìyoⁿ] *m.* barb.
barboter [bàrbòté] *v.* to dabble; to splash; to bubble [gaz]. || **barboteur** [-œr] *m.* paddler; bubbler (techn.). || **barboteuse** [-ëz] *f.* rompers.
barbouillage [bàrbûyàj] *m.* daubing; scrawl; scribble. || **barbouiller** [-ûyé] *v.* to daub; to sully; (fam.) to mess up.
barbu [bàrbü] *adj.* bearded.
barde [bàrd] *m.* bard, poet.
barde [bàrd] *f.* pack-saddle; slice of bacon. || **barder** [-é] *v.* to bard [volaille], to lard.
barder [bàrdé] *v.* to carry away; (fam.) to toil; (pop.) *ça barde!*, it's tough going!
barème [bàrèm] *m.* ready-reckoner; scale [salaires]; graph.
baril [bàrì] *m.* barrel, keg, cask. || **barillet** [-yè] *m.* small barrel, keg; cylinder [revolver].
bariolage [bàryòlàj] *m.* motley; gaudy colo(u)r scheme. || **barioler** [-é] *v.* to checker; to paint gaudily; to variegate.
baromètre [bàròmètr] *m.* barometer; *baromètre enregistreur,* barograph. || **barométrique** [-étrìk] *adj.* barometric.
baron [bàroⁿ] *m.* baron. || **baronne** [-òn] *f.* baroness.
baroque [bàròk] *m.* baroque; *adj.* baroque; curious, odd, strange.
barque [bàrk] *f.* boat; barque; *bien conduire sa barque,* to manage one's affairs well. || **barquette** [èt] *f.* small boat.
barrage [bàràj] *m.* barring, closing [rues]; *Br.* crossing [chèque]; barrier; obstruction; dam, weir (mech.); barrage (mil.); *barrage de route,* road block. || **barre** [bàr] *f.* bar; rod; helm (naut.); ingot [or]; bar (jur.); stroke; bar-line (mus.); stripe; bore [rivière]; *barre de connexion,* tie-rod [auto]; *barre d'appui,* handrail; *paraître à la barre,* to appear before the Court; *barre de plage,* surf. || **barreau** [-ô] *m.* bar, rail; rung [échelle]; bar (jur.); *être reçu au barreau, Br.* to be called to the bar; *Am.* to pass the bar. || **barrer** [-é] *v.* to bar; to stop; to cross out; *Br.* to cross [chèque]; to steer (naut.); *rue barrée,* no thoroughfare. || **barrette** [-èt] *f.* small bar; connecting strip (electr.).
barrette [bàrèt] *f.* biretta; cardinal's cap; hair-slide.
barreur [bàrœr] *m.* helmsman; cox.
barricade [bàrìkàd] *f.* barricade. || **barricader** [-é] *v.* to barricade.
barrière [bàrìyèr] *f.* barrier; obstacle; turnpike; gate [passage à niveau]; starting-post [courses].
barrique [bàrìk] *f.* hogshead, butt, barrel.
baryton [bàrìtoⁿ] *m., adj.* baritone.
bas [bâ] *m.* lower part; bottom; stocking; *adj.* low; small; mean; *adv.* low; *en bas,* below; *aller en bas,* to go downstairs; *à bas...!,* down with....!; *faire main basse sur,* to lay hands on; *au bas mot,* at the lowest estimate; **bas-fonds,** underworld; shallows (naut.); **bas-côté,** aisle.
basalte [bàzàlt] *m.* basalt.
basane [bàzàn] *f.* sheepskin; basil. || **basané** [-é] *adj.* tanned, sunburnt, swarthy.
bascule [bàskül] *f.* weighing-machine; seesaw; *wagon à bascule,* tip-waggon; *Am.* dump-cart. || **basculer** [-é] *v.* to rock; to tip up; *faire basculer,* to dip [fanal, phare]. || **basculeur** [-œr] *m.* *basculeur de phares,* dipper [autos].
base [bâz] *f.* base; base-line; bottom; basis, foundation; *jeter les bases,* to lay the foundations; *sans base,* unfounded; *base navale,* naval base.
basque [bàsk] *m., adj.* Basque; *f.* skirt.
basse [bâs], *see* **bas**; *f.* bass (mus.); cello; shoal, reef (naut.); **basse-cour,** farmyard.
basset [bàsè] *m.* basset hound.
bassin [bàsiⁿ] *m.* basin; lake [artificiel]; tank (techn.); dock; pelvis (anat.). || **bassine** [bàsìn] *f.* pan; preserving pan. || **bassiner** [-é] *v.* to warm [lit]; to bathe; (pop.) to annoy. || **bassinet** [-è] *m.* small basin. || **bassinoire** [-wàr] *f.* warming-pan.
bastion [bàstyoⁿ] *m.* bastion.
bât [bâ] *m.* pack-saddle; pack-horse.
bataille [bàtây] *f.* battle; *bataille rangée,* pitched battle; *livrer bataille à,* to join battle with. ||

batailler [-âyé] *v.* to fight; to struggle. || **batailleur** [âyœr] *adj.* fighting; quarrelsome. || **bataillon** [-âyo^n] *m.* battalion.

bâtard [bâtàr] *m., adj.* bastard; crossbred; mongrel [animaux]; kind of French bread; degenerate [race]. || **bâtardise** [-dìz] *f.* bastardy.

bateau [bàtô] *m.* boat, ship; *bateau à vapeur,* steamer; *bateau de pêche,* fishing-boat; *bateau de sauvetage,* lifeboat; *monter un bateau à quelqu'un,* to pull someone's leg; **bateau-citerne,** tanker; **bateau-feu,** lightship; **bateau-hôpital,** hospital-ship; **bateau-mouche,** small passenger steamer.

batelier [bàt^elyé] *m.* boatman.

bâter [bâté] *v.* to saddle; *un âne bâté,* a silly ass.

bâti [bâtì] *m.* framing; body [moteur]. || **bâtiment** [-ma^n] *m.* edifice, building; vessel (naut.); *bâtiment marchand,* merchant ship. || **bâtir** [bâtìr] *v.* to build, to construct; to tack [couture]; to baste; *terrain à bâtir,* building-site; *un homme bien bâti,* a well-built man. || **bâtisse** [-ìs] *f.* masonry.

batiste [bàtìst] *f.* batiste, cambric.

bâton [bâto^n] *m.* stick, staff; baton (mil.); truncheon [police]; wand; *à bâtons rompus,* by fits and starts; *bâton ferré,* alpenstock; *bâton d'or,* wall-flower. || **bâtonner** [-òné] *v.* to beat, to cudgel.

battage [bàtàj] *m.* beating [tapis]; churning; threshing; field of fire (mil.). || **battant** [-a^n] *m.* door; clapper [cloche]; *adj.* banging; beating; pelting [pluie]; flying [pavillon]; *porte battante,* swing-door; folding-door. || **batte** [bàt] *f.* beater. || **battement** [-ma^n] *m.* beating; clapping; palpitation; pulsation (techn.). || **batterie** [-rì] f. fight; roll [tambour]; battery (mil.; electr.); set [cuisine]. || **batteur** [-œr] *m.* beater; *batteur de pavé,* loafer; *batteur de pieux,* pile-driver. || **batteuse** [-ëz] *f.* threshing-machine. || **battoir** [-wàr] *m.* bat; beetle [linge]. || **battre** [bàtr] *v.** to beat; to thrash; to thresh; to mint [monnaie]; to defeat; to scour [campagne]; to shuffle [cartes]; to throb; to clap; *se battre,* to fight. || **battu** [bàtü] *adj.* beaten; wrought [fer].

baudet [bôdè] *m.* donkey.

bavard [bàvàr] *m.* gossiper; *adj.* talkative, garrulous. || **bavardage** [-dàj] *m.* gossip; chatter. || **bavarder** [-dé] *v.* to gossip; to chatter, to chat; to blab.

bave [bàv] *f.* dribble; drivel; slobber; slime. || **baver** [-é] *v.* to dribble; to drivel; to slobber; to ooze. || **bavette** [-èt] *f.* bib; *tailler une bavette,* to gossip. || **baveux** [-ë] *adj.* dribbling; runny [omelette]. || **bavure** [-ür] *f.* smear; beard [moulage]; burr; seam.

bazar [bàzàr] *m.* bazaar; bargain stores; *tout le bazar,* the whole caboodle. || **bazarder** [-dé] *v.* (fam.) to sell off.

béant [béa^n] *adj.* gaping; yawning.

béat [béà] *adj.* smug, complacent; quiet. || **béatifier** [-tìfyé] *v.* to beatify (eccles.). || **béatitude** [-tìtüd] *f.* beatitude, bliss; complacency.

beau, belle [bô, bèl] (**bel,** *m.* before a vowel or a mute *h*) *m.* beau; beautiful; fine [temps]; *f.* beauty; deciding game; *adj.* beautiful, fair, handsome; smart, fashionable, elegant; fine, noble; good [temps]; *une belle occasion,* a fine opportunity; *se faire beau,* to smarten oneself up; *au beau milieu,* in the very middle; *de plus belle,* more than ever; *tout beau!,* careful!; *avoir beau,* in vain [e. g. *j'ai beau chercher,* it's no use my looking]; **beau-fils,** stepson; **beau-frère,** brother-in-law; **beau-père,** stepfather; father-in-law; **beaux-arts,** fine arts.

beaucoup [bôkû] *adv.* much; *m.* a great deal, many; much; *beaucoup de gens,* many people; *de beaucoup,* by far.

beaupré [bôpré] *m.* bowsprit.

beauté [bôté] *f.* beauty.

bébé [bébé] *m.* baby; doll.

bec [bèk] *m.* beak, bill [oiseaux]; snout [poissons]; nose [outil]; spout; nib; *tenir le bec dans l'eau,* to keep waiting; *bec de gaz,* gas-burner; (pop.) *ferme ton bec!,* shut up!; **bec-de-cane,** pick-lock; handle; **bec-de-lièvre,** hare-lip.

bêchage [bèshàj] *m.* digging. || **bêche** [bèsh] *f.* spade; **bêche-de-**

mer, sea-slug. || **bêcher** [-é] *v.* to dig, to delve.
becqueter [bèkté] *v.* to peck; to pick [up]; (fam.) to kiss.
bedaine [bᵉdèn] *f.* (fam.) stomach, paunch.
bédane [bédàn] *m.* cold chisel.
bedeau [bᵉdô] *m.* beadle; verger (eccles.).
bedonner [bᵉdòné] *v.* (fam.) to grow stout.
bée [bé] *adj. bouche bée,* agape, open-mouthed.
bégayement *or* **bégaiement** [bégèmaⁿ] *m.* stammering. || **bégayer** [-èyé] *v.* to stammer, to stutter.
bègue [bèg] *m.* stammerer; *adj.* stammering.
beige [bèj] *f., adj.* beige; natural [couleur].
beignet [bèñyè] *m.* fritter, doughnut.
béjaune [béjôn] *m.* freshman; greenhorn.
bêlement [bèlmaⁿ] *m.* bleating. || **bêler** [-é] *v.* to bleat.
belette [bᵉlèt] *f.* weasel.
belge [bèlj] *m., f., adj.* Belgian. || **Belgique** [-ìk] *f.* Belgium.
bélier [bélyé] *m.* ram; battering ram (mil.); hydraulic ram.
bellâtre [bèlâtr] *m.* fop; *adj.* dandified.
belle, *see* **beau.**
belligérant [bèllìjéraⁿ] *m., adj.* belligerent. || **belliqueux** [bèllìkë] *adj.* bellicose, warlike.
bémol [bémòl] *m.* flat (mus.).
bénédictin [bénédìktiⁿ] *m., adj.* Benedectine. || **bénédiction** [-ìksyoⁿ] *f.* blessing.
bénéfice [bénéfìs] *m.* benefit; gain, profit; benefice (eccles.); premium. || **bénéficiaire** [-yèr] *m.* recipient; payee. || **bénéficier** [-yé] *v.* to profit; to benefit.
benêt [bᵉnè] *m.* simpleton; *adj.* stupid, fool.
bénévole [bénévòl] *adj.* kind; benevolent; unpaid [services]; *infirmière bénévole,* voluntary nurse.
bénin, bénigne [béniⁿ, bénìñ] *adj.* benign, kind; mild. || **bénignité** [béniñìté] *f.* kindness; mildness. || **bénir** [bénîr] *v.** to bless, to consecrate; *Dieu vous bénisse!,* God bless you! || **bénitier** [-ìtyé] *m.* holy water vessel.
benjoin [biⁿjwiⁿ] *m.* benzoin, gum benjamin (bot.).
benne [bèn] *f.* hamper; basket; tub; cabin.
benzine [biⁿzîn] *f.* benzine.
béquille [békîy] *f.* crutch; stand [bicyclette]; shore (naut.); tail-skid (aviat.).
bercail [bèrkày] *m.* sheepfold; fold (eccles.).
berceau [bèrsô] *m.* cradle; bed (techn.); vault (arch.); arbo(u)r. || **bercer** [-é] *v.* to rock; to lull; to soothe [chagrin]; to delude; *se bercer,* to rock; *se bercer d'un espoir,* to cherish a hope. || **berceuse** [-ëz] *f.* cradle; lullaby.
béret [bérè] *m.* tam-o'-shanter; beret.
berge [bèrj] *f.* bank [rivière, chemin, fossé]; parapet (mil.).
berger [bèrjé] *m.* shepherd. || **bergère** [-èr] *f.* shepherdess; easy chair. || **bergerie** [-ᵉrî] *f.* sheep-pen. || **bergeronnette** [-ᵉrònèt] *f.* wagtail [oiseau].
berlue [bèrlü] *f.* faulty vision; *avoir la berlue,* to get things all wrong.
berne [bèrn] *f. mettre le pavillon en berne,* to fly the flag at half-mast.
berne [bèrn] *f.* banter. || **berner** [-é] *v.* to fool, to make fun of, to deceive.
bernique [bèrnìk] *interj.* nothing doing!; no luck!
besicles [bᵉzìkl] *f. pl.* (fam.) spectacles.
besogne [bᵉzòñ] *f.* work, task, job. || **besogner** [-é] *v.* to be busy. || **besogneux** [-ë] *adj.* needy, hard-up.
besoin [bᵉzwiⁿ] *m.* need, want; poverty; *au besoin,* in case of need; *avoir besoin de,* to want; *est-il besoin?,* is it necessary?
bestial [bèstyàl] *adj.* bestial, brutish. || **bestiaux** [-yô] *m. pl.* livestock. || **bestiole** [-yòl] *f.* tiny beast.
bêta [bètâ] *m.* simpleton, blockhead.
bétail [bétày] *m.* cattle; livestock.
bête [bèt] *f.* beast, animal; fool; *adj.* silly, stupid; *bête de somme,* pack animal, beast of burden; *bête à bon Dieu,* lady-bird; *bête noire,* pet aversion; *faire la bête,* to play the fool; *chercher la petite bête,* to be over-critical. || **bêtise** [-îz] *f.* a mere trifle; blunder; foolish thing.
béton [bétoⁿ] *m.* beton; *béton armé,*

reinforced concrete; ferro-concrete.
bette [bèt] *f.* beet. || **betterave** [-ràv] *f.* sugar-beet; beetroot.
beuglement [bëglᵉmaⁿ] *m.* bellowing; lowing [bétail]. || **beugler** [-é] *v.* to bellow.
beurre [bœr] *m.* butter; *un œil au beurre noir*, a black eye. || **beurrer** [-é] *v.* to butter. || **beurrier** [-yé] *m.* butter-dish; *adj.* butter-producing.
bévue [bévü] *f.* blunder, slip.
biais [byè] *m.* skew (techn.); slant; bias; expedient; tuck [couture]; *adj.* skew; sloping; oblique; *en biais*, askew; *regarder de biais*, to throw a side-glance; *chercher un biais pour*, to find an easy way of. || **biaiser** [-zé] *v.* to slant, to cut aslant; to use evasions.
bibelot [biblô] *m.* knick-knack, trinket, curio.
biberon [bibroⁿ] *m.* feeding-bottle; tippler. || **biberonner** [-òné] *v.* to tipple.
Bible [bibl] *f.* Bible.
bibliographie [bìbliògràfî] *f.* bibliography. || **bibliographique** [-gràfìk] *adj.* bibliographical. || **bibliomane** [-màn] *m.* book collector. || **bibliophile** [-fìl] *m.* book-lover. || **bibliothécaire** [-tékèr] *m.* librarian. || **bibliothèque** [-tèk] *f.* library; reading-room; bookcase; bookshelf.
biblique [biblìk] *adj.* Biblical.
bicarbonate [bikàrbònàt] *m.* bicarbonate.
biceps [bisèps] *m., adj.* biceps.
biche [bish] *f.* hind, doe, roe. || **bichon** [-oⁿ] *m.* lap-dog. || **bichonner** [-òné] *v.* to curl; to make smart; to caress.
bicoque [bikòk] *f.* hovel; shack; *Am.* shanty; dump (fam.).
bicyclette [bisiklèt] *f.* bicycle, cycle; *aller à bicyclette*, to cycle; *bicyclette de course*, racing cycle. || **bicycliste** [-ìst] *m., f.* cyclist.
bidet [bidè] *m.* nag; bidet (hyg.); trestle.
bidon [bidoⁿ] *m.* tin, can, drum [essence]; water-bottle (mil.).
bielle [byèl] *f.* tie-rod; crank-arm; *bielle motrice*, connecting-rod (mech.); *bielle de soupape*, valve push-rod.
bien [byiⁿ] *m.* good; welfare; possession, estate, property, wealth, goods; *adv.* well; right, proper; really; many; comfortable; *un homme de bien*, a good man; *biens immeubles*, real property; *faire du bien*, to do good; *être bien avec*, to be on good terms with; *vouloir bien*, to be willing; *être bien*, to be comfortable, to be good-looking; *bien des gens*, many people; *aussi bien que*, as well as; *bien que*, although; *tant bien que mal*, so-so, after a fashion; **bien-aimé**, beloved; **bien-être**, comfort; wellbeing; welfare; **bien-fondé**, cogency, merit; **bien-fonds**, real estate; landed property.
bienfaisance [byiⁿfᵉzaⁿs] *f.* beneficence; charity; *bureau de bienfaisance*, relief committee. || **bienfaisant** [-aⁿ] *adj.* charitable; beneficial. || **bienfait** [byiⁿfè] *m.* good turn, kindness; benefit. || **bienfaiteur, -trice** [-tœr, -trìs] *m., f.* benefactor, *f.* benefactress.
bienheureux [byiⁿnërë] *adj.* blissful; blessed.
bienséance [byiⁿséaⁿs] *f.* propriety, decorum. || **bienséant** [-éaⁿ] *adj.* decent, becoming, seemly.
bientôt [byiⁿtô] *adv.* soon; before long; *à bientôt!*, see you shortly!, *Am.* so long!
bienveillance [byiⁿvèyaⁿs] *f.* benevolence; *par bienveillance*, out of kindness. || **bienveillant** [-èyaⁿ] *adj.* benevolent.
bienvenu [byiⁿvnü] *m., adj.* welcome; *soyez le bienvenu!*, welcome! || **bienvenue** [-ü] *f.* welcome; *souhaiter la bienvenue à*, to welcome.
bière [byèr] *f.* beer; *bière blonde*, pale ale.
bière [byèr] *f.* coffin.
biffer [bifé] *v.* to cross out, to strike out, to cancel [mot].
bifteck [biftèk] *m.* beefsteak.
bifurcation [bifürkàsyoⁿ] *f.* bifurcation; fork [route]; junction (railw.). || **bifurquer** [bifürké] *v.* to bifurcate; to branch off [route]; to shunt (electr.).
bigame [bigàm] *m.* bigamist; *adj.* bigamous. || **bigamie** [-î] *f.* bigamy.
bigarré [bigàré] *adj.* motley, variegated. || **bigarrer** [-é] *v.* to mottle, to checker. || **bigarrure** [-ür] *f.* mixture, variegation, motley.
bigle [bigl] *adj.* squint-eyed.

bigot [bìgô] *m.* bigot; *adj.* bigoted, over-devout. || **bigoterie** [-òtrî] *f.* bigotry.
bigoudi [bìgûdì] *m.* curling pin, hair-curler.
bijou [bìjû] *m.* jewel, gem. || **bijouterie** [-trî] *f. Br.* jewellery, *Am.* jewelry; jeweler's shop. || **bijoutier** [-tyé] *m.* jeweler.
bilan [bìlaⁿ] *m.* balance-sheet; statement; schedule (comm.); *déposer son bilan,* to file a petition in bankruptcy.
bile [bìl] *f.* bile, gall; anger; *se faire de la bile,* to worry, to get worked up. || **biliaire** [-yèr] *adj.* biliary; *canal biliaire;* bile-duct. || **bilieux** [-yë] *adj.* bilious; choleric, cross, testy; morose; cantankerous.
bilingue [bìliⁿg] *adj.* bilingual. || **bilinguisme** [-üìsm] *m.* bilingualism.
billard [bìyàr] *m.* billiards; billiard-table; billiard-room.
bille [bìy] *f.* rolling pin.
bille [bìy] *f.* small ball [billard]; marble [jeu]; (pop.) nut; dial.
billet [bìyè] *m.* note, letter; circular; notice; bill (comm.); ticket; bank-note; *billet doux,* love-letter; *billet de faire-part,* wedding, funeral announcement; *billet simple,* single ticket; *billet d'aller et retour,* return ticket; *billet à vue,* bill payable at sight; *billet de logement,* billeting (mil.); *billet à ordre,* promissory note.
billevesées [bìlvᵉzé] *f. pl.* nonsense, crazy ideas.
bimoteur [bìmòtœr] *adj.* twin-engined.
binette [bìnèt] *f.* hoe (agr.).
binette [bìnèt] *f.* (pop.) face, mug.
binocle [bìnòkl] *m.* eye-glasses; pince-nez.
biographe [bìògràf] *m.* biographer. || **biographie** [-î] *f.* biography. || **biographique** [-ìk] *adj.* biographical.
biologie [bìòlòjî] *f.* biology. || **biologique** [-ìk] *adj.* biological. || **biologiste** [-ìst] *m.* biologist.
biplan [bìplaⁿ] *m.* biplane (aviat.).
bique [bìk] *f.* she-goat, nanny-goat; old nag. || **biquet** [-è] *m.* kid.
bis [bì] *adj.* brown; *pain bis,* brown bread.
bis [bìs] *adv.* twice, again, repeat; ditto; encore!; *no. 32 bis,* no. 32 A [maisons].
bisannuel [bìzànnüèl] *adj.* biennial.
bisbille [bìzbîy] *f.* (fam.) bickering, quarrel; *en bisbille,* at loggerheads.
biscornu [bìskòrnü] *adj.* two-horned; odd; misshapen, distorted; inconsequent [argument].
biscotte [bìskòt] *f.* rusk. || **biscuit** [bìsküì] *m.* biscuit, *Am.* zwieback; *biscuit de mer,* ship's biscuit; *biscuit à la cuiller, Br.* sponge-finger, *Am.* lady-finger.
bise [bìz] *f.* north wind.
biseau [bìsô] *m.* chamfer, bevel; bevelling. || **biseauter** [-té] *v.* to bevel; to cheat [cartes].
bismuth [bìsmüt] *m.* bismuth.
bissecteur, -trice [bìsèktœr, -trìs] *adj.* bisecting. || **bissection** [bìsèksyoⁿ] *f.* bisection.
bisser [bìsé] *v.* to encore (theat.).
bissextile [bìsèkstìl] *adj. année bissextile,* leap-year.
bistouri [bìstûrî] *m.* lancet, bistoury.
bistre [bìstr] *m.* bistre; *adj.* blackish-brown. || **bistré** [-é] *adj.* brown, swarthy.
bistro [bìstrô] *m.* pub; dive, cheap café.
bitume [bìtüm] *m.* bitumen, asphalt; tar.
bivouac [bìvwàk] *m.* bivouac. || **bivouaquer** [-é] *v.* to bivouac.
bizarre [bìzàr] *m.* queer thing; strange part; *adj.* bizarre, odd, curious, strange. || **bizarrerie** [-rî] *f.* oddness, peculiarity; whim.
blackbouler [blàkbûlé] *v.* to blackball, to turn down.
blafard [blàfàr] *adj.* pale, wan; livid.
blague [blàg] *f.* tobacco-pouch; humbug, nonsense; fib; banter; gag; *sans blague?,* you don't say? || **blaguer** [blàgé] *v.* to chaff; to joke. || **blagueur** [blàgœr] *m.* humbug; wag; *adj.* bantering; scoffing.
blaireau [blèrô] *m.* badger (zool.); shaving-brush; brush [peintre].
blâmable [blâmàbl] *adj.* blamable. || **blâme** [blâm] *m.* blame; *vote de blâme,* vote of censure. || **blâmer** [-é] *v.* to blame; to censure; to reprimand; to find fault with.
blanc, blanche [blaⁿ, blaⁿsh] *m.* white; white part; white man; blank; bull's-eye [cible]; blank cartridge; breast [volaille]; *f.* billiard ball; minim (mus.); *adj.* white,

pale; clean, spotless; blank; *chèque en blanc*, blank check; *chauffer à blanc*, to make white-hot; *blanc de chaux*, whitewash; *saigner à blanc*, to bleed white; *magasin de blanc*, *Br.* linen drapery, *Am.* household linen store; *nuit blanche*, sleepless night; *arme blanche*, cold steel; **blanc-bec**, greenhorn; **blanc-seing**, blank signature; full power. || **blanchâtre** [blaⁿshâtr] *adj.* whitish. || **blanche**, *see* **blanc**. || **blancheur** [-œr] *f.* whiteness, pallor; purity. || **blanchiment** [-imaⁿ] *m.* bleaching. || **blanchir** [-ìr] *v.* to whiten, to blanch, to bleach; to clean, to launder; to fade. || **blanchissage** [-ìsàj] *m.* washing. || **blanchisserie** [-ìsrî] *f.* laundry. || **blanchisseur** [-ìsœr] *m.* laundry-man; bleacher (text.). || **blanchisseuse** [-ìsëz] *f.* washerwoman; laundress.

blaser [blâzé] *v.* to blunt; to surfeit; *il est blasé*, he is jaded, blasé.

blason [blâzoⁿ] *m.* blazon, coat-of-arms; heraldry.

blasphème [blàsfèm] *m.* blasphemy. || **blasphémer** [-émé] *v.* to blaspheme; to curse.

blatte [blàt] *f.* cockroach, black-beetle.

blé [blé] *m.* corn; wheat; *blé de Turquie*, maize, *Am.* Indian corn; *blé noir*, buck wheat.

blême [blèm] *adj.* pale, wan; ghastly. || **blêmir** [-ìr] *v.* to grow pale, to blanch.

bléser [blézé] *v.* to lisp.

blessant [blèsaⁿ] *adj.* wounding; offensive [remarque]. || **blessé** [-é] *m.* casualty. || **blesser** [-é] *v.* to wound; to hurt; to offend; *se blesser*, to hurt oneself; to take offence. || **blessure** [-ür] *f.* wound, injury.

blet [blè] *adj.* over-ripe.

bleu [blë] *m.* blue; blue mark; bruise; recruit (mil.); blueprint; *adj.* blue; underdone [viande]; *bleu ciel*, sky blue; *bleu marine*, navy blue; *passer au bleu*, to blue; *colère bleue*, violent anger, towering rage; *conte bleu*, fairy tale; *en rester bleu*, to be flabbergasted. || **bleuâtre** [-âtr] *adj.* bluish. || **bleuet**, *see* **bluet**. || **bleuir** [-ìr] *v.* to make blue; to turn blue. || **bleuter** [-té] *v.* to tinge with blue.

blindage [bliⁿdàj] *m.* armo(u)r-plating. || **blinder** [-é] *v.* to armo(u)r, to protect; to screen (electr.); *voitures blindées*, armo(u)red vehicles.

bloc [blòk] *m.* block; memorandum pad; mass; lump; (pop.) clink; *en bloc*, wholesale; *visser à bloc*, to screw right in; *bloc de correspondance*, writing pad. || **blocage** [-àj] *m.* rubble; blocking. || **blockhaus** [-ôs] *m.* blockhouse; conning-tower [sous-marin]. || **blocus** [-üs] *m.* blockade; *faire le blocus de*, to blockade; *forcer le blocus*, to run the blockade.

blond [bloⁿ] *m.*, *adj.* blond; *adj.* fair; flaxen; pale [bière]. || **blondeur** [-dœr] *f.* blondness. || **blondin** [-diⁿ] *m.*, *adj.* fair-haired. || **blondir** [-dìr] *v.* to grow yellow.

bloquer [blòké] *v.* to block up; to blockade; to besiege; to stop [chèque]; to jam on [freins]; to lock (mech.); **se bloquer**, to get jammed.

blottir (se) [s°blòtìr] *v.* to squat; to crouch; to nestle.

blouse [blûz] *f.* blouse; smock; overall.

bluet [blüè] *m.* cornflower.

bluff [blœf] *m.* bluff. || **bluffer** [-é] *v.* to bluff; to pull a fast one. || **bluffeur** [-œr] *m.* bluffer.

blutage [blütàj] *m.* bolting; sifting. || **bluter** [-é] *v.* to bolt, to sift. || **blutoir** [-wàr] *m.* sieve.

boa [bòà] *m.* boa.

bobard [bòbàr] *m.* tall story.

bobine [bòbìn] *f.* bobbin, spool, reel; roll; drum (techn.); coil (electr.); *bobine à rupteur*, make-and-break coil. || **bobiner** [-ìné] *v.* to wind, to spool.

bobo [bòbô] *m.* (fam.) slight hurt; bump.

bocal [bòkàl] *m.* glass jar; bowl; globe.

bock [bòk] *m.* glass of beer.

bœuf [bœf, *pl.* bë] *m.* ox; beef; *bœuf salé*, corned beef.

boire [bwàr] *m.* drink; drinking; *v.** to drink; to absorb; to swallow [insultes]; to gloat over; *boire comme un trou*, to drink like a fish; *chanson à boire*, drinking song.

bois [bwà] *m.* wood; forest; timber; fire-wood; horns [cerf]; wood-wind (mus.); *bois ronds*, spars; *bois contre-plaqué*, plywood. || **boi-**

sage [-zàj] *m.* timbering; afforestation. || **boisé** [-zé] *adj.* wooded; timbered. || **boisement** [-zm*a*^{n}] *m.* tree-planting. || **boiser** [-zé] *v.* to panel; to timber; to plant with trees. || **boiserie** [-zrî] *f.* joinery; woodwork; wainscoting.

boisseau [bwàsô] *m.* bushel.

boisson [bwàso^n] *f.* drink; *pris de boisson,* intoxicated.

boîte [bwàt] *f.* box, case; *Br.* tin; *Am.* can; (pop.) prison; *boîte aux lettres, Br.* letter-box; *Am.* mail-box; *boîte de vitesses,* gear-box; *boîte de nuit,* night-club; *en boîte, Br.* tinned, *Am.* canned; *mettre en boîte,* to pull one's leg.

boiter [bwàté] *v.* to halt, to hobble, to limp, to be lame. || **boiteux** [-ë] *adj.* lame; rickety.

boîtier [bwàtyé] *m.* box, case; box-maker.

boitiller [bwàtìyé] *v.* to hobble, to limp.

bol [bòl] *m.* bowl, basin.

bolcheviste [bòlsh^{e}vìst] *m., f.* Bolchevist. || **bolchevisme**[-ìsm] *m.* Bolchevism.

boléro [bòlérò] *m.* bolero.

bolide [bòlîd] *m.* meteorite; racing-car.

bombance [bo^{n}b*a*^{n}s] *f.* feasting, riot, revel, junket.

bombardement [bo^{n}bàrdm*a*^{n}] *m.* bombing; shelling; bombardment. || **bombarder** [-é] *v.* to shell; to bombard. || **bombardier** [-yé] *m.* bombardier; bomber (aviat.).

bombe [bo^{n}b] *f.* bomb; depth-charge; *à l'épreuve des bombes,* bomb-proof; *en bombe,* like a rocket; *faire la bombe,* to go on a spree. || **bomber** [-é] *v.* to bulge, to bend; to swell; to camber [route]; se **bomber,** to bulge.

bon, bonne [bo^n, bòn] *m.* order, voucher; bond, draft; *pl.* goods; *adj.* good; simple; kind; clever; fit, proper, right; witty; *adv.* well; [*comp.* meilleur, better; *sup.* le meilleur, best]; *bon de poste,* postal order; *bon du trésor,* treasury bond; *bonne année!,* a happy New Year!; *bonne compagnie,* elegant society; *il fait bon,* the weather is fine; *à quoi bon?,* what's the use?; *pour de bon,* in earnest, for good and all.

bonasse [bònàs] *adj.* easy-going, good hearted.

bonbon [bo^{n}bo^n] *m. Br.* sweet, *Am.* candy. || **bonbonnerie** [-ònrî] *f.* confectionery. || **bonbonnière** [-ònyèr] *f.* sweetmeat-box; snug little house.

bond [bo^n] *m.* jump, bound, leap; rush (mil.); *je vous ai fait faux bond,* I left you in the lurch.

bonde [bo^{n}d] *f.* plug; bung [tonneau]; bung-hole; sluice-gate. || **bonder** [-é] *v.* to fill up; *salle bondée,* packed house.

bondir [bo^{n}dîr] *v.* to bound, to jump; to bounce; to caper.

bonheur [bònœr] *m.* happiness; good luck; success; *par bonheur,* luckily; *au petit bonheur,* haphazardly.

bonhomie [bònòmî] *f.* simplicity, good nature; heartiness. || **bonhomme** [bònòm] *m.* man, fellow, chap; simple-minded man; bolt (mech.); *un faux bonhomme,* a humbug.

boni [bònì] *m.* bonus, profit; surplus.

bonification [bònifikàsyo^n] *f.* improvement; rebate (comm.). || **bonifier** [-yé] *v.* to better; to allow; se **bonifier,** to improve.

boniment [bònim*a*^{n}] *m.* patter, claptrap.

bonjour [bo^{n}jûr] *m.* good day; good morning; good afternoon.

bonne [bòn] *adj., see* **bon**; *f.* maid, servant; *bonne à tout faire,* general servant; **bonne-maman,** grandma.

bonnement [bònm*a*^{n}] *adv. tout bonnement,* clearly, plainly.

bonnet [bònè] *m.* cap; *gros bonnet,* bigwig, *Am.* big shot; *opiner du bonnet,* to nod assent; *avoir la tête près du bonnet,* to be quick-tempered. || **bonneterie** [bòntrî] *f.* haberdashery, hosiery. || **bonnetier** [bòntyé] *m.* haberdasher, hosier. || **bonnette** [bònèt] f. bonnet; supplementary lens (phot.).

bonsoir [bo^{n}swàr] *m.* good evening; good night.

bonté [bo^{n}té] *f.* goodness, kindness; *ayez la bonté de,* be so good as to.

borax [bòràks] *m.* borax.

bord [bòr] *m.* edge, border; side, shore [mer]; bank; brim [chapeau]; tack (naut.); *à bord du bateau,* on board ship; *médecin du bord,* ship's doctor. || **bordage**

[-dàj] *m.* hemming, bordering; bulwarks (naut.).
bordeaux [bòrdô] *m.* Bordeaux wine; claret.
bordée [bòrdé] *f.* broadside; volley; watch (naut.); spree. || **border** [-é] *v.* to hem, to border.
bordereau [bòrdᵉrô] *m.* memorandum; statement; register; note; *bordereau de versement,* pay-in slip.
bordure [bòrdür] *f.* border; bordering; edge; rim; *Br.* kerb, *Am.* curb [trottoir].
borgne [bòrñ] *adj.* one-eyed; disreputable, shady; *rue borgne,* blind alley.
borique [bòrìk] *adj.* boracic. || **boriqué** [-é] *adj.* containing boracic.
bornage [bòrnàj] *m.* settling the boundary; staking; demarcation. || **borne** [bòrn] *f.* boundary, limit; milestone; landmark; terminal (electr.); bollard (naut.); *dépasser les bornes,* to overstep the bounds; to go beyond a joke. || **borné** [-é] *adj.* narrow, limited, restricted. || **borner** [-é] *v.* to set limits; to limit; to confine.
bosquet [bòskè] *m.* grove; shrubbery.
bosse [bòs] *f.* hump; bump; dent; knob; relief [art]; *avoir la bosse de,* to have a gift for. || **bosseler** [-lé] *v.* to emboss; to batter. || **bossoir** [-wàr] *m.* davit (naut.). || **bossu** [-ü] *adj.* hunchbacked. || **bossuer** [-üé] *v.* to batter.
bot [bô] *adj.* club-footed; *pied bot,* club-foot.
botanique [bòtànìk] *f.* botany.
botte [bòt] *f.* bunch, truss [foin], sheaf [blé].
botte [bòt] *f.* thrust [escrime].
botte [bòt] *f.* boot; *ça fait ma botte,* that suits me down to the ground.
botteler [bòtlé] *v.* to bind, to truss.
botter [bòté] *v.* to put on shoes, boots; to kick; to suit. || **bottier** [-yé] *m.* shoemaker, bootmaker.
bottin [bòtiⁿ] *m.* directory; who's who.
bouc [bûk] *m.* he-goat; goatee [barbe]; *bouc émissaire,* scapegoat.
boucan [bûkaⁿ] *m.* (pop.) row, shindy, noise.
bouchage [bûshàj] *m.* stopping; corking.
bouche [bûsh] *f.* mouth; opening; muzzle [canon]; nozzle; orifice; *bouche de chaleur,* hot-air grating; *bouche à feu,* piece of artillery; *bouche d'incendie,* fire-hydrant, *Am.* fire-plug; *faire la petite bouche,* to be finicky; **bouche-trou,** stop-gap; substitute. || **bouché** [-é] *adj.* stoppered; corked; clogged; stupid, dense. || **bouchée** [-é] *f.* mouthful. || **boucher** [-é] *v.* to stop (up), to cork; to shut up.
boucher [bûshé] *m.* butcher. || **boucherie** [-rî] *f.* butcher's shop; slaughter, massacre.
bouchon [bûshoⁿ] *m.* cork, stopper, plug, bung; sign; inn, public-house; float [pêche]; wisp [paille]. || **bouchonner** [-òné] *v.* to rub down.
boucle [bûkl] *f.* buckle; ear-ring; curl; lock [cheveux]; loop; ring. || **bouclé** [-é] *adj.* curly, curled. || **boucler** [-é] *v.* to curl; to buckle; to loop; to lock up. || **bouclette** [-èt] *f.* ringlet.
bouder [bûdé] *v.* to sulk; to fight shy of; to be cool towards. || **bouderie** [-rî] *f.* sulkiness. || **boudeur** [-œr] *adj.* sullen, sulky.
boudin [bûdiⁿ] *m.* *Br.* black pudding, *Am.* blood-sausage; spring; flange [roue]; beading; *boudin d'air,* inner tube [pneu].
boudoir [bûdwàr] *m.* boudoir.
boue [bû] *f.* mud, mire; sediment; dirt; slush, sludge.
bouée [bûé] *f.* buoy; *bouée de sauvetage,* life-buoy.
boueur [bûœr] *m.* scavenger; *Br.* dustman, *Am.* garbage-collector; street cleaner. || **boueux** [bûë] *adj.* muddy; dirty.
bouffant [bûfaⁿ] *adj.* puffed, full, ample. || **bouffée** [-é] *f.* puff, whiff, gust [vent]; attack (med.). || **bouffi** [-ì] *adj.* chubby; inflated, swollen. || **bouffissure** [-ìsür] *f.* swelling; bombast.
bougeoir [bûjwàr] *m.* candle-stick.
bouger [bûjé] *v.* to stir; to move; to budge.
bougie [bûjî] *f.* taper; candle; candlepower; *bougie d'allumage, Br.* sparking-plug, *Am.* spark plug.
bougon [bûgoⁿ] *m.* grumbler, grouser; *adj.* grumbling. || **bougonner** [-òné] *v.* to grumble.
bougre [bûgr] *m.* fellow, chap.
bouillabaisse [bûyàbès] *f.* Provençal fish-soup.
bouillant [bûyaⁿ] *adj.* boiling, hot,

hot-tempered. || **bouilleur** [bûyœr] *m.* boiler; distiller. || **bouilli** [bûyì] *m.* boiled beef. || **bouillie** [bûyî] *f.* pap, pulp; gruel; mess. || **bouillir** [bûyîr] *v.** to boil; *faire bouillir,* to boil. || **bouilloire** [bûywàr] *f. Br.* kettle, *Am.* teakettle. || **bouillon** [bûyo^n] *m.* broth, soup; bubble; restaurant; unsold copies [journaux]; *bouillon d'onze heures,* poison. || **bouillonnement** [bûyònma^n] *m.* bubbling; effervescence; seething; boiling. || **bouillonner** [-é] *v.* to boil; to seethe; to bubble; to puff [couture]. || **bouillotte** [bûyòt] *f.* footwarmer; hot-water bottle; teakettle [bouilloire].
boulanger [bûla^njé] *m.* baker. || **boulangerie** [-rî] *f.* baking; bakery; baker's shop.
boule [bûl] *f.* ball; bowl; (pop.) nut, noddle; *boule de neige,* snowball; guelder rose; *jouer aux boules,* to play bowls.
bouleau [bûlô] *m.* birch [arbre].
bouledogue [bûldòg] *m.* bulldog.
bouler [bûlé] *v.* to send rolling; to swell; to blunder. || **boulet** [-è] *m.* bullet; shot; ball. || **boulette** [-èt] *f.* meatball; blunder.
boulevard [bûlvàr] *m.* boulevard.
bouleversement [bûlvèrs^ema^n] *m.* overthrow; confusion; bewilderment. || **bouleverser** [-é] *v.* to upset; to disrupt; to throw into confusion.
bouline [bûlîn] *f.* bowline.
boulon [bûlo^n] *m.* bolt; pin. || **boulonner** [-òné] *v.* to bolt (down).
boulot [bûlô] *m., adj.* fat, plump, tubby (person); *m.* (fam.) work, grind; grub.
bouquet [bûkè] *m.* bunch; cluster [arbres]; aroma [vin]; crowning-piece [feu d'artifice]; *c'est le bouquet,* that's the last straw. || **bouquetière** [-tyèr] *f.* flower-girl.
bouquin [bûki^n] *m.* old book. || **bouquiniste** [-inìst] *m.* second-hand book dealer.
bourbeux [bûrbë] *adj.* miry, muddy. || **bourbier** [-yé] *m.* slough, mire; mess, fix.
bourde [bûrd] *f.* fib, humbug; mistake; blunder.
bourdon [bûrdo^n] *m.* omission (typogr.).
bourdon [bûrdo^n] *m.* humblebee; drone bass; great bell. || **bourdonnement** [-ònma^n] *m.* humming; buzz. || **bourdonner** [-òné] *v.* to hum; to buzz; to murmur.
bourg [bûr] *m.* borough; market-town. || **bourgade** [-gàd] *f.* large village. || **bourgeois** [bûrjwâ] *m.* citizen, townsman, middle-class person; (fam.) Philistine; *adj.* middle-class; common; *cuisine bourgeoise,* plain cooking; *pension bourgeoise,* boarding-house. || **bourgeoisie** [-zî] *f.* middle-class; *droit de bourgeoisie,* freedom of a city.
bourgeon [bûrjo^n] *m.* bud; pimple. || **bourgeonnement** [-ònma^n] *m.* budding, sprouting. || **bourgeonner** [-òné] *v.* to bud, to shoot; *un visage bourgeonné,* a pimply face.
bourgeron [bûrj^ero^n] *m.* overall; jacket.
Bourgogne [bûrgòñ] *f.* Burgundy. || **bourguignon** [-gîño^n] *adj.* Burgundian.
bourlinguer [bûrli^ngé] *v.* to wallow, to strain, to make heavy going.
bourrade [bûràd] *f.* blow, knock, thump.
bourrage [bûràj] *m.* stuffing; padding; swotting; (fam.) *bourrage de crâne,* tripe, eyewash.
bourrasque [bûràsk] *f.* squall; fit of anger.
bourre [bûr] *f.* fluff, flock [laine]; padding; floss; cotton-waste; wad.
bourreau [bûrô] *m.* hangman; executioner.
bourrelet [bûrlè] *m.* pad; draught-excluder; bulge; fender (naut.); flange [roue].
bourrelier [bûrlyé] *m.* saddler. || **bourrellerie** [-èlrî] *f.* harness-maker's shop; harness trade.
bourrer [bûré] *v.* to stuff; to pad; to cram; to ram in; to beat, to trounce.
bourrique [bûrìk] *f.* she-ass; blockhead, dolt.
bourru [bûrü] *adj.* rude; surly; peevish.
bourse [bûrs] *f.* purse; bag; stock-exchange; funds; scholarship; || **boursier** [-yé] *m.* exhibitioner, scholarship-holder; speculator (comm.).
boursouflage [bûrsûflàj] *m.* bombast. || **boursouflé** [-é] *adj.* bloated, inflated; bombastic. || **boursoufler** [-é] *v.* to bloat; to puff up. || **boursouflure** [-ür] *f.* swelling; blister [peinture]; turgidness.

bousculade [bûskülàd] *f.* jostling; scrimmage. || **bousculer** [-é] *v.* to jostle, to hustle; to upset, to knock over.
bouse [bûz] *f.* cow-dung.
boussole [bûsòl] *f.* compass; *perdre la boussole,* to be all at sea; to be off one's rocker.
boustifaille [bûstìfây] *f.* (pop.) food, grub.
bout [bû] *m.* end, extremity; tip; bit; *au bout du compte,* after all; *pousser à bout,* to drive out of patience; *à bout d'efforts,* worn out; *joindre les deux bouts,* to make both ends meet; *à bout portant,* point-blank.
boutade [bûtàd] *f.* whim; sally; *par boutades,* by fits and starts.
boute-en-train [bûtaⁿtrìⁿ] *m.* (fam.) life and soul of the party, merry fellow.
bouteille [bûtèy] *f.* bottle; *bouteille Thermos,* Thermos flask (nom déposé); *mettre en bouteille,* to bottle; *bouteille à gaz,* gas cylinder.
boutique [bûtìk] *f.* shop; goods; *parler boutique,* to talk shop. || **boutiquier** [-yé] *m.* shopkeeper.
bouton [bûtoⁿ] *m.* bud [fleur]; pimple; button; stud [chemise]; door-knob; handle; *bouton d'or,* buttercup. || **boutonner** [-òné] *v.* to bud; to button. || **boutonnière** [-ònyèr] *f.* button-hole; incision (surg.); rosette.
bouture [bûtür] *f.* cutting, slip (hort.). || **bouturer** [-é] *v.* to strike, to plant cuttings; to shoot suckers (hort.).
bouvier [bûvyé] *m.* cowherd; drover. || **bouvillon** [-ìyoⁿ] *m.* bullock, young ox.
bouvreuil [bûvrœy] *m.* bullfinch.
bovin [bòvìⁿ] *adj.* bovine.
boxe [bòks] *f.* boxing. || **boxer** [-é] *v.* to box, to spar. || **boxeur** [-œr] *m.* boxer.
boyau [bwàyô] *m.* bowel, gut; hose-pipe; communication trench (mil.); *corde à boyau,* catgut.
boycottage [bòìkòtàj] *m.* boycotting. || **boycotter** [-é] *v.* to boycott.
bracelet [bràslè] *m.* bracelet, armlet; watch-strap; metal ring; **bracelet-montre,** wrist-watch.
braconnage [bràkònàj] *m.* poaching. || **braconner** [-é] *v.* to poach. || **braconnier** [-yé] *m.* poacher.
braillard [bràyàr] *m.* bawler, noisy brat; *adj.* noisy, obstreperous, shouting; brawling. || **brailler** [bràyé] *v.* to bawl, to squall.
braire [brèr] *v.** to bray; to blubber [enfants].
braise [brèz] *f.* glowing wood embers; live coals; cinders; breeze. || **braiser** [-é] *v.* to braise.
bramer [bràmé] *v.* to bell [animal].
brancard [braⁿkàr] *m.* stretcher; litter; hand-barrow; shaft [voiture]. || **brancardier** [-dyé] *m.* stretcher-bearer.
branchage [braⁿshàj] *m.* branches, wood, boughs [arbres]. || **branche** [braⁿsh] *f.* branch, bough; arm [lunettes]; blade [hélice]; leg [compas]; side [famille]; *vieille branche,* old chap. || **brancher** [-é] *v.* to roost; to perch; to connect; to plug in (electr.); to branch (electr.). || **branchette** [-èt] *f.* twig. || **branchies** [-ì] *f. pl.* gills.
brandir [braⁿdìr] *v.* to brandish, to flourish.
branlant [braⁿlaⁿ] *adj.* tottering; shaky; loose [dent]. || **branle** [braⁿl] *m.* shaking; tossing; swinging; start; *mettre en branle,* to set in motion; **branle-bas,** clearing the decks (naut.); disturbance. || **branler** [-é] *v.* to shake; to be loose, to be unsteady; to rock; to wag; to be in danger.
braquage [bràkàj] *m.* pointing, aiming; steering [auto]. || **braquer** [-é] *v.* to point, to level, to aim; to deflect (aviat.); to lock [roues]; *braquer les yeux sur,* to stare at.
bras [brà] *m.* arm; handle; hand; *avoir le bras long,* to be very influential; *manquer de bras,* to be short-handed; *à tour de bras,* with might and main; *bras dessus, bras dessous,* arm in arm.
braséro [bràzérò] *m.* charcoal-pan, brazier. || **brasier** [-yé] *m.* brazier; furnace; blaze.
brasillement [bràzìymaⁿ] *m.* glittering [métal]; spluttering. || **brasiller** [-ìyé] *v.* to sparkle; to splutter; to grill.
brasse [bràs] *f.* fathom (naut.); breast-stroke [nage]. || **brassée** [-é] *f.* armful. || **brasser** [-é] *v.* to brace (naut.).

brasser [bràsé] *v.* to brew; to mix; to hatch [complot]; to stir up. || **brasserie** [-ri] *f.* brewing; brewery; restaurant. || **brasseur** [-œr] *m.* brewer; *brasseur d'affaires,* big business man.
brassière [bràsyèr] *f.* shoulder-strap; child's bodice; *brassière de sauvetage,* life-jacket.
bravache [bràvàsh] *m.* bully; swaggerer. || **bravade** [-àd] *f.* bravado; bragging. || **brave** [bràv] *adj.* brave; honest; good; nice; smart; *un homme brave,* a brave man; *un brave homme,* a worthy man, a decent fellow. || **braver** [-é] *v.* to brave; to defy; to dare. || **bravo** [-ô] *m.* bravo, cheer; *interj.* bravo!, well done! || **bravoure** [-ûr] *f.* courage, bravery.
brebis [brœbì] *f.* ewe; sheep; *brebis galeuse,* black sheep.
brèche [brèsh] *f.* breach; notch [lame]; gap; hole; *une brèche à l'honneur,* a breach of hono(u)r.
bréchet [bréshè] *m.* breast-bone.
bredouillage [br^e^dûyàj] *m.* stammering; muttering. || **bredouille** [br^e^dûy] *adj. revenir bredouille.* to return empty-handed. || **bredouiller** [-é] *v.* to stammer, to stutter; to mumble.
bref [brèf] *m.* brief; *adj.* brief, short; *adv.* briefly, in short; *parler bref,* to speak curtly.
Bretagne [br^e^tàñ] *f.* Brittany; *la Grande-Bretagne,* Great Britain.
bretelle [br^e^tèl] *f.* strap, sling (mil.); shoulder-strap; *pl.* braces, *Am.* suspenders.
breton [br^e^to^n^] *m., adj.* Breton.
breuvage [br^e^vàj] *m.* drink; beverage; draught.
brevet [br^e^vè] *m.* patent; warrant; certificate; *Am.* degree [diplôme]; licence; commission (mil.); *brevet de pilote,* pilot's licence; *brevet de capitaine,* master's certificate. || **breveté** [-té] *m.* patentee; patent; *adj.* certificated; *Am.* holding a degree. || **breveter** [-té] *v.* to patent [invention]; to license.
bric-à-brac [brikàbràk] *m.* curios; bits and pieces, odds and ends.
bricole [brikòl] *f.* breast-harness; strap; brace; ricochet; back-stroke; odd job. || **bricoler** [-é] *v.* to tinker; to do odd jobs; *Am.* to putter; *qu'est-ce que tu bricoles?,* what are you up to? || **bricoleur** [-œr] *m.* handy-man; *Am.* putterer.
bride [brìd] *f.* bridle, reins; ribbon [chapeau]; loop; tie (mech.); flange; *à bride abattue,* at full speed; *lâcher la bride à,* to give rein to; *tourner bride,* to turn back. || **brider** [-é] *v.* to bridle; to check; to curb; to truss [volaille]; to flange (techn.); *yeux bridés,* narrow eyes.
bridge [bridj] *m.* bridge [jeu]. || **bridger** [-é] *v.* to play bridge.
brièveté [brièvté] *f.* brevity, shortness, concision.
brigade [brìgàd] *f.* brigade (mil.); gang [travailleurs]; squad [police]; body [hommes]; shift(-work). || **brigadier** [-yé] *m.* corporal (mil.); sergeant [police]; foreman.
brigand [brìga^n^] *m.* brigand; robber; rogue. || **brigandage** [-dàj] *m.* plunder; robbery.
brillant [brìya^n^] *m.* brightness, brilliance; shine; glitter; brilliant [diamant]; *adj.* bright, shining, sparkling; wonderful. || **briller** [brìyé] *v.* to shine; to sparkle; to be conspicuous.
brimade [brìmàd] *f. Br.* ragging, *Am.* hazing. || **brimer** [-é] *v. Br.* to rag, *Am.* to haze; to bully.
brin [bri^n^] *m.* shoot, blade [herbe]; thread, strand; bit; sprig [bruyère]; *un beau brin de fille,* a fine-looking girl.
brindille [bri^n^dìy] *f.* twig.
brioche [brìyòsh] *f.* brioche; bun; (fam.) blunder.
brique [brìk] *f.* brick; cake [savon]. || **briquet** [-è] *m.* flint and steel; cigarette lighter. || **briqueterie** [-trì] *f.* brickyard. || **briquettes** [-èt] *f. pl.* patent fuel, briquettes.
bris [brì] *m.* breaking open; breaking loose; wreckage (naut.). || **brisant** [-za^n^] *m.* breaker; reef, shoal; *adj.* breaking; bursting.
brise [brìz] *f.* breeze.
brisé [brìzé] *adj.* broken; tired out; folding [porte]. || **brisées** [-é] *f. pl.* tracks; footsteps. || **brisement** [-ma^n^] *m.* breaking. || **briser** [-é] *v.* to break; to shatter; *brisons là,* let's change the subject; **se briser,** to break; **brise-bise,** draught-protector; **brise-circuit,** circuit-breaker; **brise-glace,** ice-breaker; **brise-lames,** breakwater; groyne.

britannique [britànìk] *adj.* British.
broc [brô] *m.* jug; pitcher.
brocantage [bròkaⁿtàj] *m.* second-hand dealing.
brochage [bròshàj] *m.* stitching; brocading. || **broche** [bròsh] *f.* spit [à rôtir]; skewer; spindle; pin (mech.); peg [tente]; knitting-needle; brooch; *pl.* tusks [sanglier]. || **brocher** [-é] *v.* to stitch; to brocade; to emboss; to scamp; *un livre broché,* a paper-bound book.
brochet [bròshè] *m.* pike [poisson].
brochette [bròshèt] *f.* skewer; pin (techn.).
brocheur [bròshœr] *m.* book-stitcher. || **brochure** [-ür] *f.* brochure; booklet; pamphlet.
broder [bròdé] *v.* to embroider; to romance. || **broderie** [-rî] *f.* embroidery; embellishment (fig.). || **brodeur** [-œr] *m.* embroiderer.
bromure [bròmür] *m.* bromide.
broncher [broⁿshé] *v.* to stumble; to trip; to move; to falter; *sans broncher,* without flinching.
bronches [broⁿsh] *f. pl.* bronchia. || **bronchite** [-ìt] *f.* bronchitis. || **broncho-pneumonie** [broⁿkô-pnëmònî] *f.* broncho-pneumonia.
bronze [broⁿz] *m.* bronze; *cœur de bronze,* heart of iron. || **bronzer** [-é] *v.* to bronze; to tan; to harden [cœur].
brosse [bròs] *f.* brushwood; brush; *brosse à cheveux,* hairbrush; *brosse à dents,* tooth-brush; *cheveux en brosse,* crew-cut. || **brosser** [-é] *v.* to brush; (pop.) to thrash.
brou [brû] *m.* husk; *brou de noix,* walnut stain.
brouette [brûèt] *f.* wheelbarrow. || **brouettée** [-é] *f.* barrow-load. || **brouetter** [-é] *v.* to convey in a barrow.
brouhaha [brûàà] *m.* noise, uproar; commotion.
brouillage [brûyàj] *m.* jamming [radio]; interference [radio].
brouillamini [brûyàminì] *m.* (fam.) disorder, confusion.
brouillard [brûyàr] *m.* fog; mist; waste-book. || **brouillasser** [brûyàsé] *v.* to drizzle.
brouille [brûy] *f.* disagreement, difference; confusion; *être en brouille avec,* to be on bad terms with. || **brouiller** [-é] *v.* to mix up; to confuse; to shuffle [cartes]; to jam [radio]; to interfere [radio]; to scramble [œufs]; **se brouiller,** to get dim; to become confused; to fall out [amis]. || **brouillon** [-oⁿ] *m.* rough copy; *Br.* waste-book, *Am.* scratch-pad; *adj.* untidy; blundering.
broussailles [brûsây] *f. pl.* bush, brushwood; briars; *en broussaille,* unkempt, shaggy. || **broussailleux** [-ë] *adj.* bushy.
brouter [brûté] *v.* to browse, to graze; to jump [outil]. || **broutilles** [-tîy] *f. pl.* twigs; brushwood; mere trifles.
broyement [brwàmaⁿ] *m.* pounding, crushing. || **broyer** [-àyé] *v.* to pound, to pulverize; to crush; to grind. || **broyeur** [-àyœr] *m.* pounder, breaker; grinder; crusher.
bru [brü] *f.* daughter-in-law.
bruine [brüìn] *f.* drizzle, Scotch mist. || **bruiner** [-ìné] *v.* to drizzle.
bruissement [brüìsmaⁿ] *m.* murmuring; rustling; soughing.
bruit [brüì] *m.* noise; clatter; din; clang [métal]; report; rumo(u)r; *bruit sourd,* thud; *le bruit court que,* it is rumo(u)red that.
brûlage [brülàj] *m.* burning; singeing [cheveux]. || **brûlant** [-aⁿ] *adj.* burning, on fire; scorching; ardent. || **brûler** [-é] *v.* to burn; to singe; to scorch; to scald [avec des liquides]; to be hot; to yearn; to hurry; *se brûler la cervelle,* to blow one's brains out; *brûler le pavé,* to tear along the street; *brûler une étape,* to pass through without stopping; *à brûle-pourpoint,* point-blank. || **brûlerie** [-rî] *f.* brandy-distillery. || **brûleur** [-œr] *m.* gas-burner; brandy distiller; incendiary. || **brûloir** [-wàr] *m.* coffee roaster. || **brûlure** [-ür] *f.* burn; scald; blight (agr.).
brume [brüm] *f.* mist; haze. || **brumeux** [-ë] *adj.* foggy; hazy; misty.
brun [bruⁿ] *m.* brown; *adj.* brown; dark; dusk; *une brune,* a brunette. || **brunâtre** [brünâtr] *adj.* brownish. || **brunet** [-è] *adj.* dark; brownish. || **brunir** [-ìr] *v.* to tan, to become brown; to burnish. || **brunissage** [-ìsàj] *m.* burnishing. || **brunisseur** [-ìsœr] *m.* burnisher. || **brunissoir** [-ìswàr] *m.* burnisher [outil].
brusque [brüsk] *adj.* blunt, brusque, abrupt, rough; sudden. || **brusquer** [-é] *v.* to be blunt with; to

hustle [gens]; to hurry [choses]. || **brusquerie** [-ᵉrî] *f.* brusqueness, abruptness.

brut [brüt] *adj.* raw, unworked; in the rough; gross (comm.); crude [huile]; unrefined [sucre]; rough [diamant]; *revenu brut,* gross returns. || **brutal** [-àl] *adj.* brutal; unfeeling; savage; fierce; plain [vérité]. || **brutaliser** [-àlizé] *v.* to bully; to ill-treat. || **brutalité** [-àlité] *f.* brutality; cruelty; roughness. || **brute** [brüt] *f.* brute; ruffian.

Bruxelles [brüsèl] *f.* Brussels.

bruyant [brüyaⁿ] *adj.* noisy, loud; boisterous; obstreperous; rollicking [rire].

bruyère [brüyèr] *f.* heath; heather; briar; *coq de bruyère,* grouse.

bu [bü] *p. p. of* **boire.**

buanderie [büaⁿdrî] *f.* wash-house, laundry.

buccal [bükàl] *adj.* of the mouth.

bûche [büsh] *f.* log; block; billet [bois]; (fam.) blockhead; *bûche de Noël,* yule-log; *ramasser une bûche,* to have a spill. || **bûcher** [-é] *m.* wood-shed; wood-stack; stake (hist.); pyre; *v. to* rough-hew; (fam.) to grind, *Br.* to swot. || **bûcheron** [-roⁿ] *m.* wood-cutter, lumberjack. || **bûcheur** [-œr] *m.* (fam.) hard worker, plodder, *Br.* swotter, *Am.* grind.

bucolique [bükòlìk] *adj.* bucolic, pastoral.

budget [büdjè] *m.* budget; estimates; *boucler le budget,* to make both ends meet. || **budgétaire** [-étèr] *adj.* budgetary; financial.

buée [büé] *f.* steam, vapo(u)r.

buffet [büfè] *m.* sideboard; cupboard; dresser; buffet; refreshment room.

buffle [büfl] *m.* buffalo; buff [cuir]; strop.

buis [büì] *m.* boxwood.

buisson [büìsoⁿ] *m.* bush; hedge; thicket. || **buissonneux** [-ònë] *adj.* bushy. || **buissonnier** [-ònyé] *adj.* living in the bush; *faire l'école buissonnière,* to play truant, *Am.* to play hooky.

bulbe [bülb] *m. or f.* bulb [plante].

bulle [bül] *f.* bubble; blister; seal; Papal bull; *papier bulle,* coarse paper. || **bulletin** [-tiⁿ] *m.* bulletin; report; form; voting-paper; *bulletin de vote,* ballot; *bulletin météorologique,* weather report; *bulletin de bagages, Br.* luggage-ticket, *Am.* baggage-check.

buraliste [büràlìst] *m.* office-clerk; tax collector; tobacconist.

bureau [bürô] *m.* bureau, writing-desk; office; shop; staff; board [directeurs]; *bureau de tabac,* tobacco shop; *bureau de poste,* post-office; *le deuxième bureau,* the Intelligence Department (mil.); *chef de bureau,* head of a department. || **bureaucrate** [-kràt] *m.* bureaucrat. || **bureaucratie** [-kràsî] *f.* bureaucracy; (fam.) red tape.

burette [bürèt] *f.* cruet; oil-can; oiler.

burin [büriⁿ] *m.* burin; graver; etching needle. || **buriner** [-iné] *v.* to engrave.

burlesque [bürlèsk] *adj.* burlesque; comical, ludicrous.

buse [büz] *f.* buzzard; (fam.) dunce, dolt.

buse [büz] *f.* nozzle (techn.); mill-race; air-shaft [mine]; choke.

buste [büst] *m.* bust; *en buste,* half-length.

but [bü(t)] *m.* mark; aim; target; goal; objective; purpose; *de but en blanc,* bluntly; *droit au but,* to the point.

butée [büté] *f.* abutment; thrust; arrester (techn.). || **buter** [-é] *v.* to abut; to butt; to knock against; to trip; to prop; *c'est un esprit buté,* he's an obstinate creature; **se buter,** to be determined [*à,* on].

butin [bütiⁿ] *m.* booty, plunder, spoils. || **butiner** [-iné] *v.* to loot, to pillage; to gather honey [abeilles].

butte [büt] *f.* mound; hillock; bank; butts (mil.); *être en butte à,* to be exposed to. || **buttée** [-é] *f., see* **butée.** || **butter** [-é] *v.* to bank up, to earth up. || **buttoir** [-wàr] *m. Br.* ridging-plough, *Am.* ridging-plow; buffer [trains].

buvable [büvàbl] *adj.* drinkable; (pop.) acceptable. || **buvard** [-àr] *m.* blotting-paper. || **buvette** [-èt] *f.* refreshment bar; pump-room [villes d'eau]. || **buveur** [-œr] *m.* drinker; toper; *buveur d'eau,* teetotaler. || **buvoter** [-òté] *v.* to sip.

byzantin [bizaⁿtiⁿ] *m., adj.* Byzantine.

C

c', *see* **ce.**
ça [sà], *see* **cela.**
çà [sà] *adv.* here; hither; *çà et là,* here and there.
cabale [kàbàl] *f.* cabal, faction; intrigue. || **cabalistique** [-istìk] *adj.* cabalistic.
caban [kàba^n] *m.* oilskins; pilot-coat; duffle-coat.
cabane [kàbàn] *f.* hut, shed; cabin; hutch [lapins]. || **cabanon** [-o^n] *m.* small cabin; cell.
cabaret [kàbàrè] *m.* tavern, pot-house; restaurant. || **cabaretier** [-tyé] *m.* inn-keeper; publican.
cabas [kàbà] *m.* basket.
cabestan [kàbèsta^n] *m.* capstan, winch.
cabillaud [kàbìyô] *m.* fresh cod.
cabine [kàbìn] *f.* cabin; berth (naut.); *Br.* telephone kiosk, call-box, *Am.* telephone booth. || **cabinet** [-è] *m.* closet; office; ministry, government; consulting-room; collection; cabinet, case; toilet; *cabinet noir,* dark-room; *cabinet de toilette,* dressing-room; lavatory; *cabinet de travail,* study.
câble [kâbl] *m.* cable; *câble de remorque,* tow-line, hawser. || **câbler** [-é] *v.* to cable [télégramme]; to wire up (electr.). || **câblogramme** [-ògràm] *m.* cable, cablegram.
caboche [kàbòsh] *f.* nail; hobnail; (pop.) head, pate, noddle. || **cabochon** [-o^n] *m.* cabochon [pierre]; brass nail.
cabosse [kàbòs] *f.* bump. || **cabosser** [-é] *v.* to bump; to batter; to bash in.
cabotage [kàbòtàj] *m.* coasting-trade. || **caboter** [-é] *v.* to coast. || **caboteur** [-œr] *m.* coaster, coasting-vessel.
cabotin [kàbòti^n] *m.* ham-actor; strolling player. || **cabotinage** [-inàj] *m.* third-rate acting; bohemian existence; histrionism; self-advertisement.
caboulot [kàbûlô] *m.* low pub.
cabrer (se) [s^{e}kàbré] *v.* to rear, to shy, to buck; to revolt; to nose up (aviat.).
cabri [kàbrì] *m.* kid.
cabriole [kàbriòl] *f.* caper, leap. || **cabrioler** [-é] *v.* to caper about, to cut capers. || **cabriolet** [-è] *m.* cabriolet, cab; hand-cuff.
cacahuète [kàkàwèt] *f.* peanut.
cacao [kàkàò] *m.* cacao; cocoa.
cacatoès [kàkàtòès] *m.* cockatoo, parakeet.
cachalot [kàshàlô] *m.* cachalot, sperm whale.
cache [kàsh] *f.* hiding-place; screen, mask (phot.); cache-cache, hide-and-seek; cache-col, scarf; cache-nez, muffler; cache-poussière, dust-coat. || **cacher** [kàshé] *v.* to hide, to conceal; to make a secret of; se cacher, to hide; to avoid.
cachet [kàshè] *m.* seal; stamp; ticket; mark; trade-mark; cachet (med.); fee; *avoir du cachet,* to have distinction; to look authentic; *lettre de cachet,* warrant of arrest. || **cachetage** [kàshtàj] *m.* sealing. || **cacheter** [kàshté] *v.* to seal (up). || **cachette** [-èt] *f.* hiding-place; *en cachette,* secretly, by stealth. || **cachot** [-ô] *m.* dungeon; jail. || **cachotterie** [-òtrî] *f.* mysterious ways. || **cachottier** [-òtyé] *m.* secretive fellow; *adj.* mysterious, reticent.
cachou [kàshû] *m.* cachou.
cacophonie [kàkòfònî] *f.* cacophony. || **cacophonique** [-ìk] *adj.* cacophonous, discordant.
cactus [kàktüs] *m.* cactus.
cadastre [kàdàstr] *m.* public register of lands; survey of property.
cadavérique [kàdàvérìk] *adj.* cadaverous; *rigidité cadavérique,* rigor mortis. || **cadavre** [kàdàvr] *m.* cadaver, corpse; carcass.
cadeau [kàdô] *m.* gift, present.
cadenas [kàdnà] *m.* padlock; clasp. || **cadenasser** [-sé] *v.* to padlock; to fasten [bracelet].
cadence [kàda^ns] *f.* cadence, rhythm, fall (lit.), cadenza (mus.); *en cadence,* rhythmically. || **cadencer** [-é] *v.* to set the rhythm.
cadet [kàdè] *m.* younger son; cadet (mil.); caddie [golf]; young man; *adj.* younger, junior, youngest;

mon cadet de deux ans, my junior by two years.
cadran [kàdrₐⁿ] *m.* face, dial; *cadran solaire*, sun-dial. || **cadrat** [-à] *m.* quadrat. || **cadratin** [-àtiⁿ] *m.* em quad. || **cadre** [kâdr] *m.* frame; framework; outline, limits; setting [scène]; sphere; cadre, staff (mil.); *cadre de réception*, frame aerial. || **cadrer** [-é] *v.* to tally, to agree; to fit in.
caduc, -uque [kàdük] *adj.* decrepit, decaying; frail, feeble [voix]; deciduous (bot.); null, lapsed (jur.); *mal caduc*, epilepsy.
cafard [kàfàr] *m.* cockroach; sneak; humbug; *adj.* sneaking; sanctimonious; *avoir le cafard*, to be in the dumps, to have the blues.
café [kàfé] *m.* coffee; café; *café nature*, black coffee; *café en poudre*, soluble coffee. || **caféine** [-éin] *f.* caffeine. || **cafetier** [-tyé] *m.* café-owner. || **cafetière** [-tyèr] *f.* coffee-pot.
cage [kâj] *f.* cage; hen-coop; frame (constr.); cover, casing; (pop.) prison, clink; *cage à billes*, ball-race (mech.).
cagneux [kàñë] *adj.* knock-kneed.
cagnotte [kàñòt] *f.* pool, kitty.
cagot [kàgô] *m.* bigot; *adj.* sanctimonious.
cagoule [kàgûl] *f.* cowl, hood.
cahier [kàyé] *m.* note-book; exercise-book; official reports.
cahot [kàô] *m.* jolt. || **cahotement** [-tmₐⁿ] *m.* jolting. || **cahoter** [-té] *v.* to jolt; to jog, to jerk. || **cahoteux** [-të] *adj.* rough, bumpy [route].
cahute [kàüt] *f.* hut; hovel; cabin.
caille [kày] *f.* quail [oiseau].
caillebotis [kàybòtì] *m.* grating; duckboards (mil.). || **caillebotte** [kàybòt] *f.* curds. || **caillebotter** [-é] *v.* to curdle; to clot.
cailler [kàyé] *v.* to curdle; to clot [sang]; *lait caillé*, clotted milk, curds; caille-lait, rennet.
caillot [kàyò] *m.* clot.
caillou [kàyû] *m.* pebble, small stone; cobble. || **caillouteux** [-të] *adj.* pebbly, stony, flinty. || **cailloutis** [-tì] *m.* rubble, heap of broken stones; rough surface.
caisse [kès] *f.* case, box; till; cash-box; cash; pay-desk; fund; drum; body [véhicule]; *caisse d'épargne*, savings-bank; *grosse caisse*, big drum; *argent en caisse*, cash in hand; *faire la caisse*, to balance the cash; *caisse à eau*, water-tank. || **caissette** [-èt] *f.* small box. || **caissier** [-yé] *m.* cashier; treasurer. || **caisson** [-oⁿ] *m.* caisson; locker (naut.); boot [auto].
cajoler [kàjòlé] *v.* to cajole, to coax, to wheedle.
cal [kàl] *m.* callosity.
calage [kàlàj] *m.* propping; wedging.
calamité [kàlàmité] *f.* calamity, disaster. || **calamiteux** [-ë] *adj.* calamitous.
calcaire [kàlkèr] *m.* limestone; *adj.* calcareous, chalky.
calciner [kàlsìné] *v.* to calcine, to burn, to char.
calcium [kàlsyòm] *m.* calcium.
calcul [kàlkül] *m.* reckoning; calculation; computation; estimation, estimate; calculus; *faux calcul*, miscalculation. || **calculateur, -trice** [-àtœr, -trìs] *m., f.* calculator, reckoner; *adj.* scheming, calculating. || **calculer** [-é] *v.* to calculate, to reckon; to deliberate; to forecast. || **calculeux** [-ë] *adj.* calculous.
cale [kàl] *f.* hold [bateau]; *cale de construction*, stocks; *cale sèche*, dry dock; *eau de cale*, bilge water.
cale [kàl] *f.* wedge, chock; prop; packing.
calé [kàlé] *adj.* well versed, well up; *p. p. of* **caler**.
calebasse [kàlbàs] *f.* calabash; gourd.
caleçon [kàlsoⁿ] *m.* drawers, *Br.* pants, *Am.* shorts.
calembour [kàlaⁿbûr] *m.* pun. || **calembredaine** [-rₑdèn] *f.* nonsense, foolishness; quibble.
calendrier [kàlaⁿdryé] *m.* calendar; almanac.
calepin [kàlpiⁿ] *m.* note-book.
caler [kàlé] *v.* to draw water, to have draught (naut.).
caler [kàlé] *v.* to wedge, to chock; to prop (up); to jam; to stall [moteur]; to strike [voiles]; to lower; to adjust; (pop.) to flinch.
calfat [kàlfà] *m.* ca(u)lker. || **calfatage** [-tàj] *m.* ca(u)lking. || **calfater** [-té] *v.* to ca(u)lk.
calfeutrer [kàlfëtré] *v.* to stop up the chinks of; *se calfeutrer*, to make oneself snug, to snuggle.
calibrage [kàlibràj] *m.* calibrating;

gauging; trimming (phot.). || **calibre** [kàlìbr] *m.* bore, calibre [canon]; size; gauge (techn.); former; template; *compas de calibre*, callipers. || **calibrer** [-é] *v.* to calibrate; to gauge; to trim.
calice [kàlìs] *m.* chalice.
calice [kàlìs] *m.* calyx (bot.).
Californie [kàlifòrnì] *f.* California.
califourchon (à) [àkàlifûrshoⁿ] *adv.* astride.
câlin [kâliⁿ] *m.* wheedler; *adj.* wheedling, cajoling; coaxing. || **câliner** [-iné] *v.* to wheedle; to fondle, to caress. || **câlinerie** [-inrì] *f.* cajolery; coaxing; caressing.
calleux [kàlë] *adj.* horny, callous; hard. || **callosité** [-òzìté] *f.* callosity; *avec callosité*, callously.
calmant [kàlmaⁿ] *m.* sedative (med.); *adj.* calming, soothing. || **calme** [kàlm] *m.* calm, calmness, stillness; composure; *adj.* calm, still, quiet. || **calmer** [-é] *v.* to calm, to quieten; to soothe; to pacify; **se calmer**, to abate, to calm down.
calomniateur, -trice [kàlòmnyàtœr, -trìs] *m., f.* slanderer; *adj.* slanderous; libel(l)ous. || **calomnie** [-ì] *f.* calumny, slander, libel. || **calomnier** [-yé] *v.* to slander; to libel. || **calomnieux** [-yë] *adj.* slanderous; libel(l)ous.
calorie [kàlòrì] *f. Br.* calory, *Am.* calorie. || **calorifère** [-ìfèr] *m.* heating-apparatus, stove. || **calorifique** [-ifìk] *adj.* calorific.
calot [kàlô] *m.* cap; forage-cap (mil.). || **calotin** [-tiⁿ] *m.* (pop.) ardent church-goer. || **calotte** [-t] *f.* skull-cap; slap in the face, cuff; the cloth, priesthood. || **calotter** [-té] *v.* to box someone's ears.
calque [kàlk] *m.* fair copy; tracing. || **calquer** [-é] *v.* to copy; to trace; to transfer [tricot]; *papier à calquer*, tracing-paper.
calvitie [kàlvìsì] *f.* baldness.
camail [kàmày] *m.* cape (eccles.); cloak.
camarade [kàmàràd] *m., f.* comrade, fellow, mate. || **camaraderie** [-rì] *f.* comradeship, friendship; clique.
camard [kàmàr] *adj.* snubnosed. || **camarde** [-d] *f.* (pop.) death.
cambouis [kaⁿbûì] *m.* cart-grease; dirty oil.
cambré [kaⁿbré] *adj.* bent, cambered, arched, bowed [jambes]. || **cambrer** [-é] *v.* to bend, to camber, to arch [pieds]; **se cambrer**, to brace oneself up; to warp.
cambriolage [kaⁿbrìòlàj] *m.* housebreaking, burglary. || **cambrioler** [-é] *v.* to burgle; to break into [maison]. || **cambrioleur** [-œr] *m.* housebreaker, burglar.
cambrure [kaⁿbrür] *f.* camber; bend; arch; curve; instep.
cambuse [kaⁿbüz] *f.* store-room (naut.). || **cambusier** [-yé] *m.* store-keeper; steward's mate.
came [kàm] *f.* cam; lifter (mech.); *arbre à came*, camshaft.
camélia [kàmélyà] *m.* camellia (bot.).
camelot [kàmlô] *m.* street hawker. || **camelote** [-òt] *f.* cheap articles, junk, trash, rubbish.
camera [kàmèrà] *f.* cine-camera.
camion [kàmyoⁿ] *m.* wag(g)on; *Br.* lorry, *Am.* truck. || **camionnage** [-yònàj] *m.* cartage; trucking; hauling. || **camionnette** [-yònèt] *f. Br.* small lorry, *Am.* light truck; delivery-van. || **camionneur** [-yònœr] *m. Br.* lorry-driver, *Am.* truck driver.
camisole [kàmìzòl] *f.* camisole; *camisole de force*, strait-jacket.
camomille [kàmòmìy] *f.* camomile.
camouflage [kàmûflàj] *m.* camouflage. || **camoufler** [-é] *v.* to camouflage (mil.); to disguise; to conceal.
camp [kaⁿ] *m.* camp; side; faction, party; *camp volant*, temporary shelter.
campagnard [kaⁿpàñàr] *m.* rustic; countryman; *adj.* rustic.
campagne [kaⁿpàñ] *f.* open country; countryside; campaign (mil.); field (mil.); cruise (naut.); *à la campagne*, in the country; *en pleine campagne*, out in the open.
camper [kaⁿpé] *v.* to camp; to fix; **se camper**, to pitch one's camp; to plant oneself.
camphre [kaⁿfr] *m.* camphor. || **camphré** [-é] *adj.* camphorated.
camus [kàmü] *adj.* snub-nosed; pug-nosed [chien].
Canada [kànàdà] *m.* Canada; *au Canada*, in Canada. || **canadien** [-yiⁿ] *m., adj.* Canadian. || **canadienne** [-yèn] *f.* wool-lined jacket.
canaille [kànây] *f.* (pop.) rabble;

riffraff; roughs; blackguard, scoundrel, rotter; *adj.* low, coarse. || **canaillerie** [-rî] *f.* dirty trick, blackguardly trick.
canal [kànàl] *m.* canal; channel; conduit; pipe (mech.); passage (bot.); duct. || **canalisation** [-izàsyo^n] *f.* canalisation [rivière]; draining; mains (mech.); pipe-line. || **canaliser** [-izé] *v.* to canalize; to lay pipes; to make navigable [rivière].
canapé [kànàpé] *m.* couch, sofa.
canard [kànàr] *m.* duck; drake; hoax; false news; sensationalist newspaper, *Br.* rag (pop.); wrong note (mus.); lump of sugar dipped in brandy or coffee. || **canardeau** [-dô] *m.* duckling. || **canarder** [-dé] *v.* to fire at, to pepper (fam.); to pitch [navire].
canari [kànàrì] *m.* canary.
cancan [ka^nka^n] *m.* cancan; gossip.
cancer [ka^nsèr] *m.* cancer; *le Cancer,* the Crab, Cancer (astr.). || **cancéreux** [-érë] *m.* cancer sufferer; *adj.* cancerous.
cancre [ka^nkr] *m.* crab; cray-fish; dunce, duffer.
candeur [ka^ndœr] *f.* ingenuousness, artlessness, guilelessness; cando(u)r.
candi [ka^ndì] *adj.* candied.
candidat [ka^ndidà] *m.* candidate. || **candidature** [-tür] *f.* candidature; *poser sa candidature à,* to put up for.
candide [ka^ndìd] *adj.* ingenuous, artless, guileless. || **candidement** [-ma^n] *adv.* ingenuously.
cane [kàn] *f.* duck.
caner [kàné] *v.* (pop.) to funk it, to show the white feather.
caneton [kànto^n] *m.* duckling.
canette [kànèt] *f.* duckling; teal.
canevas [kànvà] *m.* canvas; outline, plan.
caniche [kànìsh] *m.* poodle.
caniculaire [kànikülèr] *adj.* sultry [temps]; *les jours caniculaires,* the dog-days. || **canicule** [-ül] *f.* dog-days.
canif [kànìf] *m.* penknife, pocket-knife.
canin [kànì^n] *adj.* canine, dog [exposition]. || **canine** [-în] *f.* canine [dent].
canne [kàn] *f.* cane, stick; rod; walking-stick; *sucre de canne,* cane-sugar; *canne à sucre,* sugar-cane; *canne à pêche,* fishing-rod.
canneler [kànlé] *v.* to groove, to flute (arch.); to corrugate.
cannelle [kànèl] *f.* cinnamon.
cannelure [kànlür] *f.* channel; groove, fluting (arch.); corrugation.
cannette [kànèt] *f.* stoppered beer-bottle; spool [machine à coudre].
cannibale [kànibàl] *m.* cannibal. || **cannibalisme** [-ìsm] *m.* cannibalism.
canon [kàno^n] *m.* cannon; gun; barrel; *poudre à canon,* gunpowder; *à canon rayé,* rifled; *coup de canon,* gunshot.
canon [kàno^n] *m.* canon (eccles.; mus.); *droit canon,* canon law. || **canonique** [-ònìk] *adj.* canonical. || **canonisation** [-ònizàsyo^n] *f.* canonization. || **canoniser** [-ònizé] *v.* to canonize.
canonnade [kànònàd] *f.* gun-fire, cannonade. || **canonnerie** [-rî] *f.* gun-foundry. || **canonnier** [-yé] *m.* gunner, artilleryman. || **canonnière** [-yèr] *f.* gunboat [navire]; pop-gun [jouet].
canot [kànô] *m.* boat; dinghy; pinnace; *canot de sauvetage,* lifeboat; *canot glisseur,* speed-boat. || **canotage** [-òtàj] *m.* rowing, boating, canoeing. || **canoter** [-òté] *v.* to go in for boating. || **canotier** [-òtyé] *m.* boatman; oarsman; straw-hat, boater.
cantatrice [ka^ntàtrìs] *f.* singer.
cantine [ka^ntîn] *f.* canteen (mil.); equipment-case. || **cantinier** [-ìnyé] *m.* canteen-manager.
cantique [ka^ntìk] *m.* canticle; sacred song, hymn.
canton [ka^nto^n] *m.* canton, district; section. || **cantonade** [ka^ntònàd] *f.* wings (theat.). || **cantonal** [-ònàl] *adj.* district. || **cantonnement** [-ònma^n] *m.* billeting, quartering; quarters (mil.). || **cantonner** [-òné] *v.* to billet, to quarter [soldats]; to confine; to divide into districts. || **cantonnier** [-ònyé] *m.* roadman, roadmender; labo(u)rer.
canule [kànül] *f.* nozzle. || **canuler** [-é] *v.* (pop.) to bore.
caoutchouc [kàûtshû] *m.* india-rubber; raincoat; solid tire; *pl.* galoshes, rubbers; *anneau en caoutchouc,* elastic band; *caout-*

chouc durci, vulcanite. || **caoutchouter** [-té] *v.* to rubberize, to treat with rubber.
cap [kàp] *m.* cape; head (naut.); course; *de pied en cap*, from head to foot; *mettre le cap sur*, to steer for, to head for.
capable [kàpàbl] *adj.* capable, able, of good abilities.
capacité [kàpàsité] *f.* capacity; ability, qualification (jur.).
cape [kàp] *f.* cape; hood; cloak, gown; *rire sous cape*, to laugh up one's sleeve; *à la cape*, hove to (naut.).
capillaire [kàpillèr] *adj.* capillary. || **capillarité** [-àrité] *f.* capillarity (phys.).
capilotade [kàpilòtàd] *f.* hash; *mettre en capilotade*, to knock to smithereens; to beat to a pulp.
capitaine [kàpitèn] *m.* captain; chief, leader; *capitaine de port*, harbo(u)r-master; *passer capitaine*, to obtain one's master's certificate.
capital [kàpitàl] *m.* capital, assets; *adj.* capital; essential, principal; outstanding [importance]. || **capitale** [-àl] *f.* capital [ville, lettre]. || **capitaliser** [-àlizé] *v.* to capitalize; to save. || **capitalisme** [-àlìsm] *m.* capitalism. || **capitaliste** [-àlìst] *m., f.* capitalist.
capitation [kàpitàsyo^n] *f.* poll-tax.
capiteux [kàpitë] *adj.* heady [vin], strong; sexy [femme].
capiton [kàpito^n] *m.* silk-flock, stuffing. || **capitonner** [-òné] *v.* to pad, to upholster.
capitulation [kàpitülàsyo^n] *f.* capitulation, surrender. || **capituler** [-é] *v.* to capitulate, to surrender.
capoc [kàpòk] *m.* kapok.
capon [kàpo^n] *m.* coward, sneak; *adj.* afraid, cowardly. || **caponner** [-òné] *v.* to funk; to sneak.
caporal kàpòràl] *m.* corporal; shag [tabac]. || **caporalisme** [-ìsm] *m.* narrow militarism.
capot [kàpô] *m.* hooded great-coat; cloak; bonnet [auto]; cowling (aviat.); cover.
capot [kàpô] *m. faire capot*, to capsize, to turn turtle; *être capot*, to have lost all the tricks [cartes].
capote [kàpòt] *f.* greatcoat; bonnet; hood.
capoter [kàpòté] *v.* to capsize, to overturn; to turn turtle (naut.); to heel right over; to nose over (aviat.).
câpre [kâpr] *f.* caper (bot.).
caprice [kàprìs] *m.* caprice, whim, fancy. || **capricieux** [-yë] *adj.* capricious, whimsical; moody, temperamental.
Capricorne [kàprikòrn] *m.* Capricorn.
capsule [kàpsül] *f.* capsule; percussion-cap; cap [bouteille]; seal. || **capsuler** [-é] *v.* to seal, to cap [bouteille].
captage [kàptàj] *m.* water-catchment; picking up [courant]. || **captation** [-àsyo^n] *f.* tapping [messages]; inveiglement. || **capter** [-é] *v.* to collect; to pick up [radio]; to win insidiously; to canalize; to recover (ind.).
captieux [kàpsyë] *adj.* insidious, cunning; specious, fallacious.
captif [kàptìf] *m.* captive; prisoner; *adj.* captive. || **captiver** [-ìvé] *v.* to enslave; to win; to captivate, to enthral. || **captivité** [-ìvité] *f.* captivity, bondage.
capture [kàptür] *f.* capture; seizure; prize. || **capturer** [-é] *v.* to capture; to seize; to arrest.
capuchon [kàpüsho^n] *m.* hood; cowl (eccles.); cap [stylo].
capucin [kàpüsi^n] *m.* Capuchin friar. || **capucine** [-ìn] *f.* Capuchin nun; nasturtium (bot.); band [fusil].
caque [kàk] *f.* keg; herring-barrel.
caquet [kàkè] *m.* cackle [poules]; gossip, chatter; gift of the gab. || **caquetage** [kàktàj] *m.* gossiping. || **caqueter** [kàkté] *v.* to cackle; to chatter, to gossip, to jaw; to prattle.
car [kàr] *conj.* for; because; as.
car [kàr] *m.* motor-coach; bus.
carabine [kàràbìn] *f.* carbine, rifle. || **carabiné** [-ìné] *adj.* sharp; *un rhume carabiné*, a violent cold.
caracoler [kàràkòlé] *v.* to caracole, to prance.
caractère [kàràktèr] *m.* character; nature; temperament; characteristic; feature; expression; handwriting; letter; ideograph; type (typogr.); notation marks (mus.); *bon caractère*, good temper; *mauvais caractère*, bad disposition; *avoir caractère pour*, to have authority for. || **caractériser** [-érizé] *v.* to caracterize; **se caractériser**,

to be distinguished (*par*, by). || **caractéristique** [-érìstìk] *f.* characteristic, salient feature; *adj.* typical, distinctive.
carafe [kàràf] *f.* glass decanter; bottle. || **carafon** [-o^n] *m.* small decanter.
carambolage [kàra^nbòlàj] *m.* cannon [billard]. || **caramboler** [-é] *v.* to cannon; to jostle.
caramel [kàràmèl] *m.* caramel; burnt sugar.
carapace [kàràpàs] *f.* carapace, shell [tortue].
carat [kàrà] *m.* carat.
caravane [kàràvàn] *f.* caravan; (fam.) party of tourists. || **caravansérail** [kàràva^nsérày] *m.* caravanserai, caravansary.
carbonate [kàrbònàt] *m.* carbonate. || **carbonaté** [-é] *adj.* carbonized. || **carbone** [kàrbòn] *m.* carbon; *papier carbone*, carbon paper. || **carboniser** [-ìzé] *v.* to carbonize, to char; to burn to death.
carburant [kàrbüra^n] *m.* motor-fuel.
carburateur [kàrbüràtœr] *m.* carburet(t)or. || **carburation** [-àsyo^n] *f.* carburet(t)ing; vaporization.
carbure [kàrbür] *m.* carbide. || **carburer** [-é] *v.* to vaporize.
carcan [kàrka^n] *m.* pillory; choker [mode].
carcasse [kàrkàs] *f.* carcass; framework, skeleton, shell [construction].
cardage [kàrdàj] *m.* carding. || **carde** [kàrd] *f.* bur, teasel; carding-brush (text.). || **carder** [-é] *v.* to card, to comb. || **cardeuse** [-ëz] *f.* carding-machine.
cardiaque [kàrdyàk] *adj.* cardiac; *crise cardiaque*, heart attack.
cardinal [kàrdìnàl] *m., adj.* cardinal.
carême [kàrèm] *m.* Lent; *figure de carême*, gloomy face; *comme mars en carême*, unfailingly; **carême-prenant**, Shrovetide; (fam.) regular guy.
carence [kàra^ns] *f.* insolvency (jur.); deficiency (med.).
carène [kàrèn] *f.* hull; *pompe de carène*, bilge-pump. || **caréner** [-éné] *v.* to careen (naut.).
caressant [kàrèsa^n] *adj.* caressing, tender. || **caresse** [kàrès] *f.* caress, endearment. || **caresser** [-é] *v.* to caress, to fondle, to stroke [animal]; to cherish [espoir].
cargaison [kàrgèzo^n] *f.* cargo, freight.
cargo [kàrgô] *m.* cargo-boat, tramp-steamer.
caricatural [kàrìkàtüràl] *adj.* caricatural. || **caricature** [kàrìkàtür] *f.* caricature. || **caricaturer** [-é] *v.* to caricature. || **caricaturiste** [-ìst] *m.* caricaturist.
carie [kàrî] *f.* caries, decay; blight (bot.). || **carier** [kàryé] *v.* to rot; *dent cariée*, decayed tooth.
carillon [kàrìyo^n] *m.* carillon, chime, peal. || **carillonner** [-òné] *v.* to chime; to jingle; to sound; to announce. || **carillonneur** [-ònœr] *m.* bell-ringer.
carlin [kàrli^n] *m.* pug-dog.
carlingue [kàrli^ng] *f.* keelson (naut.); cabin, cockpit (aviat.).
carme [kàrm] *m., adj.* Carmelite [moine]. || **carmélite** [-élìt] *f.* Carmelite [religieuse].
carmin [kàrmi^n] *m.* carmine, crimson, deep red. || **carminer** [-ìné] *v.* to dye, to colo(u)r with carmine.
carnage [kàrnàj] *m.* carnage, slaughter, butchery.
carnassier [kàrnàsyé] *m.* carnivore; *adj.* carnivorous. || **carnassière** [-yèr] *f.* game-bag.
carnation [kàrnàsyo^n] *f.* flesh colo(u)r; complexion.
carnaval [kàrnàvàl] (*pl.* **carnavals**) *m.* carnival.
carnet [kàrnè] *m.* note-book; *carnet de chèques*, *Br.* cheque-book, *Am.* checkbook; *carnet de banque*, pass-book; **carnet-répertoire**, address-book.
carnivore [kàrnìvòr] *adj.* carnivorous; flesh-eating.
carotte [kàròt] *f.* carrot; plug [tabac]; trick, hoax, take-in; *tirer une carotte à quelqu'un*, to swindle someone. || **carotter** [-é] *v.* to wangle; to humbug.
carpe [kàrp] *m.* wrist.
carpe [kàrp] *f.* carp [poisson].
carpette [kàrpèt] *f.* rug.
carquois [kàrkwâ] *m.* quiver.
carré [kàré] *m.* square; landing [maison]; messroom (naut.); *adj.* square; well-set; downright, straightforward; *tête carrée*, obstinate fellow.
carreau [kàrô] *m.* diamonds [cartes]; window-pane; floor; square brick; tile; *à carreaux*, checked

[étoffe]; (fam.) *se tenir à carreau,* to be cautious.
carrefour [karfûr] *m.* crossroads; open square; intersection.
carrelage [kàrlàj] *m.* tiling. || **carreler** [-é] *v.* to pave with tiles; to draw squares; to checker.
carrément [kàréman] *adv.* squarely; firmly; bluntly.
carrer [kàré] *v.* to square; **se carrer,** to swagger; to recline.
carrier [kàryé] *m.* quarryman. || **carrière** [-yèr] *f.* quarry; gravel-pit.
carrière [kàryèr] *f.* career; vocation; course; *donner libre carrière à,* to give free rein to.
carriole [kàryòl] *f.* light cart.
carrossable [kàròsàbl] *adj.* carriageable. || **carrosse** [kàròs] *m.* state-coach; *rouler carrosse,* to be well off, to live in style. || **carrosserie** [-rî] *f.* body [auto]; coach-building. || **carrossier** [-yé] *m.* coach-builder.
carrousel [kàrûzèl] *m.* tournament; merry-go-round; carrousel.
carrure [kàrür] *f.* breadth of shoulders.
cartable [kàrtàbl] *m.* satchel; writing-pad.
carte [kàrt] *f.* card; list; menu; ticket; map; chart (naut.); *carte postale,* postcard; *carte blanche,* full powers; *cartes sur table,* above-board; *carte routière,* road-map; *partie de cartes,* game of cards; **carte-lettre,** letter-card.
cartel [kàrtèl] *m.* cartel, trust (comm.); coalition.
cartel [kàrtèl] *m.* challenge; truce; clock, dial-case.
carter [kartèr] *m.* gear-case.
cartilage [kàrtilàj] *m.* cartilage; gristle. || **cartilagineux** [-inë] *adj.* gristly.
cartographe [kàrtògràf] *m.* map-maker, chart-maker. || **cartographie** [-î] *f.* cartography, mapping.
cartomancie [kàrtòmansî] *f.* cartomancy.
carton [kàrton] *m.* pasteboard; cardboard; hat-box; portfolio; cartoon; cancel (typogr.); mount (phot.); **carton-pâte,** papier mâché. || **cartonnage** [-ònàj] *m.* boarding. || **cartonner** [-òné] *v.* to bind in boards, to put in stiff covers. || **cartonneur** [-ònœr] *m.* binder. || **cartonnier** [-ònyé] *m.* cardboard-seller; cardboard file.
cartouche [kàrtûsh] *m.* scroll.
cartouche [kàrtûsh] *f.* cartridge, round. || **cartouchière** [-yèr] *f.* cartridge-pouch.
cas [kà] *m.* case; instance; circumstance; *en aucun cas,* under no circumstances; *faire cas de,* to think highly of; *faire peu de cas de,* to make light of; *au cas où,* in case; *en tout cas,* at all events.
casanier [kàsànyé] *m.* stay-at-home.
casaque [kàzàk] *f.* coat, jacket; jumper; *tourner casaque,* to turn coat.
cascade [kàskàd] *f.* cascade; waterfall. || **cascader** [-é] *v.* to cascade; to go the pace.
case [kâz] *f.* hut, small house; compartment; pigeon-hole; square [échecs]; berth.
casemate [kàzmàt] *f.* casemate; underground stronghold.
caser [kâzé] *v.* to put away; to file; to settle; to accommodate; to marry off; **se caser,** to settle down.
caserne [kàzèrn] *f.* barracks. || **caserner** [-é] *v.* to billet, to quarter; to send into barracks.
casier [kâzyé] *m.* rack; pigeon-hole; filing-cabinet; *casier judiciaire,* police record.
casino [kàzînô] *m.* casino.
casque [kàsk] *m.* helmet; headphones (telegr.); *casque blindé,* crash-helmet. || **casquer** [-é] *v.* (fam.) to fork out [argent]. || **casquette** [-èt] *f.* cap.
cassable [kàsàbl] *adj.* breakable. || **cassant** [-an] *adj.* brittle; crisp; gruff, short.
cassation [kàsàsyon] *f.* cassation, repeal; *Cour de cassation,* Supreme Court of Appeal.
casse [kâs] *f.* breakage, damage; **casse-cou,** dangerous place; daredevil; **casse-croûte,** snack; **casse-noisette,** nut-cracker; **casse-tête,** club, truncheon; uproar; puzzle.
casse [kâs] *f.* case (typogr.). || **casseau** [kàsô] *m.* half-case; fount-case (typogr.).
cassement [kàsman] *m.* worry; breaking. || **casser** [-é] *v.* to break, to smash; to crack; to demote, to reduce to the ranks.

casserole [kàsròl] *f.* saucepan, stewpan.
cassette [kàsèt] *f.* casket; case; money-box.
casseur [kàsœr] *m.* breaker, smasher; *adj.* clumsy, destructive; aggressive [regard].
cassis [kàsì] *m.* black-currant; black-currant brandy.
cassonade [kàsònàd] *f.* brown sugar, unrefined sugar.
cassure [kàsür] *f.* break, fracture; breakage.
caste [kàst] *f.* caste; *esprit de caste,* class consciousness.
castel [kàstèl] *m.* castle.
castillan [kàstìyaⁿ] *m., adj.* Castilian.
castor [kàstòr] *m.* beaver.
castration [kàstràsyoⁿ] *f.* castration.
casuel [kàzüèl] *m.* fee; *adj.* accidental, fortuitous, casual.
casuiste [kàzüìst] *m.* casuist. || **casuistique** [-ìk] *f.* casuistry.
cataclysme [kàtàklìsm] *m.* cataclysm, disaster; upheaval.
catacombes [kàtàkoⁿb] *f. pl.* catacombs.
catalepsie [kàtàlèpsî] *f.* catalepsy. || **cataleptique** [-tìk] *m., f., adj.* cataleptic.
catalogue [kàtàlòg] *m.; Br.* catalogue; *Am.* catalog; list. || **cataloguer** [-ògé] *v.* to catalog(ue).
catalyse [kàtàlîz] *f.* catalysis.
cataplasme [kàtàplàsm] *m.* poultice.
cataracte [kàtàràkt] *f.* waterfall; cataract (med.).
catarrhe [kàtàr] *m.* catarrh.
catastrophe [kàtàstròf] *f.* catastrophe, disaster, calamity.
catéchiser [kàtéshìzé] *v.* to catechize; (fam.) to lecture. || **catéchisme** [-ìsm] *m.* catechism.
catégorie [kàtégòrî] *f.* category, class. || **catégorique** [-ìk] *adj.* categorical; emphatic; clear.
cathédrale [kàtédràl] *f.* cathedral.
cathode [kàtòd] *f.* cathode.
catholicisme [kàtòlisìsm] *m.* Catholicism. || **catholicité** [-ìté] *f.* Catholicity, orthodoxy; the Catholic world. || **catholique** [kàtòlìk] *m., f., adj.* Catholic.
cauchemar [kôshmàr] *m.* nightmare; bugbear.
causal [kôzàl] *adj.* causal (gramm.).
cause [kôz] *f.* cause, motive; case, trial; reason; *à cause de,* on account of; *et pour cause,* for a good reason; *un ayant cause,* an assign; *avocat sans cause,* briefless barrister. || **causer** [kôzé] *v.* to cause.
causer [kôzé] *v.* to talk, to chat. || **causerie** [-rî] *f.* chat; informal talk. || **causette** [-èt] *f.* chitchat. || **causeur** [-œr] *m.* talker; *adj.* chatty. || **causeuse** [-ëz] *f.* settee, sofa.
caustique [kôstìk] *m., adj.* caustic.
cauteleux [kôtᵉlë] *adj.* cunning, sly, crafty; wary.
cautère [kôtèr] *m.* cautery. || **cautérisation** [-érìzàsyoⁿ] *f.* cauterization. || **cautériser** [-érìzé] *v.* to cauterize.
caution [kôsyoⁿ] *f.* security, guarantee, bail; caution-money; deposit; *sujet à caution,* unreliable; *se rendre caution pour,* to go bail for; to stand surety for. || **cautionnement** [-yònmaⁿ] *m.* surety (comm.). || **cautionner** [-yòné] *v.* to stand surety for.
cavalcade [kàvàlkàd] *f.* cavalcade; procession.
cavalerie [kàvàlrî] *f.* cavalry. || **cavalier** [-yé] *m.* rider, horseman; partner [danse]; knight [échecs]; escort; *adj.* haughty; off-hand; jaunty; flippant.
cave [kàv] *f.* vault; wine-cellar; cellar; *adj.* hollow. || **caveau** [kàvô] *m.* cellar, vault.
caverne [kàvèrn] *f.* cavern, cave; den. || **caverneux** [-ë] *adj.* cavernous, hollow.
cavité [kàvìté] *f.* hollow, cavity.
ce [sᵉ] (**ce** becomes **c'** before *être*) *demonstr. pron.* he; she; it; this; that; they; these; those; which; what; *c'est un livre,* it is a book; *c'est une femme,* she is a woman; *ce sont des hommes,* they are men; *c'est ce que je craignais,* it is what I feared; *c'est à vous de,* it is for you to; *il n'est pas chez lui, ce qui est dommage,* he is out, which is a pity; *c'est qu'il est parti,* the fact is he has gone; *pour ce qui est de,* as for; *ce disant...,* so saying..., *ç'a été vrai,* it was true; *qu'est-ce que c'est?,* what is it?; *est-ce que vous savez?,* do you know?; **c'est-à-dire,** that is to say; i.e. (*id est,* that is).
ce, cette [sᵉ, sèt] (*pl.* **ces** [sè]) [**ce** becomes **cet** before a word beginning with a vowel or a mute *h*]

demonstr. adj. this, that, *pl.* these, those; *ce chien-ci,* this dog; *cet homme,* this man; *cette femme-là,* that woman.
ceci [sesì] *demonstr. pron.* this.
cécité [sésìté] *f.* blindness.
cédant [sédan] *m.* assignor, grantor. || **céder** [-é] *v.* to give up; to transfer; to hand over; to yield; to submit; to resign.
cédille [sédîy] *f.* cedilla (gramm.).
cèdre [sèdr] *m.* cedar.
cédule [sédül] *f.* notification; schedule [taxes].
ceindre [sindr] *v.** to gird; to bind; to surround; to wreathe.
ceinture [sintür] *f.* belt, girdle; waist; circle; enclosure; *se serrer la ceinture,* to tighten one's belt. || **ceinturer** [-é] *v.* to girdle; to encircle, to surround.
cela [selà] (*fam.* **ça**[sà]) *demonstr. pron.* that; *c'est cela,* that is it; that's right; *comment cela?,* what?, how so?; *comme ci, comme ça,* so so, middling; *comme ça,* thus, like that; *ça y est!,* that's that!
célébration [sélébràsyon] *f.* celebration. || **célèbre** [sélèbr] *adj.* celebrated, famous. || **célébrer** [sélébré] *v.* to celebrate; to extol. || **célébrité** [sélébrìté] *f.* celebrity.
celer [selé] *v.* to hide, to conceal.
céleri [sélrì] *m.* celery.
célérité [sélérìté] *f.* speed, swiftness, rapidity.
céleste [sélèst] *adj.* heavenly, celestial.
célibat [sélìbà] *m.* celibacy. || **célibataire** [-tèr] *m.* bachelor; *f.* spinster; *adj.* unmarried.
celle, celles, *see* **celui.**
cellier [sélyé] *m.* cellar; store-room.
cellulaire [sélülèr] *adj.* cellular; *voiture cellulaire,* police-van, Black Maria. || **cellule** [sélül] *f.* cell. || **celluloïd** [-òìd] *m.* celluloid.
celtique [sèltìk] *m., adj.* Celtic.
celui, celle [selüi, sèl] (*pl.* **ceux, celles** [së, sèl]) *demonstr. pron.* he; him; she; the one, that; *pl.* they, those; them; *celui qui parle,* he who speaks; *à celui qui parle,* to him who speaks; *celui de mon père,* my father's; **celui-ci,** the latter; this one; **celui-là,** the former; that one.
cémenter [sémanté] *v.* to case-harden [acier].
cendre [sandr] *f.* cinders, ash. || **cendré** [-é] *adj.* ash-colo(u)red, ashy. || **cendrier** [-ìyé] *m.* ash-tray; ash-pan.
censé [sansé] *adj.* supposed; reputed. || **censeur** [-œr] *m.* censor; critic; vice-principal [lycée]. || **censure** [-ür] *f.* censure, blame; censorship. || **censurer** [-üré] *v.* to censor; to blame; to criticize; to censure.
cent [san] *m., adj.* one hundred, a hundred; *deux cent douze,* two hundred and twelve; *deux cents ans,* two hundred years; *cinq pour cent,* five per cent. || **centaine** [-tèn] *f.* about a hundred; a hundred; *il y avait une bonne centaine de...,* there were easily a hundred...
centenaire [santnèr] *m.* centenary; centenarian; *adj.* a hundred years old.
centiare [santyàr] *m.* one square meter.
centième [santyèm] *m., adj.* hundredth.
centigrade [santìgràd] *adj.* centigrade. || **centigramme** [-ìgràm] *m.* centigram. || **centilitre** [-ìlìtr] *m.* centilitre. || **centimètre** [-ìmètr] *m. Br.* centimetre, *Am.* centimeter.
central [santràl] *m.* telephone exchange; *adj.* central; **centrale,** generating station. || **centralisation** [-ìzàsyon] *f.* centralization. || **centraliser** [-ìzé] *v.* to centralize.
centre [santr] *m. Br.* centre, *Am.* center; middle. || **centrer** [-é] *v.* to center; to adjust.
centrifuge [santrìfüj] *adj.* centrifugal.
centuple [santüpl] *m., adj.* hundredfold.
cep [sèp] *m.* vine-stock. || **cépage** [sépàj] *m.* vine-plant.
cependant [sepandan] *adv.* meanwhile; *conj.* yet, however, nevertheless.
céphalalgie [séfàlàljì] *f.* headache. || **céphalique** [-ìk] *adj.* cephalic.
céramique [séràmìk] *f.* ceramics; *adj.* ceramic.
cerceau [sèrsô] *m.* hoop.
cercle [sèrkl] *m.* circle, ring; hoop [tonneau]; company; group; club. || **cercler** [-é] *v.* to encircle; to hoop.
cercueil [sèrkœy] *m.* coffin.
céréale [séréàl] *f., adj.* cereal.
cérébral [sérébràl] *adj.* cerebral; *fatigue cérébrale,* brain-fag.

cérébro-spinal [sérébrôspìnàl] *adj.* cerebro-spinal.
cérémonial [sérémònyàl] *m., adj.* ceremonial. || **cérémonie** [-ì] *f.* ceremony, pomp; fuss; *visite de cérémonie,* formal visit. || **cérémonieux** [-yë] *adj.* ceremonious, formal.
cerf [sèr] *m.* stag, hart; **cerf-volant,** paper kite; stag-beetle.
cerise [s^eriz] *f.* cherry; *adj.* cherry-red. || **cerisier** [-yé] *m.* cherry-tree.
cerne [sèrn] *m.* ring, circle. || **cerné** [-é] *adj.* encircled; *avoir les yeux cernés,* to have rings under the eyes. || **cerner** [-é] *v.* to surround; to encompass; to hem in.
certain [sèrtiⁿ] *adj.* certain, sure; fixed; positive; *chose certaine,* a certainty; *certaines choses,* some things.
certes [sèrt] *adv.* to be sure, indeed.
certificat [sèrtìfìkà] *m.* certificate, attestation, testimonial. || **certification** [-syoⁿ] *f.* certification; witnessing (jur.). || **certifier** [sèrtìfyé] *v.* to certify, to vouch, to attest; to witness [signature].
certitude [sèrtìtüd] *f.* certainty.
cerveau [sèrvô] *m.* brain; mind; *rhume de cerveau,* cold in the head; *cerveau brûlé,* hot-head; *cerveau creux,* dreamer.
cervelet [sèrv^elè] *m.* cerebellum.
cervelle [sèrvèl] *f.* brains (anat.); mind; *sans cervelle,* brainless; *se creuser la cervelle,* to rack one's brains.
cessation [sèsàsyoⁿ] *f.* cessation, suspension, stoppage. || **cesse** [sès] *f.* cease, ceasing. || **cesser** [-é] *v.* to stop, to cease, to leave off; *cessez le feu,* cease fire.
cessible [sèsìbl] *adj.* transferable (jur.). || **cession** [-yoⁿ] *f.* transfer, assignment (jur.). || **cessionnaire** [-yònèr] *m.* transferee, assignee (jur.).
cet, cette, *see* **ce.**
ceux, *see* **celui.**
chacal [shàkàl] (*pl.* **chacals**) *m.* jackal.
chacun [shàkuⁿ] *pron.* each; each one; everybody; *chacun son goût,* every man to his taste.
chafouin [shàfwiⁿ] *m., adj.* sly-looking (person).
chagrin [shàgriⁿ] *m.* grief, sorrow, trouble; vexation; *adj.* sorry, sad; gloomy; sullen. || **chagriner** [-ìné] *v.* to afflict, to grieve; to annoy; **se chagriner,** to be distressed.
chahut [shàü] *m.* (pop.) uproar; rag. || **chahuter** [-té] *v.* (pop.) to kick up a row; to barrack; to boo.
chaîne [shèn] *f.* chain, link; fetters; necklace; sequence; train [idées]; bondage; warp (text.); boom [port]; series; range [montagnes]; *travail à la chaîne,* assembly-line work. || **chaînette** [-èt] *f.* small chain. || **chaînon** [-oⁿ] *m.* link.
chair [shèr] *f.* skin, flesh; meat; pulp [fruit]; *chair de poule,* goose-flesh.
chaire [shèr] *f.* chair; pulpit; rostrum; tribune; professorship.
chaise [shèz] *f.* chair, seat; **chaise-longue,** reclining-chair, chaise-longue.
chaland [shàlaⁿ] *m.* barge, lighter.
chaland [shàlaⁿ] *m.* customer, purchaser.
châle [shâl] *m.* shawl.
chalet [shàlè] *m.* chalet; cottage.
chaleur [shàlœr] *f.* heat, warmth; ardo(u)r. || **chaleureux** [-ë] *adj.* warm; ardent; cordial.
chaloupe [shâlûp] *f.* ship's boat; launch; sloop.
chalumeau [shàlümô] *m.* (drinking-)straw; reed; pipe; blow-pipe.
chalut [shàlü] *m.* trawl; drag-net. || **chalutier** [-tyé] *m.* trawler, drifter.
chamarrer [shàmàré] *v.* to bedeck; to trim.
chambranle [shaⁿbraⁿl] *m.* frame.
chambre [shaⁿbr] *f.* room; chamber; cabin (naut.); *chambre à coucher,* bedroom; *chambre à air,* inner-tube [pneu]; *les deux Chambres,* Parliament; *chambre noire,* dark-room; *femme de chambre,* housemaid; *garder la chambre,* to keep to one's room. || **chambrée** [-é] *f.* roomful; barrack room.
chameau [shàmô] *m.* camel; (pop.) dirty dog.
chamois [chàmwà] *m.* chamois; chamois leather.
champ [shaⁿ] *m.* field, open country; scope; range; ground, space; *champ de courses,* race-course; *champ visuel,* field of vision.
champ [shaⁿ] *m.* side, edge; *de champ,* edgewise.
Champagne [shaⁿpàñ] *f.* Champagne

[région]; *m.* champagne; *fine champagne,* liqueur brandy.
champêtre [shanpètr] *adj.* rural, rustic.
champignon [shanpìñon] *m.* mushroom; peg; (fam.) accelerator pedal [auto]. || **champignonnière** [-ònyèr] *f.* mushroom-bed.
champion [shanpyon] *m.* champion. || **championnat** [-yònà] *m.* championship.
chance [shans] *f.* chance; luck; fortune. || **chanceux** [-ë] *adj.* lucky; hazardous.
chancelant [shanslan] *adj.* tottering, staggering. || **chanceler** [shanslé] *v.* to reel, to stagger, to totter; to falter. || **chancellement** [shansèlman] *m.* unsteadiness.
chancelier [shanselyé] *m.* chancellor. || **chancellerie** [shansèlrî] *f.* chancellery.
chancre [shankr] *m.* ulcer; canker; chancreux, ulcerous; cankered.
chandail [shandày] *m.* sweater.
Chandeleur (la) [shandelœr] *f.* Candlemas.
chandelier [shandelyé] *m.* candlestick; chandler. || **chandelle** [shandèl] *f.* candle; *voir trente-six chandelles,* to see stars.
change [shanj] *m.* change; exchange (comm.); *agent de change,* stockbroker; *lettre de change,* bill of exchange; *bureau de change,* foreign exchange office; *cours du change,* rate of exchange; *donner le change,* to mislead, to throw off the track. || **changeant** [-an] *adj.* variable; fickle; unsettled [temps]. || **changement** [-man] *m.* change, alteration; *changement de vitesse,* gear-change, *Am.* gearshift. || **changer** [-é] *v.* to change; to exchange; to alter; to shift [vitesses]; *changer d'avis,* to change one's mind; **se changer,** to be changed; to change one's clothing. || **changeur** [-œr] *m.* money-changer.
chanoine [shànwàn] *m.* canon (eccles.).
chanson [shanson] *f.* song; nonsense. || **chansonnier** [-ònyé] *m.* songwriter; song-book; small revue theater.
chant [shan] *m.* singing; song; canto [poème]. || **chantage** [-tàj] *m.* blackmail. || **chantant** [-tan] *adj.* harmonious, musical; sing-song.
chanter [shanté] *v.* to sing; to crow [coq]; to celebrate; *si ça vous chante,* if it suits you; *faire chanter,* to blackmail; chanteur, singer.
chantier [shantyé] *m.* timber-yard; coal-yard; dockyard; shipyard; stocks; *sur le chantier,* in hand.
chantonner [shantòné] *v.* to hum.
chanvre [shanvr] *m.* hemp.
chaos [kàô] *m.* chaos, confusion. || **chaotique** [-tìk] *adj.* chaotic.
chaparder [shàpàrdé] *v.* (pop.) to swipe, to scrounge, to filch, to pinch, *Am.* to lift.
chape [shàp] *f.* cope (eccles.); covering; cap; tread [pneu]; strap [moteur]. || **chapeau** [shàpô] *m.* hat; cap [stylo]; cover; *chapeau bas,* hat in hand; *chapeau haut de forme,* top-hat.
chapelain [shàplin] *m.* chaplain.
chapelet [shàplè] *m.* rosary; string [oignons]; series.
chapelier [shàpelyé] *m.* hatter, *Am.* milliner.
chapelle [shàpèl] *f.* chapel; coterie.
chaperon [shàpron] *m.* hood; coping [mur]; chaperon. || **chaperonner** [-òné] *v.* to chaperon.
chapitre [shàpìtr] *m.* chapter; chapter-house (eccles.); subject; item.
chaque [shàk] *adj.* each, every.
char [shàr] *m.* truck, wag(g)on; *char d'assaut,* tank (mil.).
charabia [shàràbyà] *m.* (fam.) gibberish.
charbon [shàrbon] *m.* coal; blight (agr.); anthrax (vet.); carbuncle (med.); *charbon de bois,* charcoal; *sur des charbons ardents,* on tenter-hooks. || **charbonnage** [-ònàj] *m.* coal-mining; colliery. || **charbonner** [-òné] *v.* to char; to sketch in charcoal. || **charbonnier** [-ònyé] *m.* coal-man; coal-hole; collier (naut.); coal-dealer.
charcuterie [shàrkütrî] *f.* pork-butcher's shop (*or* trade, *or* meat); *Am.* delicatessen. || **charcutier** [-yé] *m.* pork-butcher.
chardon [shàrdon] *m.* thistle.
chardonneret [shàrdònrè] *m.* goldfinch.
charge [shàrj] *f.* burden, load; cost; charge; post; place; responsibility; caricature; *c'est à ma charge,* it's my responsibility; *femme de charge,* housekeeper. || **chargé** [-é] *adj.* laden, loaded; entrusted; burdened; overcast [ciel]; *m. chargé d'affaires,* envoy. || **charge-**

ment [-ᵉmaⁿ] *m.* load; cargo; consignment; loading; charging [accumulateur]; registration [lettre]. || **charger** [-é] *v.* to load; to burden; to charge; to entrust; to indict; to register; **se charger**, to undertake, to take it upon oneself; *je m'en charge*, I'll see to it.
chariot [shàryò] *m.* wagon, trolley; carriage (mech.); cradle (naut.).
charitable [shàritàbl] *adj.* charitable. || **charité** [-é] *f.* charity; alms.
charlatan [shàrlàtaⁿ] *m.* charlatan, quack; **charlatanisme**, charlatanism.
charmant [shàrmaⁿ] *adj.* charming, delightful. || **charme** [shàrm] *m.* spell, charm. || **charmer** [-é] *v.* to charm; to please, to delight. || **charmeur** [-œr] *m., adj.* charmer.
charnel [shàrnèl] *adj.* carnal; sensual.
charnière [shàrnyèr] *f.* hinge.
charnu [shàrnü] *adj.* fleshy; brawny; pulpy [fruits].
charogne [shàròñ] *f.* carrion.
charpente [shàrpaⁿt] *f.* timberwork; framework. || **charpenter** [-é] *v.* to frame, to construct. || **charpentier** [-yé] *m.* carpenter; shipwright.
charpie [shàrpî] *f.* lint.
charretée [shàrté] *f.* cart-load. || **charretier** [-yé] *m.* carter. || **charrette** [shàrèt] *f.* cart. || **charrier** [-yé] *v.* to cart, to carry.
charroi [shàrwà] *m.* cartage; transport (mil.).
charron [shàroⁿ] *m.* wheelwright.
charrue [shàrü] *f.* *Br.* plough, *Am.* plow.
charte [shàrt] *f.* charter; deed.
chartreux [shàrtrë] *m., adj.* Carthusian.
chas [shâ] *m.* eye [aiguille].
châsse [shâs] *f.* reliquary (eccles.).
chasse [shàs] *f.* hunt; hunting, shooting; play (mech.); pursuit, chase; **chasse d'eau**, flush; **chasse-mouches**, fly-swatter; **chasse-neige**, snowplow. || **chasser** [-é] *v.* to hunt; to spin [roue]; to pursue, to chase; to drive away; to dismiss; *chasser sur ses ancres*, to drag anchor. || **chasseur** [-œr] *m.* hunter; sportsman; page-boy, messenger boy, *Am.* bell-hop; fighter (aviat.); mountain infantry (mil.).
chassieux [shàsyë] *adj.* bleary-eyed.
châssis [shâsì] *m.* frame; sash [fenêtre]; chassis [auto]; under-carriage (aviat.).
chaste [shàst] *adj.* pure, chaste. || **chasteté** [-ᵉté] *f.* chastity.
chat, chatte [shà, shàt] *m., f.*, cat; *avoir un chat dans la gorge*, to have a frog in one's throat; *pas un chat*, not a soul.
châtaigne [shâtèñ] *f.* chestnut. || **châtaignier** [-yé] *m.* chestnut-tree (*or* -wood).
châtain [shâtiⁿ] *adj.* brown, chestnut-brown, light-brown.
château [shâtô] *m.* castle; palace; country seat, manor; *châteaux en Espagne*, castles in the air; *château d'eau*, water-tower.
châtier [shâtyé] *v.* to punish, to chastise; to improve [style]; **châtiment**, chastisement, punishment.
chatoiement [shàtwàmaⁿ] *m.* sparkle; glistening; sheen.
chaton [shàtoⁿ] *m.* kitten.
chaton [shàtoⁿ] *m.* bezel, setting [pierres].
chatouillement [shàtûymaⁿ] *m.* tickle, tickling. || **chatouiller** [shàtûyé] *v.* to tickle; to gratify; (fam.) to thrash; **chatouilleux**, ticklish; touchy, sensitive; sore [point].
chatoyer [shàtwàyé] *v.* to shimmer; to gleam, to glisten, to sparkle.
châtrer [shâtré] *v.* to castrate; to geld [animaux]; to prune.
chatterton [shàtértòn] *m.* insulating tape (electr.).
chaud [shô] *m.* heat, warmth; *adj.* hot, warm; ardent, animated; eager; *adv.* hot; *avoir chaud*, to be hot; *il fait chaud*, it is hot, warm. || **chaudière** [-dyèr] *f.* boiler, furnace; kitchen boiler. || **chaudron** [-droⁿ] *m.* cauldron; **chaudronnerie**, copper wares; boiler-making; **chaudronnier**, brazier, coppersmith.
chauffage [shôfàj] *m.* heating, warming; *chauffage central*, central heating. || **chauffe** [shôf] *f.* heating; overheating; stoking; firing; **chauffe-eau**, water-heater. || **chauffer** [-é] *v.* to warm, to heat; to overheat; to become hot; to burn; to stoke up; to swot; *chauffer au rouge*, to make red-

hot. || **chauffeur** [-œr] *m.* stoker, fireman; chauffeur [auto]; driver.
chauler [shôlé] *v.* to lime; to lime-wash.
chaume [shôm] *m.* thatch; stubble; **chaumière,** thatched cottage.
chausse [shôs] *f.* filter; wine-strainer; *pl.* breeches. || **chaussée** [-é] *f.* road; roadway; causeway; bank. || **chausser** [-é] *v.* to put on [chaussures]; to supply foot-wear; to fit, to suit; *il chausse du 43,* he takes size 43 (in shoes). || **chaussette** [-èt] *f.* sock. || **chausson** [-o^n] *m.* slipper; apple turn-over [cuisine]. || **chaussure** [-ür] *f.* footwear, foot-gear; boot, shoe.
chauve [shôv] *m.* bald head; *adj.* bald; bare; **chauve-souris,** *f.* bat (zool.).
chauvin [shôvi^n] *m., adj.* chauvinist, jingoist; **chauvinisme,** chauvinism, flag-waving (fam.).
chaux [shô] *f.* lime; *chaux éteinte,* slaked lime; *chaux vive,* quicklime; *pierre à chaux,* lime-stone; *four à chaux,* lime-kiln.
chavirer [shàvìré] *v.* to capsize [bateau], to overturn; to upset.
chef [shèf] *m.* head; principal; chef [cuisine]; chief; chieftain; superior; master; leader; foreman, ganger; major [bataillon]; conductor [orchestre]; *chef de service,* departmental manager; *chef d'état-major,* chief of staff; *de mon propre chef,* on my own authority; **chef-d'œuvre,** masterpiece; **chef-lieu,** chief town, *Br.* county town; *Am.* county seat.
chemin [sh^{e}mi^n] *m.* way; road; path; course; *chemin faisant,* on the way; *chemin battu,* beaten track; *faire son chemin,* to thrive, to get on well; *chemin de fer,* railway, railroad; *il n'y va pas par quatre chemins,* he does not mince matters.
chemineau [sh^{e}minô] *m.* tramp, *Am.* hobo.
cheminée [sh^{e}miné] *f.* chimney; flue; funnel (naut.); fireplace; mantelpiece.
cheminer [sh^{e}miné] *v.* to tramp, to plod on.
cheminot [sh^{e}minò] *m.* railwayman.
chemise [sh^{e}mìz] *f.* shirt [hommes], chemise [femmes]; wrapper, folder; cover; jacket (techn.); case; *chemise de nuit,* night-dress; **chemiser,** to line; to jacket (techn.); **chemisier,** shirt-maker.
chenal [sh^{e}nàl] *m.* channel; fairway.
chêne [shèn] *m.* oak; *de chêne,* oaken.
chenil [sh^{e}nì] *m.* dog-kennel.
chenille [sh^{e}nìy] *f.* caterpillar; track; chenille (text.).
chenu [sh^{e}nü] *adj.* old; hoary; snowy.
cheptel (shèptèl] *m.* lease of livestock.
chèque [shèk] *m.* *Br.* cheque; *Am.* check.
cher [shèr] *adj.* dear, beloved; costly, expensive; *adv.* dear, dearly; *moins cher,* cheaper; *la vie chère,* the high cost of living; *rendre cher,* to endear.
chercher [shèrshé] *v.* to look for, to seek; to search; to try; *aller chercher,* to fetch, to get; *envoyer chercher,* to send for; *chercher à tâtons,* to grope for. || **chercheur** [-œr] *m.* seeker, inquirer, investigator; *adj.* inquiring.
chère [shèr] *f.* living, fare, cheer; *adj., see* **cher;** *faire bonne chère,* to live well.
chéri [shérì] *m., adj.* dearest, darling. || **chérir** [-ìr] *v.* to cherish, to love dearly.
cherté [shèrté] *f.* dearness, expensiveness, costliness; high price.
chétif [shétìf] *adj.* puny, weak; mean; paltry; wretched, pitiful.
cheval [sh^{e}vàl] *m.* horse; horse-power [auto]; *cheval de course,* race-horse; *cheval de bât,* pack-horse; *cheval de bataille,* charger; pet subject; *aller à cheval,* to go on horseback, to ride; *être à cheval sur,* to sit astride; to be a stickler for; *monter sur ses grands chevaux,* to ride the high horse; *chevaux de bois,* merry-go-round.
chevaleresque [sh^{e}vàlrèsk] *adj.* chivalrous. || **chevalerie** [-ì] *f.* chivalry.
chevalet [sh^{e}vàlè] *m.* support, stand; trestle; sawing-horse; bridge [violon]; easel [art]; prop, buttress.
chevalier [sh^{e}vàlyé] *m.* knight; horseman; suitor; *chevalier d'industrie,* swindler.
chevalière [sh^{e}vàlyèr] *f.* signet-ring.
chevaucher [sh^{e}vôshé] *v.* to ride horseback; to sit astride; to overlap.

chevelure [sh^{e}vlür] *f.* hair; head of hair.
chevet [sh^{e}vè] *m.* head [lit]; bolster; *livre de chevet,* bedside book.
cheveu [sh^{e}vë] *m.* (a) hair, *pl.* hair, hairs; *se faire couper les cheveux,* to have one's hair cut; *couper un cheveu en quatre,* to split hairs; *tiré par les cheveux,* far-fetched.
cheville [sh^{e}viy] *f.* peg, pin; ankle; padding [discours]; *cheville ouvrière,* king-bolt; mainspring; *se fouler la cheville,* to sprain one's ankle; *ne pas arriver à la cheville de,* to be far inferior to. || **cheviller** [-iyé] *v.* to peg, to bolt, to pin together; to pad (fig.).
chèvre [shèvr] *f.* goat, she-goat; crab, derrick (mech.); gin (mech.). || **chevreau** [sh^{e}vrô] *m.* kid(-skin). || **chèvrefeuille** [shèvr^{e}fëy] *m.* honeysuckle. || **chevrette** [sh^{e}vrèt] *f.* kid; shrimp; tripod. || **chevreuil** [-œy] *m.* roe, roe-deer; venison. || **chevrier** [-iyé] *m.* goatherd. || **chevron** [-o^n] *m.* rafter, joist; stripe (mil.).
chevrotement [ch^{e}vròtma^n] *m.* quivering; quavering. || **chevroter** [-é] *v.* to quiver; to quaver; to tremble.
chez [shé] *prep.* at; with; to; in; among; at ...'s house; at home; to ...'s house; care of [lettres]; *je suis chez mon frère,* I am at my brother's; *je viens de chez ma tante,* I am coming from my aunt's; *je suis chez moi,* I am at home; *je suis chez vous,* I am at your house; *faites comme chez vous,* make yourself at home; *chez les Français,* among the French; in the French character; *chez Racine,* in (the works of) Racine.
chic [shik] *m.* chic, high style; *adj.* chic, stylish, smart; *chic type,* decent fellow, good sort.
chicane [shikàn] *f.* cavil, pettyfogging, quibble; *chercher chicane à,* to pick a quarrel with. || **chicaner** [-é] *v.* to quarrel, to cavil, to quibble. || **chicanerie** [-rî] *f.* quibbling, chicanery. || **chicaneur** [-œr] *m.* pettyfogger, quarrel-picker; *adj.* argumentative, pettyfogging.
chiche [shish] *adj.* miserly, stingy, mean, niggardly; *pois chiches,* chick peas.
chicorée [shikòré] *f.* endive; chicory.
chicot [shikò] *m.* stump.
chien [shyi^n] *m.* dog; cock [arme à feu]; *chien courant,* beagle; *chien d'arrêt,* pointer; *chien de berger,* collie, sheep dog; *chien de chasse,* hound; **chien-loup,** wolfhound; **chienne,** bitch, she-dog.
chiffon [shifo^n] *m.* rag. || **chiffonner** [-òné] *v.* to crumple, to ruffle; to provoke, to irritate. || **chiffonnier** [-ònyé] *m.* rag-picker; bureau.
chiffre [shifr] *m.* figure, digit; code; cipher; mark; amount, total; monogram. || **chiffrer** [-é] *v.* to calculate, to add up; to encode, to cipher; to reckon; to figure out.
chimère [shimèr] *f.* chimera, idle fancy; **chimérique,** visionary.
chimie [shimî] *f.* chemistry; **chimique,** chemical; artificial; **chimiste,** chemist.
chiper [shipé] *v.* (pop.) to filch, to pilfer, to swipe.
chipie [shipî] *f.* (pop.) mean, sour woman.
chipoter [shipòté] *v.* to pick at food, to be finicky in eating; to haggle.
chique [shik] *f.* quid [tabac]; chigger.
chiquenaude [shiknôd] *f.* light blow, tap, fillip; snap of the fingers.
chiquer [shiké] *v.* to chew tobacco.
chiromancie [kiròma^{n}sî] *f.* chiromancy, palmistry. || **chiromancien** [-yi^n] *m.* palmist.
chirurgical [shirürjikàl] *adj.* surgical. || **chirurgie** [shirürjî] *f.* surgery. || **chirurgien** [-yi^n] *m.* surgeon.
chlore [klòr] *m.* chlorine. || **chloroforme** [-òfòrm] *m.* chloroform. || **chloroformer** [-òfòrmé] *v.* to chloroform. || **chlorure** [-ür] *m.* chloride.
choc [shòk] *m.* shock; collision; crash; impact.
chocolat [shòkòlà] *m.* chocolate; *tablette de chocolat,* bar of chocolate; **chocolater,** to cover with chocolate; **chocolaterie,** chocolate factory.
chœur [kœr] *m.* choir; chorus.
choir [shwàr] *v.** to fall.
choisir [shwàzîr] *v.* to choose.
choix [shwà] *m.* choice, option, election, selection; *au choix,* by

choice; *de choix*, first class, first rate.
chômage [shômàj] *m.* unemployment; *en chômage*, unemployed, out of work, idle. || **chômer** [-é] *v.* to stop working, to be idle; *jour chômé*, day off. || **chômeur** [-œr] *m.* unemployed worker.
chopper [shòpé] *v.* to trip, to stumble.
choquer [shòké] *v.* to shock, to offend; to clink [verres]; to strike against; **se choquer**, to take offense.
choral [kòràl] *adj.* choral. || **choriste** [-ìst] *m.* choir singer. || **chorus** [-üs] *m.* chorus; *faire chorus*, to sing together, to chime in.
chose [shôz] *f.* thing; matter, affair; *petite chose*, trifle, titbit; *où en sont les choses?*, how do matters stand?; *Monsieur Chose*, Mr. What's-his-name; *tout chose*, all abashed, uncomfortable; out-of-sorts.
chou [shû] *m.* cabbage; cream puff; dear, darling; *choux de Bruxelles*, Brussels sprouts; *chou frisé*, kale; *faire chou blanc*, to fail; *chou à la crème*, cream puff; **chou-fleur**, cauliflower.
choucroute [shûkrût] *f.* sauerkraut.
chouette [shwèt] *f.* owl; *adj.* (fam.) splendid, *Am.* swell.
choyer [shwàyé] *v.* to fondle, to pet, to cherish.
chrétien [krétyiⁿ] *m., adj.* Christian. || **chrétienté** [-té] *f.* Christendom. || **christianisme** [kristyànìsm] *m.* Christianity.
chrome [krôm] *m.* chromium.
chronique [krònìk] *f.* chronical, news; *adj.* chronic. || **chroniqueur** [-œr] *m.* chronicler. || **chronologie** [krònòlòjî] *f.* chronology; **chronologique**, chronological. || **chronomètre** [krònòmètr] *m.* chronometer, stop-watch; **chronométrer**, to time; **chronométreur**, time-keeper.
chuchotement [shüshòtmaⁿ] *m.* whispering. || **chuchoter** [-é] *v.* to whisper.
chute [shüt] *f.* fall, drop; downfall; failure; head [eau].
ci [sì] *demonstr. pron.* this; *adv.* here; *cet homme-ci*, this man; *par-ci par-là*, here and there; now and then; **ci-après**, **ci-dessous**, below; **ci-contre**, opposite; **ci-dessus**, above; **ci-devant**, previously; formerly; **ci-gît**, here lies; **ci-joint**, enclosed.
cible [sìbl] *f.* target.
cicatrice [sìkàtrìs] *f.* scar. || **cicatriser** [-ìzé] *v.* to heal up; to scar, to mark.
cidre [sìdr] *m.* cider.
ciel [syèl] (*pl.* **cieux** [syë], sometimes **ciels**) *m.* Heaven, Paradise; sky, firmament; top, roof (mech.); *pl.* heavens; climes, climates; *à ciel ouvert*, unroofed; out of doors.
cierge [syèrj] *m.* candle; taper.
cigale [sìgàl] *f.* cicada.
cigare [sìgàr] *m.* cigar. || **cigarette** [-èt] *f.* cigarette.
cigogne [sìgòñ] *f.* stork.
cil [sìl] *m.* eye-lash.
cime [sìm] *f.* top, summit, peak.
ciment [sìmaⁿ] *m.* cement; *béton de ciment*, concrete. || **cimenter** [-té] *v.* to cement; to consolidate; to strengthen.
cimetière [sìmtyèr] *m.* cemetery, graveyard, churchyard.
cinéma [sìnémà] *m.* cinema; *Am.* motion-picture theater, movie-house, movies (fam.); *Br.* pictures (fam.); **cinématographier**, to cinematograph, to film.
cinglant [siⁿglaⁿ] *adj.* lashing; bitter, biting; scathing.
cinglé [siⁿglé] *adj.* (pop.) *il est cinglé*, he's not all there, *Br.* he's off his head. || **cingler** [-é] *v.* to whip, to lash.
cingler [siⁿglé] *v.* to sail, to scud (naut.).
cinq [siⁿk] *m., adj.* five; *cinq hommes*, five men; *le cinq avril*, April the fifth. || **cinquantaine** [-aⁿtèn] *f.* about fifty, fifty or so. || **cinquante** [-aⁿt] *adj.* fifty. || **cinquantième** [-aⁿtyèm] *m., adj.* fiftieth. || **cinquième** [-yèm] *m., adj.* fifth.
cintre [siⁿtr] *m.* curve, arch, bend; coat-hanger. || **cintrer** [-é] *v.* to arch, to curve.
cirage [sìràj] *m.* waxing, polishing; boot-polish, shoe-polish.
circoncire [sìrkoⁿsìr] *v.* to circumcise; **circoncision**, circumcision.
circonférence [sìrkoⁿféraⁿs] *f.* circumference; girth; perimeter.
circonflexe [sìrkoⁿflèks] *adj.* circumflex.
circonlocution [sìrkoⁿlòküsyoⁿ] *f.* circumlocution.

circonscription [sìrkoⁿskrìpsyoⁿ] *f.* circumscribing; constituency, electoral district.
circonscrire [sìrkoⁿskrîr] *v.* to circumscribe; to encircle; to limit.
circonspect [sìrkoⁿspèkt] *adj.* wary, guarded, circumspect, cautious. || **circonspection** [-èksyoⁿ] *f.* circumspection, caution.
circonstance [sìrkoⁿstaⁿs] *f.* circumstance, event; *circonstances atténuantes*, extenuating circumstances; *de circonstance*, special, fit for the occasion.
circonvenir [sìrkoⁿvnîr] *v.* to impose upon; to thwart.
circuit [sìrküì] *m.* circuit, circumference; roundabout way; *ouvrir le circuit*, to switch on.
circulaire [sìrkülèr] *f., adj.* circular.
circulation [sìrkülàsyoⁿ] *f.* circulation; traffic; currency. || **circuler** [sìrkülé] *v.* to circulate; to flow; to move about; to move on.
cire [sîr] *f.* wax; *cire à cacheter*, sealing-wax. || **cirer** [-é] *v.* to wax, to polish; **cireur**, polisher; bootblack; **cireuse**, waxer (mech.).
cirque [sìrk] *m.* circus.
cisaille [sìzây] *f.* clippings [métal]; *pl.* shears, nippers. || **cisailler** [-é] *v.* to shear, to nip, to clip.
ciseau [sìzô] *m.* chisel; *pl.* scissors, shears. || **ciseler** [-lé] *v.* to chisel; to carve; to cut; to chase [argent]. || **ciselure** [-lür] *f.* chisel(l)ing; delicate carving.
citation [sìtàsyoⁿ] *f.* citation; quotation; summons (jur.).
cité [sìté] *f.* city, large town; group of dwellings; *droit de cité*, rights of a citizen.
citer [sìté] *v.* to quote; to summons (jur.); to cite; to mention; to subpoena (jur.).
citerne [sìtèrn] *f.* cistern, tank.
citoyen [sìtwàyiⁿ] *m.* citizen.
citron [sìtroⁿ] *m.* lemon; lemon-colo(u)r; **citronnade**, lemonade, lemon-squash; **citronnier**, lemon-tree.
citrouille [sìtrûy] *f.* pumpkin.
civière [sìvyèr] *f.* hand-barrow; stretcher; litter.
civil [sìvìl] *m.* civilian; layman; *adj.* civic, civil; private; polite; *en civil*, in plain clothes, in mufti; *droit civil*, common law. || **civilisation** [-ìzàsyoⁿ] *f.* civilization. || **civiliser** [-ìzé] *v.* to civilize; *se civiliser*, to become civilized. || **civilité** [-ìté] *f.* civility, courtesy, *pl.* compliments.
civique [sìvìk] *adj.* civic; civil.
claie [klè] *f.* hurdle; fence.
clair [klèr] *m.* light, clearness; *adj.* clear, bright, light; obvious; thin [soupe]; *adv.* clearly; *tirer au clair*, to clarify, to bring to light; *vert clair*, light green; *voir clair*, to see clearly; to see through; **claire-voie**, clerestory (arch.); skylight. || **clairet** [-è] *m.* claret; *adj.* light, pale; thin. || **clairière** [-yèr] *f.* glade, clearing. || **clairsemé** [-sᵉmé] *adj.* scattered; sparse, thinly-sown; thin. || **clairvoyance** [-vwàyaⁿs] *f.* clairvoyance; shrewdness, perspicacity; **clairvoyant**, clairvoyant; shrewd, clear-sighted.
clameur [klàmœr] *f.* clamo(u)r; outcry; shout.
clan [klaⁿ] *m.* clan; clique.
clandestin [klaⁿdèstiⁿ] *adj.* clandestine, secret; underhand; covert; stealthy.
clapet [klapè] *m.* valve; sluice, clapper; rectifier (electr.).
clapier [klapyé] *m.* burrow; hutch.
clapotement [klàpòtmaⁿ] *m.* lapping, plashing [eau].
claque [klàk] *f.* slap, smack; hired applauders (theat.), claque.
claquer [klàké] *v.* to smack; to clap [mains]; to snap [doigts]; to crack [fouet]; to bang [porte]; (pop.) to kick the bucket; *il claque des dents*, his teeth are chattering.
clarifier [klàrìfyé] *v.* to clarify.
clarté [klàrté] *f.* light, clearness; brightness, gleam; limpidity.
classe [klâs] *f.* class, rank; kind; *Br.* form, *Am.* grade [lycée]; classroom. || **classement** [-maⁿ] *m.* classification; filing. || **classer** [-é] *v.* to classify; to catalog(ue); to grade; to file. || **classeur** [-œr] *m.* file, filing-cabinet.
classicisme [klàsìsìsm] *m.* classicism.
classification [klàsìfìkàsyoⁿ] *f.* classification. || **classifier** [-ìfyé] *v.* to classify; to sort out.
classique [klàsìk] *adj.* classical; classic; standard.
clause [klôz] *f.* clause; section (jur.).
clavecin [klàvsiⁿ] *m.* harpsichord, cembalo.
clavette [klàvèt] *f.* pin, key, cotter.

clavicule [klàvikül] *f.* clavicle, collarbone.
clavier [klàvyé] *m.* keyboard; manual [orgue].
clé *or* **clef** [klé] *f.* key; spanner, wrench (mech.); clef (mus.); *clé anglaise,* monkey wrench, adjustable spanner; *sous clé,* under lock and key; *clef de voûte,* keystone; *fausse clé,* skeleton key.
clémence [kléma^n^s] *f.* clemency, mercy; mildness [temps]. || **clément** [kléma^n^] *adj.* clement; merciful; mild; lenient.
clerc [klèr] *m.* clergyman; clerk (jur.); *pas de clerc,* blunder.
clergé [klèrjé] *m.* clergy, priesthood.
clérical [klérikàl] *adj.* clerical.
cliché [klìshé] *m.* plate, block (typogr.); negative (phot.); cliché, stock phrase; *prendre un cliché,* to make an exposure.
client [klìa^n^] *m.* client, customer (comm.); patient (med.); guest [hôtel]. || **clientèle** [-tèl] *f.* custom; customers, clients (comm.); practice [avocat]; connection.
cligner [klìñé] *v.* to wink; to blink.
clignoter [kliñòté] *v.* to blink; to flicker; to twinkle [étoile].
climat [klìmà] *m.* climate; region; mood; **climatique**, climatic; **climatiser,** to air-condition.
clin [kli^n^] *m. en un clin d'œil,* in the twinkling of an eye; *clin d'œil,* wink.
clinique [klìnìk] *f.* clinic; nursing-home; *adj.* clinical.
clinquant [kli^n^ka^n^] *m.* tinsel; foil; showiness; *adj.* showy, gaudy.
clique [klìk] *f.* set, clique; gang.
cliquet [klìkè] *m.* catch; ratchet (mech.).
cliquetis [klìktì] *m.* clang [métal]; rattling; clatter; chinking [verres]; clash [armes]; jingling; *Br.* pinking [auto].
clochard [klòshàr] *m.* tramp, *Am.* hobo.
cloche [klòsh] *f.* bell; dish-cover; bell-jar; blister (med.); (pop.) idiot, dope. || **clocher** [-é] *v.* to limp, to hobble; *il y a quelque chose qui cloche,* there's something not quite right.
clocher [klòshé] *m.* belfry; steeple; *course au clocher,* steeple-chase.
cloison [klwàzo^n^] *f.* partition; dividing wall; bulkhead (naut.); *cloison étanche,* water-tight bulkhead; **cloisonner,** to partition off.
cloître [klwâtr] *m.* cloister; monastery; convent; *vie de cloître,* cloistered life. || **cloîtrer** [-é] *v.* to cloister; to confine.
clopiner [klòpìné] *v.* to hobble, to limp.
cloque [klòk] *f.* blister; swelling; blight [arbres].
clore [klòr] *v.** to close, to enclose.
clos [klô] *m.* enclosure, close; vineyard; *adj.* closed; shut in; finished.
clôture [klôtür] *f.* enclosure, fence; closing, closure. || **clôturer** [-é] *v.* to enclose; to close down; to conclude.
clou [klû] *m.* nail; spike; boil (med.); pawn-shop, *Am.* hock shop; (pop.) jail, clink; *mettre au clou,* to pawn. || **clouer** [-é] *v.* to nail; to pin down; to rivet; to nonplus; *être cloué au lit,* to be bed-ridden. || **clouter** [klûté] *v.* to nail; to stud.
club [klœb] *m.* club.
coagulation [kòàgülàsyo^n^] *f.* coagulation, congealing. || **coaguler** [-é] *v.* to coagulate, to congeal, to clot, to curdle [lait].
coaliser (se) [s^e^kòàlìzé] *v.* to form a coalition, to unite. || **coalition** [kòàlìsyo^n^] *f.* coalition, union, league.
coassocié [kòàsòsyé] *m.* copartner.
cobaye [kòbày] *m.* guinea-pig.
cobra [kòbrà] *m.* cobra.
cocaïne [kòkàìn] *f.* cocaine.
cocasse [kòkàs] *adj.* (pop.) droll, funny, odd.
coche [kòsh] *m.* coach.
coche [kòsh] *f.* nick, notch. || **cocher** [-é] *v.* to nick, to notch.
cocher [kòshé] *m.* driver, cabman; *porte cochère,* carriage-entrance, main gate.
cochon [kòsho^n^] *m.* pig, hog; pork; (pop.) filthy swine; *adj.* (pop.) beastly; *cochon d'Inde,* guinea-pig.
coco [kòkò] *m. noix de coco,* coconut. || **cocotier** [kòkòtyé] *m.* coconut palm.
cocotte [kòkòt] *f.* chickabiddy; loose woman; stew-pan (culin.).
code [kòd] *m.* code; law; statute-book. || **codifier** [kòdifyé] *v.* to codify [lois]; to code [message].
coefficient [kòèfìsya^n^] *m.* coefficient; factor.

cœur [kœr] *m.* heart; courage; feelings; core [centre]; *pl.* hearts [cartes]; *à cœur joie,* to one's heart's content; *le cœur brisé,* broken-hearted; *de bon cœur,* gladly, heartily; *en avoir le cœur net,* to get it off one's chest; to get to the bottom of the matter; *par cœur,* by heart; *si le cœur vous en dit,* if you feel inclined; *un homme de cœur,* a brave man.
coffre [kòfr] *m.* chest, box; coffer; mooring buoy (naut.); **coffre-fort,** strong-box; safe. || **coffrer** [-*é*] *v.* to lock up; (fam.) to put in jail. || **coffret** [-*è*] *m.* casket; locker; tool-box.
cognac [kòñàk] *m.* cognac, brandy.
cognée [kòñé] *f.* axe, hatchet. || **cogner** [-*é*] *v.* to knock; to hammer; to drive in [clou]; to hit, to bump against.
cohérence [kòéraⁿs] *f.* coherence. || **cohérent** [-aⁿ] *adj.* coherent.
cohésion [kòézyoⁿ] *f.* cohesion, cohesiveness.
cohue [kòü] *f.* crowd; mob; crush; throng.
coiffe [kwàf] *f.* cap; head-dress; lining. || **coiffé** [-*é*] *adj.* covered, wearing a hat; arranged [cheveux]; *né coiffé,* born with a silver spoon in the mouth. || **coiffer** [-*é*] *v.* to cover [tête]; to suit [chapeau]; to do [cheveux]; **se coiffer,** to do one's hair; to wear [chapeau]; to be infatuated [*de,* with]. || **coiffeur** [-œr] *m.* hairdresser. || **coiffure** [-ür] *f.* head-gear; hair-style; hairdressing.
coin [kwiⁿ] *m.* corner; nook; patch [terre]; stamp, die; wedge, chock; *au coin du feu,* by the fire-side. || **coincer** [-sé] *v.* to wedge; **se coincer,** to stick, to jam.
coïncidence [kòiⁿsidaⁿs] *f.* coincidence; **coïncident,** coincident. || **coïncider** [-*é*] *v.* to coincide.
coing [kwiⁿ] *m.* quince.
coke [kòk] *m.* coke.
col [kòl] *m.* neck [bouteille]; collar; pass (geogr.); *faux col,* detachable collar.
colère [kòlèr] *f.* anger, wrath, ire; *adj.* choleric, passionate; *en colère,* angry. || **coléreux** [-érë] *adj.* irascible, hot-tempered. || **colérique** [-érìk] *adj.* choleric; bilious.
colimaçon [kòlìmàsoⁿ] *m.* snail; *escalier en colimaçon,* spiral staircase.
colique [kòlìk] *f.* colic, stomach-ache.
colis [kòlì] *m.* parcel, package; bundle; *par colis postal,* by parcel post.
collaborateur, -trice [kòllàbòràtœr, -trìs] *m., f.* collaborator; colleague, co-worker; contributor. || **collaboration** [-àsyoⁿ] *f.* collaboration. || **collaborer** [-*é*] *v.* to collaborate; to contribute [publication].
collage [kòlàj] *m.* pasting; gluing. || **collant** [-aⁿ] *adj.* adhesive, sticky; tight, close-fitting.
collation [kòlàsyoⁿ] *f.* collation; snack, light meal. || **collationner** [-yòné] *v.* to collate, to compare; to have a snack.
colle [kòl] *f.* glue, gum; paste; poser, difficult question.
collecte [kòlèkt] *f.* collect (eccles.); collection. || **collecteur** [-œr] *m.* collector; tax-collector; *m., adj.* commutator (electr.); *égout collecteur,* main sewer. || **collectif** [-ìf] *adj.* collective, joint. || **collection** [kòlèksyoⁿ] *f.* collection; **collectionner,** to collect; **collectionneur,** collector. || **collectivité** [kòlèktìvìté] *f.* collectivity; community.
collège [kòlèj] *m.* college; *Br.* secondary school; *collège électoral,* constituency; electoral body, *Am.* electoral college. || **collégien, -enne** [-yiⁿ, -yèn] *m., f.* schoolboy, schoolgirl.
collègue [kòllèg] *m.* colleague; fellow.
coller [kòlé] *v.* to stick; to paste; to glue; to clarify [vins]; to fit closely; (pop.) to fail, to plough [candidat]; *Am.* to flunk; **se coller,** to cling together.
collet [kòlè] *m.* collar; cape; neck [outil]; flange [tuyau]; snare, trap; *collet monté,* priggish, straight-laced; *saisir par le collet,* to collar.
collier [kòlyé] *m.* necklace; collar; ring; *coup de collier,* big effort.
colline [kòlîn] *f.* hill.
collision [kòllìzyoⁿ] *f.* collision; clash.
colloque [kòllòk] *m.* parley; conversation.
colmater [kòlmàté] *v.* to warp (geol.); to clog; to seal up [brèche], to fill in [trou].

colombe [kòlo^n^b] *f.* dove; **colombier,** dovecote; pigeon-hole (typogr.).
côlon [kôlo^n^] *m.* colon (anat.).
colon [kòlo^n^] *m.* colonial; colonist, settler.
colonel [kòlònèl] *m.* colonel.
colonial [kòlònyàl] *m., adj.* colonial. || **colonie** [-ì] *f.* colony, settlement. || **colonisateur, -trice** [-ìzàtœr, -trìs] *m., f.* colonizer; *adj.* colonizing. || **colonisation** [-ìzàsyo^n^] *f.* colonization, settling. || **coloniser** [-ìzé] *v.* to colonize, to settle.
colonne [kòlòn] *f.* pillar, column; *colonne vertébrale,* spinal column, backbone.
colorant [kòlòra^n^] *m.* dye; *adj.* colo(u)ring. || **coloration** [-àsyo^n^] *f.* colo(u)ring. || **coloré** [-é] *adj.* highly colo(u)red; florid, ruddy [teint]. || **colorer** [-é] *v.* to colo(u)r, to dye. || **coloris** [-ì] *m.* colo(u)ring, colo(u)r.
colossal [kòlòsàl] *adj.* colossal, gigantic.
colporter [kòlpòrté] *v.* to hawk, to peddle; to spread [nouvelles]; **colporteur,** hawker, *Br.* pedlar; *Am.* peddler; newsmonger [nouvelles].
coma [kòmà] *m.* coma.
combat [ko^n^bà] *m.* combat, battle; struggle; contest; engagement; *mettre hors de combat,* to disable. || **combatif** [-tìf] *adj.* pugnacious. || **combativité** [-tìvìté] *f.* pugnaciousness. || **combattant** [-ta^n^] *m.* fighter; *ancien combattant,* ex-serviceman, *Am.* veteran. || **combattre** [-tr] *v.** to fight, to contend; to oppose; to struggle.
combien [ko^n^byi^n^] *adv.* (followed by *v.* or *adj.*) how many; how much; *combien de,* how much; how many; how far [distance]; *combien de fois,* how often.
combinaison [ko^n^bìnèzo^n^] *f.* combination, arrangement; plan; flying suit; overalls; combinations; slip [femme]. || **combine** [ko^n^bìn] *f.* (pop.) plan, scheme. || **combiner** [-ìné] *v.* to combine; to devise; *se combiner,* to combine.
comble [ko^n^bl] *m.* heaped measure; height, summit; roof, roofing; *adj.* brimful, full up; *ça, c'est le comble,* that's the last straw; *de fond en comble,* from top to bottom; *salle comble,* packed house. || **combler** [-é] *v.* to fill up; to heap up; to make good [déficit].
combustible [ko^n^büstìbl] *m.* fuel; *adj.* combustible. || **combustion** [-yo^n^] *f.* combustion, burning.
comédie [kòmédì] *f.* comedy; *Br.* theatre, *Am.* theater; play; pretence; farce. || **comédien, -enne** [-yi^n^, -yèn] *m., f.* comedian; actor, player; hypocrite.
comestible [kòmèstìbl] *m.* provisions; foodstuffs; edibles; *adj.* eatable, edible.
comète [kòmèt] *f.* comet.
comique [kòmìk] *m.* comedian, humorist; comic art; funny side; *adj.* comic, comical, funny.
comité [kòmìté] *m.* committee, board; *en petit comité,* a select party, making a small group.
commandant [kòma^n^da^n^] *m.* major (mil.); commanding officer; commodore (naut.); squadron-leader (aviat.); *adj.* commanding. || **commande** [kòma^n^d] *f.* order; control (techn.); drive (techn.); lever; *sur commande,* to order; *levier de commande,* control lever, stick (aviat.); *bulletin de commande,* order-form. || **commandement** [-ma^n^] *m.* command, order, commandment; authority. || **commander** [-é] *v.* to order, to command; to govern; to overlook, to dominate; to control. || **commanditaire** [-ìtèr] *m. Br.* sleeping partner, *Am.* silent partner. || **commandite** [-ìt] *f.* limited liability (comm.); *en commandite,* limited joint-stock.
comme [kòm] *adv.* as, like; how; in the way of; *conj.* as; *faites comme moi,* do as I do; *comme il entrait,* as he was entering, on entering; *comme il est bon,* how kind he is; *comme mort,* almost dead.
commémoratif [kòmmèmòràtìf] *adj.* commemorative. || **commémoration** [-àsyo^n^] *f.* commemoration. || **commémorer** [-é] *v.* to commemorate.
commençant [kòma^n^sa^n^] *m.* beginner. || **commencement** [-ma^n^] *m.* beginning, start, outset. || **commencer** [-sé] *v.* to commence, to begin, to start.
comment [kòma^n^] *adv.* how; *interj.* what! why!
commentaire [kòma^n^tèr] *m.* commentary; comment. || **commentateur** [-àtœr] *m.* commentator.

|| **commenter** [-é] *v.* to comment upon, to criticize.
commérage [kòméràj] *m.* gossip.
commerçant [kòmèrsaⁿ] *m.* tradesman, merchant, trader; *adj.* mercantile. || **commerce** [kòmèrs] *m.* trade, commerce; intercourse; *commerce de détail,* retail trade. || **commercer** [-é] *v.* to trade, to deal. || **commercial** [-yàl] *adj.* commercial, trading, business ; **commercialiser,** to commercialize.
commère [kòmèr] *f.* god-mother; gossip; crony.
commettre [kòmètr] *v.** to commit; to entrust; to perpetrate.
commis [kòmì] *p. p., adj., see* **commettre;** *m.* clerk; agent; shop-assistant; *commis voyageur, Br.* commercial travel(l)er, *Am.* drummer, travel(l)ing salesman.
commisération [kòmìzéràsyoⁿ] *f.* commiseration, pity.
commissaire [kòmìsèr] m. commissioner; superintendent [police]; purser [bateau]; **commissaire-priseur,** valuer; auctioneer. || **commissariat** [-àryà] *m.* commissioner's office; police station.
commission [kòmìsyoⁿ] *f.* commission; committee; message, errand. || **commissionnaire** [-yònèr] *m.* commission-agent (comm.); messenger. || **commissionner** [-yòné] *v.* to commission.
commode [kòmòd] *f.* chest of drawers; *adj.* convenient; handy; good-natured. || **commodité** [-ìté] *f.* convenience, comfort.
commotion [kòmòsyoⁿ] *f.* disturbance, commotion; shock (electr.); concussion (med.).
commun [kòmuⁿ] *m.* joint property; generality; *adj.* common, usual; vulgar; *faire cause commune avec,* to side with. || **communal** [kòmünàl] *adj.* common [terre], communal. || **communauté** [-ôté] *f.* community, society.
commune [kòmün] *f.* parish; *Chambre des Communes, Br.* House of Commons.
communicatif [kòmünìkàtìf] *adj.* communicative. || **communication** [-àsyoⁿ] *f.* communication; message.
communion [kòmünyoⁿ] *f.* communion.
communiqué [kòmünìké] *m.* official news, bulletin. || **communiquer** [-é] *v.* to communicate, to impart, to transmit; **se communiquer,** to be in touch.
communisme [kòmünìsm] *m.* communism. || **communiste** [-ìst] *m., f.* communist.
commutateur [kòmütàtœr] *m.* commutator (electr); switch.
compact [koⁿpàkt] *adj.* compact, close.
compagne [koⁿpàñ] *f.* companion; wife; mate, partner. || **compagnie** [-ì] *f.* company, society; party; fellowship; *tenir compagnie,* to keep company. || **compagnon** [-oⁿ] *m.* companion, comrade; mate, partner.
comparable [koⁿpàràbl] *adj.* comparable. || **comparaison** [-èzoⁿ] *f.* comparison.
comparaître [koⁿpàrètr] *v.* to appear in court (jur.).
comparatif [koⁿpàràtìf] *m., adj.* comparative. || **comparer** [koⁿpàré] *v.* to compare; to liken.
compartiment [koⁿpàrtìmaⁿ] *m.* compartment; division; partition.
comparution [koⁿpàrüsyoⁿ] *f.* appearance (jur.).
compas [koⁿpà] *m.* compasses. || **compassé** [-sé] *adj.* formal, stiff; regular.
compassion [koⁿpàsyoⁿ] *f.* compassion, pity.
compatibilité [koⁿpàtìbìlìté] *f.* compatibility. || **compatible** [koⁿpàtìbl] *adj.* compatible; suitable.
compatir [koⁿpàtìr] *v.* to sympathize, to bear with; **compatissant,** compassionate, tender; sympathetic.
compatriote [koⁿpàtrìòt] *m.* compatriot, fellow-countryman.
compensateur, -trice [koⁿpaⁿsàtœr, -trìs] *m.* compensator; *adj. m., f.* compensating (techn.). || **compensation** [-àsyoⁿ] *f.* compensation; balancing (techn.). || **compenser** [koⁿpaⁿsé] *v.* to compensate; to make up for; to adjust [compas].
compère [koⁿpèr] *m.* godfather; compère; accomplice; comrade, old fellow (fam.), pal; **compère-loriot,** sty (med.).
compétence [koⁿpétaⁿs] *f.* competence, authority, powers (jur.); skill, ability; **compétent,** competent; cognizant (jur.).
compétiteur, -trice [koⁿpétìtœr, -trìs] *m., f.* competitor, rival.

|| **compétition** [-ìsyoⁿ] *f.* competition, rivalry.
compilateur, -trice [koⁿpìlàtœr, -trìs] *m., f.* compiler.
complaisance [koⁿplèzaⁿs] *f.* obligingness; complacency; self-satisfaction; **complaisant,** obliging; complacent, self-satisfied.
complément [koⁿplémaⁿ] *m.* complement; object (gramm.).
complet [koⁿplè] *m.* suit; *adj.* complete; full; *au complet,* full up. || **compléter** [-été] *v.* to complete, to fill up.
complexe [koⁿplèks] *m.* complex (psych.); *adj.* complex, complicated. || **complexion** [-yoⁿ] *f.* constitution; temperament. || **complexité** [-ìté] *f.* complexity.
complication [koⁿplìkàsyoⁿ] *f.* complication; complexity.
complice [koⁿplìs] *m., adj.* accomplice; party; accessory; **complicité,** complicity; aiding and abetting (jur.).
compliment [koⁿplìmaⁿ] *m.* compliment; congratulation; flattery; *pl.* greetings; kindest regards. || **complimenter** [-té] *v.* to compliment; to congratulate.
compliqué [koⁿplìké] *adj.* complicated, elaborate, intricate. || **compliquer** [-é] *v.* to complicate.
complot [koⁿplô] *m.* plot, conspiracy; scheme. || **comploter** [-òté] *v.* to plot, to conspire.
comporter [koⁿpòrté] *v.* to admit of; to comprise; to require; to involve; **se comporter,** to behave.
composant [koⁿpôzaⁿ] *m., adj.* component. || **composé** [-é] *m.* compound; *adj.* compound; composed; impassive [visage]; composite. || **composer** [-é] *v.* to compose; to compound; to set (typogr.); to arrange. || **compositeur, -trice** [-ìtœr, -trìs] *m., f.* composer; compositor (typogr.). || **composition** [koⁿpôzìsyoⁿ] *f.* composing, composition; type-setting; agreement; mixture (med.).
compote [koⁿpòt] *f.* stewed fruit.
compréhensible [koⁿpréaⁿsìbl] *adj.* comprehensible, understandable. || **compréhensif** [-ìf] *adj.* comprehensive; understanding. || **compréhension** [-yoⁿ] *f.* understanding, grasp.
comprendre [koⁿpraⁿdr] *v.** to understand, to grasp, to comprehend; to include.
compresse [koⁿprès] *f.* compress (med.). || **compresseur** [-œr] *m.* compressor; supercharger [moteur]; *rouleau compresseur,* road-roller. || **compression** [-yoⁿ] *f.* compression; repression.
comprimé [koⁿprìmé] *m.* compressed tablet (med.). || **comprimer** [-é] *v.* to compress; to check, to restrain.
compris [koⁿprì] *p. p., adj., see* **comprendre;** *non compris,* exclusive of; *y compris,* including.
compromettant [koⁿpròmètaⁿ] *adj.* dangerous, bad. || **compromettre** [-ètr] *v.* to compromise; to endanger; to jeopardize.
compromis [koⁿpròmì] *m.* compromise.
comptabilité [koⁿtàbìlìté] *f.* book-keeping, accountancy; accountancy department. || **comptable** [-àbl] *m.* book-keeper, accountant; *adj.* responsible. || **comptant** [-aⁿ] *m.* cash, ready money; *adj.* ready [argent]; *au comptant,* for cash. || **compte** [koⁿt] *m.* account; count; reckoning; number; *à compte,* on account; *en fin de compte,* after all; *faire entrer en ligne de compte,* to take into account; *mettre sur le compte de,* to impute to; *se rendre compte de,* to realize; *compte courant,* current account; *tenir compte de,* to take into consideration; *compte rendu,* account, report; *régler un compte,* to settle an account. || **compter** [-é] *v.* to reckon, to count; to rely. || **compteur** [-œr] *m.* computer; counter; meter. || **comptoir** [-wàr] *m.* counter; bar; bank; agency.
comté [koⁿté] *m.* county.
comte [koⁿt] *m.* count, *Br.* earl. || **comtesse** [-ès] *f.* countess.
concasser [koⁿkàsé] *v.* to break up, to pound, to crush.
concave [koⁿkàv] *adj.* concave.
concéder [koⁿsédé] *v.* to allow, to grant, to concede.
concentration [koⁿsaⁿtràsyoⁿ] *f.* concentration. || **concentrer** [-é] *v.* to concentrate; to intensify; to focus.
conception [koⁿsèpsyoⁿ] *f.* conception; idea.
concernant [koⁿsèrnaⁿ] *prep.* con-

cerning, regarding. || **concerner** [-é] *v.* to concern, to regard.
concert [koⁿsèr] *m.* concert. || **concerter** [-té] *v.* to concert; to plan.
concession [koⁿsèsyoⁿ] *f.* concession, grant. || **concessionnaire** [-yònèr] *m., f.* grantee; licence-holder; patentee; *Am.* concessionnaire.
concevable [koⁿsevàbl] *adj.* conceivable. || **concevoir** [-koⁿsevwàr] *v.** to conceive; to imagine.
concierge [koⁿsyèrj] *m.* hall-porter; janitor; caretaker.
conciliant [koⁿsìlyaⁿ] *adj.* conciliatory. || **conciliation** [-yàsyoⁿ] *f.* conciliation. || **concilier** [-yé] *v.* to conciliate, to reconcile; to win over.
concis [koⁿsì] *adj.* concise, brief; **concision,** conciseness, brevity.
concitoyen [koⁿsìtwàyiⁿ] *m.* fellow-citizen.
concluant [koⁿklüaⁿ] *adj.* conclusive. || **conclure** [-ür] *v.** to conclude, to finish; to infer. || **conclusion** [-üzyoⁿ] *f.* conclusion; termination; finding (jur.).
concombre [koⁿkoⁿbr] *m.* cucumber.
concordance [koⁿkòrdaⁿs] *f.* concordance, agreement ; sequence (gramm.).
concorde [koⁿkòrd] *f.* agreement, harmony.
concorder [koⁿkòrdé] *v.* to agree, to concur.
concourir [koⁿkûrìr] *v.* to converge; to vie, to compete [*pour,* for]; to co-operate [*à,* in].
concours [koⁿkûr] *m.* concourse, gathering; co-operation; help; competitive examination; competition; match.
concret [koⁿkrè] *adj.* concrete.
conçu [koⁿsü] *p. p. of* **concevoir.**
concurrence [koⁿküraⁿs] *f.* rivalry; competition; *faire concurrence à,* to compete with. || **concurrent** [-aⁿ] *m.* competitor, rival; candidate; *adj.* competitive, rival.
concussion [koⁿküsyoⁿ] *f.* misappropriation of funds, embezzlement; extortion.
condamnable [koⁿdànàbl] *adj.* guilty; blameworthy; criminal. || **condamnation** [-àsyoⁿ] *f.* conviction, sentence (jur.); blame, censure, reproof. || **condamné** [-é] *m.* convict; condemned person. || **condamner** [-é] *v.* to condemn; to sentence (jur.); to censure. to reprove.
condensateur [koⁿdaⁿsàtœr] *m.* condenser (electr.). || **condensation** [-àsyoⁿ] *f.* condensation. || **condenser** [-é] *v.* to condense; **condenseur,** condenser (mech.).
condescendance [koⁿdèsaⁿdaⁿs] *f.* condescension. || **condescendre** [koⁿdèsaⁿdr] *v.* to comply; to condescend; to deign.
condisciple [koⁿdìsìpl] *m.* school fellow, school-mate.
condition [koⁿdìsyoⁿ] *f.* condition, state, circumstances; rank; *pl.* terms; *à condition,* on condition. || **conditionnel** [-yònèl] *m., adj.* conditional. || **conditionner** [-yòné] *v.* to condition; to season.
condoléance [koⁿdòléaⁿs] *f.* condolence; *sincères condoléances,* deepest sympathy.
conducteur, -trice [koⁿdüktœr, -trìs] *m., f.* conductor; leader; driver [voiture]; *adj.* conducting.
conduire [koⁿdüìr] *v.* * to lead, to conduct, to guide; to direct; to steer [naut.]; to drive [auto]; to convey, to look after, to manage, to run [affaires]; **se conduire,** to behave; to find one's way. || **conduit** [koⁿdüì] *m.* conduit, pipe, passage, duct; *conduit principal,* main. || **conduite** [koⁿdüìt] *f.* conducting, guidance; driving, management, command; channel, pipe; behavio(u)r; *changer de conduite,* to mend one's ways.
cône [kôn] *m.* cone.
confection [koⁿfèksyoⁿ] *f.* making; manufacture; ready-made clothes. || **confectionner** [-yòné] *v.* to make up, to manufacture; **confectionneur,** outfitter, clothier.
confédération [koⁿfédéràsyoⁿ] *f.* confederation. || **confédérer** [-é] *v.* to confederate, to unite.
conférence [koⁿféraⁿs] *f.* conference; lecture . || **conférencier** [-yé] *m.* lecturer.
conférer [koⁿféré] *v.* to compare [documents]; to award; to confer.
confesser [koⁿfèsé] *v.* to confess; to avow; to own up to; **se confesser,** to confess one's sins; **confesseur,** confessor; **confession,** confession; avowal.
confiance [koⁿfyaⁿs] *f.* confidence, trust; *confiance en soi,* self-confi-

dence. || **confiant** [-ya^n] *adj.* trusting, confident.
confidence [ko^{n}fìda^{n}s] *f.* confidence, secret. || **confidentiel** [-yèl] *adj.* confidential, private, secret.
confier [ko^{n}fyé] *v.* to entrust; to disclose [nouvelles]; **se confier**, to confide; to rely [*à*, on].
configuration [ko^{n}fìgüràsyo^n] *f.* configuration, outline.
confiner [ko^{n}fìné] *v.* to border upon; to confine. || **confins** [ko^{n}fi^n] *m. pl.* confines, limits, borders.
confire [ko^{n}fìr] *v.** to preserve, to pickle.
confirmation [ko^{n}fìrmàsyo^n] *f.* confirmation. || **confirmer** [-é] *v.* to confirm; to corroborate, to bear out; to ratify.
confiscation [ko^{n}fìskàsyo^n] *f.* confiscation, seizure, forfeiture.
confiserie [ko^{n}fìzrî] *f.* confectionery, confectioner's shop. || **confiseur** [-œr] *m.* confectioner.
confisquer [ko^{n}fìské] *v.* to confiscate.
confit [ko^{n}fì] *p. p., adj., see* **confire**; *fruits confits,* preserved fruit. || **confiture** [-tür] *f.* jam, preserve.
conflit [ko^{n}flì] *m.* conflict, strife, clash.
confluent [ko^{n}flüa^n] *m.* confluence, meeting [eaux].
confondre [ko^{n}fo^{n}dr] *v.* to confound, to confuse; to intermingle; **se confondre**, to blend; to be lost; to be confused.
conforme [ko^{n}fòrm] *adj.* consistent; identical; **conformément**, in accordance [*à*, with]. || **conformer** [-é] *v.* to shape, to form; **se conformer**, to conform. || **conformité** [-ìté] *f.* conformity.
confort [ko^{n}fòr] *m.* comfort. || **confortable** [-tàbl] *adj.* comfortable.
confraternité [ko^{n}fràtèrnìté] *f.* brotherhood.
confrère [ko^{n}frèr] *m.* colleague.
confronter [ko^{n}fro^{n}té] *v.* to confront; to compare [textes].
confus [ko^{n}fü] *adj.* confused, mixed; obscure; dim; indistinct; muffled; embarrassed; at a loss. || **confusion** [-zyo^n] *f.* confusion, disorder; embarrassment.
congé [ko^{n}jé] *m.* leave, holiday; discharge (mil.); dismissal; permit; clearance [bateau]; *un jour de congé,* a day off; *prendre congé,* to take leave; *donner congé,* to dismiss; *demander son congé,* to give notice. || **congédier** [-dyé] *v.* dismiss, to discharge, to lay off.
congélation [ko^{n}jélàsyo^n] *f.* coagulation; freezing. || **congeler** [ko^{n}jlé] *v.* to congeal, to solidify; to freeze.
congénital [ko^{n}jénìtàl] *adj.* congenital, inborn.
congestion [ko^{n}jèstyo^n] *f.* congestion (med.); *congestion pulmonaire,* pneumonia; **congestionné**, flushed [visage].
congratuler [ko^{n}gràtülé] *v.* to congratulate.
congrégation [ko^{n}grégàsyo^n] *f.* congregation (eccles.); brotherhood.
congrès [ko^{n}grè] *m.* congress.
congru [ko^{n}grü] *adj.* adequate; suitable; *portion congrue,* bare living, **congrûment**, duly, correctly.
conique [kònìk] *adj.* conical; tapering.
conjecture [ko^{n}jèktür] *f.* conjecture, guess, surmise; **conjecturer**, to conjecture, to surmise.
conjoint [ko^{n}jwi^n] *adj.* joint; wedded, married (jur.); *m. pl.* husband and wife.
conjonction [ko^{n}jo^{n}ksyo^n] *f.* conjunction.
conjoncture [ko^{n}jo^{n}ktür] *f.* conjuncture, juncture.
conjugaison [ko^{n}jügèzo^n] *f.* conjugation.
conjugal [ko^{n}jügàl] *adj.* conjugal.
conjuration [ko^{n}jüràsyo^n] *f.* conspiracy, plot; entreaties. || **conjurer** [-é] *v.* to conspire, to plot; to exorcise; to entreat.
connaissable [kònèsàbl] *adj.* recognizable. || **connaissance** [-a^{n}s] *f.* knowledge; learning; acquaintance; consciousness; *prendre connaissance de,* to take note of; *perdre connaissance,* to faint; *en connaissance de cause,* knowingly; *sans connaissance,* unconscious. || **connaisseur** [-œr] *m.* connoisseur, expert; *adj.* expert. || **connaître** [kònètr] *v.** to know, to be aware of; to understand; to experience; *faire connaître,* to bring to one's knowledge, to communicate; to make known; **se connaître**, to be acquainted; **se connaître en**, to be an expert in.
connexion [kònèksyo^n] *f.* connection, lead (electr.).

connivence [kòniva^{n}s] *f.* connivance, complicity.
connu [kònü] *adj.* known, discovered; *p. p. of* **connaître**.
conquérant [ko^{n}kéra^n] *m.* victor, conqueror; *adj.* conquering. || **conquérir** [-érîr] *v.** to conquer, to subdue; to win over. || **conquête** [-èt] *f.* conquest; acquisition.
conquis *p. p. of* **conquérir**.
consacrer [ko^{n}sàkré] *v.* to consecrate; to dedicate; to devote; *expression consacrée,* stock phrase.
conscience [ko^{n}sya^{n}s] *f.* conscience; consciousness; conscientiousness; *avoir conscience de,* to be aware of; *cas de conscience,* matter of conscience, scruple; **consciencieux**, conscientious. || **conscient** [ko^{n}sya^n] *adj.* conscious, aware.
conscrit [ko^{n}skrì] *m.* recruit conscript (mil.), *Am.* draftee.
consécration [ko^{n}sékràsyo^n] *f.* consecration.
consécutif [ko^{n}sékütìf] *adj.* consecutive; following upon.
conseil [ko^{n}sèy] *m.* advice; resolution; council; meeting of directors; counsel (jur.); adviser; *conseil d'administration,* board of directors; *conseil municipal,* town council; *un bon conseil,* a good piece of advice; *prendre conseil de,* to take counsel of; *conseil de guerre,* council of war; court-martial. || **conseiller** [-é] *v.* to advise, to recommend. || **conseiller** [-é] *m.* council(l)or; adviser.
consentement [ko^{n}sa^{n}tma^n] *m.* consent, assent. || **consentir** [-ïr] *v.* to consent, to agree; to authorize, to grant.
conséquence [ko^{n}séka^{n}s] *f.* consequence, issue, result, sequel; importance; *en conséquence,* accordingly; as a result; *sans conséquence,* of no importance. || **conséquent** [-a^n] *adj.* consistent; following; *par conséquent,* therefore.
conservateur, -trice [ko^{n}sèrvàtœr, -trìs] *m., f.* Conservative; keeper; guardian; curator; *adj.* Conservative; preservative. || **conservation** [-àsyo^n] *f.* preservation, conservation. || **conservatoire** [-àtwàr] *m.* school, academy; *adj.* conservative [mesures]. || **conserve** [ko^{n}sèrv] *f.* preserve; tinned food; *pl.* dark spectacles; *conserves au vinaigre,* pickles; *de conserve,* together, in convoy. || **conserver** [-é] *v.* to preserve, to keep, to maintain; *se conserver,* to keep [nourriture].
considérable [ko^{n}sidéràbl] *adj.* considerable; extensive; important; notable. || **considération** [-àsyo^n] *f.* consideration; motive; esteem. || **considérer** [-é] *v.* to consider; to contemplate; to gaze on; to regard; to ponder.
consignation [ko^{n}siñàsyo^n] *f.* consignment; deposit. || **consigne** [ko^{n}sîñ] *f.* order, instructions; detention [lycée]; *Br.* cloakroom [gare], *Am.* baggage room, checkroom. || **consigner** [-ìñé] *v.* to deposit; to consign; to check [bagages]; to register; to detain; to confine to barracks (mil.).
consistance [ko^{n}sìsta^{n}s] *f.* consistency, firmness. || **consistant** [-a^n] *adj.* consistent, firm, compact, stiff. || **consister** [-é] *v.* to consist, to be made [*en,* of].
consolateur, -trice [ko^{n}sòlàtœr, -trìs] *m., f.* consoler, comforter; *adj.* consoling. || **consolation** [-àsyo^n] *f.* consolation, solace. || **consoler** [-é] *v.* to console, to comfort.
consolidation [ko^{n}sòlidàsyo^n] *f.* consolidation; healing [fracture]; funding. || **consolider** [-é] *v.* to consolidate; to fund [dettes]; to heal up (med.).
consommateur, -trice [ko^{n}sòmàtœr, -trìs] *m., f.* consumer; customer [restaurant]. || **consommation** [-àsyo^n] *f.* consumption; consummation; drink. || **consommé** [-é] *m.* broth, soup; *adj.* consummate. || **consommer** [-é] *v.* to consume; to use up; to waste; to complete.
consonne [ko^{n}sòn] *f.* consonant.
consort [ko^{n}sòr] *m.* consort; *pl.* associates, confederates.
conspirateur, -trice [ko^{n}spìràtœr, -trìs] *m., f.* conspirator. || **conspiration** [-àsyo^n] *f.* conspiracy, plot. || **conspirer** [-é] *v.* to conspire, to plot; to tend.
constamment [ko^{n}stàma^n] *adv.* steadily; continually, constantly. || **constance** [-a^{n}s] *f.* steadiness, constancy. || **constant** [-a^n] *f.* constant (math.); *adj.* steadfast; invariable, constant.
constatation [ko^{n}stàtàsyo^n] *f.* authentic fact; statement; verifica-

tion; confirmation. || **constater** [-é] *v.* to report; to state; to establish; to confirm; to ascertain, to verify.
constellation [ko^{n}stèllàsyo^{n}] *f.* constellation. || **consteller** [-é] *v.* to constellate; to stud [bijoux].
consternation [ko^{n}stèrnàsyo^{n}] *f.* consternation, dismay. || **consterner** [-é] *v.* to dismay, to astound.
constipation [ko^{n}stìpàsyo^{n}] *f.* constipation. || **constiper** [-é] *v.* to constipate.
constituant [ko^{n}stìtüa^{n}] *adj.* component, constituent. || **constituer** [-üé] *v.* to constitute, to settle; to establish.
constitution [ko^{n}stìtüsyo^{n}] *f.* constitution; establishing; formation; settlement; health; **constitutionnel,** constitutional.
constructeur [ko^{n}strüktœr] *m.* builder, constructor. || **constructif** [-tìf] *adj.* constructive. || **construction** [-syo^{n}] *f.* construction, building; structure; *en construction,* building; on the stocks [bateau]. || **construire** [ko^{n}strüìr] *v.** to build, to construct.
consul [ko^{n}sül] *m.* consul. || **consulat** [-à] *m.* consulate; consulship.
consultant [ko^{n}sülta^{n}] *adj.* consultant, consulting; *avocat consultant,* lawyer, counsel. || **consultatif** [-àtìf] *adj.* consultative, advisory. || **consultation** [-àsyo^{n}] *f.* consultation; conference. || **consulter** [-é] *v.* to consult, to refer to; **se consulter,** to consider, to deliberate.
consumer [ko^{n}sümé] *v.* to consume, to use up.
contact [ko^{n}tàkt] *m.* contact; relation; connection (electr.).
contagieux [ko^{n}tàjyë] *adj.* contagious, infectious, catching. || **contagion** [-yo^{n}] *f.* contagion, infection.
contaminer [ko^{n}tàminé] *v.* to contaminate, to infect (med.); to pollute.
conte [ko^{n}t] *m.* tale, story.
contemplation [ko^{n}ta^{n}plàsyo^{n}] *f.* contemplation. || **contempler** [ko^{n}ta^{n}plé] *v.* to contemplate; to gaze upon; to reflect upon, to ponder.
contemporain [ko^{n}ta^{n}pòrin] *m., adj.* contemporary.
contenance [ko^{n}tna^{n}s] *f.* capacity; bearing, countenance; *perdre contenance,* to be put out of countenance; to lose face. || **contenir** [-ìr] *v.* to include; to contain, to hold; to restrain, to control; **se contenir,** to contain oneself; to refrain; to forbear.
content [ko^{n}ta^{n}] *adj.* contented, glad, pleased, happy, satisfied. || **contentement** [-tma^{n}] *m.* contentment, satisfaction. || **contenter** [-té] *v.* to content, to satisfy, to gratify.
contentieux [ko^{n}ta^{n}syë] *m.* litigable questions; *adj.* contentious; *bureau du contentieux,* disputed claims department.
conter [ko^{n}té] *v.* to tell, to relate.
contestable [ko^{n}tèstàbl] *adj.* questionable, debatable. || **contestation** [-àsyo^{n}] *f.* dispute. || **contester** [-é] *v.* to dispute, to question; to contend.
conteur [ko^{n}tœr] *m.* narrator; story-teller.
contexte [ko^{n}tèkst] *m.* context.
contigu, uë [ko^{n}tìgü] *adj.* adjoining, adjacent.
continent [ko^{n}tìna^{n}] *adj.* continent, modest.
continent [ko^{n}tìna^{n}] *m.* continent; mainland. || **continental** [-tàl] *adj.* continental.
contingence [ko^{n}ti^{n}ja^{n}s] *f.* contingency. || **contingent** [-a^{n}] *m.* quota; contingent; *adj.* contingent. || **contingenter** [-a^{n}té] *v.* to fix quotas for.
continu [ko^{n}tìnü] *adj.* continuous, continual; unbroken; uninterrupted; direct (electr.). || **continuateur, -trice** [-àtœr, -trìs] *m., f.* continuator. || **continuation** [-àsyo^{n}] *f.* continuation, continuance, carrying on. || **continuel** [-èl] *adj.* continual, unceasing. || **continuer** [-é] *v.* to continue; to carry on, to keep on; to prolong; **se continuer,** to last, to be continued.
contour [ko^{n}tûr] *m.* contour; outline; circuit [ville]. || **contourner** [-né] *v.* to outline; to go round; to distort; to evade.
contracter [ko^{n}tràkté] *v.* to contract; to catch [rhume]; to acquire [habitude]; to incur; **se contracter,** to contract, to shrink; to shrivel. || **contraction** [-àksyo^{n}] *f.* contraction, narrowing; shrinking.

contradicteur [ko^{n}tràdiktœr] *m.* opposer, opponent. || **contradiction** [-ìksyo^n] *f.* contradiction; inconsistency. || **contradictoire** [-ìktwàr] *adj.* contradictory; inconsistent; conflicting; *examen contradictoire,* cross-examination.

contraindre [ko^{n}tr$^{i^n}$dr] *v.** to compel, to force; to coerce; to restrain; **se contraindre,** to restrain oneself. || **contrainte** [ko^{n}tr$^{i^n}$t] *f.* constraint, compulsion; embarrassment; *par contrainte,* under duress.

contraire [ko^{n}trèr] *m., adj.* contrary, opposite; adverse; *au contraire,* on the contrary.

contrarier [ko^{n}tràryé] *v.* to thwart, to oppose; to annoy, to vex. || **contrariété** [-té] *f.* difficulty; clash; annoyance, vexation.

contraste [ko^{n}tràst] *m.* contrast; **contraster,** to contrast.

contrat [ko^{n}trà] *m.* contract, deed, agreement; settlement [mariage]; *dresser un contrat,* to draw up a deed; *passer un contrat,* to execute a deed.

contravention [ko^{n}tràva^{n}syo^n] *f.* infringement, minor offense; *dresser une contravention à,* to summons.

contre [ko^{n}tr] *prep* against; *adv.* near; *tout contre,* close by; *cinq contre un,* five to one; **contre-attaque,** counter-attack; **contrebalancer,** to counterpoise; **contrebas,** lower level; **à contrecœur,** reluctantly; **contrecoup,** rebound, repercussion; **contre-enquête,** counter-inquiry; **contre-expertise,** countervaluation; **contre-indication,** contra-indication (med.); **contre-jour,** back-lighting; false light; **contrepartie,** counterpart; opposite view; **contrepoison,** antidote; **contreprojet,** counter-plan; counter-bill [parlement]; **contresens,** misinterpretation; nonsense; opposite direction; **contre-torpilleur,** destroyer.

contrebande [ko^{n}tr^{e}ba^{n}d] *f.* contraband goods; smuggling; *faire la contrebande,* to smuggle. || **contrebandier** [-yé] *m.* smuggler.

contrecarrer [ko^{n}tr^{e}kàré] *v.* to thwart [projets].

contredire [ko^{n}tr^{e}dìr] *v.** to contradict, to gainsay; to be inconsistent; **contredit,** contradiction; *sans contredit,* unquestionably.

contrée [ko^{n}tré] *f.* country, region.

contrefaçon [ko^{n}tr^{e}fàso^n] *f.* counterfeit, forgery; counterfeiting. || **contrefaire** [ko^{n}tr^{e}fèr] *v.* to forge, to counterfeit; to ape, to imitate; to feign. || **contrefait** [-è] *adj.* forged, counterfeit; feigned; deformed.

contrefort [ko^{n}tr^{e}fòr] *m.* buttress; spur (geogr.).

contremaître [ko^{n}tr^{e}mètr] *m.* overseer, foreman; first mate (naut.).

contresigner [ko^{n}tr^{e}sìñé] *v.* to countersign.

contretemps [ko^{n}tr^{e}ta^n] *m.* mishap; inconvenience; disappointment; syncopation (mus.); *à contretemps,* inopportunely; out of time; syncopated (mus.).

contribuable [ko^{n}trìbüàbl] *m.* taxpayer; *adj.* taxable. || **contribuer** [-üé] *v.* to contribute. || **contribution** [-üsyo^n] *f.* contribution; tax; duty, excise.

contrition [ko^{n}trìsyo^n] *f.* contrition, repentance.

contrôlable [ko^{n}trôlàbl] *adj.* able to be checked. || **contrôle** [ko^{n}trôl] *m.* roll (mil.); controller's office; box-office (theat.); hallmark; checking; inspection; supervision; control. || **contrôler** [-é] *v.* to check, to verify; to examine; to stamp; to control. || **contrôleur** [-œr] *m.* inspector; supervisor; controller; driver [métro]; ticket collector.

contrordre [ko^{n}tròrdr] *m.* countermand.

controverse [ko^{n}tròvèrs] *f.* controversy.

convaincre [ko^{n}v$^{i^n}$kr] *v.** to convince; to convict. || **convaincu** [ko^{n}v$^{i^n}$kü] *adj.* earnest, convinced; convicted.

convalescence [ko^{n}vàlèsa^{n}s] *f.* convalescence. || **convalescent** [-a^n] *m., adj.* convalescent.

convenable [ko^{n}vnàbl] *adj.* proper; fit; appropriate; expedient; becoming; suitable; decent. || **convenance** [ko^{n}vna^{n}s] *f.* fitness, propriety; decency; expediency; convenience. || **convenir** [-nìr] *v.* to suit; to be convenient; to agree, to admit; to arrange; to be agreeable (*à,* to); *il convient que,* it is fitting that; *c'est convenu,* that's settled.

convention [ko^{n}va^{n}syo^n] *f.* conven-

tion; agreement; *pl.* clauses; **conventionnel,** conventional.
converger [ko^{n}vèrjé] *v.* to converge.
conversation [ko^{n}vèrsàsyo^n] *f.* conversation, talk. || **converser** [-é] *v.* to converse, to talk together.
conversion [ko^{n}vèrsyo^n] *f.* conversion; change.
convertir [ko^{n}vèrtîr] *v.* to convert; to change; to transform; **se convertir,** to be converted. || **convertissable** [-isàbl] *adj.* convertible.
convexe [ko^{n}vèks] *adj.* convex.
conviction [ko^{n}vìksyo^n] *f.* conviction.
convier [ko^{n}vyé] *v.* to invite; to incite.
convive [ko^{n}vîv] *m.* guest.
convocation [ko^{n}vòkàsyo^n] *f.* convocation; summons; calling-up (mil.).
convoi [ko^{n}vwà] *m.* convoy; train; funeral procession; supply column; escort.
convoiter [ko^{n}vwàté] *v.* to covet, to desire. || **convoitise** [-îz] *f.* lust, covetousness.
convoquer [ko^{n}vòké] *v.* to summon; to call up (mil.); to be called for interview.
convoyer [ko^{n}vwàyé] *v.* to convoy; to escort.
convulsion [ko^{n}vülsyo^n] *f.* convulsion; spasm.
coopération [kòòpéràsyo^n] *f.* co-operation. || **coopérer** [-é] *v.* to co-operate, to work together.
coordination [kòòrdìnàsyo^n] *f.* co-ordination. || **coordonner** [-òné] *v.* to co-ordinate, to arrange.
copain [kòpi^n] *m.* (pop.) pal, chum, *Am.* buddy.
copeau [kòpô] *m.* shaving, chip [bois]; cutting, *pl.* turnings [métal].
copie [kòpî] *f.* copy, imitation; transcript. || **copier** [kòpyé] *v.* to copy, to transcribe; to reproduce; to imitate.
copieux [kòpyë] *adj.* copious, abundant, plentiful.
copiste [kòpìst] *m.* copier, copyist.
coq [kòk] *m.* cock, rooster; *au chant du coq,* at cock-crow; *comme un coq en pâte,* in clover; sitting pretty; *poids coq,* bantam-weight; **coq-à-l'âne,** cock-and-bull story.
coque [kòk] *f.* shell [œuf]; body (mech.); bottom, hull [bateau]; kink [corde]; *œuf à la coque,* boiled egg.
coqueluche [kòklüsh] *f.* whooping-cough; favo(u)rite.
coquet [kòkè] *adj.* coquettish; smart, spruce, stylish; dainty; *f.* coquette, flirt.
coquetier [kòktyé] *m.* egg-merchant; egg-cup.
coquetterie [kòkètrî] *f.* coquetry; coyness; smartness; daintiness.
coquillage [kòkìyàj] *m.* shell; shell-fish. || **coquille** [kòkîy] *f.* shell [escargot, huître]; misprint (typogr.).
coquin [kòki^n] *m.* scamp, rascal; hussy (f.); *adj.* roguish, rascally.
cor [kòr] *m.* horn; corn [pied].
corail [kòrày] *m.* coral.
corbeau [kòrbô] *m.* crow, raven; corbel (arch.); grappling-iron (naut.).
corbeille [kòrbèy] *f.* basket; flower-bed; dress-circle (theat.); wedding-presents.
corbillard [kòrbìyàr] *m.* hearse.
cordage [kòrdàj] *m.* rope, cordage; stringing [raquette]; gear (naut.); rigging. || **corde** [kòrd] *f.* rope, cord, line; string [violon]; chord (geom.); hanging; *à cordes,* stringed (instrument); *usé jusqu'à la corde,* threadbare; **cordeau,** string; chalk-line; **cordée,** roped climbing party; **cordelette,** string; **cordelière,** girdle, fillet (arch.).
cordial [kòrdyàl] *m.* cordial; *adj.* cordial, hearty, warm. || **cordialité** [-ìté] *f.* cordiality, heartiness.
cordon [kòrdo^n] *m.* strand, twist [câble]; cord; girdle; *cordon bleu,* first-rate cook.
cordonnerie [kòrdònrî] *f.* shoemaking; shoemaker's shop.
cordonnet [kòrdònè] *m.* braid, cord.
cordonnier [kòrdònyé] *m.* shoemaker, cobbler.
corne [kòrn] *f.* horn; hoof; shoehorn; dog's-ear [livre]. || **cornée** [-é] *f.* cornea.
corneille [kòrnèy] *f.* rook, crow; *bayer aux corneilles,* to stand gaping, *Am.* to rubberneck.
cornemuse [kòrn^{e}müz] *f.* bagpipe.
corner [kòrné] *v.* to hoot; to trumpet; to ring [oreilles]. || **cornet** [-è] *m.* cornet; trumpet; hooter [auto]. || **cornette** [-èt] *f.* mobcap.

cornichon [kòrnìshon] *m.* gherkin; (pop.) duffer, mug, clot.

cornu [kòrnü] *adj.* horned. || **cornue** *f.* retort (chem.).

corollaire [kòròllèr] *m.* corollary; deduction; inference.

corporation [kòrpòràsyon] *f.* corporation; **corporatif**, corporative.

corporel [kòrpòrèl] *adj.* corporeal; corporal, bodily.

corps [kòr] *m.* body; matter; corps (mil.); group; *à corps perdu*, desperately; *perdu corps et biens*, lost with all hands; *corps à corps*, hand to hand; *corps de bâtiment*, main building.

corpulence [kòrpülans] *f.* corpulence, stoutness. || **corpulent** [-an] *adj.* corpulent, stout.

corpuscule [kòrpüskül] *m.* corpuscle; particle.

correct [kòrrèkt] *adj.* correct; accurate. || **correcteur, -trice** [-œr, -trìs] *m., f.* corrector; proof-reader. || **correctif** [-ìf] *adj.* corrective. || **correction** [kòrrèksyon] *f.* correction; punishment; correctness; *maison de correction*, reformatory. || **correctionnel** [-yònèl] *adj.* correctional; *tribunal correctionnel*, court of summary jurisdiction, police court.

corrélation [kòrrélàsyon] *f.* correlation, connection.

correspondance [kòrèsponda ns] *f.* correspondence; connection [transport], *Am.* transfer-point; dealings. || **correspondant** [-an] *m.* correspondent; *adj.* corresponding. || **correspondre** [kòrèspondr] *v.* to correspond; to communicate; to agree.

corrigé [kòrìjé] *m.* key, crib. || **corriger** [-é] *v.* to correct; to read [épreuves]; to reform; to adjust; to punish; *se corriger d'une habitude*, to break oneself of a habit.

corroborer [kòrròbòré] *v.* to corroborate, to confirm; to support.

corroder [kòrròdé] *v.* to corrode.

corrompre [kòronpr] *v.* to corrupt; to taint; to pollute; to deprave; to bribe.

corrosif [kòrròzìf] *adj.* corrosive.

corrupteur, -trice [kòrüptœr, -trìs] *m., f.* corrupter; briber; *adj.* corrupting. || **corruption** [kòrüpsyon] *f.* corruption; bribing; graft.

corsage [kòrsàj] *m.* bust; bodice [robe]; blouse.

corsé [kòrsé] *adj.* strong; full-bodied [vin]; spicy [histoire].

corselet [kòrselè] *m.* corselet, bodice.

corser [kòrsé] *v.* to strengthen, to stiffen; **se corser**, to take a turn for the worse.

corset [kòrsè] *m.* corset. || **corsetier** [-etyé] *m.* corset-maker.

cortège [kòrtèj] *m.* retinue; procession; *cortège funèbre*, funeral.

corvée [kòrvé] *f.* fatigues (mil.); fatigue party; drudgery, irksome task.

corvette [kòrvèt] *f.* corvette.

cosmétique [kòsmétìk] *m., adj.* cosmetic.

cosmographie [kòsmògràfì] *f.* cosmography.

cosmopolite [kòsmòpòlìt] *m., adj.* cosmopolitan.

cosse [kòs] *f.* pod, husk; shell.

costume [kòstüm] *m.* costume, dress; suit; **costumer**, to dress; *se costumer en*, to dress up as; *bal costumé*, fancy-dress ball.

cote [kòt] *f.* quota, share; quotation (comm.); classification [bateaux]; altitude; favo(u)r.

côte [kôt] *f.* rib; slope; hill; coast, shore; *côte à côte*, side by side; **côtelé**, ribbed, corduroy (text.).

côté [kôté] *m.* side; district; aspect; direction; *à côté de*, beside; *de côté*, askew; sideways; *d'un côté*, on the one hand; *du côté de*, in the direction of.

coteau [kòtô] *m.* hill, hillock, knoll.

côtelette [kôtlèt] *f.* cutlet [veau], chop [porc]; *pl.* (pop.) sideboards.

coter [kòté] *v.* to quote; to assess; to classify; to rate; to number.

cotisation [kòtìzàsyon] *f.* subscription; assessment [taxes]; dues; quota. || **cotiser (se)** [sekòtìzé] *v.* to subscribe.

coton [kòton] *m.* cotton; *coton hydrophile*, cotton-wool (med.); **cotonnade**, cotton fabric; cotton goods; **cotonneux**, cottony; fleecy; downy.

côtoyer [kôtwàyé] *v.* to skirt; to hug [côte].

cou [kû] *m.* neck; **cou-de-pied**, instep.

couard [kwàr] *m.* coward; *adj.* cowardly.

couchant [kûshan] *m.* west; sunset; wane; *adj.* setting [soleil]; lying. || **couche** [kûsh] *f.* bed, couch;

class [sociale]; stratum, layer, film [glace]; coat [peinture]; confinement; *fausse couche,* miscarriage. || **coucher** [-é] *m.* night's lodging; sunset; *v.* to put to bed; to lay down; to spread [peinture]; to sleep; **se coucher,** to lie down; to go to bed; to set [soleil]. || **couchette** [-èt] *f.* cot; bunk (naut.); berth.

coucou [kûkû] *m.* cuckoo; cuckoo-clock; cowslip (bot.).

coude [kûd] *m.* elbow; angle, bend; *jouer des coudes,* to elbow one's way. || **coudée** [-é] *f.* cubit. || **coudoyer** [-wàyé] *v.* to elbow, to jostle.

coudre [kûdr] *v.** to sew, to stitch; *machine à coudre,* sewing-machine.

couenne [kwàn] *f.* bacon-rind; crackling.

coulage [kûlàj] *m.* casting [métal]; leakage; scuttling [bateau]. || **coulant** [-aⁿ] *adj.* running, flowing; fluent, easy. || **coulée** [-é] *f.* flow; tapping [métal]; running-hand [écriture]. || **couler** [-é] *v.* to flow, to run; to leak; to trickle; to cast [métal]; to pour; to founder; to sink; **se couler,** to creep; to slide.

couleur [kûlœr] *f.* colo(u)r; paint; dye; complexion; suit [cartes]; pretence; *marchand de couleurs,* chandler.

couleuvre [kûlœvr] *f.* snake.

coulisse [kûlìs] *f.* groove, slot; slide; backstage; wing (theat.); *à coulisse,* sliding; *dans les coulisses,* behind the scenes. || **coulissier** [-yé] *m.* outside broker.

couloir [kûlwàr] *m.* corridor, passage; strainer.

coup [kû] *m.* blow, knock; stroke (mech.); hit; thrust; stab [couteau]; shot; beat; sound; blast; wound; turn, move; deed; *après coup,* as an afterthought; *tout d'un coup,* all at once; *boire un coup,* to have a drink; *sous le coup de,* under the influence of; *coup de coude,* nudge; *coup de pied,* kick; *coup de soleil,* sunstroke; *manquer son coup,* to miss, to fail; *donner un coup de main,* to give a hand; *coup de téléphone,* telephone call.

coupable [kûpàbl] *m.* culprit; *adj.* guilty.

coupant [kûpaⁿ] *m.* edge; *adj.* cutting, sharp.

coupe [kûp] *f.* cut; cutting; section; felling [arbres]; *coupe de cheveux,* haircut; *coupe transversale,* cross-section; *sous la coupe de quelqu'un,* under someone's thumb; **coupe-circuit,** cut-out; **coupe-file,** police pass; **coupe-gorge,** cutthroat; **coupe-papier,** paper-knife, letter opener. || **couper** [-é] *v.* to cut; to cut off; to intercept; to interrupt; to water down; to ring off [téléphone]; **se couper,** to contradict oneself; to intersect. || **couperet** [-rè] *m.* chopper.

couperosé [kûpròzé] *adj.* blotchy.

couple [kûpl] *m.* couple, pair; brace [faisans]; *f.* couple, two; yoke [bœufs]; **coupler,** to couple.

couplet [kûplè] *m.* couplet; verse [chanson].

coupon [kûpoⁿ] *m.* coupon; ticket; remnant; *coupon-réponse international,* international reply coupon.

coupure [kûpür] *f.* cut; paper money; clipping.

cour [kûr] *f.* court; courtyard; courtship; *faire la cour à,* to court, to woo, to make love to.

courage [kûràj] *m.* courage, gallantry, pluck. || **courageux** [-ë] *adj.* brave, courageous, gallant, plucky.

couramment [kûràmaⁿ] *adv.* fluently, readily.

courant [kûraⁿ] *m.* current, stream; draught; course; *adj.* running; current; *fin courant,* at the end of the present month; *courant d'air,* *Br.* draught, *Am.* draft; *au courant de,* conversant with.

courbatu [kûrbàtü] *adj.* stiff in the joints. || **courbature** [-r] *f.* aching, stiffness; **courbaturer,** to tire out; to stiffen.

courbe [kûrb] *f.* curve; graph; contour; *adj.* curved. || **courber** [-é] *v.* to bend, to curve; **se courber,** to bend, to stoop.

courge [kûrj] *f.* gourd; pumpkin.

courir [kûrir] *v.** to run; to be current; to pursue, to run after; to hunt; *courir le monde,* to travel widely, to be a roamer.

couronne [kûròn] *f.* crown, coronet; wreath; rim [roue]; foolscap. || **couronnement** [-maⁿ] *m.* crowning, coronation. || **couronner** [-é] *v.* to crown; to wreath; to reward.

courrier [kûryé] *m.* courier; messenger; mail; letters; *par retour du courrier,* by return mail.
courroie [kûrwà] *f.* strap; belt (mech.).
courroucer [kûrûsé] *v.* to anger, to incense; to enrage. || **courroux** [kûrû] *m.* (lit.) wrath, ire, anger.
cours [kûr] *m.* course; stream; lapse [temps]; avenue; path; currency; price; lessons; series of lectures; *donner libre cours à,* to give free rein to; *au cours de,* during; *long cours,* foreign travel.
course [kûrs] *f.* run; course; race; trip; cruise (naut.); ride; errand; stroke (mech.); *course de taureaux,* bull-fight; *faire des courses,* to go on errands; to go shopping; coursier, charger; mill-race.
court [kûr] *adj.* short, brief; *adv.* short; *à court de,* short of; court-circuit, short-circuit.
courtage [kûrtàj] *m.* brokerage, commission.
courtier [kûrtyé] *m.* broker.
courtisan [kûrtìza^n] *m.* courtier. || **courtisane** [-àn] *f.* courtesan. || **courtisanerie** [-ànrî] *f.* toadyism. || **courtiser** [-é] *v.* to court; to toady to, to suck up to (pop.); to make love to.
courtois [kûrtwà] *adj.* courteous, well-bred; courtoisie, courtesy.
couru [kûrü] *p. p. of* **courir.**
cousin [kûzi^n] *m.* cousin; *cousin germain,* first cousin.
cousin [kûzi^n] *m.* gnat, midge.
coussin [kûsi^n] *m.* cushion; coussinet, pad, small cushion; bearing; chair [rail].
cousu [kûzü] *adj.* sewn; *cousu d'or,* rolling in money; *p. p. of* **coudre.**
coût [kû] *m.* cost, *pl.* expenses. || **coûtant** [-ta^n] *adj.* costing; *au prix coûtant,* at cost price.
couteau [kûtô] *m.* knife; *coup de couteau;* stab; *à couteaux tirés,* at daggers drawn; coutelier, cutler; coutellerie, cutlery; cutler's shop.
coûter [kûté] *v.* to cost; *coûter cher,* to be expensive; *coûte que coûte,* at all costs; coûteux, expensive.
coutume [kûtüm] *f.* custom, habit; *avoir coutume de,* to be accustomed to; coutumier, customary.
couture [kûtür] *f.* sewing, needlework; seam; *battre à plate couture,* to beat hollow; *maison de couture,* dressmaker's shop; couturier, ladies' tailor; couturière, dressmaker.
couvée [kûvé] *f.* clutch [œufs]; brood.
couvent [kûva^n] *m.* convent, nunnery; monastery.
couver [kûvé] *v.* to sit on [œufs]; to brood; to hatch [complot]; to brew [orage]; to smoulder; *couver des yeux,* to gaze at; to gloat over.
couvercle [kûvèrkl] *m.* lid, cover, cap (mech.).
couvert [kûvèr] *m.* table things; house-charge [restaurant]; cover; shelter; *adj.* covered; hidden; obscure; *mettre le couvert,* to lay the table; *restez couvert,* keep your hat on.
couverture [kûvèrtür] *f.* covering; rug, blanket; security.
couveuse [kûvëz] *f.* sitting hen; incubator.
couvrir [kûvrîr] *v.** to cover; to defray [frais]; to wrap up; to protect; to screen; to roof; se couvrir, to put on one's hat; to clothe oneself; to become overcast [ciel]; couvre-chef, hat, head-dress; couvre-feu, curfew; couvre-lit, bedspread; couvre-pied, quilt.
crachat [kràshà] *m.* spit, spittle. || **cracher** [-é] *v.* to spit; to cough up [argent]; *c'est son père tout craché,* he's the living image of his father. || **crachoir** [-wàr] *m.* spitoon; *tenir le crachoir,* to monopolize the conversation.
craie [krè] *f.* chalk.
craindre [kri^ndr] *v.** to fear; to be anxious for. || **crainte** [kri^nt] *f.* fear, dread; *sans crainte,* fearless; *de crainte,* for fear. || **craintif** [kri^ntîf] *adj.* timid; fearful.
cramoisi [kràmwàzì] *m., adj.* crimson; scarlet.
crampe [kra^np] *f.* cramp (med.).
crampon [kra^npo^n] *m.* cramp, brace; stud [bottes]; staple; (pop.) bore. || **cramponner** [-òné] *v.* to clamp; (pop.) to pester; se cramponner, to cling to.
cran [kra^n] *m.* notch; cog [roue]; catch; *avoir du cran,* to be plucky, to have guts (fam.).
crâne [krân] *m.* skull; *adj.* plucky; jaunty.
crapaud [kràpô] *m.* toad; baby-grand [piano]; low arm-chair.
crapule [kràpül] *f.* debauchee;

blackguard; **crapuleux,** debauched; lewd, filthy, foul.

craqueler [kràklé] *v.* to crackle. || **craquelure** [-lür] *f.* crack, flaw. || **craquement** [-ma^{n}] *m.* cracking, creaking. || **craquer** [-é] *v.* to crack, to creak; to strike [allumette]; to split.

crasse [kràs] *f.* filth, dirt; dirty trick; stinginess; *adj.* crass [ignorance]. || **crasseux** [-ë] *adj.* dirty, filthy; stingy.

cratère [kràtèr] *m.* crater.

cravache [kràvàsh] *f.* riding-whip. || **cravacher** [-é] *v.* to horsewhip, to flog.

cravate [kràvàt] *f.* tie, necktie.

crayeux [krèyë] *adj.* chalky.

crayon [krèyo^{n}] *m.* pencil; *crayon pastel,* crayon; **crayonnage,** pencil sketch; **crayonner,** to sketch.

créance [kréa^{n}s] *f.* credence, belief; credit; debt; *créance hypothécaire,* mortgage; *lettres de créance,* credentials; **créancier,** creditor.

créateur, -trice [kréàtœr, -trìs] *m., f.* creator, inventor; *adj.* creative, inventive. || **création** [kréàsyo^{n}] *f.* creation; invention; setting up. || **créature** [kréàtür] *f.* creature.

crèche [krèsh] *f.* cradle; crib; day-nursery; manger.

crédit [krédì] *m.* credit; trust (comm.); repute; loan; *faire crédit à,* to give credit; *crédit foncier,* loan society; *à crédit,* on credit. || **créditer** [-té] *v.* to credit [*de,* with]. || **créditeur** [-tœr] m. creditor.

crédule [krédül] *adj.* credulous. || **crédulité** [-ìté] *f.* credulity.

créer [kréé] *v.* to create; to bring out (comm.).

crémaillère [krémàyèr] *f.* pot-hook; rack (mech.); *pendre la crémaillère,* to give a house-warming.

crème [krèm] *f.* cream; **crémerie,** dairy; buttery [restaurant]; **crémière,** dairymaid; cream-jug.

créneau [krénô] *m.* battlement. || **créneler** [krénlé] *v.* to embattle; to tooth [roue]; to notch; to mill [monnaie].

créole [kréòl] *m., f., adj.* creole.

créosote [kréòzòt] *f.* creosote.

crêpe [krèp] *m.* crape; *f.* pancake.

crépiter [krépìté] *v.* to crackle; to patter [pluie].

crépu [krépü] *adj.* crisp, fuzzy [cheveux]; crinkled.

crépuscule [krépüskül] *m.* twilight, dusk.

cresson [krèso^{n}] *m.* cress, water-cress; **cressonnière,** water-cress bed.

crête [krèt] *f.* crest; ridge; summit; comb [coq].

crétin [kréti^{n}] *m.* cretin, idiot; blockhead.

creuser [krëzé] *v.* to hollow out; to excavate; to dig; to sink [puits]; *Br.* to plough, *Am.* to plow [sillon]; *se creuser la tête,* to rack one's brains; **se creuser,** to grow hollow; to rise [mer].

creuset [krëzè] *m.* crucible.

creux [krë] *m.* hollow, cavity; trough [vague]; pit [estomac]; *adj.* hollow, empty; sunken; slack [période].

crevaison [kr^{e}vèzo^{n}] *f.* puncture; bursting. || **crevasse** [-às] *f.* crevice, split; chink; chap [mains]. || **crever** [-é] *v.* to split, to burst; to poke out [yeux]; to puncture [pneu]; (pop.) to die; *crever de faim,* to starve.

crevette [kr^{e}vèt] *f.* shrimp; prawn.

cri [krì] *m.* cry; shout; shriek; *le dernier cri,* the latest fashion. || **criailler** [-âyé] *v.* to bawl; to grouse. || **criant** [-ya^{n}] *adj.* glaring, shocking. || **criard** [-yàr] *m., adj.* crying; shrill [voix]; pressing [dettes]; loud, gaudy [couleurs].

crible [krìbl] *m.* sieve; screen (techn.). || **cribler** [-é] *v.* to sift; to riddle; *criblé de dettes,* head over ears in debt.

cric [krìk] *m.* jack; lever.

criée [krìé] *f.* auction. || **crier** [-é] *v.* to cry, to shout, to scream; **crieur,** bawler; hawker; *crieur public,* town-crier.

crime [krìm] *m.* crime; felony (jur.); *crime d'incendie,* arson.

criminel [krìmìnèl] *m.* criminal; *adj.* criminal; unlawful.

crin [kri^{n}] *m.* horsehair; coarse hair.

crinière [krìnyèr] *f.* mane.

crique [krìk] *f.* creek, cove.

criquet [krìkè] *m.* locust; cricket (ent.); small pony; (pop.) little shrimp, weed.

crise [krìz] *f.* crisis; fit; attack (med.); *crise nerveuse,* nervous breakdown; *crise du papier,* paper shortage.

crispation [krìspàsyo^{n}] *f.* contrac-

tion; twitching. || **crisper** [krìspé] *v.* to contract; to shrivel; *cela me crispe,* that gets on my nerves; se crisper, to wince; to move convulsively.
crisser [krìsé] *v.* to grate; to squeak [freins]; to rasp.
cristal [krìstàl] *m.* crystal; cut glass. || **cristallin** [-i^n] *m.* lens [œil]; *adj.* crystalline, crystal-clear. || **cristalliser** [-ìzé] *v.* to crystallize.
critère [krìtèr], **critérium** [krìtéryòm] *m.* criterium; test.
critique [krìtìk] *m.* critic; *f.* criticism, review; *adj.* critical; decisive; crucial. || **critiquer** [-é] *v.* to criticize; to find fault with; to nag; to censure.
croassement [kròàsma^n] *m.* caw [corbeau]; croak. || **croasser** [kròàsé] *v.* to caw; to croak.
croc [krô] *m.* hook; tooth, fang [loup]; tusk [sanglier]; croc-en-jambe, trip up. || **croche** [kròsh] *f.* quaver (mus.); *double croche,* semiquaver; *triple croche,* demi-semiquaver. || **crocher** [-é] *v.* to hook. || **crochet** [-è] *m.* hook; crochet-hook; skeleton key; square bracket (typogr.); *dentelle au crochet,* crochet-work; *faire un crochet,* to swerve. || **crocheter** [-té] *v.* to crochet; to pick [serrure]. || **crochu** [-ü] *adj.* hooked; crooked.
crocodile [kròkòdìl] *m.* crocodile.
croire [krwàr] *v.** to believe; to think; *croire à,* to believe in; *s'en croire,* to be conceited.
croisade [krwàzàd] *f.* crusade.
croisé [krwàzé] *m.* crusader; twill (text.); *adj.* crossed; folded [bras]; twilled (text.); *mots croisés,* crossword puzzle. || **croisée** [-é] *f.* crossing; transept [église]; casement-window. || **croisement** [-ma^n] *m.* crossing; intersection; cross-breed. || **croiser** [-é] *v.* to cross; to meet; to cruise (naut.). || **croiseur** [-œr] *m.* cruiser. || **croisière** [-yèr] *f.* cruise.
croissance [krwàsa^{n}s] *f.* growth; increase. || **croissant** [-a^n] *m.* crescent roll; crescent; bill-hook; *adj.* growing; increasing.
croître [krwâtr] *v.** to grow; to increase; to lengthen.
croix [krwà] *f.* cross; *en croix,* crosswise; *Croix-Rouge,* Red Cross.
croquer [kròké] *v.* to crunch; to sketch; *croquer le marmot,* to cool one's heels; **croque-mort**, undertaker's assistant.
croquet [kròkè] *m.* croquet.
croquis [kròkì] *m.* sketch, rough draft; outline.
crosse [kròs] *f.* crook; crozier; butt [fusil]; stick, club [golf].
crotte [kròt] *f.* dirt; mud; dung [animal]; *interj.* bother; || **crotter** [-é] *v.* to dirty. || **crottin** [-i^n] *m.* horse-dung, droppings.
crouler [krûlé] *v.* to collapse; to totter; to crumble; *faire crouler,* to bring down.
croup [krûp] *m.* croup (med.).
croupe [krûp] *f.* croup, rump [animal]; brow [colline]; *monter en croupe,* to ride behind.
croupetons (à) [àkrûp^{e}to^n] *adv.* squatting.
croupier [krûpyé] *m.* croupier.
croupière [krûpyèr] *f.* crupper; *tailler des croupières à,* to make rough work for.
croupir [krûpìr] *v.* to stagnate; to wallow [personnes].
croustillant [krûstìya^n] *adj.* crisp; spicy [histoire].
croûte [krût] *m.* crust, rind [fromage); scab; (pop.) daub [tableau]; old fossil; *casser la croûte,* to have a snack; **croûton**, bit of crust; (pop.) duffer.
croyable [krwàyàbl] *adj.* believable. || **croyance** [krwàya^{n}s] *f.* belief; creed; faith. || **croyant** [krwàya^n] *m.* believer; *adj.* believing; *les croyants,* the faithful.
cru [krü] *p. p. of* **croire**.
cru [krü] *adj.* crude; raw [viande]; uncooked; rude, coarse; *monter à cru,* to ride bareback; *lumière crue,* hard light.
cru [krü] *m.* wine region; vineyard; *grands crus,* high-class wines; *vin du cru,* local wine; *de votre cru,* of your own making.
crû [krü] *p. p. of* **croître**.
cruauté [krüôté] *f.* cruelty.
cruche [krüsh] *f.* pitcher, jar, jug; blockhead; **cruchon**, small jug; mug of beer.
crucifix [krüsìfì] *m.* crucifix. || **crucifixion** [-ksyo^n] *f.* crucifixion.
crudité [krüdìté] *f.* crudity, coarseness.

crue [krü] *f.* rise, swelling; *en crue,* in flood.
cruel [krüèl] *adj.* cruel, harsh, pitiless; painful.
crustacé [krüstàsé] *m.* crustacean, shellfish.
cube [küb] *m.* cube; *adj.* cubic; **cuber,** to cube; **cubique,** cubic; **cubisme,** cubism.
cueillette [kœyèt] *f.* picking; harvest-time. || **cueillir** [kœyir] *v.** to pick, to pluck, to gather; (fam.) to nab.
cuiller *or* **cuillère** [küiyèr] *f.* spoon; *cuiller à soupe,* table-spoon; *cuiller à entremets,* dessert-spoon. || **cuillerée** [küiyré] *f.* spoonful; *cuillerée à café,* teaspoonful.
cuir [küir] *m.* leather; skin, hide; (fam.) bloomer [prononciation]; *cuir à rasoir,* razor-strop.
cuirasse [küiràs] *f.* armo(u)r; *plaque de cuirasse,* armo(u)r-plate. || **cuirassé** [-é] *m.* battleship; *adj.* armo(u)red. || **cuirasser** [-é] *v.* to armo(u)r; to protect; to harden.
cuire [küir] *v.** to cook; to bake [four]; to boil [eau]; to burn [soleil]; to smart; *faire cuire,* to cook; *il lui en cuira,* he'll be sorry for it; **cuisant,** smarting; bitter.
cuisine [küizìn] *f.* kitchen; cookery; cooking; galley (naut.); *faire la cuisine,* to do the cooking. || **cuisiner** [-ìné] *v.* to cook; to pump, to grill (pop.). || **cuisinier** [-ìnyé] *m.* cook, chef. || **cuisinière** [-ìnyèr] *f.* cook; kitchen range, cooker, kitchen stove.
cuisse [küìs] *f.* thigh; leg [poulet]. || **cuisseau** [-ô] *m.* leg.
cuisson [küìson] *f.* cooking, baking; smarting pain.
cuit [küì] *adj.* cooked, baked, done; *trop cuit,* overdone; *cuit à point,* done to a turn; || **cuite** [küìt] *f.* baking; *prendre une cuite,* to get drunk, to get tight.
cuivre [küìvr] *m.* copper; *cuivre jaune,* brass; *les cuivres,* the brass (mus.); **cuivré,** copper-colo(u)red; bronzed. || **cuivrer** [küìvré] *v.* to copper; to bronze.
cul [kü] *m.* (pop.) backside, bottom; **cul-de-jatte,** legless cripple; **cul-de-lampe,** pendant; tail-piece (typogr.).
culasse [külàs] *f.* breech [arme à feu]; combustion head.
culbute [külbüt] *f.* somersault; tumble; cropper (fig.). || **culbuter** [-é] *v.* to throw over; to topple over; to upset; to take a tumble. || **culbuteur** [-œr] *m.* tipping device; valve rocker; tumbler.
culinaire [külìnèr] *adj.* culinary.
culminant [külmìnan] *adj.* culminating, highest.
culot [külô] *m.* base, bottom; residue; lastborn; (pop.) nerve, *Br.* cheek; *avoir du culot, Br.* to be cheeky, *Am.* to have a lot of nerve.
culotte [külòt] *f.* breeches; trousers, *Am.* pants; rump [bœuf]; *culottes courtes,* shorts. || **culotter** [-é] *v.* to season [pipe]; **se culotter,** to put one's trousers on; to mellow [pipe].
culpabilité [külpàbìlìté] *f.* guilt.
culte [kült] *m.* worship; form of worship; cult; sect.
cultivable [kültìvàbl] *adj.* arable. || **cultivateur, -trice** [-àtœr, -trìs] *m., f.* farmer, cultivator. || **cultivé** [-é] *adj.* cultivated; cultured [personne]. || **cultiver** [-é] *v.* to cultivate, to till; to raise [blé].
culture [kültür] *f.* culture; cultivation; tillage.
cumuler [kümülé] *v.* to hold a plurality (of offices); to cumulate.
cupide [küpìd] *adj.* greedy, grasping, covetous. || **cupidité** [-ìté] *f.* greed, cupidity.
curable [küràbl] *adj.* curable.
cure [kür] *f.* care; cure; treatment; rectory; living (eccles.); **cure-dents,** tooth-pick.
curé [küré] *m.* parson, parish priest, rector.
curer [küré] *v.* to clean out; to pick [dents]; to dredge [rivière]; **curetage,** cleansing; **curette,** scraper (med.).
curieux [küryë] *adj.* interested; inquisitive; odd, curious; *m.* sightseer. || **curiosité** [-yòzìté] *f.* curiosity; *pl.* sights.
curseur [kürsœr] *m.* slide, runner.
cutané [kütàné] *adj.* cutaneous, of the skin.
cuve [küv] *f.* vat; tank; cistern; **cuvée,** vatful.
cuver [küvé] *v.* to ferment, to work. || **cuvette** [-èt] *f.* basin; washbowl; dish; pan [cabinet]. || **cuvier** [-yé] *m.* wash-tub.

cyanure [syànür] *m.* cyanide.
cycle [sikl] *m.* cycle; **cyclique,** cyclic. || **cyclisme** [-ìsm] *m.* cycling. || **cycliste** [-ìst] *m., f.* cyclist.
cyclone [siklòn] *m.* cyclone.
cygne [sìñ] *m.* swan; *jeune cygne,* cygnet.
cylindrage [sìliⁿdràj] *m.* road-rolling; mangling. || **cylindre** [sìlìⁿdr] *m.* cylinder; roller; **cylindrique,** cylindrical.
cynique [sìnìk] *m.* cynic; *adj.* cynical; impudent; unblushing, barefaced [mensonge]; **cynisme,** cynicism; shamelessness.
cyprès [sìprè] *m.* cypress.
cystite [sìstìt] *f.* cystitis.

D

d', *see* **de.**
dactylographe [dàktìlògràf] *m., f.* typist. || **dactylographie** [-ì] *f.* typing, typewriting. || **dactylographier** [-yé] *v.* to type.
dada [dàdà] *m.* gee-gee; hobby; fad.
dague [dàg] *f.* dagger, dirk.
daigner [dèñé] *v.* to deign, to condescend.
daim [diⁿ] *m.* deer; buckskin, suède [peau]. || **daine** [dèn] *f.* doe.
dallage [dàlàj] *m.* paving; tiled floor. || **dalle** [dàl] *f.* paving-stone, flagstone; floor tile. || **daller** [-é] *v.* to pave; to tile [parquet].
daltonisme [dàltònìsm] *m.* colo(u)r-blindness.
damassé [dàmàsé] *adj.* damask.
dame [dàm] *f.* (married) lady; queen [cartes, échecs]; king [dames]; rowlock [rame]; *jouer aux dames, Br.* to play draughts, *Am.* to play checkers.
dame-jeanne [dàmjàn] *f.* demijohn.
damer [dàmé] *v.* to crown [dames]; to ram [terre]; *damer le pion à,* to outwit. || **damier** [-yé] *m.* check [étoffe]; *Br.* draught-board, *Am.* checker-board.
damnation [dànàsyoⁿ] *f.* damnation. || **damner** [dàné] *v.* to damn.
dandiner (se) [sᵉdaⁿdìné] *v.* to waddle; to strut.
danger [daⁿjé] *m.* danger, peril; risk; jeopardy; **dangereux,** dangerous.
dans [daⁿ] *prep.* in; within; during; into; from; *boire dans une tasse,* to drink out of a cup; *dans les 200 francs,* about 200 francs; *dans le temps,* formerly.
danse [daⁿs] *f.* dance, dancing; *danse de Saint-Guy,* St. Vitus's dance. || **danser** [-é] *v.* to dance; *il m'a fait danser,* he led me a dance; **danseur,** dancer; ballet-dancer; partner [danse].
dard [dàr] *m.* dart; sting; burning ray [soleil]. || **darder** [-dé] *v.* to hurl; to spear.
dartre [dàrtr] *f.* herpes, scurf.
date [dàt] *f.* date; *en date de,* under date of. || **dater** [-é] *v.* to date; *à dater de ce jour,* from to-day.
datte [dàt] *f.* date; **dattier,** date-palm.
dauphin [dôfiⁿ] *m.* dolphin; dauphin (hist.).
davantage [dàvaⁿtàj] *adj.* more [quantité]; longer [espace, temps].
davier [dàvyé] *m.* dental forceps; davit (naut.).
de [dᵉ] *prep.* (*de* becomes *d'* before a vowel and a mute *h, du* replaces *de le, des* replaces *de les* [of the, from the]) of; from; by; on; with; any; some; than; from; at; *de Paris à Rome,* from Paris to Rome; *il tira un couteau de sa poche,* he pulled a knife out of his pocket; *estimé de ses amis,* esteemed by his friends; *de nom,* by name; *il tombe de fatigue,* he is ready to drop with fatigue; *je bois du thé,* I drink tea; *il a du pain,* he has some bread; *d'un côté,* on one side; *plus de cinq,* more than five; *il se moque de moi,* he laughs at me; *de vingt à trente personnes,* between twenty and thirty people.
dé [dé] *m.* dice; domino; tee [golf].
dé [dé] *m.* thimble.
déambuler [déaⁿbülé] *v.* to stroll about, to saunter.
débâcle [débâkl] *f.* breaking up; disaster; downfall; collapse; rout.
déballage [débàlàj] *m.* unpacking. || **déballer** [-é] *v.* to unpack.
débandade [débaⁿdàd] *f.* confusion; rout, stampede, flight. || **débander**

[-é] v. to disband (mil.); se **débander**, to disband; to disperse.
débander [débaⁿdé] v. to relax; to loosen; to unbandage.
débarbouiller [débàrbûyé] v. to wash [visage]; se **débarbouiller**, to wash one's face; to clean up (fam.).
débarcadère [débàrkàdèr] m. wharf, landing stage (naut.); arrival platform.
débardeur [débàrdœr] m. stevedore, docker.
débarquement [débàrkᵉmaⁿ] m. disembarkment, landing; unloading; detraining (mil.); arrival. || **débarquer** [-é] v. to disembark, to land; to unload; to detrain (mil.); to pay off [équipage].
débarras [débàrà] m. riddance; lumber-room; storeroom. || **débarrasser** [-sé] v. to rid; to clear; se **débarrasser de**, to get rid of; to extricate oneself from.
débat [débà] m. dispute; discussion; debate; contest; *pl.* court hearing; proceedings.
débattre [débàtr] v. to discuss; se **débattre**, to struggle; to flounder about.
débauche [débôsh] f. debauch; fling (fam.). || **débauché** [-é] m. debauchee; rake; *adj.* debauched, dissolute. || **débaucher** [-é] v. to debauch; to lead astray; to discharge, to lay off; se **débaucher**, to go astray, to become dissolute.
débet [débè] m. debit balance, balance due.
débile [débìl] *adj.* feeble, weak, frail, puny. || **débilité** [-ìté] f. weakness, debility; deficiency. || **débiliter** [-ìté] v. to weaken; to debilitate (med.).
débit [débì] m. sale; retail shop; output; delivery; *débit de boissons*, public-house, *Am.* tavern, café; *débit de tabac*, tobacconist's shop.
débit [débì] m. debit; *portez à mon débit*, debit me with.
débitant [débìtaⁿ] m. dealer, retailer. || **débiter** [-é] v. to retail, to sell; to cut up [bois]; to give out, to discharge; to recite; to utter.
débiter [débìté] v. to debit.
débiteur [débìtœr] m. debtor; *compte débiteur*, debit account.
déblaiement [déblèmaⁿ] m. clearing; digging out, excavating. || **déblayer** [-èyé] v. to remove, to clear away.
déboire [débwàr] m. disappointment, let-down; nasty taste.
déboiser [débwàzé] v. to deforest; to clear of trees.
déboîter [débwàté] v. to dislocate, to put out of joint; to disconnect.
débonnaire [débònèr] *adj.* debonair; good natured, easy-going.
débordé [débòrdé] *adj.* overflowing [rivière]; overwhelmed [travail]. || **débordement** [-ᵉmaⁿ] m. overflowing, flood; dissipation; invasion; outflanking (mil.). || **déborder** [-é] v. to overflow; to run over; to jut out; to sheer off (naut.); to outflank (mil.); to trim (techn.).
débouché [débûshé] m. outlet; way out; opening; market (comm.); expedient. || **déboucher** [-é] v. to open; to uncork; to clear; to lead (*dans*, into); to emerge; to debouch (mil.).
déboulonner [débûlòné] v. to unrivet, to unbolt; to debunk (pop.).
débourrer [débûré] v. to remove the stuffing from; to extract the wad from [fusil]; to clean out [pipe].
débours [débûr] m. outlay, expenses. || **débourser** [-sé] v. to lay out, to disburse, to spend.
debout [dᵉbû] *adv.* upright; standing (up); on its hind legs [animal]; out of bed; *interj.* up you get!, *se tenir debout*, to stand.
débouter [débûté] v. to nonsuit; to dismiss (jur.); to reject.
déboutonner [débûtòné] v. to unbutton.
débraillé [débrâyé] *adj.* untidy; scarcely decent; loose.
débrayage [débrèyàj] m. disengaging, declutching; uncoupling; clutch pedal. || **débrayer** [-èyé] v. to disengage, to declutch, to let out the clutch.
débrider [débrìdé] v. to unbridle [cheval]; to stop.
débris [débrì] m. debris, remains, wreckage; *pl.* waste products; rubbish; rubble.
débrouillard [débrûyàr] m. (fam.) resourceful person, *Am.* go-getter; *adj.* (fam.) resourceful, all there. || **débrouiller** [-ûyé] v. to disen-

tangle; to clear up; to sort out; se débrouiller, to manage; to see it through.
début [débü] *m.* beginning, start, outset; first move [jeux]; *faire ses débuts*, to make one's first appearance; **débutant(e)**, beginner; novice; debutante. || **débuter** [-té] *v.* to begin; to have first move [jeux]; to make one's first appearance.
deçà [d^esà] *adv.* on this side; *en deçà de*, on this side of.
décacheter [dékàshté] *v.* to unseal, to open.
décadence [dékàda^ns] *f.* decadence, decline, decay. || **décadent** [-a^n] *adj.* decadent, declining.
décaler [dékàlé] *v.* to unwedge; to shift, to alter; to readjust.
décalitre [dékàlìtr] *m.* decalitre.
décalquer [dékàlké] *v.* to transfer; to trace off; *papier à décalquer*, tracing-paper.
décamper [déka^npé] *v.* to decamp; to move off; to clear out; to make off, to bolt.
décaper [dékàpé] *v.* to scour; to scrape; to cleanse.
décapiter [dékàpìté] *v.* to decapitate, to behead.
décatir [dékàtìr] *v.* to sponge; to take the gloss off (text.); **se décatir**, to become worn.
décédé [désédé] *m., adj.* deceased, departed, defunct. || **décéder** [-é] *v.* to die, to decease (jur.).
déceler [déslé] *v.* to disclose; to betray; to reveal.
décembre [désa^nbr] *m.* December.
décemment [désàma^n] *adv.* decently. || **décence** [désa^ns] *f.* decency, decorum; **décent**, decent, becoming, proper; *peu décent*, unseemly.
décentraliser [désa^ntràlìzé] *v.* to decentralize.
déception [désèpsyo^n] *f.* deception; disappointment.
décerner [désèrné] *v.* to award; to confer; to bestow; to issue [mandat d'arrêt].
décès [désè] *m.* decease (jur.).
décevant [désva^n] *adj.* deceptive; misleading; disappointing. || **décevoir** [-wàr] *v.** to deceive; to disappoint.
déchaînement [déshènma^n] *m.* unbridling, letting loose; outburst; fury. || **déchaîner** [-é] *v.* to let loose; **se déchaîner**, to rage; to break loose; to break [orage].
déchanter [désha^nté] *v.* to alter one's tone; to sing small, to come down a peg (pop.).
décharge [déshàrj] *f.* unloading; discharge; release, acquittal (jur.); outlet; relief; volley (mil.); lumber-room. || **décharger** [-é] *v.* to unload, to unlade; to discharge; to relieve; to vent; to acquit; to dismiss; **se décharger**, to discharge; to go off, to fire [fusil]; to give vent to; **déchargeur**, docker; stevedore; coal-heaver; lightning conductor.
décharné [déshàrné] *adj.* lean, emaciated, skinny, fleshless; gaunt.
déchaussé [déshôsé] *adj.* barefooted; bare; gumless [dents]. || **déchausser** [-é] *v.* to take off one's shoes; to lay bare, to expose.
déchéance [déshéa^ns] *f.* downfall; decay [morale]; forfeiture; deprivation of civil rights; expiration.
déchet [déshè] *m.* loss; decrease; waste, scrap; refuse; offal [viande].
déchiffrer [déshìfré] *v.* to decipher; to decode [messages]; to read at sight (theat.), to sight-read (mus.).
déchiqueter [déshìkté] *v.* to hack, to slash, to tear up, to tear to shreds, to mangle.
déchirant [déshìra^n] *adj.* heartrending. || **déchirement** [-ma^n] *m.* tearing, rending; laceration; pang. || **déchirer** [-é] *v.* to rend, to tear (up); to defame. || **déchirure** [-ür] *f.* tear, rent; laceration.
déchoir [déshwàr] *v.** to fall off, to decay, to decline. || **déchu** [-ü] *adj.* fallen; expired [police]; disqualified.
décidé [désìdé] *adj.* decided, determined; resolute. || **décider** [-é] *v.* to decide, to settle; to rule (jur.); to persuade; **se décider**, to make up one's mind, to resolve.
décigramme [désìgràm] *m.* decigram.
décilitre [désìlìtr] *m.* decilitre.
décimal [désìmàl] *adj.* decimal.
décimer [désìmé] *v.* to decimate; to deplete.
décimètre [désìmètr] *m.* decimeter.
décisif [désìzìf] *adj.* decisive; conclusive. || **décision** [-yo^n] *f.* decision; ruling (jur.); resolution.
déclamation [déklàmàsyo^n] *f.* declamation; ranting. || **déclama-**

toire [-àtwàr] *adj.* declamatory; ranting. || **déclamer** [-*é*] *v.* to declaim; to rant.
déclaration [déklàràsyo^{n}] *f.* declaration; announcement, proclamation. || **déclarer** [-*é*] *v.* to declare; to proclaim, to make known; to certify; to notify; **se déclarer**, to declare oneself; to break out [feu].
déclassé [déklàs*é*] *m.* social outcast; *adj.* obsolete; come down in the world. || **déclasser** [-*é*] *v.* to bring down in the world; to declare obsolete.
déclencher [dékla^{n}sh*é*] *v.* to unlatch; to disengage (mech.); to set in motion; to launch [attaque].
déclic [déklìk] *m.* catch; pawl; trigger; *pl.* nippers.
déclin [dékli^{n}] *m.* decline, decay, wane [lune]; ebb [marée]. || **déclinaison** [-ìnèzo^{n}] *f.* declination, variation [boussole]; declension (gramm.). || **décliner** [-ìn*é*] *v.* to decline; to refuse; to state [nom]; to wane; to deviate [boussole].
décocher [dékòsh*é*] *v.* to shoot, to let fly; to discharge.
décoiffer [dékwàf*é*] *v.* to remove someone's hat; to take someone's hair down; to disarrange.
décollage [dékòlàj] *m.* unsticking; ungluing; taking-off (aviat.). || **décoller** [-*é*] *v.* to unstick; to disengage; to loosen; to take off (aviat.); **se décoller**, to come off.
décolleté [dékòlt*é*] *adj.* wearing a low dress; low-necked [robe].
décoloration [dékòlòràsyo^{n}] *f.* discolo(u)ration, bleaching, fading. || **décolorer** [-*é*] *v.* to discolo(u)r; to fade; to bleach; **se décolorer**, to fade; to lose one's colo(u)r.
décombres [déko^{n}br] *m. pl.* rubbish; debris, rubble.
décommander [dékòma^{n}d*é*] *v.* to cancel; to countermand.
décomposer [déko^{n}pòz*é*] *v.* to decompose; to decay; to distort [traits]; **se décomposer**, to decompose, to rot; to become distorted. || **décomposition** [-ìsyo^{n}] *f.* decomposition; rotting, decay; distortion [traits].
décompte [déko^{n}t] *m.* deduction; balance due. || **décompter** [-*é*] *v.* to deduct; to be disappointed.
déconcerter [déko^{n}sèrt*é*] *v.* to disconcert; to upset; to put out.
déconfit [déko^{n}fì] *adj.* discomfited; crest-fallen. || **déconfiture** [-tür] *f.* ruin; insolvency.
déconnecter [dékònèkt*é*] *v.* to disconnect; to switch off.
déconseiller [déko^{n}sèy*é*] *v.* to advise against, to dissuade.
déconsidérer [déko^{n}sìdér*é*] *v.* to discredit.
décontenancer [déko^{n}tna^{n}s*é*] *v.* to put out of countenance, to abash, to mortify.
déconvenue [déko^{n}vnü] *f.* disappointment; trying mishap; discomfiture; failure.
décor [dékòr] *m.* decoration; set (theat.); *pl.* scenery. || **décorateur** [-àtœr] *m.* decorator; stage-designer. || **décoratif** [-àtìf] *adj.* decorative, ornamental. || **décoration** [-àsyo^{n}] *f.* decoration; insignia; medal. || **décorer** [-*é*] *v.* to decorate; to ornament.
décortiquer [dékòrtìk*é*] *v.* to husk [riz]; to shell [noix].
décorum [dékòròm] *m.* decorum, propriety.
découler [dékûl*é*] *v.* to trickle; to flow; to be derived, to follow (*de*, from).
découper [dékûp*é*] *v.* to carve; to cut out; to cut up; to stamp out [métal]; **se découper**, to stand out (*sur*, against).
découplé [dékûpl*é*] *adj.* strapping, well built. || **découpler** [-*é*] *v.* to uncouple; to unleash.
découragement [dékûràjma^{n}] *m.* discouragement, despondency. || **décourager** [-*é*] *v.* to discourage, to dishearten; **se décourager**, to lose heart.
décousu [dékûzü] *adj.* unstitched; unconnected, disjointed; loose; desultory [tir].
découvert [dékûvèr] *m.* overdraft; uncovered balance; open ground (mil.); *adj.* uncovered; open; exposed, bare; overdrawn [compte]; *à découvert*, in the open. || **découverte** [-èrt] *f.* discovery; detection; *aller à la découverte*, to explore, to reconnoitre (mil.). || **découvrir** [-rìr] *v.* to uncover; to expose, to lay bare; to find out, to detect; to discover.
décrasser [dékràs*é*] *v.* to clean, to scour; to scrape; to decarbonize [moteur].
décrépit [dékrépì] *adj.* decrepit, worn out; broken-down; delapi-

dated. || **décrépitude** [-tüd] *f.* decrepitude
décret [dékrè] *m.* decree, order; **décret-loi,** *Br.* order in council, *Am.* executive order. || **décréter** [dékrété] *v.* to decree, to enact; to issue a writ against (jur.).
décrier [dékrié] *v.* to decry, to disparage; to discredit; to run down.
décrire [dékrîr] *v.** to describe; to depict.
décrocher [dékròshé] *v.* to unhook; to unsling; to take down; to take off; to disconnect; to disengage (mil.); **décrochez-moi-ça,** reach-me-down, ready-made suit; old clothes shop.
décroître [dékrwâtr] *v.** to decrease, to diminish, to shorten; to subside; to wane [lune].
décrotter [dékròté] *v.* to clean, to brush up; to scrape; **décrotteur,** shoeblack; **décrottoir,** door-scraper.
décrue [dékrü] *f.* fall, subsidence; decrease.
déçu [désü] *p. p. of* **décevoir.**
dédaigner [dédèñé] *v.* to scorn; to disregard, to slight; to disdain. || **dédaigneux** [-ë] *adj.* scornful, disdainful, contemptuous. || **dédain** [dédiⁿ] *m.* scorn, disdain, contempt.
dedans [deḍaⁿ] *m.* inside, interior; *adv.* in, inside, within; *au-dedans de,* within; *en dedans,* inside; *mettre quelqu'un dedans,* to take someone in.
dédicace [dédikàs] *f.* dedication. || **dédicacer** [-é] *v.* to dedicate.
dédier [dédyé] *v.* to dedicate; to inscribe [livre]; to devote.
dédire [dédîr] *v.* to disown; to retract; to refute; se **dédire,** to retract, to take back. || **dédit** [dédì] *m.* renunciation; retractation; withdrawal; breaking [promesse]; forfeit; penalty.
dédommagement [dédòmàjmaⁿ] *m.* indemnity; compensation, damages. || **dédommager** [-é] *v.* to indemnify, to compensate.
dédoublement [dédûbl^emaⁿ] *m.* dividing into two; duplication; *dédoublement de la personnalité,* dual personality. || **dédoubler** [dédûblé] *v.* to divide into two; to unline [habit]; to undouble [étoffe]; to form single file (mil.).
déduction [dédüksyoⁿ] *f.* deduction; inference. || **déduire** [dédüîr] *v.** to deduce, to infer; to deduct.
défaillance [défàyaⁿs] *f.* fainting, swoon; shortcoming; lapse; failure. || **défaillir** [-àyîr] *v.** to faint; to fail; to become feeble; to default (jur.).
défaire [défèr] *v.* to undo; to defeat; to pull down; to unpack; se **défaire,** to come undone, to come apart; to get rid; to take one's coat off. || **défait** [défè] *adj.* undone; defeated; drawn [visage]; wan; wasted [traits]. || **défaite** [défèt] *f.* defeat; evasion, shift, poor excuse; disposal (comm.).
défalquer [défàlké] *v.* to deduct; to write off [dette].
défaut [défô] *m.* defect; blemish; default; lack; absence; shortcoming; flaw (techn.); *sans défaut,* faultless; *à défaut de,* for want of; in place of; *mettre en défaut,* to baffle; *vous nous avez fait défaut,* we have missed you; *prendre en défaut,* to catch napping.
défavorable [défàvòràbl] *adj.* unfavo(u)rable; disadvantageous.
défectif [défèktìf] *adj.* defective, faulty. || **défection** [-èksyoⁿ] *f.* defection; *faire défection,* to desert. || **défectueux** [-èktüë] *adj.* faulty, defective. || **défectuosité** [-èktüòzìté] *f.* defect, flaw.
défendable [défaⁿdàbl] *adj.* defensible; tenable. || **défendeur, -eresse** [-œr, -erès] *m., f.* defendant. || **défendre** [défaⁿdr] *v.* to defend, to protect; to uphold; to forbid, to prohibit; *à son corps défendant,* reluctantly; in self-defense; *il ne put se défendre de rire,* he couldn't help laughing.
défense [défaⁿs] *f. Br.* defence, *Am.* defense; protection; justification; prohibition; plea (jur.); counsel; tusk [éléphant]; fender (naut.); *défense de fumer,* no smoking; *faire défense,* to forbid; *légitime défense,* self-defense; *défense passive,* air-raid precautions. || **défenseur** [-œr] *m.* defender; supporter; counsel for defense. || **défensif** [-ìf] *adj.* defensive.
déférence [déféraⁿs] *f.* deference, regard, respect, esteem. || **déférer** [-é] *v.* to award; to submit (jur.); to impeach; to comply (*à,* with); to refer (jur.).

déferler [défèrlé] *v.* to unfurl; to break [vagues].
défi [déf*i*] *m.* challenge; *lancer un défi à,* to challenge. || **défiance** [-y*a*ns] *f.* mistrust, suspicion; diffidence. || **défiant** [-y*a*n] *adj.* distrustful, wary, cautious.
déficit [défisìt] *m.* deficit, shortage; deficiency.
défier [défyé] *v.* to challenge; to dare; to brave; to defy; **se défier,** to beware; to distrust.
défigurer [défigüré] *v.* to disfigure; to distort [vérité]; to deface; to mar.
défilé [défilé] *m.* defile, pass; gorge; march past, parade. || **défiler** [-é] *v.* to file off; to march past.
défini [défin*i*] *adj.* definite; defined; fixed; *passé défini,* past historic, preterite (gramm.). || **définir** [-*i*r] *v.* to define; **se définir,** to become clear. || **définissable** [-ìsàbl] *adj.* definable. || **définitif** [-ìt*i*f] *adj.* definitive; final; standard [œuvre]; *à titre définitif,* permanently. || **définition** [-ìsyo*n*] *f.* definition.
déflation [déflàsyo*n*] *f.* deflation; devaluation.
défoncer [défo*n*sé] *v.* to stave in; to break up [terre, routes]; **se défoncer,** to break up; to give way.
déformation [défòrmàsyo*n*] *f.* deformation; distortion. || **déformer** [-é] *v.* to deform, to put out of shape; to distort [faits]; to buckle; **se déformer,** to get out of shape; to warp [bois].
défraîchi [défrèsh*i*] *adj. Br.* shop-soiled, *Am.* shop-worn.
défrayer [défrèyé] *v.* to defray; to entertain.
défricher [défrìshé] *v.* to clear, to reclaim [terrain]; to break up.
défroque [défr*ò*k] *f.* cast-off clothing.
défunt [déf*u*n] *adj.* defunct, late, deceased.
dégagé [dégàjé] *adj.* unconstrained; free and easy; off-hand [manière]. || **dégagement** [-m*a*n] *m.* release; escape; relief; disengagement; redemption [prêt sur gages]. || **dégager** [-é] *v.* to redeem [prêt sur gages]; to disengage; to rescue; to release; to make out [signification]; to emit; **se dégager,** to get out of, to escape, to be emitted; to be revealed [vérité].
dégarnir [dégàrn*i*r] *v.* to strip; to dismantle; to unrig [voilier]; to unfurnish; **se dégarnir,** to part with; to be stripped.
dégât [dégâ] *m.* damage; devastation, havoc.
dégel [déjèl] *m.* thaw. || **dégeler** [déjlé] *v.* to thaw.
dégénérer [déjénéré] *v.* to degenerate, to decline; **dégénérescence,** degeneration (med.).
dégingandé [déji*n*ga*n*dé] *adj.* ungainly, gawky, loosely built.
déglutition [déglütìsyo*n*] *f.* swallowing.
dégonfler [dégo*n*flé] *v.* to deflate; to debunk; *Br.* to climb down (fam.); **se dégonfler,** to subside, to collapse.
dégorger [dégòrjé] *v.* to disgorge; to unstop; to flow out; to overflow.
dégourdir [dégûrd*i*r] *v.* to take the chill off [eau]; to revive; to stretch [jambes]; to smarten up; **se dégourdir,** to feel warmer; to stretch; to become more alert; **dégourdi,** lively, sharp, smart.
dégoût [dégû] *m.* disgust, aversion; dislike. || **dégoûtant** [-t*a*n] *adj.* disgusting, loathsome, nauseating, revolting. || **dégoûté** [-té] *adj.* disgusted; fastidious, squeamish. || **dégoûter** [-té] *v.* to disgust, to repel, to nauseate, to sicken; **se dégoûter,** to take a dislike (*de,* to).
dégoutter [dégûté] *v.* to drip, to trickle.
dégradation [dégràdàsyo*n*] *f.* degradation, reduction to the ranks (mil.); gradation, shading off [couleurs]; damage. || **dégrader** [-é] *v.* to degrade; to demote, to reduce to the ranks (mil.); to damage, to deface; to shade off; to tone down [couleurs]; **se dégrader,** to debase oneself.
dégrafer [dégràfé] *v.* to unhook; to unfasten.
dégraissage [dégrèsàj] *m.* cleaning; skimming. || **dégraisser** [-é] *v.* to clean; to scour; to skim; to impoverish [terre].
degré [d*e*gré] *m.* degree; stage; step; *à ce degré de,* to this pitch of.
dégrever [dégr*e*vé] *v.* to reduce, to relieve [impôts]; to free.
dégriser [dégrìzé] *v.* to sober down, to cool down.
dégrossir [dégrôs*i*r] *v.* to rough out; to lick into shape (fam.).

déguenillé [dégenlyé] *adj.* tattered, ragged, in rags.
déguerpir [dégèrpîr] *v.* (pop.) to clear out; *Am.* to beat it.
déguisement [dégìzmaⁿ] *m.* disguise; *sans déguisement,* openly. || **déguiser** [dégìzé] *v.* to disguise; to conceal.
déguster [dégüsté] *v.* to taste; to sample; to sip; to relish.
dehors [deòr] *m.* outside, exterior; appearances; *adv.* outside; abroad; in the offing; spread [voiles]; *en dehors du sujet,* beside the point; *mettre dehors,* to turn out; to oust; to sack, to lay off.
déjà [déjà] *adv.* already, before.
déjection [déjèksyoⁿ] *f.* evacuation (med.).
déjeter [déjté] *v.* to warp [bois]; to buckle [métal]; **se déjeter,** to warp, to buckle.
déjeuner [déjœné] *m.* breakfast; lunch; *v.* to breakfast; to lunch; *petit déjeuner,* breakfast.
déjouer [déjûé] *v.* to baffle; to foil, to outwit, to thwart; to upset.
delà [delà] *adv., prep.* beyond; *au-delà de,* beyond, above; *par-delà les mers,* beyond the seas; **l'au-delà,** the next world.
délabré [délàbré] *adj.* ruined; dilapidated; ramshackle, tumbledown; shattered [santé].
délacer [délàsé] *v.* to unlace; to undo [souliers]; **se délacer,** to come undone.
délai [délè] *m.* delay; respite; reprieve (jur.); *à court délai,* at short notice; *dernier délai,* deadline.
délaisser [délèsé] *v.* to forsake, to desert, to abandon; to relinquish. (jur.).
délassement [délâsmaⁿ] *m.* relaxation. || **délasser** [-é] *v.* to relax, to rest.
délation [délàsyoⁿ] *f.* informing, denunciation, squealing (pop.).
délavé [délàvé] *adj.* washed out; wishy-washy.
délayer [délèyé] *v.* to dilute; to spin out [discours].
délectable [délèktàbl] *adj.* delectable, delicious, delightful. || **délectation** [-àsyoⁿ] *f.* delight, enjoyment. || **délecter** [-é] *v.* to delight; **se délecter,** to take delight (*à,* in), to relish; to revel.
délégation [délégàsyoⁿ] *f.* delegation; assignment; allotment. || **délégué** [-égé] *m., adj.* delegate; deputy. || **déléguer** [-égé] *v.* to delegate; to assign.
délester [délèsté] *v.* to unballast [bateau]; to unload; to relieve (fig.).
délibération [délìbéràsyoⁿ] *f.* deliberation; discussion; decision. || **délibéré** [-é] *adj.* deliberate; resolute; *m.* consultation (jur.). || **délibérer** [-é] *v.* to deliberate; to resolve.
délicat [délìkà] *adj.* delicate; dainty; nice, tricky [question]; fastidious [mangeur]; fragile; embarrassing; sensitive; awkward; [situation]; *procédés peu délicats,* unscrupulous behavio(u)r; *faire le délicat,* to be finicky. || **délicatesse** [-tès] *f.* delicacy; fragility; fastidiousness; *pl.* niceties.
délice [délìs] *m.* (*f.* in *pl.*) delight, pleasure; *faire les délices de,* to be the delight of. || **délicieux** [-yë] *adj.* delicious, delightful; charming; lovely.
délictueux [délìktüë] *adj.* unlawful, punishable; *acte délictueux, Br.* offence, *Am.* offense, misdemeanour.
délié [délìé] *adj.* slim, thin; glib [langue]; nimble [esprit]. || **délier** [délìé] *v.* to untie, to undo; to release; *sans bourse délier,* without spending a penny.
délimitation [délìmitàsyoⁿ] *f.* delimitation; demarcation. || **délimiter** [-é] *v.* to fix the boundaries of; to define [pouvoirs].
délinquant [déliⁿkaⁿ] *m.* delinquent, offender.
délirant [délìraⁿ] *adj.* frantic, frenzied; rapturous; delirious. || **délire** [délìr] *m.* delirium; frenzy; ecstasy. || **délirer** [-ìré] *v.* to be delirious; to rave.
délit [délì] *m.* misdemeano(u)r; offence; *en flagrant délit,* in the very act, red-handed.
délivrance [délìvraⁿs] *f.* delivery; rescue; childbirth; issue [billets]. || **délivrer** [-é] *v.* to deliver; to rescue; to issue [billets].
déloger [délòjé] *v.* to dislodge; to remove; to go away; to drive away, to turn out; to oust.
déloyal [délwàyàl] *adj.* disloyal; false; dishonest; treacherous; unfair; foul [jeu]. || **déloyauté** [délwàyôté] *f.* disloyalty, treachery.

déluge [délüj] *m.* deluge, flood.
déluré [délüré] *adj.* smart, wide-awake, knowing, sharp, no fool.
démagogue [démàgòg] *m.* demagogue.
démailler [démâyé] *v.* to unpick; **se démailler**, to run, *Br.* to ladder [bas].
demain [d^e^mi^n^] *m., adv.* to-morrow; *demain matin*, to-morrow morning; *demain en huit*, to-morrow week; *à demain*, good-bye till to-morrow; **après-demain**, the day after to-morrow.
démancher [déma^n^shé] *v.* to unhaft [outil]; to put out of joint; to shift [violon].
demande [d^e^ma^n^d] *f.* request; question; inquiry; demand (comm.). claim; *sur demande*, on application. || **demander** [-é] *v.* to ask; to ask for; to beg, to request; to wish, to want; to apply for; to order; *demander à quelqu'un*, to ask someone; *demander quelqu'un*, to ask for someone; *on est venu vous demander*, someone called for you; se **demander**, to wonder. || **demandeur, -eresse** [-œr, -^e^rès] *m., f.* plaintiff (jur.).
démangeaison [déma^n^jèzo^n^] *f.* itching. || **démanger** [-é] *v.* to itch.
démanteler [déma^n^tlé] *v.* to dismantle.
démarcation [démàrkàsyo^n^] *f.* demarcation, boundary.
démarche [démàrsh] *f.* step; walk; gait; conduct; *faire des démarches pour*, to take steps to.
démarquer [démàrké] *v.* to mark down [prix]; to remove the marks from.
démarrer [démàré] *v.* to cast off [bateau]; to start [voiture]; to slip moorings. || **démarreur** [-œr] *m.* self-starter; crank.
démasquer [démàské] *v.* to unmask, to expose; to divulge.
démêlé [démèlé] *m.* dispute; contest. || **démêler** [-é] *v.* to unravel; to make out; to extricate; to contend.
démembrer [déma^n^bré] *v.* to dismember.
déménagement [déménàjma^n^] *m.* removal, moving; *voiture de déménagement*, furniture van. || **déménager** [-é] *v.* to remove, to move out; (fam.) to be out of one's mind. || **déménageur** [-œr] *m.* furniture remover.
démence [déma^n^s] *f.* insanity, lunacy, folly, madness.
dément [déma^n^] *m., adj.* insane,
démenti [déma^n^tì] *m.* denial, contradiction. || **démentir** [-îr] *v.* to give the lie to, to contradict; to refute; to belie; **se démentir**, to contradict oneself; to fail.
démesuré [dém^e^züré] *adj.* inordinate, huge, beyond measure; out of all proportion; excessive.
démettre [démètr] *v.* to dislocate, to put out of joint; to dismiss; **se démettre**, to resign; to give up.
demeure [d^e^mœr] *f.* dwelling, residence; delay; *à demeure*, fixed; *mettre en demeure de*, to order to. || **demeurer** [-é] *v.* to live, to reside; to dwell; to stay, to remain; *au demeurant*, after all.
demi [d^e^mì] *m., adj.* half; *à demi*, by halves; *une demi-heure*, half an hour; *une heure et demie*, one hour and a half; *il est une heure et demie*, it is half past one; **demi-cercle**, semicircle; **demi-teinte**, half-tint, half-tone, mezzotint; **demi-ton**, semitone; **demi-tour**, half-turn; about turn (mil.).
démission [démìsyo^n^] *f.* resignation. || **démissionner** [-yòné] *v.* to resign.
démobilisation [démòbìlìzàsyo^n^] *f.* demobilization. || **démobiliser** [-é] *v.* to demobilize.
démocrate [démòkràt] *m., f.* democrat. || **démocratie** [-àsî] *f.* democracy.
démodé [démòdé] *adj.* old-fashioned; out of date, antiquated.
demoiselle [d^e^mwàzèl] *f.* young lady; spinster; rowlock (naut.); dragon-fly (ent.).
démolir [démòlîr] *v.* to demolish, to pull down; to overthrow; to ruin, to wreck. || **démolition** [-ìsyo^n^] *f.* demolition, pulling down; *pl.* rubbish.
démon [démo^n^] *m.* demon, devil; fiend; imp.
démonétiser [démònétìzé] *v.* to demonetize; to withdraw.
démonstrateur [démo^n^stràtœr] *m.* demonstrator. || **démonstratif** [-àtìf] *adj.* demonstrative. || **démonstration** [-àsyo^n^] *f.* demonstration; show of force (mil.).
démontable [démo^n^tàbl] *adj.* de-

tachable; collapsible. || **démonter** [-é] *v.* to unseat; to dismantle, to take to pieces; to upset (fig.); **se démonter,** to get out of order; to run down [montre]; to be disconcerted; **démonte-pneu,** *Br.* tyre-lever, *Am.* tire-iron.
démontrer [démoⁿtré] *v.* to demonstrate, to show.
démoraliser [démòràlìzé] *v.* to demoralize, to dishearten.
démordre [démòrdr] *v.* to let go; to give in; to desist.
démunir (se) [sᵉdémünîr] *v.* to part with; to deprive oneself of.
dénaturé [dénàtüré] *adj.* unnatural; cruel; perverted, depraved; *alcool dénaturé,* methylated spirit. || **dénaturer** [-é] *v.* to distort; to misrepresent; to pervert.
dénégation [dénégàsyoⁿ] *f.* denial.
déni [dénì] *m.* denial; refusal.
dénicher [dénìshé] *v.* to take from the nest; to find, to unearth.
denier [dᵉnyé] *m.* small coin, penny; cent; money; *les deniers publics,* public funds.
dénigrer [dénìgré] *v.* to disparage, to run down.
dénivellation [dénìvèllàsyoⁿ] *f.* unevenness; gradients; subsidence.
dénombrer [dénoⁿbré] *v.* to take a census of; to count, to enumerate.
dénomination [dénòmìnàsyoⁿ] *f.* name; denomination. || **dénommer** [dénòmé] *v.* to name, to denominate.
dénoncer [dénoⁿsé] *v.* to denounce; to betray; to expose. || **dénonciateur, -trice** [dénoⁿsyàtœr, -trìs] *m., f.* informer, *Am.* stool-pigeon (pop.). || **dénonciation** [-yàsyoⁿ] *f.* denunciation; notice of termination [traité].
dénoter [dénòté] *v.* to denote, to show, to mark.
dénouement [dénûmaⁿ] *m.* untying; result; solution; dénouement (theat.). || **dénouer** [dénûé] *v.* to untie, to unravel; **se dénouer,** to come undone; to be solved.
denrée [daⁿré] *f.* commodity; produce; *denrées alimentaires,* foodstuffs.
dense [daⁿs] *adj.* dense; thick. || **densité** [-ìté] *f.* denseness, density; compactness.
dent [daⁿ] *f.* tooth; prong [fourchette]; cog [roue]; *mal aux dents,* toothache; *sans dents,* toothless; *serrer les dents,* to set one's teeth; *avoir une dent contre,* to have a grudge against; *sur les dents,* fagged, worn out. || **dentaire** [-tèr], **dental** [-tàl] *adj.* dental. || **denté** [-té] *adj.* toothed; *roue dentée,* cogwheel.
denteler [daⁿtlé] *v.* to indent; to notch; to cog [roue]; to serrate.
dentelle [daⁿtèl] *f.* lace; lace-work. || **dentelure** [daⁿtlür] *f.* perforation [timbre]; indentation; dog's-tooth (techn.).
dentier [daⁿtyé] *m.* denture, set of false teeth, plate. || **dentifrice** [-ìfrìs] *m.* dentifrice, tooth-paste; *adj.* dental. || **dentiste** [-ìst] *m.* dentist. || **dentition** [-ìsyoⁿ] *f.* teething; set of teeth. || **denture** [-ür] *f.* set of teeth; teeth (mech.).
dénuder [dénüdé] *v.* to lay bare; to strip.
dénuement [dénümaⁿ] *m.* destitution, poverty. || **dénuer** [-üé] *v.* to strip; to deprive.
dépannage [dépànàj] *m.* repairs [auto]. || **dépanner** [-é] *v.* to repair; to help (fig.).
départ [dépàr] *m.* departure, start, sailing [bateau], setting out; *sur le départ,* on the point of leaving; *départ lancé,* flying start; *point de départ,* starting point.
département [dépàrtᵉmaⁿ] *m.* department; *Br.* Ministry; section; province; **départemental,** departmental.
départir [dépàrtîr] *v.* to distribute, to allot, to dispense; **se départir de,** to give up; to depart from.
dépasser [dépâsé] *v.* to pass, to go beyond, to exceed; to overtake; to project beyond; *dépasser à la course,* to outrun.
dépayser [dépéìzé] *v.* to take out of one's element; to remove from home; *être dépaysé,* to be uprooted, to be at a loss; **se dépayser,** to leave home; to go abroad.
dépecer [dépᵉsé] *v.* to cut up; to dismember.
dépêche [dépèsh] *f.* dispatch; message; telegram, wire (fam.). || **dépêcher** [-é] *v.* to hasten; to expedite; to dispatch; **se dépêcher,** to hurry up, to make haste.
dépeindre [dépiⁿdr] *v.* to depict; to describe.
dépendance [dépaⁿdaⁿs] *f.* dependency [pays]; dependence; subor-

dination; *pl.* offices; outbuildings; annexes. || **dépendre** [dépa^n^dr] *v.* to depend (*de*, on).

dépendre [dépa^n^dr] *v.* to take down, to unhang.

dépens [dépa^n^] *m. pl.* cost, expense, charges, costs (jur.). || **dépense** [dépa^n^s] *f.* expenditure. outlay; consumption [gaz]; pantry; *dépenses de bouche,* living expenses; *dépense de temps,* waste of time. || **dépenser** [-é] *v.* to spend; to expend; **se dépenser,** to be spent; to spare no effort; to waste one's energy. || **dépensier** [-yé] *adj.* extravagant, spendthrift.

dépérir [dépérìr] *v.* to decline, to pine away, to dwindle.

dépeupler [dépœplé] *v.* to depopulate; to thin [forêt].

dépister [dépìsté] *v.* to hunt out, to track down, to ferret out; to throw off the scent; to outwit.

dépit [dépì] *m.* spite, resentment, grudge; *en dépit de,* in spite of; *par dépit,* out of spite. || **dépiter** [-té] *v.* to vex, to spite; **se dépiter,** to be annoyed; to be hurt.

déplacé [déplàsé] *adj.* unbecoming, improper. || **déplacement** [-ma^n^] *m.* displacement; removal; travel(l)ing; movement [bateau]; *frais de déplacement,* travel(l)ing expenses. || **déplacer** [-é] *v.* to displace; to dislodge, to move; to have a displacement of [bateau]; to replace; **se déplacer,** to move; to travel.

déplaire [déplèr] *v.* to offend, to displease; *il me déplait,* I don't like him; *ne vous en déplaise,* with all due deference to you; **se déplaire,** to dislike. || **déplaisant** [déplèza^n^] *adj.* disagreeable, unpleasant. || **déplaisir** [-ìr] *m.* displeasure, vexation; grief.

dépliant [déplìya^n^] *m.* folder. || **déplier** [-ìyé] *v.* to unfold. || **déploiement** [déplwâma^n^] *m.* deployment (mil.); show, display; unfolding.

déplorable [déplòràbl] *adj.* deplorable, lamentable; wretched. || **déplorer** [-é] *v.* to deplore; to lament, to mourn.

déployer [déplwàyé] *v.* to unfold; to unfurl [voile]; to spread out; to display; to deploy (mil.).

déplu [déplü] *p. p. of* **déplaire.**

déplumer [déplümé] *v.* to pluck; **se déplumer,** to moult; (pop.) to grow bald.

dépoli [dépòlì] *adj.* ground; frosted.

déportation [dépòrtàsyo^n^] *f.* deportation. || **déportements** [-^e^ma^n^] *m. pl.* misconduct, misbehavio(u)r. || **déporter** [-é] *v.* to deport; **se déporter,** to desist.

déposant [dépòza^n^] *m.* depositor; deponent, witness (jur.). || **déposer** [-é] *v.* to deposit [argent]; to put down; to leave; to depose; to give evidence; to introduce [projet de loi]. || **dépositaire** [-itèr] *m., f.* trustee; agent. || **déposition** [-ìsyo^n^] *f.* deposition; statement (jur.).

déposséder [dépòsédé] *v.* to dispossess; to deprive.

dépôt [dépô] *m.* deposit; handing in [télégramme]; store, depot; warehouse; police station; bond [douane]; sediment; dump; *en dépôt,* on sale; in stock.

dépouille [dépûy] *f.* skin [animal]; slough [serpent]; *pl.* spoils, booty; *dépouille mortelle,* mortal remains. || **dépouillement** [-ma^n^] *m.* despoiling; scrutiny; count [scrutin]. || **dépouiller** [-é] *v.* to skin; to strip; to plunder; to rob; to cast off; to inspect; to count [scrutin]; to go through [courrier]; to study [documents].

dépourvu [dépûrvü] *adj.* destitute, devoid; *au dépourvu,* unawares.

dépravation [dépràvàsyo^n^] *f.* depravity, corruption. || **dépraver** [-é] *v.* to deprave, to pervert, to corrupt.

dépréciation [déprésyàsyo^n^] *f.* depreciation; wear and tear. || **déprécier** [-yé] *v.* to depreciate; to belittle, to disparage; to devalue.

dépression [déprèsyo^n^] *f.* depression; hollow; fall in pressure. || **déprimer** [déprìmé] *v.* to depress; **se déprimer,** to get depressed; to get dejected.

depuis [d^e^püì] *adv., prep.* since; from; for; after; *depuis combien?,* since when?; *je suis ici depuis trois semaines,* I have been here for three weeks.

dépuratif [dépüràtìf] *adj.* depurative; blood-cleansing.

députation [dépütàsyo^n^] *f.* deputation; *se présenter à la députation,* to put up for Parliament. || **député** [-é] *m.* deputy; member of

Parliament, *Br.* M. P. *Am.* Congressman. || **députer** [-*é*] *v.* to depute; to delegate.
déraciner [déràsìné] *v.* to uproot; to eradicate.
déraillement [dérâym*a*ⁿ] *m.* derailment, railway accident. || **dérailler** [-*é*] *v.* to go off the rails; *faire dérailler*, to derail. || **dérailleur** [-œr] *m.* gearshift [bicyclette].
déraison [dérèz*o*ⁿ] *f.* unreasonableness, want of sense. || **déraisonnable** [-ònàbl] *adj.* unreasonable; unwise; senseless, absurd, foolish. || **déraisonner** [-òné] *v.* to talk nonsense, to rave.
dérangement [déraⁿjm*a*ⁿ] *m.* disturbance, disorder; trouble; fault (mech.). || **déranger** [-*é*] *v.* to derange; to bother, to disturb; to upset [projets]; **se déranger**, to get out of order [machine]; to trouble; to live a wild life.
dérapage [déràpàj] *m.* skidding; dragging (naut.). || **déraper** [-*é*] *v.* to skid [auto]; to drag its anchor [bateau]; to weigh anchor.
dérèglement [dérèglᵉm*a*ⁿ] *m.* disorder; irregularity [pouls]; dissoluteness. || **dérégler** [dérégl*é*] *v.* to upset; to unsettle; **se dérégler**, to get out of order [montre]; to lead an abandoned life.
dérision [dérìzy*o*ⁿ] *f.* derision, mockery; *tourner quelqu'un en dérision*, to make a laughing-stock of someone. || **dérisoire** [-wàr] *adj.* ridiculous, absurd, ludicrous.
dérivatif [dérìvàtìf] *adj.* derivative. || **dérivation** [-àsy*o*ⁿ] *f.* derivation; diversion; shunting (electr.); drift (mil.).
dérive [dérìv] *f.* leeway (naut.); *à la dérive*, adrift. || **dériver** [-*é*] *v.* to drift.
dériver [dérìv*é*] *v.* to derive (*de*, from); to spring (*de*, from); to divert; to shunt (electr.).
dernier [dèrny*é*] *m., adj.* last, latest; final; closing [prix]; utmost [importance]; *mettre la dernière main à*, to give the finishing touch to. || **dernièrement** [-yèrm*a*ⁿ] *adv.* recently, lately.
dérober [déròbé] *v.* to steal; to hide; **se dérober**, to steal away; to hide; to swerve [cheval]; *à la dérobée*, stealthily, on the sly.
dérogation [dérògàsy*o*ⁿ] *f.* derogation. || **déroger** [déròjé] *v.* to derogate (*à*, from); to lower oneself, to stoop.
dérouler [dérûl*é*] *v.* to unroll; to unreel; to unfold; **se dérouler**, to unfold; to take place; to develop.
déroute [dérût] *f.* rout; *mettre en déroute*, to rout; *en pleine déroute*, in full flight. || **dérouter** [-*é*] *v.* to put off the track; to bewilder, to baffle; to lead astray.
derrière [dèry*è*r] *adv.* behind; astern (naut.); *prep.* behind, after; astern of (naut.); *m.* back, rear; bottom, backside (fam.); stern (naut.); *par-derrière*, from the rear, from behind; *pattes de derrière*, hind legs.
des [d*é*, dè], *see* **de.**
dès [dè] *prep.* from, since; upon; as early as; *dès lors*, from then on; *dès aujourd'hui*, from to-day; *dès que*, as soon as.
désabuser [dézàbüz*é*] *v.* to undeceive; to disillusion; **se désabuser**, to have one's eyes opened.
désaccord [dézàkòr] *m.* discord; dissension; disagreement; *en désaccord*, at variance. || **désaccorder** [-d*é*] *v.* to set at variance; to untune (mus.); **se désaccorder**, to get out of tune.
désagréable [dézàgréàbl] *adj.* disagreeable, unpleasant, nasty.
désagréger [dézàgréjé] *v.* to disintegrate; **se désagréger**, to break up; to disaggregate.
désagrément [dézàgrém*a*ⁿ] *m.* unpleasantness; source of annoyance; inconvenience; discomfort.
désaltérer [dézàltér*é*] *v.* to refresh, to quench (someone's) thirst.
désamorcer [dézàmòrs*é*] *v.* to uncap.
désappointement [dézàpwiⁿtm*a*ⁿ] *m.* disappointment. || **désappointer** [-*é*] *v.* to disappoint.
désapprobateur, -trice [dézàpròbàtœr, -trìs] *adj.* disapproving. || **désapprobation** [-àsy*o*ⁿ] *f.* disapprobation, disapproval. || **désapprouver** [dézàprûv*é*] *v.* to disapprove of, to object to.
désarçonner [dézàrsòn*é*] *v.* to unseat; to dumbfound, to flabbergast (pop.).
désarmement [dézàrmᵉm*a*ⁿ] *m.* disarmament; laying up (naut.). || **désarmer** [-*é*] *v.* to disarm : to lay up, to decommission [navire];

to unload [canon]; to uncock [fusil].

désarroi [désàrwà] *m.* confusion, disorder, disarray.

désastre [dézàstr] *m.* disaster; **désastreux**, desastrous.

désavantage [dézàva^{n}tàj] *m.* disadvantage; drawback. || **désavantager** [-*é*] *v.* to put at a disadvantage, to handicap.

désaveu [dézàvë] *m.* disavowal, denial; repudiation; disowning. || **désavouer** [dézàvûé] *v.* to disown, to deny; to repudiate; to disclaim.

descendance [dèsa^{n}da^{n}s] *f.* descent; descendants. || **descendant** [-a^n] *m.* descendant; offspring; *adj.* descending, going down, downward. || **descendre** [désa^{n}dr] *v.* to descend, to come down, to go down; to take down; to let down; *descendre de cheval,* to dismount; *descendre de l'autobus,* to get off the bus; *descendre à l'hôtel,* to stop at the hotel; *tout le monde descend,* all change. || **descente** [-a^{n}t] *f.* descent; slope; declivity; raid; rupture; dismounting [cheval]; downstroke [piston]; *descente de bain,* bath-mat; *descente de justice,* search (jur.).

descriptif [dèskriptìf] *adj.* descriptive. || **description** [-ìpsyo^n] *f.* description.

désemparer [déza^{n}pàré] *v.* to disable; to leave; *sans désemparer,* without stopping; *être désemparé,* to be in distress.

désenchantement [déza^{n}sha^{n}tma^n] *m.* disenchantment; disillusion. || **désenchanter** [-*é*] *v.* to disenchant; to disillusion.

déséquilibre [dézékìlîbr] *m.* lack of balance. || **déséquilibrer** [-*é*] *v.* to unbalance, to throw out of balance.

désert [dézèr] *m.* desert, wilderness; *adj.* deserted; desert; lonely; wild. || **déserter** [-té] *v.* to desert; to forsake; to abandon. || **déserteur** [-tœr] *m.* deserter. || **désertion** [-syo^n] *f.* desertion.

désespérant [dézèspéra^n] *adj.* hopeless; heart-breaking. || **désespéré** [-éré] *adj.* desperate, hopeless; disheartened; *en désespéré,* like mad. || **désespérer** [-éré] *v.* to despair, to be disheartened; to drive to despair. || **désespoir** [-wàr] *m.* despair, desperation; *en désespoir de cause,* as a last resource.

déshabillé [dézàbìyé] *m.* wrap; *en déshabillé,* in dishabille; in undress. || **déshabiller** [-*é*] *v.* to undress, to strip, to disrobe.

déshériter [dézérìté] *v.* to disinherit.

déshonneur [dézònœr] *m.* dishono(u)r, disgrace. || **déshonorant** [-òra^n] *adj.* dishono(u)ring, disgraceful. || **déshonorer** [-òré] *v.* to dishono(u)r, to disgrace.

déshydrater [dézìdràté] *v.* to dehydrate.

désignation [dézìñàsyo^n] *f.* designation; appointment, nomination. || **désigner** [-*é*] *v.* to designate; to appoint; to indicate; *désigner du doigt,* to point out.

désillusion [dézìllüzyo^n] *f.* disillusion. || **désillusionner** [-yòné] *v.* to disillusion.

désinfectant [dézi^{n}fèkta^n] *m., adj.* disinfectant. || **désinfecter** [-*é*] *v.* to disinfect; to fumigate; to decontaminate. || **désinfection** [dézi^{n}fèksyo^n] *f.* disinfection.

désintéressé [dézi^{n}térèsé] *adj.* unselfish, disinterested. || **désintéressement** [-ma^n] *m.* unselfishness; impartiality. || **désintéresser** [-*é*] *v.* to indemnify; to buy out; *se désintéresser,* to give up; to take no further interest.

désinvolte [dézi^{n}vòlt] *adj.* free, easy; off-hand, airy; detached. || **désinvolture** [-ür] *f.* off-handedness; ease, freedom: cheek, nerve (fam.).

désir [dézîr] *m.* desire, wish. || **désirable** [-ìràbl] *adj.* desirable; *peu désirable,* undesirable. || **désirer** [-ìré] *v.* to desire, to wish; to want; *cela laisse à désirer,* it's not altogether satisfactory. || **désireux** [-ìrë] *adj.* desirous, eager.

désister (se) [s^{e}dézìsté] *v.* to withdraw; to desist (*de,* from); to waive; to renounce.

désobéir [dézòbéîr] *v.* to disobey, *désobéir à quelqu'un,* to disobey someone. || **désobéissance** [-ìsa^{n}s] *f.* disobedience. || **désobéissant** [-ìsa^n] *adj.* disobedient.

désobligeant [dézòblìja^n] *adj.* disobliging; uncivil; unpleasant.

désœuvré [dézœvré] *adj* idle, at a

loose end; unoccupied; unemployed.
désolant [dézòla^n] *adj.* distressing; sad; most annoying. || **désolation** [-àsyo^n] *f.* desolation; devastation; distress. || **désoler** [-*é*] *v.* to grieve; to annoy; to lay waste.
désordonné [dézòrdòn*é*] *adj.* disorderly; untidy; unruly. || **désordre** [dézòrdr] *m.* disorder, confusion; chaos; untidiness; *pl.* riots, disturbances.
désorganisation [dézòrgànizàsyo^n] *f.* disorganization. || **désorganiser** [-*é*] *v.* to disorganize; to upset; to confuse.
désorienter [dézòrya^{n}t*é*] *v.* to mislead; to bewilder; *tout désorienté*, all at sea.
désormais [dézòrmè] *adv.* henceforth, hereafter, from now on; for the future.
despote [dèspòt] *m.* despot; **despotique**, despotic.
desquels, desquelles, *see* **lequel**.
dessaisir [dèsèzir] *v.* to dispossess; **se dessaisir de**, to part with, to give up.
dessaler [dèsàl*é*] *v.* to unsalt; to soak [viande]; to sharpen (someone's) wits.
dessécher [désèsh*é*] *v.* to dry up, to wither.
dessein [dèsi^n] *m.* design, scheme, project, plan; intention; *à dessein*, on purpose; *sans dessein*, unintentionally; *avoir le dessein de*, to intend to.
desserrer [dèsèr*é*] *v.* to loosen; to unclamp; to unscrew [écrou]; to release [frein].
dessert [dèsèr] *m.* dessert.
desservir [dèsèrvir] *v.* to clear [table]; to clear away; to do an ill turn to.
desservir [dèsèrvir] *v.* to serve [transport]; to ply between; to officiate at (eccles.).
dessin [dèsi^n] *m.* drawing; sketch; plan; pattern; *dessin à main levée*, free-hand drawing; *dessin animé*, animated cartoon. || **dessinateur, -trice** [dèsinàtœr, -trìs] *m., f.* drawer; pattern-designer; draughtsman. || **dessiner** [-in*é*] *v.* to draw, to sketch; to design; to lay out [jardin]; to show; **se dessiner**, to stand out; to loom up; to appear; to take form.
dessous [d^{e}sû] *m.* lower part, under side; *adv.* under, underneath, beneath, below; *prep.* under; *vêtements de dessous*, underclothes; *les dessous*, the seamy side.
dessus [d^{e}sü] *m.* top, upper side; lid; treble (mus.); advantage; *adv.* on; over, above; *prep.* on, upon; above, over; *prendre le dessus*, to get the upper hand.
destin [dèsti^n] *m.* fate, destiny. || **destinataire** [dèstinàtèr] *m., f.* addressee; payee. || **destination** [-àsyo^n] *f.* destination; *à destination de*, addressed to [colis], bound for [bateau]. || **destinée** [-*é*] *f.* fate, destiny. || **destiner** [-*é*] *v.* to destine; to intend; **se destiner**, to intend to enter [profession].
destituer [dèstitüé] *v.* to dismiss, to discharge. || **destitution** [-üsyo^n] *f.* dismissal; removal.
destructeur, -trice [dèstrüktœr, -trìs] *m., f.* destructor, destroyer; *adj.* destructive. || **destruction** [dèstrüksyo^n] *f.* destruction, destroying; demolition.
désuet [désüè] *adj.* obsolete.
désunion [dézünyo^n] *f.* separation; disunion.
désunir [dézünir] *v.* to separate, to divide, to disunite; **se désunir**, to come apart; to fall out.
détachement [détàshma^n] *m.* detaching; detachment (mil.); indifference, unconcern. || **détacher** [-*é*] *v.* to detach; to unfasten, to undo; to separate; to detail (mil.); **se détacher**, to come loose; to separate, to part; to stand out.
détacher [détàsh*é*] *v.* to clean.
détail [détày] *m.* detail; particular; trifle; retail (comm.); detailed account; *marchand au détail*, retail dealer. || **détaillant** [-a^n] *m.* retailer. || **détailler** [-*é*] *v.* to detail; to relate in detail; to retail; to divide up.
détective [détèktiv] *m.* detective.
déteindre [déti^ndr] *v.* to take the colo(u)r out of; to lose colo(u)r, to fade.
détendre [déta^ndr] *v.* to slacken, to loosen; **se détendre**, to relax, to ease.
détenir [détnir] *v.* to detain; to hold; to keep back.
détente [déta^nt] *f.* relaxation; slackening; easing; expansion; trigger [fusil]; power stroke

[moteur]; *dur à la détente*, close-fisted (fig.).
détention [déta^n^syo^n^] *f.* detention; imprisonment; detainment; holding. || **détenu** [détnü] *m.* prisoner; *adj.* detained, imprisoned.
détérioration [détéryòràsyo^n^] *f.* damage; deterioration, wear and tear. || **détériorer** [-é] *v.* to damage; to impair; to make worse.
déterminant [détèrmina^n^] *m.* determinant; *adj.* determinating. || **détermination** [-àsyo^n^] *f.* resolution; determination. || **déterminer** [-é] *v.* to determine, to settle; to ascertain; to induce; to cause; **se déterminer**, to make up one's mind, to resolve. || **déterminisme** [-ìsm] *m.* determinism.
déterrer [détèré] *v.* to disinter; to unearth.
détestable [détèstàbl] *adj.* detestable, hateful. || **détester** [-é] *v.* to detest, to hate.
détonateur [détònàtœr] *m.* detonator; fog-signal [chemin de fer]. || **détonation** [-àsyo^n^] *f.* detonation, report [arme à feu]. || **détoner** [-é] *v.* to detonate, to explode.
détour [détûr] *m.* detour, roundabout way; bend; winding; ruse; *sans détour*, straightforward. || **détourné** [-né] *adj.* out of the way; circuitous, roundabout; indirect. || **détournement** [-n^e^ma^n^] *m.* diversion; embezzlement [fonds]; abduction. || **détourner** [-né] *v.* to divert [rivière]; to avert; to parry [coup]; to turn away; to misappropriate; to embezzle; **se détourner**, to give up; to turn away.
détracteur, -trice [détràktœr, -trìs] *m., f.* detractor; slanderer; maligner; defamer.
détraquer [détràké] *v.* to put out of order; to upset; to derange; **se détraquer**, to break down.
détremper [détra^n^pé] *v.* to moisten, to soak.
détresse [détrès] *f.* distress; danger; grief; *signal de détresse*, distress signal, S.O.S.
détriment [détrima^n^] *m.* detriment; cost, loss; prejudice.
détritus [détritüs] *m.* detritus; refuse; rubbish.
détroit [détrwâ] *m.* strait, channel.
détruire [détrüìr] *v.** to destroy, to demolish, to pull down, to ruin; to overthrow.
dette [dèt] *f.* debt; obligation; *dettes actives*, assets; *dettes passives*, liabilities; *faire des dettes*, to run into debt.
deuil [dœy] *m.* mourning; bereavement.
deux [dë] *m.* two; second; *adj.* two; *tous les deux*, both; *Henri II*, Henry the Second; *le deux mai*, the second of May; *tous les deux jours*, every other day; *deux fois*, twice. || **deuxième** [-zyèm] *m., f., adj.* second.
dévaliser [dévàlìzé] *v.* to rob, to rifle.
dévalorisation [dévàlòrizàsyo^n^] *f.* devaluation, fall in value, depreciation.
devancer [d^e^va^n^sé] *v.* to precede; to outstrip; to forestall. || **devancier** [-yé] *m.* predecessor.
devant [d^e^va^n^] *m.* front, forepart; *adv.* in front, before, ahead; *prep.* in front of, before, ahead of; *pattes de devant*, forelegs; *gagner les devants*, to take the lead; *devant la loi*, in the eyes of the law. || **devanture** [-tür] *f.* front; shopfront.
dévaster [dévàsté] *v.* to devastate, to ravage, to lay waste, to wreck.
déveine [dévèn] *f.* ill-luck, bad luck.
développement [dévlòpma^n^] *m.* development; spreading out; gear ratio [auto]. || **développer** [-é] *v.* to develop; to expand; to spread out, to unfold; to expound upon [texte]; **se développer**, to develop; to expand; to improve; to spread out.
devenir [d^e^vnìr] *v.* to become; to grow; to turn; *qu'est-il devenu?*, what has become of him?
déverser [dévèrsé] *v.* to incline; to lean; to slant; to warp [bois]; to pour off; to tip; **se déverser**, to flow out.
déviation [dévyàsyo^n^] *f.* deviation, variation; swerving.
dévider [dévìdé] *v.* to unwind, to reel off. || **dévidoir** [-wàr] *m.* winder; cable-drum (electr.).
dévier [dévyé] *v.* to deviate, to swerve; to diverge; to deflect; **se dévier**, to warp [bois]; to grow crooked.
devin, devineresse [d^e^vi^n^, -ìnrès]

m., f. soothsayer; fortune-teller. || **deviner** [-ìné] *v.* to guess; to find out. || **devinette** [-ìnèt] *f.* riddle; puzzle.
devis [dᵉvì] *m.* chat; estimate.
dévisager [dévìzàjé] *v.* to stare at.
devise [dᵉvîz] *f.* motto; currency. || **deviser** [-ìzé] *v.* to chat, to have a chat.
dévisser [dévìsé] *v.* to unscrew.
dévoiler [dévwàlé] *v.* to unveil, to reveal, to disclose; to unmask; to discover.
devoir [dᵉvwàr] *m.* duty; exercise; home-work [écolier]; *pl.* respects; *v.** to owe; to have to; must; should, ought; *vous devriez le faire,* you ought to do it; *vous auriez dû le faire,* you should have done it; *je vous dois dix francs,* I owe you ten francs; *il doit partir demain,* he is to leave tomorrow.
dévolu [dévòlü] *m.* claim; choice; *adj.* devolved; fallen.
dévorer [dévòré] *v.* to devour; to consume; to squander [fortune]; to swallow [insulte]; *dévorer des yeux,* to gloat over; to gaze upon.
dévot [dévô] *m.* devotee, devout person; *adj.* devout, pious; sanctimonious. || **dévotion** [-òsyoⁿ] *f.* devotion; devoutness, piety.
dévouement [dévûmaⁿ] *m.* self-sacrifice; devotion; devotedness. || **dévouer** [-ûé] *v.* to devote; to dedicate.
dévoyer [dévwàyé] *v.* to lead astray; **se dévoyer,** to stray.
dextérité [dèkstérìté] *f.* dexterity, ability, skill, cleverness.
diabète [dyàbèt] *m.* diabetes; **diabétique,** diabetic.
diable [dyàbl] *m.* devil; jack-in-the-box [jouet]; trolley; porter's barrow, *Am.* porter's dolly; *un pauvre diable,* a poor wretch; *tirer le diable par la queue,* to be hard up. || **diablerie** [-ᵉrî] *f.* devilry, fun. || **diablotin** [-òtiⁿ] *m.* imp; little devil; cracker. || **diabolique** [-òlìk] *adj.* diabolical, fiendish; devilish.
diagnostic [dyàgnòstìk] *m.* diagnosis. || **diagnostiquer** [-é] *v.* to diagnose.
dialecte [dyàlèkt] *m.* dialect. || **dialectique** [dyàlèktìk] *f.* dialectics; *adj.* dialectic.
dialogue [dyàlòg] *m.* dialogue. || **dialoguer** [-ògé] *v.* to converse, to talk; to put in the form of a dialogue.
diamant [dyàmaⁿ] *m.* diamond.
diamètre [dyàmètr] *m.* diameter.
diapason [dyàpàzoⁿ] *m.* tuning-fork; diapason; pitch.
diaphane [dyàfàn] *adj.* diaphanous, transparent.
diaphragme [dyàfràgm] *m.* diaphragm; sound-box; midriff.
diapré [dyàpré] *adj.* mottled, variegated.
diarrhée [dyàré] *f.* diarrhea.
diatribe [dyàtrîb] *f.* diatribe; harangue.
dictateur [dìktàtœr] *m.* dictator. || **dictature** [-ür] *f.* dictatorship.
dictée [dìkté] *f.* dictation. || **dicter** [-é] *v.* to dictate.
diction [dìksyoⁿ] *f.* diction; delivery; style.
dictionnaire [dìksyònèr] *m.* dictionary; lexicon; *dictionnaire géographique,* gazetteer.
dicton [dìktoⁿ] *m.* saying, proverb; saw.
didactique [dìdàktìk] *adj.* didactic.
dièse [dyèz] *m.* sharp (mus.).
diète [dyèt] *f.* diet; regimen; *à la diète,* on a low diet.
dieu [dyë] (*pl.* **dieux**) *m.* god; God; *à Dieu ne plaise,* God forbid; *mon Dieu!,* dear me! good gracious!
diffamer [dìfàmé] *v.* to defame, to libel, to slander.
différence [dìféraⁿs] *f.* difference, disparity, discrepancy. || **différencier** [-aⁿsyé] *v.* to differentiate, to distinguish. || **différend** [-aⁿ] *m.* difference, dispute, quarrel. || **différent** [-aⁿ] *adj.* different, unlike. || **différentiel** [-aⁿsyèl] *m., adj.* differential. || **différer** [-é] *v.* to differ; to defer, to put off, to postpone.
difficile [dìfìsìl] *adj.* difficult, hard; awkward, hard to please; fastidious; finicky; squeamish. || **difficulté** [dìfìkülté] *f.* difficulty; disagreement; obstacle; trouble; *faire des difficultés,* to raise objections.
difforme [dìfòrm] *adj.* misshapen, deformed. || **difformité** [-ìté] *f.* deformity, malformation.
diffus [dìfü] *adj.* diffused; diffuse [style]. || **diffuser** [-zé] *v.* to diffuse; to publish; to broadcast. || **diffusion** [-zyoⁿ] *f.* diffusion;

propagation; broadcasting; wordiness, verbosity.
digérer [dìjéré] *v.* to digest; to assimilate; to swallow [insulte]. || **digeste** [-èst] *m.* digest; selection. || **digestible** [-èstìbl] *adj.* digestible. || **digestif** [-èstìf] *m.*, *adj.* digestive. || **digestion** [-èstyo^n] *f.* digestion.
digital [dìjìtàl] *adj.* digital; *empreintes digitales*, fingerprints.
digne [diñ] *adj.* dignified; worthy, deserving; *digne d'éloges*, praiseworthy. || **dignitaire** [-ìtèr] *m.* dignitary. || **dignité** [-ìté] *f.* dignity.
digression [dìgrèsyo^n] *f.* digression.
digue [dig] *f.* dike; dam; sea-wall; jetty; breakwater; embankment; barrier; obstacle (fig.).
dilapider [dìlàpìdé] *v.* to squander; to waste; to misappropriate.
dilater [dìlàté] *v.* to dilate, to expand; to distend (med.).
dilemme [dìlèm] *m.* dilemma, quandary.
diligence [dìlìja^{n}s] *f.* diligence, industry; haste, speed; stage-coach. || **diligent** [-a^n] *adj.* diligent, industrious, hard-working.
diluer [dìlüé] *v.* to dilute, to water down.
dimanche [dìma^{n}sh] *m.* Sunday; *dimanche des Rameaux*, Palm Sunday.
dimension [dìma^{n}syo^n] *f.* size, dimension.
diminuer [dìmìnüé] *v.* to diminish; to lessen; to reduce; to lower; to shorten [voile]; to abate; to decrease; to fall off. || **diminutif** [-ütìf] *m.*, *adj.* diminutive. || **diminution** [-üsyo^n] *f.* diminution; reduction; decrease; abatement; shortening [robe]; lessening.
dinde [di^{n}d] *f.* turkey (-hen); goose (fig.), foolish woman. || **dindon** [di^{n}do^n] *m.* turkey-cock; dupe.
dîner [dìné] *v.* to dine, to have dinner; *m.* dinner; dinner-party. || **dîneur** [-œr] *m.* diner.
diphtérie [dìftérì] *f.* diphtheria.
diplomate [dìplòmàt] *m.* diplomat. || **diplomatie** [-àsì] *f.* diplomacy; tact; || **diplomatique** [-àtìk] *adj.* diplomatic.
diplôme [dìplôm] *m.* diploma, certificate.
dire [dìr] *m.* speech, words; allegation; statement, account; *v.** to say, to tell; to recite [poème]; to bid; to order; *d'après ses dires*, from what he says; *on dit*, it is said, people say; *qu'en dites-vous?*, what do you think of it?; *vous l'avez dit*, exactly, *Am.* you said it; *on m'a dit de le faire*, I was told to do it; *cela ne me dit rien*, that conveys nothing to me; that does not appeal to me.
direct [dìrèkt] *adj.* direct; straight; through, express [train]. || **directeur, -trice** [-tœr, -trìs] *m.* director, *f.* directress; manager, *f.* manageress; head; principal; governor; leader; editor; *adj.* directing, controlling, head. || **direction** [-syo^n] *f.* direction; management; manager's office; steering gear (mech.); *mauvaise direction*, mismanagement; wrong way.
dirigeable [dìrìjàbl] *m.* airship; *adj.* dirigible. || **dirigeant** [-a^n] *m.* ruler, leader; *adj.* ruling, leading. || **diriger** [-é] *v.* to direct, to manage; to steer (naut.); to conduct (mus.); to lead; to aim [fusil]; to plan; **se diriger**, to make one's way; to behave.
discernement [dìsèrn^{e}ma^n] *m.* discernment; discrimination. || **discerner** [-é] *v.* to discern, to perceive; to discriminate.
disciple [dìsìpl] *m.* disciple, follower.
discipline [dìsìplìn] *f.* discipline, order. || **discipliner** [-ìné] *v.* to discipline.
discontinuer [dìsko^{n}tìnüé] *v.* to discontinue.
discordant [dìskòrda^n] *adj.* dissonant, discordant; conflicting; clashing, jarring. || **discorde** [dìskòrd] *f.* discord, dissension.
discourir [dìskûrìr] *v.* to discourse. || **discours** [dìskûr] *m.* speech; discourse; talk; language; treatise.
discourtois [dìskûrtwà] *adj.* discourteous; unmannerly; rude.
discrédit [dìskrédì] *m.* discredit, disrepute. || **discréditer** [-té] *v.* to bring into discredit; to disparage.
discret [dìskrè] *adj.* discreet; cautious; quiet; modest; discrete (math.). || **discrétion** [-ésyo^n] *f.* discretion; prudence; reserve; mercy; *à discrétion*, unlimited; as much as you want.
disculper [dìskülpé] *v.* to exoner-

ate, to exculpate, to clear, to vindicate.
discussion [dìsküsyoⁿ] *f.* discussion; debate; argument.
discuter [dìsküté] *v.* to discuss, to debate; to question; to argue.
disert [dìzèr] *adj.* eloquent; fluent.
disette [dìzèt] *f.* scarcity, dearth, want, lack, shortage.
diseur [dìzœr] *m.* speaker; reciter; *diseur de bonne aventure,* fortune-teller.
disgrâce [dìsgrâs] *f.* disgrace, disfavo(u)r; misfortune; adversity. || **disgracier** [-àsyé] *v.* to disgrace, to dismiss from favo(u)r. || **disgracieux** [-yë] *adj.* ungracious; awkward; uncouth; ugly; unpleasant.
disjoindre [dìzjwiⁿdr] *v.* to separate, to disunite; **se disjoindre,** to come apart.
disjoncteur [dìsjoⁿktœr] *m.* switch; circuit-breaker.
disloquer [dìslòké] *v.* to dislocate; to put out of action; to disband; to disperse; to break up.
disparaître [dìspàrètr] *v.* to disappear; to vanish; *faire disparaître,* to remove, to do away with; *soldat disparu,* missing soldier.
disparate [dìspàràt] *f.* disparity; *adj.* ill-assorted, ill-matched.
disparition [dìspàrìsyoⁿ] *f.* disappearance.
disparu [dìspàrü] *p. p. of* **disparaître.**
dispendieux [dìspaⁿdyë] *adj.* expensive.
dispensaire [dìspaⁿsèr] *m.* dispensary, surgery; welfare center.
dispense [dìspaⁿs] *f.* exemption; certificate of exemption. || **dispenser** [-é] *v.* to dispense; to excuse, to exempt; to distribute.
disperser [dìspèrsé] *v.* to disperse; to split up; to scatter. || **dispersion** [-yoⁿ] *f.* dispersion; scattering; rout (mil.); breaking up; leakage (electr.).
disponibilité [dìspònìbìlìté] *f.* availability; disposal; *pl.* available funds; *en disponibilité,* unattached (mil.). || **disponible** [-ìbl] *adj.* available; spare; vacant.
dispos [dìspô] *adj.* alert; fit; cheerful; all right.
disposer [dìspôzé] *v.* to dispose; to arrange; to prepare; to provide (jur.); *l'argent dont je dispose,* the money at my disposal, the money I have available. || **dispositif** [-ìtìf] *m.* apparatus, device, contrivance, gadget. || **disposition** [-ìsyoⁿ] *f.* disposition, arrangement; bent; disposal; clause (jur.); tendency; state [esprit]; humo(u)r; *à votre entière disposition,* fully at your disposal.
dispute [dìspüt] *f.* dispute, quarrel; *chercher dispute à,* to pick a quarrel with. || **disputer** [-é] *v.* to dispute, to wrangle; to contest; to contend for; to play [match]; **se disputer,** to quarrel; to argue.
disque [dìsk] *m.* disc; signal [chemin de fer]; plate [embrayage]; record; *disque longue durée,* long-playing record.
dissection [dìssèksyoⁿ] *f.* dissection.
dissemblable [dìssaⁿblàbl] *adj.* dissimilar, unlike. || **dissemblance** [-aⁿs] *f.* unlikeness; dissimilarity.
dissension [dìssaⁿsyoⁿ] *f.* discord, dissension. || **dissentiment** [-aⁿtìmaⁿ] *m.* disagreement, dissent.
disséquer [dìsséké] *v.* to dissect.
dissertation [dìsèrtàsyoⁿ] *f.* dissertation; treatise; essay, composition. || **disserter** [-é] *v.* to discourse, to hold forth.
dissidence [dìssìdaⁿs] *f.* dissent; dissidence.
dissimulateur, -trice [dìsìmülàtœr, -trìs] *m., f.* dissembler. || **dissimulation** [-àsyoⁿ] *f.* deceit; dissimulation; concealment. || **dissimulé** [-é] *adj.* secretive, deceptive. || **dissimuler** [-é] *v.* to dissemble, to conceal; to hide; to cover up; to affect indifference to; **se dissimuler,** to hide.
dissipateur, -trice [dìsìpàtœr, -trìs] *m., f.* spendthrift; *adj.* wasteful, extravagant. || **dissipation** [-àsyoⁿ] *f.* dissipation; waste; inattention; foolish conduct [lycée]. || **dissiper** [-é] *v.* to dissipate; to waste; to disperse, to dispel; to divert; **se dissiper,** to pass away; to amuse oneself; to become dissipated.
dissocier [dìssòsyé] *v.* to dissociate.
dissolu [dìssòlü] *adj.* dissolute. || **dissolution** [-syoⁿ] *f.* dissoluteness; dissolution; solution [liquide].
dissolvant [dìssòlvaⁿ] *m., adj.* solvent.
dissonance [dìssònaⁿs] *f.* dissonance;

discord (mus.). || **dissonant** [-a^n] *adj.* discordant; jarring.
dissoudre [dìssûdr] *v.** to dissolve; to disintegrate; to dispel.
dissuader [dìssüàdé] *v.* to dissuade (*de*, from).
distance [dìsta^ns] *f.* distance; interval; *commande à distance*, remote control. || **distancer** [-é] *v.* to outrun, to outstrip. || **distant** [dìsta^n] *adj.* distant; aloof.
distendre [dìsta^ndr] *v.* to distend; to pull [muscle].
distillation [dìstìlàsyo^n] *f.* distillation. || **distiller** [-é] *v.* to distil; to exude. || **distillerie** [-rî] *f.* distillery.
distinct [dìsti^n] *adj.* distinct; different; separate; audible (voix). || **distinctif** [-ktìf] *adj.* distinctive, characteristic. || **distinction** [-ksyo^n] *f.* distinction; difference; good breeding; discrimination; polished manners; *sans distinction*, indiscriminately.
distingué [dìsti^ngé] *adj.* distinguished; refined; eminent. || **distinguer** [-gé] *v.* to distinguish; to discern; to make out, to perceive; to single out; to hono(u)r; **se distinguer**, to gain distinction; to be conspicuous.
distraction [dìstràksyo^n] *f.* absence of mind; amusement; recreation; inattention.
distraire [dìstrèr] *v.* to separate; to divert; to amuse, to entertain; to distract. || **distrait** [dìstrè] *adj.* inattentive; absent-minded.
distribuer [dìstrìbüé] *v.* to distribute; to deal out; to issue. || **distributeur, -trice** [-ütœr, -trìs] *m., f.* distributor; *Br.* petrol pump, *Am.* gasoline pump; ticket-clerk. || **distribution** [-üsyo^n] *f.* distribution; delivery [courrier]; issue; cast (theat.); arrangement; valve-gear (mech.).
dit [dì] *m.* saying, maxim; *adj., p.p., see* **dire**.
divaguer [dìvàgé] *v.* to divagate; to wander; to ramble.
divergence [dìvèrja^ns] *f.* divergence; difference. || **diverger** [-é] *v.* to branch off, to diverge.
divers [dìvèr] *m. pl.* diverse, miscellaneous; varying; several; various; sundry. || **diversifier** [-sìfyé] *v.* to diversify, to vary. || **diversion** [-syo^n] *f.* diversion; change. || **diversité** [-sìté] *f.* diversity; variety.
divertir [dìvèrtîr] *v.* to divert, to amuse, to entertain. || **divertissement** [-ìsma^n] *m.* entertainment; amusement; pastime; misappropriation [fonds].
dividende [dìvìda^nd] *m.* dividend.
divin [dìvi^n] *adj.* holy; divine; sublime; heavenly.
divination [dìvìnàsyo^n] *f.* divination, fortune-telling; sooth-saying.
divinité [dìvìnìté] *f.* divinity, deity; Godhead.
diviser [dìvìzé] *v.* to divide; to share; to separate. || **diviseur** [-œr] *m.* divider; divisor (math.); factor (math.). || **divisible** [-ìbl] *adj.* divisible. || **division** [-yo^n] *f.* division; branch; portion; dissension; double bar (mus.).
divorce [dìvòrs] *m.* divorce; *demander le divorce*, to sue for divorce. || **divorcer** [-é] *v.* to divorce.
divulgation [dìvülgàsyo^n] *f.* divulgement, disclosure. || **divulguer** [-gé] *v.* to divulge; to reveal.
dix [dìs] ([dìz] before a vowel or a mute *h*, [dì] before a consonant) *m., adj.* ten; tenth [date]; the tenth [roi]; **dix-sept**, seventeen; **dix-huit**, eighteen; **dix-neuf**, nineteen; **dix-septième**, seventeenth; **dix-huitième**, eighteenth; **dix-neuvième**, nineteenth. || **dixième** [dìzyèm] *m., f., adj.* tenth.
dizaine [dìzèn] *f.* half a score; about ten.
docile [dòsìl] *adj.* docile; meek; obedient; submissive. || **docilité** [-ìté] *f.* docility; obedience; meekness.
dock [dòk] *m.* dock (naut.); warehouse.
docte [dòkt] *adj.* learned.
docteur [dòktœr] *m.* doctor; physician. || **doctoral** [-òràl] *adj.* doctor's; pedantic; pompous. || **doctorat** [-òrà] *m.* doctorate, Doctor's degree. || **doctoresse** [-òrès] *f.* lady-doctor.
doctrine [dòktrîn] *f.* doctrine; tenet.
document [dòküma^n] *m.* document; proof. || **documentaire** [-tèr] *adj.* documentary. || **documenter** [-té] *v.* to document; *bien documenté sur*, having a detailed knowledge of.
dodeliner [dòdlìné] *v.* to dandle [enfant]; to wag, to nod [tête].
dodu [dòdü] *adj.* plump, chubby.

dogmatique [dògmàtìk] *adj.* dogmatic.
dogue [dòg] *m.* mastiff.
doigt [dwà] *m.* finger; toe; digit; *à deux doigts de,* within an ace of; *montrer du doigt,* to point at || **doigté** [-té] *m.* fingering (mus.); adroitness; tact.
doléance [dòléa^{n}s] *f.* complaint; grievance.
dolent [dòla^n] *adj.* painful; doleful; mournful.
domaine [dòmèn] *m.* domain; realm; estate; property; land; sphere (fig.); *domaine public,* public property.
dôme [dôm] *m.* dome; cupola; vault [ciel].
domestique [dòmèstìk] *m.* servant; *adj.* domestic; menial. || **domestiquer** [-é] *v.* to domesticate, to tame.
domicile [dòmìsìl] *m.* domicile; residence; abode; dwelling; address; *franco à domicile, Br.* carriage paid, *Am.* free delivery. || **domicilié** [-yé] *adj.* domiciled.
dominateur, -trice [dòmìnàtœr, -trìs] *adj.* domineering; ruling. || **domination** [-àsyo^n] *f.* domination, rule. || **dominer** [dòmìné] *v.* to dominate; to rule; to prevail; to overlook.
dommage [dòmàj] *m.* damage, harm, injury; loss; *quel dommage,* what a pity; **dommages-intérêts,** damages. || **dommageable** [-àbl] *adj.* prejudicial.
dompter [do^{n}té] *v.* to tame; to break in [cheval]; to subdue; to master. || **dompteur** [-œr] *m.* tamer; trainer; subduer (fig.).
don [do^n] *m.* gift, present; donation; talent; knack. || **donataire** [dònàtèr] *m.* beneficiary. || **donateur, -trice** [-àtœr, -trìs] *m., f.* donor, giver. || **donation** [-àsyo^n] *f.* donation; contribution; gift.
donc [do^{n}k] *conj.* then; therefore; now; so; hence; whence; *allons donc,* come on; nonsense; you don't mean it.
donne [dòn] *f.* deal [cartes]. || **donnée** [-é] *f.* datum (*pl.* data); fundamental idea; theme. || **donner** [-é] *v.* to give, to bestow, to present; to attribute; to supply, to yield [récoltes]; to deal [cartes]; to strike; to look; to overlook [ouvrir sur]; *donner dans le piège,* to fall into the trap. || **donneur** [-œr] *m.* giver; dealer [cartes]; donor [sang].
dont [do^n] *pron.* whose, of whom; of which; by whom; by which; from whom; from which; among whom; among which; about whom; about which; *voici dix crayons, dont deux rouges,* here are ten pencils, including two red ones.
dorade [dòràd] *f.* goldfish; sea-bream.
doré [dòré] *adj.* gilt, gilded; golden.
dorénavant [dòrénàva^n] *adv.* henceforth.
dorer [dòré] *v.* to gild; to brown [viande].
dorloter [dòrlòté] *v.* to coddle; to pamper.
dormant [dòrma^n] *m.* sash; *adj.* sleeping; dormant; stagnant [eau]. || **dormeur** [-œr] *m.* sleeper; sluggard. || **dormir** [-ìr] *v.** to sleep; to lie still; to be latent; to stagnate; *une histoire à dormir debout,* a tall story; a boring tale; *dormir comme une souche,* to sleep like a log. || **dormitif** [-ìtìf] *m.* sleeping-draught; *adj.* soporific. || **dortoir** [dòrtwàr] *m.* dormitory; sleeping-quarters.
dorure [dòrür] *f.* gilt; browning.
dos [dô] *m.* back; ridge (geogr.); *faire le gros dos,* to arch his back [chat]; *en dos d'âne,* ridged; saddleback; hump [pont].
dosage [dòzàj] *m.* dosing; measuring out. || **dose** [dôz] *f.* dose; amount. || **doser** [-é] *v.* to dose; to measure out.
dossier [dòsyé] *m.* back [chaise]; record; file; brief [avocat]; documents, papers.
dot [dòt] *f.* dowry; *coureur de dots,* fortune-hunter. || **dotation** [-àsyo^n] *f.* endowment; foundation. || **doter** [-é] *v.* to endow; to give a dowry to.
douane [dwàn] *f.* customs; customhouse; duty. || **douanier** [-yé] *m.* customs officer; *adj.* customs.
doublage [dûblàj] *m.* lining [pardessus]; plating. || **double** [dûbl] *m.* double; duplicate; *adj.* double, twofold; deceitful; *à double sens,* ambiguous. || **doublé** [-é] *m.* gold-plated metal. || **doubler** [-é] *v.* to double; to fold in two; to line [pardessus]; to plate [métal]; to pass; to overtake [auto]; to under-

study (theat.); to dub [film]. || **doublure** [-ür] *f.* lining; understudy.

douce [dûs], *see* **doux; douce-amère,** *f.* woody nightshade, bittersweet. || **doucereux** [-rë] *adj.* sweetish, sickly, cloying; smooth-tongued. || **douceur** [-œr] *f.* sweetness; softness; gentleness; mildness; *pl.* sweets, sweet things.

douche [dûsh] *f.* douche; shower-bath. || **doucher** [-é] *v.* to give (somebody) a shower-bath; to douche; to douse.

douer [dwé] *v.* to endow; **doué** [-é] *adj.* gifted.

douille [dûy] *f.* socket; casing; cartridge case; boss [roue].

douillet [dûyè] *adj.* soft; sensitive; delicate; effeminate.

douleur [dûlœr] *f.* pain; suffering; ache; sorrow, grief; pang. || **douloureux** [dûlûrë] *adj.* painful; aching; sorrowful, sad.

doute [dût] *m.* doubt; misgiving; suspicion; *sans doute,* doubtless; no doubt. || **douter** [-é] *v.* to doubt; to question; to mistrust; **se douter,** to suspect; *je m'en doutais,* I thought as much. || **douteux** [-ë] *adj.* doubtful, dubious; questionable; uncertain.

douve [dûv] *f.* moat; stave [tonneau].

doux, douce [dû, dûs] *adj.* soft; sweet; mild; gentle; smooth; fresh [eau]; *filer doux,* to submit; to sing small; *tout doux,* gently; *en douce,* on the quiet.

douzaine [dûzèn] *f.* dozen; *une demi-douzaine,* half a dozen. || **douze** [dûz] *m., adj.* twelve; *le douze juin,* the twelfth of June. || **douzième** [-yèm] *m., f., adj.* twelfth.

doyen [dwàyi^{n}] *m.* dean; doyen; senior; *adj.* senior; eldest.

dragée [dràjé] *f.* sugar-plum; sugared almond; pill (med.).

dragon [dràgo^{n}] *m.* dragon; dragoon (mil.).

drague [dràg] *f.* dredger; drag-net; drag. || **draguer** [dràgé] *v.* to dredge; to drag. || **dragueur** [-œr] *m.* dredger; *dragueur de mines,* minesweeper.

drain [dri^{n}] *m.* drain; drain-pipe. || **drainer** [drèné] *v.* to drain.

dramatique [dràmàtìk] *adj.* dramatic. || **dramatiser** [-ìzé] *v.* to dramatize. || **dramaturge** [-ürj] *m.* dramatist, playwright. || **drame** [dràm] *m.* drama; play.

drap [drà] *m.* cloth; sheet [lit]; pall. || **drapeau** [-pô] *m.* flag; standard; colo(u)rs (mil.); *sous les drapeaux,* in the services. || **draper** [-pé] *v.* to drape; to hang with cloth. || **draperie** [-prî] *f.* drapery; cloth-trade. || **drapier** [-pyé] *m.* draper, clothier.

dressage [drèsàj] *m.* training; fitting up; breaking [cheval]. || **dresser** [-é] *v.* to erect, to raise; to lay; to set out; to draw up [liste]; to pitch [tente]; to train; to drill; to prick up [oreilles]; **se dresser,** to rise. || **dresseur** [-œr] *m.* trainer; adjuster. || **dressoir** [-wàr] *m.* dresser; sideboard.

drogue [dròg] *f.* drug; chemical; rubbish. || **droguer** [drògé] *v.* to drug; to physic. || **droguiste** [-ìst] *m. Br.* drysalter.

droit, -e [drwà, àt] *m.* law; right; fee; *f.* the right hand; the right [politique]; *adj.* straight; right [angle]; upright; vertical; virtuous; *adv.* straight; honestly; *faire son droit,* to study law; *droits de douane,* customs duty; *avoir droit à,* to have a right to; *donner droit à,* to entitle to; *tenir la droite,* to keep to the right; *tout droit,* straight on. || **droiture** [-tür] *f.* uprightness; straightforwardness; integrity.

drôle [drôl] *m.* rascal, scamp; *adj.* droll, funny; odd, queer. || **drôlerie** [-rî] *f.* drollery; jest, *Am.* gag.

dru [drü] *adj.* vigorous, sturdy; dense; thick; close-set; *adv.* thick; fast; vigorously; hard.

du [dü], *see* **de.**

dû, due [dü] *p. p. of* **devoir;** *m* what is due; *adj.* due; owing.

duc [dük] *m.* duke; horned owl.

duel [düèl] *m.* duel; *se battre en duel,* to fight a duel.

dûment [düma^{n}] *adv.* duly; in due form; properly.

dune [dün] *f.* dune, sand-hill; *pl.* downs.

duo [düô] *m.* duet.

dupe [düp] *f.* dupe. || **duper** [-é] *v.* to dupe, to fool, to take in. || **duperie** [-rî] *f.* dupery, trickery. || **dupeur** [-œr] *m.* trickster, cheat, *Am.* sharper.

duplicata [düplikàtà] *m.* duplicate, copy. || **duplicateur** [-œr] *m.* duplicator.
duplicité [düplisité] *f.* duplicity, double-dealing.
duquel [dükèl], *see* **lequel.**
dur [dür] *adj.* hard; tough; difficult; hard-boiled; harsh; hardened; unfeeling; *adv.* hard; *dur d'oreille,* hard of hearing.
durable [düràbl] *adj.* durable; lasting; solid. || **durant** [-an] *prep.* during; *sa vie durant,* his whole life long.
durcir [dürsîr] *v.* to harden. || **durcissement** [-ìsman] *m.* hardening, toughening, stiffening.
durée [düré] *f.* duration; wear; time. || **durer** [-é] *v.* to endure, to last; to hold out; to wear well [étoffe]; to continue; *le temps me dure,* I find life dull.
dureté [dürté] *f.* hardness; harshness; difficulty; unkindness; hard-heartedness.
durillon [dürìyon] *m.* corn [pied]; callosity.
duvet [düvè] *m.* down; fluff. || **duveté** [düvté], **duveteux** [düvtë] *adj.* downy, fluffy.
dynamique [dìnàmìk] *f.* dynamics; *adj.* dynamic. || **dynamisme** [-ìsm] *m.* dynamism.
dynamite [dìnàmît] *f.* dynamite. || **dynamiter** [-é] *v.* to dynamite; to blow up.
dynamo [dìnàmô] *f.* dynamo.
dysenterie [dìsantrî] *f.* dysentery.
dyspepsie [dìspèpsî] *f.* dyspepsia. || **dyspeptique** [-tìk] *adj.* dyspeptic.

E

eau [ô] *f.* water; rain; juice [fruit]; wet; perspiration; *eau douce,* fresh water; *ville d'eau,* watering-place; *faire eau,* to spring a leak (naut.); *être en eau,* to be dripping with perspiration; **eau-de-vie,** brandy; spirits; **eau-forte,** etching; nitric acid.
ébahir [ébàîr] *v.* to astound, to dumbfound, to stupefy, to flabbergast. || **ébahissement** [-ìsmàn] *m.* amazement, astonishment.
ébats [ébà] *m. pl.* frolics, sports, gambols. || **ébattre (s')** [sébàtr] *v.* to frolic, to gambol, to frisk about.
ébauche [ébôsh] *f.* sketch; outline; rough draft. || **ébaucher** [-é] *v.* to rough out, to sketch; to rough-hew. || **ébauchoir** [-wàr] *m.* roughing-chisel.
ébène [ébèn] *f.* ebony. || **ébéniste** [-ìst] *m.* cabinet-maker. || **ébénisterie** [-ìsterî] *f.* cabinet work; cabinet-making.
éblouir [éblûîr] *v.* to dazzle; to fascinate. || **éblouissement** [-ìsman] *m.* dazzle; glare; dizziness.
ébonite [ébònìt] *f.* ebonite, vulcanite.
éborgner [éborñé] *v.* to blind in one eye, to put (someone's) eye out; to de-bud (hort.).
ébouillanter [ébûyanté] *v.* to scald.
éboulement [ébûlman] *m.* caving in; giving way; fall of earth; landslide. || **ébouler** [-é] *v.* to cave in; to crumble; to slip [terre], to fall. || **éboulis** [-ì] *m.* debris; fallen earth; scree.
ébouriffer [ébûrìfé] *v.* to ruffle; to dishevel; to startle, to amaze.
ébranlement [ébranlman] *m.* shaking; shock; commotion; disturbance. || **ébranler** [-é] *v.* to shake; to loosen [dent]; to set in motion; to disturb; **s'ébranler,** to shake; to totter; to start, to move off.
ébrécher [ébréshé] *v.* to notch; to chip; to jag; to blunt [couteau]; to make inroads upon [fortune].
ébriété [ébrìété] *f.* intoxication, drunkenness, inebriety.
ébrouer (s') [sébrûé] *v.* to snort.
ébruiter [ébrüìté] *v.* to spread, to make known; **s'ébruiter,** to spread, to become known.
ébullition [ébüllìsyon] *f.* ebullition, boiling; commotion, turmoil (fig.).
écaille [ékày] *f.* scale; shell [huître, tortue]; flake; chip. || **écailler** [-é] *v.* to scale; to shell; to open [huître]; **s'écailler,** to peel off; to flake off.
écale [ékàl] *f.* pod [pois]; husk.

|| **écaler** [-é] *v.* to shell, to husk, to shuck.
écarlate [ékàrlàt] *f., adj.* scarlet.
écarquiller [ékàrkìyé] *v.* to open wide [yeux]; to goggle.
écart [ékàr] *m.* discard; discarding [cartes].
écart [ékàr] *m.* deviation; variation; difference; divergence; error; digression; swerve; *à l'écart,* apart; *faire un écart,* to swerve, to shy; *se tenir à l'écart,* to stand aside; to stand aloof. || **écarté** [-té] *adj.* far apart; lonely; secluded, remote, isolated, out-of-the-way. || **écartement** [-t^{e}ma^{n}] *m.* separation; setting aside; gap, space; gauge [rails]. || **écarter** [-té] *v.* to separate; to avert; to ward off, to turn aside; to dispel; to turn down [réclamation]; **s'écarter,** to deviate; to stray; to diverge; to make way for.
ecclésiastique [èklézyàstìk] *m.* clergyman, ecclesiastic; *adj.* clerical, ecclesiastical.
écervelé [ésèrvelé] *m.* madcap, harum-scarum; *adj.* scatter-brained, wild, thoughtless, flighty.
échafaud [éshàfô] *m.* scaffolding; stand; platform; gallows. || **échafaudage** [-dàj] *m.* scaffolding. || **échafauder** [-dé] *v.* to erect scaffolding; to build up.
échalas [éshàlà] *m.* prop; hop-pole; (fam.) lanky person.
échalote [éshàlòt] *f.* shallot.
échancrer [ésha^{n}kré] *v.* to indent; to notch; to slope [couture]. || **échancrure** [-ür] *f.* indentation, hollowing out; cut; opening [robe].
échange [ésha^{n}j] *m.* exchange; barter. || **échanger** [-é] *v.* to exchange; to barter, to trade; to swap (fam.); to reciprocate.
échantillon [ésha^{n}tìyo^{n}] *m.* sample; pattern; specimen; extract. || **échantillonner** [-ìyòné] *v.* to sample; to check.
échappatoire [éshàpàtwàr] *f.* evasion; way out; loop-hole. || **échappé** [-é] *m., adj.* fugitive, runaway. || **échappée** [-é] *f.* escape; spurt [sport]; short spell; vista; glimpse. || **échappement** [-ma^{n}] *m.* escape; outlet; exhaust; *tuyau d'échappement,* exhaust-pipe. || **échapper** [-é] *v.* to escape, to avoid; *laisser échapper,* to overlook; to set free; *son nom m'échappe,* his name has slipped my memory; *l'échapper belle,* to have a narrow escape; **s'échapper,** to escape (*de,* from); to slip out; to vanish.
écharde [éshàrd] *f.* splinter; sliver; prickle.
écharpe [éshàrp] *f.* scarf; sash; sling (med.); *en écharpe,* in a sling; across; diagonally.
écharper [éshàrpé] *v.* to slash; to hack (up), to cut to pieces.
échasse [éshàs] *f.* stilt; scaffold-pole.
échauder [éshôdé] *v.* to scald.
échauffer [éshôfé] *v.* to heat; to overheat; to warm; to inflame, to incense; **s'échauffer,** to grow warm; to get overheated; to become aroused.
échauffourée [éshôfûré] *f.* rash undertaking; scuffle; clash; skirmish, affray.
échéance [ésbéa^{n}s] *f.* falling due; maturity; term; expiration [bail]; *venir à l'échéance,* to fall due; *à courte échéance,* short-dated. || **échéant** [-a^{n}] *adj.* falling due; *le cas échéant,* if such be the case; should the occasion arise; if necessary.
échec [éshèk] *m.* check; defeat; failure; reverse, blow; *pl.* chess; *échec et mat,* checkmate; *tenir en échec,* to hold at bay.
échelle [éshèl] *f.* ladder; scale; port (naut.); run [bas]; *échelle double,* pair of steps; *faire la courte échelle,* to give a helping hand; *sur une grande échelle,* on a big scale; *échelle mobile,* sliding scale. || **échelon** [-^{e}lo^{n}] *m.* rung [échelle]; step; degree; echelon (mil.). || **échelonner** [éshlòné] *v.* to grade; to space out; to stagger [congés]; to draw up in echelon (mil.).
écheveau [éshvô] *m.* skein, hank.
échevelé [ésh^{e}vlé] *adj.* dishevelled; tangled; tousled, rumpled; wild.
échine [éshìn] *f.* backbone, spine.
écho [ékô] *m.* echo; *faire écho,* to echo.
échoir [éshwàr] *v.** to fall due; to expire [bail]; to befall.
échoppe [éshòp] *f.* stall, booth.
échotier [ékòtyé] *m.* newsmonger; gossip-writer; columnist.
échouer [éshûé] *v.* to run aground, to beach; to strand; to fail; to fall through [project]; *faire échouer,*

to wreck; **s'échouer**, to run aground.
échu [éshü] *p. p. of* **échoir.**
éclabousser [éklàbûsé] *v.* to splash, to bespatter. || **éclaboussure** [-ür] *f.* splash.
éclair [éklèr] *m.* flash of lightning; flash; éclair [pâtisserie]; *pl.* lightning. || **éclairage** [-àj] *m.* light; lighting; illumination; scouting (mil.). || **éclaircie** [-sî] *f.* clearing [forêt]; gap, break [nuages]; bright interval [temps]. || **éclaircir** [-sîr] *v.* to clear (up); to brighten; to solve; to explain; to elucidate; to thin; **s'éclaircir**, to clear up; to get thin; to be enlightened. || **éclaircissement** [-sìsmaⁿ] *m.* clearing up; explanation; enlightenment; elucidation.
éclairer [éklèré] *v.* to light; to enlighten; to reconnoitre (mil.). || **éclaireur** [-œr] *m.* scout.
éclat [éklà] *m.* burst; explosion; peal [tonnerre]; flash; brightness; luster; brilliance; renown; splendo(u)r; outburst; piece; splinter; *rire aux éclats*, to laugh heartily; *faire un éclat*, to create a stir; *faux éclat*, tawdriness. || **éclatant** [-taⁿ] *adj.* brilliant; loud; sparkling, glittering; magnificent; obvious. || **éclatement** [-tmaⁿ] *m.* bursting; explosion. || **éclater** [-té] *v.* to burst; to explode; to blow up; to break out [feu, rires]; to shatter; to clap [tonnerre]; to flash; *faire éclater*, to blow up; to burst; to break; *laisser éclater*, to give vent to [emotions].
éclipse [éklìps] *f.* eclipse. || **éclipser** [-é] *v.* to eclipse; to outshine; to overshadow; **s'éclipser**, to become eclipsed; to vanish, to disappear.
éclisse [éklìs] *f.* splinter; splint (med.); fish-plate [rail].
éclopé [éklòpé] *m.* cripple; *adj.* crippled, lame.
éclore [éklòr] *v.** to hatch [œufs]; to open; to burst, to blossom; *faire éclore*, to hatch; to realize [projet]. || **éclosion** [-ôzyoⁿ] *f.* hatching; opening; blossoming; breaking forth; dawning.
écluse [éklüz] *f.* lock; sluice; floodgate.
écœurement [ékœrmaⁿ] *m.* disgust, nausea. || **écœurer** [-é] *v.* to sicken, to disgust, to nauseate; to dishearten.
école [ékòl] *f.* school; school-house; doctrine; instruction; *faire école*, to set a fashion; *école maternelle*, nursery school. || **écolier** [-yé] *m.* schoolboy, pupil, learner; novice, beginner.
éconduire [ékoⁿdüîr] *v.* to show out; *être éconduit*, to be met with a polite refusal.
économat [ékònòmà] *m.* treasurership; steward's office, treasurer's office. || **économe** [ékònòm] *m., f.* treasurer, steward, bursar [collège]; housekeeper; *adj.* economical, frugal. thrifty; sparing. || **économie** [-î] *f.* economy; thrift; saving; *pl.* savings; *faire des économies*, to save up. || **économique** [-ìk] *adj.* economic [science]; economical, cheap, inexpensive. || **économiser** [-ìzé] *v.* to economize; to save, to put by. || **économiste** [-ìst] *m.* economist.
écope [ékòp] *f.* scoop; ladle. || **écoper** [-é] *v.* to bail out; to be hit; to suffer.
écorce [ékòrs] *f.* bark [arbre]; peel, rind; outside.
écorcher [ékòrshé] *v.* to skin, to flay; to scratch; to graze; to fleece [clients]; to grate on [oreille]; to murder [langue]. || **écorchure** [-ür] *f.* abrasion; graze; scratch.
écorner [ékòrné] *v.* to break the horns of; to dog-ear [livre]; to curtail, to reduce.
écossais [ékòsè] *m.* Scot; Scots [dialecte]; *adj.* Scottish. || **Ecosse** [ékòs] *f.* Scotland.
écosser [ékòsé] *v.* to shell, to husk.
écot [ékô] *m.* share, quota; reckoning; shot.
écoulement [ékûlmaⁿ] *m.* flow; discharge; outlet; sale, disposal. || **écouler** [-é] *v.* to flow out; to pass [temps]; to sell, to dispose of; **s'écouler**, to flow away; to elapse [temps]; to sell.
écourter [ékûrté] *v.* to shorten; to curtail; to crop.
écoute [ékût] *f.* listening-post (mil.); listening in, reception [radio]; *aux écoutes*, eavesdropping. || **écouter** [-é] *v.* to listen (to); to listen in; to heed, to pay attention; **s'écouter**, to coddle oneself; to indulge oneself. || **écouteur** [-œr] *m.* receiver [téléphone]; headphone; listener; eavesdropper. || **écoutille** [-ty] *f.* hatchway.

écran [ékraⁿ] *m.* screen; filter (phot.).

écrasement [ékrâsmaⁿ] *m.* crushing; defeat; disaster; crash. || **écraser** [-é] *v.* to crush; to run over; to squash; to ruin; to overwhelm; **s'écraser**, to crash (aviat.).

écrémer [ékrémé] *v.* to take the cream off, to skim. || **écrémeuse** [-ëz] *f.* separator.

écrevisse [ékrᵉvìs] *f.* crayfish.

écrier (s') [sékrié] *v.* to cry out; to exclaim.

écrin [ékriⁿ] *m.* casket, case.

écrire [ékrîr] *v.** to write; to write down; to compose; *machine à écrire,* typewriter; *comment ce mot s'écrit-il?,* how do you spell that word? || **écrit** [ékrì] *m.* writing; pamphlet; written examination; *adj.* written; *par écrit,* in writing. || **écriteau** [-tô] *m.* bill, poster, placard, notice, board. || **écriture** [-tür] *f.* writing; documents, records; entry [comptabilité]; *l'Ecriture sainte,* Holy Writ; *tenir les écritures,* to keep the accounts. || **écrivain** [-viⁿ] *m.* writer, author; authoress [femme].

écrou [ékrû] *m.* nut (mech.).

écrouer [ékrûé] *v.* to imprison, to send to prison.

écroulement [ékrûlmaⁿ] *m.* collapse; crumbling; falling in; downfall; ruin. || **écrouler (s')** [sékrûlé] *v.* to collapse; to fall in; to give way; to crumble; to break up; to come to nothing.

écru [ékrü] *adj.* unbleached; raw [soie].

écueil [ékœy] *m.* rock; reef; sandbank; danger; temptation.

éculer [ékülé] *v.* to tread down at the heel [chaussures].

écume [éküm] *f.* foam [animal, vagues]; froth; lather; scum; *écume de mer,* meerschaum. || **écumer** [-é] *v.* to foam, to froth; to skim; to scour [mer]. || **écumoire** [-wàr] *f.* skimmer.

écureuil [éküræy] *m.* squirrel.

écurie [éküri] *f.* stable; stud; boxing school.

édicter [édikté] *v.* to enact, to decree.

édification [édìfìkàsyoⁿ] *f.* edification; building, erection. || **édifice** [-ìs] *m.* edifice, structure, building. || **édifier** [-yé] *v.* to enlighten; to edify; to build, to erect.

édit [édì] *m.* edict, decree.

éditer [édìté] *v.* to edit; to publish. || **éditeur, -trice** [-œr, -trìs] *m.* editor, *f.* editress; publisher. || **édition** [-syoⁿ] *f.* edition; issue; publication. || **éditorial** [édìtòryàl] *m.* leading article; *adj.* editorial.

édredon [édrᵉdoⁿ] *m.* eiderdown; eiderdown quilt.

éducateur, -trice [édükàtœr, -trìs] *m., f.* educator; breeder. || **éducatif** [-àtìf] *adj.* educative, educational. || **éducation** [-àsyoⁿ] *f.* education; training; upbringing; breeding; *sans éducation,* ill-bred. || **éduquer** [édüké] *v.* to bring up; to educate; to train [animaux].

effacer [èfàsé] *v.* to efface; to delete; to blot out; to erase; to outshine; to retract (aviat.); **s'effacer,** to become obliterated; to wear away; to give way, to stand aside.

effarer [èfàré] *v.* to scare, to startle.

effaroucher [èfàrûshé] *v.* to startle; to scare away; to alarm.

effectif [èfèktìf] *m.* total strength; numbers; complement (naut.); *adj.* effective; positive; actual. || **effectivement** [-ìvmaⁿ] *adv.* effectively; just so; in actual fact. || **effectuer** [-üé] *v.* to effect; to carry out, to execute, to achieve, to accomplish.

efféminé [èféminé] *adj.* effeminate.

effervescence [èfèrvèsaⁿs] *f.* effervescence; excitement.

effet [èfè] *m.* effect, result; purpose; action; impression; bill (comm.); *pl.* property, belongings; kit, outfit (mil.); *sans effet,* ineffective, ineffectual; *en effet,* indeed; *faire l'effet de,* to look like.

efficace [èfìkàs] *f.* efficacity (theol.); *adj.* efficacious; effectual, effective. || **efficacité** [-ìté] *f.* efficacy, effectiveness; efficiency.

effiler [èfìlé] *v.* to unravel, to fray; to taper. || **effilocher** [-òshé] *v.* to ravel out; to fray.

efflanqué [èflaⁿké] *adj.* lean, skinny, lanky.

effleurer [èflœré] *v.* to graze; to brush; to skim; to touch lightly.

effondrer [èfoⁿdré] *v.* to break up [terre]; to stave in; to overwhelm; **s'effondrer,** to cave in; to collapse; to slump [prix].

efforcer (s') [sèfòrsé] *v.* to strive, to do one's best; to endeavour; to strain oneself. || **effort** [èfòr] *m.* effort, exertion; strain.

effraction [èfràksyo^{n}] *f.* house-breaking; *vol avec effraction,* burglary.

effrayant [èfrèya^{n}] *adj.* dreadful, awful, appalling. || **effrayer** [-èyé] *v.* to frighten, to terrify, to scare; **s'effrayer,** to be frightened, to take fright.

effréné [èfréné] *adj.* unbridled, unrestrained.

effriter [èfrité] *v.* to exhaust; **s'effriter,** to crumble; to weather [roche].

effroi [èfrwà] *m.* fear, terror, fright.

effronté [èfro^{n}té] *adj.* shameless; impudent; brazen; saucy [enfant]. || **effronterie** [-rî] *f.* effrontery, impudence, impertinence.

effroyable [èfrwàyàbl] *adj.* frightful; horrible; awful; shocking.

effusion [èfüzyo^{n}] *f.* effusion; outpouring; pouring out, gushing; effusiveness.

égal [égàl] *m.* equal; *adj.* equal, alike; regular; even; level, smooth; steady [allure]; *sans égal,* matchless; *ça m'est égal,* it's all the same to me, I don't mind. || **également** [-ma^{n}] *adv.* equally; likewise; as well, too. || **égaler** [-é] *v.* to equal; to match; to compare; to put on a par (with). || **égaliser** [-ìzé] *v.* to equalize; to level; to make even. || **égalité** [-ìté] *f.* equality; uniformity; regularity; evenness; *à égalité,* equal, deuce [tennis].

égard [égàr] *m.* regard, consideration, respect; *à l'égard de,* with regard to; *par égard pour,* out of respect for; *ou égard à,* considering; *à cet égard,* in this respect.

égarement [égàrma^{n}] *m.* straying; mislaying; aberration [esprit]; wildness; frenzy; disordered life. || **égarer** [-é] *v.* to lead astray; to mislead; to mislay; **s'égarer,** to lose one's way; to wander [esprit].

égayer [égèyé] *v.* to cheer up; to enliven; to brighten up.

églantier [égla^{n}tyé] *m.* eglantine, sweet briar; wild rose. || **églantine** [-în] *f.* wild rose, dog-rose.

église [égliz] *f.* church; *l'Eglise anglicane,* the Church of England.

égoïsme [égòìsm] *m.* egoism, selfishness. || **égoïste** [égòìst] *m., f.* egoist; *adj.* selfish.

égorger [égòrjé] *v.* to slaughter; to kill; to slit (someone's) throat.

égout [égû] *m.* drain; sewer; drainage; spout. || **égoutter** [-té] *v.* to drip; to drain (off). || **égouttoir** [-twàr] *m.* plate-rack, drainer.

égratigner [égràtìñé] *v.* to scratch. || **égratignure** [-ür] *f.* scratch.

égrener [égr^{e}né] *v.* to pick off [raisins]; to shell; to gin [coton]; **s'égrener,** to fall; to scatter.

élaborer [élàbòré] *v.* to elaborate; to work out.

élan [éla^{n}] *m.* spring, dash, bound; impetus; impulse; outburst. || **élancé** [-sé] *adj.* slim; slender. || **élancement** [-sma^{n}] *m.* spring; transport; twinge [douleur]. || **élancer** [-sé] *v.* to dart, to shoot; **s'élancer,** to shoot up; to spring; to dart forth.

élargir [élàrjîr] *v.* to enlarge; to widen; to broaden [idées]; to release; **s'élargir,** to get wider; to extend; to stretch [chaussures].

élastique [élàstìk] *m.* elastic; rubber; elastic band; *adj.* elastic; springy.

électeur, -trice [élèktœr, -trìs] *m., f.* voter, elector. || **élection** [élèksyo^{n}] *f.* election, polling; preference, choice; *élection partielle,* by-election. || **électoral** [élèktòràl] *adj.* electoral.

électricité [élèktrìsìté] *f.* electricity. || **électrique** [-ìk] *adj.* electric, electrical. || **électriser** [-ìzé] *v.* to electrify. || **électro-aimant** [-òèma^{n}] *m.* electromagnet. || **électrocuter** [-ôküté] *v.* to electrocute.

élégamment [élégàma^{n}] *adv.* elegantly. || **élégance** [-a^{n}s] *f.* elegance, stylishness; beauty. || **élégant** [-a^{n}] *adj.* elegant, stylish; tasteful; *m.* person of fashion.

élément [éléma^{n}] *m.* element; cell (electr.); ingredient; *pl.* rudiments, basic principles. || **élémentaire** [-tèr] *adj.* elementary; rudimentary; fundamental, basic.

éléphant [éléfa^{n}] *m.* elephant.

élevage [élvàj] *m.* breeding, rearing; ranch. || **élévation** [élévàsyo^{n}] *f.* elevation; raising; lifting; rise; increase; loftiness. || **élève** [élèv] *m., f.* pupil, schoolboy (*f.* schoolgirl); student; disciple; *f.* breeding; seedling. || **élevé** [élvé] *adj.* high; lofty; *mal élevé,* ill-bred.

|| **élever** [-*é*] *v.* to raise; to lift; to erect; to set up; to bring up [enfant]; to breed; **s'élever**, to rise (up); to get up; to protest; to amount; to increase. || **éleveur** [-œr] *m.* breeder [animaux].
éligible [éliјìbl] *adj.* eligible; fit.
éliminer [élìmìné] *v.* to eliminate, to get rid of; to cancel out.
élire [élîr] *v.** to elect; to choose; to return [candidat].
élite [élìt] *f.* élite, best, pick, choice; *d'élite*, crack [régiment]; picked [troupes].
elle, elles [èl] *pron.* she, her; it; *pl.* they, them; **elle-même**, herself; itself.
éloge [élòj] *m.* praise; eulogy; panegyric. || **élogieux** [-yë] *adj.* laudatory; eulogistic.
éloigné [élwàñé] *adj.* far, remote, distant; absent. || **éloignement** [-m*a*^{n}] *m.* distance; absence; remoteness; removal; dislike; antipathy. || **éloigner** [-*é*] *v.* to remove; to put away; to avert [soupçons]; to postpone; to alienate; **s'éloigner**, to retire; to go away; to differ; to digress.
éloquence [élòk*a*^{n}s] *f.* eloquence. || **éloquent** [-*a*^{n}] *adj.* eloquent.
élu [élü] *p. p. of* **élire.**
élucider [élüsìdé] *v.* to elucidate, to clear up.
éluder [élüdé] *v.* to elude, to dodge, to evade; to shirk.
Elysée [élìzé] *m.* Elysium; Paris residence of the President of the French Republic; *adj.* Elysian.
émail [émày] *m.* enamel; glaze.
émanation [émànàsyo^{n}] *f.* emanation.
émanciper [émànsìpé] *v.* to emancipate; to liberate.
émaner [émàné] *v.* to emanate, to issue; to originate.
émarger [émàrjé] *v.* to sign, to write in the margin; to initial; to draw a salary.
emballage [a^{n}bàlàj] *m.* packing; spurt [sport]. || **emballer** [-*é*] *v.* to pack up; to wrap up; to spurt [sport]; to excite, to fill with enthusiasm; **s'emballer**, to bolt, to run off [cheval]; to race [moteur]; to get excited.
embarcadère [a^{n}bàrkàdèr] *m.* landing-stage; wharf, quay; departure platform [gare]. || **embarcation** [-àsyo^{n}] *f.* craft; ship's boat.
embardée [a^{n}bàrdé] *f.* lurch, yaw (naut.); swerve [auto].
embarquement [a^{n}bàrk^{e}m*a*^{n}] *m.* embarcation; shipment. || **embarquer** [-*é*] *v.* to embark; to ship; to take on board; (pop.) to arrest; **s'embarquer**, to go aboard; to embark upon; to sail out.
embarras [a^{n}bàrà] *m.* obstruction; impediment; difficulty, trouble; embarrassment; traffic jam; *faire des embarras*, to be fussy. || **embarrasser** [-sé] *v.* to embarrass; to hinder; to encumber; to trouble; to puzzle, to perplex; **s'embarrasser**, to be burdened (*de*, with); to get entangled; to be at a loss.
embaucher [a^{n}bôshé] *v.* to hire, to engage; to entice (troops) to desert.
embaumé [a^{n}bômé] *adj.* balmy. || **embaumer** [-*é*] *v.* to embalm; to perfume; to smell sweetly of.
embellissement [a^{n}bèlìsm*a*^{n}] *m.* embellishment; adornment.
embêtant [a^{n}bèt*a*^{n}] *adj.* (fam.) tiresome, annoying. || **embêtement** [-m*a*^{n}] *m.* (fam.) bother; nuisance; worry. || **embêter** [-*é*] *v.* (fam.) to annoy; to bore; to get on one's nerves.
emblée (d') [da^{n}blé] *loc. adv.* there and then; at once; right away; at the outset.
emblème [a^{n}blèm] *m.* emblem; symbol; badge.
emboîter [a^{n}bwâté] *v.* to encase; to fit in; to set [os]; to can; to box; to clamp; to interlock; to joint; *emboîter le pas à*, to fall into step with.
embonpoint [a^{n}bo^{n}pwi^{n}] *m.* stoutness; plumpness.
emboucher [a^{n}bûshé] *v.* to put to one's mouth; to blow; to bit [cheval]; *mal embouché*, foul-mouthed, coarse. || **embouchure** [-ür] *f.* mouth [rivière]; mouthpiece (mus.); opening.
embourber [a^{n}bûrbé] *v.* to bog; **s'embourber**, to get bogged; to stick in the mud.
embouteillage [a^{n}bûtèyàj] *m.* congestion; bottle-neck; traffic jam; bottling. || **embouteiller** [-èyé] *v.* to bottle; to bottle up, to block up; to jam [route].
emboutir [a^{n}bûtîr] *v.* to stamp; to

beat out; to emboss; **s'emboutir,** to crash

embranchement [a^{n}bra^{n}shma^{n}] *m.* branching off; branch-road; road junction; branch-line. || **embrancher** [-*é*] *v.* to connect; to join up.

embraser [a^{n}bràz*é*] *v.* to set on fire; to fire; **s'embraser,** to catch fire, to take fire.

embrasse [a^{n}bràs] *f.* loop; curtain-band; arm-rest. || **embrassement** [-ma^{n}] *m.* embrace; hug. || **embrasser** [-*é*] *v.* to embrace; to hug; to kiss; to espouse [cause]; to adopt; to include, to take in.

embrayage [a^{n}brèyàj] *m.* coupling, connecting; clutch; putting into gear; *arbre d'embrayage,* clutch-shaft. || **embrayer** [-èy*é*] *v.* to couple, to connect; to throw into gear; to let in the clutch [auto].

embrouiller [a^{n}brûy*é*] *v.* to tangle up, to embroil; to mix up; to muddle; to confuse.

embrun [a^{n}bru^{n}] *m.* spray; fog.

embûche [a^{n}büsh] *f.* ambush; snare, trap.

embuscade [a^{n}büskàd] *f.* ambush. || **embusquer** [-*é*] *v.* to post under cover; **s'embusquer,** to lie in wait; to lie hidden; (fam.) to shirk; *un embusqué,* a shirker.

émeraude [émrôd] *f., adj.* emerald.

émerger [émèrj*é*] *v.* to emerge; to appear, to come into view.

émeri [émrì] *m.* emery; *papier à l'émeri,* emery-paper.

émerveillement [émèrvèyma^{n}] *m.* amazement, wonder, astonishment. || **émerveiller** [-èy*é*] *v.* to amaze, to fill with wonder, to astonish; **s'émerveiller,** to wonder, to marvel, to be amazed.

émetteur, -trice [émètœr, -trìs] *m.* issuer; transmitter; *adj.* issuing; broadcasting; transmitting. || **émettre** [émètr] *v.* to emit [son]; to issue [finances]; to send out; to express [opinion]; to broadcast, to transmit [radio].

émeute [émët] *f.* riot. || **émeutier** [-y*é*] *m.* rioter.

émietter [émyèt*é*] *v.* to crumble; to waste; **s'émietter,** to crumble away.

émigrant [émigra^{n}] *m.* emigrant; *adj.* emigrating; migratory [oiseau]. || **émigration** [-àsyo^{n}] *f.* emigration; migration. || **émigré** [-*é*] *m.* emigrant; émigré; refugee. || **émigrer** [-*é*] *v.* to emigrate.

émincé [émi^{n}s*é*] *m.* hash; mince-meat.

éminemment [éminàma^{n}] *adv.* eminently; to a high degree. || **éminence** [-a^{n}s] *f.* eminence; prominence. || **éminent** [-a^{n}] *adj.* eminent; distinguished; elevated, high.

émissaire [émìssèr] *m.* emissary; messenger. || **émission** [-yo^{n}] *f.* emission; issue; broadcasting; transmission; radiation [chaleur].

emmagasiner [a^{n}màgàzìn*é*] *v.* to store, to warehouse; to store up.

emmailloter [a^{n}màyòt*é*] *v.* to swaddle; to swathe.

emmancher [a^{n}ma^{n}sh*é*] *v.* to haft, to fix a handle to; to fit together; to start, to set about. || **emmanchure** [-ür] *f.* sleeve-hole, arm-hole.

emmêler [a^{n}mèl*é*] *v.* to tangle; to mix up; to muddle; to mat.

emménager [a^{n}ménàj*é*] *v.* to move in, *Br.* to move house; to install.

emmener [a^{n}m^{e}n*é*] *v.* to take away; to lead away; to take.

emmitoufler [a^{n}mitûfl*é*] *v.* to muffle up.

émoi [émwà] *m.* emotion; commotion; excitement; agitation; anxiety.

émotion [émòsyo^{n}] *f.* emotion; excitement; agitation; anxiety; feeling.

émousser [émûs*é*] *v.* to blunt; to take the edge off; to dull [sens], to deaden.

émouvant [émûva^{n}] *adj.* moving, affecting, touching; thrilling. || **émouvoir** [-wàr] *v.* to move; to touch, to affect; to rouse, to stir.

empaqueter [a^{n}pàkt*é*] *v.* to pack up; to wrap up, to do up.

emparer (s') [sa^{n}pàr*é*] *v.* to take possession of, to lay hands on, to secure, to seize.

empâter [a^{n}pât*é*] *v.* to make sticky; to paste; to fatten, to cram.

empêchement [a^{n}pèshma^{n}] *m.* obstacle, hindrance, impediment. || **empêcher** [-*é*] *v.* to prevent (*de,* from); to hinder, to impede; to obstruct; to put a stop to; **s'empêcher,** to refrain (*de,* from).

empeser [a^{n}p^{e}z*é*] *v.* to starch, to stiffen.

empester [a^{n}pèst*é*] *v.* to infect; to

poison; to make (something) stink; to reek of.

emphase [a^{n}fâz] *f.* bombast; pomposity; grandiloquence; over-emphasis. || **emphatique** [-àtìk] *adj.* bombastic; pompous.

empierrer [a^{n}pyèré] *v.* to pave; to metal, to macadamize [route]; to ballast [voie].

empiéter [a^{n}pyété] *v.* to encroach (*sur*, upon); to infringe; to usurp.

empiler [a^{n}pìlé] *v.* to pile up, to stack; (pop.) to cheat; to rob.

empire [a^{n}pîr] *m.* empire; control; sway; rule; authority; mastery.

empirer [a^{n}pìré] *v.* to grow worse; to worsen; to make worse; to aggravate.

empirique [a^{n}pìrìk] *adj.* empirical. || **empirisme** [-ìsm] *m.* empiricism.

emplacement [a^{n}plàsma^{n}] *m.* site, place, location; emplacement (mil.).

emplâtre [a^{n}plâtr] *m.* plaster; (pop.) *Br.* muff, *Am.* milk toast.

emplette [a^{n}plèt] *f.* purchase; *aller faire des emplettes*, to go shopping.

emplir [a^{n}plîr] *v.* to fill, to fill up.

emploi [a^{n}plwà] *m.* employment; use; post, job; function; *mode d'emploi*, directions for use. || **employé** [-yé] *m.* clerk; assistant [magasin]; employee; *adj.* employed. || **employer** [-yé] *v.* to employ; to use; to lay out [argent]; to exert; **s'employer,** to busy oneself, to occupy oneself. || **employeur** [-yœr] *m.* employer.

empoigner [a^{n}pwàñé] *v.* to grip; to grasp; to lay hold of; to arrest, to catch; to thrill; **s'empoigner,** to grapple.

empois [a^{n}pwà] *m.* starch; dressing (text.).

empoisonnement [a^{n}pwàzònma^{n}] *m.* poisoning. || **empoisonner** [-é] *v.* to poison; to corrupt; to infect; to reek of. || **empoisonneur** [-œr] *m.* poisoner.

emporté [a^{n}pòrté] *adj.* hot-headed; hasty; quick-tempered. || **emportement** [-^{e}ma^{n}] *m.* fit of passion; outburst, transport. || **emporter** [-é] *v.* to carry away, to take away; to remove; to capture; *l'emporter sur*, to prevail over, to get the better of; **s'emporter,** to flare up, to lose one's temper; to bolt [cheval].

empressé [a^{n}prèsé] *adj.* eager; earnest, fervent; fussy. || **empressement** [-ma^{n}] *m.* eagerness, readiness, promptness; hurry. || **empresser (s')** [-é] *v.* to hasten; to be eager; to hurry.

emprise [a^{n}prìz] *f.* hold; mastery.

emprisonnement [a^{n}prìzònma^{n}] *m.* imprisonment, custody. || **emprisonner** [-é] *v.* to imprison, to confine.

emprunt [a^{n}prœ^{n}] *m.* loan; borrowing; *d'emprunt*, assumed. || **emprunter** [-té] *v.* to borrow; to assume [nom]; to take [route]. || **emprunteur** [-tœr] *m.* borrower; *adj.* borrowing.

ému [émü] *p. p. of* **émouvoir.**

émulation [émülàsyo^{n}] *f.* emulation; rivalry. || **émule** [émül] *m., f.* emulator; rival, competitor.

en [a^{n}] *prep.* in; into; to; in the; in a; at; of; by; like; whilst; while; with; within; from; *aller en Amérique*, to go to America; *il entra en courant*, he came running in; *en un an*, within a year; *tout en regrettant*, while regretting; *en bois*, wooden; *en bas*, below; downstairs; *en été*, in summer; *en avant*, forward; *agir en homme*, to act like a man; **en-tête,** heading; headline.

en [a^{n}] *pron.* of him, of her; of it; of them; for it; for them; from there; some; any; *il en parle*, he is speaking of it; *il en est désolé*, he is sorry about it; *j'en ai*, I have some; *combien en voulez-vous?*, how many do you want?; *prenez-en*, take some; *il en est aimé*, he is loved by her; *je ne l'en admire pas moins*, I admire him none the less for it.

encadrement [a^{n}kàdr^{e}ma^{n}] *m.* framing; frame, framework; setting. || **encadrer** [-é] *v.* to frame; to surround; to officer (mil.).

encaisse [a^{n}kès] *f.* cash in hand, cash balance. || **encaissé** [-é] *adj.* encased; boxed-in; sunk [route]. || **encaisser** [-é] *v.* to pack in cases; to box; to collect [argent]; (pop.) to take punishment. || **encaisseur** [-œr] *m.* cash-collector; cashier.

encan [a^{n}ka^{n}] *m.* public auction.

encastrer [a^{n}kàstré] *v.* to fit in; to embed.

encaustique [a^{n}kôstìk] *f.* encaustic; wax polish, furniture polish.
enceinte [a^{n}si^{n}t] *f.* enclosure; walls; precincts; *adj.* pregnant, with child.
encens [a^{n}sa^n] *m.* incense.
encercler [a^{n}sèrklé] *v.* to encircle, to surround, to hem in; to shut in.
enchaînement [a^{n}shènma^n] *m.* chain; chaining; series; sequence. || **enchaîner** [-é] *v.* to chain up; to fetter; to connect, to link.
enchanté [a^{n}sha^{n}té] *adj.* enchanted; delighted; pleased to meet you [présentation]. || **enchanter** [-é] *v.* to enchant, to bewitch; to enrapture; to delight. || **enchanteur, -eresse** [-œr, -rès] *m., f.* charmer; enchanter; *adj.* charming; enchanting; entrancing.
enchâsser [a^{n}shâsé] *v.* to enshrine; to insert, to mount; to set [diamant].
enchère [a^{n}shèr] *f.* bidding, bid; *vente aux enchères,* auction sale. || **enchérir** [-érìr] *v.* to bid; to outbid; to raise the price of; to grow dearer; *enchérir sur,* to outdo, to go one better than.
enchevêtrement [a^{n}sh^{e}vètr^{e}ma^n] *m.* tangle; confusion. || **enchevêtrer** [-é] *v.* to entangle; to confuse; to halter [cheval]; to join.
enclin [a^{n}kli^n] *adj.* inclined; disposed; prone; apt.
enclos [a^{n}klô] *m.* enclosure; paddock; wall.
enclume [a^{n}klüm] *f.* anvil.
encoche [a^{n}kòsh] *f.* notch; slot; *pl.* thumb-index [livres].
encoignure [a^{n}kòñür] *f.* corner; corner cupboard.
encolure [a^{n}kòlür] *f.* neck; size in collars; neck-opening [robe].
encombrement [a^{n}ko^{n}br^{e}ma^n] *m.* obstruction; litter; congestion; traffic jam; glut (comm.); overcrowding. || **encombrer** [-é] *v.* to obstruct; to block up; to congest; to crowd; to encumber; to litter.
encore [a^{n}kòr] *adv.* again; yet; besides; too; *pas encore,* not yet; *encore un peu,* just a little more; a little longer; *quoi encore?,* what else?; *encore que,* although.
encouragement [a^{n}kûràjma^n] *m.* encouragement; inducement. || **encourager** [-é] *v.* to encourage; to cheer.
encourir [a^{n}kûrìr] *v.* to incur.
encrasser [a^{n}kràsé] *v.* to dirty, to soil; to grease; to smear; to stop up, to clog; to soot up [bougie]; to oil up.
encre [a^{n}kr] *f.* ink; *encre de Chine,* Indian ink, indelible ink; *encre sympathique,* invisible ink. || **encrer** [-é] *v.* to ink. || **encrier** [-ìyé] *m.* inkstand inkwell.
encroûter [a^{n}krûté] *v.* to cover with a crust; to crust; to cake; to rough-cast; **s'encroûter,** to get into a rut (fig.).
encyclopédie [a^{n}sìklòpédì] *f.* encyclopedia.
endetter [a^{n}dèté] *v.* to involve in debt; **s'endetter,** to run into debt.
endeuiller [a^{n}dœyé] *v.* to plunge into mourning; to sadden.
endiablé [a^{n}dyàblé] *adj.* wild; reckless; possessed; furious; mischievous.
endive [a^{n}dîv] *f.* endive.
endommager [a^{n}dòmàjé] *v.* to damage; to injure.
endormant [a^{n}dòrma^n] *adj.* soporific; boring; humdrum; tedious, wearisome. || **endormi** [-ì] *adj.* asleep; drowsy, sleepy; dormant; numb [membre]. || **endormir** [-ìr] *v.* to put to sleep; to lull; to bore; to benumb; to humbug; to deaden [douleur]; **s'endormir,** to go to sleep, to fall asleep.
endos, endossement [a^{n}dô, -òsma^n] *m.* endorsement. || **endosser** [-òsé] *v.* to put on [habits]; to take on; to endorse; to back.
endroit [a^{n}drwà] *m.* place, spot, site; passage; right side [étoffe]; *à l'endroit,* right side out.
enduire [a^{n}düìr] *v.** to coat; to plaster. || **enduit** [-üì] *m.* coat, coating, plastering; glazing; dressing.
endurance [a^{n}düra^{n}s] *f.* endurance; patience; resistance. || **endurant** [-a^n] *adj.* enduring; patient; long-suffering.
endurcir [a^{n}dürsìr] *v.* to harden; to inure; **s'endurcir,** to harden; to toughen; to become callous.
endurer [a^{n}düré] *v.* to bear, to endure, to put up with, to tolerate.
énergie [énèrjì] *f.* energy; vigo(u)r. || **énergique** [-jìk] *adj.* energetic; vigo(u)rous; strenuous; strong; drastic; emphatic. || **énergumène** [-gümèn] *m., f.* person possessed; wild fanatic; madman; ranter.

énervement [énèrv^e^ma^n^] *m.* enervation; nervous irritation. || **énerver** [-é] *v.* to enervate; to irritate, to annoy; to get on (someone's) nerves.
enfance [a^n^fa^n^s] *f.* childhood; infancy; dotage, second childhood. || **enfant** [a^n^fa^n^] *m., f.* child (*pl.* children); boy; girl; youngster; son; daughter; *enfant terrible*, little terror; *enfant de chœur*, chorister; *enfant trouvé*, foundling. || **enfantement** [-tma^n^] *m.* childbirth; production; beginning. || **enfanter** [-té] *v.* to bear, to give birth to, to beget. || **enfantillage** [-tìyàj] *m.* childishness; trifle. || **enfantin** [-ti^n^] *adj.* childish; infantile.
enfariner [a^n^fàrìné] *v.* to flour; to sprinkle with flour.
enfer [a^n^fèr] *m.* hell; *pl.* the underworld, Hades.
enfermer [a^n^fèrmé] *v.* to shut in; to close up; to enclose; to lock in.
enfiévrer [a^n^fyévré] *v.* to make (someone) feverish; to excite, to stir up.
enfiler [a^n^fìlé] *v.* to thread [aiguille]; to string [perles]; to run through; to slip on [habits]; to turn down [rue]; to rake (mil.).
enfin [a^n^fi^n^] *adv.* at last; finally; in short; that's to say; *interj.* at last! well!
enflammer [a^n^flàmé] *v.* to inflame; to set on fire; to enflame; **s'enflammer**, to catch fire; to become inflamed; to flare up (fig.).
enflé [a^n^flé] *adj.* swollen; bloated; turgid. || **enfler** [-é] *v.* to swell; to puff out; to bloat; to elate; **s'enfler**, to swell; to rise [rivière]; to grow turgid. || **enflure** [-ür] *f.* swelling; turgidity.
enfoncer [a^n^fo^n^sé] *v.* to break in; to break open; to drive in; to stave in; to sink; to cram [chapeau]; to get the better of; to do for (pop.); **s'enfoncer**, to sink; to subside, to go down; to plunge; to embed itself [balle].
enfourcher [a^n^fûrshé] *v.* to sit astride; to mount.
enfreindre [a^n^fri^n^dr] *v.** to infringe, to break, to transgress [loi].
enfuir (s') [sa^n^füìr] *v.* to flee, to run away; to elope; to escape; to leak.
engageant [a^n^gàja^n^] *adj.* engaging, winning; attractive; pleasing; inviting. || **engagement** [-ma^n^] *m.* engagement; bond; promise; pawning; enlistment (mil.); appointment; action (mil.); entry [sport]; *pl.* liabilities. || **engager** [-é] *v.* to engage; to pledge; to urge; to institute [poursuites]; to involve; to put in gear; to invest; to pawn; to sign on (naut.); to foul; to jam; to begin; to join [bataille]; **s'engager**, to promise; to undertake; to pledge oneself; to engage oneself; to enlist; to get stuck; to foul [ancre]; to enter; to begin.
engelure [a^n^jlür] *f.* chilblain.
engendrer [a^n^ja^n^dré] *v.* to engender; to beget; to breed; to produce.
engin [a^n^ji^n^] *m.* machine, engine; tool; device; trap.
englober [a^n^glòbé] *v.* to unite, to put together; to comprise, to include.
engloutir [a^n^glûtìr] *v.* to swallow up; to engulf; to swallow, to bolt.
engorger [a^n^gòrjé] *v.* to block, to choke up, to obstruct, to congest.
engouement [a^n^gûma^n^] *m.* obstruction (med.); infatuation.
engourdir [a^n^gûrdìr] *v.* to numb, to benumb; to dull; **s'engourdir**, to grow numb; to become sluggish. || **engourdissement** [-ìsma^n^] *m.* numbness; dullness, sluggishness.
engrais [a^n^grè] *m.* manure; fattening; grass; pasture; *engrais chimique*, fertilizer. || **engraisser** [-sé] *v.* to fatten; to manure; to fertilize [sol]; to thrive; to grow stout.
engrenage [a^n^gr^e^nàj] *m.* gear; gearing; cogwheels; network (fig.); sequence.
énigmatique [énìgmàtìk] *adj.* enigmatic; puzzling. || **énigme** [énìgm] *f.* enigma, riddle.
enivrer [a^n^nìvré] *v.* to intoxicate, to make (someone) drunk; to carry away (fig.); **s'enivrer**, to get drunk; to be intoxicated.
enjambée [a^n^ja^n^bé] *f.* stride. || **enjamber** [-é] *v.* to straddle; to stride over; to stride along; to encroach.
enjeu [a^n^jë] *m.* stake.
enjoindre [a^n^jwi^n^dr] *v.* to enjoin, to direct, to order; to call upon.
enjôler [a^n^jôlé] *v.* to wheedle, to coax; to humbug. || **enjôleur, -euse**

[-œr, -ëz] *m., f.* wheedler, cajoler; *adj.* wheedling, coaxing.
enjoliver [a^njòlìvé] *v.* to beautify; to embellish; to adorn.
enjoué [a^njwé] *adj.* playful; sprightly, jaunty; lively; bright.
enlacer [a^nlàsé] *v.* to entwine; to interlace; to embrace, to clasp; to hem in.
enlaidir [a^nlèdîr] *v.* to disfigure; to make ugly (qqn); to grow ugly.
enlèvement [a^nlèvma^n] *m.* removal, carrying off; kidnapping; abduction; storming (mil.). || **enlever** [a^nlvé] *v.* to remove; to carry off; to lift up; to take off; to kidnap; to abduct; to storm (mil.); to win [prix]; to urge.
enluminer [a^nlümìné] *v.* to illuminate; to colo(u)r; to redden, to flush.
ennemi [ènmì] *m.* enemy, foe; adversary; *adj.* hostile; opposing; prejudicial.
ennoblir [a^nnòblîr] *v.* to ennoble.
ennui [a^nnüì] *m.* worry; weariness; tediousness; trouble; nuisance, annoyance; bore. || **ennuyer** [-yé] *v.* to worry; to annoy, to vex; to bother, to bore; **s'ennuyer**, to be bored; to feel dull; to be fed up (fam.). || **ennuyeux** [-yë] *adj.* tedious; annoying; worrying.
énoncé [éno^nsé] *m.* statement; wording. || **énoncer** [-é] *v.* to enunciate; to express; to state.
enorgueillir [a^nnòrgœyîr] *v.* to make proud; **s'enorgueillir**, to be proud; to pride oneself (*de*, on).
énorme [énòrm] *adj.* enormous, huge, tremendous; monstrous; outrageous; shocking. || **énormité** [-ité] *f.* enormity; hugeness; shocking thing; outrageousness.
enquérir (s') [sa^nkérîr] *v.* to inquire, to ask (*de*, after, about). || **enquête** [a^nkèt] *f.* inquiry, investigation. || **enquêter** [a^nkèté] *v.* to hold an inquiry, to investigate.
enraciner [a^nràsìné] *v.* to root; to dig in; to implant; **s'enraciner**, to take root; to become rooted.
enragé [a^nràjé] *m.* madman; *adj.* mad; enraged; keen, out-and-out; enthusiastic. || **enrager** [-é] *v.* to enrage; to madden; to be mad (fam.); *faire enrager*, to tease; to drive wild.
enrayer [a^nràyé] *v.* to brake; to check; to lock [roue]; to jam; to stop; to spoke.
enregistrement [a^nrjìstr^ema^n] *m.* registration; entry; recording; registry. || **enregistrer** [-é] *v.* to register; to record; to score. || **enregistreur** [-œr] *m.* registrar; recorder; recording apparatus; *adj.* recording; self-registering [baromètre].
enrhumer (s') [sa^nrümé] *v.* to catch a cold; *être enrhumé*, to have a cold.
enrichi [a^nrìshì] *m., adj.* upstart, newly rich. || **enrichir** [-îr] *v.* to enrich; to adorn; **s'enrichir**, to grow rich; to thrive. || **enrichissement** [-ìsma^n] *m.* enrichment.
enrôlement [a^nrôlma^n] *m.* enrolment; enlistment (mil.). || **enrôler** [-é] *v.* to enrol; to recruit, to enlist (mil.); **s'enrôler**, to enlist.
enroué [a^nrwé] *adj.* hoarse.
enseigne [a^nsèñ] *f.* sign; signboard; standard [drapeau]; *m.* ensign; sub-lieutenant.
enseignement [a^nsèñma^n] *m.* teaching; education; instruction. || **enseigner** [-é] *v.* to teach; to instruct; to inform; *enseigner l'anglais à quelqu'un*, to teach someone English.
ensemble [a^nsa^nbl] *m.* ensemble; whole; mass; *adv.* together; at the same time; *dans l'ensemble*, on the whole; *vue d'ensemble*, general view.
ensemencer [a^nsma^nsé] *v.* to sow.
enserrer [a^nsèré] *v.* to enclose, to encompass; to shut in; to hem in; to lock up.
ensevelir [a^ns^evlîr] *v.* to bury; to shroud.
ensoleillé [a^nsòlèyé] *adj.* sunny; sun-lit.
ensommeillé [a^nsòmèyé] *adj.* sleepy, drowsy.
ensorceler [a^nsòrs^elé] *v.* to bewitch; to captivate.
ensuite [a^nsüìt] *adv.* after, afterwards, then; next.
ensuivre (s') [sa^nsüìvr] *v.** to follow, to result, to ensue.
entacher [a^ntàshé] *v.* to taint; to sully.
entaille [a^ntày] *f.* notch; groove; cut; gash. || **entailler** [-é] *v.* to notch; to groove; to gash.
entamer [a^ntàmé] *v.* to make the

first cut in; to cut; to open [cartes]; to begin; to broach; to penetrate (mil.).

entasser [a^{n}tàsé] *v.* to pile up; to heap up; to accumulate; to crowd together; to hoard [argent].

entendement [a^{n}ta^{n}dma^n] *m.* understanding. || **entendre** [-a^{n}dr] *v.* to hear; to understand; to expect; to intend; to mean; *entendre dire que,* to hear that; *entendre parler de,* to hear of; *laisser entendre,* to hint; **s'entendre,** to agree; to be understood; to be heard; *il s'y entend,* he's an expert at it. || **entendu** [-a^{n}dü] *adj.* heard; understood; *Am.* O. K.; capable; *faire l'entendu,* to put on a knowing air; *c'est entendu,* that's settled; *bien entendu,* of course; clearly understood.

entente [a^{n}ta^{n}t] *f.* skill; understanding; agreement; sense; meaning.

entérite [a^{n}térìt] *f.* enteritis.

enterrement [a^{n}tèrma^n] *m.* interment, burial; funeral. || **enterrer** [-é] *v.* to inter, to bury; to shelve [question]; to outlive; **s'enterrer,** to bury oneself; to dig in (mil.); to live in seclusion; to vegetate.

entêté [a^{n}tèté] *adj.* headstrong, obstinate, pig-headed, stubborn; infatuated, taken. || **entêtement** [-ma^n] *m.* obstinacy, stubbornness. || **entêter** [-é] *v.* to give a headache to; to infatuate; to go to one's head; **s'entêter,** to be obstinate; to persist (*à,* in); to be bent (*à,* on).

enthousiasme [a^{n}tûzyàsm] *m.* enthusiasm. || **enthousiasmer** [-é] *v.* to fill with enthusiasm; to thrill; to carry (someone) away; **s'enthousiasmer,** to enthuse; to become enthusiastic; to be thrilled. || **enthousiaste** [-yàst] *m., f.* enthusiast; *adj.* enthusiastic.

entier [a^{n}tyé] *m.* entirety; *adj.* whole; entire, complete; total; full; headstrong; outspoken; bluff; *nombre entier,* integer; *en entier,* in full.

entonner [a^{n}tòné] *v.* to barrel.

entonner [a^{n}tòné] *v.* to intone; to strike up; to celebrate [louange].

entonnoir [a^{n}tònwàr] *m.* funnel; hollow; crater (mil.).

entorse [a^{n}tòrs] *f.* sprain; twist; *se donner une entorse,* to sprain one's ankle.

entortiller [a^{n}tòrtìyé] *v.* to twist, to wind; to entangle; to wrap up; to get round; **s'entortiller,** to twine; to get entangled.

entourage [a^{n}tûràj] *m.* setting; frame; surroundings; circle; environment; attendants. || **entourer** [-é] *v.* to surround; to encircle; to hem in; to gather round.

entracte [a^{n}tràkt] *m.* entracte, interlude; interval.

entrain [a^{n}tri^n] *m.* liveliness; spirit, go, zest, life. || **entraînement** [-ènma^n] *m.* attraction; drive (mech.); allurement; carrying away; training. || **entraîner** [-èné] *v.* to carry away; to draw along; to involve; to win over; to bring about; to train. || **entraîneur** [-ènœr] *m.* trainer; coach; pacemaker.

entrave [a^{n}tràv] *f.* fetter, shackle; impediment; obstacle. || **entraver** [-é] *v.* to fetter, to shackle; to impede, to hinder; to clog.

entre [a^{n}tr] *prep.* between; among; amid; into; together; *entre nous,* between ourselves; *il tomba entre leurs mains,* he fell into their hands; *plusieurs d'entre nous,* several of us; [*N. B. s'entre-* or *s'entr'* prefixed to a verb usually means *each other, one another;* **s'entre-tuer,** to kill one another]; **entre-deux,** space between; insertion [couture]; partition; **entretemps,** interval; meanwhile; in the meantime.

entrebâiller [a^{n}tr^{e}bâyé] *v.* to half-open; **entrebâillé** [-é] *adj.* ajar.

entrecôte [a^{n}tr^{e}kôt] *f.* rib of beef.

entrecouper [a^{n}tr^{e}kûpé] *v.* to intersect; to interrupt.

entrée [a^{n}tré] *f.* entry; entrance; admission; access; price of entry; import duty; entrée, first course; beginning; inlet.

entrefaites [a^{n}tr^{e}fèt] *f. pl. sur ces entrefaites,* meanwhile, meantime.

entrefilet [a^{n}tr^{e}filè] *m.* short newspaper paragraph.

entregent [a^{n}tr^{e}ja^n] *m.* resourcefulness; gumption (fam.).

entrelacer [a^{n}tr^{e}làsé] *v.* to interlace; to intertwine.

entremêler [a^{n}tr^{e}mèlé] *v.* to intermingle; to intersperse; to mix.

entremets [a^{n}tr^{e}mè] *m.* sweet dish.

|| **entremetteur** [-tœr] *m.* go-between; middleman (comm.); pimp. || **entremettre (s')** [sa^ntr^{e}mètr] *v.* to intervene; to steep in. || **entremise** [a^ntr^{e}miz] *f.* mediation, intervention, *par l'entremise de,* through.

entrepont [a^ntr^{e}po^n] *m.* between-decks.

entreposer [a^ntr^{e}pôzé] *v.* to store, to warehouse; to bond [douane]. || **entrepôt** [-ô] *m.* store, warehouse; bonded warehouse.

entreprenant [a^ntr^{e}pr^{e}na^n] *adj.* enterprising. || **entreprendre** [-a^ndr] *v.* to undertake; to take in hand; to contract for; to attempt. || **entrepreneur** [-^{e}nœr] *m.* contractor. || **entreprise** [-iz] *f.* enterprise; undertaking; concern; contract; attempt.

entrer [a^ntré] *v.* to enter, to go in, to come in; to take part, to be concerned; to be included; *entrer en courant,* to run in; *défense d'entrer,* no admittance; *faire entrer,* to show in; *entrer en jeu,* to come into play.

entresol [a^ntr^{e}sòl] *m.* mezzanine; entresol.

entretenir [a^ntr^{e}tnîr] *v.* to maintain; to keep up; to support, to provide for; to keep in repair; to talk to; **s'entretenir,** to support oneself; to converse; to keep fit. || **entretien** [-yi^n] *m.* maintenance; upkeep; keeping up; topic; conversation.

entrevoir [a^ntr^{e}vwàr] *v.* to catch a glimpse of; to be just able to make out; to foresee. || **entrevue** [-ü] *f.* interview.

entrouvert [a^ntrûvèr] *adj.* half-open; partly open; ajar [porte]; gaping [abîme].

énumérer [énüméré] *v.* to enumerate; to number.

envahir [a^nvàîr] *v.* to invade; to encroach upon; to overrun; to steal over [sensation]. || **envahisseur** [-isœr] *m.* invader; *adj.* invading.

enveloppe [a^nvlòp] *f.* envelope; wrapping; wrapper, cover; casing, jacket (mech.); outer cover [auto]; exterior. || **envelopper** [-é] *v.* to envelop; to wrap up; to cover; to involve; to hem in, to surround.

envergure [a^nvèrgür] *f.* span; spread; breadth; expanse; extent; scope.

envers [a^nvèr] *m.* reverse, back; wrong side; seamy side (fig.); *prep.* to; towards; *à l'envers,* inside out; wrong way up.

envie [a^nvî] *f.* envy; longing, desire, fancy, wish; birthmark; hangnail; *avoir envie,* to want; to feel like, to fancy; *cela me fait envie,* that makes me envious. || **envier** [-yé] *v.* to envy; to be envious of; to covet; to long for. || **envieux** [-yë] *adj.* envious.

environ [a^nvîro^n] *adv.* about, nearly; approximately; *m. pl.* vicinity, neighbo(u)rhood, surroundings. || **environner** [-òné] v. to surround.

envisager [a^nvizàjé] *v.* to envisage; to consider; to look in the face.

envoi [a^nvwà] *m.* sending, dispatch; consignment; goods; parcel, package; shipment; remittance [argent].

envoler (s') [sa^nvòlé] *v.* to fly away; to take off (aviat.).

envoyé [a^nvwàyé] *m.* envoy; messenger. || **envoyer** [-é] *v.** to send, to dispatch; to forward; to delegate; *envoyer chercher,* to send for. || **envoyeur** [-œr] *m.* sender.

épagneul [épàñœl] *m.* spaniel.

épais [épè] *adj.* thick; dense; stout; dull [esprit]. || **épaisseur** [-sœr] *f.* thickness; depth; density; dullness. || **épaissir** [-sîr] *v.* to thicken; to become dense; to grow stout.

épanchement [épa^nshma^n] *m.* effusion; pouring out; effusiveness. || **épancher** [-é] *v.* to pour out; to shed; to open; to vent; **s'épancher,** to overflow; to unbosom oneself.

épanoui [épànwì] *adj.* in full bloom [fleur]; beaming; cheerful. || **épanouir** [-îr] *v.* to open; to expand; to cheer, to brighten; to spread; **s'épanouir,** to open out; to blossom, to bloom; to light up. || **épanouissement** [-isma^n] *m.* opening; blooming; full bloom; brightening up; lighting up.

épargne [épàrñ] *f.* economy; thrift; saving. || **épargner** [-é] *v.* to save, to economize; to spare.

éparpiller [épàrpìyé] *v.* to scatter, to disperse.

épars [épàr] *adj.* scattered; sparse; dispersed.

épatant [épàta^n] *adj.* (fam.) wonderful, fine, terrific, first-rate, capital, *Am.* swell, great. || **épaté** [-*é*] *adj.* amazed; flat [nez]. || **épater** [-*é*] *v.* to flatten, to flabbergast.

épaule [épôl] *f.* shoulder; *coup d'épaule,* lift; shove; help. || **épauler** [-*é*] *v.* to splay [cheval]; to bring to the shoulder; to back, to support. || **épaulette** [-*è*t] *f.* epaulette (mil.); shoulder-strap.

épave [épàv] *f.* wreck; wreckage; waif, stray; *épaves flottantes,* flotsam, derelict.

épée [ép*é*] *f.* sword; rapier.

épeler [épl*é*] *v.* to spell.

éperdu [épèrdü] *adj.* distracted, bewildered; desperate.

éperon [éprоⁿ] *m.* spur; ridge; buttress [pont]; cutwater; ram [vaisseau de guerre]. || **éperonner** [-òn*é*] *v.* to spur; to spur on; to ram.

épervier [épèrvy*é*] *m.* sparrow-hawk; sweep-net.

épi [épì] *m.* ear [blé]; cob; cluster [diamants]; spike (bot.); groyne; salient (typogr.).

épice [épìs] *f.* spice; *pain d'épice,* gingerbread. || **épicer** [-*é*] *v.* to spice, to make spicy. || **épicerie** [-rî] *f.* groceries; grocer's shop. || **épicier** [-y*é*] *m.* grocer.

épidémie [épìdémî] *f.* epidemic. || **épidémique** [-ìk] *adj.* epidemic.

épiderme [épìdèrm] *m.* epidermis; cuticle; *il a l'épiderme sensible,* he is thin-skinned.

épier [épy*é*] *v.* to spy upon; to watch out for; to watch.

épilation [épìlàsyоⁿ] *f.* depilation; removal of hair; plucking [sourcils]. || **épiler** [épìl*é*] *v.* to depilate; to remove hairs; to pluck [sourcils].

épinard [épìnàr] *m.* spinach.

épine [épîn] *f.* thorn; prickle; *épine dorsale,* backbone. || **épineux** [-ìnë] *adj.* thorny; prickly; ticklish, knotty [question].

épingle [épiⁿgl] *f.* pin; peg; *pl.* pin-money; *épingle de nourrice,* safety-pin; *coup d'épingle,* pin-prick; *tirer son épingle du jeu,* to get out of a scrape; *tiré à quatre épingles,* spruce, spick and span. || **épingler** [-*é*] *v.* to pin; to pin up.

épisode [épìzòd] *m.* episode; incident.

épistolaire [épìstòlèr] *adj.* epistolary.

éploré [éplòr*é*] *adj.* in tears; tearful; distressed; mournful.

éplucher [éplüsh*é*] *v.* to pick; to peel; to clean; to sift; to examine closely; to pick holes in (fig.). || **épluchures** [-ür] *f. pl.* peelings; refuse, waste.

épointé [épwiⁿt*é*] *adj.* blunt; broken.

éponge [épоⁿj] *f.* sponge. || **éponger** [-*é*] *v.* to sponge up; to sponge down; to mop; to dab.

époque [épòk] *f.* epoch, age; time; period.

épouse [épûz] *f.* wife, spouse. || **épouser** [-*é*] *v.* to marry, to wed; to take up [cause]; to fit.

épousseter [épûst*é*] *v.* to dust; to brush down.

épouvantable [épûvaⁿtàbl] *adj.* dreadful, frightful, appalling. || **épouvantail** [-ày] *m.* scarecrow; bogy. || **épouvante** [épûvaⁿt] *f.* dread, terror; fright. || **épouvanter** [-*é*] *v.* to terrify; to appal; to scare, to frighten.

époux [épû] *m.* husband; *pl.* husband and wife.

épreuve [éprëv] *f.* proof; trial, test; print (phot.); ordeal; examination; *à l'épreuve du feu,* fire-proof; *mettre à l'épreuve,* to put to the test.

épris [éprì] *adj.* smitten, fond; in love.

éprouver [éprûv*é*] *v.* to try; to test; to put to the test; to feel, to experience. || **éprouvette** [-*è*t] *f.* test-tube.

épuisé [épüìz*é*] *adj.* exhausted; spent; out of print [livre]. || **épuisement** [-maⁿ] *m.* exhaustion; draining; using up; emptying. || **épuiser** [-*é*] *v.* to exhaust; to consume, to use up; to drain; to wear out, to tire out; **s'épuiser,** to be exhausted; to be sold out; to give out; to run out. || **épuisette** [-*è*t] *f.* landing-net; scoop.

épuration [épüràsyоⁿ] *f.* purifying; refining; filtering. || **épure** [épür] *f.* draught; plan; working-drawing. || **épurer** [-*é*] *v.* to cleanse; to purify; to refine; to filter; to clear.

équarrir [ékàrîr] *v.* to square; to cut up, to quarter.

équateur [ékwàtœr] *m.* equator; Ecuador.

équation [ékwàsyоⁿ] *f.* equation.

équerre [ék*è*r] *f.* square; angle-iron.

set square [dessin]; *d'équerre*, square.
équilibre [ékìlìbr] *m.* equilibrium, poise, stability (aviat.), balance. || **équilibrer** [-é] *v.* to poise, to balance. || **équilibriste** [-ìst] *m. f.* tight-rope walker; equilibrist.
équipage [ékìpàj] *m.* suite, retinue; crew (naut.); equipment; carriage; plight; hunt; turn-out; set; *train des équipages*, Army Service Corps. || **équipe** [ékìp] *f.* train of barges; squad; team; gang; working party (mil.); *chef d'équipe*, foreman. || **équipement** [-man] *m.* equipment; kit; outfit. || **équiper** [-é] *v.* to equip; to fit out; to man.
équitable [ékìtàbl] *adj.* equitable, fair, just.
équitation [ékìtàsyon] *f.* equitation, horse-riding; horsemanship.
équité [ékìté] *f.* fairness, equity.
équivalent [ékìvàlan] *adj.* equivalent. || **équivaloir** [-wàr] *v.* to be equivalent, to be tantamount.
équivoque [ékìvòk] *f.* ambiguity; misunderstanding; *adj.* equivocal, ambiguous; dubious; uncertain.
érafler [éràflé] *v.* to graze, to scratch. || **éraflure** [-ür] *f.* graze, abrasion; scratch.
éraillé [éràyé] *adj.* frayed; bloodshot [yeux]; rough; scratched; harsh [voix].
éreintement [érintman] *m.* (fam.) exhaustion; slating, harsh criticism. || **éreinter** [-é] *v.* to break the back of; (fam.) to ruin; to tire out, to fag; to slate, to pull to pieces, to run down.
ergot [èrgô] *m.* spur [coq]; dewclaw; catch (mech.); ergot. || **ergoter** [-té] *v.* to quibble, to cavil.
ériger [érìjé] *v.* to erect; to set up; to institute; to raise.
errer [èré] *v.* to err; to be wrong; to stray, to wander; to stroll. || **erreur** [èrœr] *f.* error, mistake, slip; fallacy. || **erroné** [èròné] *adj.* erroneous, mistaken, wrong.
érudit [érüdì] *m.* scholar; *adj.* erudite, learned, scholarly. || **érudition** [-syon] *f.* erudition, learning, scholarship.
éruption [érüpsyon] *f.* eruption; rash (med.).
escabeau [èskàbô] *m.* stool; stepladder.
escadre [èskàdr] *f.* squadron. || **escadrille** [-ìy] *f.* flotilla; squadron (aviat.). || **escadron** [-on] *m.* squadron (mil.); *chef d'escadron*, major.
escalade [èskàlàd] *f.* climbing; scaling; housebreaking (jur.). || **escalader** [-é] *v.* to climb, to scale. || **escale** [èskàl] *f.* port of call; call; *faire escale à*, to call at, to put in at. || **escalier** [-yé] *m.* stairs; staircase; *escalier roulant*, escalator.
escalope [èskàlòp] *f.* cutlet.
escamoter [èskàmòté] *v.* to make (something) vanish; to conjure away; to retract (aviat.); to avoid; to pilfer, to pinch. || **escamoteur** [-œr] *m.* conjurer; sharper (fam.).
escargot [èskàrgô] *m.* snail.
escarmouche [èskàrmûsh] *f.* skirmish, brush.
escarpé [èskàrpé] *adj.* steep. precipitous; sheer.
escarpin [èskàrpin] *m.* pump; dancing-shoe.
escarre [èskàr] *f.* scab (med.).
escient [èssyan] *m.* knowledge; *à bon escient*, wittingly.
esclaffer (s') [sèsklàfé] *v.* to guffaw, to burst out laughing.
esclandre [èsklandr] *m.* scandal; scene.
esclavage [èsklàvàj] *m.* slavery, bondage. || **esclave** [esklàv] *m., f.* slave.
escompte [èskont] *m.* discount, rebate. || **escompter** [-é] *v.* to discount; to reckon on, to anticipate.
escorte [èskòrt] *f.* escort; convoy (naut.). || **escorter** [-é] *v.* to escort; to convoy (naut.).
escouade [èskwàd] *f.* squad; gang.
escrime [èskrìm] *f.* fencing. || **escrimer (s')** [sèskrìmé] *v.* to fence; to fight; to struggle; to strive. || **escrimeur** [èskrìmœr] *m.* fencer, swordsman.
escroc [èskrô] *m.* crook; fraud; swindler. || **escroquer** [-òké] *v.* to swindle; to cheat out of. || **escroquerie** [-òkrî] *f.* swindling; fraud.
espace [èspâs] *m.* space; interval; gap; room; lapse of time; *f.* space (typogr.). || **espacer** [-àsé] *v.* to space; to space out; to separate; to leave room between.
espadrille [èspàdrìy] *f.* fibre sandal; beach sandal.
Espagne [èspàñ] *f.* Spain. || **espa-**

gnol [-òl] *m.* Spanish [langue]; Spaniard; *adj.* Spanish.
espagnolette [èspàñòlèt] *f.* window-fastening.
espèce [èspès] *f.* species; sort, kind; nature; instance; *pl.* cash (fin.).
espérance [èspéraⁿs] *f.* hope; expectation. || **espérer** [-é] *v.* to hope, to trust; to hope for; to expect.
espiègle [èspyègl] *m., f.* rogue, mischief; *adj.* roguish, mischievous.
espion [èspyoⁿ] *m.* spy. || **espionnage** [-yònàj] *m.* espionage, spying. || **espionner** [-yòné] *v.* to spy; to spy on.
esplanade [èsplànàd] *f.* esplanade, promenade.
espoir [èspwàr] *m.* hope; expectation.
esprit [èsprì] *m.* spirit; mind; sense; wit; intelligence; talent; soul; meaning; *plein d'esprit,* very witty; full of fun; *faire de l'esprit,* to play the wit; *un bel esprit,* a wit; *esprit fort,* free thinker; *reprendre ses esprits,* to come to oneself; *présence d'esprit,* presence of mind; *esprit de corps,* fellow-spirit; team spirit; *état d'esprit,* disposition; *esprit de suite,* consistency; *esprit-de-vin,* spirit of wine; *Saint-Esprit,* Holy Ghost.
esquif [èskìf] *m.* small boat, skiff.
esquisse [èskìs] *f.* sketch; outline; rough plan. || **esquisser** [-é] *v.* to sketch; to outline.
esquiver [èskìvé] *v.* to avoid; to dodge; **s'esquiver,** to steal away, to slip away, to slink off.
essai [èsè] *m.* trial, essay; test; try; attempt; *à l'essai,* on trial; *coup d'essai,* first attempt; *faire l'essai de,* to test.
essaim [èsiⁿ] *m.* swarm.
essayage [èsèyàj] *m.* testing; trying on; fitting. || **essayer** [-èyé] *v.* to try; to attempt; to taste; to try on [habits]; to assay [métal]; **s'essayer,** to try one's hand (*à,* at). || **essayeur** [-èyœr] *m.* assayer; fitter.
essence [èsaⁿs] *f.* essence; species [arbre]; *Br.* petrol, *Am.* gasoline; extract; attar [roses]; *poste d'essence,* filling-station, *Am.* service station. || **essentiel** [-yèl] *m.* gist; main point; *adj.* essential.
essieu [èsyë] *m.* axle; axle-tree.
essor [èsòr] *m.* flight, soaring; scope; *prendre son essor,* to take wing; to leap into action. || **essorer** [-é] *v.* to dry; to wring.
essoufflement [èsûfleᵉmaⁿ] *m.* panting; puffing; breathlessness. || **essouffler** [-é] *v.* to wind, to puff (fam.); **s'essouffler,** to get out of breath, to be winded.
essuyer [èsüìyé] *v.* to wipe; to mop up; to dry; to endure, to suffer; to meet with [refus]; **essuie-glace,** windscreen wiper, *Am.* windshield wiper; **essuie-main,** towel.
est [èst] *m.* east; *adj.* east, easterly.
estafette [èstàfèt] *f.* courier; messenger; dispatch-rider (mil.).
estampe [èstaⁿp] *f.* print, engraving; stamp, punch. || **estamper** [-é] *v.* to stamp; to emboss; (pop.) to rook, to fleece. || **estampille** [-ìy] *f.* stamp; trade-mark.
esthétique [èstétìk] *f.* aesthetics; *adj.* aesthetic.
estimable [èstìmàbl] *adj.* estimable; worthy; quite good. || **estimation** [-àsyoⁿ] *f.* estimation; valuation; estimate. || **estime** [èstîm] *f.* esteem; estimation; guesswork; reckoning. || **estimer** [-ìmé] *v.* to esteem; to deem; to estimate; to value; to think, to consider; to calculate; to reckon.
estival [èstìvàl] *adj.* summer. || **estivant** [-aⁿ] *m.* summer visitor.
estomac [èstòmà] *m.* stomach; *mal d'estomac,* stomach-ache. || **estomaquer** [-ké] *v.* to stagger; to take (someone's) breath away.
estompe [èstoⁿp] *f.* stump. || **estomper** [-é] *v.* to stump; to shade off; to soften; to blur.
estrade [èstràd] *f.* platform, stage; stand.
estropié [èstròpyé] *m.* cripple; *adj.* crippled; disabled; lame. || **estropier** [-yé] *v.* to cripple; to maim, to disable; to murder, to distort, to mispronounce.
estuaire [èstüèr] *m.* estuary.
et [é] *conj.* and; *et... et,* both... and.
étable [étàbl] *f.* cattle-shed; pigsty.
établi [étàblì] *m.* bench; work-bench; *adj.* established, settled. || **établir** [-ìr] *v.* to establish; to set up; to settle; to ascertain; to construct; to prove; to lay down; to draw up [projet]; to found; to make out [compte]; **s'établir,** to become established; to establish oneself; to settle. || **établissement** [-ìsmaⁿ] *m.* establishment; institu-

tion; settlement; concern (comm.), business, firm.
étage [étàj] *m.* story, floor; degree, rank; stage (mech.); stratum, layer (geol.); *deuxième étage, Br.* second floor, *Am.* third floor. || **étager** [-*é*] *v.* to range in tiers; to stagger [heures]. || **étagère** [-*è*r] *f.* shelf; shelves; whatnot.
étai [ét*è*] *m.* prop, stay, strut, shore.
étain [ét*i*^{n}] *m.* tin; pewter; *feuille d'étain,* tinfoil.
étalage [étàlàj] *m.* show, display; display of goods; shop-window; frontage; showing off; *faire étalage,* to show off. || **étalagiste** [-*i*st] *m., f.* window-dresser; stall-holder. || **étale** [étàl] *m.* slack; *adj.* slack [marée]; steady [brise]. || **étaler** [-*é*] *v.* to display; to expose for sale; to spread out [cartes]; to stagger [vacances]; to show off; **s'étaler,** to stretch oneself out; to sprawl; to show off; to fall.
étalon [étàl*o*^{n}] *m.* stallion.
étalon [étàl*o*^{n}] *m.* standard; **étalon-or,** gold standard.
étamer [étàm*é*] *v.* to tin; to tin-plate; to silver; to galvanize. || **étameur** [-œr] *m.* tinsmith; tinker; silverer.
étanche [ét*a*^{n}sh] *adj.* watertight; airtight. || **étancher** [-*é*] *v.* to stanch, to stem [sang]; to stop; to quench, to slake; to make watertight; to make airtight.
étang [ét*a*^{n}] *m.* pond, pool.
étape [étàp] *f.* stage; halting place.
état [étà] *m.* state; occupation; profession; trade; government; establishment; estate; plight, predicament; estimate; statement of account; list; roster; inventory; condition; *en état de,* fit for; in a position to; *à l'état de neuf,* as good as new; *hors d'état,* useless; *dans tous ses états,* highly upset; *homme d'Etat,* statesman; *remettre en état,* to put in order; *état civil,* civil status; legal status; **état-major,** general staff; headquarters; **état-tampon,** buffer state; **Etats-Unis,** United States. || **étatisme** [-t*i*sm] *m.* state control.
étau [étô] *m.* vice, *Am.* vise.
étayer [ét*è*y*é*] *v.* to prop, to shore up; to support.
été [ét*é*] *m.* summer; *été de la Saint-Martin,* Indian summer.

été *p. p. of* **être.**
éteindre [ét*i*^{n}dr] *v.** to extinguish, to put out; to switch off; to quench; to slake; to exterminate, to destroy; to pay off [dette]; to cancel; to dim; to soften; **s'éteindre,** to become extinct; to die out; to subside; to grow dim; to fade.
étendard [ét*a*^{n}dàr] *m.* standard, banner, flag, colo(u)rs.
étendre [ét*a*^{n}dr] *v.* to extend; to expand; to stretch; to spread out; to dilute; to throw to the ground; **s'étendre,** to lie down; to stretch oneself out; to extend; to enlarge, to dwell (*sur,* upon); to run [couleurs]. || **étendu** [ét*a*^{n}dü] *adj.* extensive; widespread; outstretched. || **étendue** [-*ü*] *f.* extent; expanse; range; stretch; scope.
éternel [étèrn*è*l] *adj.* eternal; everlasting; endless, perpetual. || **éterniser** [-*i*z*é*] *v.* to immortalize; to perpetuate; **s'éterniser,** to last for ever; to drag on. || **éternité** [-*i*t*é*] *f.* eternity; ages (fam.).
éternuement [étèrnüm*a*^{n}] *m.* sneeze; sneezing. || **éternuer** [-*é*] *v.* to sneeze.
étiage [éty*à*j] *m.* low water; low water mark.
étinceler [ét*i*^{n}sl*é*] *v.* to sparkle, to flash, to glitter, to gleam; to twinkle. || **étincelle** [-*è*l] *f.* spark, flash.
étioler (s') [séty*ò*l*é*] *v.* to become sick, emaciated; to blanch.
étiqueter [ét*i*kt*é*] *v.* to label. || **étiquette** [-*è*t] *f.* label; tag; ticket; etiquette; ceremony.
étirer [ét*i*r*é*] *v.* to pull out, to draw out; to stretch.
étoffe [ét*ò*f] *f.* stuff, material, cloth, fabric; condition; worth. || **étoffer** [-*é*] *v.* to make substantial; to stuff; to stiffen.
étoile [étw*à*l] *f.* star; decoration; asterisk (typogr.); *à la belle étoile,* in the open; *étoile de mer,* starfish. || **étoilé** [-*é*] *adj.* starry; star-shaped; *la Bannière étoilée,* the Star-Spangled Banner, the Stars and Stripes.
étonnant [ét*ò*n*a*^{n}] *adj.* astonishing, surprising, amazing. || **étonnement** [-m*a*^{n}] *m.* surprise, astonishment, amazement, wonder. || **étonner** [-*é*] *v.* to astonish, to amaze; to shake; **s'étonner,** to be astonished; to wonder; to be surprised.

étouffant [étûfaⁿ] *adj.* suffocating; sultry [temps]; stifling. || **étouffée** [-é] *f.* stew; *à l'étouffée,* braised. || **étouffement** [-maⁿ] *m.* suffocation; stifling; choking. || **étouffer** [-é] *v.* to suffocate, to stifle; to choke; to smother; to damp [bruit]; to stamp out; to hush up [affaire].

étoupe [étûp] *f.* tow; oakum; packing (mech.).

étourderie [étûrdᵉri] *f.* thoughtlessness; blunder; careless mistake. || **étourdi** [-ì] *m.* scatter-brain; *adj.* thoughtless; giddy, scatter-brained. || **étourdir** [-ir] *v.* to stun, to daze; to make dizzy; to deaden, to benumb [engourdir]; to calm, to allay; **s'étourdir,** to forget one's troubles; to be lost (*de,* in). || **étourdissant** [-ìsaⁿ] *adj.* stunning; deafening; astounding. || **étourdissement** [-ìsmaⁿ] *m.* dizziness, giddiness; dazing; blow (fig.).

étrange [étraⁿj] *adj.* strange; curious, odd, queer, peculiar. || **étranger** [-é] *m.* foreigner; stranger [inconnu]; *adj.* foreign; strange, unknown; irrelevant; *à l'étranger,* abroad; *affaires étrangères,* foreign affairs. || **étrangeté** [-té] *f.* strangeness, oddness.

étranglement [étraⁿglᵉmaⁿ] *m.* strangulation; narrow passage; constriction; choking. || **étrangler** [-é] *v.* to strangle, to choke, to throttle, to stifle; to constrict.

étrave [étràv] *f.* stem (naut.).

être [ètr] *m.* being; creature; existence; *v.** to be; to exist; to have [verbe auxiliaire]; to go; to belong; to be able; to be dressed; *il est venu,* he has come; *elle s'était flattée,* she had flattered herself; *c'est à vous,* it is yours; *c'est à vous de jouer,* it is your turn; *il est à souhaiter,* it is to be hoped; *j'ai été voir,* I went to see; *il était une fois,* once upon a time, there was once; *où en êtes-vous de vos études?,* how far have you got in your studies?; *il n'en est rien,* nothing of the sort; *vous avez fini, n'est-ce pas?,* you've finished, haven't you?; *il fait beau, n'est-ce pas?,* it is fine isn't it?; *nous sommes le cinq,* it is the fifth to-day; *n'était mon travail,* if it were not for my work; *j'en suis pour mon argent,* I've lost my money; *c'en est assez,* enough; *toujours est-il que,* the fact remains that; *y être,* see **y.**

étreindre [étriⁿdr] *v.** to clasp; to grasp; to embrace, to hug; to bind. || **étreinte** [-iⁿt] *f.* grasp; grip; embrace, hug.

étrenne [étrèn] *f.* New Year's gift; gift; first use of; *Jour des Etrennes,* Boxing Day. || **étrenner** [-é] *v.* to handsel, to christen (fam.); to wear [vêtement] for the first time; to be the first customer of.

étrier [étrié] *m.* stirrup; holder (mech.).

étriller [étriyé] *v.* to curry, to comb; (fam.) to tan, to thrash.

étroit [étrwà] *adj.* narrow; tight; confined; close; scanty; limited; strict [sens]; *à l'étroit,* cramped for room. || **étroitesse** [-tès] *f.* narrowness; tightness; closeness; narrow-mindedness [esprit].

étude [étüd] *f.* study; research; office; article; essay; school-room; practice [avocat]; *à l'étude,* under consideration; under rehearsal (theat.). || **étudiant** [-yaⁿ] *m.* student; undergraduate; *étudiant en droit,* law student. || **étudier** [-yé] *v.* to study; to read [droit]; to investigate; to prepare; to watch, to observe; **s'étudier,** to try hard; to be very careful.

étui [étüì] *m.* case; cover; sheath; holster [révolver].

étuve [étüv] *f.* sweating-room; drying-stove; airing-cupboard, hot cupboard. || **étuver** [-é] *v.* to stew; to steam [légumes]; to dry; to stove; to foment (med.).

Europe [ëròp] *f.* Europe. || **européen** [-éiⁿ] *adj.* European.

eux [ë] *pron.* they, them; **eux-mêmes,** themselves.

évacuer [évàküé] *v.* to evacuate; to drain; to vacate; to abandon [bateau].

évadé [évàdé] *m.* fugitive. || **évader (s')** [sévàdé] *v.* to escape, to run away; to break loose.

évaluation [évàlüàsyoⁿ] *f.* valuation; estimate; assessment. || **évaluer** [-üé] *v.* to value; to estimate; to assess.

évangile [évaⁿjìl] *m.* gospel.

évanouir (s') [sévànwir] *v.* to faint, to swoon; to vanish; to faint away. || **évanouissement** [évànwìsmaⁿ]

m. fainting, swoon; vanishing; disappearance; fading [radio].
évaporation [évàpòràsyo^{n}] *f.* evaporation; heedlessness. || **évaporer (s')** [sévàpòré] *v.* to evaporate; to grow flighty.
évasé [évàzé] *adj.* bell-mouthed; splayed; cupped; flared [jupe].
évasif [évàzìf] *adj.* evasive. || **évasion** [-yo^{n}] *f.* evasion; escape, flight; escapism (lit.).
évêché [évèshé] *m.* bishopric, diocese, see; bishop's palace.
éveil [évèy] *m.* awakening; alertness; alarm; warning; *en éveil,* on the watch. || **éveillé** [-é] *adj.* awake; wide-awake; keen; alert; lively. || **éveiller** [-é] *v.* to awaken; to rouse; **s'éveiller,** to wake up, to awake.
événement [évènma^{n}] *m.* event; happening; occurrence; incident; result; emergency.
eventail [éva^{n}tày] *m.* fan; *en éventail,* fan-shaped. || **éventé** [-é] *adj.* flat; musty; stale; divulged. || **éventer** [-é] *v.* to fan; to expose to the air; to find out; to let out [secret]; to scent; to get wind of; **s'éventer,** to go flat [vin]; to get stale; to fan oneself; to leak out [secret].
éventrer [éva^{n}tré] *v.* to rip open; to gut [poisson]; to disembowel.
éventualité [éva^{n}tüàlìté] *f.* eventuality, possibility, contingency, occurrence. || **éventuel** [-üèl] *adj.* eventual; contingent, possible; emergency.
évêque [évèk] *m.* bishop.
évertuer (s') [sévèrtüé] *v.* to strive, to do one's utmost.
évidemment [évìdàma^{n}] *adv.* evidently, obviously; of course. || **évidence** [-a^{n}s] *f.* evidence, obviousness; conspicuousness. || **évident** [-a^{n}] *adj.* evident, clear, plain, conspicuous, obvious.
évier [évìé] *m.* sink.
évincer [évi^{n}sé] *v.* to evict, to turn out; to oust.
évitable [évìtàbl] *adj.* avoidable. || **éviter** [-é] *v.* to avoid; to shun; to dodge; to swing (naut.).
évocation [évòkàsyo^{n}] *f.* evocation; recalling; raising [esprits]; conjuring up.
évoluer [évòlüé] *v.* to develop, to evolve; to revolve; to go through evolutions. || **évolution** [-üsyo^{n}] *f.* evolution; development.
évoquer [évòké] *v.* to evoke, to bring to mind, to conjure up; to raise [esprit].
exact [ègzàkt] *adj.* exact; correct, accurate; precise; punctual; strict; true. || **exaction** [-àksyo^{n}] *f.* exaction; extortion. || **exactitude** [-àktìtüd] *f.* exactitude, exactness, accuracy, precision; correctness; punctuality.
exagération [ègzàjéràsyo^{n}] *f.* exaggeration, overstatement. || **exagérer** [-é] *v.* to exaggerate; to overestimate; to overrate; to magnify; to go too far (fig.).
exaltation [ègzàltàsyo^{n}] *f.* exaltation; glorifying; excitement. || **exalté** [-é] *m.* fanatic; *adj.* heated; excited; hot-headed; exalted. || **exalter** [-é] *v.* to exalt; to extol; to rouse, to excite.
examen [ègzàmi^{n}] *m.* examination; investigation; test; survey. || **examinateur, -trice** [-ìnàtœr, -trìs] *m., f.* tester; examiner. || **examiner** [-ìné] *v.* to examine; to overhaul; to survey; to look into; to investigate; to scrutinize.
exaspération [ègzàspéràsyo^{n}] *f.* exasperation, irritation. || **exaspérer** [-é] *v.* to exasperate, to irritate, to provoke; to aggravate.
exaucer [ègzôsé] *v.* to grant [prière], to fulfil(l) [désir].
excédant [èkséda^{n}] *adj.* excessive. || **excédent** [-a^{n}] *m.* surplus, excess. || **excéder** [-é] *v.* to exceed; to weary, to tire out; to aggravate.
excellence [èksèla^{n}s] *f.* excellence; Excellency [titre]. || **excellent** [-a^{n}] *adj.* excellent; delicious; capital, first-rate (fam.). || **exceller** [-é] *v.* to excel; to surpass.
excentrique [èksa^{n}trìk] *m.* eccentric (mech.); *adj.* outlying [quartiers]; odd, peculiar, queer.
excepté [èksèpté] *prep.* except; excepting, save, all but. || **excepter** [-é] *v.* to except, to bar. || **exception** [èksèpsyo^{n}] *f.* exception. || **exceptionnel** [-yònèl] *adj.* exceptional; out of the ordinary; unusual.
excès [èksè] *m.* excess; abuse; *pl.* outrages. || **excessif** [-sìf] *adj.* excessive; unreasonable; undue; extreme; exorbitant.

excitable [èksìtàbl] *adj.* excitable. || **excitant** [-a^n] *m.* stimulant (med.); *adj.* exciting, stimulating. || **excitation** [-àsyo^n] *f.* excitation; incitement. || **exciter** [-*é*] *v.* to excite; to stir up; to incite; to stimulate, to rouse; **s'exciter**, to get worked up, to get excited.
exclamation [èksklàmàsyo^n] *f.* exclamation. || **exclamer (s')** [sèksklàm*é*] *v.* to cry out; to exclaim.
exclure [èksklür] *v.** to exclude, to debar; to leave out; to shut out. || **exclusif** [-üzìf] *adj.* exclusive; special (comm.); sole [droit]. || **exclusion** [-üzyo^n] *f.* exclusion, debarring; *à l'exclusion de*, excluding.
excroissance [èkskrwàsa^ns] *f.* excrescence.
excursion [èkskürsyo^n] *f.* excursion; tour; ramble; outing; trip; hike.
excusable [èksküsàbl] *adj.* excusable. || **excuse** [èksküz] *f.* excuse, *pl.* apologies. || **excuser** [-*é*] *v.* to excuse, to pardon to apologize for; **s'excuser**, to apologize, to excuse oneself; to decline.
exécrable [ègzékràbl] *adj.* execrable; disgraceful; horrible; abominable. || **exécrer** [-*é*] *v.* to execrate, to loathe, to detest.
exécutant [ègzéküta^n] *m.* performer, executant. || **exécuter** [-*é*] *v.* to execute; to perform; to carry out [projet]; to fulfil(l); to put to death; to distrain on [débiteur]; **s'exécuter**, to be performed; to comply; to yield; to pay up (comm.); to sell off. || **exécuteur, -trice** [-œr, -trìs] *m., f.* performer; executor; executioner; *f.* executrix (jur.). || **exécutif** [-ìf] *m., adj.* executive. || **exécution** [ègzéküsyo^n] *f.* execution; performance; fulfil(l)ment; production; enforcement (jur.); *mettre à exécution*, to carry out.
exemplaire [ègza^{n}plèr] *m.* copy [livre]; sample, specimen; model; pattern; *adj.* exemplary. || **exemple** [ègza^npl] *m.* example; copy; instance; precedent; warning, lesson; *par exemple*, for instance; *interj.* well I never!
exempt [ègza^n] *adj.* exempt; free; immune. || **exempter** [-*té*] *v.* to exempt, to free, to dispense. || **exemption** [-psyo^n] *f.* exemption; freedom; immunity.
exercer [ègzèrs*é*] *v.* to exercise; to practise; to train; to carry on; to try [patience]; to drill; to exert; **s'exercer**, to practice; to train oneself. || **exercice** [-ìs] *m.* exercise; training; practice; drill (mil.); duties; inspection [douane]; financial year; balance-sheet.
exhaler [ègzàl*é*] *v.* to exhale; to breathe; to breathe out; to emit, to send forth.
exhausser [ègzôs*é*] *v.* to raise, to heighten.
exhibition [ègzìbìsyo^n] *f.* exhibition; production, showing; showing off.
exhorter [ègzòrt*é*] *v.* to exhort, to urge, to encourage.
exhumer [ègzüm*é*] *v.* to exhume, to disinter; to unearth, to bring to light, to dig out (fam.).
exigeant [ègzìja^n] *adj.* exacting, particular, hard to please. || **exigence** [-a^ns] *f.* excessive demands; unreasonableness; exigency, requirements. || **exiger** [-*é*] *v.* to demand, to require; to exact, to insist on. || **exigible** [-ìbl] *adj.* due; demandable.
exigu, -uë [ègzìgü] *adj.* scanty; tiny; small.
exil [ègzìl] *m.* exile, banishment. || **exilé** [-*é*] *m.* exile; *adj.* exiled, banished. || **exiler** [-*é*] *v.* to exile, to banish.
existant [ègzìsta^n] *adj.* existing, living; extant. || **existence** [-s] *f.* existence; being; life; *pl.* stock (comm.); *moyens d'existence*, means of livelihood. || **existentialisme** [-syàlìsm] *m.* existentialism. || **exister** [ègzìst*é*] *v.* to exist, to be; to live; to be extant.
exonérer [ègzònér*é*] *v.* to exonerate; to exempt; to free; to discharge.
exorbitant [ègzòrbìta^n] *adj.* exorbitant, excessive.
expansif [èkspa^{n}sìf] *adj.* expansive; effusive; exuberant. || **expansion** [-yo^n] *f.* expansion; expansiveness; enlargement.
expatrier [èkspàtrì*é*] *v.* to expatriate, to exile.
expectative [èkspèktàtìv] *f.* expectancy; prospect.
expédient [èkspédya^n] *m.* expedient; dodge (fam.); makeshift;

emergency device; *adj.* expedient. || **expédier** [-yé] *v.* to dispatch; to send off; to forward; to expedite; to ship; to hurry through; to clear [navire]; to draw up [acte]. || **expéditeur, -trice** [-ìtœr, -trìs] *m., f.* sender; shipper; agent; *adj.* forwarding. || **expéditif** [-ìtìf] *adj.* prompt; expeditious. || **expédition** [-ìsyoⁿ] *f.* expedition; sending, dispatch; shipment; consignment; copy [acte]. || **expéditionnaire** [-ìsyònèr] *m.* sender; forwarding agent; shipper; consigner; copying clerk; *adj.* expeditionary.

expérience [èkspéryaⁿs] *f.* experience; experiment, test; *sans expérience,* inexperienced. || **expérimental** [-ìmaⁿtàl] *adj.* experimental. || **expérimenter** [-ìmaⁿté] *v.* to experiment; to test.

expert [èkspèr] *m.* expert; specialist; connoisseur; valuer (comm.); *adj.* expert, skilled. || **expertise** [-tîz] *f.* valuation; survey; assessment; expert opinion; expert's report. || **expertiser** [-tìzé] *v.* to value, to appraise; to survey.

expiration [èkspìràsyoⁿ] *f.* expiration; breathing out; termination. || **expirer** [-é] *v.* to expire; to die; to breathe out; to terminate.

explicable [èksplìkàbl] *adj.* explainable, explicable. || **explicatif** [-àtìf] *adj.* explanatory. || **explication** [-àsyoⁿ] *f.* explanation. || **explicite** [èksplìsìt] *adj.* explicit, express, clear, plain. || **expliquer** [-ìké] *v.* to explain; to expound; to account for; **s'expliquer,** to be explained; to explain oneself.

exploit [èksplwà] *m.* exploit, feat; deed; achievement; writ, summons (jur.); *signifier un exploit à,* to serve a writ on. || **exploitation** [-tàsyoⁿ] *f.* exploitation; working [mine]; cultivation; felling [arbres]; mine. || **exploiter** [-té] *v.* to exploit; to work [mine]; to cultivate; to turn to account; to take advantage of; to oppress. || **exploiteur** [-tœr] *m.* exploiter.

explorateur, -trice [èksplòràtœr, -trìs] *m., f.* explorer; *adj.* exploratory. || **exploration** [-àsyoⁿ] *f.* exploration; scanning [télévision]. || **explorer** [-é] *v.* to explore; to search; to scan [télévision].

exploser [èksplôzé] *v.* to explode; to blow up. || **explosif** [-ìf] *m., adj.* explosive. || **explosion** [-yoⁿ] *f.* explosion; blowing up; bursting.

exportateur, -trice [èkspòrtàtœr, -trìs] *m., f.* exporter; *adj.* exporting. || **exportation** [-àsyoⁿ] *f.* exportation; export. || **exporter** [-é] *v.* to export.

exposant [èkspôzaⁿ] *m.* exhibitor; exponent (math.); petitioner (jur.). || **exposé** [-é] *m.* report; outline; account; statement. || **exposer** [-é] *v.* to expose; to lay bare; to exhibit; to state; to set forth; to endanger. || **exposition** [-ìsyoⁿ] *f.* exhibition; exposure; statement; account; aspect [maison]; lying in state [corps].

exprès [èksprè] *m.* express; *adj.* express, positive, definite, explicit; *adv.* on purpose, intentionally. || **express** [-s] *m., adj.* express [train]. || **expressif** [-sìf] *adj.* expressive. || **expression** [-syoⁿ] *f.* expression; utterance; squeezing; phrase; *la plus simple expression,* the simplest terms.

exprimable [èksprìmàbl] *adj.* expressible. || **exprimer** [-é] *v.* to express; to voice; to manifest; to squeeze out [jus].

exproprier [èkspròprìyé] *v.* to expropriate.

expulser [èkspülsé] *v.* to expel; to turn out; to evict; to oust; to eject; to banish. || **expulsion** [-yoⁿ] *f.* expulsion; ejection; ousting; eviction.

exquis [èkskì] *adj.* exquisite; delicious, delightful; choice.

extase [èkstâz] *f.* ecstasy, rapture; trance (med.). || **extasier** [-àzyé] *v.* to transport, to enrapture; **s'extasier,** to go into ecstasies.

extensible [èkstaⁿsìbl] *adj.* extending; expanding. || **extension** [-yoⁿ] *f.* extent; extension; spreading; stretching.

exténuer [èksténüé] *v.* to extenuate; to tire out; to wear out; to exhaust.

extérieur [èkstéryœr] *m.* outside; appearance; foreign countries; *adj.* exterior, outer, outside, external; foreign.

extermination [èkstèrmìnàsyoⁿ] *f.* extermination, wiping out. || **exterminer** [-é] *v.* to exterminate; to annihilate; to wipe out.

externe [èkstèrn] *m.* day-pupil;

non-resident medical student; *adj.* exterior, outer, external.
extincteur [èksti^{n}ktœr] *m.* fire-extinguisher.
extirper [èkstìrpé] *v.* to extirpate; to cut out; to eradicate; to uproot.
extorquer [èkstòrké] *v.* to extort. || **extorsion** [-syo^{n}] *f.* extortion.
extra [èkstrà] *m., adv.* extra; *adj.* extra-special; **extra-fin**, superfine.
extraction [èkstràksyo^{n}] *f.* extraction; working [mines]; origin, birth, parentage.
extrader [èkstràdé] *v.* to extradite.
extraire [èkstrèr] *v.** to extract; to pull [dent]; to quarry [pierres]; to extricate. || **extrait** [èkstrè] *m.* extract; excerpt; certificate; statement [compte].
extraordinaire [èkstràòrdìnèr] *adj.* extraordinary; uncommon; special; unusual; wonderful.
extravagance [èkstràvàga^{n}s] *f.* extravagance; absurdity; folly. || **extravagant** [-a^{n}] *adj.* extravagant; exorbitant; absurd, foolish, wild.
extrême [èkstrèm] *m.* utmost limit; *adj.* extreme; utmost; severe; intense; **extrême-onction**, extreme unction; **Extrême-Orient**, Far East. || **extrémité** [-émìté] *f.* extremity; very end; tip; extreme; border; urgency; *à l'extrémité*, to extremes.
exubérant [ègzübéra^{n}] *adj.* exuberant; very rich; superabundant; lush; luxuriant.
exultation [ègzültàsyo^{n}] *f.* exultation, rejoicing. || **exulter** [-é] *v.* to exult, to rejoice.

F

fable [fâbl] *f.* fable; story, tale; fiction; myth; untruth.
fabricant [fàbrìka^{n}] *m.* maker, manufacturer. || **fabrication** [-àsyo^{n}] *f.* making, manufacture; production; forging; fabrication. || **fabrique** [fàbrìk] *f.* factory, works, manufactory; mill [papier]; make. || **fabriquer** [-é] *v.* to make, to make up; to manufacture; to forge; to do, to be up to (fam.).
fabuleux [fàbülë] *adj.* fabulous; incredible; prodigious.
façade [fàsàd] *f.* façade, front, frontage; appearances (fig.).
face [fàs] *f.* face; countenance; aspect; front; surface; side [disque]; *faire face à*, to confront; to face; *en face de*, facing, in front of.
facette [fàsèt] *f.* facet.
fâché [fâshé] *adj.* sorry; angry; annoyed, cross, vexed; offended; displeased. || **fâcher** [-é] *v.* to incense, to anger; to grieve; to offend; **se fâcher**, to get angry, to lose one's temper; to quarrel. || **fâcheux** [-ë] *m.* bore; *adj.* tiresome, annoying; vexing; awkward; unfortunate; grievous.
facial [fàsyàl] *adj.* facial.
facile [fàsìl] *adj.* easy; simple; facile; ready; pliable; accommodating; fluent [parole]. || **facilité** [-ìté] *f.* ease; easiness; readiness; fluency [parole]; facility; gift; aptitude; pliancy; *pl.* easy terms [paiement]. || **faciliter** [-ìté] *v.* to facilitate, to make easier, to simplify.
façon [fàso^{n}] *f.* make; fashioning; work; workmanship; manner, way, mode; sort; *pl.* ceremony; affectation; fuss; *de façon à*, so as to; *de toute façon*, in any case; *en aucune façon*, by no means; *de façon que*, so that; *faire des façons*, to stand on ceremony. || **façonner** [-òné] *v.* to shape; to form, to fashion; to make [robe]; to train; to accustom; to mould.
facteur [fàktœr] *m.* postman; transport agent; carman; porter [gare]; maker; factor (math.). || **factice** [-tìs] *adj.* artificial, imitation, factitious. || **faction** [-syo^{n}] *f.* faction; watch, guard, sentry-duty. || **facture** [-tür] *f.* make, workmanship; invoice (comm.); bill; account; *suivant facture*, as per invoice. || **facturer** [-türé] *v.* to invoice.
facultatif [fàkültàtìf] *adj.* optional, facultative; *arrêt facultatif*, request stop. || **faculté** [-é] *f.* faculty; option; power; privilege; branch of studies; *pl.* means, resources.

fadaise [fàdèz] *f.* nonsense, twaddle, *Am.* baloney (pop.).
fade [fàd] *adj.* tasteless, insipid; flat. || **fadeur** [-œr] *f.* insipidity; sickliness [odeur]; pointlessness; tameness.
fagot [fàgô] *m.* faggot, bundle of sticks.
faible [fèbl] *m.* weakness, foible; weakling; *adj.* weak, feeble; faint [voix]; light, slight; gentle [pente]; poor; slender [ressources]. || **faiblesse** [-ès] *f.* weakness, feebleness; frailty; weak point; fainting fit; smallness; poorness; slenderness; deficiency. || **faiblir** [-ir] *v.* to weaken, to grow weak; to flag, to yield.
faïence [fàyaⁿs] *f.* earthenware; crockery.
faille [fày] *f.* fault (geol.). || **failli** [-ì] *m.* bankrupt. || **faillir** [-ir] *v.** to fail; to err; to come near; to just miss; to go bankrupt (comm.); *il a failli mourir,* he nearly died. || **faillite** [-ìt] *f.* failure, bankruptcy; *faire faillite,* to go bankrupt.
faim [fiⁿ] *f.* hunger; *avoir faim,* to be hungry; *mourir de faim,* to be starving.
fainéant [fènéaⁿ] *m.* idler, sluggard, slacker (fam.); *adj.* idle, lazy, sluggish; slothful.
faire [fèr] *m.* doing; technique; style; workmanship; *v.** to make [fabriquer]; to cause; to get; to bring forth; to do; to perform; to suit; to fit; to deal [cartes]; to manage; to be [temps]; to play [musique]; to paint [tableau]; to produce; to go [distance]; to say; to pay [frais]; to persuade; to wage [guerre]; *cela fait mon affaire,* that suits me fine; *faites attention,* be careful; *je lui ferai écrire une lettre,* I shall have him write a letter; *faites-moi le plaisir de,* do me the favo(u)r of; *faire savoir,* to inform; *faire voile,* to set sail; **se faire,** to be done; to happen; to get used to; to become; *cela ne se fait pas,* that is not done; *il peut se faire que,* it may happen that; *comment se fait-il que,* how is it that; *se faire comprendre,* to make oneself understood; *ne vous en faites pas,* don't worry; **faire-part,** announcement, card, notification [mariage, décès].
|| **faisable** [fᵉzàbl] *adj.* feasible, practicable.
faisan, -ane [fᵉzaⁿ, -àn] *m., f.* pheasant, m.; hen-pheasant, f. || **faisander** [-dé] *v.* to hang [viande].
faisceau [fèsô] *m.* bundle; cluster; pile, stack [armes]; pencil [lumière]; *pl.* fasces.
faiseur [fᵉzœr] *m.* maker, doer; quack, humbug.
fait [fè] *m.* fact; deed; act; feat, achievement; case; matter; point; *adj.* made; done; settled; used; ripe; grown; *au fait, de fait,* indeed; *être au fait de,* to be informed of; *fait d'armes,* feat of arms; *fait divers,* item of news; *prendre sur le fait,* to catch in the act; *en venir au fait,* to come to the point; *c'en est fait de,* it's all up with; *c'est bien fait pour vous,* it serves you right.
faîte [fèt] *m.* ridge [toit]; summit, top; peak, height (fig.).
faix [fè] *m.* burden, load.
falaise [fàlèz] *f.* cliff; bluff.
falloir [fàlwàr] *v.** to be necessary; *il lui faut un crayon,* he needs a pencil; *il faut qu'elle vienne,* she must come; *il fallait appeler,* you should have called; *comme il faut,* proper; correct; respectable; gentlemanly; lady-like; *il s'en faut de beaucoup,* far from it; *peu s'en fallut qu'il ne mourût,* he very nearly died.
falot [fàlô] *m.* lantern.
falot [fàlô] *adj.* queer, quaint, droll, odd, amusing; wan, dull [lumière].
falsifier [fàlsìfyé] *v.* to falsify; to counterfeit; to adulterate [nourriture], to sophisticate.
famélique [fàmélìk] *m.* starveling; *adj.* starving, famished.
fameux [fàmë] *adj.* famous, renowned, celebrated; *Br.* capital, *Am.* marvelous, swell (fam.).
familial [fàmìlyàl] *adj.* family, domestic. || **familiariser** [fàmìlyàrìzé] *v.* to familiarize. || **familiarité** [-ìté] *f.* familiarity, intimacy; *pl.* liberties. || **familier** [fàmìlyé] *adj.* family, domestic; familiar; well-known; intimate; colloquial. || **famille** [fàmîy] *f.* family; household.
famine [fàmìn] *f.* famine, starvation.
fanal [fànàl] *m.* lantern; beacon; signal-light; navigation light.

fanatique [fànàtìk] *m., f.* fanatic; enthusiast; devotee; *adj.* fanatical. || **fanatisme** [-ìsm] *m.* fanaticism.
faner [fàné] *v.* to cause to fade; to make [foin]; to toss; **se faner,** to fade; to droop. || **faneur** [-œr] *m.* haymaker.
fanfare [faⁿfàr] *f.* brass band; fanfare; flourish (mus.). || **fanfaron** [-oⁿ] *m.* boaster, braggart, swaggerer; *adj.* boastful, bragging. || **fanfaronnade** [-ònàd] *f.* brag, boasting, blustering.
fange [faⁿj] *f.* mud, mire; filth, dirt; muck (fam.). || **fangeux** [-ë] *adj.* muddy; dirty, filthy.
fanion [fànyoⁿ] *m.* flag, pennon (mil.). || **fanon** [fànoⁿ] *m.* maniple (eccles.); dewlap [bœuf]; fetlock [cheval]; whalebone.
fantaisie [faⁿtèzî] *f.* fancy, whim, caprice; imagination; fantasia (mus.); *articles de fantaisie,* fancy goods. || **fantaisiste** [-ìst] *adj.* whimsical; fanciful.
fantassin [faⁿtàsiⁿ] *m.* infantryman, foot-soldier.
fantastique [faⁿtàstìk] *adj.* fantastic, fanciful; incredible.
fantôme [faⁿtôm] *m.* phantom, ghost, spectre.
faon [faⁿ] *m.* fawn.
farce [fàrs] *f.* stuffing, force-meat [cuisine]; farce, low comedy; trick, practical joke. || **farceur** [-œr] *m.* wag, humorist; practical joker. || **farcir** [-ìr] *v.* to stuff.
fard [fàr] *m.* paint; make-up; rouge; artifice; disguise (fig.).
fardeau [fàrdô] *m.* burden, load.
farder [fàrdé] *v.* to paint; to make up; to disguise; **se farder,** to make up.
farine [fàrîn] *f.* meal, flour; oatmeal [avoine]; *farine lactée,* malted milk. || **farineux** [-ë] *adj.* mealy, floury, farinaceous.
farouche [fàrûsh] *adj.* wild, fierce, savage; cruel; shy, timid [peureux]; sullen.
fascicule [fàsìkül] *m.* fascic(u)le; small bundle; part, section [publication].
fascination [fàsìnàsyoⁿ] *f.* fascination, charm. || **fasciner** [-é] *v.* to fascinate; to entrance, to charm.
faste [fàst] *m.* pomp, display, ostentation.
fastidieux [fàstìdyë] *adj.* tedious, dull; irksome; tiresome.
fastueux [fàstüë] *adj.* ostentatious, showy; splendid, sumptuous.
fat [fàt] *m.* fop; conceited idiot; *adj.* foppish; conceited; vain.
fatal [fàtàl] *adj.* fatal; inevitable; *c'est fatal,* it's bound to happen. || **fatalité** [-ìté] *f.* fatality; fate; calamity; misfortune.
fatigant [fàtìgaⁿ] *adj.* tiring, wearisome, fatiguing; tiresome. || **fatigue** [fàtìg] *f.* fatigue, tiredness, weariness; hard work. || **fatigué** [fàtìgé] *adj.* tired, weary; jaded [cheval]; threadbare [vêtement]; well-thumbed [book]. || **fatiguer** [-é] *v.* to fatigue, to tire, to weary; to overwork, to strain; **se fatiguer,** to get tired; to tire oneself out.
fatuité [fàtüìté] *f.* conceit, self-satisfaction.
faubourg [fôbûr] *m.* suburb; outskirts.
faucher [fôshé] *v.* to mow, to reap; to mow down (fig.); to sweep by fire (mil.); to pinch (pop.). || **faucheur** [-œr] *m.* mower, reaper. || **faucheuse** [-ëz] *f.* mowing-machine, reaper. || **faucheux** [-ë] *m.* field spider, daddy-longlegs.
faucille [fôsîy] *f.* sickle, reaping-hook.
faufiler [fôfìlé] *v.* to tack; to slip in; to insert; **se faufiler,** to creep in; to slip in; to insinuate oneself.
faussaire [fôsèr] *m., f.* forger. || **fausser** [-é] *v.* to falsify, to pervert; to bend, to warp; to force [serrure]; to break [parole]; to throw out of tune (mus.); *fausser compagnie à,* to give the slip to. || **fausseté** [-té] *f.* falseness; falsehood; treachery.
faute [fôt] *f.* fault; error; mistake; want, lack; *faute de,* for want of; *sans faute,* without fail.
fauteuil [fôtœy] *m.* armchair; chair [président]; wheel chair [roulant]; seat; stall (theat.).
fautif [fôtìf] *adj.* wrong, faulty, incorrect.
fauve [fôv] *m.* wild beast; *adj.* tawny; musky [odeur]. || **fauvette** [-èt] *f.* warbler.
faux [fô] *f.* scythe.
faux, fausse [fô, fôs] *m.* falsehood; forgery; *adj.* false, untrue, wrong, erroneous; imitation, sham; forged; fraudulent; out of tune (mus.);

adv. falsely; out of tune (mus.); *faux pas,* slip; *faire fausse route,* to be on the wrong track; faux col, shirt-collar, detachable collar; **faux-fuyant,** evasion, subterfuge; faux monnayeur, counterfeiter.
faveur [fàvœr] *f.* favo(u)r; kindness; boon; privilege; fashion, vogue; ribbon [ruban]; *conditions de faveur,* preferential terms; *billet de faveur,* complimentary ticket. || **favorable** [fàvòràbl] *adj.* favo(u)rable, propitious; advantageous. || **favori, -ite** [-ì, -ìt] *m., f., adj.* favo(u)rite; *m. pl.* side-whiskers. || **favoriser** [-ìzé] *v.* to favo(u)r; to encourage; to patronize. || **favoritisme** [-ìtìsm] *m.* favo(u)ritism.
fécond [fékoⁿ] *adj.* fruitful, fertile; productive. || **féconder** [-dé] *v.* to fecundate, to fertilize. || **fécondité** [-dìté] *f.* fertility; fecundity; fruitfulness.
fécule [fékül] *f.* starch; fecula. || **féculent** [-aⁿ] *m.* starchy food; *adj.* starchy.
fédéral [fédéràl] *adj.* federal. || **fédération** [-àsyoⁿ] *f.* federation. || **fédéré** [-é] *adj.* federate.
fée [fé] *f.* fairy; *conte de fées,* fairy-tale. || **féerie** [-rî] *f.* fairy scene; enchantment; pantomime (theat.). || **féerique** [-rìk] *adj.* fairy, magic; enchanting.
feindre [fiⁿdr] *v.** to feign, to sham, to pretend; to limp [cheval]. || **feinte** [fiⁿt] *f.* sham, pretence; bluff; make-believe; feint [boxe].
fêler [fèlé] *v.* to crack.
félicitation [félìsìtàsyoⁿ] *f.* congratulation. || **féliciter** [-é] *v.* to congratulate, to compliment.
fêlure [fèlür] *f.* crack; fracture.
femelle [feᵉmèl] *f.* female.
féminin [féminiⁿ] *adj.* feminine; female; womanly; womanish.
femme [fàm] *f.* woman [*pl.* women]; wife.
fenaison [feᵉnèzoⁿ] *f.* haymaking.
fendre [faⁿdr] *v.* to split, to cleave; to rend [air]; to slit; to break through [foule]; to crack; **se fendre,** to split, to crack.
fenêtre [feᵉnètr] *f.* window; sash.
fente [faⁿt] *f.* crack, fissure, split; slit; gap; chink; cranny; crevice; opening; slot.
féodal [féòdàl] *adj.* feudal.
fer [fèr] *m.* iron; sword; shoe [cheval]; curling-tongs; flat-iron; *pl.* fetters, chains; captivity; forceps (med.); *fil de fer,* wire; *fer forgé,* wrought iron; **fer-blanc,** tin. || **ferblanterie** [fèrblaⁿtrî] *f.* tin ware, tin goods; tin-shop (ind.). || **ferblantier** [-yé] *m.* tinsmith.
férié [féryé] *adj. jour férié,* public holiday.
fermage [fèrmàj] *m.* rent; tenant farming.
ferme [fèrm] *f.* farm; farming; **farming lease** [bail]; **truss** (techn.); *adj.* firm, rigid, steady, fast, fixed; stiff; resolute; definite; *adv.* firmly, fast; *à ferme,* on lease.
ferment [fèrmaⁿ] *m.* ferment. || **fermentation** [-tàsyoⁿ] *f.* fermentation; excitement; unrest. || **fermenter** [-té] *v.* to ferment.
fermer [fèrmé] *v.* to close, to shut; to fasten; to switch off [lumière]; to turn out [gaz]; to clench [poing]; to lock [à clé]; to bolt [au verrou]. || **fermeté** [-ᵉté] *f.* firmness; steadiness; steadfastness; constancy. || **fermeture** [ᵉtür] *f.* shutting, closing; fastening; *fermeture Eclair,* zipper, zip fastener. || **fermier** [-yé] *m.* farmer; farm tenant. || **fermière** [-yèr] *f.* farmer's wife. || **fermoir** [-wàr] *m.* clasp, catch, fastener.
féroce [féròs] *adj.* ferocious, fierce, savage, wild. || **férocité** [-ìté] *f.* fierceness, ferocity.
ferraille [fèrày] *f.* scrap-iron, old iron; junk. || **ferré** [-é] *adj.* fitted with iron; shod; well up in (fam.); hobnailed [soulier]. || **ferrer** [-é] *v.* to fit with iron; to shoe [cheval]; to strike [poisson]; to metal [route]. || **ferrure** [-ür] iron fitting; iron-work.
fertile [fèrtîl] *adj.* fertile; rich. || **fertiliser** [-ìzé] *v.* to fertilize. || **fertilité** [-ìté] *f.* fertility; abundance.
féru [férü] *adj.* smitten.
fervent [fèrvaⁿ] *m.* enthusiast; fan (fam.); *adj.* fervent, earnest. || **ferveur** [-œr] *f.* fervo(u)r, earnestness.
fesse [fès] *f.* buttock; *pl.* bottom, backside; **fesse-mathieu,** skinflint. || **fessée** [-é] *f.* spanking. || **fesser** [-é] *v.* to spank.
festin [fèstiⁿ] *m.* feast, banquet.

|| **feston** [-o^n] *m.* festoon. || **festonner** [-òné] *v.* to festoon; to scallop [ourlet]. || **festoyer** [-wàyé] *v.* to feast; to regale.

fête [fèt] *f.* feast; festival; holiday; birthday; patron saint's day; *faire fête à,* to welcome; **fête-Dieu,** Corpus Christi. || **fêter** [-é] *v.* to keep [fête]; to feast; to entertain; to celebrate.

fétide [fétìd] *adj.* fetid, stinking, rank; **fétidité,** fetidness.

feu [fë] *m.* fire; conflagration; flame; heat; firing [armes]; fire-place [foyer]; light; ardour, spirit; *arme à feu,* fire-arm; *faire feu sur,* to fire at; *feu de joie,* bonfire; *feu d'artifice,* fireworks; *mettre le feu à,* to set fire to; *à petit feu,* over a slow fire; *donnez-moi du feu,* give me a light; *faire long feu,* to hang fire.

feu [fë] *adj.* late; deceased.

feuillage [fœyàj] *m.* foliage, leaves. || **feuille** [fœy] *f.* leaf; sheet [papier]. || **feuillet** [-è] *m.* leaf; form; sheet. || **feuilleté** [-té] *m.* puff paste. || **feuilleter** [-té] *v.* to turn over the leaves of; to thumb through; to skim through [livre]; to roll out [pâte]. || **feuilleton** [-to^n] *m.* serial story. || **feuillu** [-ü] *adj.* leafy.

feutre [fëtr] *m.* felt; felt hat.

fève [fèv] *f.* bean; broad bean.

février [févrìyé] *m.* February.

fiançailles [fya^{n}sày] *f. pl.* engagement, betrothal. || **fiancé, -ée** [-sé] *m.* fiancé; *f.* fiancée. || **fiancer (se)** [s^{e}fya^{n}sé] *v.* to become engaged.

fibre [fìbr] *f. Br.* fibre, *Am.* fiber; grain [bois]; feeling. || **fibreux** [-ë] *adj.* fibrous, stringy.

ficeler [fìslé] *v.* to tie up, to do up. || **ficelle** [fìsèl] *f.* string; pack-thread, twine; (pop.) trick, dodge.

fiche [fìsh] *f.* peg; pin; counter [cartes]; slip [papier]; form; index-card; label; chit; plug (electr.). || **ficher** [-é] *v.* to stick in; to drive in; (pop.) to do; to put; to give; to throw; **se ficher,** to laugh (*de,* at); *je m'en fiche,* I don't care a hang. || **fichier** [-yé] *m.* card-index; card-index cabinet. || **fichu** [-ü] *m.* neckerchief; *adj.* (pop.) lost, done for; *mal fichu,* wretched, out of sorts.

fictif [fìktìf] *adj.* fictitious. || **fiction** [fìksyo^n] *f.* fiction; fabrication; figment; invention.

fidèle [fìdèl] *adj.* faithful; loyal; accurate; exact [copie]; *m. pl. les fidèles,* the faithful; the congregation (eccles.). || **fidélité** [-ìté] *f.* faithfulness, fidelity; loyalty; accuracy.

fiel [fyèl] *m.* bile, gall [animaux]; spleen; malice.

fier (se) [s^{e}fyé] *v.* to rely (*à,* on); to trust (*en,* in).

fier [fyèr] *adj.* proud; haughty; (fam.) fine, precious. || **fierté** [-té] *f.* pride; dignity; haughtiness.

fièvre [fyèvr] *f.* fever; ague; heat, excitement (fig.); *fièvre aphteuse,* foot-and-mouth disease. || **fiévreux** [-ë] *adj.* feverish; fever-ridden; excited.

figer [fìjé] *v.* to coagulate, to congeal; **se figer,** to congeal, to clot; to set [visage].

figue [fìg] *f.* fig. || **figuier** [fìgyé] *m.* fig-tree.

figurant [fìgüra^n] *m.* supernumerary, super (theat.). || **figuration** [-àsyo^n] *f.* figuration, representation; extras (theat.). || **figure** [fìgür] *f.* figure, shape, form; face; type; appearance; court-card [cartes]. || **figuré** [-é] *adj.* figurative; *au figuré,* figuratively. || **figurer** [-é] *v.* to represent; to act; to figure; to appear; **se figurer,** to imagine, to fancy.

fil [fìl] *m.* thread; wire; edge [lame]; grain [bois]; clue; course; *fil à plomb,* plumb-line. || **filament** [-àma^n] *m.* filament. || **filant** [-a^n] *adj.* flowing; ropy [vin]; shooting [étoile]. || **filasse** [-às] *f.* tow; oakum. || **filateur** [-àtœr] *m.* spinning-mill owner; spinner; informer. || **filature** [-àtür] *f.* spinning-mill, cotton-mill; spinning; tracking, shadowing. || **file** [fìl] *f.* file; rank. || **filer** [-ìlé] *v.* to spin; to draw out; to pay out [câble]; to spin out (fig.); to shadow; to flow; to smoke [lampe]; to run off; to sneak away; *filer à l'anglaise,* to take French leave. || **filet** [-è] *m.* thread; fillet [bœuf]; trickle; dash [citron]; thread [vis]; snare; net [pêche]; luggage rack; *coup de filet,* catch, haul.

filial [fìlyàl] *adj.* filial. || **filiale** [fìlyàl] *f.* subsidiary company; sub-branch.

filière [fìlyèr] *f.* draw-plate; usual channels (fig.).
fille [fìy] *f.* girl; maid; daughter; sister [religieuse]; (fam.) whore; *jeune fille*, girl. || **fillette** [-èt] *f.* little girl.
filleul [fìyœl] *m.* godson. || **filleule** [fìyœl] *f.* goddaughter.
film [fìlm] *m.* film, motion picture, *Am.* movie. || **filmer** [-é] *v.* to film.
filon [fìloⁿ] *m.* vein, lode.
filou [fìlû] *m.* crook; sharper; swindler.
fils [fìs] *m.* son; boy, lad (fam.).
filtre [fìltr] *m.* filter; strainer; percolator [café]. || **filtrer** [-é] *v.* to filter; to strain; to percolate.
fin [fiⁿ] *f.* end; termination, conclusion; close; object, aim, purpose; extremity; *à la fin*, in the long run; at last; *mettre fin à*, to put an end to.
fin [fiⁿ] *adj.* fine; refined; pure; choice; slender; sly, artful; subtle; delicate; small; keen, quick [oreille].
final [fìnàl] *adj.* final, last; ultimate.
finance [fìnaⁿs] *f.* finance; ready money; *pl.* resources; *le ministère des Finances*, *Br.* the Exchequer, *Am.* the Treasury. || **financer** [-é] *v.* to finance, to supply with money. || **financier** [-yé] *m.* financier; *adj.* financial; stock [marché].
fine [fìn] *f.* liqueur brandy.
finesse [fìnès] *f.* finesse; fineness; nicety; thinness; delicacy; shrewdness; acuteness. || **fini** [-ì] *m.* finish; finishing touch; *adj.* ended, finished; settled; over; accomplished; finite. || **finir** [-ìr] *v.* to finish, to end; to cease, to leave off; to be over; to die.
fioriture [fyòrìtür] *f.* flourish.
firmament [fìrmàmaⁿ] *m.* firmament, heavens.
firme [fìrm] *f.* firm.
fisc [fìsk] *m.* treasury; taxes, *Br.* Inland Revenue. || **fiscal** [-àl] *adj.* fiscal.
fissure [fìsür] *f.* fissure, crack, split, cleft, crevice.
fixe [fìks] *m.* fixed salary; *adj.* fixed; steady; fast; firm; regular; settled. || **fixer** [-é] *v.* to fix; to fasten; to settle; to stare at; to decide; to determine; to hold; to attract [attention]; *se fixer*, to settle down; to get fixed.
flacon [flàkoⁿ] *m.* small bottle; flask; vial, phial.
flageller [flàjèllé] *v.* to scourge.
flageoler [flàjòlé] *v.* to shake, to tremble.
flagorner [flàgòrné] *v.* to flatter; to fawn upon.
flagrant [flàgraⁿ] *adj.* flagrant, obvious.
flair [flèr] *m.* scent; sense of smell; flair. || **flairer** [-é] *v.* to smell; to scent; to detect.
flamant [flàmaⁿ] *m.* flamingo.
flambant [flaⁿbaⁿ] *adj.* blazing; *flambant neuf*, brand-new. || **flambeau** [-ô] *m.* torch; candlestick. || **flamber** [-é] *v.* to flame, to blaze; to singe; to sterilize. || **flamboiement** [-wàmaⁿ] *m.* blaze. || **flamboyant** [-wàyaⁿ] *adj.* flamboyant (arch.); blazing; flaming. || **flamboyer** [-wàyé] *v.* to blaze, to flame; to flash; to gleam.
flamme [flàm] *f.* flame; passion, love; pennant (mil.); *en flammes*, ablaze. || **flammèche** [flàmèsh] *f.* spark.
flan [flaⁿ] *m.* custard tart; mould (typogr.).
flanc [flaⁿ] *m.* side, flank; *sur le flanc*, laid up.
flancher [flaⁿshé] *v.* to flinch; to give in; to break down [auto].
flanelle [flànèl] *f.* flannel.
flâner [flâné] *v.* to stroll; to lounge about; to saunter; to loaf. || **flânerie** [-rì] *f.* lounging; idling. || **flâneur** [-œr] *m.* stroller; loafer, lounger.
flanquer [flaⁿké] *v.* to flank.
flanquer [flaⁿké] *v.* to throw, to chuck (fam.); to land, to deal [coups].
flaque [flàk] *f.* puddle, pool.
flasque [flàsk] *adj.* flabby, limp.
flatter [flàté] *v.* to flatter; to caress, to stroke; to please. || **flatterie** [-rì] *f.* flattery. || **flatteur** [-œr] *m.* flatterer; sycophant; *adj.* flattering; gratifying; pleasing.
fléau [fléô] *m.* flail; beam [balance]; scourge; pest, plague (fig.).
flèche [flèsh] *f.* arrow; spire [église]; pole; jib [grue]; sag; *monter en flèche*, to shoot up. || **fléchette** [fléshèt] *f.* dart.
fléchir [fléshìr] *v.* to bend; to give way; to weaken; to move to pity.
flegmatique [flègmàtìk] *adj.* phleg-

matic; stolid; calm, cool. || **flegme** [flègm] *m.* phlegm; coolness.
flétrir [flétrîr] *v.* to fade; to wither; to wilt; to blight.
flétrir [flétrîr] *v.* to brand; to stain (fig.). || **flétrissure** [-ìsür] *f.* brand; blot.
fleur [flœr] *f.* flower; blossom; prime; bloom; *à fleur de,* level with. || **fleuret** [-è] *m.* foil [escrime]; drill [mine]. || **fleurir** [-îr] *v.** to flower, to bloom; to thrive; to decorate with flowers. || **fleuriste** [-ìst] *m., f.* florist;
fleuve [flœv] *m.* river.
flexibilité [flèksìbìlìté] *f.* flexibility; suppleness. || **flexible** [-ìbl] *adj.* pliant; flexible; *m.* flex (electr.). || **flexion** [-yoⁿ] *f.* bending, sagging, flexion.
flic [flìk] *m.* (fam.) cop, *Br.* bobby; detective.
flirt [flœrt] *m.* flirt; flirting. || **flirter** [-é] *v.* to flirt.
flocon [flòkoⁿ] *m.* flake [neige]; flock [laine].
floraison [flòrèzoⁿ] *f.* blossoming; blossom-time.
florissant [flòrìsaⁿ] *adj.* flourishing, thriving.
flot [flô] *m.* wave; tide; crowd; flood (fig.); *à flot,* afloat; *à flots,* in torrents.
flottaison [flòtèzoⁿ] *f.* floating; water-line (naut.). || **flotte** [flòt] *f.* fleet; navy; (fam.) rain, water. || **flottement** [-maⁿ] *m.* swaying; wavering, hesitation. || **flotter** [-é] *v.* to float; to waver, to hesitate. || **flotteur** [-œr] *m.* raftsman; float (techn.); buoy [bouée]. || **flottille** [-îy] *f.* flotilla.
flou [flû] *m.* softness; haziness; *adj.* soft; blurred; hazy; fuzzy, foggy [photo].
fluctuer [flüktüé] *v.* to fluctuate.
fluide [flüîd] *m., adj.* fluid.
flûte [flüt] *f.* flute; tall champagne glass; long thin roll of bread; *interj.* bother!, *Br.* blow it!
flux [flü] *m.* flux; flow; *le flux et le reflux,* the ebb and flow. || **fluxion** [-ksyoⁿ] *f.* inflammation; congestion.
foi [fwà] *f.* faith; belief; trust, confidence; evidence [preuve]; *de bonne foi,* in good faith; *digne de foi,* reliable, trustworthy.
foie [fwà] *m.* liver.
foin [fwiⁿ] *m.* hay.
foire [fwàr] *f.* fair.
fois [fwà] *f.* time, occasion; *une fois,* once; *deux fois,* twice; *combien de fois,* how often; *à la fois,* at the same time; *encore une fois,* once more; *une fois que,* when, once; *une seule fois,* only once.
foison [fwàzoⁿ] *f.* plenty, abundance. || **foisonner** [-òné] *v.* to be plentiful, to abound; to swarm; to swell; to buckle.
fol, *see* **fou.** || **folâtre** [fòlâtr] *adj.* playful, frisky. || **folâtrer** [-é] *v.* to frolic, to frisk; to gambol. || **folie** [fòlî] *f.* madness; folly; mania; *aimer à la folie,* to love to distraction. || **folle,** *see* **fou.**
fomenter [fòmaⁿté] *v.* to foment; to stir up.
foncé [foⁿsé] *adj.* dark, deep. || **foncer** [-é] *v.* to drive in; to bore [puits]; to deepen; to darken; to rush, to charge; **se foncer,** to darken, to deepen.
foncier [foⁿsyé] *adj.* landed; real; fundamental; thorough; *propriétaire foncier,* landowner.
fonction [foⁿksyoⁿ] *f.* function; office; duty; working; *faire fonction de,* to act as. || **fonctionnaire** [-yònèr] *m., f.* official; civil servant. || **fonctionner** [-yòné] *v.* to function; to work; to act.
fond [foⁿ] *m.* bottom; bed [mer]; foundation; gist; essence; basis; background [tableau]; back; *à fond,* thoroughly; *au fond,* in reality; after all.
fondamental [foⁿdàmaⁿtàl] *adj.* fundamental; radical; essential; basic.
fondateur, -trice [foⁿdàtœr, -trìs] *m., f.* founder. || **fondation** [-àsyoⁿ] *f.* founding; foundation; basis; endowment [legs]. || **fondé** [-é] *adj.* founded; authorized; *m. fondé de pouvoir,* proxy (jur.); manager (comm.). || **fondement** [-maⁿ] *m.* base; foundation; *sans fondement,* groundless. || **fonder** [-é] *v.* to found; to ground, to base, to justify.
fonderie [foⁿdrî] *f.* casting; smelting; foundry; smelting works. || **fondeur** [foⁿdœr] *m.* founder; smelter. || **fondre** [foⁿdr] *v.* to melt; to thaw; to smelt [fer]; to cast [statue]; to dissolve; to soften (fig.); to blend [couleurs]; to

swoop, to pounce; *fondre en larmes,* to burst into tears.
fondrière [foⁿdrièr] *f.* bog, quagmire; hollow.
fonds [foⁿ] *m.* land, estate; stock-in-trade; fund; business; *pl.* cash; capital; *fonds de commerce,* business concern.
fontaine [foⁿtèn] *f.* fountain; spring; source.
fonte [foⁿt] *f.* melting; smelting; casting; thawing [neige]; cast iron; fount (typogr.).
forage [fòràj] *m.* boring, drilling; bore-hole.
forain [fòrìⁿ] *adj.* alien, foreign; travel(l)ing, itinerant; *marchand forain,* hawker; *fête foraine,* fair.
forçat [fòrsà] *m.* convict.
force [fòrs] *f.* force; strength, might; vigo(u)r; power; authority; violence; *pl.* forces, troops; *à force de,* by dint of; *force majeure,* absolute necessity, circumstances outside one's control. || **forcément** [-émaⁿ] *adv.* necessarily; inevitably.
forcené [fòrseneé] *m.* madman; *adj.* frantic, mad, frenzied.
forceps [fòrsèps] *m.* forceps.
forcer [fòrsé] *v.* to force; to compel, to oblige; to take by storm (mil.); to run [blocus]; to break open; to break through [traverser]; to strain; to increase [augmenter]; to pick [serrure].
forer [fòré] *v.* to drill, to bore.
forestier [fòrèstyé] *m.* forester; *adj.* forest. || **forêt** [fòrè] *f.* forest.
foret [fòrè] *m.* drill; bit; gimlet.
forfait [forfè] *m.* crime; forfeit.
forfait [fòrfè] *m.* contract; *travail à forfait,* job work; work by contract.
forfanterie [fòrfaⁿtrî] *f.* bragging, boasting.
forge [fòrj] *f.* forge, smithy; iron-works. || **forger** [-é] *v.* to forge; to hammer; to invent; to coin [mot]; to make up; se forger, to fancy. || **forgeron** [-eroⁿ] *m.* black-smith.
formaliser (se) [sefòrmàlìzé] *v.* to take offense. || **formalité** [fòrmàlìté] *f.* form, formality; ceremoniousness.
format [fòrmà] *m.* size; format [livre]. || **formation** [-syoⁿ] *f.* formation; making; development. || **forme** [fòrm] *f.* form; shape; former (techn.); pattern; mould; last [chaussures]; procedure; *pl.* shoe-trees; etiquette. || **formel** [-èl] *adj.* formal; categorical; express; strict. || **former** [-é] *v.* to form; to fashion, to shape; to mould; to constitute.
formidable [fòrmìdàbl] *adj.* formidable, dreadful; (fam.) terrific, tremendous, *Am.* swell.
formule [fòrmül] *f.* formula; form; prescription; phrase. || **formuler** [-é] *v.* to draw up; to formulate; to lay down; to express; to lodge [plainte].
fort [fòr] *m.* strong man; strong point; center; fortress; *adj.* strong; robust; clever; good; skilful; thick; large; ample; stout; heavy [mer]; high [vent]; big; steep [pente]; severe; difficult; *adv.* very; loud; strongly; *au plus fort du combat,* in the thick of the fight. || **forteresse** [-terès] *f.* fortress, stronghold. || **fortifiant** [-tìfyaⁿ] *m.* tonic; *adj.* fortifying; invigorating, bracing. || **fortification** [-tìfìkàsyoⁿ] *f.* fortification. || **fortifier** [-tìfyé] *v.* to fortify; to invigorate; to strengthen.
fortuit [fòrtüì] *adj.* fortuitous, chance, accidental; casual.
fortune [fòrtün] *f.* fortune; chance; luck; wealth; *mauvaise fortune,* misfortune. || **fortuné** [-é] *adj.* fortunate; happy; rich, well-off.
fosse [fôs] *f.* pit; hole; trench; grave; den [lions]. || **fossé** [fòsé] *m.* ditch; trench; moat [douve]. || **fossette** [-èt] *f.* dimple. || **fossile** [-îl] *m., adj.* fossil. || **fossoyeur** [-wàyœr] *m.* grave-digger.
fou, folle [fû, fòl] *adj.* [**fol,** *m.,* before a vowel or a mute *h*] mad, insane; crazy; wild; frantic; silly, stupid; enormous, tremendous; *m., f.* madman, *m.;* madwoman, *f.;* lunatic; maniac; jester; gannet [oiseau]; bishop [échecs]; *devenir fou,* to go mad; *rendre fou,* to drive mad; *maison de fous,* lunatic asylum, madhouse.
foudre [fûdr] *f.* thunder; lightning; thunderbolt; *coup de foudre,* bolt from the blue; love at first sight. || **foudroyant** [-wàyaⁿ] *adj.* terrifying; terrific; crushing; overwhelming. || **foudroyer** [-wàyé] *v.* to strike down; to blast; to dumbfound; to strike dead.
fouet [fwè] *m.* whip, lash; birch;

whipcord. || **fouetter** [-*té*] *v.* to whip, to lash; to stimulate, to rouse; to beat [œufs].
fougère [fûjèr] *f.* fern; bracken.
fougue [fûg] *f.* fire, mettle, dash, spirit. || **fougueux** [fûgë] *adj.* fiery; impetuous; spirited [cheval].
fouille [fûy] *f.* excavation; search. || **fouiller** [-*é*] *v.* to excavate; to dig; to search [personne]; to pry; to rummage. || **fouillis** [-*ì*] *m.* jumble, mess.
foulard [fûlàr] *m.* foulard [étoffe]; silk handkerchief; silk neckerchief; kerchief.
foule [fûl] *f.* crowd; multitude; throng; mob; fulling [drap]; crushing; *venir en foule,* to flock. || **fouler** [-*é*] *v.* to tread; to trample down; to tread upon; to press; to crush; to full [drap]; to wrench, to twist [cheville]. || **foulure** [-*ür*] *f.* wrench, sprain.
four [fûr] *m.* oven; bakehouse; kiln [chaux]; furnace; (pop.) failure.
fourbe [fûrb] *m., f.* cheat, rascal; *adj.* rascally, deceitful. || **fourberie** [-ᵉrî] *f.* cheating; deceit; trickery; swindle.
fourbir [fûrbîr] *v.* to furbish, to polish up.
fourbu [fûrbü] *adj.* broken-down; exhausted, tired out.
fourche [fûrsh] *f.* fork; pitchfork; *en fourche,* forked. || **fourcher** [-*é*] *v.* to fork, to branch off; to slip [langue]. || **fourchette** [-*èt*] *f.* fork, table fork; wishbone. || **fourchu** [-*ü*] *adj.* forked; cloven [pied].
fourgon [fûrgoⁿ] *m.* wagon; van; *Br.* luggage van, *Am.* freight car, baggage car.
fourmi [fûrmì] *f.* ant; *avoir des fourmis,* to have pins and needles. || **fourmilière** [-lyèr] *f.* ant-hill; ants' nest. || **fourmiller** [-*yé*] *v.* to swarm; to teem; to tingle.
fournaise [fûrnèz] *f.* furnace. || **fourneau** [-*ô*] *m.* furnace; stove; cooker; kitchen-range; bowl [pipe]; chamber [mine]; *haut fourneau,* blast furnace.
fourni [fûrnì] *adj.* supplied; abundant; thick; bushy.
fournil [fûrnìl] *m.* bakehouse.
fourniment [fûrnìmaⁿ] *m.* kit, equipment. || **fournir** [-*îr*] *v.* to furnish, to supply, to provide with; to stock; to draw (comm.). || **fournisseur** [-ìsœr] *m.* supplier, caterer; tradesman, ship-chandler. || **fourniture** [-ìtür] *f.* supplying; *pl.* supplies; equipment.
fourrage [fûràj] *m.* forage, fodder; foraging (mil.). || **fourrager** [-*é*] *v.* to forage; to rummage, to search; to ravage. || **fourré** [fûré] *m.* thicket; *adj.* thick; wooded; furry; lined with fur; filled. || **fourreau** [-*ô*] *m.* sheath; scabbard; sleeve (techn.). || **fourrer** [-*é*] *v.* to line with fur; to stuff; to poke. || **fourreur** [-œr] *m.* furrier. || **fourrure** [-*ür*] *f.* fur; skin; lining.
fourvoyer [fûrvwàyé] *v.* to lead astray; **se fourvoyer,** to go astray.
foyer [fwàyé] *m.* hearth; fire-place; fire-box [machine]; furnace; home; focus (geom.); seat (med.); foyer (theat.).
fracas [fràkâ] *m.* crash; din, shindy. || **fracasser** [-àsé] *v.* to shatter; to smash to pieces.
fraction [fràksyoⁿ] *f.* fraction; portion; group [politique]. || **fracture** [-tür] *f.* fracture (med.); breaking open. || **fracturer** [-türé] *v.* to fracture (med.); to force, to break open.
fragile [fràjìl] *adj.* fragile; brittle; frail. || **fragilité** [-ìté] *f.* fragility; brittleness; frailty.
fragment [fràgmaⁿ] *m.* fragment; bit; extract.
fraîche, *see* **frais.** || **fraîcheur** [frèshœr] *f.* freshness; coolness; bloom [fleur]. || **fraîchir** [-*îr*] *v.* to freshen, to grow colder; to cool down.
frais, fraîche [frè, frèsh] *adj.* fresh; cool; recent; new-laid [œufs]; new [pain]; wet [peinture]; *m.* cool; coolness; fresh breeze; *au frais,* in a cool place.
frais [frè] *m. pl.* cost, expenses, charge; outlay; fees; costs (jur.); *à peu de frais,* at little cost; *se mettre en frais,* to go to expense; *faire les frais de.* to bear the cost of; *aux frais de,* at the charge of.
fraise [frèz] *f.* ruff [col]; wattle; countersink (techn.).
fraise [frèz] *f.* strawberry. || **fraisier** [-*yé*] *m.* strawberry-plant.
framboise [fraⁿbwàz] *f.* raspberry. || **framboisier** [-*yé*] *m.* raspberry-cane, *Am.* raspberry-bush.
franc [fraⁿ] *m.* franc.

franc, -che [fra^n, -sh] *adj.* frank; free; candid, open; downright, straightforward; natural [fruits]; fair [jeu]; *franc de port,* carriage paid; postpaid [lettre]; *parlez franc,* speak your mind; **franc-maçon,** freemason.
français [fra^{n}sè] *m.* French [langue]; Frenchman; *adj.* French; *les Français,* the French. || **France** [fra^{n}s] *f.* France.
franchement [fra^{n}shma^n] *adv.* frankly, candidly; really. || **franchir** [-ìr] *v.* to jump over; to pass over; to clear; to cross; to weather [cap]; to overcome. || **franchise** [-ìz] *f.* frankness, openness; exemption; freedom; immunity; *en franchise,* duty-free; *franchise de port,* post-free.
franco [fra^{n}kô] *adv.* free of charge.
frange [fra^{n}j] *f.* fringe.
frappe [fràp] *f.* minting; striking; impression, stamp. || **frapper** [-é] *v.* to strike, to hit; to knock [porte]; to mint [monnaie]; to punch; to type; to ice [boisson]; *frapper du pied,* to stamp; **se frapper,** to get alarmed.
fraternel [fràtèrnèl] *adj.* brotherly, fraternal. || **fraternité** [-ìté] *f.* brotherhood, fraternity.
fraude [frôd] *f.* fraud, deception; *faire entrer en fraude,* to smuggle in. || **frauder** [-é] *v.* to defraud; to cheat; to smuggle. || **fraudeur** [-œr] *m.* defrauder, cheat; smuggler. || **frauduleux** [-ülë] *adj.* fraudulent; bogus, *Am.* phony.
frayer [frèyé] *v.* to clear, to open up [chemin]; to rub; to spawn [poissons]; to associate, to mix; to wear thin; *se frayer un passage à travers,* to break through.
frayeur [frèyœr] *f.* fright; terror; dread; fear.
fredonner [fr^{e}doné] *v.* to hum; to trill.
frégate [frégàt] *f.* frigate; frigate-bird.
frein [fri^n] *m.* brake [voiture]; bit [cheval]; curb, restraint; *mettre un frein à,* to curb. || **freiner** [frèné] *v.* to brake, to put on the brakes; to restrain.
frelater [fr^{e}làté] *v.* to adulterate.
frêle [frèl] *adj.* frail; weak.
frelon [fr^{e}lo^n] *m.* hornet.
frémir [frémìr] *v.* to quiver; to shake, to tremble; to shudder; to rustle [feuillage]; to sigh [vent]. || **frémissement** [-ìsma^n] *m.* quivering; tremor; shuddering; rustling; sighing [vent].
frêne [frèn] *m.* ash, ash-tree.
frénésie [frénézì] *f.* frenzy. || **frénétique** [-étìk] *adj.* frantic, frenzied.
fréquemment [frékàma^n] *adv.* frequently. || **fréquence** [-a^ns] *f.* frequency. || **fréquent** [-a^n] *adj.* frequent; rapid. || **fréquenter** [-a^{n}té] *v.* to frequent; to visit; to associate with.
frère [frèr] *m.* brother; monk, friar.
fret [frè] *m.* freight; load, cargo; chartering. || **fréter** [frété] *v.* to charter; to freight. || **fréteur** [-tœr] *m.* charterer.
frétiller [frétìyé] *v.* to wriggle; to frisk about; to wag.
friand [frìa^n] *adj.* dainty; *friand de,* fond of, partial to. || **friandise** [-dìz] *f.* tit-bit, delicacy; liking for good food.
friche [frìsh] *f.* fallow land; *être en friche,* to lie fallow.
friction [frìksyo^n] *f.* friction (mech.); rubbing; massage. || **frictionner** [-yòné] *v.* to rub; to massage; to shampoo [tête].
frigorifier [frìgòrìfyé] *v.* to refrigerate; *viande frigorifiée,* frozen meat. || **frigorifique** [-ìk] *adj.* refrigerating, chilling.
frileux [frìlë] *adj.* chilly.
frimas [frìmâ] *m.* rime; hoar-frost.
fringant [fri^{n}ga^n] *adj.* brisk, dapper, smart; frisky [cheval].
friper [frìpé] *v.* to crush, to crumple. || **fripier** [-yé] *m.* old clothes dealer; ragman.
fripon [frìpo^n] *m.* rascal, scamp; *adj.* roguish. || **friponnerie** [-ònrì] *f.* roguery; roguish trick.
frire [frìr] *v.** to fry.
frise [frìz] *f.* frieze.
frisé [frìzé] *adj.* curly, crisp. || **friser** [-é] *v.* to curl, to wave; to verge upon; to go near to.
frisson [frìso^n] *m.* shudder; shiver; thrill. || **frissonner** [-òné] *v.* to shudder; to shiver; to quiver.
frites [frìt] *f. pl.* fried potatoes, chips. || **friture** [-ür] *f.* frying; frying fat; fried fish.
frivole [frìvòl] *adj.* frivolous; trifling. || **frivolité** [-ìté] *f.* frivolity; trifle; tatting.
froid [frwà] *m.* cold; coldness; *adj.*

cold; chilly; frigid; *en froid*, on chilly terms; *avoir froid*, to be cold; *il fait froid*, it is cold. || **froideur** [-dœr] *f*. coldness; chilliness; indifference.

froisser [frwàsé] *v*. to crumple; to bruise; to ruffle; to offend, to hurt; se froisser, to get ruffled; to take offense.

frôler [frôlé] *v*. to graze; to brush past; to rustle.

fromage [fròmàj] *m*. cheese; (fam.) *Br*. cushy job, *Am*. snap.

froment [fròma^n] *m*. wheat.

fronce [fro^ns] *f*. gather; crease. || **froncement** [-ma^n] *m*. puckering; frown [sourcils]. || **froncer** [-é] *v*. to pucker, to wrinkle; to gather; *froncer les sourcils*, to frown; to scowl.

front [fro^n] *m*. front; forehead, brow; face, impudence; *de front*, abreast; *faire front à*, to face. || **frontière** [-tyèr] *f*. border; frontier; boundary.

frottement [fròtma^n] *m*. rubbing; chafing; friction. || **frotter** [-é] *v*. to rub; to scrub; to polish; to strike [allumette].

frousse [frûs] *f*. fear; *Br*. funk.

fructifier [früktìfyé] *v*. to bear fruit. || **fructueux** [-üë] *adj*. fruitful, profitable.

frugal [frügàl] *adj*. frugal.

fruit [früì] *m*. fruit; advantage, profit; result. || **fruitier** [-tyé] *m*. greengrocer; *adj*. fruit-bearing; *arbre fruitier*, fruit-tree.

fruste [früst] *adj*. defaced; rough, unpolished.

frustrer [früstré] *v*. to frustrate; to baulk; to defraud.

fugace [fügàs] *adj*. transient, fleeting. || **fugitif** [fügìtìf] *m*. runaway, fugitive; *adj*. fugitive; fleeting; passing, transient.

fuir [füìr] *v*.* to fly, to flee, to run away; to leak [tonneau]; to recede; to shun, to avoid. || **fuite** [füìt] *f*. flight; escape; leak, leakage [liquide].

fulgurant [fülgüra^n] *adj*. flashing.

fulminer [fülmìné] *v*. to fulminate; to thunder forth.

fumée [fümé] *f*. smoke; fumes; steam. || **fumer** [-é] *v*. to smoke; to steam; to fume; **fume-cigarette**, cigarette-holder.

fumer [fümé] *v*. to dung, to manure [terre].

fumet [fümè] *m*. flavo(u)r; scent. || **fumeur** [-œr] *m*. smoker.

fumier [fümyé] *m*. dung; manure [engrais]; dung-hill.

fumiste [fümìst] *m*. stove-setter; (pop.) humbug; wag. || **fumoir** [-wàr] *m*. smoke house; smoking-room.

funèbre [fünèbr] *adj*. funeral; dismal, gloomy, funereal. || **funérailles** [-éràу] *f. pl*. funeral.

funeste [fünèst] *adj*. fatal, deadly.

funiculaire [fünìkülèr] *m*. cable-railway; *adj*. funicular.

furet [fürè] *m*. ferret. || **fureter** [-té] *v*. to ferret; to pry, to nose about; to rummage.

fureur [fürœr] *f*. fury, rage; passion; *faire fureur*, to be all the rage. || **furie** [-ì] *f*. fury, rage. || **furieux** [-yë] *adj*. mad, furious, raging.

furoncle [füro^nkl] *m*. boil; furuncle (med.).

furtif [fürtìf] *adj*. furtive, stealthy.

fusain [füzi^n] *m*. charcoal; charcoal sketch.

fuseau [füzô] *m*. spindle. || **fusée** [-é] *f*. fuse [obus]; rocket. || **fuselage** [-làj] *m*. fuselage. || **fuselé** [-lé] *adj*. spindle-shaped; tapering, slender [doigts].

fuser [füzé] *v*. to spread; to fuse, to melt; to burn slowly. || **fusible** [-ìbl] *m*. fuse; fuse-wire; *adj*. fusible.

fusil [füzì] *m*. rifle; gun; steel; whetstone; *à portée de fusil*, within shot; *coup de fusil*, shot; (pop.) fleecing. || **fusillade** [-yàd] *f*. shooting. || **fusiller** [-yé] *v*. to shoot.

fusion [füzyo^n] *f*. fusion; melting; merger (comm.). || **fusionner** [-yòné] *v*. to amalgamate, to merge; to blend.

fût [fû] *m*. stock [fusil]; handle; shaft [colonne]; barrel, cask, tun.

futaie [fütè] *f*. forest.

futile [fütìl] *adj*. futile, idle, trifling; useless. || **futilité** [-ìté] *f*. trifle, futility.

futur [fütür] *m*. future (gramm.); intended husband; *adj*. future. || **future** *f*. intended wife.

fuyant [füìya^n] *adj*. flying, fleeing; fleeting, transient; receding [front]. || **fuyard** [füìyàr] *f*. runaway, fugitive; coward.

G

gabarit [gàbàrì] *m.* mould [moule]; model [navires]; template; gauge.
gâche [gâsh] *f.* staple; wall-hook.
gâcher [gâshé] *v.* to mix; to waste; to bungle; to spoil.
gâchette [gâshèt] *f.* trigger [fusil]; catch; pawl (mech.).
gâchis [gâshì] *m.* wet mortar; mess, hash (fig.).
gaffe [gàf] *f.* boat-hook; gaff; (fam.) blunder, bloomer. || **gaffer** [-é] *v.* to hook; (fam.) to blunder. || **gaffeur** [-œr] *m.* (fam.) blunderer.
gage [gàj] *m.* pledge; pawn; stake [enjeu]; token [preuve]; forfeit; *pl.* wages; hire; *mettre en gage,* to pawn; *prêteur sur gages,* pawnbroker.
gagner [gàñé] *v.* to gain; to win; to earn [salaire]; to reach; to overtake; to win over; to spread; **se gagner,** to be contagious; **gagne-pain,** bread-winner; livelihood.
gai [gè] *adj.* gay; merry; jolly, cheerful; lively, bright. || **gaieté** [gèté] *f.* mirth, merriment; cheerfulness.
gaillard [gàyàr] *m.* fellow, chap; good fellow; *adj.* merry, jolly, cheery; strong; bold; free, broad [libre].
gain [giⁿ] *m.* gain, profit; earning.
gaine [gèn] *f.* case, casing; sheath; girdle [corset].
galamment [gàlàmaⁿ] *adv.* gallantly; courteously. || **galant** [-aⁿ] *m.* lover; ladies' man; *adj.* elegant; gallant; gay; courteous. || **galanterie** [-aⁿtrî] *f.* politeness; gallantry; love-affair.
galantine [gàlaⁿtîn] *f.* galantine.
gale [gàl] *f.* mange; scabies (med.).
galère [gàlèr] *f.* galley.
galerie [gàlrî] *f.* gallery; balcony (theat.); spectators; arcade.
galet [gàlè] *m.* pebble; roller (mech.); *pl.* shingle. || **galette** [-èt] *f.* tart; *Br.* girdle-cake; ship's biscuit; (pop.) money.
galoche [gàlòsh] *f.* clog; galosh, *Am.* rubber.
galon [gàloⁿ] *m.* braid; lace; stripe (mil.). || **galonner** [-òné] *v.* to braid; to trim with lace.
galop [gàlô] *m.* gallop; *au grand galop,* at full gallop. || **galoper** [-òpé] *v.* to gallop.
galvaniser [gàlvànìzé] *v.* to galvanize; to zinc.
gambade [gaⁿbàd] *f.* gambol; caper. || **gambader** [-é] *v.* to frisk about, to gambol.
gamelle [gàmèl] *f.* bowl; porringer; mess-tin (mil.).
gamin [gàmiⁿ] *m.* urchin, street-arab; little imp; *adj.* roguish.
gamme [gàm] *f.* scale, gamut (mus.); range; tone (fig.).
ganglion [gaⁿglioⁿ] *m.* ganglion.
gangrène [gaⁿgrèn] *f.* gangrene, mortification; corruption. || **gangrener** [gaⁿgrᵉné] *v.* to gangrene, to mortify; to corrupt.
ganse [gaⁿs] *f.* braid, piping; loop.
gant [gaⁿ] *m.* glove. || **ganter** [-té] *v.* to glove; to suit.
garage [gàràj] *m.* garage [auto]; parking [autos]; docking (naut.); shunting; *voie de garage,* siding. || **garagiste** [-ìst] *m.* garage owner.
garant [gàraⁿ] *m.* surety; bail; security, guarantee. || **garantie** [-tî] *f.* safeguard; guarantee; warranting; pledge; security. || **garantir** [-tîr] *v.* to warrant; to guarantee; to vouch for; to insure; to protect.
garçon [gàrsoⁿ] *m.* boy; lad; young man; bachelor; waiter [café]; *garçon d'honneur,* best man.
garde [gàrd] *m.* guard; watchman; keeper; warder; guardsman (mil.); *f.* guard; care; watch; protection; keeping; custody; nurse; guards (mil.); end-paper [livre]; fly-leaf [page]; *de garde,* on guard; *sur ses gardes,* on one's guard; *prendre garde,* to beware; *garde à vous!,* attention!; **garde-barrière,** gate-keeper; **garde-boue,** *Br.* mud-guard, *Am.* fender; **garde champêtre,** rural policeman; **garde-chasse,** gamekeeper; **garde-côte,** coastguard; coastguard vessel; **garde-fou,** parapet; railing; **garde-malade,** *m.* male nurse; *f.* nurse;

garde-manger, larder, pantry; **garde-robe**, wardrobe; closet, privy. || **garder** [-é] v. to keep; to preserve; to retain; to guard; to protect, to defend; to keep watch on; **se garder**, to protect oneself; to keep [fruits]; to beware; to abstain. || **gardien** [-yi^n] m. guardian; keeper; attendant; warder; *gardien de la paix*, policeman.

gare [gàr] f. station; *interj.* beware!, look out!; *chef de gare*, stationmaster; *gare maritime*, harbo(u)r-station.

garenne [gàrèn] f. warren; preserve; *lapin de garenne*, wild rabbit.

garer [gàré] v. to shunt [train]; to park; to garage [auto]; to dock [bateau]; **se garer**, to shunt; to move out of the way.

gargariser [gàrgàrizé] v. to gargle. || **gargarisme** [-ìsm] m. gargle; gargling.

gargouille [gàrgûy] f. gargoyle (arch.); water-spout. || **gargouiller** [-é] v. to gurgle; to rumble.

garni [gàrnì] m. furnished room; *adj.* furnished; trimmed. || **garnir** [-ìr] v. to adorn; to furnish; to trim; to line [doubler]; to fill; to stock [magasin]; to garrison. || **garnison** [-zo^n] f. garrison. || **garniture** [-tür] f. fittings; trimmings; set; packing, lining.

garrotter [gàròté] v. to bind down; to strangle.

gaspillage [gàspìyàj] m. waste; squandering. || **gaspiller** [-ìyé] v. to waste; to squander; to spoil.

gastrite [gàstrìt] f. gastritis. || **gastronome** [-ònòm] m., f. gastronome. || **gastronomie** [-ònomì] f. gastronomy.

gâteau [gâtô] m. cake; tart; *gâteau de miel*, honeycomb.

gâter [gâté] v. to spoil; to pamper [enfant]; to damage; to taint [viande]; **se gâter**, to deteriorate. || **gâterie** [-rì] f. treat; spoiling. || **gâteux** [-ë] m. old dotard; *adj.* doddering.

gauche [gôsh] f. left hand; left-hand side; *adj.* left; crooked; awkward, clumsy; *à gauche*, on the left; *tourner à gauche*, to turn left; *tenir sa gauche*, to keep to the left. || **gaucher** [-é] *adj.* left-handed. || **gaucherie** [-rì] f. awkwardness, clumsiness. || **gauchir** [-ìr] v. to warp; to buckle. || **gauchissement** [-ìsma^n] m. warping; buckling.

gaufre [gôfr] f. waffle; wafer; honeycomb. || **gaufrer** [-é] v. to emboss; to goffer, to crimp. || **gaufrette** [-èt] f. water biscuit. || **gaufrier** [-ìyé] m. waffle-iron.

gaver [gàvé] v. to cram; to stuff; **se gaver**, to gorge.

gaz [gàz] m. gas.

gaze [gàz] f. gauze.

gazelle [gàzèl] f. gazelle.

gazette [gàzèt] f. gazette; newspaper.

gazeux [gàzë] *adj.* gaseous; aerated.

gazon [gàzo^n] m. grass; turf; lawn [pelouse].

gazouillement [gàzûyma^n] m. warbling, twittering [oiseaux]; babbling. || **gazouiller** [-ûyé] v. to warble, to twitter [oiseaux]; to prattle [enfant]; to babble. || **gazouillis**, *see* **gazouillement**.

geai [jè] m. jay.

géant [jéa^n] m. giant, f. giantess; *adj.* gigantic.

geindre [ji^ndr] v. to moan; to whimper; to whine.

gel [jèl] m. frost, freezing.

gélatine [jélàtìn] f. gelatin.

gelée [j^elé] f. frost; jelly. || **geler** [-é] v. to freeze.

gémir [jémìr] v. to moan; to groan; to lament, to bewail. || **gémissement** [-ìsma^n] m. groan; moan; groaning.

gemme [jèm] f. gem; *adj. sel gemme*, rock-salt.

gencive [ja^nsìv] f. gum (anat.).

gendarme [ja^ndàrm] m. gendarme; constable; (pop.) virago; red herring. || **gendarmerie** [-^erì] f. constabulary.

gendre [ja^ndr] m. son-in-law.

gêne [jèn] f. rack [torture]; uneasiness; discomfort; difficulty, trouble; want; financial need, straits; *sans gêne*, free and easy; familiar. || **gêné** [-é] *adj.* uneasy; embarrassed; awkward; short of money, hard up. || **gêner** [-é] v. to cramp, to constrict; to pinch [soulier]; to embarrass; to inconvenience; to hamper; to hinder; to trouble; **se gêner**, to constrain oneself; to go to trouble, to put oneself out.

général [jénéràl] m., *adj.* general; *en général*, generally. || **générale** [-àl] f. general's wife; alarm call;

dress-rehearsal. || **généralisation** [-ìzàsyoⁿ] *f.* generalisation. || **généraliser** [-ìzé] *v.* to generalize. || **généralissime** [-ìsìm] *m.* commander-in-chief. || **généralité** [-ìté] *f.* generality.
générateur,-trice [jénéràtœr,-trìs] *m., f.* generator; *m.* dynamo; *adj.* generating; productive. || **génération** [-àsyoⁿ] *f.* generation.
généreux [jénérë] *adj.* generous, liberal; abundant.
générosité [jénéròzìté] *f.* generosity; liberality.
genêt [jᵉnè] *m.* broom; *genêt épineux,* gorse, furze.
génial [jényàl] *adj.* full of genius, inspired. || **génie** [-ì] *m.* genius; character; spirit; engineers; *soldat du génie,* engineer, sapper.
genièvre [jᵉnyèvr] *m.* juniper-tree; juniper-berry; gin.
génisse [jénìs] *f.* heifer.
genou [jᵉnû] *m.* knee; ball-and-socket (mech.); *se mettre à genoux,* to kneel down.
genre [jaⁿr] *m.* genus, kind, family; way; gender (gramm.); style; fashion; manners; *le genre humain,* mankind.
gens [jaⁿ] *m. pl.* [preceded by an *adj.*, this word is *f.*]; people, folk; peoples.
gentiane [jaⁿsyàn] *f.* gentian.
gentil [jaⁿtì] *adj.* nice; kind; pleasing. || **gentilhomme** [-yòm] *m.* nobleman; gentleman. || **gentillesse** [-yès] *f.* graciousness; politeness.
géographie [jéògràfì] *f.* geography. || **géographique** [-ìk] *adj.* geographical.
geôle [jôl] *f.* gaol; jail; prison. || **geôlier** [-yé] *m.* gaoler, jailer.
géologie [jéòlògì] *f.* geology.
géométrie [jéòmétrì] *f.* geometry.
gérance [jéraⁿs] *f.* management; board of directors.
géranium [jérànyòm] *m.* geranium.
gérant [jéraⁿ] *m.* director, manager.
gerbe [jèrb] *f.* sheaf; spout [eau]; shower [étincelles]; spray [fleurs].
gercer [jèrsé] *v.* to crack; to chap. || **gerçure** [-ür] *f.* crack, fissure; chap.
gérer [jéré] *v.* to manage; to administer; *mal gérer,* to mismanage.
germain [jèrmiⁿ] *adj. cousin germain,* first cousin; *issu de germain,* second cousin.
germe [jèrm] *m.* germ; shoot; seed; origin. || **germer** [-é] *v.* to germinate; to shoot, to sprout.
gésir [jézìr] *v.** to lie.
geste [jèst] *m.* gesture; motion; sign. || **gesticuler** [-ìkülé] *v.* to gesticulate.
gestion [jèstyoⁿ] *f.* administration, management.
gibecière [jìbsyèr] *f.* game-bag.
gibet [jìbè] *m.* gibbet, gallows.
gibier [jìbyé] *m.* game.
giboulée [jìbûlé] *f.* sudden shower; April shower.
gicler [jìklé] *v.* to squirt, to spurt. || **gicleur** [-œr] *m.* jet; nozzle.
gifle [jìfl] *f.* slap; box on the ear. || **gifler** [-é] *v.* to slap (someone's) face; to box (someone's) ears.
gigantesque [jìgaⁿtèsk] *adj.* gigantic.
gigot [jìgô] *m.* leg of mutton; *pl.* hind legs [cheval].
gilet [jìlè] *m.* waistcoat; vest; cardigan [tricot].
gingembre [jiⁿjaⁿbr] *m.* ginger.
girafe [jìràf] *f.* giraffe.
girofle [jìròfl] *m.* clove; *clou de girofle,* clove. || **giroflée** [-é] *f.* stock; wall-flower.
girouette [jìrûèt] *f.* weathercock, vane.
gisement [jìzmaⁿ] *m.* bed, layer; vein [métal]; bearing (naut.).
gitan, -ane [jìtaⁿ, -àn] *m., f.* gipsy.
gîte [jìt] *m.* shelter, refuge; lodging; lair [animal]; seam, vein, bed [mine]; *f.* list, heeling (naut.).
givre [jìvr] *m.* rime, hoar-frost.
glabre [glâbr] *adj.* hairless, smooth; clean-shaven [visage].
glace [glàs] *f.* ice; ice-cream; icing [cuisine]; glass, mirror; chill (fig.); || **glacé** [-é] *adj.* freezing, icy cold; frigid; iced; frozen; glazed; glossy [étoffe]; candied. || **glacer** [-é] *v.* to chill; to freeze; to ice; to glaze. || **glacial** [-yàl] *adj.* glacial, icy; frosty; biting [vent]. || **glacier** [-yé] *m.* glacier; ice-cream seller. || **glacière** [-yèr] *f.* ice-house; refrigerator. || **glaçon** [-oⁿ] *m.* floe; cake of ice; icicle.
glaïeul [glàyœl] *m.* gladiolus.
glaise [glèz] *f.* clay; potter's clay; loam.
gland [glaⁿ] *m.* acorn; tassel [rideau]. || **glande** [glaⁿd] *f.* gland.
glaner [glàné] *v.* to glean.

glapir [glàpîr] *v.* to yelp; to yap; to squeak.
glas [glâ] *m.* knell; tolling.
glissade [glìsàd] *f.* slip; sliding; slide; glide. || **glissant** [-*a*ⁿ] *adj.* sliding; slippery. || **glissement** [-m*a*ⁿ] *m.* slipping; sliding; slip. || **glisser** [-*é*] *v.* to slip; to slide; to skid [roue]; to glide (aviat.); se glisser, to slip, to creep. || **glissière** [-yèr] *f.* slide.
global [glòbàl] *adj.* total, inclusive; gross. || **globe** [glòb] *m.* globe, sphere; orb; eyeball [œil]. || **globule** [-ül] *f.* globule.
gloire [glwàr] *f.* glory; fame; pride; halo; *se faire gloire de*, to glory in. || **glorieux** [glòryë] *m.* braggart; *adj.* glorious; vainglorious, conceited. || **glorification** [-ìfìkàsyoⁿ] *f.* glorification. || **glorifier** [-ìfyé] *v.* to glorify; se glorifier, to boast; to glory (*de*, in). || **gloriole** [-yòl] *f.* vainglory; swank (fam.).
glose [glôz] *f.* comment, criticism; commentary.
glossaire [glòsèr] *m.* glossary.
glotte [glòt] *f.* glottis.
glousser [glûsé] *v.* to cluck [poule]; to chuckle; to gobble [dinde].
glouton [glûtoⁿ] *m.* glutton; *adj.* greedy, gluttonous. || **gloutonnerie** [-ònrî] *f.* gluttony.
glu [glü] *f.* glue; bird-lime.
glucose [glükôz] *m.* glucose.
glycérine [glìsérìn] *f.* glycerine.
gobelet [gòblè] *m.* cup; goblet; mug. || **gober** [gòbé] *v.* to swallow, to gulp down; to take in (fig.); to have a great admiration for. || **gobeur** [-œr] *m.* (pop.) guzzler; simpleton; *adj.* credulous.
goder [gòdé] *v.* to pucker, to crease; to bag [pantalon].
godet [gòdè] *m.* mug; cup; bowl; bucket; flare [couture]; *à godets*, flared.
goéland [gòéla*ⁿ*] *m.* sea-gull. || **goélette** [-èt] *f.* schooner. || **goémon** [gòémoⁿ] *m.* seaweed; wrack.
goinfre [gwiⁿfr] *m.* (pop.) glutton, guzzler. || **goinfrerie** [-ᵉrî] *f.* gluttony.
goître [gwàtr] *m.* goiter; wen (fam.).
golf [gòlf] *m.* golf; *terrain de golf*, golf links.
golfe [gòlf] *m.* gulf; bay.
gomme [gòm] *f.* gum; india-rubber.
gond [goⁿ] *m.* hinge; *sortir de ses gonds*, to fly into a rage.
gondole [goⁿdòl] *f.* gondola.
gonflement [goⁿflᵉmaⁿ] *m.* inflating, inflation; swelling; distension [estomac]; blowing up; bulging. || **gonfler** [-é] *v.* to inflate [pneus]; to blow up; to swell; to distend [estomac]; to puff up. || **gonfleur** [-œr] *m.* air-pump.
gong [goⁿg] *m.* gong.
goret [gòrè] *m.* young pig, piglet; dirty pig (fig.).
gorge [gòrj] *f.* throat, neck; breast, bosom; gorge; gullet; pass; defile; groove (techn.); *à pleine gorge*, at the top of one's voice; *mal à la gorge*, sore throat. || **gorgée** [-é] *f.* draught; gulp; *petite gorgée*, sip. || **gorger** [-é] *v.* to gorge; to cram.
gorille [gòrîy] *m.* gorilla.
gosier [gòzyé] *m.* throat; gullet.
gosse [gòs] *m., f.* kid, youngster; brat; tot.
gothique [gòtìk] *m., adj.* Gothic.
goudron [gûdroⁿ] *m.* tar; pitch; coal-tar [de houille]. || **goudronner** [-òné] *v.* to tar; *toile goudronnée*, tarpaulin.
gouffre [gûfr] *m.* gulf, abyss; chasm.
goujat [gûjà] *m.* hodman; farmhand; cad, blackguard.
goujon [gûjoⁿ] *m.* gudgeon [poisson].
goulot [gûlô] *m.* neck [bouteille].
goulu [gûlü] *adj.* greedy, gluttonous.
goupille [gûpîy] *f.* pin; bolt; gudgeon.
gourd [gûr] *adj.* benumbed; stiff; numb. || **gourde** [gûrd] *f.* gourd (bot.); flask; water-bottle; (fam.) fathead.
gourdin [gûrdiⁿ] *m.* cudgel, club.
gourmand [gûrmaⁿ] *m.* glutton; epicure; *adj.* greedy; gluttonous. || **gourmander** [-dé] *v.* to guzzle; to chide; to rebuke. || **gourmandise** [-dìz] *f.* greediness, gluttony; *pl.* sweetmeats.
gourme [gûrm] *f.* impetigo; rash; strangles [cheval]; *jeter sa gourme*, to sow one's wild oats. || **gourmé** [-é] *adj.* stiff, formal.
gourmet [gûrmè] *m.* gourmet, epicure.
gourmette [gûrmèt] *f.* curb; bracelet; chain.
gousse [gûs] *f.* pod, shell; clove

[ail]. || **gousset** [-è] *m.* arm-pit; gusset; fob pocket.
goût [gû] *m.* taste; flavo(u)r; smell; liking, fancy, preference; manner, style. || **goûter** [-té] *m.* snack, lunch; *v.* to taste; to enjoy, to relish, to appreciate; to eat a little, to lunch.
goutte [gût] *f.* drop; drip; spot, little bit; gout (med.). || **gouttière** [-yèr] *f.* gutter; spout; cradle (med.); *pl.* eaves.
gouvernail [gûvèrnày] *m.* rudder; helm. || **gouvernante** [-aⁿt] *f.* governess; housekeeper || **gouvernement** [-ᵉmaⁿ] *m* government; management; care. || **gouverner** [-é] *v.* to govern, to rule, to control; to manage; to take care of; to steer (naut.). || **gouverneur** [-œr] *m.* governor; tutor.
grabat [gràbà] *m.* pallet; humble bed.
grâce [grâs] *f.* grace; gracefulness, charm; favo(u)r; mercy; pardon (jur.); *pl.* thanks; *coup de grâce,* finishing stroke; *grâce à,* thanks to, owing to; *action de grâces,* thanksgiving. || **gracier** [-yé] *v.* to pardon, to reprieve. || **gracieux** [-yë] *adj.* graceful, pleasing; gracious; courteous; *à titre gracieux,* free of charge.
gracile [gràsìl] *adj.* slender, slim.
grade [gràd] *m.* rank, grade; degree (univ.). || **gradé** [-é] *m.* non-commissioned officer. || **gradin** [-iⁿ] *m.* step; bench; *en gradins,* in tiers. || **graduation** [-üàsyoⁿ] *f.* scale; graduation. || **graduel** [-üèl] *adj.* gradual. || **graduer** [-üé] *v.* to grade; to graduate.
grain [griⁿ] *m.* grain; seed; bean [café]; bead; speck, particle; texture; squall [vent]; *grain de beauté,* mole; beauty spot; *à gros grains,* coarse-grained. || **graine** [grèn] *f.* seed; berry; eggs.
graissage [grèsàj] *m.* greasing; lubrication; oiling. || **graisse** [grès] *f.* grease; fat. || **graisser** [-é] *v.* to grease; to lubricate; to oil; (pop.) to bribe. || **graisseux** [-ë] *adj.* greasy; fatty; oily; ropy [vin].
grammaire [gràmmèr] *f.* grammar.
gramme [gràm] *m.* gram.
gramophone [gràmòfòn] *m.* record-player, gramophone, *Am.* phonograph.
grand [graⁿ] *m.* great man; adult, grown-up; *adj.* great; big; large; tall; high; wide; extensive; grown-up; noble, majestic; fashionable; high-class [vin]; *un homme grand,* a tall man; *un grand homme,* a great man; **grand-mère,** grandmother; **grand-messe,** high mass; **grand-oncle,** great-uncle; **grand-père,** grandfather; **grands-parents,** grandparents; **grand-tante,** great-aunt. || **grandeur** [-dœr] *f.* size; height; greatness; nobleness; grandeur; scale; importance; extent; magnitude; *grandeur naturelle,* life-size. || **grandiose** [-dyôz] *adj.* grand, impressive, splendid. || **grandir** [-dîr] *v.* to grow tall; to grow up; to increase; to enlarge.
grange [graⁿj] *f.* grange; barn.
granit [gràniͅt] *m.* granite.
graphique [gràfìk] *m.* graph, diagram; *adj.* graphic.
grappe [gràp] *f.* bunch; cluster. || **grappin** [gràpiⁿ] *m.* grapnel; grappling-iron; hook; grab.
gras, grasse [grâ, grâs] *m.* fat; *adj.* fat; fatty; greasy; oily; plump, stout, obese; thick, heavy; broad, smutty [indécent]; *jour gras,* meat day. || **grassouillet** [-sûyè] *adj.* plump, chubby.
gratification [gràtìfìkàsyoⁿ] *f.* bonus; gratuity, tip. || **gratifier** [-yé] *v.* to reward; to favo(u)r; to bestow on, to confer.
gratitude [gràtìtüd] *f.* gratitude, gratefulness, thankfulness.
gratter [gràté] *v.* to scrape; to scratch; to cross out [mot]; **gratte-ciel,** sky-scraper. || **grattoir** [-wàr] *m.* scraper; eraser.
gratuit [gràtüì] *adj.* free; gratuitous; wanton. || **gratuité** [-té] *f.* gratuitousness.
grave [gràv] *adj.* grave; solemn; sober [visage]; important; serious; low, deep (mus.).
graver [gràvé] *v.* to engrave; to etch [eau forte]; to imprint (fig.). || **graveur** [-œr] *m.* engraver; etcher.
gravier [gràvyé] *m.* gravel; grit.
gravir [gràvîr] *v.* to climb; to ascend; to clamber up.
gravité [gràvìté] *f.* gravity; seriousness; deepness (mus.).
gravure [gràvür] *f.* engraving;

etching [eau forte]; print; line-engraving [au trait]; copper-plate engraving [taille douce]; woodcut [bois].

gré [gré] *m.* will, wish, pleasure; liking; taste; agreement; consent; *bon gré mal gré,* willy nilly; *contre son gré,* unwillingly; *savoir gré,* to be grateful (*de,* for).

gredin [grᵉdiⁿ] *m.* scoundrel, rogue.

gréement [grémaⁿ] *m.* rigging; gear. || **gréer** [gréé] *v.* to rig; to rig up.

greffe [grèf] *m.* registry; clerk's office.

greffe [grèf] *f.* graft; grafting. || **greffer** [-é] *v.* to graft.

greffier [grèfyé] *m.* registrar; clerk of the court.

grêle [grèl] *adj.* slender; thin; shrill [voix]; small [intestin].

grêle [grèl] *f.* hail; shower (fig.). || **grêler** [-é] *v.* to hail; to damage by hail; to pock-mark. || **grêlon** [-oⁿ] *m.* hail-stone.

grelot [grᵉlô] *m.* small bell; sheep-bell. || **grelotter** [-òté] *v.* to shiver; to shake; to tinkle [bell].

grenade [grᵉnàd] *f.* pomegranate; grenade. || **grenadier** [-yé] *m.* pomegranate-tree; grenadier (mil.).

grenaille [grᵉnày] *f.* small grain; lead shot [de plomb]; granulated metal. || **grenier** [-yé] *m.* granary; hayloft [foin]; corn-loft [grain]; garret, attic.

grenouille [grᵉnûy] *f.* frog.

grès [grè] *m.* sandstone; stoneware. || **grésil** [grézìl] *m.* sleet; hail. || **grésiller** [-ìyé] *v.* to sleet; to patter [bruit].

grève [grèv] *f.* shore; bank; beach; strike; *en grève,* on strike; *grève perlée, Br.* go-slow strike, *Am.* slow-down strike; *grève sur le tas,* sit-down strike.

grever [grᵉvé] *v.* to burden; to mortgage.

gréviste [grévìst] *m., f.* striker.

gribouillage [grìbûyàj] *m.* scribble, scrawl; daub [peinture]. || **gribouiller** [-ûyé] *v.* to scribble, to scrawl; to daub.

grief [grièf] *m.* grievance; cause for complaint.

griffe [grìf] *f.* claw; talon; catch (techn.); signature; signature stamp; *coup de griffe,* scratch. || **griffer** [-é] *v.* to scratch; to claw; to stamp. || **griffonnage** [-ònàj] *m.* scrawl, scribble. || **griffonner** [-òné] *v.* to scrawl, to scribble.

grignoter [grìñòté] *v.* to nibble; to pick at; to munch.

gril [grì] *m.* gridiron, grill. || **grillage** [-yàj] *m.* grilling; roasting; broiling; toasting; wire-netting; grating. || **grille** [grìy] *f.* grate; grating; iron gate; railing; grid [radio]. || **griller** [-ìyé] *v.* to grill; to roast; to broil; to toast [pain]; to calcine; to scorch; to burn; to rail in.

grillon [grìyoⁿ] *m.* cricket.

grimace [grìmàs] *f.* grimace, grin, wry face; humbug; sham; *faire des grimaces,* to make faces. || **grimacer** [-é] *v.* to grimace; to grin; (fam.) to simper.

grimper [griⁿpé] *v.* to climb; to creep up; to clamber up.

grincement [griⁿsmaⁿ] *m.* creaking [porte]; grating; gnashing [dents]. || **grincer** [-é] *v.* to creak [porte]; to grate; to gnash [dents]. || **grincheux** [griⁿshë] *m.* (pop.) grouser; *adj.* grumpy, testy; surly; touchy; sulky; crabbed.

grippe [grìp] *f.* dislike; influenza, flu (fam.); *prendre en grippe,* to take a dislike to. || **gripper** [-é] *v.* to seize up; to jam; (fam.) to snatch.

gris [grì] *adj.* grey; dull [temps]; (fam.) tipsy. || **grisâtre** [-zâtr] *adj.* greyish. || **griser** [-zé] *v.* to intoxicate. || **griserie** [-zrî] *f.* intoxication; exhilaration. || **grisonner** [-zòné] *v.* to turn grey, to go grey.

grive [grìv] *f.* thrush.

grivois [grìvwà] *adj.* broad, licentious, spicy [histoire].

grog [gròg] *m.* grog.

grognement [gròñmaⁿ] *m.* grunt; growl; snarl; grumbling. || **grogner** [-é] *v.* to grunt; to growl; to snarl; to grouse, to grumble. || **grognon** [-oⁿ] *m.* grumbler; *adj.* grumbling, peevish.

groin [grwiⁿ] *m.* snout.

grommeler [gròmlé] *v.* to mutter; to growl; to grumble.

grondement [groⁿdmaⁿ] *m.* rumble; rumbling; roaring; boom [mer]. || **gronder** [-é] *v.* to roar; to growl; to rumble [tonnerre]; to scold, to chide. || **gronderie** [-rî] *f.* scolding.

gros, grosse [grô, grôs] *adj.* big; large; stout; thick; fat; coarse [grossier]; foul [temps]; heavy [mer]; pregnant; swollen; teeming; *en gros,* on the whole; roughly; wholesale [marchand]; *gros mots,* abuse.

gros [grô] *m.* bulk, main part.

groseille [grôzèy] *f.* currant; gooseberry [à maquereau].

grosse [grôs] *adj., see* **gros;** *f.* gross, twelve dozen; large-hand [écriture]; copy; draft. || **grossesse** [-ès] *f.* pregnancy. || **grosseur** [-œr] *f.* size; bulk; swelling. || **grossier** [-yé] *adj.* coarse; gross; rude [impoli]; vulgar; rough; boorish. || **grossièreté** [-yèrté] *f.* coarseness; roughness; rudeness; grossness; coarse language; *pl.* abuse. || **grossir** [-îr] *v.* to increase; to enlarge; to magnify; to swell [enfler]; to grow bigger. || **grossiste** [-ìst] *m.* wholesaler.

grotesque [grôtèsk] *adj.* grotesque; absurd, fantastic; odd.

grotte [grôt] *f.* grotto; cave.

grouiller [grûyé] *v.* to stir; to swarm, to crawl, to teem, to be alive (*de,* with).

groupe [grûp] *m.* group; cluster [étoiles]; clump [arbres]; division; unit (mil.). || **groupement** [-man] *m.* group; grouping. || **grouper** [-é] *v.* to group; to concentrate [efforts]; **se grouper,** to gather.

grue [grü] *f.* crane; (pop.) prostitute, whore.

grumeau [grümô] *m.* clot; lump.

gruyère [grüyèr] *m.* gruyere cheese.

gué [gé] *m.* ford; *passer une rivière à gué,* to ford a river.

guenille [geniy] *f.* rag, *pl.* tatters.

guêpe [gèp] *f.* wasp. || **guêpier** [-yé] *m.* wasps' nest; bee-eater [oiseau].

guère [gèr] *adv.* hardly; little; scarcely; *il ne tardera guère à arriver,* it won't be long before he comes; *je n'en ai guère,* I've hardly any.

guéret [gérè] *m.* fallow ground; ploughed land.

guéridon [géridon] *m.* pedestal table.

guérilla [gérìyà] *f.* guerilla warfare; band of guerillas.

guérir [gérîr] *v.* to cure; to heal; to recover; to get back to health. || **guérison** [-izon] *f.* cure; healing; recovering, recovery.

guérite [gérît] *f.* sentry-box (mil.); signal-box [chemin de fer]; lookout; shelter.

guerre [gèr] *f.* war, warfare; feud, quarrel; *faire la guerre à,* to wage war against; *le ministère de la Guerre, Br.* the War Office; *Am.* the War Department; *d'avant guerre,* pre-war. || **guerrier** [-yé] *m.* warrior; *adj.* warlike. || **guerroyer** [-wàyé] *v.* to wage war.

guet [gè] *m.* watch; look-out; patrol; *faire le guet,* to be on the look-out; **guet-apens,** ambush; snare, trap.

guêtres [gètr] *f. pl.* gaiters; spats; leggings.

guetter [gété] *v.* to watch [occasion]; to watch for, to lie in wait for. || **guetteur** [-œr] *m.* watchman; look-out.

gueule [gœl] *f.* mouth [animaux]; opening; muzzle [canon]; (pop.) mug, jaw. || **gueuler** [-é] *v.* to bawl.

gueuse [gëz] *f.* pig-iron [fonte]; sow [moule].

gueux, gueuse [gë, gëz] *m., f.* tramp; vagabond; beggar; scoundrel; *adj.* poor, poverty-stricken.

gui [gì] *m.* mistletoe.

guichet [gìshè] *m.* wicket-gate; entrance; turnstile; barrier; booking-office window; pay-desk; cash-desk.

guide [gìd] *m.* guide; guide-book, *f.* rein. || **guider** [gìdé] *v.* to guide; to lead; to drive [cheval]; to steer [bateau]. || **guidon** [-on] *m.* foresight [fusil]; handle-bar [bicyclette]; pennant.

guigne [gìñ] *f.* black cherry; (pop.) bad luck; ill luck.

guignol [gìñòl] *m.* Punch and Judy show; puppet show; puppet.

guillemets [gìymè] *m. pl.* inverted commas, quotation marks.

guilleret [gìyrè] *adj.* sprightly, lively, gay; smart; over-free.

guillotine [gìyòtîn] *f.* guillotine; *fenêtre à guillotine,* sash-window. || **guillotiner** [-iné] *v.* to guillotine.

guimauve [gìmòv] *f.* marshmallow.

guimbarde [giⁿbàrd] *f.* wagon; jew's-harp (mus.); (pop.) bone-shaker, rattletrap, *Am.* jalopy.
guindé [giⁿdé] *adj.* stiff; stilted.
guirlande [girlaⁿd] *f.* garland, wreath; festoon.
guise [gîz] *f.* way, manner; fancy; *à votre guise*, as you like, as you will; *en guise de*, by way of.
guitare [gitàr] *f.* guitar.
gymnastique [jìmnàstìk] *f.* gymnastics; *adj.* gymnastic.

H

The French h *is never aspirated as in English; no liaison should be made when the phonetic transcription is preceded by ', while in other cases initial* h *is mute.*

habile [àbìl] *adj.* skilful, clever; artful, cunning, sharp; expert; qualified (jur.). || **habileté** [-té] *f.* skill, ability; cleverness; cunning, artfulness [ruse].
habillement [àbìymaⁿ] *m.* clothing; clothes; dress; apparel; suit [complet]. || **habiller** [-ìyé] *v.* to dress; to clothe; to prepare; to trim; to fit; **habillé**, clad.
habit [àbì] *m.* dress; habit (eccles.); coat; dress-coat [de soirée]; *pl.* clothes.
habitant [àbitaⁿ] *m.* inhabitant; dweller; inmate; resident. || **habitation** [-àsyoⁿ] *f.* habitation; home; dwelling, abode, residence. || **habiter** [-é] *v.* to live in, to inhabit, to dwell at; to live, to reside; to occupy [maison].
habitude [àbitüd] *f.* habit; custom, practice; use; *avoir l'habitude de*, to be used to; *d'habitude*, usually. || **habitué** [-üé] *m.* frequenter; regular attendant. || **habituel** [-üèl] *adj.* usual, customary, regular, habitual. || **habituer** [-üé] *v.* to habituate, to accustom; to inure [endurcir]; **s'habituer**, to grow accustomed, to get used.
hache ['àsh] *f.* axe; hatchet. || **hacher** [-é] *v.* to chop; to hew; to hack up; to hash [viande]; to mince. || **hachis** [-ì] *m.* hash, mince; minced meat. || **hachoir** [-wàr] *m.* chopper; chopping-board.
hagard ['àgàr] *adj.* haggard; drawn; wild-looking.
haie ['è] *f.* hedge, hedge-row; line, row; hurdle; *faire la haie*, to be lined up.
haillon ['âyoⁿ] *m.* rag; *pl.* tatters.
haine ['èn] *f.* hate, hatred; strong dislike.
haïr ['àìr] *v.** to hate, to detest, to loathe. || **haïssable** ['àìsàbl] *adj.* hateful, odious, detestable.
hâle ['âl] *m.* tanning, browning; sunburn; tan; tanned complexion. || **hâlé** [-é] *adj.* tanned, sunburnt; weather-beaten.
haleine [àlèn] *f.* breath; wind.
haler ['âlé] *v.* to haul; to haul in; to tow; to heave.
hâler ['âlé] *v.* to tan, to brown; to burn.
haleter [àlté] *v.* to puff, to pant, to blow; to gasp.
halle ['àl] *f.* covered market.
halte ['àlt] *f.* halt, stop; stopping-place; wayside station; *interj.* hold on! halt!
hamac ['àmàk] *m.* hammock.
hameau ['àmô] *m.* hamlet.
hameçon [àmsoⁿ] *m.* hook; fish-hook; bait (fig.).
hampe ['aⁿp] *f.* shaft [lance]; staff, pole; stem.
hanche ['aⁿsh] *f.* hip; haunch [cheval]; *les poings sur les hanches*, arms akimbo.
handicap ['aⁿdìkàp] *m.* handicap. || **handicaper** [-é] *v.* to handicap.
hangar ['aⁿgàr] *m.* hangar (aviat.); shed.
hanneton ['àntoⁿ] *m.* may-bug, cockchafer; scatterbrain (fig.).
hanter ['aⁿté] *v.* to haunt; to frequent; to keep company with. || **hantise** [-îz] *f.* obsession.
happer ['àpé] *v.* to snap up, to snatch, to catch.
harangue ['àraⁿg] *f.* harangue; address, speech. || **haranguer** ['àraⁿgé] *v.* to harangue; to address.
harceler ['àrsᵉlé] *f.* to harass; to harry; to worry; to pester, to nag.
hardi ['àrdì] *adj.* audacious, bold;

daring; rash; impudent, saucy. || **hardiesse** [-yès] *f.* boldness; temerity; effrontery, impudence; audacity, cheek; pluck, daring; rashness.
hareng ['àran] *m.* herring; *hareng fumé,* kipper.
hargneux ['àrñë] *adj.* surly; peevish; bad-tempered; nagging [femme].
haricot ['àrikô] *m.* haricot, bean, kidney-bean; *haricots verts, Br.* French beans, *Am.* string beans.
harmonie [àrmònî] *f.* harmony; concord; accord, agreement. || **harmonieux** [-yë] *adj.* harmonious; tuneful, melodious. || **harmonique** [-ìk] *m., adj.* harmonic. || **harmoniser** [-ìzé] *v.* to harmonize; to match.
harnacher ['àrnàshé] *v.* to harness; to rig out [personnes]. || **harnais** [-è] *m.* harness; gearing (mech.); saddlery.
harpe ['àrp] *f.* harp. || **harpon** [-on] *m.* harpoon; wall-staple.
hasard ['àzàr] *m.* chance, luck; risk; danger; hazard; *au hasard,* at random; *par hasard,* by chance. || **hasardé** [-dé] *adj.* hazardous, risky, rash, bold, foolhardy. || **hasarder** [-dé] *v.* to hazard, to venture; to risk. || **hasardeux** [-dë] *adj.* perilous, risky, venturous; bold, daring.
hâte ['ât] *f.* haste, hurry; eagerness; *à la hâte,* hastily, in a hurry; *avoir hâte,* to be eager; to be in a hurry; to long (*de,* to). || **hâter** [-é] *v.* to hasten; to speed up; to expedite; to force [fruits]; **se hâter,** to hurry up, to make haste. || **hâtif** [-ìf] *adj.* hasty; premature; early.
hausse ['ôs] *f.* rise, *Am.* raise; backsight [fusil]; range (mil.); *à la hausse,* on the rise. || **haussement** [-man] *m.* raising; *haussement d'épaules,* shrug. || **hausser** [-é] *v.* to lift; to raise; to increase; to shrug [épaules]; to rise, to go up. || **haussière** [-yèr] *f.* hawser. || **haut** ['ô] *m.* height; top; summit; *adj.* high; tall; lofty; elevated; important, eminent, great; loud [voix]; erect [tête]; haughty; *adv.* high; high up; haughtily; aloud; *en haut,* upstairs; up above; at the top; *vingt pieds de haut, haut de vingt pieds,* twenty feet high; **haut-fond,** shoal, shallows; **haut-le-cœur,** retching; nausea; **haut-le-corps,** start, jump; **haut-parleur,** loud-speaker. || **hautain** ['ôtin] *adj.* haughty; lofty. || **hauteur** ['ôtœr] *f.* height; altitude; eminence, hill; pitch (mus.); arrogance, haughtiness; position (naut.); *être à la hauteur de,* to be equal to; to be a match for; to be off (naut.).
hâve ['âv] *adj.* wan; emaciated; gaunt, drawn, haggard.
hebdomadaire [èbdòmàdèr] *adj.* weekly; *m.* weekly paper, weekly (fam.).
héberger [ébèrjé] *v.* to lodge; to harbo(u)r.
hébéter [ébété] *v.* to stupefy; to daze; to stun.
hélas! [élâs] *interj.* alas!
héler ['élé] *v.* to hail; to call.
hélice [élìs] *f.* screw; propellor; *en hélice,* spiral.
hélicoptère [élìkòptèr] *m.* helicopter.
hémisphère [émìsfèr] *m.* hemisphere.
hémorragie [émòràjî] *f.* hemorrhage, bleeding.
hennir ['ènîr] *v.* to neigh; to whinny.
herbe [èrb] *f.* grass; herb, plant; weed [mauvaise]; seaweed [marine]; *fines herbes,* herbs for seasoning; *en herbe,* unripe; budding (fig.). || **herbeux** [-ë] *adj.* grassy. || **herboriste** [-òrìst] *m., f.* herbalist.
héréditaire [éréditèr] *adj.* hereditary. || **hérédité** [-é] *f.* heredity; heirship.
hérisser ['érìsé] *v.* to bristle up; to ruffle [plumes]; to cover with spikes; **se hérisser,** to bristle; to stand on end; to get ruffled [personne]. || **hérisson** [-on] *m.* hedgehog; sea-urchin [de mer]; row of spikes; sprocket (mech.).
héritage [éritàj] *m.* heritage, inheritance; heirloom. || **hériter** [-é] *v.* to inherit, to come into. || **héritier** [-yé] *m.* heir; *f.* heiress.
hermine [èrmîn] *f.* ermine, stoat. || **herminette** [-ìnèt] *f.* adze.
hernie [èrnî] *f.* hernia, rupture.
héroïne [éròìn] *f.* heroine [personnage]. || **héroïque** [éròìk] *adj.* heroic, heroical. || **héroïsme** [éròìsm] *m.* heroism.

héron ['éro^n] *m.* heron, hern.
héros ['érô] *m.* hero.
herse ['èrs] *f.* harrow; portcullis. || **herser** [-*é*] *v.* to harrow, to drag [champ].
hésitation [ézìtàsyo^n] *f.* hesitation; hesitancy, wavering; faltering [pas]; misgiving. || **hésiter** [-*é*] *v.* to hesitate, to waver; to falter.
hêtre ['ètr] *m.* beech, beech-tree.
heure [œr] *f.* hour; o'clock; time; moment; period; *quelle heure est-il?*, what time is it?; *six heures dix*, ten (minutes) past six, six ten; *six heures moins dix*, ten (minutes) to six; *six heures et demie*, half-past six; *c'est l'heure*, time is up; *heure légale*, standard time; *heure d'été*, summer time, daylight-saving time; *dernière heure*, last-minute news; *être à l'heure*, to be on time, to be punctual; *heures supplémentaires*, overtime; *de bonne heure*, early; *tout à l'heure*, just now, a few minutes ago; presently, in a few minutes; *à tout à l'heure*, so long!, see you presently, see you later.
heureux [œrë] *adj.* happy; glad, pleased, delighted; lucky, fortunate, favo(u)red, blessed; successful, prosperous; auspicious, favo(u)rable; pleasing, apt, felicitous [phrase].
heurter ['œrté] *v.* to knock, to hit, to strike; to jostle, to bump; to run into, to crash with, to collide with; to shock, to offend, to wound [sensibilités]; to clash, to jar [couleurs]; to ram, to barge into (naut.); to stub [pied]; **se heurter**, to collide; to clash (fig.).
hibou ['ìbû] *m.* owl; *jeune hibou*, owlet.
hideux ['ìdë] *adj.* hideous; horrible, frightful, appalling, shocking.
hier [yèr] *adv.* yesterday; *hier soir*, last night, last evening.
hilarant [ìlàra^n] *adj.* mirth-provoking, exhilarating; *gaz hilarant*, laughing-gas.
hippique [ìpìk] *adj.* hippic, equine; *concours hippique*, horse-show; *Br.* race-meeting, *Am.* race-meet. || **hippodrome** [-òdròm] *m.* hippodrome, circus; race-track, racecourse.
hippopotame [ìpòpòtàm] *m.* hippopotamus.
hirondelle [ìro^{n}dèl] *f.* swallow; small river steamer.
hirsute [ìrsüt] *adj.* hirsute, hairy, shaggy; unkempt; rough, boorish.
hisser ['ìssé] *v.* to hoist, to heave, to lift, to raise, to pull up, *Am.* to heft.
histoire [ìstwàr] *f.* history; story, tale, narration, narrative; yarn (fam.); invention, fib; thing, affair, matter; *faire des histoires*, to make a fuss, to make a to-do. || **historien** [ìstòryì^n] *m.* historian, chronicler, recorder; narrator. || **historique** [-ìk] *adj.* historic; historical; *m.* record, account, recital, chronicle.
hiver [ìvèr] *m.* winter. || **hiverner** [-né] *v.* to winter, to spend the winter; to hibernate.
hocher ['òshé] *v.* to shake, to toss, to nod, to wag. || **hochet** [-è] *m.* rattle [de bébé]; toy, bauble.
Hollandais ['òla^{n}dè] *adj.* Dutch; *m.* Dutchman. || **Hollande** ['òla^{n}d] *f.* Holland; Netherlands.
homard ['òmàr] *m.* lobster.
homéopathie [òméòpàtì] *f.* homeopathy.
homicide [òmìsìd] *adj.* murderous, homicidal; *m.* murder [volontaire]; manslaughter [involontaire].
hommage [òmàj] *m.* homage, respect, veneration, tribute, esteem; service; acknowledgment, token, gift, testimony; *pl.* respects, compliments; *rendre hommage*, to do homage, to pay tribute.
homme [òm] *m.* man; *pl.* men; mankind; *homme d'affaires*, businessman.
honnête [ònèt] *adj.* honest, hono(u)rable, upright, decent; respectable; genteel, courteous, well-bred; seemly, becoming, decorous [conduite]; advantageous, reasonable, moderate [prix]; virtuous [femme]; *honnêtes gens*, decent people; *procédés honnêtes*, square dealings. || **honnêteté** [-té] *f.* honesty, integrity, uprightness; civility, politeness; decency, respectability, seemliness; reasonableness, fairness.
honneur [ònœr] *m.* hono(u)r, rectitude, probity, integrity; repute, credit; respect; chastity; virtue; distinction; court-card [cartes]; *pl.* regalia, hono(u)rs, preferments.

honorable [ònòràbl] *adj.* hono(u)rable; respectable, reputable, creditable. || **honoraire** [-èr] *adj.* honorary; *m. pl* fee, fees honorarium; stipend; retainer [avocat]. || **honorer** [-é] *v.* to hono(u)r, to respect; to do hono(u)r to; to be an hono(u)r to; to meet [obligation]; **s'honorer,** to pride oneself (*de,* on). || **honorifique** [-ìfìk] *adj.* honorary, titular [titre].

honte ['o^{n}t] *f.* shame, disgrace, discredit; reproach; confusion, bashfulness; *avoir honte,* to be ashamed; *sans honte,* shameless; *faire honte à,* to make ashamed, to put to shame. || **honteux** [-ë] *adj.* ashamed; shameful, disgraceful, scandalous; bashful, shy.

hôpital [ôpìtàl] *m.* hospital, infirmary; alms-house, poor-house, asylum [hospice].

hoquet ['òkè] *m.* hiccough, hiccup; hic; gasp.

horaire [òrèr] *m.* time-table, schedule; *adj.* horary, hourly.

horizon [òrìzo^n] *m.* horizon, skyline; sea-line.

horloge [òrlòj] *f.* clock; time-piece, time-keeper, chronometer. || **horloger** [-é] *m.* watch-maker, clock-maker. || **horlogerie** [-rî] *f.* watch-making, clock-making; watch and clock-trade, clock-maker's shop; *mouvement d'horlogerie,* clockwork.

hormis ['òrmì] *prep.* except, but, save, excepting.

horreur [òrœr] *f.* horror, dread; abhorrence, loathing, repulsion, repugnance, disgust; atrocity, heinousness; *avoir en horreur,* to abhor, to detest, to abominate; *faire horreur à,* to horrify, to disgust. || **horrible** [-ìbl] *adj.* horrible, awful, dreadful, fearful, frightful, horrid; appalling, ghastly, gruesome.

hors ['òr] *prep.* out of, outside of; without; but, except, save; beyond, past; *hors de combat,* disabled, out of action; *hors de saison,* unseasonable; *hors de doute,* unquestionable; **hors-d'œuvre,** hors-d'œuvre, appetizer; digression, irrelevancy; outwork, outbuilding (arch.); **hors-texte,** full page plate.

hospice [òspìs] *m.* hospice; asylum, refuge; alms-house; home, institution. || **hospitalier** [-ìtàlyé] *adj.* hospitable; welcoming. || **hospitaliser** [-ìtàlìsé] *v. Br.* to send to hospital, *Am.* to hospitalize; to admit to a home. || **hospitalité** [-ìtàlìté] *f.* hospitality; hospitableness; harbo(u)rage.

hostile [òstìl] *adj.* hostile, unfriendly, opposed, adverse, contrary, inimical. || **hostilité** [-ìté] *f.* hostility, enmity, opposition.

hôte, hôtesse [ôt, ôtès] *m., f.* host, *m.;* hostess, *f.;* innkeeper; landlord, *m.;* landlady, *f.;* guest, visitor; lodger; occupier, inmate; *table d'hôte,* table d'hôte, regular or ordinary meal. || **hôtel** [ôtèl] *m.* hotel, hostelry, inn; mansion, town-house, private residence; public building; *hôtel de ville,* town hall, city hall; *hôtel meublé,* lodging-house. || **hôtelier** [-^{e}lyé] *m.* hotel-keeper, innkeeper; landlord; host; hosteller [monastère]. || **hôtellerie** [-èlrî] *f.* hostelry, inn, hotel; hotel trade.

hotte ['òt] *f.* basket; pannier, dosser; hod [maçon]; hopper, boot (ind.); hood, canopy [cheminée].

houe ['û] *f.* hoe.

houille ['ûy] *f.* coal; *houille blanche,* water power; *houille brune,* lignite. || **houillère** [-èr] *f.* coal-mine, coal-pit; colliery.

houle ['ûl] *f.* swell, surge, billows.

houppe ['ûp] *f.* tuft, bunch; pompon; tassel, bob; crest, topknot [cheveux]; powder-puff [poudre].

housse ['ûs] *f.* covering; furniture cover, *Am.* slip-cover; garment-bag; dust-sheet; spare-tire cover (auto); propeller-cover (aviat.); saddle-cloth.

houx ['û] *f.* holly, holly-tree.

hoyau ['wàyô] *m.* mattock, grubbing-hoe; pickaxe.

hublot [üblò] *m.* scuttle, port-hole.

huer ['üé] *v.* to boo, to hoot, to jeer; to shout, to whoop; to halloo [chasse].

huile [üìl] *f.* oil; *huile de table,* salad oil; *huile de coude,* elbow-grease. || **huiler** [-é] *v.* to oil; to lubricate; to grease; to exude oil. || **huileux** [-ë] *adj.* oily, greasy. || **huilier** [-yé] *m.* oil-can; cruet-stand; oil-maker; oil-merchant.

huissier [üìsyé] *m.* bailiff; process-server; usher, monitor; beadle.

huit [ü*i*t] *m., adj.* eight; eighth [date, titre]; *huit jours,* a week; *d'aujourd'hui en huit,* to-day week, a week from to-day. || **huitaine** [-*è*n] *f.* about eight; week. || **huitième** [-y*è*m] *m., f., adj.* eighth.
huître [ü*i*tr] *f.* oyster.
humain [üm*i*ⁿ] *adj.* human; humane [bon]; *m.* human being; *pl.* humanity, mankind, men. || **humaniser** [üm*à*niz*é*] *v.* to humanize, to civilize; to soften, to mollify. || **humanité** [-*i*t*é*] *f.* humanity; human nature; mankind; humaneness, kindness; *pl.* humanities, classical studies.
humble [uⁿbl] *adj.* humble, lowly, modest; mean.
humecter [üm*è*kt*é*] *v.* to dampen, to moisten, to wet.
humeur [üm*œ*r] *f.* humo(u)r; disposition, temperament; mood, spirits; fancy; caprice; ill-humo(u)r; temper, anger; *avec humeur,* peevishly; crossly.
humide [üm*i*d] *adj.* damp, moist, humid, wet, dank; muggy [temps]. || **humidité** [üm*i*d*i*t*é*] *f.* humidity, moisture, dampness, wetness, dankness; mugginess [temps].
humilier [üm*i*ly*é*] *v.* to humiliate, to mortify, to humble, to abase. || **humilité** [-*i*t*é*] *f.* humility, humbleness.
humoriste [üm*ò*r*i*st] *adj.* humorous, humoristic; *m., f.* humorist. || **humour** [-*û*r] *m.* humo(u)r; comic sense.
hune ['ün] *f.* top (naut.); *hune de vigie,* crow's-nest.
huppe ['üp] *f.* tuft, crest; peewit, lapwing [oiseau].
hurlement ['ürlᵉm*a*ⁿ] *m.* howl, howling, yelling, roaring, roar; bellow, bellowing. || **hurler** [-*é*] *v.* to howl, to yell, to roar; to bellow; to bawl.
hutte ['üt] *f.* hut, cabin, shanty, shed.
hyacinthe [y*à*s*i*ⁿt] *m.* hyacinth.
hydraulique [*i*dr*ô*l*i*k] *adj.* hydraulic; *f.* hydraulics; *force hydraulique,* water-power.
hydravion [*i*dr*à*vyoⁿ] *m.* hydroplane, sea-plane.
hydrogène [*i*dr*ò*j*è*n] *m.* hydrogen.
hygiène [*i*jy*è*n] *f.* hygiene; sanitation. || **hygiénique** [-y*é*n*i*k] *adj.* hygienic, healthful; sanitary.
hymne [*i*mn] *m.* hymn; song; anthem [national].
hypocrisie [*i*p*ò*kr*i*z*i*] *f.* hypocrisy; cant. || **hypocrite** [-*i*t] *adj.* hypocritical; *m., f.* hypocrite.
hypothécaire [*i*p*ò*t*é*k*è*r] *adj.* on mortgage. || **hypothèque** [*i*p*ò*t*è*k] *f.* mortgage. || **hypothéquer** [-*é*k*é*] *v.* to hypothecate, to mortgage.
hypothèse [*i*p*ò*t*è*z] *f.* hypothesis; assumption, supposition, theory.
hystérie [*i*st*é*r*i*] *f.* hysteria. || **hystérique** [-*i*k] *adj.* hysteric, hysterical.

I

ici [*i*s*i*] *adv.* here; now, at this point; **ici-bas,** on earth.
idéal [*i*d*é*à*l] *adj.* ideal; imaginary, visionary; *m.* ideal. || **idéalisme** [-*i*sm] *m.* idealism. || **idéaliste** [-*i*st] *adj.* idealistic; *m., f.* idealist.
idée [*i*d*é*] *f.* idea; notion, conception; mind; intention, purpose; whim, fancy; hint, suggestion.
identification [*i*daⁿt*i*f*i*k*à*syoⁿ] *f.* identification, identifying. || **identifier** [-*i*fy*é*] *v.* to identify. || **identique** [-*i*k] *adj.* identical; equal, equivalent. || **identité** [-*i*t*é*] *f.* identity; *carte d'identité,* identification card, identity card.
idiot [*i*dy*ô*] *adj.* idiotic, absurd, senseless, stupid; *m.* idiot; fool, silly ass, *Am.* nut (pop.).
idiotisme [*i*dy*ò*t*i*sm] *m.* idiomatic expression; idiom.
idole [*i*d*ò*l] *f.* idol; god.
idylle [*i*d*i*l] *f.* idyl(l).
ignifuge [*i*gn*i*f*ü*j] *adj.* non-inflammable, fireproof.
ignoble [*i*ñy*ò*bl] *adj.* ignoble; lowborn; vile, base; beastly, filthy; disgraceful, contemptible.
ignorance [*i*ñ*ò*r*a*ⁿs] *f.* ignorance. || **ignorant** [-*a*ⁿ] *adj.* ignorant; uninformed; illiterate; unlearned; unaware; *m.* ignoramus, dunce. || **ignorer** [-*é*] *v.* to be unaware

of, to be ignorant of, not to know, to ignore [passer sous silence].

Il, ils [il] *pron.* he; it; she [bateau]; *pl.* they.

Ile [il] *f.* island, isle.

Illégal [illégàl] *adj.* illegal, unlawful, illicit. || **illégitime** [illéjìtìm] *adj.* illegitimate [enfant]; unlawful [mariage]; unwarranted [réclamation]; spurious [titre].

Illicite [illìsìt] *adj.* illicit; foul [coup]; unallowed.

Illimité [illìmìté] *adj.* boundless, unlimited, unbounded; indefinite [congé].

Illisible [illìzìbl] *adj.* illegible; unreadable.

Illogique [illòjìk] *adj.* illogical.

Illumination [illüminàsyoⁿ] *f.* illumination; lighting; flood-lighting [projecteur]; *pl.* lights; inspiration (fig.); enlightenment.

Illusion [illüzyoⁿ] *f.* illusion, delusion, fallacy; self-deception; chimera. || **illusionner** [-yòné] *v.* to delude, to deceive. || **illusoire** [-wàr] *adj.* illusory, illusive.

Illustration [illüstràsyoⁿ] *f.* illustration; picture; illustrating; illustriousness, renown; explanation, elucidation, expounding; *pl.* notes. || **illustrer** [-é] *v.* to render illustrious; to illustrate [livre]; to elucidate, to annotate.

Ilot [ilô] *m.* islet; block [maisons].

Image [ìmàj] *f.* image; picture; likeness, resemblance; effigy; idea, impression; simile; metaphor; *pl.* imagery. || **imaginable** [-ìnàbl] *adj.* imaginable. || **imaginaire** [-ìnèr] *adj.* imaginary, fancied, fictitious. || **imaginatif** [-ìnàtìf] *adj.* imaginative. || **imagination** [-ìnàsyoⁿ] *f.* imagination; conception; fancy, invention, conceit. || **imaginer** [-ìné] *v.* to imagine; to conceive; to fancy, to suppose; **s'imaginer**, to imagine oneself; to conjecture; to delude oneself.

Imbécile [iⁿbésìl] *adj.* imbecile, imbecilic; half-witted; silly, foolish; *m.* imbecile; fool, simpleton, ninny, fat-head, *Am.* nut (pop.). || **imbécillité** [-ìté] *f.* imbecility, feeble-mindedness, silliness; nonsense.

Imberbe [iⁿbèrb] *adj.* beardless, smooth-chinned.

Imbiber [iⁿbìbé] *v.* to soak, to steep; to imbue, to impregnate; to imbibe; *imbibé d'eau,* wet.

Imbu [iⁿbü] *adj.* imbued.

Imbuvable [iⁿbüvàbl] *adj.* undrinkable.

Imitation [ìmìtàsyoⁿ] *f.* imitation; imitating, copying; forgery; mimicking. || **imiter** [-é] *v.* to imitate, to copy; to forge; to mimic, to ape.

Immaculé [ìmmàküé] *adj.* immaculate, stainless, undefiled.

Immangeable [iⁿmaⁿjàbl] *adj.* inedible, uneatable.

Immanquable [iⁿmaⁿkàbl] *adj.* infallible, inevitable.

Immatriculer [ìmmàtrìkülé] *v.* to matriculate; to register.

Immédiat [ìmmédyà] *adj.* immediate; near, close; direct; urgent.

Immense [ìmmaⁿs] *adj.* immense, huge, vast. || **immensité** [-ìté] *f.* immensity; vastness; boundlessness; hugeness.

Immerger [ìmmèrjé] *v.* to immerse, to plunge, to dip. || **immersion** [-syoⁿ] *f.* immersion, plunging, dipping; submergence, submersion (naut.).

Immeuble [ìmmœbl] *m.* real estate, realty, landed property; building, edifice; premises.

Immigrant [ìmmìgraⁿ] *m.* immigrant. || **immigration** [-àsyoⁿ] *f.* immigration. || **immigrer** [-é] *v.* to immigrate.

Imminent [ìmmìnaⁿ] *adj.* imminent, impending.

Immiscer [ìmmìsé] *v.* to mix up; to involve; **s'immiscer**, to interfere, to intrude.

Immobile [ìmmòbìl] *adj.* motionless, immobile, unmoving; unshaken, steady. || **immobiliser** [-ìzé] *v.* to immobilize (mil.); to fix; to lock up [argent]; to convert, to realize (comm.); **s'immobiliser**, to stop. || **immobilité** [-ìté] *f.* immobility, motionlessness.

Immonde [ìmmoⁿd] *adj.* unclean, foul, filthy.

Immoral [ìmmòràl] *adj.* immoral. || **immoralité** [-ìté] *f.* immorality, licentiousness.

Immortalité [ìmmòrtàlìté] *f.* immortality. || **immortel** [-èl] *adj.* immortal, everlasting, undying; imperishable; *m.* immortal.

Immunité [ìmmünìté] *f.* immunity; privilege; exemption [impôts].

impair [iⁿpèr] *adj.* odd, uneven; *m.* blunder, bloomer (fam.).
impardonnable [iⁿpàrdònàbl] *adj.* unforgivable.
imparfait [iⁿpàrfè] *adj.* imperfect, defective; unfinished; *m.* imperfect.
impartial [iⁿpàrsyàl] *adj.* impartial, unbiassed, unprejudiced.
impasse [iⁿpâs] *f.* blind alley; impasse, deadlock; finesse [cartes].
impassible [iⁿpàsìbl] *adj.* impassive, impassible, unfeeling; unmoved; unimpressionable.
impatience [iⁿpàsyaⁿs] *f.* impatience, intolerance; eagerness, longing; fidgeting. || **impatient** [-yaⁿ] *adj.* impatient, intolerant; eager; all agog; restless. || **impatienter** [-yaⁿté] *v.* to provoke, to get (someone) out of patience, to irritate; **s'impatienter**, to lose patience.
impayable [iⁿpèyàbl] *adj.* inestimable, invaluable, priceless; (fam.) screaming, killing, *Br.* capital, ripping.
impeccable [iⁿpèkàbl] *adj.* impeccable, faultless; flawless.
impénétrable [iⁿpénétràbl] *adj.* impenetrable; impervious [imperméable]; inscrutable [visage]; unfathomable [mystère]; close [secret].
impératif [iⁿpéràtìf] *adj.* imperative; imperious; *m.* imperative (gramm.). || **impératrice** [-rìs] *f.* empress.
imperceptible [iⁿpèrsèptìbl] *adj.* imperceptible, undiscernible.
imperfection [iⁿpèrfèksyoⁿ] *f.* imperfection; incompleteness; flaw, blemish.
impérial [iⁿpéryàl] *adj.* imperial. || **impériale** [-yàl] *f.* roof, top, upper-deck [autobus]; imperial, tuft [barbe].
impérieux [iⁿpéryë] *adj.* imperious; domineering; peremptory; urgent.
imperméable [iⁿpèrméàbl] *adj.* impermeable, waterproof, watertight; impervious; *m.* waterproof, raincoat.
impersonnel [iⁿpèrsònèl] *adj.* impersonal.
impertinence [iⁿpèrtìnaⁿs] *f.* impertinence; pertness, nerve, cheek; irrelevance (jur.). || **impertinent** [-aⁿ] *adj.* impertinent, saucy, pert, nervy, cheeky; flippant; irrelevant (jur.).
imperturbable [iⁿpèrtürbàbl] *adj.* imperturbable, unmoved, phlegmatic.
impétueux [iⁿpétüë] *adj.* impetuous, hasty, precipitate, headlong; passionate. || **impétuosité** [-üòzìté] *f.* impetuosity.
impie [iⁿpî] *adj.* impious, ungodly; irreligious; blasphemous; *m.* unbeliever.
impitoyable [iⁿpìtwàyàbl] *adj.* pitiless; unmerciful; ruthless; unrelenting.
implacable [iⁿplàkàbl] *adj.* implacable, unpardoning.
implicite [iⁿplìsìt] *adj.* implicit, implied; tacit. || **impliquer** [-ìké] *v.* to imply; to implicate.
implorer [iⁿplòré] *v.* to implore, to beseech, to entreat.
importance [iⁿpòrtaⁿs] *f.* importance; largeness, considerableness; consequence; social position; authority, credit; self-conceit. || **important** [-aⁿ] *adj.* important, considerable; weighty; self-important, bumptious (fam.); *m.* essential point, main thing.
importateur, -trice [iⁿpòrtàtœr, -trìs] *m., f.* importer [marchandises]; *adj.* importing. || **importation** [-àsyoⁿ] *f.* importation; import. || **importer** [-é] *v.* to import.
importer [iⁿpòrté] *v.* to matter; to import, to be of consequence; *n'importe comment,* no matter how, anyhow, anyway; *n'importe quoi,* no matter what, anything; *qu'importe?,* what's the difference?
importun [iⁿpòrtuⁿ] *adj.* importunate, obtrusive, bothersome, troublesome; unseasonable; *m.* pestering person, bore. || **importuner** [-üné] *v.* to importune, to bother, to pester, to bore, to trouble, to inconvenience; to badger (fam.); to dun [débiteur].
imposable [iⁿpôzàbl] *adj.* taxable. || **imposant** [-aⁿ] *adj.* imposing, impressive; commanding, stately. || **imposer** [-é] *v.* to impose, to prescribe, to assign, to inflict [tâche]; to enforce, to lay down [règlement]; to tax, to charge; to thrust, to force (*à,* upon); to lay on [mains]; **s'imposer**, to assert oneself, to command attention; to obtrude oneself; to be called for. || **imposition** [-ìsyoⁿ] *f.* imposi-

tion; laying on [mains]; prescribing [tâche]; tax, duty.
Impossibilité [i^{n}pòsìbìlìté] *f.* impossibility. || **Impossible** [-ìbl] *adj.* impossible; impracticable.
Imposteur [i^{n}pòstœr] *m.* impostor, deceiver, fake, *Am.* phony (pop.).
Impôt [i^{n}pô] *m.* tax, duty; taxation.
Impotent [i^{n}pòta^{n}] *adj.* impotent; crippled; *m.* cripple.
Impraticable [i^{n}pràtìkàbl] *adj.* impracticable, unfeasible; unworkable; impassable.
Imprégner [i^{n}préñé] *v.* to impregnate.
Impression [i^{n}prèsyo^{n}] *f.* pressing, impressing; impression, impress; mark, stamp; printing; print; issue, edition. || **Impressionnant** [-yòna^{n}] *adj.* impressive; moving, stirring. || **Impressionner** [-yòné] *v.* to impress, to affect, to move; to make an impression on.
Imprévisible [i^{n}prévìzìbl] *adj.* unforeseeable; unpredictable.
Imprévoyant [i^{n}prévwàya^{n}] *adj.* improvident. || **Imprévu** [-ü] *adj.* unforeseen, unexpected, unlooked-for; sudden.
Imprimé [i^{n}prìmé] *adj.* printed; *m.* printed form, paper, book; *pl.* printed matter. || **Imprimer** [-é] *v.* to print; to communicate [mouvement]; to impress, to stamp; to prime [toile]. || **Imprimerie** [-rì] *f.* printing; printing-office; printing works. || **Imprimeur** [-œr] *m.* printer.
Improbable [i^{n}pròbàbl] *adj.* improbable, unlikely.
Impropre [i^{n}pròpr] *adj.* unfit, unsuitable; improper. || **Impropriété** [-ìété] *f.* impropriety, incorrectness.
Improviser [i^{n}pròvìzé] *v.* to improvise; to do (something) extempore; to ad-lib (fam.).
Imprudence [i^{n}prüda^{n}s] *f.* imprudence, rashness; unwariness, heedlessness. || **Imprudent** [-a^{n}] *adj.* imprudent; heedless, unwary; foolhardy; incautious.
Impudence [i^{n}püda^{n}s] *f.* impudence; immodesty, shamelessness; cheek. || **Impudent** [-a^{n}] *adj.* impudent; immodest, shameless; cheeky, saucy, *Am.* nervy. || **Impudeur** [-œr] *f.* shamelessness; lewdness.
Impuissant [i^{n}püìsa^{n}] *adj.* powerless, helpless, incapable, impotent; ineffective, vain.
Impulsif [i^{n}pülsìf] *adj.* impulsive; impetuous. || **Impulsion** [-yo^{n}] *f.* impulse, urge; impetus; stimulus, prompting.
Impuni [i^{n}pünì] *adj.* unpunished. || **Impunité** [-té] *f.* impunity.
Impur [i^{n}pür] *adj.* impure, unclean; tainted; unchaste, lewd. || **Impureté** [-té] *f.* impurity, uncleanliness, unchastity, lewdness.
Imputer [i^{n}püté] *v.* to impute, to ascribe, to attribute; to charge, to debit, to deduct [compte].
Inabordable [ìnàbòrdàbl] *adj.* unapproachable; prohibitive [prix].
Inaccessible [ìnàksèsìbl] *adj.* inaccessible, unattainable.
Inaccoutumé [ìnàkûtümé] *adj.* unaccustomed; unusual; inhabitual; unwonted.
Inachevé [ìnàshvé] *adj.* unfinished.
Inaction [ìnàksyo^{n}] *f.* inaction; dullness [affaires].
Inadvertance [ìnàdvèrta^{n}s] *f.* inadvertence, unwariness; oversight, mistake, lapse.
Inappréciable [ìnàprésyàbl] *adj.* inappreciable; invaluable.
Inattendu [ìnàta^{n}dü] *adj.* unexpected; unlooked-for.
Inaugurer [ìnôgüré] *v.* to inaugurate, to open; to institute; to unveil [monument]; to usher in [époque].
Incapable [i^{n}kàpàbl] *adj.* incapable, unfit; unable; incompetent; unqualified. || **Incapacité** [-àsìté] *f.* incapacity; inability; incompetency; disability (jur.).
Incartade [i^{n}kàrtàd] *f.* freak; prank, folly; indiscretion; outburst.
Incassable [i^{n}kàsàbl] *adj.* unbreakable.
Incendie [i^{n}sa^{n}dì] *m.* fire, conflagration; arson.
Incertain [i^{n}sèrti^{n}] *adj.* uncertain, doubtful, questionable; unreliable; unsettled [temps]. || **Incertitude** [-ìtüd] *f.* uncertainty, incertitude; perplexity; suspense; instability; dubiousness; unsettled state [temps].
Incessant [i^{n}sèsa^{n}] *adj.* unceasing, ceaseless.
Incident [i^{n}sìda^{n}] *m.* incident, occurrence, happening; difficulty, hitch, mishap; *adj.* incidental; incident.

incision [i^{n}sizyo^n] *f.* notch; incision; cutting; lancing (med.); tapping [arbre].

inciter [i^{n}sité] *v.* to incite, to urge on, to egg on; to induce.

inclinaison [i^{n}klinèzo^n] *f.* inclination, slope, slant, declivity; list [bateau]; nod [tête]. || **inclination** [-àsyo^n] *f.* inclination, bent, cant, propensity; bowing [corps]; nod [tête]; attachment. || **incliner** [-é] *v.* to incline, to cant, to bend; to slope, to tilt, to lean; to list [bateau]; to dip [aiguille]; **s'incliner,** to bow; to bank (aviat.); to heel (naut.); to slant; to slope; to yield (fig.).

inclure [i^{n}klür] *v.* to enclose, to include; to insert (jur.). || **inclusif** [-üzìf] *adj.* inclusive.

incohérence [i^{n}kòéra^{n}s] *f.* incoherence.

incomber [i^{n}ko^{n}bé] *v.* to be incumbent; to devolve (*à*, upon).

incommode [i^{n}kòmòd] *adj.* inconvenient; uncomfortable; unhandy [outil]; troublesome. || **incommoder** [-é] *v.* to inconvenience, to hinder; to disturb, to trouble; to disagree with [nourriture].

incomparable [i^{n}ko^{n}pàràbl] *adj.* incomparable, unrivalled, peerless.

incompatible [i^{n}ko^{n}pàtìbl] *adj.* incompatible.

incompétent [i^{n}ko^{n}péta^n] *adj.* incompetent; unqualified (jur.).

incomplet [i^{n}ko^{n}plè] *adj.* incomplete, unfinished.

incompréhensible [i^{n}ko^{n}préa^{n}sìbl] *adj.* incomprehensible, unintelligible.

inconduite [i^{n}ko^{n}düìt] *f.* misbehavio(u)r, misconduct (jur.).

inconnu [i^{n}kònü] *adj.* unknown, unheard-of; *m.* stranger.

inconscience [i^{n}ko^{n}sya^{n}s] *f.* unconsciousness. || **inconscient** [-ya^n] *m., adj.* unconscious.

inconséquent [i^{n}ko^{n}séka^n] *adj.* inconsistent, inconsequent.

inconsidéré [i^{n}ko^{n}sidéré] *adj.* inconsiderate, thoughtless; unconsidered.

inconstant [i^{n}ko^{n}sta^n] *adj.* inconstant, fickle.

incontestable [i^{n}ko^{n}tèstàbl] *adj.* incontestable, unquestionable, indisputable.

inconvenance [i^{n}ko^{n}vna^{n}s] *f.* unsuitableness; impropriety; indecency. || **inconvénient** [-a^n] *adj.* improper, indecorous, unbecoming; indecent.

inconvénient [i^{n}ko^{n}vénya^n] *m.* disadvantage, drawback; inconvenience.

incorporer [i^{n}kòrpòré] *v.* to incorporate, to embody; to mix.

incorrect [i^{n}kòrèkt] *adj.* incorrect; inaccurate; unbusinesslike. || **incorrigible** [-ìjìbl] *adj.* incorrigible; unamendable.

incrédule [i^{n}krédül] *adj.* incredulous; unbelieving; *m.* unbeliever. || **incroyable** [i^{n}krwàyàbl] *adj.* unbelievable.

inculpation [i^{n}külpàsyo^n] *f.* charge, indictment. || **inculpé** [-é] *m.* accused, defendant. || **inculper** [-é] *v.* to charge, to indict.

inculquer [i^{n}külké] *v.* to inculcate.

incursion [i^{n}kürsyo^n] *f.* inroad, foray, raid, incursion.

indécis [i^{n}désì] *adj.* undecided; vague; blurred; irresolute, wavering. || **indécision** [-zyo^n] *f.* irresolution; uncertainty.

indéfini [i^{n}défìnì] *adj.* indefinite; undefined; *passé indéfini,* present perfect (gramm.). || **indéfinissable** [-sàbl] *adj.* undefinable; hard to describe; nondescript.

indélicat [i^{n}délìkà] *adj.* indelicate, coarse; tactless; dishonest, unscrupulous.

indemne [i^{n}dèmn] *adj.* undamaged, uninjured, unscathed. || **indemniser** [-ìzé] *v.* to indemnify, to make good. || **indemnité** [-ìté] *f.* indemnity, allowance.

indéniable [i^{n}dényàbl] *adj.* undeniable.

indépendance [i^{n}dépa^{n}da^{n}s] *f.* independence.

indescriptible [i^{n}dèskriptìbl]] *adj.* indescribable.

index [i^{n}dèks] *m.* forefinger; index [livre]; pointer; black-list; Papal Index.

indicateur, -trice [i^{n}dìkàtœr, -trìs] *adj.* indicatory, indicating; *m.* indicator, gauge, guide; directory; time-table; pointer; informer, police spy. || **indicatif** [-àtìf] *adj.* indicative; indicatory; *m.* call sign [radio]. || **indication** [-àsyo^n] *f.* indication; sign, token; mark; declaration (jur.); stage-directions (theat.). || **indice** [i^{n}dìs] *m.* indication, sign; clue; landmark (naut.); index; trace (comm.).

Indicible [i^{n}dìsìbl] *adj.* unspeakable, inexpressible; unutterable.

Indifférence [i^{n}diféra^{n}s] *f.* indifference, apathy. || **Indifférent** [-a^n] *adj.* indifferent; unaffected (*à*, by); unconcerned; emotionless; unimportant; inert (comm.); neutral [physique].

Indigène [i^{n}dìjèn] *adj.* indigenous; *m., f.* native.

Indigent [i^{n}dìja^n] *adj.* indigent, needy; *m.* pauper; *pl.* the poor, the needy, the destitute.

Indigeste [i^{n}dìjèst] *adj.* indigestible; stodgy.

Indignation [i^{n}dìñàsyo^n] *f.* indignation. || **Indigne** [i^{n}dìñ] *adj.* unworthy; undeserving; scandalous, worthless; disqualified, debarred (jur.). || **Indigné** [-é] *adj.* indignant. || **Indigner** [-é] *v.* to shock; to anger; *s'indigner*, to be indignant. || **Indignité** [-ìté] *f.* unworthiness; indignity; vileness; disqualification (jur.).

Indiquer [i^{n}dìké] *v.* to indicate; to point out; to denote; to appoint; to prescribe; to outline, to sketch; to denounce.

Indirect [i^{n}dìrèkt] *adj.* indirect; devious; oblique; circumstantial (jur.); collateral [héritage].

Indiscret [i^{n}dìskrè] *adj.* indiscreet; inquisitive; prying, nosy (fam.); tell-tale, blabbing (fam.). || **Indiscrétion** [-ésyo^n] *f.* indiscretion, indiscreetness.

Indiscutable [i^{n}dìskütàbl] *adj.* indisputable, unquestionable.

Indispensable [i^{n}dìspa^{n}sàbl] *adj.* indispensable; requisite; vital; staple [nourriture].

Indisponible [i^{n}dìspònìbl] *adj.* unavailable; entailed (jur.).

Indisposer [i^{n}dìspòzé] *v.* to indispose, to upset, to disagree with [nourriture]; to antagonize; to disaffect. || **Indisposition** [-ìsyo^n] *f.* indisposition, upset; illness; disinclination.

Indistinct [i^{n}dìsti^n] *adj.* indistinct; hazy, vague; blurred; dim [lumière].

Individu [i^{n}dìvìdü] *m.* individual; person; fellow, chap, guy, character, customer (fam.); self. || **Individuel** [-üèl] *adj.* individual, personal; private; respective.

Indivisible [i^{n}dìvìzìbl] *adj.* indivisible.

Indolent [i^{n}dòla^n] *adj.* indolent, slothful, sluggish.

Indomptable [i^{n}do^{n}tàbl] *adj.* indomitable; untamable; unruly, wayward; unconquerable.

Indubitable [i^{n}dübìtàbl] *adj.* unquestionable, undeniable.

Induction [i^{n}düksyo^n] *f.* induction. || **Induire** [-üìr] *v.* to induce; to infer; to imply.

Indulgence [i^{n}düija^{n}s] *f.* indulgence, leniency; forbearance. || **Indulgent** [-a^n] *adj.* indulgent, lenient, condoning.

Indûment [i^{n}düma^n] *adv.* unduly; improperly.

Industrie [i^{n}düstrì] *f.* industry; activity; trade, manufacture; skill, dexterity. || **Industriel** [-ìèl] *adj.* industrial; manufacturing; *m.* industrialist; manufacturer; mill-owner. || **Industrieux** [-ìë] *adj.* industrious, busy; skilful, ingenious.

Inébranlable [ìnébra^{n}làbl] *adj.* unshakeable, steady, steadfast; unyielding; unflinching.

Inédit [ìnédì] *adj.* unpublished; unedited; *m.* unpublished material; original matter.

Ineffaçable [ìnéfàsàbl] *adj.* ineffaceable; ineradicable; indelible.

Inefficace [ìnéfìkàs] *adj.* ineffective, inefficacious, unavailing. || **Inefficacité** [-ìté] *f.* inefficacy; inefficiency.

Inégal [ìnégàl] *adj.* unequal; uneven; irregular [pouls]; shifting, changeable [vent]; unequable [tempérament]; disproportioned (fig.). || **Inégalité** [-ìté] *f.* inequality; disparity; unevenness; ruggedness.

Inepte [ìnèpt] *adj.* inept, stupid, idiotic, fatuous. || **Ineptie** [ìnèpsì] *f.* ineptness, ineptitude, absurdity.

Inépuisable [ìnépüìzàbl] *adj.* inexhaustible.

Inerte [ìnèrt] *adj.* inert; inactive; passive. || **Inertie** [ìnèrsì] *f.* inertia; listlessness.

Inespéré [ìnèspéré] *adj.* unhoped-for, unexpected.

Inestimable [ìnèstìmàbl] *adj.* inestimable, invaluable.

Inévitable [ìnévìtàbl] *adj.* inevitable, unavoidable.

Inexact [ìnègzàkt] *adj.* inexact,

inaccurate; unpunctual. || **inexactitude** [-ìtüd] *f.* inaccuracy, inexactitude; unpunctuality; unreliability.
inexpérience [ìnèkspéryaⁿs] *f.* inexperience. || **inexpérimenté** [-ìmaⁿté] *adj.* inexperienced, unpractised; untried, untested.
inexplicable [ìnèksplìkàbl] *adj.* inexplicable, unexplainable, unaccountable.
inexprimable [ìnèksprìmàbl] *adj.* inexpressible; unspeakable.
infaillible [iⁿfàyìbl] *adj.* infallible; unfailing [remède].
infâme [iⁿfâm] *adj.* infamous; vile, squalid. || **infamie** [-àmî] *f.* infamy; ignominy.
infanterie [iⁿfaⁿtrî] *f.* infantry.
infect [iⁿfèkt] *adj.* stinking; noisome; filthy. || **infecter** [-é] *v.* to infect, to contaminate; to pollute; to stink.
inférieur [iⁿféryœr] *adj.* inferior; lower, nether; subordinate; *m.* inferior, underling, subaltern, subordinate. || **infériorité** [-yòrìté] *f.* inferiority; difference.
infester [iⁿfèsté] *v.* to infest.
infidèle [iⁿfìdèl] *adj.* unfaithful; faithless, misleading; infidel, heathen; unbelieving; *m.* infidel, unbeliever. || **infidélité** [-élìté] *f.* infidelity; faithlessness, unfaithfulness; inaccuracy; unbelief.
infini [iⁿfìnì] *adj.* infinite; endless; *m.* infinity; infinite.
infirme [iⁿfìrm] *adj.* infirm; disabled, crippled; *m., f.* invalid, cripple. || **infirmerie** [-rî] *f.* infirmary; sick-ward, sick-room; sick-bay (naut.). || **infirmier** [-yé] *m.* attendant; male nurse; ambulance man; orderly (mil.). || **infirmière** [-yèr] *f.* nurse; attendant. || **infirmité** [-ìté] *f.* infirmity, disability.
inflammation [iⁿflàmàsyoⁿ] *f.* inflammation.
inflation [iⁿflàsyoⁿ] *f.* inflation.
inflexible [iⁿflèksìbl] *adj.* inflexible, unbending; unyielding.
inflexion [iⁿflèksyoⁿ] *f.* inflexion; deflection [optique]; modulation [voix].
infliger [iⁿflìjé] *v.* to inflict.
influence [iⁿflüaⁿs] *f.* influence; ascendancy. || **influent** [-üaⁿ] *adj.* influential; powerful.
influenza [iⁿflüaⁿzà] *f.* influenza, flu (fam.).
influer [iⁿflüé] *v.* to influence; to affect; to exert influence.
information [iⁿfòrmàsyoⁿ] *f.* information; inquiry; investigation; *pl. Br.* news, *Am.* newcast [radio].
informe [iⁿfòrm] *adj.* unformed; shapeless; unshapely; informal; irregular (jur.).
informer [iⁿfòrmé] *v.* to inform; to notify; to investigate, to inquire (jur.); **s'informer,** to inquire; to ask about.
infortune [iⁿfòrtün] *f.* misfortune. || **infortuné** [-é] *adj.* unfortunate, unlucky.
infructueux [iⁿfrüktüë] *adj.* unfruitful, unfructuous; unsuccessful; unavailing.
infuser [iⁿfüzé] *v.* to infuse; to instil; to steep [thé].
ingénieur [iⁿjényœr] *m.* engineer; *ingénieur du son, Br.* monitor man, *Am.* sound man. || **ingénieux** [-yë] *adj.* ingenious. || **ingéniosité** [-yòzìté] *f.* ingenuity.
ingénu [iⁿjénü] *adj.* ingenuous, artless, unsophisticated. || **ingénue** [-ü] *f.* artless girl; ingénue (theat.). || **ingénuité** [-ìté] *f.* ingenuousness.
ingrat [iⁿgrà] *adj.* ungrateful, thankless; unproductive; unpleasing; repellent [travail]; plain [visage]. || **ingratitude** [-tìtüd] *f.* ingratitude, thanklessness.
ingrédient [iⁿgrédyaⁿ] *m.* ingredient; constituent.
inhabile [inàbìl] *adj.* unskilful, inexpert; incompetent (jur.).
inhabitable [ìnàbìtàbl] *adj.* uninhabitable; untenantable.
inhabitué [ìnàbìtüé] *adj.* unaccustomed, unhabituated.
inhérent [ìnéraⁿ] *adj.* inherent, intrinsic.
inhumain [ìnümiⁿ] *adj.* inhuman.
inhumer [ìnümé] *v.* to bury, to inter, to inhume.
inimitié [ìnìmìtyé] *f.* enmity, hostility; unfriendliness.
iniquité [ìnìkìté] *f.* iniquity.
initial [ìnìsyàl] *adj.* initial; starting [prix]. || **initiale** [-yàl] *f.* initial [lettre].
initiative [ìnìsyàtìv] *f.* initiative. || **initier** [-yé] *v.* to initiate.
injecter [iⁿjèkté] *v.* to inject; *injecté de sang,* bloodshot, congested.

|| **injection** [-èksyon] *f.* injection; enema, douche (med.).
injonction [injonksyon] *f.* injunction, order.
injure [injür] *f.* insult, offense; injury; *pl.* abuse. || **injurier** [-yé] *v.* to insult, to abuse; to call (someone) names; to revile. || **injurieux** [-yë] *adj.* insulting, abusive, injurious, scurrilous, offensive.
injuste [injüst] *adj.* unjust, unfair.
inné [inné] *adj.* innate, inborn.
innocence [inòsans] *f.* innocence; guiltlessness; harmlessness; artlessness, guilelessness. || **innocenter** [-anté] *v.* to absolve; to justify.
innombrable [innonbràbl] *adj.* innumerable, numberless.
innovation [innòvàsyon] *f.* innovation; novelty.
inoffensif [inòfansìf] *adj.* inoffensive; innocuous.
inondation [inondàsyon] *f.* inundation. || **inonder** [-é] *v.* to flood; to overwhelm; to overflow; to glut [marché].
inopportun [inòpòrtun] *adj.* inopportune; untimely.
inoubliable [inûbliàbl] *adj.* unforgettable.
inouï [inwì] *adj.* unheard-of.
inoxydable [inòksidàbl] *adj.* rustproof; stainless [métal].
inquiet [inkyè] *adj.* anxious, uneasy, apprehensive; disturbed; upset; agitated. || **inquiéter** [-yété] *v.* to disturb, to trouble, to alarm; to make anxious or uneasy; **s'inquiéter**, to be anxious, to worry; to be concerned (*de*, about). || **inquiétude** [-yétüd] *f.* anxiety, concern, apprehension, uneasiness.
inquisition [inkizisyon] *f.* inquisition; inquiry.
insaisissable [insèzisàbl] *adj.* unseizable, imperceptible; not attachable (jur.).
insalubre [insàlübr] unhealthy; insanitary.
insatiable [insàsyàbl] *adj.* insatiable.
inscription [inskripsyon] *f.* inscription; registration, entry, matriculation; enrolment; conscription (naut.). || **inscrire** [-ìr] *v.* to inscribe, to write down; to enter, to enroll; **s'inscrire**, to register.
insecte [insèkt] *m.* insect; bug (fam.). || **insecticide** [-ìsìd] *m.*, *adj.* insecticide.
insensé [insansé] *adj.* mad, insane; senseless, extravagant; *m.* madman.
insensible [insansìbl] *adj.* insensible; insensitive; unfeeling; indifferent; unconscious; imperceptible; unaffected (*à*, by).
inséparable [inséparàbl] *adj.* inseparable.
insérer [inséré] *v.* to insert; to wedge in, to sandwich in.
insigne [insiñ] *adj.* signal; notorious, arrant; *m.* badge, emblem; *pl.* insignia.
insignifiant [insiñifyan] *adj.* insignificant; trifling, nominal [somme]; vacuous [visage].
insinuer [insinüé] *v.* to insinuate, to hint, to suggest, to imply; to insert (med.); **s'insinuer**, to insinuate oneself; to worm one's way.
insipide [insipid] *adj.* insipid, tasteless; flat; uninteresting.
insistance [insistans] *f.* insistence. || **insister** [-é] *v.* to insist; to persist; to stress.
insolation [insòlàsyon] *f.* sunstroke.
insolence [insòlans] *f.* insolence, pertness, incivility; nerve, cheek (fam.). || **insolent** [-an] *adj.* insolent, pert; saucy, cheeky; *Am.* nervy; *m.* insolent person.
insolvable [insòlvàbl] *adj.* insolvent.
insomnie [insòmni] *f.* sleeplessness, insomnia.
insonorisation [insònòrizàsyon] *f.* sound-proofing.
insouciance [insûsyans] *f.* unconcern, jauntiness, carelessness, heedlessness. || **insouciant** [-yan] *adj.* carefree, jaunty; careless, thoughtless.
insoumis [insûmì] *adj.* unsubdued; refractory, unruly; insubordinate; *m.* absentee, *Am.* draft-dodger (mil.).
insoutenable [insûtnàbl] *adj.* untenable; indefensible; unbearable.
inspecter [inspèkté] *v.* to inspect; to survey. || **inspecteur, -trice** [-œr, -trìs] *m.*, *f.* inspector, *m.*; inspectress, *f.*; surveyor; overseer; *Br.* shop-walker, *Am.* floor-walker.
inspiration [inspìràsyon] *f.* inspiration; prompting.
instable [instàbl] *adj.* unstable; unsteady, rickety.

Installer [i^{n}stàlé] *v.* to install; to fit up; to settle; to induct [officier]; to stow (naut.); **s'installer,** to take up one's abode; to set up.

Instance [i^{n}sta^{n}s] *f.* instancy, entreaty; immediacy; suit (jur.). || **Instant** [-a^n] *m.* instant; jiffy (fam.). || **Instantané** [-a^{n}tàné] *adj.* instantaneous; *m.* snapshot [photo].

Instigation [i^{n}stigàsyo^n] *f.* instigation; inducement.

Instinct [i^{n}sti^n] *m.* instinct. || **Instinctif** [-ktìf] *adj.* instinctive.

Instituer [i^{n}stitüé] *v.* to institute; to found; to appoint; to initiate (jur.). || **Instituteur, -trice** [-ütœr, -trìs] *m., f.* schoolteacher, *m., f.;* schoolmistress *f.;* tutor, *m.;* governess, *f.*

Instruction [i^{n}strüksyo^n] *f.* instruction, tuition, schooling, education; knowledge; training (mil.); direction; investigation (jur.). || **Instruire** [i^{n}strüìr] *v.** to instruct, to teach; to inform; to train, to drill (milit.); to investigate, to examine (jur.); **s'instruire**, to learn.

Instrument [i^{n}strüma^n] *m.* instrument; implement, tool; agent; document.

Insu [i^{n}sü] *m.* unawareness; *à l'insu de,* without the knowledge of; *à mon insu,* unknown to me.

Insuffisant [i^{n}süfiza^n] *adj.* insufficient, deficient, inefficient.

Insulte [i^{n}sült] *f.* insult; taunt, jibe; abuse. || **Insulter** [-é] *v.* to insult; to revile, to abuse; to jeer at, to jibe at.

Insupportable [i^{n}süpòrtàbl] *adj.* unbearable, unendurable; insufferable; provoking.

Insurgé [i^{n}sürjé] *m., adj.* insurgent. || **Insurger (s')** [si^{n}sürjé] *v.* to revolt, to rebel, to rise.

Insurmontable [i^{n}sürmo^{n}tàbl] *adj.* insuperable; unconquerable; unsurmountable.

Insurrection [i^{n}sürèksyo^n] *f.* insurrection, rising; uprising.

Intact [i^{n}tàkt] *adj.* intact; untouched, undamaged, unscathed; unblemished [réputation].

Intarissable [i^{n}tàrisàbl] *adj.* inexhaustible; perennial [source]; long-winded (fam.).

Intégral [i^{n}tégràl] *adj.* integral, whole; unexpurgated [texte].

Intègre [i^{n}tègr] *adj.* upright, honest; incorruptible. || **Intégrité** [-égrité] *f.* integrity.

Intellectuel [i^{n}tèllèktüèl] *m., adj.* intellectual.

Intelligence [i^{n}tèllija^{n}s] *f.* understanding, intelligence, intellect; agreement, terms; *d'intelligence avec,* in collusion with, *Am.* in cahoots with. || **Intelligent** [-a^n] *adj.* intelligent; clever, shrewd, brainy (fam.).

Intempérance [i^{n}ta^{n}péra^{n}s] *f.* intemperance; insobriety.

Intempestif [i^{n}ta^{n}pèstìf] *adj.* untimely, ill-timed.

Intendance [i^{n}ta^{n}da^{n}s] *f.* intendance, stewardship; managership; commissariat (milit.); office [lycée]. || **Intendant** [-a^n] *m.* intendant; steward; paymaster (naut.); commissariat officer (milit.).

Intense [i^{n}ta^{n}s] *adj.* intense; loud [bruit]; heavy [canonnade]; intensive [propagande]; deep [couleur]; high [fièvre]; strong [courant]; bitter [froid]; strenuous [vie]. || **Intensité** [-ité] *f.* intensity, intenseness; force [vent]; brilliancy [lumière]; depth [couleur]; bitterness [froid].

Intenter [i^{n}ta^{n}té] *v.* to bring, to initiate (jur.). || **Intention** [i^{n}ta^{n}syo^n] *f.* intention, intent, purpose; meaning, drift; wish; *avoir l'intention de,* to intend, to mean. || **Intentionnel** [-yònèl] *adj.* intentional, wilful.

Intercéder [i^{n}tèrsédé] *v.* to intercede, to mediate.

Intercepter [i^{n}tèrsèpté] *v.* to intercept; to shut out [lumière].

Intercession [i^{n}tèrsèsyo^n] *f.* intercession, mediation.

Interdiction [i^{n}tèrdiksyo^n] *f.* interdiction; prohibition, forbidding; suspension; banishment. || **Interdire** [-ìr] *v.** to interdict, to veto, to prohibit, to forbid; to bewilder, to dumbfound. || **Interdit** [-ì] *adj.* forbidden, prohibited; out of bounds, *Am.* off limits (mil.); nonplussed, abashed, dumbfounded; *m.* interdict (jur.; eccles.); *sens interdit,* no thoroughfare.

Intéressant [i^{n}térèsa^n] *adj.* interesting; advantageous, attractive [prix]. || **Intéressé** [-é] *adj.* interested; concerned; self-seeking; stingy; *m.* interested party. || **Intéresser** [-é] *v.* to interest; to concern; to attract, to be interesting to; **s'intéresser**, to become interested, to take an interest (*à*, in). || **Intérêt** [-*è*] *m.* interest; share, stake; benefit; concern; self-interest; *par intérêt*, out of selfishness; *sans intérêt*, uninteresting.

Intérieur [iⁿtéryœr] *m.* interior, inside; home; inner nature; *adj.* interior, inner; inward; domestic; inland (naut.).

Intermédiaire [iⁿtèrmédyèr] *adj.* intermediate; *m.* intermediary, go-between, neutral; middleman (comm.); medium; step-up gear (mech.).

Interminable [iⁿtèrminàbl] *adj.* interminable, endless, never-ending.

Intermittent [iⁿtèrmitaⁿ] *adj.* intermittent; irregular; alternating.

Internat [iⁿtèrnà] *m.* living-in; boarding-in [école]; boarding-school; interneship (med.); boarders.

International [iⁿtèrnàsyònàl] *adj.* international.

Interne [iⁿtèrn] *adj.* internal; inner; resident; *m.* boarder; resident; interne (med.). || **Interner** [-*é*] *v.* to intern; to confine; **interné**, internee.

Interpeller [iⁿtèrpᵉlé] *v.* to interpellate; to question; to summon to answer (jur.).

Interprétation [iⁿtèrprétàsyoⁿ] *f.* interpretation, interpreting; rendering; reading. || **Interprète** [-èt] *m., f.* interpreter; translator; expositor. || **Interpréter** [-été] *v.* to interpret; to translate; to render; to expound.

Interrogateur, -trice [iⁿtèrògàtœr, -trìs] *adj.* interrogative; questioning; *m., f.* questioner, interrogator; examiner. || **Interrogatoire** [-wàr] *m.* interrogation, examination (jur.); questioning (mil.). || **Interroger** [iⁿtèròjé] *v.* to interrogate, to question, to examine.

Interrompre [iⁿtèroⁿpr] *v.* to interrupt; to stop, to suspend; to break [voyage]; to cut in, to break in [conversation]. || **Interrupteur, -trice** [-üptœr, -trìs] *adj.* interrupting; *m.* interrupter; switch, contact-breaker, circuit-breaker (electr.); cut-out (electr.). || **Interruption** [-üpsyoⁿ] *f.* interruption; stopping; severance [communication]; breaking in [conversation]; breaking off (electr.); stoppage [travail].

Intersection [iⁿtèrsèksyoⁿ] *f.* intersection; crossing.

Intervalle [iⁿtèrvàl] *m.* interval; distance; period [temps]; *par intervalles*, off and on; *dans l'intervalle*, in the meantime.

Intervenir [iⁿtèrvᵉnír] *v.* to intervene; to interfere; to occur.

Intervertir [iⁿtèrvèrtír] *v.* to invert, to reverse.

Intestin [iⁿtèstiⁿ] *m.* intestine; bowel; gut; *adj.* internal; domestic; civil.

Intime [iⁿtím] *adj.* intimate, close; inward; private; secret; *m.* familiar, close friend.

Intimer [iⁿtimé] *v.* to intimate; to notify; to summons (jur.).

Intimider [iⁿtimidé] *v.* to intimidate, to cow; to browbeat, to bully.

Intimité [iⁿtimité] *f.* intimacy, closeness.

Intitulé [iⁿtitülé] *adj.* entitled; called.

Intolérable [iⁿtòléràbl] *adj.* intolerable, unbearable. || **Intolérance** [-aⁿs] *f.* intolerance; illiberality.

Intonation [iⁿtònàsyoⁿ] *f.* intonation; pitch, ring [voix].

Intoxication [iⁿtòksikàsyoⁿ] *f.* poisoning. || **Intoxiquer** [-*é*] *v.* to poison.

Intransigeant [iⁿtraⁿzijaⁿ] *adj.* intransigent, uncompromising, unbending; peremptory.

Intrépide [iⁿtrépíd] *adj.* intrepid, fearless.

Intrigue [iⁿtrìg] *f.* intrigue; plot; love-affair. || **Intriguer** [-igé] *v.* to puzzle; to intrigue; to scheme, to plot; to elaborate.

Introduction [iⁿtròdüksyoⁿ] *f.* introduction, introducing; presentation; admission (mech.); foreword. || **Introduire** [-üír] *v.* to introduce; to usher; to lead in; to show in; to admit (mech.); **s'introduire**, to get in.

Introuvable [iⁿtrûvàbl] *adj.* undiscoverable; unobtainable.

Intrus [iⁿtrü] *adj.* intruding; *m.* intruder.

Intuition [iⁿtüìsyoⁿ] *f.* intuition, insight.

Inusable [inüzàbl] *adj.* indestructible; everlasting.

Inusité [ìnüzìtḗ] *adj.* unusual; obsolete; little used.
Inutile [ìnütìl] *adj.* useless, unavailing, fruitless, unprofitable; needless. || **Inutilisé** [-ìzé] *adj.* unused; untapped [ressources]. || **Inutilité** [-ìté] *f.* uselessness, inutility; unprofitableness; fruitlessness.
Invalide [iⁿvàlìd] *adj.* invalid, infirm; disabled; rickety [meuble]; null and void (jur.); *m.* invalid; disabled soldier; pensioner. || **Invalider** [-é] *v.* to invalidate; to nullify; to quash [élection]. || **Invalidité** [-ìté] *f.* invalidism; disability; nullity (jur.).
Invariable [iⁿvàryàbl] *adj.* invariable, unvarying, unchanging.
Invasion [iⁿvàzyoⁿ] *f.* invasion.
Invendable [iⁿvaⁿdàbl] *adj.* unsaleable. || **Invendu** [-ü] *adj.* unsold.
Inventaire [iⁿvaⁿtèr] *m.* inventory, stock-taking; list, schedule; *faire l'inventaire,* to take stock.
Inventer [iⁿvaⁿté] *v.* to invent; to discover; to contrive; to make up [histoire]; to coin [phrase]. || **Inventeur, -trice** [-œr, -trìs] *m., f.* inventor, discoverer; contriver; finder (jur.); *adj.* inventive. || **Inventif** [-ìf] *adj.* inventive. || **Invention** [iⁿvaⁿsyoⁿ] *f.* invention, contriving, devising; inventiveness, discovery; coining; fib.
Inverse [iⁿvèrs] *adj.* inverted, inverse, contrary; reverse; *sens inverse,* opposite direction.
Investigateur, -trice [iⁿvèstìgàtœr, -trìs] *m., f.* investigator, inquirer; *adj.* investigating, searching [regard].
Investir [iⁿvèstìr] *v.* to invest; to entrust; to blockade (mil.).
Invisible [iⁿvìzìbl] *adj.* invisible.
Invitation [iⁿvìtàsyoⁿ] *f.* invitation; request. || **Invité** [-é] *adj.* invited, bidden; *m.* guest. || **Inviter** [-é] *v.* to invite; to request; to incite.
Involontaire [iⁿvòloⁿtèr] *adj.* involuntary; unintentional.
Invoquer [iⁿvòké] *v.* to invoke; to call forth [upon]; to refer to (jur.).
Invraisemblable [iⁿvrèsaⁿblàbl] *adj.* unlikely, implausible, tall [histoire].
Iode [yòd] *m.* iodine.
Ion [yoⁿ] *m.* ion.
Irai [ìré] *future of* **aller.**
Iris [ìrìs] *m.* iris; flag (bot.).
Irlandais [ìrlaⁿdè] *adj.* Irish; *m.* Irishman. || **Irlande** [-aⁿd] *f.* Ireland, Eire.
Ironie [ìrònì] *f.* irony. || **Ironique** [-ìk] *adj.* ironical.
Irréalisable [ìrréàlìzàbl] *adj.* unrealizable; impossible.
Irrécupérable [ìrréküpéràbl] *adj.* irretrievable.
Irrécusable [ìrréküzàbl] *adj.* unimpeachable; unchallengeable (jur.).
Irréfléchi [ìrrérléshì] *adj.* unconsidered, thoughtless; inconsiderate.
Irrégulier [ìrrégülyé] *adj.* irregular; anomalous; erratic [pouls]; broken [sommeil].
Irrémédiable [ìrrémédyàbl] *adj.* irremediable; incurable.
Irréparable [ìrrépàràbl] *adj.* irreparable; irretrievable.
Irréprochable [ìrrépròshàbl] *adj.* irreproachable; blameless; unimpeachable [témoin].
Irrésolu [ìrrésòlü] *adj.* irresolute; unsolved [problème].
Irrespectueux [ìrrèspèktüë] *adj.* disrespectful, uncivil.
Irrespirable [ìrrèspìràbl] *adj.* unbreathable, irrespirable.
Irresponsable [ìrrèspoⁿsàbl] *adj.* irresponsible.
Irrigation [ìrrìgàsyoⁿ] *f.* irrigation; flooding.
Irritable [ìrrìtàbl] *adj.* irritable; sensitive [peau]; peevish. || **Irritation** [-àsyoⁿ] *f.* irritation; inflammation (med.). || **Irriter** [-é] *v.* to irritate; to provoke; to vex; to inflame (med.).
Irruption [ìrrüpsyoⁿ] *f.* irruption; raid; inrush.
Isolant [ìzòlaⁿ], **Isolateur, -trice** [-àtœr, -trìs] *adj.* insulating; *m.* insulator. || **Isolement** [-maⁿ] *m.* isolation, loneliness; insulation (electr.). || **Isoler** [-é] *v.* to isolate; to segregate; to insulate (electr.). || **Isoloir** [-wàr] *m.* insulator; polling-booth.
Issu [ìsü] *adj.* born; sprung (*de,* from). || **Issue** [-ü] *f.* issue, end; upshot, result; outlet, egress; *pl.* by-products; offal.
Isthme [ìsm] *m.* isthmus.
Italique [ìtàlìk] *m., adj.* italic.
Itinéraire [ìtìnérèr] *m.* itinerary, route; guide-book.
Ivoire [ìvwàr] *f.* ivory.

Ivre [ìvr] *adj.* drunk, intoxicated, inebriated; tipsy (fam.). || **Ivresse** [ìvrès] *f.* intoxication; drunkenness, inebriation; rapture, ecstasy (fig.). || **Ivrogne, -esse** [-òñ, -ès] *m., f.* drunkard, tippler, toper; boozer, sot (pop.). || **Ivrognerie** [-òñrì] *f.* wine-bibbing.

J

Jabot [jàbô] *m.* crop [oiseau]; frill, jabot [chemise].
Jachère [jàshèr] *f.* fallow.
Jacinthe [jàsiⁿt] *f.* hyacinth; bluebell.
Jade [jàd] *m.* jade.
Jadis [jàdìs] *adv.* formerly, of old.
Jaillir [jàyìr] *v.* to gush, to spurt out; to shoot forth; to fly [étincelles]; to flash [lumière]. || **Jaillissement** [-yìsmaⁿ] *m.* gushing, spouting; jet; springing forth; flash.
Jais [jè] *m.* jet.
Jalon [jàloⁿ] *m.* surveying-staff; range-pole; landmark; aiming-post, alignment picket (milit.). || **Jalonner** [-òné] *v.* to stake out, to mark.
Jalousie [jàlûzì] *f.* jealousy; venetian-blind, sun-blind. || **Jaloux** [-û] *adj.* jealous; envious; unsafe.
Jamais [jàmè] *adv.* ever; never; *ne... jamais,* never, not ever; *à jamais,* forever.
Jambage [jaⁿbàj] *m.* jamb [porte]; post [fenêtre]; cheek [cheminée]; down-stroke, pot-hook [écriture].
Jambe [jaⁿb] *f.* leg; shank; stone pier [maçonnerie]; stay-rod [auto]. || **Jambière** [-yèr] *f.* legging; leg-guard; greave (arch.). || **Jambon** [-oⁿ] *m.* ham. || **Jambonneau** [-ònô] *m.* ham knuckle, small ham.
Jante [jaⁿt] *f.* felloe, felly [roue]; rim (auto).
Janvier [jaⁿvyé] *m.* January.
Japper [jàpé] *v.* to yelp, to yap.
Jaquette [jàkèt] *f.* morning coat, tail-coat [homme]; jacket [dame].
Jardin [jàrdiⁿ] *m.* garden; park; *pl.* grounds. || **Jardinier** [-ìnyé] *m.* gardener. || **Jardinière** [-ìnyèr] *f.* gardener; flower stand; spring cart; dish of vegetables.
Jargon [jàrgoⁿ] *m.* jargon, lingo; gibberish.
Jarre [jàr] *f.* earthenware jar.
Jarret [jàrè] *m.* hock, ham, hamstring, hough; shin [bœuf]. || **Jarretelle** [-tèl] *f.* stocking suspender, garter. || **Jarretière** [-tyèr] *f.* garter; sling [fusil].
Jars [jàr] *m.* gander.
Jaser [jàzé] *v.* to chatter, to gossip, to prattle, to babble; to blab (fam.); to chat.
Jasmin [jàsmiⁿ] *m.* jasmine.
Jaspe [jàsp] *m.* jasper.
Jauge [jôj] *f.* gauge; gauging-rod; tonnage, burden (naut.); *Br.* petrol-gauge, *Am.* gasoline-gauge [auto]; trench [horticulture]. || **Jauger** [-é] *v.* to gauge, to measure; to draw (naut.).
Jaunâtre [jônâtr] *adj.* yellowish; sallow.
Jaune [jôn] *adj.* yellow; *m.* yellow; yolk [œuf]; strikebreaker, scab, *Br.* blackleg [grève]; *rire jaune,* to give a sickly smile. || **Jaunisse** [-ìs] *f.* jaundice.
Javelle [jàvèl] *f.* swath; chlorinated water [eau].
Je [jᵉ] *pron.* I.
Jeannette [janèt] *f.* sleeve-board [repassage].
Jet [jè] *m.* throw, cast; jet, gush, spurt [liquide]; flash [lumière]; casting [métal]; jetsam (naut.; jur.); shoot, sprout (bot.); *armes de jet,* projectile weapons; *jet d'eau,* fountain, spray; *du premier jet,* at the first try. || **Jetée** [jᵉté] *f.* jetty, pier; mole, breakwater. || **Jeter** [-é] *v.* to throw, to fling, to cast, to toss; to hurl; to throw away, to cast down; to let go; to drop [ancre]; to utter [cri]; to lay [fondements]; to jettison (naut.); to discharge (med.); **se jeter,** to throw oneself, to jump, to plunge; to pounce (*sur,* on); to rush; to flow, to empty [rivière]. || **Jeton** [-oⁿ] *m.* token, tally, mark; counter; *jeton de téléphone,* telephone token, *Am.* slug (fam.).
Jeu [jë] *m.* play; sport; game, pastime; fun, frolic; acting [acteur];

execution, playing [musicien]; gambling, gaming; set [échecs]; pack, *Am.* deck [cartes]; stop [orgue]; action, activity (fig.); working (mech.); *jeu de mots*, pun; *franc jeu*, fair play.

Jeudi [jëdi] *m.* Thursday; *jeudi saint*, Maundy Thursday.

Jeun (à) [àjuⁿ] *adv. phr.* fasting; on an empty stomach.

Jeune [jœn] *adj.* young; youthful; juvenile; younger, junior; recent; new; early, unripe, green; immature; *m., f.* young person; *jeune fille*, girl, young lady; *jeune homme*, youngster, youth, stripling; lad; *jeunes gens*, young people; young men; youth.

Jeûne [jën] *m.* fast, fasting, abstinence. || **Jeûner** [-*é*] *v.* to fast, to abstain.

Jeunesse [jœnès] *f.* youth, young days; boyhood, girlhood; youthfulness, freshness, prime; newness [vin].

Joie [jwà] *f.* joy, delight, gladness, elation; gaiety, mirth, merriment, glee; exhilaration.

Joindre [jwiⁿdr] *v.** to join; to link; to unite, to combine; to bring together; to adjoin; to enclose [enveloppe]; to clasp [mains]; **se joindre**, to join, to unite; to adjoin. || **Joint** [jwiⁿ] *adj., p. p., see* **Joindre**; *m.* joint, join, junction, coupling; seam (metall.); packing (mech.); *pièces jointes*, enclosures. || **Jointure** [-tür] *f.* joint; articulation; knuckle [doigt].

Joli [jòli] *adj.* pretty; good-looking; nice; attractive; piquant [ironique].

Jonc [joⁿ] *m.* rush; cane, rattan; guard ring [bijou].

Joncher [joⁿshé] *v.* to strew, to litter.

Jonction [joⁿksyoⁿ] *f.* junction, joining; meeting; connector (electr.).

Jongler [joⁿglé] *v.* to juggle. || **Jongleur** [-œr] *m.* juggler; trickster, cheat.

Jonque [joⁿk] *f.* junk [bateau].

Joue [jû] *f.* cheek; *coucher en joue*, to aim at.

Jouer [jwé] *v.* to play; to toy, to trifle; to speculate, to gamble; to stake; to act, to perform, to show (theat.); to feign; to warp, to shrink, to swell [boiserie]; to function (mech.); to fit loosely (mech.); *jouer au tennis*, to play tennis; *jouer du piano*, to play the piano; *jouer des coudes*, to elbow one's way; **se jouer**, to play, to sport, to frolic; to be played; *se jouer de*, to make game of, to make light of. || **Jouet** [jwè] *m.* plaything, toy. || **Joueur** [jwœr] *m.* player; performer; actor; gambler, gamester; speculator [Bourse].

Joug [jûg] *m.* yoke; bondage; slavery (fig.).

Jouir [jûîr] *v.* to enjoy; to revel (*de*, in); to possess [faculté]. || **Jouissance** [-isaⁿs] *f.* enjoyment, delight; use, possession, tenure; fruition.

Jour [jûr] *m.* day; daylight, light, lighting; dawn, day-break; daytime; aperture; opening, gap, chink; open-work [couture]; *demi-jour*, half-light, twilight; *grand jour*, broad daylight; *jour de fête*, holiday; *de nos jours*, in our time, nowadays; *donner le jour à*, to bring to light; to give birth to; *au jour le jour*, from hand to mouth.

Journal [jûrnàl] *m.* journal, diary, record; newspaper; gazette; day-book (comm.); log-book (naut.); *les journaux*, the press; *style de journal*, journalese. || **Journalier** [-yé] *adj.* daily; everyday; variable; *m.* day-labo(u)rer, journeyman. || **Journalisme** [-ism] *m.* journalism. || **Journaliste** [-ist] *m.* journalist, reporter, pressman, newspaperman; columnist; journalizer (comm.).

Journée [jûrné] *f.* day; daytime; day's work; day's journey; *toute la journée*, all day long; *femme de journée*, charwoman; *à la journée*, by the day. || **Journellement** [-èlmaⁿ] *adv.* daily, every day.

Joyau [jwàyô] *m.* jewel, gem.

Joyeux [jwàyë] *adj.* joyous, joyful, merry, elated, blithe.

Jubilé [jübilé] *m.* jubilee; fiftieth anniversary; golden wedding.

Jucher [jüshé] *v.* to roost; to perch.

Judiciaire [jüdisyèr] *adj.* judicial, forensic. || **Judicieux** [-yë] *adj.* judicious, sensible, well-advised.

Juge [jüj] *m.* judge; magistrate, justice; arbiter; *pl.* bench; *juge d'instruction*, examining magistrate; *juge de paix*, justice of the peace. || **Jugement** [-maⁿ] *m.*

judgment; verdict, decision; decree; opinion; trial; sentence; discrimination, sense. || **Juger** [-é] *v.* to judge; to try [accusé]; to adjudicate; to decide; to pass sentence on; to consider, to think; to believe, to deem.
Jugulaire [jügülèr] *f.* chin-strap.
Juif, Juive [jüìf, -ìv] *adj.* Jewish; *m.* Jew, *f.* Jewess.
Juillet [jüìyè] *m.* July.
Juin [jüiⁿ] *m.* June.
Jumeau, -melle [jümô, -mèl] *m., f. adj.* twin; double. || **Jumelles** [-èl] *f. pl.* binoculars; field-glasses; opera-glasses; cheeks, side-beams (mech.).
Jument [jümaⁿ] *f.* mare.
Jungle [juⁿgl] *f.* jungle.
Jupe [jüp] *f.* skirt. || **Jupon** [-oⁿ] *m.* petticoat, underskirt, *Am.* half-slip; kilt [Ecosse].
Juré [jüré] *adj.* sworn; *m.* juror, juryman. || **Jurement** [-maⁿ] *m.* swearing, oath. || **Jurer** [-é] *v.* to swear; to vow, to take oath; to blaspheme; to clash, to jar [couleurs].
Juridiction [jüridiksyoⁿ] *f.* jurisdiction; domain, venue (jur.); department (fig.).
Juron [jüroⁿ] *m.* oath, blasphemy, curse.
Jury [jürì] *m.* jury; selection committee, examining board [concours].
Jus [jü] *m.* juice; gravy [viande]; (pop.) coffee; (pop.) electric current; (pop.) *Br.* petrol, *Am.* gas.
Jusant [jüzaⁿ] *m.* ebb-tide, ebb.
Jusque [jüsk] *prep.* until, till; as far as, up to; even to, down to; *jusqu'ici,* so far, up to now; *jusqu'où,* how far; *jusqu'à quand,* how long.
Juste [jüst] *adj.* just, equitable; righteous; fair, lawful; proper, fit, apt; exact [mot]; accurate, correct; sound; tight; *adv.* just, exactly; precisely; true (mus.); barely, scarcely; *m.* virtuous person, upright man. || **Justesse** [-ès] *f.* exactness, correctness, accuracy; appropriateness; *de justesse,* just in time.
Justice [jüstìs] *f.* justice, righteousness, equity; jurisdiction; courts of justice, judges; legal proceedings; *Palais de Justice,* law-courts; *traduire en justice,* to prosecute.
Justificatif [jüstifikàtìf] *adj.* justificatory; *pièce justificative,* voucher supporting document. || **Justification** [-àsyoⁿ] *f.* justification, vindication; line adjustment (typogr.). || **Justifier** [jüstìfyé] *v.* to justify, to vindicate; to give proof of; to adjust (typogr.).
Jute [jüt] *m.* jute.
Juteux [jütë] *adj.* juicy.
Juvénile [jüvénìl] *adj.* youthful; juvenile.

K

kangourou [kaⁿgûrû] *m.* kangaroo.
képi [képì] *m.* kepi, soldier's (peaked) cap.
kilogramme [kilògràm] *m.* kilogram. || **kilomètre** [-òmètr] *m.* kilometer. || **kilométrage** [-òmètràj] *m.* mileage.
kimono [kimònô] *m.* kimono.
kiosque [kyòsk] *m.* kiosk, stand; news-stand; flower-stall; conning-tower [sous-marin].
klakson *or* **klaxon** [klàksoⁿ] *m.* horn, klaxon, hooter.
kyste [kist] *m.* cyst.

L

l' *art., pron., see* **le.**
la [là] *art., pron., see* **le.**
là [là] *adv.* there; *cet homme-là,* that man; *là-dessus,* thereupon; *là-haut,* up there; *là-bas,* down there, over yonder.
labeur [làbœr] *m.* labo(u)r, toil.
laboratoire [làbòràtwàr] *m.* laboratory.
laborieux [làbòryë] *adj.* laborious, hard-working; toilsome; painstaking.

labour [làbûr] *m.* ploughing, tillage. || **labourable** [-àbl] *adj.* arable, tillable. || **labourer** [-é] *v. Br.* to plough, *Am.* to plow; to till; to furrow. || **laboureur** [-œr] *m.* farm-hand; *Br.* ploughman, *Am.* plowman.
labyrinthe [làbìrint] *m.* labyrinth, maze.
lac [làk] *m.* lake.
lacer [làsé] *v.* to lace.
lacérer [làséré] *v.* to tear; to lacerate; to slash.
lacet [làsè] *m.* lace, shoe-lace, boot-lace; noose, snare [chasse]; turning, winding, hairpin bend [route].
lâche [lâsh] *adj.* loose, slack; lax, slipshod; cowardly; dastardly; *m.* coward, dastard. || **lâcher** [-é] *v.* to release; to slacken, to loosen; to drop; to set free, to let go. || **lâcheté** [-té] *f.* cowardice.
lacis [làsì] *m.* network (mil.).
lacrymogène [làkrìmòjèn] *adj.* tear-exciting; *gaz lacrymogène,* tear-gas.
lacté [lakté] *adj.* milky.
lacune [làkün] *f.* gap, blank; hiatus.
ladre [lâdr] *adj.* leprous; stingy; *m.* leper; miser; skinflint. || **ladrerie** [làdrerî] *f.* leprosy; meanness, stinginess; measles [porc].
laïc, laïque [làìk] *adj.* laic; lay, secular; *m.* layman; *pl.* the laity.
laid [lè] *adj.* ugly; unsightly; plain, *Am.* homely. || **laideur** *f.* ugliness; plainness, *Am.* homeliness.
laie [lè] *f.* wild sow.
lainage [lènàj] *m.* wool(l)en goods. || **laine** [lèn] *f.* wool; worsted. || **laineux** [-ë] *adj.* woolly, fleecy.
laisse [lès] *f.* leash. || **laisser** [-é] *v.* to leave; to let, to allow, to permit; to quit, to abandon; **laisser-aller** *m.* unconstraint; carelessness; **laissez-passer** *m.* permit, pass.
lait [lè] *m.* milk; *lait de chaux,* whitewash. || **laitage** [-tàj] *m.* dairy products. || **laitance** [-tans] *f.* milt; soft-roe. || **laiterie** [-trî] *f.* dairy; dairy-farming. || **laitière** [-tyèr] *f.* dairymaid; milkmaid; *adj.* milch [vache].
laiton [lèton] *f.* brass.
laitue [lètü] *f.* lettuce.
lambeau [lanbô] *m.* strip, scrap, shred, bit; rag.
lambris [lanbrì] *m.* wainscoting; wall-lining.
lame [làm] *f.* lamina, thin plate [métal]; blade; foil; wave.
lamenter [làmanté] *v.* to lament; **se lamenter,** to lament, to bewail, to deplore, to bemoan.
laminer [làmìné] *v.* to laminate, to roll. || **laminoir** [-wàr] *m.* rolling-mill, flatting-mill.
lampadaire [lanpàdèr] *m.* standard lamp; candelabrum. || **lampe** [lanp] *f.* lamp; radio tube; *lampe à alcool,* spirit-lamp; *lampe de poche, Br.* torch, *Am.* flashlight. || **lampion** [-yon] *m.* illumination-lamp; Chinese lantern. || **lampiste** [-ìst] *m.* lamp-maker; lamp-lighter; *Am.* fall guy (pop.).
lance [lans] *f.* spear; lance; nozzle; **lance-flammes,** flame-thrower; **lance-torpille,** torpedo-tube. || **lancement** [-man] *m.* throwing, flinging; launching [bateau]; swinging [hélice]. || **lancer** [-é] *v.* to throw, to fling, to cast; to launch (naut.); to fire [torpille]; **se lancer,** to rush, to dash, to dart. || **lancette** [-èt] *f.* lancet. || **lanciner** [-ìné] *v.* to twinge, to lancinate.
lande [land] *f.* moor, wasteland, heath.
langage [langàj] *m.* language, speech; *langage chiffré,* coded text.
lange [lanj] *f.* swaddling-cloth.
langoureux [langûrë] *adj.* languid, languishing.
langouste [langûst] *f.* lobster; crayfish.
langue [lang] *f.* tongue; language; strip of land; gore [terre]; *mauvaise langue,* backbiter, mischief-maker, scandalmonger; *langues vivantes,* modern languages; *donner sa langue au chat,* to give up.
langueur [langœr] *f.* languor, languidness; dullness (comm.). || **languir** [langîr] *v.* to languish, to pine; to mope; to decline; to drag, to be dull (comm.). || **languissant** [-ìsan] *adj.* languid, listless.
lanière [lànyèr] *f.* thong, lash.
lanterne [lantèrn] *f.* lantern; street-lamp.
lapin [làpin] *m.* rabbit; *peau de lapin,* cony.
lapsus [làpsüs] *m.* slip, lapse.
laque [làk] *f.* lac; *m.* lacquer. || **laquer** [-é] *v.* to lacquer.
larcin [làrsin] *m.* larceny, pilfering.

lard [làr] *m.* bacon; back-fat. || **larder** [-dé] *v.* to lard, to interlard; to inflict [coups].
large [làrj] *adj.* broad, wide; generous; big, ample; lax; *m.* room, space; breadth, width; offing; open-sea. || **largesse** [-ès] *f.* liberality; bounty, largesse. || **largeur** [-œr] *f.* breadth, width.
larguer [làrgé] *v.* to loosen, to slacken; to unfurl.
larme [làrm] *f.* tear; drop. || **larmoyer** [-wàyé] *v.* to water [yeux]; to weep, to snivel.
larron [làro^{n}] *m.* robber.
larve [làrv] *f.* larva; grub.
larynx [làri^{n}ks] *m.* larynx.
las, lasse [lâ, lâs] *adj.* tired, weary. || **lassitude** [làsitüd] *f.* lassitude, fatigue; tiredness; weariness.
latent [làta^{n}] *adj.* latent; hidden.
latéral [làtéràl] *adj.* lateral; *rue latérale,* side-street, cross-street.
latin [làti^{n}] *m.* Latin; *adj.* Latin; lateen (naut.).
latitude [làtitüd] *f.* latitude; freedom.
latte [làt] *f.* lath.
laurier [lòryé] *m.* laurel, bay tree; hono(u)r.
lavable [làvàbl] *adj.* washable. || **lavabo** [-àbô] *m.* wash-stand; lavatory. || **lavage** [-àj] *m.* washing; scrubbing; dilution.
lavande [làva^{n}d] *f.* lavender.
lavasse [làvàs] *f.* slops.
lave [làv] *f.* lava.
lavement [làvma^{n}] *m.* washing; enema. || **laver** [-é] *v.* to wash; to bathe; to cleanse. || **lavette** [-èt] *f.* dish-mop; dish-cloth. || **laveuse** [-ëz] *f.* washerwoman, scrub-woman; washing-machine. || **lavoir** [-wàr] *m.* wash-house, washing-place; scullery.
layette [lèyèt] *f.* baby-linen, layette.
le [l^{e}] *def. art. m.* (**l'** before a vowel or a mute *h*) [*f.* **la**, *pl.* **les**] the; *pron. m.* him; it (*f.* her; it; *pl.* them).
lé [lé] *m.* width, breadth [tissu].
lèchefrite [lèshfrìt] *f.* dripping-pan. || **lécher** [léshé] *v.* to lick; to elaborate, to over-polish.
leçon [l^{e}so^{n}] *f.* reading; lecture; lesson.
lecteur, -trice [lèktœr, -trìs] *m., f.* reader; foreign assistant (univ.). || **lecture** [-ür] *f.* reading; perusal.
légal [légàl] *adj.* legal; statutory; lawful, licit; forensic [médecine]. || **légaliser** [-ìzé] *v.* to legalize; to certify, to authenticate.
légataire [légàtèr] *m., f.* legatee; *légataire universel,* residuary legatee, general legatee.
légation [légàsyo^{n}] *f.* legation.
légendaire [léja^{n}dèr] *adj.* legendary. || **légende** [-a^{n}d] *f.* legend; caption; inscription; motto; key.
léger [léjé] *adj.* light; slight; thoughtless, frivolous; gentle; fickle; wanton. || **légèreté** [-èrté] *f.* lightness; nimbleness, agility; slightness; weakness; levity; flightiness; fickleness; frivolity.
légion [léjyo^{n}] *f.* legion.
législateur, -trice [léjìslàtœr, -trìs] *m., f.* legislator, lawgiver; *adj.* legislative. || **législation** [-àsyo^{n}] *f.* legislation, law-giving.
légitime [léjìtìm] *adj.* legitimate, lawful; rightful. || **légitimer** [-ìmé] *v.* to legitimate; to justify; to recognize [titre].
legs [lèg *or* lè] *m.* legacy, bequest. || **léguer** [légé] *v.* to bequeath, to leave, to will.
légume [légüm] *m.* vegetable; *grosse légume,* bigwig, *Br.* big bug, *Am.* big shot, wheel (pop.). || **légumier** [-yé] *m.* vegetable dish.
lendemain [la^{n}dmi^{n}] *m.* next day, morrow, the day after.
lent [la^{n}] *adj.* slow, sluggish. || **lenteur** [-tœr] *f.* slowness; sluggishness; backwardness; dilatoriness.
lentille [la^{n}tìy] *f.* lentil; lens; freckle.
léopard [léòpàr] *m.* leopard.
lequel [l^{e}kèl] (*f.* **laquelle,** *pl. m.* **lesquels,** *pl. f.* **lesquelles**) *pron. m.* who [*sujet*]; whom [*complément*]; which, that [*choses*]; *interrog. pron.* which, which one? *duquel,* of whom; whose; from which; of which (one)? *desquels,* of whom; whose; from which; of which (ones)? *auquel,* to which; to whom; to which(one)? *auxquels,* to which; to whom; to which (ones)?
les [lè] *pl. of* **le.**
léser [lézé] *v.* to wrong; to injure; to endanger; **lèse-majesté,** high treason.
lésiner [lézìné] *v.* to be stingy, to stint.
lessive [lèsìv] *f.* wash, washing;

lye-wash; washing-powder. || **lessiveuse** [-ìvëz] *f.* washing-machine.
lest [lèst] *m.* ballast; sinkers.
leste [lèst] *adj.* brisk, nimble; quick; agile; unscrupulous, sharp; spicy.
lester [lèsté] *v.* to ballast; to weight.
lettre [lètr] *f.* letter; *pl.* literature, letters; *lettre recommandée,* registered letter; *en toutes lettres,* in full; *à la lettre,* literally, word for word. || **lettré** [-é] *adj.* lettered; *m.* scholar; well-read man.
leur [lœr] *pron.* them, to them; *poss. adj.* their; *le leur, la leur, les leurs,* theirs.
leurre [lœr] *m.* lure; decoy; bait; allurement, catch (fig.). || **leurrer** [-é] *v.* to lure; to decoy; to bait; to entice; **se leurrer,** to delude oneself.
levain [levin] *m.* yeast.
levant [levan] *m.* east; Levant.
levée [levé] *f.* raising, lifting; closing, adjourning [séance]; uprising; levying (mil.); embankment, causeway; collection [poste]; gathering [récolte]; breaking-up, striking [camp]; swell [mer]; weighing [ancre]; trick [cartes]. || **lever** [-é] *v.* to lift, to raise; to adjourn [séance]; to weigh [ancre]; to collect [poste]; to draw [plan]; to shrug [épaules]; to remit [condamnation]; *m.* raising, rise; levee (mil.); sunrise [soleil]; **se lever,** to rise, to arise; to get up, to stand up; to clear up [ciel]. || **levier** [-yé] *m.* lever.
lèvre [lèvr] *f.* lip.
lévrier [lévrìyé] *m.* greyhound.
levure [levür] *f.* yeast; baking-powder; barm [bière].
lézard [lézàr] *m.* lizard; idler, lounger (fam.). || **lézarde** [-d] *f.* split, crevice, chink. || **lézarder** [-dé] *v.* to crack, to split; to bask in the sun; to idle, to loaf, to lounge.
liaison [lyèzon] *f.* joining; connection; linking; acquaintance, intimacy; communications, liaison (mil.); slur (mus.).
liasse [lyàs] *f.* bundle, packet; wad.
libelle [lìbèl] *m.* lampoon; libel (jur.). || **libeller** [-lé] *v.* to draw up, to word [documents]; to fill out [chèque].
libellule [lìbèllül] f. dragonfly, *Am.* darning-needle.
libéral [lìbéràl] *adj.* liberal, generous; broad, wide. || **libérateur, -trice** [-àtœr, trìs] *m., f.* liberator, deliverer; rescuer; *adj.* liberating. || **libération** [-àsyon] *f.* liberation, freeing, releasing; exemption (mil.); discharge [prisonnier]. || **libérer** [-é] *v.* to liberate, to release; to set free; to discharge.
liberté [lìbèrté] *f.* liberty, freedom.
libertin [lìbèrtin] *adj.* licentious, wayward; *m.* libertine.
libraire [lìbrèr] *m.* bookseller, book-dealer. || **librairie** [-ì] *f.* book-shop; book-trade.
libre [lìbr] *adj.* free; open, unoccupied, vacant; **libre-échange,** free-trade.
licence [lìsans] *f.* licence, leave, permission; licentiate's degree; licentiousness. || **licencié** [-yé] *m.* licentiate; license-holder; **licencié ès lettres,** master of arts. || **licencier** [-yé] *v.* to dismiss, to discharge; to disband (mil.).
licite [lìsìt] *adj.* licit.
licol, licou [lìkòl, lìkû] *m.* halter.
lie [lì] *f.* lees, dregs; scum.
liège [lyèj] *m.* cork; float [pêche].
lien [lyin] *m.* tie, bond, link; connection. || **lier** [lyé] *v.* to bind, to fasten; to link, to connect; *lier connaissance,* to strike up an acquaintance.
lierre [lyèr] *m.* ivy.
lieu [lyë] *m.* place; locality, spot; grounds, reason, cause; *au lieu de,* instead of; *avoir lieu,* to take place, to occur; *lieux communs,* commonplaces.
lieutenant [lyëtnan] *m.* lieutenant.
lièvre [lyèvr] *m.* hare.
lignage [lìñàj] *m.* lineage. || **ligne** [lìñ] *f.* line; cord; row, range; *ligne aérienne,* airline; *à la ligne,* indent. || **lignée** [-é] *f.* issue; offspring, progeny.
ligoter [lìgòté] *v.* to bind, to tie.
ligue [lìg] *f.* league. || **liguer** [lìgé] *v.* to league.
lilas [lìlâ] *m.* lilac.
limace [lìmàs] *f.* slug. || **limaçon** [-on] *m.* snail.
limaille [lìmày] *f.* filings.
limande [lìmand] *f.* dab; slap (pop.)
lime [lìm] *f.* file. || **limer** [-é] *v.* to file; to polish.
limitation [lìmìtàsyon] *f.* limitation, restriction; marking off.

|| **limite** [lìmìt] *f.* limit; boundary; maximum [vitesse]. || **limiter** [-ìté] *v.* to limit; to restrict. || **limitrophe** [-ìtròf] *adj.* bordering, adjacent, abutting.
limon [lìmoⁿ] *m.* silt, slime; lime (bot.).
limonade [lìmònàd] *f.* lemonade.
limpide [liⁿpìd] *adj.* limpid; pellucid.
lin [liⁿ] *m.* flax; linen.
linceul [liⁿsœl] *m.* shroud.
linge [liⁿj] *m.* linen; calico. || **lingerie** [-rî] *f.* linen-drapery; linen-room; linen-trade; underwear, undergarment.
linoléum [lìnòléòm] *m.* linoleum.
linon [lìnoⁿ] *m.* lawn, batiste; buckram.
linteau [liⁿtô] *m.* lintel.
lion [lyoⁿ] *m.* lion. || **lionceau** [-sô] *m.* lion cub.
lippe [lìp] *f.* thick lower lip; blubber lip; *faire la lippe,* to pout.
liquéfier [lìkéfyé] *v.* to liquefy.
liqueur [lìkœr] *f.* liquor; liqueur; solution (chem.).
liquidation [lìkìdàsyoⁿ] *f.* liquidation; settlement; clearance sale; winding up (comm.). || **liquide** [lìkìd] *m., adj.* liquid, fluid; *argent liquide,* ready money. || **liquider** [-é] *v.* to liquidate; to settle; to wind up (comm.).
liquoreux [lìkòrë] *adj.* sweet, luscious, juicy.
lire [lìr] *v.** to read; to peruse.
lis [lìs] *m.* lily.
liséré [lìzéré] *adj.* edged, bordered, piped; *m.* border, edging; piping, binding.
liseron [lìzroⁿ] *m.* bindweed.
lisible [lìzìbl] *adj.* legible, readable.
lisière [lìzyèr] *f.* selvedge, list; edge, border, skirt [forêt]; leading-strings (fig.).
lisse [lìs] *adj.* smooth, sleek, slick.
liste [lìst] *f.* list, roll; roster (mil.); panel [jurés].
lit [lì] *m.* bed; bedstead; layer, stratum; bottom [rivière]. || **literie** [lìtrî] *f.* bedding, bedclothes.
litige [lìtîj] *m.* litigation; lawsuit.
litre [lìtr] *m. Br.* litre, *Am.* liter.
littéraire [lìtérèr] *adj.* literary. || **littérature** [-àtür] *f.* literature.
littoral [lìtòràl] *adj.* littoral; *m.* coast-line, littoral.
livraison [lìvrèzoⁿ] *f.* delivery; part, instalment [livre]; copy, issue [revue].
livre [lìvr] *m.* book; register; journal; *livre de bord,* ship's register; *grand livre,* ledger.
livre [lìvr] *f.* pound [poids; monnaie].
livrée [lìvré] *f.* livery. || **livrer** [-é] *v.* to deliver; to surrender; to wage [battle]; **se livrer,** to devote oneself, to give oneself over (*à,* to); to indulge (*à,* in).
livret [lìvrè] *m.* booklet; libretto; *livret militaire,* service record; *livret de l'étudiant,* student's handbook; scholastic record book.
livreur [lìvrœr] *m.* delivery-man, delivery-boy.
local [lokàl] *adj.* local; *m.* premises. || **localiser** [-àlìzé] *v.* to localize; to locate. || **localité** [-àlìté] *f.* locality. || **locataire** [-àtèr] *m.* tenant; lodger; hirer, renter, lessee (jur.). || **location** [-àsyoⁿ] *f.* hiring; letting, renting; tenancy; booking; reservation; *bureau de location,* booking-office, box-office.
locomotive [lòkòmòtîv] *f.* locomotive, engine.
locution [lòküsyoⁿ] *f.* expression, phrase.
loge [lòj] *f.* hut, cabin; lodge [concierge]; kennel [chien]; box (theat.); dressing-room [artiste]. || **logement** [-maⁿ] *m.* lodging, housing; dwelling, accommodation, *Br.* diggings, digs; quarters, billet (mil.); container (comm.); *indemnité de logement,* housing allotment. || **loger** [-é] *v.* to lodge; to put up; to quarter, to billet (mil); to house, to live.
logique [lòjìk] *adj.* logical; *f.* logic.
logis [lòjì] *m.* house, home, dwelling.
loi [lwà] *f.* law; rule; *hors la loi,* outlaw; *projet de loi,* bill.
loin [lwiⁿ] *adv.* far, distant; *de loin,* at a distance; *de loin en loin,* at long intervals. || **lointain** [-tiⁿ] *adj.* remote, far off; *m.* distance.
loir [lwàr] *m.* dormouse, loir.
loisir [lwàzîr] *m.* leisure, spare time, time off.
long, longue [loⁿ, loⁿg] *adj.* long; slow; *m.* length; *le long de,* along; *à la longue,* in the long run; *dix mètres de long,* ten meters long. || **longe** [loⁿj] *f.* tether; thong [whip]; lunge, lunging rein.
longe [loⁿj] *f.* loin [veau].

longer [loⁿjé] *v.* to pass along, to go along; to extend along. || **longitude** [-ìtüd] *f.* longitude. || **longtemps** [loⁿtaⁿ] *adj.* long; a long time. || **longueur** [loⁿgœr] *f.* length; slowness. || **longue-vue** [-vü] *f.* telescope, field-glass, spyglass.

looping [lûpìñ] *m.* looping.

lopin [lòpiⁿ] *m.* patch, plot, allotment.

loquace [lòkwàs] *adj.* loquacious, talkative; garrulous. || **loquacité** [-ìté] *f.* loquacity, talkativeness.

loquet [lòkè] *m.* latch, clasp.

loqueteux [lòktë] *adj.* ragged.

lorgner [lòrñé] *v.* to ogle, to leer at. || **lorgnette** [-èt] *f.* opera-glasses.

lors [lòr] *adv.* then; *lors de,* at the time of; *lors même que,* even when. || **lorsque** [lòrske] *conj.* when.

lot [lô] *m.* portion, share, lot; prize; *gros lot, Am.* jackpot.

lotion [lòsyoⁿ] *f.* lotion.

lotir [lôtìr] *v.* to allot; to parcel out. || **lotissement** [-ìsmaⁿ] *m.* allotment; development [terrain].

louange [lûaⁿj] *f.* praise.

louche [lûsh] *f.* soup-ladle; basting-spoon; reamer (mech.).

louche [lûsh] *adj.* cross-eyed; squinting; ambiguous; suspicious; fishy, *Am.* phony (pop.). || **loucher** [-é] *v.* to squint.

louer [lûé] *v.* to rent, to hire; to book, to reserve.

louer [lûé] *v.* to praise, to laud, to commend; **se louer,** to be pleased, to be well satisfied (*de,* with).

loup [lû] *m.* wolf; mask; crow-bar; error; *loup de mer,* sea-dog, old salt; *à pas de loup,* stealthily; **loup-cervier,** lynx; **loup-garou,** werewolf.

loupe [lûp] *f.* wen (med.); excrescence; gnarl [arbre]; lens, magnifying glass [optique].

lourd [lûr] *adj.* heavy, *Am.* hefty; clumsy; dull-witted; sultry, close [temps]. || **lourdeur** [-dœr] *f.* heaviness; ponderousness; clumsiness; dullness; mugginess, sultriness [temps].

loutre [lûtr] *f.* otter; *peau de loutre,* sealskin.

louve [lûv] *f.* she-wolf. || **louveteau** [-tô] *m.* wolf-cub.

louvoyer [lûvwàyé] *v.* to tack (naut.); to manœuvre.

loyal [lwàyàl] *adj.* fair, straightforward; on the level (fam.); loyal, faithful. || **loyauté** [lwàyôté] *f.* honesty; fairness; loyalty.

loyer [lwàyé] *m.* rent, rental.

lu [lü] *p. p. of* **lire.**

lubie [lübî] *f.* whim, crotchet, fad.

lubrifiant [lübrìfyaⁿ] *m.* lubricant; *adj.* lubricating.

lucarne [lükàrn] *f.* dormer, attic-window, gable-window; skylight.

lucide [lüsîd] *adj.* lucid, clear.

luciole [lüsyòl] *f.* firefly.

lucratif [lükràtìf] *adj.* lucrative.

luette [lüèt] *f.* uvula.

lueur [lüœr] *f.* gleam, glimmer, glow, flash, glare.

lugubre [lügübr] *adj.* dismal, gloomy; lugubrious.

lui [lüì] *pron.* him, to him; her, to her; *c'est lui,* it is he; *à lui,* his.

luire [lüîr] *v.** to shine, to gleam.

lumière [lümyèr] *f.* light; lamp; enlightenment. || **lumineux** [-ìnë] *adj.* luminous. || **luminosité** [-ìnôzìté] *f.* luminosity.

lunatique [lünàtìk] *adj.* moonstruck; whimsical.

lunch [luⁿsh] *m.* luncheon, lunch.

lundi [luⁿdì] *m.* Monday.

lune [lün] *f.* moon; *lune de miel,* honeymoon; *clair de lune,* moonlight. || **lunette** [-èt] *f.* spyglass; *pl.* spectacles, eyeglasses.

luron [lüroⁿ] *m.* jolly chap.

lustre [lüstr] *m.* luster, gloss; chandelier. || **lustrer** [-é] *v.* to glaze, to gloss, to polish up.

luth [lüt] *m.* lute.

lutin [lütiⁿ] *m.* imp, elf, goblin.

lutrin [lütriⁿ] *m.* lectern.

lutte [lüt] *f.* wrestling; fight, struggle, tussle; strife. || **lutter** [-é] *v.* to wrestle; to struggle, to contend, to fight. || **lutteur** [-œr] *m.* wrestler; fighter.

luxation [lüksàsyoⁿ] *f.* luxation.

luxe [lüks] *m.* luxury; profusion.

luxueux [lüksüë] *adj.* luxurious.

luxure [lüksür] *f.* lewdness.

luzerne [lüzèrn] *f.* lucern; *Am.* alfalfa.

lycée [lìsé] *m.* lycée, secondary school [France].

lyncher [liⁿshé] *v.* to lynch.

lynx [liⁿks] *m.* lynx.

lyre [lîr] *f.* lyre. || **lyrique** [-ìk] *adj.* lyrical, lyric. || **lyrisme** [-ìsm] *m.* lyricism.

M

ma [mà] *poss. adj. f.* my; *see* **mon.**
macabre [màkâbr] *adj.* gruesome.
macaron [màkàro^n] *m.* macaroon. || **macaroni** [-ònì] *m.* macaroni.
mâche [mâsh] *f.* corn-salad. || **mâchefer** [-fèr] *m.* clinker; dross. || **mâcher** [-é] *v.* to chew, to munch, to masticate.
machin [màshi^n] *m.* thing, gadget, *Am.* gimmick; what's-his-name, so-and-so. || **machinal** [-ìnàl] *adj.* mechanical, unconscious, involuntary. || **machination** [-ìnàsyo^n] *f.* plot, scheming. || **machine** [-în] *f.* machine; engine; dynamo (electr.); *pl.* machinery. || **machiner** [-ìné] *v.* to plot, to scheme; to supply (mech.). || **machiniste** [-ìnìst] *m.* engineer; bus driver; stage-hand, scene-shifter (theat.).
mâchoire [mâshwàr] *f.* jaw, jawbone; clamp.
maçon [màso^n] *m.* mason, bricklayer. || **maçonnerie** [-ònrî] *f.* masonry; stonework.
maculer [màkülé] *v.* to stain.
madame [màdàm] *f.* (*pl.* **mesdames**) Mrs.; madam.
madeleine [màdlèn] *f.* sponge-cake.
mademoiselle [màdmwàzèl] *f.* (*pl.* **mesdemoiselles**) Miss; young lady.
magasin [màgàzi^n] *m.* shop, *Am.* store; warehouse.
magicien [màjìsyi^n] *m.* magician, wizard. || **magie** [-jî] *f.* magic.
magistrat [màjìstrà] *m.* magistrate, judge.
magnétique [màñétìk] *adj.* magnetic.
magnifique [màñìfìk] *adj.* magnificent, splendid.
mai [mè] *m.* May; May-pole.
maigre [mègr] *adj.* thin, lean, skinny; scrawny, gaunt; meagre, scanty; lean meat. || **maigreur** [-œr] *f.* thinness; scantiness; emaciation. || **maigrir** [-îr] *v.* to grow thin.
maille [mây] *f.* stitch; link; mesh, mail. || **maillon** [-o^n] *m.* mail.
maillot [mày$ô$] *m.* swaddling clothes; bathing-suit; tights; jersey, singlet.
main [mi^n] *f.* hand; handwriting; quire [papier]; **main-d'œuvre,** manual labo(u)r; manpower.
maint [mi^n] *adj.* many a; *maintes fois,* many times.
maintenant [mi^ntna^n] *adv.* now. || **maintenir** [-îr] *v.** to maintain; to keep; to support; to uphold; **se maintenir,** to remain; to continue. || **maintien** [mi^ntyi^n] *m.* maintenance, upholding, keeping; bearing.
maire [mèr] *m.* mayor. || **mairie** [-î] *f.* town hall.
mais [mè] *conj.* but.
maïs [màìs] *m.* maize, Indian corn; *Am.* corn.
maison [mèzo^n] *f.* house; firm; home; household; family; *maison de rapport,* apartment house. || **maisonnette** [-ònèt] *f.* cottage, bungalow.
maître [mètr] *m.* master; ruler; owner; teacher [école]; petty officer (naut.); *adj.* chief, main; *maître d'hôtel,* steward, head-waiter; **maître chanteur,** blackmailer. || **maîtresse** [-ès] *f.* mistress; teacher [école]; *adj.* chief. || **maîtrise** [-ìz] *f.* mastery. || **maîtriser** [-ìzé] *v.* to master, to overcome.
majesté [màjèsté] *f.* majesty. || **majestueux** [-üë] *adj.* majestic; stately.
majeur [màjœr] *adj.* major, greater; of age; *m.* major; middle finger. || **major** [-òr] *m.* regimental adjutant (mil.); **état-major,** staff. || **majorité** [-òrité] *f.* majority; coming of age; legal age.
majuscule [màjüskül] *f., adj.* capital.
mal [màl] *m.* evil; hurt, harm; pain; wrong; disease; *adv.* badly, ill; uncomfortable; *mal au cœur,* nausea; *mal à la tête,* headache; *pas mal,* presentable; good-looking; not bad; *pas mal de,* a large number, a good many.
malade [màlàd] *adj.* ill, sick; diseased; *m., f.* patient. || **maladie** [-î] *f.* illness, sickness, malady, disease, ailment. || **maladif** [-ìf] *adj.* sickly, unhealthy, ailing.
maladresse [màlàdrès] *f.* clum-

siness; blunder. || **maladroit** [-wà] *adj.* clumsy, awkward; blundering; *m.* duffer.
malaise [màlèz] *m.* discomfort, uneasiness. || **malaisé** [-é] *adj.* difficult.
malchance [màlshaⁿs] *f.* bad luck; mishap. || **malchanceux** [-ë] *adj.* unlucky.
mâle [mâl] *m., adj.* male.
malédiction [màlédiksyoⁿ] *f.* curse.
malentendu [màlaⁿtaⁿdü] *m.* misunderstanding, misapprehension.
malfamé [màlfàmé] *adj.* ill-famed.
malgré [màlgré] *prep.* despite.
malheur [màlœr] *m.* misfortune; unhappiness. || **malheureux** [-ë] *adj.* unhappy, unfortunate.
malhonnête [màlònèt] *adj.* dishonest, impolite, indecent.
malice [màlìs] *f.* malice, trick.
malin, -igne [màliⁿ, -iñ] *adj.* malignant, wicked; cunning, sharp, sly; *m* devil.
malle [màl] *f.* trunk; mail-bag. || **mallette** [-èt] *f.* suitcase.
malsain [màlsiⁿ] *adj* unhealthy.
maltraiter [màltrèté] *v* to maltreat, to ill-use, to manhandle.
malveillance [màlvèyaⁿs] *f.* malevolence, ill-will.
malversation [màlvèrsàsyoⁿ] *f.* embezzlement.
maman [màmaⁿ] *f.* mama; mother; mummy (fam.).
mamelle [màmèl] *f.* breast; udder. || **mamelon** [màmloⁿ] *m.* nipple; dug; hillock; boss, swell (mech.).
manche [maⁿsh] *m.* handle; haft; stick [balai]; joy-stick (aviat.).
manche [maⁿsh] *f.* sleeve; hose [eau]; shaft [air]; rubber, game [cartes]; set [tennis]; *la Manche,* the English Channel. || **manchette** [-èt] *f.* cuff, wristband; headline [journal]; *pl.* handcuffs (pop.). || **manchon** [-oⁿ] *m.* muff; casing, socket (tech.); flange (mech.). || **manchot** [-ô] *adj.* one-armed; *m.* one-armed person.
mandat [maⁿdà] *m.* mandate; commission; warrant (jur.); money-order, draft (fin.); **mandat-poste,** postal money-order. || **mandataire** [-tèr] *m.* mandatory; agent; trustee; attorney.
manège [mànèj] *m.* horsemanship, riding; wile, stratagem; tread-mill; merry-go-round [foire].
manette [mànèt] *f.* hand-lever.
mangeoire [maⁿjwàr] *f.* manger; feeding-trough. || **manger** [-é] *v.* to eat; to squander [argent]; to corrode [métal]; to fret [corde].
maniable [mànyàbl] *adj.* manageable; tractable.
maniaque [mànyàk] *m., adj.* maniac. || **manie** [-i] *f.* mania; craze.
manier [mànyé] *v.* to handle; to feel; to ply.
manière [mànyèr] *f.* manner, way; affectation; deportment; *de manière que,* so that; *de manière à,* so as to. || **maniéré** [-yéré] *adj.* affected.
manifestation [mànifèstàsyoⁿ] *f.* manifestation; demonstration (pol.). || **manifeste** [-fèst] *adj.* manifest, evident, obvious; *m.* manifesto. || **manifester** [-é] *v.* to manifest, to reveal; to show; to demonstrate.
manipuler [mànipülé] *v.* to manipulate; to handle; to wield; to key [télégraphe].
manivelle [mànivèl] *f.* crank; winch.
mannequin [mànkiⁿ] *m.* manikin; dummy; fashion model [personne].
manœuvre [mànœvr] *f.* working, managing; handling [bateau]; drill (mil.); rigging (naut.); control (aviat.); intrigue; *m* unskilled workman. || **manœuvrer** [-é] *v.* to work; to ply; to shunt; to scheme; *Br.* to manœuvre, *Am.* to maneuver.
manomètre [mànòmètr] *m.* manometer, pressure-gauge.
manque [maⁿk] *m.* lack, want, need; deficiency, shortage; breach [parole]. || **manqué** [-é] *adj.* missed; unsuccessful, abortive. || **manquer** [-é] *v.* to lack, to want; to fail; to miss; *manquer de tomber,* to nearly fall.
mansarde [maⁿsàrd] *f.* attic, garret; curb [toit]; dormer [fenêtre].
manteau [maⁿtô] *m.* coat, cloak, mantle; mantelpiece [cheminée].
manucure [mànükür] *m.* manicure.
manuel [mànüèl] *m.* hand-book; *adj.* manual.
manufacture [mànüfàktür] *f.* manufacture; manufactory; mill; works.
manuscrit [mànüskrì] *m.* manuscript; *adj.* hand-written.
manutention [mànütaⁿsyoⁿ] *f.* man-

agement; manipulation; commissary, *Am.* post-exchange (mil.).
maquereau [màkrô] *m.* mackerel [poisson]; pimp [personne].
maquette [màkèt] *f.* model, figure; mock-up; dummy [livre].
maquillage [màkiyàj] *m.* make-up; grease-paint (theat.); working-up (phot.).
maquis [màkì] *m.* scrub; underground resistance forces [guerre].
marais [màrè] *m.* marsh, swamp.
marâtre [màrâtr] *f.* step-mother; unkind mother.
marauder [màrôdé] *v.* to maraud; to filch.
marbre [màrbr] *m.* marble; slab (typogr.).
marc [màr] *m.* marc [raisin]; grounds [café]; dregs.
marchand [màrshaⁿ] *m.* merchant, dealer, tradesman, shopkeeper; *adj.* marketable; commercial [ville]. || **marchander** [-dé] *v.* to haggle, to bargain. || **marchandise** [-dîz] *f.* merchandise, goods, wares.
marche [màrsh] *f.* step, stair [escalier]; tread; walk; march (mil.); running [machine]; *marche arrière,* backing; reverse.
marché [màrshé] *m.* deal, bargain, contract; market; transaction; *marché aux puces,* flea market, thieves' market; *bon marché,* cheap.
marchepied [màrshᵉpyé] *m.* step; footstool; foot-board, folding-steps [voiture]; running-board [auto]; step-ladder [escabeau]. || **marcher** [màrshé] *v.* to tread; to walk; to march; to work, to run [machine]; *faire marcher* (fam.), to spoof, *Am.* to kid.
mardi [màrdì] *m.* Tuesday; *mardi gras,* Shrove Tuesday.
mare [màr] *f.* pool, pond. || **marécage** [-ékàj] *m.* fen, marshland; bog, slough.
maréchal [màréshàl] *m.* marshal; farrier [ferrant].
marée [màré] *f.* tide, flow; sea fish; *marée basse,* low-tide; *marée haute,* high-tide.
marelle [màrèl] *f.* hopscotch [jeu].
marge [màrj] *f.* border, edge; fringe; margin [page]; scope, leeway.
mari [màrì] *m.* husband. || **mariage** [-yàj] *m.* marriage; wedlock, matrimony; wedding, nuptials. || **marié** [-yé] *adj.* married; *m.* bridegroom. || **mariée** [-yé] *f.* bride. || **marier** [-yé] *v.* to marry; to unite; to blend [couleurs]; **se marier,** to get married, to marry, to wed.
marin [màriⁿ] *m.* sailor; mariner, seaman; *adj.* marine; nautical; sea-going. || **marine** [-în] *f.* navy; sea-front; seascape [tableau]. || **mariner** [-ìné] *v.* to pickle; to marinade.
marionnette [màryònèt] *f.* puppet.
maritime [màritìm] *adj.* maritime.
marmelade [màrmᵉlàd] *f.* marmalade; compote.
marmite [màrmìt] *f.* kettle, pot; heavy shell (mil.). || **marmiton** [-oⁿ] *m.* scullion.
marmonner [màrmòné] *v.* to mutter; to mumble.
marmot [màrmô] *m.* brat. || **marmotte** [-òt] *f.* marmot, *Am.* groundhog; head-kerchief. || **marmotter** [-òté] *v.* to mutter, to mumble.
Maroc [màròk] *m.* Morocco. || **marocain** [-iⁿ] *m., adj.* Moroccan. || **maroquin** [-iⁿ] *m.* Morocco leather. || **maroquinerie** [-ìnrì] *f.* leather goods (or) trade.
marquant [màrkaⁿ] *adj.* conspicuous; striking; prominent. || **marque** [màrk] *f.* mark; trade-mark, brand; distinction; *vin de marque,* choice wine. || **marquer** [-é] *v.* to mark, to stamp, to brand; to indicate, to denote; to testify. || **marqueterie** [-ᵉtrì] *f.* inlaid-work.
marquis [màrkì] *m.* marquis, marquess. || **marquise** [-îz] *f.* marchioness; marquee.
marraine [màrèn] *f.* godmother; sponsor.
marron [màroⁿ] *m.* chestnut; blow [coup]; *adj.* maroon, chestnut-colo(u)red. || **marronnier** [-ònyé] *m.* chestnut-tree.
mars [màrs] *m.* March [mois]; Mars [planète].
marsouin [màrswiⁿ] *m.* porpoise; sea-hog.
marteau [màrtô] *m.* hammer; knocker [porte]; striker [horloge]; hammerhead [poisson]; **marteau-pilon,** power-hammer; forging-press. || **marteler** [-ᵉlé] *v.* to hammer; to torment (fig.).
martial [màrsyàl] *adj.* martial.
martinet [màrtìnè] *m.* tilt-hammer

(metall.); cat-o'-nine-tails [fouet]; clothes-beater; martlet [oiseau].
martingale [màrtiⁿgàl] *f.* martingale; half-belt.
martin-pêcheur [màrtiⁿpèchœr] *m.* kingfisher.
martyr [màrtîr] *m.* martyr. ‖ **martyre** [-îr] *m.* martyrdom. ‖ **martyriser** [-ìrìzé] *v.* to torment; to martyr.
masculin [màskülìⁿ] *adj.* masculine; male; mannish.
masque [màsk] *m.* mask. ‖ **masquer** [-é] *v.* to mask; to conceal.
massacre [màsàkr] *m.* massacre, slaughter.
massage [màsàj] *m.* massage.
masse [màs] *f.* mass; bulk; heap; crowd [gens]; mace [arme]; sledge-hammer.
masser [màsé] *v.* to mass; to massage. ‖ **massif** [-ìf] *m.* clump; cluster; *adj.* massive, bulky; solid [or]; heavy.
massue [màsü] *f.* club.
mastic [màstìk] *m.* putty. ‖ **mastiquer** [-é] *v.* to masticate, to chew; to putty.
masure [màzür] *f.* shanty, hovel, shack.
mat [màt] *m.* mate [échecs].
mat [màt] *adj.* mat, dull, flat.
mât [mâ] *m.* mast; pole.
matelas [màtlà] *m.* mattress; pad. ‖ **matelasser** [-sé] *v.* to pad; to stuff.
matelot [màtlô] *m.* sailor, seaman.
mater [màté] *v.* to checkmate [échecs]; to subdue.
matérialiser [màtéryàlìzé] *v.* to materialize. ‖ **matériel** [-yèl] *m.* working-stock; apparatus; *adj.* material; corporeal, real; *matériel sanitaire,* medical supplies.
maternel [màtèrnèl] *adj.* maternal.
mathématicien [màtémàtìsyìⁿ] *m.* mathematician. ‖ **mathématique** [-ìk] *adj.* mathematical. ‖ **mathématiques** [-ìk] *f. pl.* mathemathics.
matière [màtyèr] *f.* material; matter, substance; subject.
matin [màtìⁿ] *m.* morning.
mâtin [mâtìⁿ] *m.* mastiff.
matinal [màtìnàl] *adj.* early rising; morning, matutinal. ‖ **matinée** [-é] *f.* morning, forenoon; afternoon performance (theat.).
matois [màtwà] *adj.* sly, foxy.
matou [màtû] *m.* tom-cat.
matraque [màtràk] *f.* bludgeon.
matricule [màtrìkül] *f.* roll, register; registration; *m.* serial-number.
maturité [màtürìté] *f.* maturity; ripeness.
maudire [môdîr] *v.** to curse, to imprecate. ‖ **maudit** [-ì] *adj.* cursed, accursed; execrable, damnable.
maugréer [môgréé] *v.* to curse.
maure [môr] *m.* Moor; *adj.* Moorish.
maussade [môsàd] *adj.* surly, sullen, sulky; glum.
mauvais [mòvè] *adj.* evil, ill; wicked, bad; unpleasant, nasty; wrong; harmful; sharp [langue]; *il fait mauvais,* it's bad weather.
mauve [môv] *adj.* mauve, purple; *f.* mallow.
maxime [màksîm] *f.* maxim.
mazout [màzût] *m.* oil fuel; crude oil; *Am.* mazut.
me [mᵉ] *pron.* me, to me; myself.
mécanicien [mékànìsyìⁿ] *m.* mechanic, artificer; mechanician; machinist; engine-driver, *Am.* engineer (railw.). ‖ **mécanique** [-ìk] *adj.* mechanical; *f.* mechanics; mechanism, machinery. ‖ **mécanisme** [-ìsm] *m.* mechanism; works, machinery.
méchanceté [méshaⁿsté] *f.* wickedness, naughtiness, mischievousness; unkindness, ill-nature. ‖ **méchant** [méshaⁿ] *adj.* wicked, evil; naughty; miserable; sorry.
mèche [mèsh] *f.* wick [chandelle]; tinder [briquet]; fuse [mine]; cracker, *Am.* snapper [fouet]; lock, wisp [cheveux]; bit, drill (mech.); *de mèche avec,* in collusion with.
mécompte [mékoⁿt] *m.* miscalculation, miscount; disappointment.
méconnaître [mékònètr] *v.** to fail to recognize; to misappreciate; to belittle; to disown.
mécontent [mékoⁿtaⁿ] *adj.* discontented, dissatisfied; *m.* malcontent. ‖ **mécontentement** [-tmaⁿ] *m.* discontent.
mécréant [mékréaⁿ] *m.* unbeliever.
médaille [médày] *f.* medal.
médecin [médsìⁿ] *m.* doctor, physician. ‖ **médecine** [-în] *f* medicine; physic.
médiation [médyàsyoⁿ] *f.* mediation.
médical [médìkàl] *adj.* medical

|| **médicament** [-àmaⁿ] *m.* medicine; medicament.
médiéval [médyévàl] *adj.* medi(a)eval.
médiocre [médyòkr] *adj.* mediocre, middling, indifferent.
médire [médîr] *v.** to slander, to vilify. || **médisance** [-ìsaⁿs] *f.* slander, scandal-mongering.
méditer [méditè] *v.* to meditate.
médius [médyüs] *m.* middle finger.
méduse [médüz] *f.* jelly-fish.
méfait [méfè] *m.* misdeed.
méfiance [méfyaⁿs] *f.* distrust. || **méfier (se)** [seméfyé] *v.* to mistrust.
mégarde [mégàrd] *f.* inadvertence; *par mégarde,* inadvertently, unawares.
mégère [méjèr] *f.* shrew, termagant, scold.
mégot [mégô] *m.* butt [cigarette]; stump [cigare].
meilleur [mèyœr] *adj.* better; *meilleur marché,* cheaper; *le meilleur,* the best.
mélancolie [mélaⁿkòlî] *f.* melancholy, mournfulness, gloom.
mélange [mélaⁿj] *m.* mixture, blend. || **mélanger** [-é] *v.* to mix, to blend, to mingle.
mélasse [mélàs] *f.* molasses, treacle.
mêlée [mèlé] *f.* conflict, fray, melee, scramble, scuffle. || **mêler** [-é] *v.* to mix, to mingle, to blend; to jumble, to tangle; to shuffle [cartes]; *se mêler,* to mingle; to interfere, to meddle (*de,* in).
mélèze [mélèz] *m.* larch.
mélodie [mélòdî] *f.* melody.
melon [meloⁿ] *m.* melon; bowler [chapeau].
membrane [maⁿbràn] *f.* membrane; web [palmipède].
membre [maⁿbr] *m.* member; limb [corps].
même [mèm] *adj.* same; self; very; *adv.* even; *de même,* likewise; *être à même de,* to be able to.
mémoire [mémwàr] *f.* memory; recollection, remembrance; *de mémoire,* by heart; *m.* memorandum; memorial; report (*jur.*); memoir, dissertation.
menace [menàs] *f.* threat, menace. || **menacer** [-é] *v.* to threaten; to intimidate.
ménage [ménàj] *m.* housekeeping, housework; household goods; couple; *femme de ménage,* charwoman. || **ménager** [-é] *v.* to save, to spare; to adjust; *adj.* domestic; thrifty, sparing. || **ménagère** [-èr] *f.* housewife.
mendiant [maⁿdyaⁿ] *m.* beggar; mixed nuts. || **mendicité** [-ìsité] *f.* begging; beggardom. || **mendier** [-yé] *v.* to beg.
menée [mené] *f.* track [chasse]; scheming, intrigue. || **mener** [-é] *v.* to lead; to conduct, to guide; to drive; to steer; to manage [entreprise].
ménestrel [ménèstrèl] *m.* minstrel, gleeman.
menotte [menòt] *f.* small hand; *pl.* handcuffs, manacles.
mensonge [maⁿsoⁿj] *m.* lie, untruth, fib, falsehood.
mensualité [maⁿsüàlìté] *f.* monthly payment. || **mensuel** [-èl] *adj.* monthly.
mensurable [maⁿsüràbl] *adj.* measurable.
mental [maⁿtàl] *adj.* mental.
menteur [maⁿtœr] *adj.* lying, fibbing, mendacious; *m.* liar.
menthe [maⁿt] *f.* mint.
mention [maⁿsyoⁿ] *f.* mention. || **mentionner** [-òné] *v.* to mention, to name.
mentir [maⁿtîr] *v.** to lie, to fib.
menton [maⁿtoⁿ] *m.* chin.
menu [menü] *adj.* small, tiny; slender, slim; petty, trifling; *m.* menu, bill of fare; detail.
menuet [menüè] *m.* minuet.
menuiserie [menüizrî] *f.* joinery, woodwork, carpentry. || **menuisier** [-yé] *m.* joiner, carpenter.
méprendre (se) [seméprandr] *v.** to mistake, to misjudge; to be mistaken.
mépris [méprì] *m.* contempt, scorn. || **méprisable** [-zàbl] *adj.* contemptible, despicable. || **méprisant** [-saⁿ] *adj.* contemptuous, scornful.
méprise [mépriz] *f.* mistake.
mépriser [méprìzé] *v.* to despise, to scorn; to slight.
mer [mèr] *f.* sea.
mercantile [mèrkaⁿtìl] *adj.* mercantile.
mercenaire [mèrsenèr] *m., adj.* mercenary.
mercerie [mèrserî] *f.* haberdashery; *Am.* notions shop.
merci [mèrsì] *f.* mercy, discretion; *m.* thanks, thank you.

mercier [mèrsyé] *m.* haberdasher.
mercredi [mèrkrᵉdì] *m.* Wednesday; *mercredi des cendres,* Ash Wednesday.
mercure [mèrkür] *m.* mercury, quicksilver.
merde [mèrd] *f.* excrement; dung, shit [not in decent use].
mère [mèr] *f.* mother; dam [animaux]; source, reason (fig.); *adj.* mother, parent.
méridien [méridyiⁿ] *m., adj.* meridian. || **méridional** [-yònàl] *m.* inhabitant of the Midi; *adj.* southern.
mérite [mérìt] *m.* merit, worth. || **mériter** [-é] *v.* to merit, to deserve. || **méritoire** [-wàr] *adj.* deserving, praiseworthy, commendable.
merlan [mèrlaⁿ] *m.* whiting [poisson].
merle [mèrl] *m.* blackbird.
merveille [mèrvèy] *f.* marvel, wonder. || **merveilleux** [-ë] *adj.* marvelous, wonderful; supernatural.
mes [mè] *poss. adj. pl.* my; *see* **mon.**
mésalliance [mézàlyaⁿs] *f.* misalliance.
mésange [mézaⁿj] *f.* titmouse, tomtit.
mésaventure [mézàvaⁿtür] *f.* misadventure, mishap, mischance.
mésentente [mézaⁿtaⁿt] *f.* misunderstanding, disagreement.
mésestimer [mézèstìmé] *v.* to underestimate, to underrate, to undervalue.
mésintelligence [méziⁿtèllìjaⁿs] *f.* disagreement.
mésinterpréter [méziⁿtèrprété] *v.* to misinterpret, to misconstrue.
mesquin [mèskiⁿ] *adj.* mean, shabby; paltry, petty [caractère]; stingy [personne]. || **mesquinerie** [-ìnrî] *f.* meanness; stinginess.
mess [mès] *m.* officers' mess.
message [mèsàj] *m.* message. || **messager** [-é] *m.* messenger; carrier. || **messagerie** [-rî] *f.* carrying trade; parcel delivery [service]; shipping line [maritime]; stage-coach office [bureau].
messe [mès] *f.* mass (eccles.).
messieurs [mèsyë] *m. pl.* gentlemen, sirs; Messrs.; *see* **monsieur.**
mesurable [mᵉzüràbl] *adj.* measurable. || **mesure** [-ür] *f.* measure; extent; gauge, standard; moderation, decorum (fig.); bar (mus.); *à mesure que,* in proportion as, as; *en mesure de,* in a position to; *sur mesure,* made to order [vêtement]. || **mesurer** [-üré] *v.* to measure; to calculate; **se mesurer avec,** to cope with.
mésuser [mézüzé] *v.* to misuse.
métal [métàl] *m.* metal; bullion [barres]. || **métallique** [-lìk] *adj.* metallic. || **métallurgie** [-lürjî] *f.* metallurgy; smelting.
métamorphose [métàmòrfôz] *f.* metamorphosis.
métaphore [métàfòr] *f.* metaphor.
métayer [métèyé] *m.* tenant-farmer, *Am.* share-cropper.
météorologie [météòròlòjì] *f.* meteorology; *la Météo,* the weather bureau.
méthode [métòd] *f.* method, system; way. || **méthodique** [-ìk] *adj.* methodical, systematic.
méticuleux [métìkülë] *adj.* meticulous, punctilious.
métier [métyé] *m.* trade, profession, craft; loom [à tisser]; handicraft [manuel].
métis [métì] *adj.* cross-bred, half-caste [personne]; mongrel [chien]; hybrid [plante]; *m.* half-breed; mongrel.
métrage [métràj] *m.* measurement; metric length; footage, length [film]. || **mètre** [mètr] *m.* meter; yardstick (fam.).
métro [métrô] *m.* underground railway, *Br.* tube, *Am.* subway.
métropole [métròpòl] *f.* metropolis; capital. || **métropolitain** [-ìtiⁿ] *adj.* metropolitan; *m. see* **métro.**
mets [mè] *m.* food, viand, dish. || **mettable** [-tàbl] *adj.* wearable. || **metteur** [-tœr] *m.* setter, layer; *metteur en scène,* director; producer (theat.). || **mettre** [mètr] *v.** to put, to lay, to place, to set; to put on [vêtement]; to devote [soins]; *mettre bas,* to bring forth, to drop [animaux]; *mettre en colère,* to anger, *Am.* to madden; *mettre en état,* to enable; *mettre au point,* to adjust; to focus [lentille]; to perfect [invention]; to tune [moteur]; to clarify [affaire]; **se mettre,** to go, to get; to begin, to start; *s'y mettre,* to set about it.
meuble [mœbl] *m.* furniture; *pl.* furnishings; *adj.* movable, loose.

|| **meubler** [-*é*] *v.* to furnish; to stock.
meuglement [mëglᵉmaⁿ] *m.* lowing; mooing. || **meugler** [-*é*] *v.* to low; to moo [vache].
meule [mœl] *f.* millstone; grindstone; stack, cock, rick [foin]; round [fromage].
meunier [mënyé] *m.* miller.
meurtre [mœrtr] *m.* murder. || **meurtrier** [-ìyé] *m.* murderer; *adj.* murderous, deadly. || **meurtrière** [-ìyèr] *f.* murderess; loophole [château fort]. || **meurtrir** [-ìr] *v.* to bruise. || **meurtrissure** [-ìsür] *f.* bruise.
meute [mët] *f.* pack [chiens].
mévente [mévaⁿt] *f.* slump, stagnation (comm.).
mi [mì] *adv.* half, mid, semi-; **mi-Carême,** mid-Lent; **à mi-chemin,** half-way; **à mi-hauteur,** half-way up.
miauler [myôlé] *v.* to mew, to miaow.
mica [mìkà] *m.* mica.
miche [mìsh] *f.* round loaf [pain].
micheline [mìshlîn] *f.* electric rail-car.
microbe [mìkròb] *m.* microbe, germ.
microphone [mìkròfòn] *m.* microphone, mike (fam.).
microscope [mìkròskòp] *m.* microscope.
midi [mìdì] *m.* midday, noon, twelve o'clock; south (geogr.).
mie [mì] *f.* crumb, soft part [pain].
miel [myèl] *m.* honey. || **mielleux** [-ë] *adj.* honeyed, sugary [paroles]; bland [sourire].
mien, mienne [myiⁿ, myèn] *poss. pron. m., f.* mine.
miette [myèt] *f.* crumb [pain]; bit.
mieux [myë] *m., adv.* better; *le mieux,* the best; *à qui mieux mieux,* in keen competition; *aimer mieux,* to prefer.
mièvre [myèvr] *adj.* finical, affected.
mignard [mìñàr] *adj.* dainty; mincing, simpering. || **mignon** [-oⁿ] *adj.* dainty, tiny, darling, *Am.* cute; *m.* darling, pet.
migraine [mìgrèn] *f.* migraine, sick headache.
mijoter [mìjòté] *v.* to stew, to simmer; to brew.
mil [mìl], *see* **mille.**
milan [mìlaⁿ] *m.* kite [oiseau].
milieu [mìlyë] *m.* middle, midst; medium; sphere [social]; surroundings; middle course; *le juste milieu,* the golden mean.
militaire [mìlìtèr] *adj.* military; *m.* soldier, military man. || **militarisme** [-àrìsm] *m.* militarism.
mille [mìl] *m., adj.* thousand, a thousand, one thousand; *Mille et Une Nuits,* Arabian Nights; **mille-pattes,** centipede.
mille [mìl] *m.* mile. || **milliaire** [mìlyèr] *adj.* milliary; *borne milliaire,* milestone.
milliard [mìlyàr] *m.* milliard, billion. || **millième** [-yèm] *m., adj.* thousandth. || **millier** [-yé] *m.* thousand, about a thousand. || **million** [-yoⁿ] *m.* million. || **millionième** [-yònyèm] *adj.* millionth. || **millionnaire** [-yònèr] *m., f., adj.* millionaire.
mime [mìm] *m.* mime; mimic. || **mimer** [mìmé] *v.* to mime; to mimic, to ape.
mimosa [mìmòzà] *m.* mimosa.
minable [mìnàbl] *adj.* shabby.
minauder [mìnôdé] *v.* to simper, to smirk.
mince [miⁿs] *adj.* thin; slender, slight, slim; scanty [revenu]; flimsy [prétexte]. || **minceur** [-œr] *f.* thinness; slenderness, slimness; scantiness.
mine [mìn] *f.* appearance, look, mien, aspect; *avoir bonne mine,* to look well.
mine [mìn] *f.* mine; ore [fer]. || **miner** [mìné] *v.* to mine; to undermine; to consume. || **minerai** [-rè] *m.* ore. || **minéral** [-éràl] *adj.* mineral; inorganic [chimie].
minet [mìnè] *m.* pussy, tabby, puss.
mineur [mìnœr] *adj.* minor; under age; *m.* minor.
mineur [mìnœr] *m.* miner, collier; sapper (mil.).
miniature [mìnyàtür] *f.* miniature.
minime [mìnìm] *adj.* tiny. || **minimum** [-ìmòm] *m., adj.* minimum.
ministère [mìnìstèr] *m.* agency; ministry; office; cabinet; department; *Ministère public,* public prosecutor (jur.); *ministère des Affaires étrangères, Br.* Foreign Office, *Am.* Department of State. || **ministériel** [-éryèl] *adj.* ministerial. || **ministre** [mìnìstr] *m.* minister; secretary; clergyman; *ministre des Finances, Br.* Chancellor of the Exchequer, *Am.* Secretary of the Treasury.

minorité [mìnòrìté] *f.* minority; nonage (jur.).
minotier [mìnòtyé] *m.* flour-miller.
minuit [mìnüì] *m.* midnight.
minuscule [mìnüsküll] *adj.* tiny, wee; *f.* small letter, lower-case letter.
minute [mìnüt] *f.* minute; draft. || **minuterie** [-rî] *f.* time-switch. || **minutie** [mìnüsî] *f.* minuteness; detail, trifle; minutiae. || **minutieux** [-yë] *adj.* minute, detailed, thorough, painstaking.
mioche [myòsh] *m., f.* urchin, kiddie, tot; brat.
miracle [mìràkl] *m.* miracle. || **miraculeux** [-àkülë] *adj.* miraculous.
mirage [mìràj] *m.* mirage.
mire [mîr] *f.* sighting, aiming [fusil]; surveyor's rod. || **mirer** [mìré] *v.* to aim at [viser]; to hold against the light.
miroir [mìrwàr] *m.* mirror, looking-glass. || **miroiter** [mìrwàté] *v.* to flash; to glisten; to shimmer [eau]; to sparkle [joyau].
misaine [mìzèn] *f.* foremast.
mise [mîz] *f.* placing, putting; bid [enchères]; stake [jeu]; dress, attire; *mise à exécution,* carrying-out; *mise au point,* rectification; tuning-up (techn.); *mise en scène,* staging [theat.]. || **miser** [mìzé] *v.* to bid; to stake.
misérable [mìzéràbl] *m., f.* wretch, miserable person; outcast; *adj.* miserable; destitute; worthless. || **misère** [mìzèr] *f.* misery; trifle. || **miséricorde** [mìzérìkòrd] *f.* mercy. || **miséricordieux** [-yë] *adj.* merciful, compassionate.
mission [mìsyo^n] *f.* mission. || **missionnaire** [-yònèr] *m.* missionary.
mitaine [mìtèn] *f.* mitten.
mite [mìt] *f.* moth; tick. || **mité** [-é] *adj.* moth-eaten, mity.
mitiger [mìtìjé] *v.* to mitigate.
mitoyen [mìtwàyi^n] *adj.* mean, middle; intermediate; party [mur].
mitraille [mìtrây] *f.* grape-shot. || **mitrailler** [-àyé] *v.* to machine-gun, to strafe. || **mitraillette** [-àyèt] *f.* submachine-gun. || **mitrailleuse** [-àyëz] *f.* machine-gun.
mitre [mìtr] *f.* miter.
mixte [mìkst] *adj.* mixed; joint. || **mixture** [-ür] *f.* mixture.
mobile [mòbìl] *adj.* mobile, movable; unstable, changeable; detachable (mech.); *m.* moving body; driving power; mover; motive. || **mobilier** [-yé] *m.* furniture; *adj.* movable; transferable (jur.). || **mobilisation** [-ìzàsyo^n] *f.* mobilization; liquidation (fin.). || **mobiliser** [-ìzé] *v.* to mobilize; to liquidate. || **mobilité** [-ìté] *f.* mobility, movableness; changeableness.
moche [mòsh] *adj.* (pop.) rotten, lousy [conduite]; shoddy [travail]; ugly; dowdy [personne].
mode [mòd] *f.* fashion, mode; manner; vogue; *à la mode,* fashionable; *m.* method, mode; mood (gramm.); *mode d'emploi,* directions for use.
modèle [mòdèl] *m.* model, pattern; *adj.* exemplary. || **modeler** [mòdlé] *v.* to model; to mould; to shape, to pattern.
modérateur, -trice [mòdéràtœr, -trìs] *adj.* moderating, restraining. || **modération** [-àsyo^n] *f.* moderation. || **modérer** [-é] *v.* to moderate, to restrain; to regulate (mech.).
moderne [mòdèrn] *m., adj.* modern. || **moderniser** [-ìzé] *v.* to modernize.
modeste [mòdèst] *adj.* modest; unassuming [person]; quiet, simple. || **modestie** [-î] *f.* modesty.
modification [mòdìfìkàsyo^n] *f.* modification. || **modifier** [-yé] *v.* to modify, to change, to alter.
modique [mòdìk] *adj.* moderate, reasonable [prix]; slender [ressources].
modiste [mòdìst] *f.* milliner, modiste.
moduler [mòdülé] *v.* to modulate.
moelle [mwàl] *f.* marrow; medulla (anat.); *moelle épinière,* spinal cord.
moellon [mwàlo^n] *m.* quarry-stone.
mœurs [mœr, mœrs] *f. pl.* morals; manners, customs, ways; habits [animaux].
moi [mwà] *pron.* me, to me [complément]; I [sujet]; *m.* self, ego; *c'est à moi,* it is mine; *c'est moi,* it is I; **moi-même,** myself.
moignon [mwàño^n] *m.* stump.
moindre [mwi^{n}dr] *adj.* less, lesser, smaller; lower [prix]; *le moindre,* the least; the slightest.
moine [mwàn] *m.* monk, friar; bed-warmer; long light (naut.). || **moineau** [-ô] *m.* sparrow.
moins [mwi^n] *adv.* less; fewer; *prep*

minus, less; *m.* dash (typogr.); *à moins que,* unless; *le moins,* the least; *au moins, du moins,* at least.
mois [mwâ] *m.* month; month's pay; *par mois,* monthly.
moisir [mwàzîr] *v.* to mildew, to mould.
moisson [mwàsoⁿ] *f.* harvest; harvest time. || **moissonner** [-òné] *v.* to harvest, to reap; to gather. || **moissonneuse** [-ònëz] *f.* harvester, reaper; **moissonneuse-lieuse,** combine harvester.
moite [mwàt] *adj.* moist, damp; clammy. || **moiteur** [-œr] *f.* moistness.
moitié [mwàtyé] *f.* half; moiety; (pop.) wife, better half.
mol [mòl] *adj., see* **mou.**
molaire [mòlèr] *f.* molar [dent].
môle [môl] *m.* mole, pier; breakwater.
molécule [mòlékül] *f.* molecule.
molester [mòlèsté] *v.* to molest.
mollesse [mòlès] *f.* softness; flabbiness; slackness; indolence. || **mollet** [-è] *adj.* softish; coddled [œufs]; *m.* calf [jambe]. || **molletière** [mòltyèr] *f.* legging; puttees [bande]. || **molleton** [-oⁿ] *m.* swanskin; flannel; duffel; bunting; quilting. || **mollir** [mòlîr] *v.* to soften; to slacken; to subside [vent].
moment [mòmaⁿ] *m.* moment; *pour le moment,* for the time being; *par moments,* at times. || **momentané** [-tàné] *adj.* momentary; temporary. || **momentanément** [-tànémaⁿ] *adv.* momentarily; temporarily.
momie [momî] *f.* mummy; old fogey (fam.).
mon [moⁿ] *poss. adj. m.* (*f.* **ma,** *pl.* **mes**) my.
monacal [mònàkàl] *adj.* monastic.
monarchie [mònàrshî] *f.* monarchy. || **monarque** [-àrk] *m.* monarch.
monastère [mònàstèr] *m.* monastery; convent [nonnes].
monceau [moⁿsô] *m.* heap, pile.
mondain [moⁿdiⁿ] *adj.* mundane, worldly, earthly; *m.* worldly-minded person, man-about-town. || **mondanité** [-ànìté] *f.* worldliness; society news [journal]; gossip. || **monde** [moⁿd] *m.* world; people; family; society; crowd; *tout le monde,* everybody; *recevoir du monde,* to entertain. || **mondial** [-yàl] *adj.* world-wide; world [guerre].
monétaire [mònétèr] *adj.* monetary.
moniteur, -trice [mònìtœr, -trìs] *m., f.* monitor; advisor; coach [sports].
monnaie [mònè] *f.* money, coin; currency; change; *monnaie légale,* legal tender; mint [hôtel]. || **monnayer** [-yé] *v.* to coin, to mint.
monologue [mònòlòg] *m.* monologue; soliloquy.
monopole [mònòpòl] *m.* monopoly. || **monopoliser** [-ìzé] *v.* to monopolize.
monosyllabe [mònòsìllàb] *m.* monosyllable; *adj.* monosyllabic.
monotone [mònòtòn] *adj.* monotonous; dull, stale, humdrum. || **monotonie** [-î] *f.* monotony; sameness.
monseigneur [moⁿsèñœr] *m.* my lord; your grace [duc]; your royal highness [prince]; **pince-monseigneur,** crowbar, jemmy [cambrioleur]. || **monsieur** [mᵉsyë] *m.* Mr.; sir; man, gentleman.
monstre [moⁿstr] *m.* monster, monstrosity; *adj.* huge, colossal, monster. || **monstrueux** [-üë] *adj.* monstruous; unnatural; huge, colossal; dreadful. || **monstruosité** [-üòzìté] *f.* monstrosity.
mont [moⁿ] *m.* mount, mountain; hill; *par monts et par vaux,* up hill and down dale; **mont-de-piété,** pawn-shop. || **montage** [-tàj] *m.* carrying up, hoisting; setting, mounting [joyau]; assembling [appareil]; equipping [magasin]; wiring (electr.); editing [film].
montagnard [moⁿtàñàr] *m.* mountaineer, highlander. || **montagne** [-àñ] *f.* mountain. || **montagneux** [-àñë] *adj.* mountainous, hilly.
montant [moⁿtaⁿ] *adj.* rising, ascending, uphill; high-necked [robe]; *m.* upright; leg; pillar; pole [tente]; riser [escalier]; stile [porte]; stanchion (naut.). || **montée** [-é] *f.* rising; rise; ascent, gradient, up grade. || **monter** [-é] *v.* to climb, to ascend, to mount, to go up; to ride [cheval]; to stock [magasin]; to get on, *Am.* to board [train]; to set [joyau]; to carry up, to bring up; to rise [prix]; to connect up (electr.); *se*

monter, to amount; to equip oneself; **monte-charge**, hoist, dumbwaiter.
montre [moⁿtr] *f.* show, display; shop-window; watch; clock [auto]; **montre-bracelet**, wrist-watch. || **montrer** [-*é*] *v.* to show; to display, to exhibit; to indicate; to denote.
monture [moⁿtür] *f.* mount [cheval]; mounting, assembling [machine]; setting [joyau]; frame [lunettes]; equipment; cargo.
monument [mònüm*a*ⁿ] *m.* monument, memorial; historic building; *pl.* sights. || **monumental** [-tàl] *adj.* monumental.
moquer [mòk*é*] *v.* to mock, to ridicule, to scoff at; to deride; **se moquer de**, to make fun of, to laugh at; *s'en moquer*, not to care. || **moquerie** [mòkrî] *f.* scoffing, ridicule, derision. || **moqueur** [mòkœr] *adj.* mocking, scoffing; *m.* mocker, scoffer.
moral [mòràl] *adj.* moral; ethical; mental, intellectual; *m.* morale. || **morale** [-àl] *f.* morals; ethics; moral [fable]. || **moraliser** [-àlìz*é*] *v.* to moralize. || **moralité** [-àlìt*é*] *f.* morality; morality play.
morbide [mòrbîd] *adj.* morbid, sickly.
morceau [mòrs*ô*] *m.* piece, morsel; bit, scrap, fragment. || **morceler** [mòrsᵉl*é*] *v.* to cut up, to parcel out; to divide.
mordant [mòrd*a*ⁿ] *adj.* corrosive; biting, caustic; mordacious; *m.* corrosiveness; mordancy, causticity. || **mordiller** [-ìy*é*] *v.* to nibble.
mordoré [mòrdòr*é*] *adj.* reddish brown, bronze.
mordre [mòrdr] *v.* to bite; to gnaw; to corrode; to catch [roue]; to criticize.
morfondre [mòrfoⁿdr] *v.* to freeze; **se morfondre**, to mope; to be bored.
morgue [mòrg] *f.* haughtiness, arrogance; mortuary, morgue.
moribond [mòrìboⁿ] *adj.* moribund, dying; *m.* dying person.
morigéner [mòrìjén*é*] *v.* to chide, to scold, to rate.
morne [mòrn] *adj.* dejected, gloomy, cheerless; dismal, dreary, bleak [paysage]; glum, blue [personne].
morose [mòrôz] *adj.* morose, moody.
mors [mòr] *m.* bit [harnais]; jaw [étau].
morse [mòrs] *m.* walrus.
morsure [mòrsür] *f.* bite; sting.
mort [mòr] *adj.* dead; lifeless; stagnant [eau]; out [feu]; *m.* dead person, deceased; corpse; dummy [cartes]; *f.* death; *jour des morts*, All Souls' Day; **mort-né**, stillborn; **morte-saison**, slack season, off-season. || **mortalité** [-tàlìt*é*] *f.* mortality, death-rate. || **mortel** [-tèl] *adj.* mortal; fatal [accident]; deadly [péché]; deadly dull [soirée]; *m.* mortal.
mortier [mòrty*é*] *m.* mortar.
mortifier [mòrtìfy*é*] *v.* to mortify; to humiliate; to hang [gibier].
mortuaire [mòrtüèr] *adj.* mortuary; *drap mortuaire*, pall.
morue [mòrü] *f.* cod.
morve [mòrv] *f.* glanders (vet.); mucus.
mosaïque [mòzàìk] *f.* mosaic.
mot [mô] *m.* word; note, letter; *mot d'ordre*, countersign; key-note; *bon mot*, joke, witticism.
moteur, -trice [motœr, -trìs] *adj.* motive, propulsive; motory (anat.); *m.* mover; motor.
motif [mòtìf] *adj.* motive; *m.* motive, incentive; grounds (jur.).
motion [mòsyoⁿ] *f.* motion; proposal.
motiver [mòtìv*é*] *v.* to motivate.
motocyclette [mòtòsìklèt] *f.* motorcycle.
motte [mòt] *f.* mound; clod, lump; turf [gazon].
mou, molle [mû, mòl] (**mol**, *m.*, before a vowel or a mute *h*) *adj.* soft; weak; flabby, flaccid [chair]; lax; spineless (fig.).
mouchard [mûshàr] *m.* sneak, informer, police-spy, *Am.* stool-pigeon.
mouche [mûsh] *f.* fly; beauty-patch; button [fleuret]; bull's eye [cible]; *prendre la mouche*, to take offense.
moucher [mûsh*é*] *v.* to wipe (someone's) nose; to snuff [chandelle]; to trim [cordage]; **se moucher**, to blow one's nose.
moucheron [mûshroⁿ] *m.* gnat, midge.
moucheté [mûsht*é*] *adj.* spotty, speckled, flecked.
mouchoir [mûshwàr] *m.* handkerchief.

moudre [mûdr] *v.** to grind, to mill; to thrash.
moue [mû] *f.* pout; *faire la moue,* to pout.
mouette [mûèt] *f.* gull, seamew.
moufle [mûfl] *f.* mitts; mufflers; pulley-block (mech.).
mouillage [mûyàj] *m.* moistening, dampening; watering [vin]; anchoring (naut.); laying [mine]; *être au mouillage,* to ride at anchor. ‖ **mouiller** [mûyé] *v.* to wet, to moisten, to dampen; to cast, to drop [ancre]; to lay [mine]; to moor (naut.); to palatalize [consonne].
moulage [mûlàj] *m.* casting, moulding; founding (metall.); plaster cast. ‖ **moule** [mûl] *m.* mould; matrix.
moule [mûl] *f.* mussel [coquillage].
moulé [mûlé] *adj.* moulded; cast; block [lettres]. ‖ **mouler** [-é] *v.* to cast; to mould; to found [fer]; to fit tightly [robe].
moulin [mûlin] *m.* mill; *moulin à vent,* windmill; *moulin à café,* coffee-mill. ‖ **moulinet** [-ìnè] *m.* winch; reel [canne à pêche]; turnstile; paddle-wheel; twirl [escrime].
moulure [mûlür] *f.* mo(u)lding.
mourant [mûran] *adj.* dying, expiring; fading, faint; *m.* dying person. ‖ **mourir** [-ìr] *v.** to die, to expire; to perish; to go out [feu]; to be out [jeu].
mousquet [mûskè] *m.* musket. ‖ **mousquetaire** [-etèr] *m.* musketeer. ‖ **mousqueton** [-eton] *m.* artillery carbine.
mousse [mûs] *m.* ship's boy, cabin-boy.
mousse [mûs] *f.* moss; froth, foam; head [bière]; suds, lather [savon]; whipped cream.
mousseline [mûslìn] *f.* muslin.
mousser [mûsé] *v.* to froth, to foam; to lather [savon]; to effervesce, to fizz [eau gazeuse]. ‖ **mousseux** [-ë] *adj.* mossy; frothy, foaming; lathery, *Am.* sudsy.
mousson [mûson] *f.* monsoon.
moussu [mûsü] *adj.* mossy; moss-grown.
moustache [mûstàsh] *f.* mustache; whiskers [chat].
moustiquaire [mûstikèr] *f.* mosquito-net. ‖ **moustique** [-ìk] *m.* mosquito; gnat; sand-fly.
moût [mû] *m.* must [vin]; wort [bière].
moutarde [mûtàrd] *f.* mustard.
mouton [mûton] *m.* sheep; mutton [viande]; ram, monkey (mech.); decoy, prison spy (pop.); *pl.* white-caps, white horses [mer]. ‖ **moutonneux** [-ònë] *adj.* fleecy [ciel]; frothy, foamy [mer].
mouture [mûtür] *f.* grinding, milling; grist.
mouvant [mûvan] *adj.* actuating [force]; moving, mobile; shifting; *sables mouvants,* quicksand. ‖ **mouvement** [-man] *m.* movement; motion; change; traffic [circulation]; works, action (mech.); impulse. ‖ **mouvementé** [-manté] *adj.* animated, lively; eventful [vie]; undulating [terrain]. ‖ **mouvoir** [-wàr] *v.** to drive, to propel; to actuate.
moyen [mwàyin] *adj.* middle; average, mean; medium; *m.* means; way, manner; medium; *pl.* resources; *Moyen Age,* Middle Ages; *au moyen de,* by means of; **moyen-âgeux,** medieval. ‖ **moyennant** [mwàyènan] *prep.* by means of. ‖ **moyenne** [mwàyèn] *f.* average; mean; pass-mark [école].
moyeu [mwàyë] *m.* hub, nave, boss [roue].
mucosité[mükòzìté] *f.* mucus, mucosity.
mue [mü] *f.* moulting [oiseaux]; shedding [animaux]; sloughing [reptiles]; breaking [voix]; mew [faucon]; coop [volaille]. ‖ **muer** [-é] *v.* to change; to moult; to shed; to slough, to break [voix].
muet [müè] *adj.* dumb, mute; speechless; silent; *m.* mute, dumb person.
mufle [müfl] *m.* snout, muzzle [animal]; cad, rotter, skunk [personne].
mugir [müjìr] *v.* to bellow [taureau]; to low [vache]; to roar, to boom [mer]; to moan, to howl [vent]. ‖ **mugissement** [-ìsman] *m.* bellowing; lowing; roaring, booming, moaning; howling.
muguet [mügè] *m.* lily of the valley; thrush (med.).
mulâtre, -tresse [mülâtr, -très] *m.* mulatto; *f.* mulatress.
mule [mül] *f.* she-mule [bête].
mule [mül] *f.* mule, slipper.

mulet [mülè] *m.* mule. || **muletier** [mültyé] *m.* muleteer.
mulot [mülò] *m.* field-mouse.
multiple [mültìpl] *adj.* multiple, manifold; multifarious; *m.* multiple. || **multiplication** [-ìkàsyo^n] *f.* multiplication; gear-ratio, step-up (mech.). || **multiplier** [-ìyé] *v.* to multiply; to step up (mech.).
multitude [mültìtüd] *f.* multitude; crowd, throng.
municipal [münìsìpàl] *adj.* municipal. || **municipalité** [-ìté] *f.* municipality, township.
munificence [münìfìsa^ns] *f.* munificence; *avec munificence,* munificently.
munir [münîr] *v.* to furnish, to supply, to fit, to equip, to provide (*de,* with); to arm, to fortify (mil.). || **munition** [-ìsyo^n] *f.* munitioning; provisioning; stores, supplies; ammunition (mil.).
muqueux [mükë] *adj.* mucous.
mur [mür] *m.* wall; *mur mitoyen,* party wall; *franchir le mur du son,* to break the sound-barrier.
mûr [mür] *adj.* ripe; mellow; mature.
muraille [müràу] *f.* high defensive wall; side (naut.). || **mural** [-àl] *adj.* mural; wall.
mûre [mür] *f.* mulberry; bramble-berry, blackberry.
murer [müré] *v.* to wall in, to block up.
mûrir [mürîr] *v.* to ripen, to mature.
murmure [mürmür] *m.* murmur; hum [voix]; whisper [chuchotement]; muttering, grumbling. || **murmurer** [-é] *v.* to murmur; to whisper; to grumble, to complain.
musaraigne [müzàrèñ] *f.* shrew-mouse.
musarder [müsàrdé] *v.* to dawdle; to idle.
musc [müsk] *m.* musk; musk-deer.
muscade [müskàd] *f.* nutmeg.
muscle [müskl] *m.* muscle, brawn, sinew. || **musculaire** [-ülèr] *adj.* muscular. || **musculeux** [-ülë] *adj.* muscular, brawny; beefy [personne].
museau [müzô] *m.* muzzle, snout [animal].
musée [müzé] *m.* museum.
museler [müzlé] *v.* to muzzle; to gag, to silence. || **muselière** [-^elyèr] *f.* muzzle.
muser [müzé] *v.* to idle, to dawdle.
musette [müzèt] *f.* bagpipe (mus.); bag, satchel, pouch; nose-bag [cheval].
muséum [müzéòm] *m.* museum.
musical [müzìkàl] *adj.* musical. || **musicien** [-ìsyi^n] *m.* musician; bandsman. || **musique** [müzìk] *f.* music; band.
musquer [müské] *v.* to musk; *poire musquée,* musk-pear; *rat musqué,* muskrat.
musulman [müzülma^n] *m.* Mohammedan, Moslem.
mutation [mütàsyo^n] *f.* change, mutation, alteration; transfer. || **muter** [-é] *v.* to transfer.
mutilation [mütilàsyo^n] *f.* mutilation, maiming; defacement; garbling [texte]. || **mutiler** [-é] *v.* to mutilate, to maim; to deface; to garble.
mutin [müti^n] *adj.* unruly; mutinous; insubordinate [soldat]; *m.* mutineer, rioter. || **mutiner** [-ìné] *v.* to incite to rebellion; **se mutiner,** to revolt; to mutiny. || **mutinerie** [-ìnrî] *f.* rebellion; mutiny; roguishness.
mutisme [mütìsm] *m.* dumbness, muteness; silence.
mutuel [mütüèl] *adj.* mutual, reciprocal; *secours mutuels,* mutual benefit [société]; **mutuellement,** mutually, reciprocally.
myope [myòp] *adj.* myopic, *Br.* short-sighted, *Am.* nearsighted. || **myopie** [-î] *f.* myopia.
myosotis [myòsòtìs] *m.* forget-me-not, myosotis.
myriade [mìryàd] *f.* myriad.
myrte [mìrt] *m.* myrtle. || **myrtil** [mìrtil] *m.* whortleberry.
mystère [mìstèr] *m.* mystery; secrecy; mystery play. || **mystérieux** [-éryë] *adj.* mysterious; enigmatic; uncanny. || **mysticisme** [-ìsìsm] *m.* mysticism. || **mystification** [-ìfìkàsyo^n] *f.* mystification; hoax. || **mystifier** [-ìfyé] *v.* to mystify; to hoax, to fool, to spoof. || **mystique** [-ìk] *m.* mystic [personne]; *f.* mystical theology; *adj.* mystic, mystical.
mythe [mìt] *m.* myth; legend, fable. || **mythique** [-ìk] *adj.* mythical. || **mythologie** [-òlòjî] *f.* mythology.

N

nacelle [nàsèl] *f.* skiff, wherry, dinghy (naut.); pontoon-boat (mil.); gondola [dirigeable]; nacelle, cockpit (aviat.).
nacre [nàkr] *f.* mother of pearl. || **nacré** [-é] *adj.* nacreous, pearly.
nage [nàj] *f.* swimming; rowing; pulling (naut.); stroke [natation]; rowlock; *en nage,* bathed in perspiration. || **nageoire** [-wàr] *f.* fin. || **nager** [-é] *v.* to row, to pull; to scull; to swim; to wallow in [opulence]; to be all at sea (fam.).
naguère [nàgèr] *adv.* lately; erstwhile.
naïf, -ïve [naïf, -ìv] *adj.* naïve, artless, ingenuous, unaffected; credulous, guileless, unsophisticated (fam.) green.
nain [nin] *m.* dwarf, midget, pygmy; (fam.) runt; *adj.* dwarfish, stunted.
naissance [nèsans] *f.* birth; extraction; beginning; rise [rivière]. || **naître** [nètr] *v.** to be born; to originate; to begin; to dawn.
naïveté [nàìvté] *f.* artlessness, simplicity, ingenuousness, naïveté, guilelessness; (fam.) greenness.
nantissement [nantisman] *m.* security; lien, hypothecation.
nappe [nàp] *f.* tablecloth, cloth, cover; sheet [eau]; layer [brouillard]. || **napperon** [-ron] *m.* napkin; doily; place-mat; tea-cloth.
narcisse [nàrsìs] *m.* narcissus.
narcotique [nàrkòtìk] *m., adj.* narcotic.
narguer [nàrgé] *v.* to flout; to jeer at.
narine [nàrîn] *f.* nostril.
narquois [nàrkwà] *adj.* bantering.
narrateur, -trice [nàràtœr, -trìs] *m., f.* narrator, relater, teller. || **narration** [-syon] *f.* narration, narrative. || **narrer** [-é] *v.* to narrate, to relate, to tell.
nasal [nàzàl] *adj.* nasal. || **nasale** [-àl] *f.* nasal. || **naseau** [-ô] *m.* nostril. || **nasillard** [-ìyàr] *adj.* nasal; snuffling; twanging. || **nasiller** [-ìyé] *v.* to twang.
natal [nàtàl] *adj.* native, natal. || **natalité** [-ìté] *f.* birth-rate.
natation [nàtàsyon] *f.* swimming.
natif [nàtìf] *adj.* native; natural, inborn.
nation [nàsyon] *f.* nation. || **nationalité** [-yònàlìté] *f.* nationality; citizenship.
nativité [nàtìvìté] *f.* nativity.
natte [nàt] *f.* mat, matting [paille]; plait, braid; (fam.). pigtail [cheveux]. || **natter** [-é] *v.* to plait, to braid; to mat.
naturalisation [nàtüràlìzàsyon] *f.* naturalization; stuffing [taxidermie]. || **naturaliser** [-é] *v.* to naturalize; to stuff.
nature [nàtür] *f.* nature; kind, constitution, character; temperament, disposition; *adj.* plain; *nature morte,* still-life. || **naturel** [-èl] *adj.* natural; unaffected; native; innate; illegitimate [enfant]; *m.* naturalness; character.
naufrage [nôfràj] *m.* shipwreck. || **naufragé** [-é] *adj.* shipwrecked; *m.* shipwrecked person, castaway.
nauséabond [nôzéàbon] *adj.* nauseous; evil-smelling. || **nausée** [-é] *f.* nausea; seasickness; loathing, disgust.
nautique [nôtìk] *adj.* nautical; aquatic [sports].
naval [nàvàl] (*pl.* navals) *adj.* naval, nautical.
navet [nàvè] *m.* turnip; bad picture; unsuccessful play, *Am.* turkey (pop.).
navette [nàvèt] *f.* shuttle; incense-box; *faire la navette,* to ply between, to go to and fro.
navigable [nàvìgàbl] *adj.* navigable [rivière]; seaworthy [bateau]; airworthy (aviat.). || **navigation** [-àsyon] *f.* navigation. || **naviguer** [nàvìgé] *v.* to navigate, to sail.
navire [nàvîr] *m.* ship, vessel; *navire marchand,* merchantman.
navrant [nàvran] *adj.* heart-rending; harrowing; agonizing. || **navré** [-é] *adj.* heart-broken; grieved; sorry.
ne [ne] *adv.* no; not.
né [né] *adj.* born; *il est né,* he was born.
néanmoins [néanmwin] *adv.* nevertheless, however; yet, still.

néant [néaⁿ] *m.* nothingness, naught, nullity.
nébuleux [nébülë] *adj.* nebulous; cloudy, misty; turbid [liquide]; gloomy [visage]; obscure [théorie].
nécessaire [nésèsèr] *adj.* necessary, needed; *m.* necessaries, outfit, kit. ‖ **nécessité** [-ìté] *f.* necessity, need, want. ‖ **nécessiter** [-ìté] *v.* to necessitate, to require, to entail. ‖ **nécessiteux** [-ìtë] *adj.* necessitous, needy, destitute.
néerlandais [néèrlaⁿdè] *adj.* Dutch.
nef [nèf] *f.* nave [église]; ship [poétique].
néfaste [néfàst] *adj.* ill-omened, baneful; ill-fated.
nèfle [nèfl] *f.* medlar.
négatif [négàtìf] *m., adj.* negative. ‖ **négation** [-àsyoⁿ] *f.* negation, denial; negative (gramm.).
négligé [néglìjé] *adj.* neglected, careless, slovenly, sloppy, slipshod; *m.* undress; dishabille; informal dress. ‖ **négligeable** [-àbl] *adj.* negligible; trifling. ‖ **négligence** [-aⁿs] *f.* negligence, neglect. ‖ **négligent** [-aⁿ] *adj.* negligent, neglectful; slack, remiss. ‖ **négliger** [-é] *v.* to neglect; to slight; to disregard, to overlook, to omit.
négoce [négòs] *m.* trade, business; trafficking. ‖ **négociant** [-yaⁿ] *m.* merchant; trader. ‖ **négociateur, -trice** [-yàtœr, -trìs] *m., f.* negotiator, transactor. ‖ **négociation** [-yàsyoⁿ] *f.* negotiation; transaction (comm.). ‖ **négocier** [-yé] *v.* to trade, to traffic; to negotiate [traité].
nègre [nègr] *m.* negro; ghost writer, hack-writer [écrivain]. ‖ **négresse** [négrès] *f.* negress.
neige [nèj] *f.* snow. ‖ **neiger** [-é] *v.* to snow. ‖ **neigeux** [-ë] *adj.* snowy; snow-covered.
nénuphar [nénüfàr] m. water-lily.
nerf [nèr] *m.* nerve; sinew; vein [feuille]; cord [reliure]; rib, fillet (arch.). ‖ **nerveux** [-vë] *adj.* nervous; sinewy, wiry; vigorous, terse [style]; excitable, fidgety; responsive [voiture]. ‖ **nervosité** [-vòzìté] *f.* nervousness, irritability, fidgets, edginess. ‖ **nervure** [-vür] *f.* nervure, rib; vein; fillet, moulding (arch.); piping [couture].
net, nette [nèt] *adj.* clean, spotless; net [prix]; clear; plain; distinct (phot.); *adv.* flatly. ‖ **netteté** [-té] *f.* cleanness, cleanliness; distinctness [image]; clarity, sharpness (phot.); vividness; flatness [refus]. ‖ **nettoiement, nettoyage** [-wàmaⁿ, -wàyàj] *m.* cleaning, clearing; scouring; mopping-up (mil.); *nettoyage à sec,* dry-cleaning. ‖ **nettoyer** [-wàyé] *v.* to clean, to clear; to scour; to plunder; to mop up (mil.).
neuf [nœf] *m., adj.* nine; ninth [titre, date].
neuf, neuve [nœf, nœv] *adj.* new; brand-new; *remettre à neuf,* to renovate.
neutraliser [nœtràlìzé] *v.* to neutralize. ‖ **neutre** [nœtr] *adj.* neuter; neutral.
neuvième [nœvyèm] *m., adj.* ninth.
neveu [nᵉvë] *m.* nephew.
névralgie [névràljì] *f.* neuralgia.
nez [nè] *m.* nose; snout [animaux]; bow [bateau, avion]; *nez à nez,* face to face; *piquer du nez,* to nose-dive.
ni [nì] *conj.* nor, or; neither... nor; *ni moi non plus,* nor I either.
niais [nìè] *adj.* simple, foolish, silly; *Am.* dumb; *m.* fool, simpleton, booby, *Am.* dumbbell. ‖ **niaiserie** [-zrì] *f.* silliness.
niche [nìsh] *f.* kennel [chien]; niche, nook.
niche [nìsh] *f.* trick, prank.
nichée [nìshé] *f.* nestful; brood. ‖ **nicher** [-é] *v.* to nestle; (fam.) to hang out.
nickel [nìkèl] *m.* nickel.
nid [nì] *m.* nest; *nid d'abeille,* waffle weave [tissu].
nièce [nyès] *f.* niece.
nielle [nyèl] *f.* smut, blight [blé].
nier [nyé] *v.* to deny; to repudiate [dette].
nigaud [nìgô] *adj.* simple, silly; *m.* booby, simpleton.
nitrate [nìtràt] *m.* nitrate.
niveau [nìvô] *m.* level; standard; *au niveau de,* even with. ‖ **niveler** [-lé] *v.* to level, to even up; to true up (mech.). ‖ **nivellement** [-èlmaⁿ] *m.* levelling; surveying, contouring [terre].
noble [nòbl] *adj.* noble; stately; high-minded; *m.* noble(man). ‖ **noblesse** [-ès] *f.* nobility; nobleness.
noce [nòs] *f.* wedding; spree, *Am.* binge; *pl.* marriage, nuptials.

|| **noceur** [-œr] *m.* reveller, roisterer; fast liver.

nocif [nòsìf] *adj.* noxious.

nocturne [nòktürn] *adj.* nocturnal; *m.* nocturne.

Noël [nòèl] *m.* Christmas, Noel; yule-tide.

nœud [në] *m.* knot; bow [carré]; hitch, bend (naut.); gnarl [bois]; node, joint [tige]; knuckle [doigt]; *nœud coulant,* slip-knot, noose; *nœud papillon,* bow-tie.

noir [nwàr] *adj.* black; dark; gloomy [idées]; wicked; (fam.) drunk; *m.* black, Negro; bruise (med.). || **noirâtre** [-âtr] *adj.* blackish, darkish. || **noirceur** [-sœr] *f.* blackness; darkness; gloominess; smudge; atrocity [crime]. || **noircir** [-sìr] *v.* to blacken; to darken; to sully; to besmirch.

noisetier [nwàztyé] *m.* hazel-tree. || **noisette** [-èt] *f.* hazel-nut. || **noix** [nwà] *f.* walnut; nut; round shoulder [veau].

nom [no^{n}] *m.* name; noun (gramm.); *nom de plume,* pen-name; *nom de famille,* family name, last name; *petit nom,* first name, given name; *nom et prénoms,* full name.

nomade [nòmàd] *adj.* nomadic; *m., f.* nomad.

nombre [no^{n}br] *m.* number; *bon nombre de,* a good many; *nombre entier,* integer. || **nombreux** [-ë] *adj.* numerous; multifarious, manifold.

nombril [no^{n}brì] *m.* navel.

nomenclature [nòma^{n}klàtür] *f.* nomenclature, list.

nominal [nòminàl] *adj.* nominal; *appel nominal,* roll-call. || **nominatif** [-àtìf] *m.* nominative; subject (gramm.); *adj.* registered [titres].

nommer [nòmé] *v.* to name; to mention; to appoint; **se nommer,** to be named.

non [no^{n}] *adv.* no; not.

nonchalance [no^{n}shàla^{n}s] *f.* unconcern. || **nonchalant** [-a^{n}] *adj.* nonchalant, unconcerned, listless.

non-lieu [no^{n}lyë] *m.* no true bill, insufficient cause for prosecution (jur.).

nonne [nòn] *f.* nun.

nonobstant [nònòbsta^{n}] *prep.* notwithstanding.

non-sens [no^{n}sa^{n}s] *m.* meaningless act; nonsense.

nord [nòr] *m.* north; *perdre le nord,* to get confused.

normal [nòrmàl] *adj.* normal; usual; natural; standard. || **normaliser** [-ìzé] *v.* to normalize, to standardize.

normand [nòrma^{n}] *adj., m., f.* Norman. || **Normandie** [-dî] *f.* Normandy.

norme [nòrm] *f.* norm.

nos [nô] *poss. adj. pl.* our; *see* **notre.**

nostalgie [nòstàljî] *f.* nostalgia, home-sickness. || **nostalgique** [-ìk] *adj.* nostalgic; home-sick.

notable [nòtàbl] *adj.* notable, note-worthy; distinguished; *m.* person of distinction.

notaire [nòtèr] *m.* notary.

notamment [nòtàma^{n}] *adv.* especially, particularly.

note [nòt] *f.* note, memo(randum), minute; annotation; notice; mark, *Am.* grade [école]; bill, account [hôtel]; repute. || **noter** [-é] *v.* to note; to notice; to mark; to jot down. || **notice** [-ìs] *f.* notice, account; review. || **notifier** *v.* to notify; to intimate; to signify.

notion [nòsyo^{n}] *f.* notion, idea; smattering.

notoire [nòtwàr] *adj.* well-known; manifest; notorious [brigand]. || **notoriété** [-òriété] *f.* notoriety, notoriousness; repute, reputation.

notre [nòtr] *poss. adj.* (*pl.* **nos**) our.

nôtre [nôtre] *poss. pron.* ours; our own.

nouer [nûé] *v.* to tie, to knot; to establish [relations]; **se nouer,** to kink, to twist; to cling; to knit; to be anchylosed. || **noueux** [-ë] *adj.* knotty; gnarled [mains]; anchylosed.

nouilles [nûy] *f. pl.* noodles; ribbon vermicelli.

nourrice [nûrìs] *f.* nurse, wet-nurse; service-tank (tech.); feed-pipe (aviat.). || **nourricier** [-yé] *m.* foster-father; *adj.* nutritious, nutritive. || **nourrir** [nûrîr] *v.* to feed, to nourish; to nurse, to suckle [enfant]; to foster [haine]; to harbo(u)r [pensée]; to cherish [espoir]; to maintain, to sustain [feu] (mil.). || **nourrissant** [-ìsa^{n}] *adj.* nourishing, nutritive, nutritious; rich [aliment]. || **nourrisson** [-ìso^{n}] *m.* nursling, suckling; foster-child. || **nourriture** [-ìtür] *f.* feeding; food, nourishment.

nous [nû] *pron.* we [sujet]; us, to us [complément]; ourselves; each other; *chez nous*, at our house.
nouveau, -elle [nûvô, -èl] *adj.* (**nouvel**, *m.*, before a vowel or a mute *h*) new; new-style; recent, fresh; novel; another, additional, further; *nouvel an*, new year; *de nouveau*, again; *à nouveau*, anew, afresh; **nouveau-né**, new-born child. || **nouveauté** [-té] *f.* newness, novelty; change, innovation; fancy article, latest model. || **nouvelle** [nûvèl] *f.* news, tidings; short story.
novateur, -trice [nòvàtœr, -trìs] *m., f.* innovator; *adj.* innovating.
novembre [nòvaⁿbr] *m.* November.
novice [nòvìs] *m.* novice; probationer; tyro; apprentice.
noyade [nwàyàd] *f.* drowning.
noyau [nwàyô] *m.* stone, kernel [fruit]; nucleus [atome].
noyer [nwàyé] *v.* to drown; to flood, to inundate; **se noyer**, to be drowned [accident]; to drown oneself [suicide]; to wallow (fig.).
noyer [nwàyé] *m.* walnut-tree.
nu [nü] *adj.* naked, nude; bare; plain, unadorned; *m.* nude; nudity.
nuage [nüàj] *m.* cloud; *nuage artificiel*, smoke screen. || **nuageux** [-ë] *adj.* cloudy; overcast.
nuance [nüaⁿs] *f.* shade, hue; nuance, gradation.
nudité [nüdìté] *f.* nudity, nakedness.
nue [nü] *f.* high cloud; *pl.* skies. || **nuée** [-é] *f.* cloud; swarm, host.
nuire [nüìr] *v.** to harm, to hurt; to be injurious. || **nuisible** [nüìzìbl] *adj.* hurtful, harmful, noxious, detrimental, prejudicial.
nuit [nüì] *f.* night.
nul, nulle [nül] *adj.* no, not one; nul, void; *pron.* no one, nobody, not one. || **nullité** [-lìté] *f.* nullity, invalidity; nothingness; non-existence; nonentity [personne].
numéraire [nüméràr] *adj.* legal [monnaie]; numerary [valeur]; *m.* metallic currency, specie; cash. || **numéral** [-àl] *adj.* numeral. || **numérique** [-ìk] *adj.* numerical. || **numéro** [-ô] *m.* number; issue [périodique]; turn [music-hall]. || **numéroter** [-òté] *v.* to number; to page [livre].
nuque [nük] *f.* nape, scruff of the neck.
nutritif [nütrìtìf] *adj.* nutritive. || **nutrition** [-ìsyoⁿ] *f.* nutrition.

O

obéir [òbéìr] *v.* to obey; to comply; to respond (aviat.). || **obéissance** [-ìsaⁿs] *f.* obedience; compliance, submission, pliancy. || **obéissant** [-ìsaⁿ] *adj.* obedient, compliant, dutiful; submissive; pliant [bois].
obélisque [òbélìsk] *m.* obelisk.
obèse [òbèz] *adj.* obese, fat. || **obésité** [òbézìté] *f.* obesity, corpulence, stoutness.
objecter [òbjèkté] *v.* to raise an objection; to allege. || **objectif** [-tìf] *adj.* objective; *m.* objective; aim, end; lens (phot.); target (mil.). || **objection** [-syoⁿ] *f.* objection. || **objet** [òbjè] *m.* object, thing; article; complement (gramm.); subject.
obligation [òblìgàsyoⁿ] *f.* obligation, duty; bond [Bourse]; debenture (comm.); favo(u)r; liability (mil.). || **obligatoire** [-àtwàr] *adj.* obligatory; compulsory.
obligeance [òblìjaⁿs] *f.* obligingness. || **obligeant** [-aⁿ] *adj.* obliging; kind, civil. || **obliger** [-é] *v.* to oblige, to constrain, to bind.
oblique [òblìk] *adj.* oblique; slanting; devious, crooked [moyens]. || **obliquer** [-é] *v.* to oblique; to slant; to incline; to swerve.
oblitérer [òblìtéré] *v.* to obliterate; to cancel, to deface [timbre-poste]; to obstruct (med.).
obole [òbòl] *f.* obol; farthing, mite.
obscène [òbsèn] *adj.* obscene; lewd; smutty. || **obscénité** [-énìté] *f.* obscenity; lewdness.
obscur [òbskür] *adj.* dark; gloomy; somber; obscure; abstruse [sujet]; indistinct, dim; lowly, humble [naissance]; recondite [écrivain]. || **obscurcir** [-sìr] *v.* to obscure; to darken; to dim; to fog; **s'obscurcir**, to grow dark, to darken; to cloud over [ciel].

|| **obscurcissement** [-sìsmaⁿ] *m.* darkening; dimness. || **obscurité** [-ìté] *f.* obscurity; darkness; obscureness; vagueness.
obsédant [òbsédaⁿ] *adj.* haunting; obsessive. || **obséder** [-é] *v.* to obsess; to beset; to importune.
obsèques [òbsèk] *f. pl.* obsequies; funeral.
obséquieux [òbsékyë] *adj.* obsequious; servile.
observance [òbsèrvaⁿs] *f.* observance, keeping. || **observateur, -trice** [-àtœr, trìs] *m., f.* observer; spotter (mil.); *adj.* observant. || **observation** [-àsyoⁿ] *f.* observation. || **observatoire** [-àtwàr] *m.* observatory. || **observer** [-é] *v.* to observe, to notice; to remark; to keep [règlements]; **s'observer,** to be careful, to be cautious; to be on one's guard.
obsession [òbsèsyoⁿ] *f.* obsession.
obstacle [òbstàkl] *m.* obstacle, hindrance, impediment; jump, fence [course].
obstination [òbstìnàsyoⁿ] *f.* obstinacy, stubbornness. || **obstiner** [-é] *v.* to make (someone) obstinate; s'obstiner, to persist.
obstruction [òbstrüksyoⁿ] *f.* obstruction; blocking; *Am.* filibustering [politique]; choking, clogging (techn.). || **obstruer** [òbstrüé] *v.* to obstruct; to block; to choke; to throttle.
obtempérer [òbtaⁿpéré] *v.* to comply, to accede.
obtenir [òbtᵉnìr] *v.** to obtain, to get, to procure.
obturer [òbtüré] *v.* to stop, to seal, to obturate; to fill [dent].
obtus [òbtü] *adj.* blunt; obtuse, dull [personne].
obus [òbü] *m.* shell. || **obusier** [-zyé] *m.* howitzer.
obvier [òbvyé] *v.* to obviate.
occasion [òkàzyoⁿ] *f.* opportunity, chance, occasion; bargain; motive; *d'occasion,* second-hand. || **occasionner** [-yòné] *v.* to occasion, to cause, to provoke, to give rise to.
occident [òksìdaⁿ] *m.* Occident, West. || **occidental** [-tàl] *adj.* Occidental, Western.
occulte [òkült] *adj.* occult; secret; hidden, recondite.
occupant [òküpaⁿ] *adj.* occupying; engrossing; *m.* occupant. || **occupation** [-àsyoⁿ] *f.* occupation; occupancy; business, employment, work. || **occupé** [-é] *adj.* occupied; engaged; busy [personne, téléphone]. || **occuper** [-é] *v.* to occupy; to inhabit, to reside in; to hold (mil.); to employ; to fill [temps]; **s'occuper,** to keep busy; to be interested (*de,* in).
occurrence [òküraⁿs] *f.* occurrence; emergency, juncture, occasion; *en l'occurrence,* in the circumstances.
océan [òséaⁿ] *m.* ocean, sea.
ocre [òkr] *f.* ochre.
octobre [òktòbr] *m.* October.
octroi [òktrwà] *m.* concession, granting; dues, toll; toll-house. || **octroyer** [-yé] *v.* to grant, to concede, to allow; to bestow (on).
oculaire [òkülèr] *adj.* ocular; *m.* eye-piece, ocular; *témoin oculaire,* eye-witness. || **oculiste** [-ìst] *m.* oculist.
ode [òd] *f.* ode.
odeur [òdœr] *f.* odo(u)r, scent, smell.
odieux [òdyë] *adj.* odious; hateful [personne]; heinous [crime]; *m.* odiousness, hatefulness.
odorant [òdòraⁿ] *adj.* odorous, fragrant, odoriferous. || **odorat** [-à] *m.* olfactory sense.
œil [œy] *m.* (*pl.* **yeux** [yë]) eye; opening; hole; *coup d'œil,* glance; *faire de l'œil,* to ogle; œil-de-bœuf, bull's-eye [fenêtre]; œil-de-perdrix, soft corn [callosité]. || **œillade** [-àd] *f.* glance, ogle, leer. || **œillère** [-èr] *f.* blinker, *Am.* blinder [cheval]; eyecup (med.). || **œillet** [-è] *m.* eyelet; pink, carnation (bot.).
œuf [œf, *pl.* ë] *m.* egg; ovum (biol.); spawn, roe [poisson]; *œufs sur le plat,* fried eggs; *œufs à la coque,* soft-boiled eggs; *œuf dur,* hard-boiled egg; *œufs brouillés,* scrambled eggs.
œuvre [œvr] *f.* work; production; society, institution [bienfaisance]; *m.* wall, foundation; complete works.
offense [òfaⁿs] *f.* offense; transgression; contempt (jur.). || **offenser** [-é] *v.* to offend; to injure, to shock; **s'offenser,** to take offense. || **offensif** [-ìf] *adj.* offensive [armes]. || **offensive** [-ìv] *f.* offensive (mil.).
office [òfìs] *m.* office, functions, duty; employment; *f.* butler's pantry; servants' hall. || **officiel**

[-yèl] *adj.* official; formal [visite]. ‖ **officier** [-yé] *m.* officer; *v.* to officiate. ‖ **officieux** [-yë] *adj.* officious; unofficial; *m.* busybody.

offrande [òfrɑⁿd] *f.* offering; offertory (eccles.). ‖ **offre** [òfr] *f.* offer; bid [enchères]; tender [contrat]; proposal. ‖ **offrir** [-ìr] *v.** to offer; to proffer, to give, to present; to bid [enchères]; to tender [contrat].

offusquer [òfüské] *v.* to obscure; to obfuscate, to befog, to cloud; to dazzle [yeux]; to offend, to shock (someone); **s'offusquer,** to become clouded; to take offense, to be huffy.

ogre, ogresse [ògr, ògrès] *m.* ogre, *f.* ogress.

oie [wâ] *f.* goose.

oignon [òñoⁿ] *m.* onion; bulb [tulipe]; bunion [callosité]; (pop.) watch.

oindre [wiⁿdr] *v.** to oil; to anoint.

oiseau [wàzô] *m.* bird; (fam.) *Am.* guy; *jeune oiseau,* fledgling; **oiseau-mouche,** humming-bird.

oiseux [wàzë] *adj.* idle; useless. ‖ **oisif** [-ìf] *adj.* lazy; unemployed; uninvested [capital]. ‖ **oisiveté** [-ìvté] *f.* idleness, sloth.

oison [wàzoⁿ] *m.* gosling.

olive [òlìv] *f.* olive. ‖ **olivier** [-yé] *m.* olive-tree.

ombilical [oⁿbìlìkàl] *adj.* umbilical.

ombrage [oⁿbràj] *m.* shade [arbre]; umbrage, offense. ‖ **ombrager** [-é] *v.* to shade; to screen. ‖ **ombrageux** [-ë] *adj.* shy, skittish [cheval]; touchy, suspicious [personne]. ‖ **ombre** [oⁿbr] *f.* shadow; shade; gloom; ghost [revenant]. ‖ **ombrelle** [-èl] *f.* parasol, sunshade. ‖ **ombrer** [-é] *v.* to shade; to darken.

omelette [òmlèt] *f.* omelet.

omettre [òmètr] *v.** to omit, to leave out, to skip, to overlook; to fail, to neglect. ‖ **omission** [-ìsyoⁿ] *f.* omission; oversight.

omnibus [òmnìbüs] *m.* omnibus, bus.

omnipotent [òmnìpòtɑⁿ] *adj.* omnipotent.

omoplate [òmòplàt] *f.* shoulder-blade.

on [oⁿ] *indef. pron.* one, people, they, we, you, men, somebody; *on dit,* it is said; **on-dit,** rumo(u)r.

once [oⁿs] *f.* ounce; bit.

oncle [oⁿkl] *m.* uncle.

onction [oⁿksyoⁿ] *f.* oiling; unction; anointing; unctuousness. ‖ **onctueux** [-tüë] *adj.* unctuous, oily; suave, bland.

onde [oⁿd] *f.* wave; undulation; billow; corrugation [tôle]; *grandes ondes,* long waves [radio]; *onde sonore,* sound-wave. ‖ **ondée** [-é] *f.* shower. ‖ **ondoyant** [-wàyɑⁿ] *adj.* undulating, waving; billowy; swaying; changeable, fluctuating ‖ **ondoyer** [-wàyé] *v.* to undulate, to wave, to ripple; to billow. ‖ **ondulant** [-ülɑⁿ] *adj.* undulating; waving; flowing. ‖ **ondulé** [-ülé] *adj.* undulating, rolling; wavy [cheveux]; corrugated [tôle]; curly-grained [bois]. ‖ **onduler** [-ülé] *v.* to undulate, to ripple; to wave [cheveux]; to corrugate [tôle]. ‖ **onduleux** [-ülë] *adj.* undulous, wavy, sinuous.

onéreux [ònérë] *adj.* onerous; burdensome; heavy.

ongle [oⁿgl] *m.* nail [doigt]; claw [animal]; talon [faucon]; *coup d'ongle,* scratch.

onguent [oⁿgɑⁿ] *m.* ointment, unguent, salve, liniment.

onze [oⁿz] *m., adj.* eleven; eleventh [titre, date]. ‖ **onzième** [-yèm] *m., adj.* eleventh.

opale [òpàl] *f.* opal.

opaque [òpàk] *adj.* opaque.

opéra [òpérà] *m.* opera.

opérateur, -trice [òpéràtœr, -trìs] *m., f.* operator. ‖ **opération** [-àsyoⁿ] *f.* operation; transaction. ‖ **opératoire** [-àtwàr] *adj.* operative. ‖ **opérer** [-é] *v.* to operate; to effect, to bring about; to perform.

opérette [òpérèt] *f.* operetta.

opiner [òpìné] *v.* to opine; to vote. ‖ **opiniâtre** [-yâtr] *adj.* stubborn, opinionated, obstinate; unyielding. ‖ **opiniâtreté** [-yâtrᵉté] *f.* obstinacy, stubbornness. ‖ **opinion** [-yoⁿ] *f.* opinion.

opium [òpyòm] *m.* opium.

opportun [òpòrtuⁿ] *adj.* opportune, timely, convenient. ‖ **opportunité** [-ünìté] *f.* opportuneness, seasonableness, timeliness; expediency.

opposant [òpòzɑⁿ] *adj.* opposing, adverse; *m.* opponent, adversary. ‖ **opposé** [-é] *adj.* opposite, contrary; facing. ‖ **opposer** [-é] *v.* to oppose; to compare, to contrast;

s'opposer à, to be opposed to. || **opposition** [-ìsyoⁿ] *f.* opposition; contrast.
oppresser [òprèsé] *v.* to oppress; to impede (med.); to deject, to depress. || **oppressif** [-ìf] *adj* oppressive. || **oppression** [-yoⁿ] *f.* oppression.
opprimer [òprìmé] *v.* to oppress, to crush.
opprobre [òprobr] *m.* opprobrium, shame, disgrace.
opter [òpté] *v.* to choose.
opticien [òptìsyiⁿ] *m.* optician.
optimisme [òptìmìsm] *m.* optimism. || **optimiste** [-ìst] *m., f.* optimist; *adj.* optimistic.
option [òpsyoⁿ] *f.* option, choice.
optique [òptìk] *f.* optics; *adj.* optical.
opulence [òpülaⁿs] *f.* opulence. || **opulent** [-aⁿ] *adj.* opulent, wealthy, rich; buxom [poitrine].
opuscule [òpüskül] *m.* pamphlet, tract, booklet.
or [òr] *m.* gold; *or en barres,* bullion.
or [òr] *conj.* now; but.
oracle [òràkl] *m.* oracle.
orage [òràj] *m.* storm. || **orageux** [-ë] *adj.* stormy; threatening [temps]; lowering [ciel].
oraison [òrèzoⁿ] *f.* oration, speech.
oral [òràl] *adj., m.* oral.
orange [òraⁿj] *f.* orange. || **oranger** [-é] *m.* orange-tree.
orateur [òràtœr] *m.* orator. || **oratoire** [-wàr] *adj.* oratorical; *m.* oratory; chapel.
orbe [òrb] *m.* orb; globe; sphere. || **orbite** [-ìt] *f.* orbit; socket (anat.).
orchestre [òrkèstr] *m.* orchestra; *chef d'orchestre,* conductor; bandmaster. || **orchestrer** [-é] *v.* to score, to orchestrate.
orchidée [òrkìdé] *f.* orchid.
ordinaire [òrdìnèr] *adj.* ordinary, usual, customary, common; *m.* custom; daily fare; mess (mil.); *d'ordinaire,* usually, ordinarily; *peu ordinaire,* unusual.
ordinal [òrdìnàl] *adj.* ordinal.
ordonnance [òrdònaⁿs] *f.* order, arrangement; disposition; ordinance; prescription (med.); judgment (jur.); orderly (mil.). || **ordonnancement** [-maⁿ] *m.* order to pay. || **ordonnateur, -trice** [òrdònàtœr, -trìs] *m., f.* arranger; master of ceremonies; *adj.* directing, managing. || **ordonné** [-é] *adj.* orderly, regulated; tidy; ordained (eccles.). || **ordonner** [-é] *v.* to order, to command, to direct; to arrange; to tidy; to prescribe (med.).
ordre [òrdr] *m.* order, command; arrangement, sequence; orderliness, tidiness; discipline; class, category; array [bataille]; *pl.* holy orders; *numéro d'ordre,* serial number; *de premier ordre,* first-class.
ordure [òrdür] *f.* dirt, filth, muck; garbage, refuse, rubbish; dung; lewdness. || **ordurier** [-yé] *adj.* filthy, lewd; scurrilous.
orée [òré] *f.* verge, skirt, edge, border.
oreille [òrèy] *f.* ear; hearing; handle [anse]; *prêter l'oreille,* to listen attentively. || **oreiller** [-é] *m.* pillow. || **oreillette** [-èt] *f.* auricle. || **oreillons** [-oⁿ] *m. pl.* mumps (med.).
orfèvre [òrfèvr] *m.* goldsmith.
organe [òrgàn] *m.* organ (anat.); voice; agent, means, medium, instrument; part (mech.). || **organique** [-ìk] *adj.* organic. || **organisateur, -trice** [-ìzàtœr, -trìs] *m., f.* organizer; *adj.* organizing. || **organisation** [-ìzàsyoⁿ] *f.* organization; structure; organizing. || **organiser** [-ìzé] *v.* to organize; to form; to arrange; *s'organiser,* to get into working order. || **organisme** [-ìsm] *m.* organism; system (med.); organization, body.
organiste [òrgànìst] *m.* organist (mus.).
orge [òrj] *f.* barley.
orgelet [òrjᵉlè] *m.* stye (med.).
orgie [òrjì] *f.* orgy; profusion, riot [couleurs].
orgue [òrg] *m.* (*f.* in *pl.*) organ (mus.).
orgueil [òrgœy] *m.* pride, arrogance. || **orgueilleux** [-ë] *adj.* proud, haughty, arrogant.
orient [òryaⁿ] *m.* Orient, East; water [perle]. || **oriental** [-tàl] *adj.* Oriental, Eastern. || **orientation** [-tàsyoⁿ] *f.* orientation; direction; bearings. || **orienter** [-té] *v.* to orient; to take bearings; to direct; **s'orienter,** to find one's bearings, to get one's position.
orifice [òrìfìs] *m.* orifice, hole, opening, aperture.
originaire [òrìjìnèr] *adj.* originat-

ing; native; *m.* native; original member. || **original** [-àl] *adj.* original [texte]; inventive; eccentric [personne]. || **origine** [òrìjìn] *f.* origin; beginning; source. || **originel** [-ìnèl] *adj.* primordial, original, primitive.

oripeau [òrìpô] *m.* tinsel; *pl.* rags.

orme [òrm] *m.* elm-tree.

ornement [òrnᵉmaⁿ] *m.* ornament, adornment, embellishment, trimming. || **ornemental** [-tàl] *adj.* ornamental, decorative. || **orner** [òrné] *v.* to ornament, to adorn, to decorate, to trim.

ornière [òrnyèr] *f.* rut; groove.

orphelin [òrfᵉlìⁿ] *m.* orphan; *adj.* orphaned. || **orphelinat** [-ìnà] *m.* orphanage.

orteil [òrtèy] *m.* toe.

orthographe [òrtògràf] *f.* spelling, orthography; *faute d'orthographe,* misspelling. || **orthographier** [-yé] *v.* to spell.

ortie [òrtî] *f.* nettle.

orvet [òrvè] *m.* slow-worm, blindworm.

os [òs, *pl.* ô] *m.* bone.

oscillation [òsìllàsyoⁿ] *f.* oscillation; swing; vibration (mech.); fluctuation [marché]. || **osciller** [-é] *v.* to oscillate; to sway; to swing; to rock; to waver [personne]; to fluctuate [marché].

osé [òzé] *adj.* bold, daring.

oseille [òzèy] *f.* sorrel.

oser [òzé] *v.* to dare, to venture.

osier [òzyé] *m.* osier, willow (bot.); wicker.

ossature [òsàtür] *f.* frame, skeleton [corps]; ossature [bâtiment]; carcass (aviat.). || **ossements** [-man] *m. pl.* bones, remains [morts]. || **osseux** [-ë] *adj.* bony; osseous [tissu]. || **ossifier** [-ìfyé] *v.* to ossify.

ostensible [òstaⁿsìbl] *adj.* ostensible, patent. || **ostensoir** [-wàr] *m.* monstrance (eccles.). || **ostentateur, -trice** [òstaⁿtàtœr, -trìs] *adj.* ostentatious, showy. || **ostentation** [-àsyoⁿ] *f.* ostentation, show, display.

otage [òtàj] *m.* hostage; guarantee, surety.

otarie [òtàrî] *f.* otary, sea-lion.

ôter [ôté] *v.* to remove, to take off; to doff; to tip [chapeau]; to subtract, to deduct; **s'ôter,** to get out of the way.

ou [û] *conj.* or; either...or; else.

où [û] *adv.* where; when [temps]; at which, in which.

ouate [ûàt] *f.* wadding; cotton-wool. || **ouater** [-é] *v.* to wad; to pad; to quilt.

oubli [ûblì] *m.* forgetting, neglect; forgetfulness; oblivion; omission, oversight.

oublier [ûblyìé] *v.* to forget; to neglect; to overlook; **s'oublier,** to forget oneself, to be careless. || **oubliettes** [-ìyèt] *f. pl.* secret dungeon. || **oublieux** [-ìyë] *adj.* forgetful; oblivious; unmindful; remiss.

ouest [wèst] *m.* west; *adj.* west, western.

oui [wì] *adv.* yes.

ouï-dire [wìdîr] *m.* hearsay. || **ouïe** [wì] *f.* hearing; ear (mech.); *pl.* gills [poisson].

ouragan [ûràgaⁿ] *m.* hurricane, storm, gale, tempest.

ourdir [ûrdîr] *v.* to warp [tissu]; to hatch, to weave [complot, intrigue].

ourler [ûrlé] *v.* to hem; *ourler à jour,* to hemstitch. || **ourlet** [-è] *m.* hem.

ours [ûrs] *m.* bear. || **oursin** [-ìⁿ] *m.* sea-urchin. || **ourson** [-oⁿ] *m.* bear-cub.

outil [ûtì] *m.* tool, implement. || **outillage** [-yàj] *m.* tool set, tool kit; gear, equipment, machinery [usine]. || **outiller** [-yé] *v.* to equip with tools.

outrage [ûtràj] *m.* outrage. || **outrager** [-é] *v.* to outrage, to insult; to desecrate. || **outrageux** [-ë] *adj.* insulting, scurrilous.

outre [ûtr] *prep.* beyond; in addition to; *adv.* further; *en outre,* besides, moreover; *passer outre,* to go on; to ignore, to overrule (jur.); **outrecuidant,** overweening, presumptuous; cocksure (fam.); **outre-mer,** overseas; **outrepasser,** to exceed; to exaggerate. || **outré** [-é] *adj.* excessive, undue; infuriated. || **outrer** [-é] *v.* to exaggerate; to overdo; to infuriate.

ouvert [ûvèr] *adj.* open, opened. || **ouverture** [-tür] *f.* opening; aperture; overture (mus.); mouth [baie]; *heures d'ouverture,* business hours.

ouvrable [ûvràbl] *adj.* workable;

jour ouvrable, working-day. || **ouvrage** [-àj] *m.* work; product. || **ouvragé** [-àjé] *adj.* wrought; figured. || **ouvré** [-é] *adj.* worked [bois]; wrought [fer].

ouvreur [ûvrœr] *m.* opener; usher (theat.). || **ouvreuse** [-ëz] *f.* usherette (theat.).

ouvrier [ûvrìyé] *m.* worker; workman; craftsman; labo(u)rer; *adj.* working, operative; *classe ouvrière,* working class.

ouvrir [ûvrîr] *v.** to open; to unfasten, to unlock [porte]; to turn on [lumière]; to cut through [canal]; to begin, to start [débat]; **s'ouvrir,** to open; to unburden oneself; **ouvre-boîtes,** *Am.* can opener, *Br.* tin-opener.

ovale [òvàl] *adj.* oval; egg-shaped.

ovation [òvàsyo^n] *f.* ovation.

oxygène [òksìjèn] *m.* oxygen. || **oxygéné** [-éné] *adj.* oxygenated; peroxide [eau].

P

pacage [pàkàj] *m.* pasture-land; pasturage.

pacificateur, -trice [pàsìfikàtœr, -trìs] *m., f.* pacifier; *adj.* pacifying. || **pacifier** [pàsìfyé] *v.* to pacify, to appease. || **pacifique** [-ìk] *adj.* pacific, peaceful.

pacotille [pàkòtîy] *f.* shoddy goods, trash.

pacte [pàkt] *m.* pact, agreement. || **pactiser** [-ìzé] *v.* to come to terms, to make a pact.

pagaie [pàgè] *f.* paddle.

pagaïe, pagaille [pàgày] *f.* disorder, clutter, mess, muddle.

paganisme [pàgànìsm] *m.* paganism.

page [pàj] *f.* page; *à la page,* up to date.

page [pàj] *m.* page-boy, *Am.* bellhop.

paie [pè] *f.* wages [ouvrier]; *jour de paie,* pay-day. || **paiement** [-ma^n] *m.* payment; disbursement.

païen [pàyi^n] *m., adj.* pagan, heathen.

paillasse [pàyàs] *f.* straw mattress, pallet; *m.* clown. || **paillasson** [-o^n] *m.* mat, matting; door-mat. || **paille** [pày] *f.* straw; chaff [balle]; flaw [joyau]; *paille de fer,* iron shavings, steel wool; *tirer à la courte paille,* to draw straws.

pailleter [pàyté] *v.* to spangle. || **paillette** [-èt] *f.* spangle; flake; flaw [joyau].

pain [pi^n] *m.* bread; loaf; cake, bar [savon]; lump [sucre]; *pain grillé,* toast; *petit pain,* roll; *pain bis,* brown bread; *pain complet,* wholewheat bread; *pain d'épice,* gingerbread.

pair [pèr] *m.* peer; equal; par; *adj.* equal; even [numéro]; *au pair,* for board and lodging. || **paire** [pèr] *f.* pair; couple; brace [perdrix]; yoke [bœufs].

paisible [pèzìbl] *adj.* peaceful.

paître [pètr] *v.** to graze, to crop, to feed.

paix [pè] *f.* peace; quiet.

palais [pàlè] *m.* palace; law-courts; palate (med.).

palan [pàla^n] *m.* pulley-block, tackle.

pâle [pâl] *adj.* pale, pallid; wan; ashen.

paletot [pàltô] *m.* overcoat, greatcoat.

palette [pàlèt] *f.* blade [aviron]; paddle [roue]; palette [artiste]; battledore, bat [jeu].

pâleur [pâlœr] *f.* paleness, pallor, pallidness, wanness.

palier [pàlyé] *m.* landing; stage; plummer-block (mech.); horizontal flight (aviat.)

pâlir [pâlîr] *v.* to grow pale, to blanch; to fade.

palissade [pàlìsàd] *f.* paling, fence, palisade; stockade.

palissandre [pàlìsa^{n}dr] *m.* rosewood.

pallier [pàlyé] *v.* to palliate, to mitigate, to alleviate.

palme [pàlm] *f.* palm-branch. || **palmé** [-é] *adj.* palmate (bot.); web-footed. || **palmier** [-yé] *m.* palm-tree. || **palmipède** [-ìpèd] *m., adj.* palmiped; web-footed.

palpable [pàlpàbl] *adj.* palpable; tangible; obvious. || **palper** [-é] *v.* to feel, to touch; to palpate (med.).

palpitation [pàlpìtàsyo^n] *f.* palpitation; throb; fluttering [pouls]. || **palpiter** [-*é*] *v.* to palpitate; to throb, to beat [cœur]; to quiver.
pamphlet [pa^{n}flè] *m.* lampoon, satire.
pamplemousse [pa^{n}pl^{e}mûs] *m.* grapefruit.
pan [pa^n] *m.* nap; section; face [prisme]; piece; side, panel [mur]; patch, stretch [ciel].
panache [pànàsh] *m.* plume, tuft; trail [fumée]; stripe [couleurs]; swagger, flourish. || **panaché** [-*é*] *adj.* plumed; feathered; variegated; mixed, assorted; *m.* shandy.
panais [pànè] *m.* parsnip.
panaris [pànàrì] *m.* whitlow, felon (med.).
pancarte [pa^{n}kàrt] *f.* placard, bill; label; show card.
panier [pànyé] *m.* basket; hamper; pannier, hoop-skirt; (fam.) *panier à salade,* prison van, Black Maria.
panique [pànìk] *f., adj.* panic.
panne [pàn] *f.* hog's fat.
panne [pàn] *f.* breakdown, mishap; *en panne,* out of order, *Am.* on the blink (fam.); hove to (naut.); *panne de moteur,* engine trouble.
panneau [pànô] *m.* snare, net [chasse]; panel [bois]; bulletin-board [affiches]; hatch (naut.).
panse [pa^{n}s] *f.* belly (fam.), paunch.
pansement [pa^{n}sma^n] *m.* dressing. || **panser** [-*é*] *v.* to dress; to groom [cheval].
pantalon [pa^{n}tàlo^n] *m.* long pants, trousers, pair of pants; drawers, knickers.
panteler [pa^{n}tlé] *v.* to pant.
panthère [pa^{n}tèr] *f.* panther.
pantin [pa^{n}ti^n] *m.* jumping-jack; puppet [personne].
pantoufle [pa^{n}tûfl] *f.* slipper.
paon [pa^n] *m.* peacock.
papa [pàpà] *m.* papa, daddy, dad.
papal [pàpàl] *adj.* papal. || **papauté** [-ôté] *f.* papacy. || **pape** [pàp] *m.* pope.
paperasse [pàpràs] *f.* useless paper; red tape.
papeterie [pàptrî] *f.* paper-shop; stationery; paper-manufacturing. || **papetier** [-tyé] *m.* stationer; paper-manufacturer. || **papier** [-yé] *m.* paper; document; *papier buvard,* blotting paper; *papier collant,* sticking-tape; *papier écolier,* foolscap; *papier d'emballage,* wrapping paper; *papier à lettres,* writing paper; *papier peint,* wallpaper; *papier pelure,* tissue paper, onion-skin paper; *papier de soie,* silk paper; *papier de verre,* sandpaper.
papillon [pàpìyo^n] *m.* butterfly; leaflet; fly-bill [affiche]; rider [document]; throttle [auto]; bow-tie [nœud].
papilloter [pàpìyòté] *v.* to blink [yeux]; to twinkle, to flicker [lumière]; to dazzle, to glitter; to curl [cheveux].
pâque [pâk] *f.* Passover.
paquebot [pàkbô] *m.* passenger-liner, packet-boat.
pâquerette [pâkrèt] *f.* daisy.
Pâques [pâk] *f. pl.* Easter.
paquet [pàkè] *m.* package, parcel; bundle; mail.
par [pàr] *prep.* by; per; through; from; *par exemple,* for example, for instance; *par la fenêtre,* out of the window; *par ici,* this way; *par trop,* far too much; **par-dessous,** underneath, below; **par-dessus,** over, above; *par-dessus le marché,* into the bargain.
parachute [pàràshüt] *m.* parachute. || **parachutiste** [-ìst] *m.* parachutist; paratrooper.
parade [pàràd] *f.* parade, show, ostentation; checking [cheval]; parry [escrime]. || **parader** [-é] *v.* to parade; to strut.
paradis [pàràdì] *m.* paradise; top gallery, cheap seats, *Br.* the gods (theat.).
paradoxe [pàràdòks] *m.* paradox.
parages [pàràj] *m. pl.* localities [océan]; latitudes, regions (naut.); parts, quarters, vicinity.
paragraphe [pàràgràf] *m.* paragraph.
paraître [pàrètr] *v.** to appear; to seem, to look; to be published, to come out [livre]; *vient de paraître,* just out.
parallèle [pàràllèl] *f., adj.* parallel; *m.* parallel, comparison.
paralyser [pàràlìzé] *v.* to paralyse; to incapacitate. || **paralysie** [-î] *f.* paralysis; palsy.
parapet [pàràpè] *m.* parapet; breastwork [château-fort].
parapluie [pàràplüì] *m.* umbrella.
parasite [pàràzìt] *m.* parasite; sponger, hanger-on [personne];

interference, *Am.* (pop.) bugs [radio]; *adj.* parasitic.
parasol [pàràsòl] *m.* parasol, sunshade; visor (auto).
paratonnerre [pàràtònèr] *m.* lightning-rod.
paravent [pàràvaⁿ] *m.* folding-screen.
parc [pàrk] *m.* park; enclosure; paddock [chevaux]; pen [bestiaux]; fold [moutons]; bed [huîtres].
parcelle [pàrsèl] *f.* fragment, particle; lot, plot; instalment.
parce que [pàrskᵉ] *conj.* because.
parchemin [pàrshᵉmiⁿ] *m.* parchment.
parcourir [pàrkûrìr] *v.** to travel through, to go over, to traverse; to examine, to peruse, to look over [texte]; to cover [distance]. || **parcours** [pàrkûr] *m.* distance covered; course, way, road, route.
pardessus [pàrdᵉsü] *m.* overcoat, greatcoat, top-coat.
pardon [pàrdoⁿ] *m.* pardon; forgiveness; excuse me; pilgrimage [Bretagne]. || **pardonner** [-òné] *v.* to pardon, to forgive, to excuse.
pareil [pàrèy] *adj.* like, alike, similar; equal, same, identical; such, like that; *m.* equal, match.
parement [pàrmaⁿ] *m.* adorning; ornament; cuff [manche]; facing [col]; dressing [pierre]; *Br.* kerb, *Am.* curbstone.
parent [pàraⁿ] *m.* relative, kinsman; *pl.* parents; relatives; *plus proche parent,* next-of-kin. || **parenté** [-té] *f.* kinship, relationship; consanguinity.
parenthèse [pàraⁿtèz] *f.* parenthesis; bracket; digression.
parer [pàré] *v.* to adorn, to deck out; to trim; to array.
parer [pàré] *v.* to avoid, to ward off; to guard against, to avert, to obviate; to parry [boxe, escrime]; to reduce sail (naut.); *pare-brise, Br.* windscreen, *Am.* windshield [auto]; *pare-chocs,* bumper, *Br.* fender.
paresse [pàrès] *f.* laziness, idleness, sloth. || **paresseux** [-ë] *adj.* lazy, idle, slothful; *m.* idler, loafer, sloth.
parfait [pàrfè] *adj.* perfect, faultless, flawless; *m.* perfect (gramm.).
parfois [pàrfwà] *adv.* sometimes, at times, occasionally, now and then.
parfum [pàrfuⁿ] *m.* perfume; scent, fragrance; flavo(u)r [glace]; bouquet [vin]. || **parfumer** [-ümé] *v.* to perfume, to scent.
pari [pàrì] *m.* bet, wager; betting; *pari mutuel,* mutual stake; totalizator system.
Paris [pàrì] *m.* Paris. || **parisien** [-zyiⁿ] *adj.* Parisian.
parjure [pàrjür] *m.* perjury; perjurer; *adj.* perjured, forsworn. || **parjurer (se)** [-é] *v.* to perjure oneself, to forswear oneself.
parlant [pàrlaⁿ] *adj.* speaking, talking; life-like [portrait]; sound [film]. || **Parlement** [-ᵉmaⁿ] *m.* legislative assembly; *Br.* Parliament, *Am.* Congress. || **parlementaire** [-ᵉmaⁿtèr] *adj.* parliamentary; *Am.* Congressional; *m. Br.* Member of Parliament, *Am.* Congressman. || **parlementer** [-ᵉmaⁿté] *v.* to parley. || **parler** [pàrlé] *v.* to speak, to talk; to converse; *m.* speech; accent; dialect. || **parleur** [-œr] *m.* talker, speaker; announcer. || **parloir** [-wàr] *m.* parlo(u)r.
parmi [pàrmì] *prep.* among, amid.
parodie [pàròdì] *f.* parody. || **parodier** [-yé] *v.* to parody, to travesty, to burlesque.
paroi [pàrwà] *f.* partition-wall; inner side.
paroisse [pàrwàs] *f.* parish. || **paroissial** [-yàl] *adj.* parochial. || **paroissien** [-yiⁿ] *m.* parishioner; prayer book.
parole [pàròl] *f.* word; utterance; promise; parole (mil.); speech, speaking, delivery; eloquence; *avoir la parole,* to have the floor.
paroxysme [pàròksìsm] *m.* paroxysm; culminating point.
parquer [pàrké] *v.* to pen [bestiaux]; to fold [moutons]; to put in paddock [cheval]; to park [auto]; to enclose. || **parquet** [-è] *m.* floor, flooring; public prosecutor's department; ring [Bourse].
parrain [pàriⁿ] *m.* godfather; sponsor; proposer.
parsemer [pàrsᵉmé] *v.* to strew, to sprinkle; to stud, to spangle.
part [pàr] *f.* share, part, portion; participation; place where; *à part,* apart, separately, aside; except for; *autre part,* elsewhere; *d'une part... d'autre part,* on one hand...

on the other hand; *d'autre part,* besides; *de part et d'autre,* on all sides; *de part en part,* through and through; *de la part de,* from, by courtesy of; *nulle part,* nowhere. || **partage** [-tàj] *m.* division; sharing, allotment, apportionment; partition; share, portion, lot. || **partager** [-tàjé] *v.* to share; to divide; to apportion; to split; to halve [en deux].

partenaire [pàrtᵉnèr] *m.* partner; sparring partner [boxe].

parterre [pàrtèr] *m.* flower-bed; pit (theat.).

parti [pàrtì] *m.* party [politique]; side; choice, course; decision; advantage, profit; match [mariage]; detachment (mil.); *parti pris,* foregone conclusion; *prendre son parti de,* to resign oneself to; *tirer parti de,* to turn to account.

partial [pàrsyàl] *adj.* partial; biased, one-sided. || **partialité** [-ìté] *f.* partiality, bias.

participe [pàrtìsìp] *m.* participle. || **participer** [-é] *v.* to participate; to take part (*à,* in); to share; to partake.

particularité [pàrtìkülàrìté] *f.* particularity; detail; peculiarity.

particule [pàrtìkül] *f.* particle.

particulier [pàrtìkülyé] *adj.* particular, special; peculiar, characteristic; uncommon; private [chambre, leçon]; *m.* individual.

partie [pàrtî] *f.* part; party; game; match, contest; parcel, lot (comm.); *partie civile,* plaintiff; *partie double,* double entry (comm.); *partie nulle,* tied score. || **partiel** [pàrsyèl] *adj.* partial.

partir [pàrtîr] *v.** to depart, to leave, to go, to be off; to set out, to start; to go off [fusil]; to emanate, to spring from; *à partir de,* from, starting with.

partisan [pàrtìzaⁿ] *m.* partisan, follower; upholder, supporter; backer [politique].

partition [pàrtìsyoⁿ] *f.* score (mus.).

partout [pàrtû] *adv.* everywhere, all over, on all sides, in every direction; all [tennis].

parure [pàrür] *f.* adornment, ornament; finery.

parvenir [pàrvᵉnîr] *v.** to arrive; to reach; to succeed (*à,* in). || **parvenu** [-ü] *m.* upstart, parvenu.

pas [pâ] *m.* step, pace, stride, gait, walk; footprint; threshold [seuil]; pass, passage; straits (geogr.); thread [vis]; *adv.* no; not; *faux pas,* slip; misstep.

pas [pâ] *adv.* not, no, none.

passable [pàsàbl] *adj.* passable, acceptable. || **passablement** [-ᵉmaⁿ] *adv.* rather, fairly, tolerably.

passage [pàsàj] *m.* passage; lane; extract [livre]; transition; arcade [voûté]; *passage clouté,* pedestrian crossing, *Am.* pedestrian lane; *passage à niveau,* railway crossing, *Am.* grade crossing. || **passager** [-é] *adj.* fleeting, transitory; momentary; migratory; *m.* passer-by; passenger. || **passant** [pàsaⁿ] *adj.* busy, frequented; *m.* passer-by, wayfarer; *en passant,* by the way. || **passe** [pâs] *f.* passing, passage; permit, pass; thrust, pasado [escrime]; situation, predicament; navigable channel (naut.); overplus (typogr.); *adv.* all right; let it be so; *mauvaise passe,* bad fix; *mot de passe,* password; **passe-droit,** unjust favo(u)r; **passe-lacet,** bodkin; **passe-partout,** master-key; **passe-passe,** sleight-of-hand; **passeport,** passport; **passe-temps,** pastime. || **passé** [-é] *adj.* past; gone; vanished; faded; *m.* past; past tense (gramm.). || **passer** [pàsé] *v.* to pass; to go; to cross; to die, to pass away; to vanish; to fade; to spend [temps]; to sift [farine]; to strain [liquide]; to put on [vêtement]; to take, to undergo [examen]; to excuse [erreur]; **se passer,** to happen, to take place; to cease; to elapse [temps]; *se passer de,* to do without, to dispense with; to refrain from.

passerelle [pàsrèl] *f.* foot-bridge; gangway; bridge (naut.).

passeur [pàsœr] *m.* ferryman.

passible [pàsìbl] *adj.* passible; liable, subject.

passif [pàsìf] *adj.* passive; *m.* passive; liabilities, debt (comm.).

passion [pàsyoⁿ] *f.* passion; craze. || **passionnant** [-yònaⁿ] *adj.* entrancing, thrilling, fascinating. || **passionné** [-yòné] *adj.* passionate, impassioned, ardent, warm, eager; *m.* enthusiast, (fam.) fan. || **passionner** [-yòné] *v.* to impassion; to excite; to fascinate; **se passionner,** to be impassioned.

passoire [pàswàr] *f.* strainer; colander [légumes].
pastel [pàstèl] *m.* pastel; crayon; *adj.* pastel.
pastèque [pàstèk] *f.* water-melon.
pasteur [pàstœr] *m.* minister, pastor; shepherd.
pastiche [pàstìsh] *m.* pastiche.
pastille [pàstìy] *f.* pastille, lozenge; troche.
pastoral [pàstòràl] *adj.* pastoral.
patate [pàtàt] *f.* sweet potato; (fam.) potato.
pataud [pàtô] *m.* clumsy-footed puppy; lout. || **patauger** [-ôjé] *v.* to flounder; to wallow; to paddle, to wade.
pâte [pât] *f.* paste; dough, batter [cuisine]; kind, mould. || **pâté** [-é] *m.* pie; patty, pasty; paste [foie]; block [maisons]; clump [arbres]; blot [encre]. || **pâtée** [-é] *f.* coarse food; dog food; mash [volaille].
patent [pàtaⁿ] *adj.* patent; obvious. || **patente** [-aⁿt] *f.* licence; tax (comm.); bill of health (naut.).
patère [pàtèr] *f.* hat-peg, coat-peg; curtain-hook.
paternel [pàtèrnèl] *adj.* paternal, fatherly. || **paternité** [-ìté] *f.* paternity, fatherhood.
pâteux [pâtë] *adj.* pasty, clammy; thick, dull [voix].
pathétique [pàtétìk] *adj.* pathetic, moving; *m.* pathos.
pathos [pàtòs] *m.* bathos; affected pathos, bombast.
patience [pàsyaⁿs] *f.* patience, endurance, forbearance; perseverance; solitaire [cartes]. || **patient** [-yaⁿ] *adj.* patient, enduring, forbearing; *m.* sufferer; patient. || **patienter** [-yaⁿté] *v.* to exercise patience; to wait patiently.
patin [pàtiⁿ] *m.* skate; runner [traîneau]; skid (aviat.); shoe (mech.); base, flange (railw.); trolley [transbordeur]; patten (arch.); *patin à roulettes*, roller-skate. || **patiner** [-ìné] *v.* to skate. || **patineur** [-ìnœr] *m.* skater.
pâtir [pâtìr] *v.* to suffer.
pâtisserie [pâtìsrì] *f.* pastry; pastry shop; pastry-making; *pl.* cakes. || **pâtissier** [-yé] *m.* pastry-cook.
patois [pàtwà] *m.* dialect, patois; jargon, lingo.
pâtre [pâtr] *m.* herdsman; shepherd.
patriarche [pàtrìàrsh] *m.* patriarch.
patrie [pàtrì] *f.* fatherland, native land; mother country; home, birthplace.
patrimoine [pàtrìmwàn] *m.* patrimony, inheritance.
patriote [pàtrìòt] *m., f.* patriot. || **patriotique** [-ìk] *adj.* patriotic. || **patriotisme** [-ìsm] *m.* patriotism.
patron [pàtroⁿ] *m.* patron; protector; master; proprietor, boss; skipper (naut.); pattern, model. || **patronner** [-òné] *v.* to patronize, to protect; to pattern; to stencil.
patrouille [pàtrûy] *f.* patrol.
patte [pàt] *f.* paw [animal]; foot [oiseau]; leg [insecte]; flap [poche, enveloppe]; tab, strap [vêtement]; hasp, fastening; *à quatre pattes*, on all fours; *graisser la patte*, to bribe; **patte-d'oie**, crow's-foot [ride].
pâturage [pâtüràj] *m.* grazing; pasture; pasture-land. || **pâturer** [-é] *v.* to graze, to pasture; to feed.
paume [pôm] *f.* palm [main]; tennis [jeu]. || **paumer** [-é] *v.* (fam.) to cop; to lose.
paupière [pôpyèr] *f.* eyelid.
pause [pôz] *f.* pause; stop; rest.
pauvre [pôvr] *adj.* poor; needy, penurious, indigent; scanty; unfortunate, wretched; *m., f.* pauper; beggar; *pauvre d'esprit*, dull-witted. || **pauvreté** [-ᵉté] *f.* poverty, indigence; wretchedness.
pavé [pàvé] *m.* paving-stone; paving-block; street; *sur le pavé*, out of work. || **paver** [-é] *v.* to pave.
pavillon [pàvìyoⁿ] *m.* pavilion; tent; canopy; detached building; cottage; horn [phonographe]; flag, colo(u)rs (naut.).
pavoiser [pàvwàzé] *v.* to deck out; to dress (naut.).
pavot [pàvô] *m.* poppy.
paye, *see* **paie**. || **payement**, *see* **paiement**. || **payer** [pèyé] *v.* to pay; to pay for; to defray [frais]; to remunerate, to requite; to expiate, to atone for; *payer d'audace*, to brazen it out; *payer de sa personne*, to risk one's skin; **se payer**, to be paid; to treat oneself to; *se payer la tête de*, to make fun of (someone); *s'en payer*, to have a good time. || **payeur** [-pèyœr] *m.* payer; disburser; paymaster (mil.).

pays [pèì] *m.* country, land; region; fatherland, home, birthplace; *mal du pays,* homesickness. || **paysage** [-zàj] *m.* landscape; scenery. || **paysan** [-zaⁿ] *m., adj.* peasant, rustic; countryman.
peau [pô] *f.* skin; hide, pelt; leather [animal]; rind, peel, husk [fruit, légume]; coating, film [lait].
pêche [pèsh] *f.* peach [fruit].
pêche [pèsh] *f.* fishing; catch; angling [ligne].
péché [péshé] *m.* sin; trespass; transgression; *péché mignon,* weak point. || **pécher** [-é] *v.* to sin; to trespass; to offend.
pêcher [pèshé] *m.* peach-tree.
pêcher [pèshé] *v.* to fish; to angle; to drag up. || **pêcherie** [-rî] *f.* fishery; fishing-ground. || **pêcheur** [-œr] *m.* fisher, fisherman, angler.
pécheur, -eresse [peshœr, -rès] *m., f.* sinner, offender; trespasser, transgressor; *adj.* sinning.
pédagogue [pédàgòg] *m., f.* pedagogue.
pédale [pédàl] *f.* pedal; treadle; *pédale d'embrayage,* clutch [auto]. || **pédaler** [-é] *v.* to pedal; to bicycle. || **pédalier** [-yé] *m.* crank-gear; pedal-board [orgue]; pedalier.
pédant [pédaⁿ] *adj.* pedantic, priggish; *m.* pedant, prig.
pédestre [pédèstr] *adj.* pedestrian.
pédicure [pédìkür] *m., f.* chiropodist.
pègre [pègr] *f.* underworld, *Am.* gangsterdom.
peigne [pèñ] *m.* comb; clam. || **peigner** [-é] *v.* to comb; to card [laine]. || **peignoir** [-wàr] *m.* dressing-gown, bath-robe, wrapper.
peindre [piⁿdr] *v.** to paint; to portray; to depict.
peine [pèn] *f.* punishment; penalty; pain, affliction; grief, sorrow; trouble, difficulty; labo(u)r, toil; *à peine,* hardly, scarcely; *faire de la peine à,* to hurt, to grieve; *être en peine de,* to be at a loss to; *valoir la peine,* to be worthwhile; *se donner la peine de,* to take the trouble to; *sous peine de,* under penalty of, under pain of. || **peiner** [-é] *v.* to pain, to grieve; to toil, to labo(u)r; **se peiner,** to grieve, to fret.
peintre [piⁿtr] *m.* painter. || **peinture** [-ür] *f.* paint; painting, picture; *attention à la peinture,* fresh paint, wet paint.
péjoratif [péjòràtìf] *adj.* pejorative, depreciatory, disparaging.
pelage [pᵉlàj] *m.* pelt, coat; wool, fur; skinning; peeling.
pêle-mêle [pèlmèl] *m.* disorder, jumble, mess; confusion; *adv.* pell-mell, confusedly, helter-skelter, promiscuously.
peler [pᵉlé] *v.* to peel, to skin, to pare, to strip.
pèlerin [pèlriⁿ] *m.* pilgrim. || **pèlerinage** [-ìnàj] *m.* pilgrimage. || **pèlerine** [-în] *f.* cape, tippet.
pelle [pèl] *f.* shovel, scoop, spade; dustpan.
pellicule [pèlìkül] *f.* film; dandruff, scurf [cuir chevelu].
pelote [pᵉlòt] *f.* ball; pincushion; pelota [jeu]. || **peloton** [-oⁿ] *m.* ball; group; platoon; squad [exécution].
pelouse [pᵉlûz] *f.* lawn, grass plot.
peluche [pᵉlüsh] *f.* plush.
pelure [pᵉlür] *f.* peel, rind, paring; onionskin [papier].
pénal [pénàl] *adj.* penal. || **pénalité** [-ìté] *f.* penalty.
penaud [pᵉnô] *adj.* abashed, crest-fallen, sheepish.
penchant [paⁿchaⁿ] *m.* slope, declivity; leaning, tilt, inclination; propensity; bent, tendency; *adj.* sloping, inclined; leaning. || **pencher** [-é] *v.* to tilt, to slope, to incline, to bend; to lean; **se pencher,** to stoop over, to bend; to slope, to be inclined.
pendable [paⁿdàbl] *adj.* meriting the gallows; abominable; scurvy [tour]. || **pendaison** [-èzoⁿ] *f.* hanging. || **pendant** [-aⁿ] *m.* pendant; counterpart; *adj.* pendent, hanging; depending; *prep.* during; *pendant que,* while. || **pendeloque** [-lòk] *f.* ear-drop, earring. || **pendentif** [-aⁿtìf] *m.* pendentive (arch.); pendant. || **penderie** [-rî] *f.* closet, wardrobe. || **pendre** [paⁿdr] *v.* to hang; to suspend; to be hanging. || **pendu** [paⁿdü] *m.* person hanged; *adj.* hung, hanging; hanged [personne]. || **pendule** [paⁿdül] *m.* pendulum; *f.* clock, time-piece.
pêne [pèn] *m.* bolt; latch.
pénétrant [pénétraⁿ] *adj.* penetrating; keen, searching; impressive; acute; piercing [froid].

|| **pénétration** [-àsyo^{n}] *f.* penetration; acuteness, shrewdness. || **pénétrer** [-é] *v.* to penetrate, to go through; to enter; to affect; to pierce; to see through (someone); to go deep into [pays].
pénible [pénìbl] *adj.* painful, laborious; wearisome; distressing.
péniche [pénìsh] *f.* pinnace; barge; landing-craft (mil.).
pénicilline [pénisilìn] *f.* penicillin.
péninsule [péni^{n}sül] *f.* peninsula.
pénitence [pénìta^{n}s] *f.* penitence, repentance; penance, punishment; penalty [jeux]. || **pénitent** [-a^{n}] *m.* penitent. || **pénitentiaire** [-a^{n}syèr] *adj.* penitentiary.
pénombre [péno^{n}br] *f.* penumbra; gloom; dusk.
pensée [pa^{n}sé] *f.* thought; sentiment, opinion; notion, idea; conviction; pansy (bot.); arrière-pensée, ulterior motive. || **penser** [-é] *v.* to think; to reflect; to consider; *pensez-vous!,* just imagine! don't believe it! || **penseur** [-œr] *m.* thinker. || **pensif** [-ìf] *adj.* pensive, thoughtful; wistful.
pension [pa^{n}syo^{n}] *f.* boarding-house; boarding-school; payment for board; pension, annuity. || **pensionnaire** [-yònèr] *m., f.* boarder; in-pupil; pensioner. || **pensionnat** [-yònà] *m.* boarding-school. || **pensionner** [-yòné] *v.* to pension.
pente [pa^{n}t] *f.* slope, declivity; incline, gradient; tilt, pitch [toit]; propensity, bent; *aller en pente,* to slope.
Pentecôte [pa^{n}tkôt] *f.* Whitsuntide.
pénurie [pénürî] *f.* scarcity, dearth, want; shortage; penury.
pépie [pépî] *f.* pip, roup.
pépin [pépi^{n}] *m.* kernel, pip, stone, pit; umbrella (fam.); hitch, snag (fam.) || **pépinière** [-ìnyèr] *f.* nursery garden; seedbed; professional preparatory school.
pépite [pépìt] *f.* nugget.
perçant [pèrsa^{n}] *adj.* piercing; sharp; shrill. || **percement** [-ma^{n}] *m.* piercing; boring; perforation; tunneling.
percepteur [pèrsèptœr] *m.* collector of taxes. || **perceptible** [-tìbl] *adj.* perceptible; audible; collectable. || **perception** [-syo^{n}] *f.* perception; gathering; collector's office.
percer [pèrsé] *v.* to pierce; to bore, to drill; to perforate; to broach; to penetrate; to open; to become known; to break through (mil.); to cut through [rue].
percevoir [pèrs^{e}wàr] *v.* to perceive; to collect.
perche [pèrsh] *f.* perch [poisson].
perche [pèrsh] *f.* perch, pole, rod. || **percher** [-é] *v.* to perch, to roost. || **perchoir** [-wàr] *m.* roost.
perclus [pèrklü] *adj.* impotent; anchylosed.
percussion [pèrküsyo^{n}] *f.* percussion. || **percuter** [-üté] *v.* to strike.
perdant [pèrda^{n}] *adj.* losing; *m.* loser. || **perdition** [-ìsyo^{n}] *f.* loss; wreck; perdition (eccles.); distress (naut.). || **perdre** [pèrdr] *v.* to lose; to waste; to ruin; to forfeit; *perdre de vue,* to lose sight of; se perdre, to be lost; to lose one's way; to spoil [aliment].
perdreau [pèrdrô] *m.* young partridge.
perdrix [pèrdrì] *f.* partridge.
perdu [pèrdü] *adj.* lost; ruined; wrecked; spoilt; spent [balle].
père [pèr] *m.* father; sire; *pl.* forefathers.
perfection [pèrfèksyo^{n}] *f.* perfection. || **perfectionnement** [-yònma^{n}] *m.* perfecting, improvement; *école de perfectionnement,* finishing school. || **perfectionner** [-yòné] *v.* to perfect, to improve.
perfide [pèrfìd] *adj.* perfidious, false, faithless. || **perfidie** [-î] *f.* perfidy, treachery; false-heartedness. || **perforatrice** [pèrfòràtrìs] *f.* boring-machine, drill. || **perforer** [-é] *v.* to perforate, to bore.
péril [péril] *m.* peril, danger; jeopardy; risk. || **périlleux** [péríyë] *adj.* perilous, dangerous, hazardous.
périmé [périmé] *adj.* lapsed, expired, overdue, forfeit; out of date.
périmètre [périmètr] *m.* perimeter.
période [péryòd] *f.* period; age, era, epoch; phase (med.). || **périodique** [-ìk] *m.* periodical; *adj.* periodic.
péripétie [péripési] *f.* sudden change; catastrophe; vicissitude; mishap.
périphrase [périfrâz] *f.* circumlocution.
périr [périr] *v.* to perish; to die. || **périssable** [-ìsàbl] *adj.* perishable.

perle [pèrl] *f.* pearl; bead. || **perlé** [-é] *adj.* pearly. || **perler** [-é] *v.* to bead.

permanence [pèrmànaⁿs] *f.* permanence; offices; *en permanence,* without interruption. || **permanent** [-aⁿ] *adj.* permanent, lasting.

permettre [pèrmètr] *v.** to permit, to allow, to let; *vous permettez?,* allow me?; **se permettre,** to take the liberty (of). || **permis** [-ì] *m.* permit; permission; pass; licence. || **permission** [-ìsyoⁿ] *f.* permission; leave, furlough (mil.); **permissionnaire,** soldier on furlough.

permuter [pèrmüté] *v.* to permute.

pernicieux [pèrnìsyë] *adj.* pernicious, injurious.

perpétrer [pèrpétré] *v.* to perpetrate; to commit.

perpétuel [pèrpétüèl] *adj.* perpetual; endless, everlasting. || **perpétuer** [-üé] *v.* to perpetuate.

perplexe [pèrplèks] *adj.* perplexed; perplexing. || **perplexité** [-ìté] *f.* perplexity.

perquisition [pèrkìzìsyoⁿ] *f.* perquisition, search. || **perquisitionner** [-yòné] *v.* to search.

perron [pèroⁿ] *m.* front steps.

perroquet [pèròkè] *m.* parrot; topgallant sail (naut.).

perruche [pèrüsh] *f.* parakeet.

perruque [pèrük] *f.* wig.

persécuter [pèrsékülé] *v.* to persecute; to importune; to harass, to pester. || **persécution** [-üsyoⁿ] *f.* persecution; importunity.

persévérance [pèrsévéraⁿs] *f.* perseverance. || **persévérer** [-é] *v.* to persevere; to persist.

persienne [pèrsyèn] *f.* shutter; Venetian blind.

persiflage [pèrsìflàj] *m.* persiflage; banter, chaff.

persil [pèrsì] *m.* parsley.

persistance [pèrsìstaⁿs] *f.* persistence. || **persistant** [-aⁿ] *adj.* persistent; perennial (bot.). || **persister** [-é] *v.* to persist.

personnage [pèrsònàj] *m.* personage, person; character (theat.). || **personnalité** [-àlìté] *f.* personality; person. || **personne** [pèrsòn] *f.* person; body; *indef. pron. m.* no one, nobody, not anyone. || **personnel** [-èl] *adj.* personal; individual; *m.* personnel, staff of employees. || **personnifier** [-ìfyé] *v.* to personify, to impersonate; to embody.

perspective [pèrspèktìv] *f.* perspective; prospect; *en perspective,* in view.

perspicace [pèrspìkàs] *adj.* perspicacious, shrewd. || **perspicacité** [-ìté] *f.* perspicacity, shrewdness, insight; acumen; clearsightedness.

persuader [pèrsüàdé] *v.* to persuade, to induce; to convince. || **persuasif** [-üàzìf] *adj.* persuasive; convincing. || **persuasion** [-üàzyoⁿ] *f.* persuasion.

perte [pèrt] *f.* loss; waste; leakage; defeat (mil.); casualty (mil.); discharge (med.); *à perte de vue,* as far as the eye can see.

pertinent [pèrtìnaⁿ] *adj.* pertinent, relevant.

perturbateur, -trice [pèrtürbàtœr, -trìs] *m., f.* disturber, upsetter; *adj.* disturbing; upsetting.

pervers [pèrvèr] *adj.* perverse; depraved [goût]; warped [esprit]; wicked; *m.* evil-doer; pervert [sexuel]. || **perversité** [-sìté] *f.* perversity, perverseness. || **pervertir** [-tìr] *v.* to pervert; to corrupt.

pesage [pᵉzàj] *m.* weighing; paddock. || **pesant** [-aⁿ] *adj.* heavy, ponderous, *Am.* hefty; dull [esprit]. || **pesanteur** [-aⁿtœr] *f.* weight; gravity; heaviness, *Am.* heftiness; dullness [esprit]. || **peser** [-é] *v.* to weigh; to be heavy; to bear on, to press; to consider, to think over.

pessimisme [pèsìmìsm] *m.* pessimism. || **pessimiste** [-ìst] *m., f.* pessimist; *adj.* pessimistic.

peste [pèst] *f.* plague, pestilence; pest (fam.). || **pestiféré** [-ìféré] *adj.* plague-stricken. || **pestilence** [-ìlaⁿs] *f.* pestilence.

pet [pè] *m.* fart; *pet-de-nonne,* fritter, doughnut.

pétale [pétàl] *f.* petal.

pétarade [pétàràd] *f.* farting; crackling [feux d'artifice]; backfire [moteur]. || **pétard** [-àr] *m.* petard; firecracker; backside, bottom (fam.). || **pétillant** [-ìyaⁿ] *adj.* crackling; sparkling [vin, yeux]. || **pétillement** [-ìymaⁿ] *m.* crackling; sparkling [vin, yeux]; fizzing [eau]. || **pétiller** [-yé] *v.* to crackle; to sparkle; to pop.

petit [pᵉtì] *adj.* small, little; short; petty, slight; *m.* little one, little

boy; cub, pup, whelp [animaux]; *petit enfant*, tot; *tout petit*, tiny, wee; *petit à petit*, by degrees, little by little; **petite-fille**, granddaughter; **petit-fils**, grandson; **petit-lait**, whey, buttermilk. || **petitesse** [-tès] *f.* smallness; shortness; meanness; pettiness; *petitesse d'esprit*, narrow-mindedness.
pétition [pétìsyoⁿ] *f.* petition.
pétrin [pétrìⁿ] *m.* kneading-trough; mess (fam.). || **pétrir** [-ìr] *v.* to knead, to mould.
pétrole [pétròl] *m.* petroleum; mineral oil; kerosene. || **pétrolier** [-yé] *m.* tanker, oiler [bateau]; *adj.* relating to oil; *industrie pétrolière*, oil industry.
peu [pë] *m.* little; few; a little bit; *adv.* little; few; not very; *peu de chose*, mere trifle.
peuplade [pœplàd] *f.* tribe; people. || **peupler** [-é] *v.* to people; **se peupler**, to become peopled, to be populous.
peuplier [pœplìyé] *m.* poplar.
peur [pœr] *f.* fear, dread, fright; *avoir peur*, to be afraid; *faire peur*, to frighten; *de peur que*, lest; *de peur de*, for fear of. || **peureux** [-ë] *adj.* fearful.
peut-être [pœtètr] *adv.* perhaps, maybe; possibly.
phalène [fàlèn] *f.* moth.
phare [fàr] *m.* lighthouse; beacon; headlight [auto].
pharmacie [fàrmàsì] *f.* pharmacy; *Br.* chemist's, *Am.* drugstore; medicine-chest. || **pharmacien** [-yìⁿ] *m.* apothecary; *Br.* chemist; *Am.* druggist.
phase [fâz] *f.* phase; stage, period.
phénomène [fénòmèn] *m.* phenomenon.
philosophe [fìlòzòf] *m.* philosopher; *adj.* philosophical. || **philosophie** [-ì] *f.* philosophy.
phonographe [fònògràf] *m.* phonograph, record-player, gramophone.
phoque [fòk] *m.* seal.
phosphate [fòsfàt] *m.* phosphate. || **phosphore** [-òr] *m.* phosphorus.
photographe [fòtògraf] *m.* photographer, cameraman. || **photographie** [-ì] *f.* photography; photograph. || **photographier** [-yé] *v.* to photograph; **photocopie**, photostat, photo print.
phrase [frâz] *f.* phrase; sentence.
physicien [fìzìsyìⁿ] *m.* physicist.
physionomie [fìzìònòmì] *f.* countenance, aspect, look; physiognomy.
physique [fìzìk] *f.* physics; natural philosophy; *m.* physique, natural constitution; outward appearance; *adj.* physical, material; bodily.
piaffer [pyàfé] *v.* to paw the ground, to prance; to fume, to bridle (fig.).
piailler [pyàyé] *v.* to screech, to squall.
pianiste [pyànìst] *m., f.* pianist. || **piano** [-ô] *m.* piano; *piano droit*, upright piano; *piano à queue*, grand piano; *piano demi-queue*, baby-grand piano.
pic [pìk] *m.* pick, pickaxe; gaff; peak [montagne]; *à pic*, steep, sheer, vertical; apeak (naut.); in the nick of time, just in time.
pic [pìk] *m.* woodpecker [oiseau].
pichet [pìshè] *m.* pitcher.
pick-up [pìkœp] *m.* record-player, gramophone; pick-up, reproducer.
picoter [pìkòté] *v.* to prick, to peck; to tingle.
picotin [pìkòtìⁿ] *m.* peck.
pie [pì] *f.* magpie; *adj.* piebald; **pie-grièche**, shrike.
pièce [pyès] *f.* piece; bit, fragment; document; head [bétail]; barrel, cask; apartment, room; play; coin; medal; *pièce d'eau*, artificial pond; *pièce à conviction*, material or circumstancial evidence; *mettre en pièces*, to tear to pieces.
pied [pyé] *m.* foot; leg [meuble]; base; stalk [plante]; head [céleri]; *avoir pied*, to have a footing; *pieds nus*, barefoot; *au pied de la lettre*, literally; *coup de pied*, kick; *fouler aux pieds*, to tread on, to trample; *lâcher pied*, to turn tail; *mettre sur pied*, to set up, to establish; *doigt de pied*, toe; **cou-de-pied**, instep; **pied-à-terre**, temporary lodging; **pied-bot**, club-footed person; **pied-de-biche**, forceps; bell-pull; nail clench. || **piédestal** [pyédèstàl] *m.* pedestal.
piège [pyèj] *m.* trap, snare; pitfall.
pierre [pyèr] *f.* stone; *pierre à aiguiser*, grind-stone; *pierre d'achoppement*, stumbling-block; *pierre à fusil*, flint; *pierre de taille*, freestone. || **pierreries** [-rì] *f. pl.* precious gems. || **pierreux** [-ë] *adj.* stony, gritty; calculous (med.).
piété [pyété] *f.* piety.

piétiner [pyétìné] *v.* to stamp; to paw the ground; to trample.
piéton [pyétoⁿ] *m.* pedestrian.
piètre [pyètr] *adj.* shabby, paltry.
pieu [pyë] *m.* stake, pile, post.
pieuvre [pyëvr] *f.* octopus, poulpe, devil-fish.
pieux [pyë] *adj.* pious, devout.
pigeon [pìjoⁿ] *m.* pigeon; *pigeon voyageur,* carrier-pigeon. || **pigeonnier** [-ònyé] *m.* pigeon-house, dove-cot.
pignon [pìñoⁿ] *m.* gable; sprocket-wheel; pinion [roue].
pile [pìl] *f.* pile, heap; pier [pont]; cell, battery (electr.).
pile [pìl] *f.* reverse, tail [pièce de monnaie]; *pile ou face,* heads or tails.
piler [pìlé] *v.* to pound, to crush, to pulverise, to grind.
pilier [pìlyé] *m.* pillar, column, post; support, prop.
pillage [pìyàj] *m.* pillage, plunder; looting, pilfering, waste. || **pillard** [pìyàr] *m.* plunderer; *adj.* pillaging, predatory. plundering. || **piller** [pìyé] *v.* to pillage, to loot, to pilfer, to plunder; to ransack.
pilon [pìloⁿ] *m.* pestle; beetle, rammer, stamper; *mettre au pilon,* to tear up. || **pilonner** [-òné] *v.* to pound, to ram, to mill, to stamp.
pilotage [pìlòtàj] *m.* piloting. || **pilote** [pìlòt] *m.* pilot; guide; *pilote d'essai,* test pilot. || **piloter** [-é] *v.* to pilot, to guide.
pilotis [pìlòtì] *m.* pile-work, pile-foundation, piling.
pilule [pìlül] *f.* pill.
piment [pìmaⁿ] *m.* pimento; allspice. || **pimenter** [-té] *v.* to spice; to render piquant.
pimpant [piⁿpaⁿ] *adj.* natty, spruce, smart.
pin [piⁿ] *m.* pine-tree, fir-tree.
pince [piⁿs] *f.* pinch; pincers, nippers, pliers, tweezers; crowbar; claw [langouste]; toe [cheval]; grip [main]; tongs [sucre]; **pince-monseigneur,** burglar's jemmy; **pince-nez,** pince-nez, bowless eye-glasses. || **pincé** [-é] *adj.* pinched; affected; stiff.
pinceau [piⁿsô] *m.* paint-brush; pencil.
pincée [piⁿsé] *f.* pinch. || **pincer** [-é] *v.* to pinch; to nip; to bite; to compress; to grip; to pluck [guitare]; to purse [lèvres]; (pop.) to nab, to arrest. || **pincette** [-èt] *f.* nip; tweezers, nippers; tongs. || **pinçon** [-oⁿ] *m.* mark, bruise.
pinson [piⁿsoⁿ] *m.* finch; chaffinch.
pintade [piⁿtàd] *f.* guinea-fowl, guinea-hen.
pioche [pyòsh] *f.* pickaxe, pick, mattock. || **piocher** [-é] *v.* to pick; to grind (fam.).
piolet [pyòlè] *m.* ice-axe.
pion [pyoⁿ] *m.* pawn [échecs]; man [dames]; study master [école]. || **pionnier** [-ònyé] *m.* pioneer; trail-blazer.
pipe [pìp] *f.* pipe; tube. || **pipeau** [-ô] *m.* shepherd's pipe, reed-pipe; bird-call; bird-snare. || **piper** [-é] *v.* to peep; to lure [oiseaux]; to dupe [personne].
piquant [pìkaⁿ] *adj.* prickling, stinging; pointed, sharp; biting; pungent; piquant; witty; *m.* prickle; sting; thorn [épine]; quill [porc-épic]; spike; piquancy, pith; pungency; zest.
pique [pìk] *f.* pike; *m.* spade [cartes].
pique [pìk] *f.* spite, quarrel, pique.
piqué [pìké] *adj.* quilted; pinked [tissu]; sour [vin]; *m.* nose-dive (aviat.). || **piquer** [-é] *v.* to prick, to sting; to bite; to puncture; to stitch; to quilt; to stab; to insert; to nettle, to pique; to poke; to nose-dive (aviat.); **se piquer,** to prick oneself; to pride oneself; to take offence; to sour [vin]; **pique-assiette,** sponger, parasite; **pique-nique,** picnic. || **piquet** [-è] *m.* peg, stake, post; picket (mil.); piquet [cartes]. || **piqueter** [-té] *v.* to stake out; to picket; to dot, to spot. || **piquette** [-èt] *f.* thin wine. || **piqueur** [-œr] *m.* huntsman; outrider; stitcher, sewer. || **piqûre** [-ür] *f.* sting, prick; bite; puncture; injection, vaccination, *Am.* shot (med.); stitching, sewing; quilting.
pirate [pìràt] *m.* pirate.
pire [pìr] *adj.* worse; *le pire,* the worst.
pirouette [pìrûèt] *f.* pirouette, whirling. || **pirouetter** [-é] *v.* to pirouette, to twirl.
pis [pì] *m.* udder, dug.
pis [pì] *adv.* worse; *le pis,* the worst; **pis-aller,** last resource; makeshift.

piscine [pìsìn] *f.* swimming-pool; public baths.
pissenlit [pìsaⁿlì] *m.* dandelion.
piste [pìst] *f.* track; race-course; trail, clue, scent; landing strip, runway (aviat.); ring [cirque].
pistolet [pìstòlè] *m.* pistol.
piston [pìstoⁿ] *m.* piston; sucker [pompe]; valve [cornet]; (fam.) influence, backing, pull. || **pistonner** [-òné] *v.* to recommend, to back, to push.
piteux [pìtë] *adj.* piteous, woeful; pitiable, sorry. || **pitié** [-yé] *f.* pity, mercy, compassion.
piton [pìtoⁿ] *m.* screw-ring, ring-bolt; peak [montagne].
pitoyable [pìtwàyàbl] *adj.* pitiable, pitiful, piteous; compassionate wretched, despicable.
pittoresque [pìtòrèsk] *adj.* picturesque; graphic, pictorial; *m.* picturesqueness, vividness.
pivot [pìvô] *m.* pivot, pin, axis, spindle, stud, swivel; fulcrum [levier]; tap-root [racine]. || **pivoter** [-òté] *v.* to pivot, to revolve, to hinge, to swivel.
placage [plàkàj] *m.* veneering.
placard [plàkar] *m.* cupboard, wall-press, closet; bill, poster, placard, notice; panel [porte]. || **placarder** [-dé] *v.* to post, to stick, to placard.
place [plàs] *f.* place; position; stead; space, room; seat, reservation (theat.); job, employment, post; locality, spot; square [publique]; town, fortress; *sur place,* on the spot; *à la place de,* instead of. || **placement** [-maⁿ] *m.* placing; sale, disposal (comm.); investing [argent]; hiring, engaging; *bureau de placement, Br.* labour exchange, *Am.* employment agency. || **placer** [-é] *v.* to place; to put, to set; to seat [spectateurs]; to get employment for; to sell, to dispose of (comm.); to invest [argent].
placide [plàsìd] *adj.* placid, calm, tranquil, quiet.
placier [plàsyé] *m.* canvasser; salesman; agent.
plafond [plàfoⁿ] *m.* ceiling. || **plafonnier** [-ònyé] *m.* ceiling-light.
plage [plàj] *f.* beach, shore.
plagiat [plàjyà] *m.* plagiarism, plagiary.
plaider [plèdé] *v.* to plead; to litigate; to allege; to intercede. || **plaideur** [-œr] *m.* litigant, petitioner; suitor. || **plaidoirie** [-wàrì] *f.* pleading; barrister's speech. || **plaidoyer** [-wàyé] *m.* plea; argument.
plaie [plè] *f.* wound; sore; plague, scourge, affliction.
plaignant [plèñaⁿ] *m.* plaintiff, prosecutor; *adj.* complaining. || **plaindre** [pliⁿdr] *v.* to pity; to be sorry for; to sympathize with; to grudge; **se plaindre,** to complain; to grumble.
plaine [plèn] *f.* plain.
plainte [pliⁿt] *f.* complaint; lamentation; reproach; *déposer une plainte,* to file a complaint. || **plaintif** [-ìf] *adj.* plaintive, complaining, doleful; querulous.
plaire [plèr] *v.* to please; to be pleasing; *s'il vous plaît,* if you please; *plaît-il?,* I beg your pardon?, what did you say?; *la pièce m'a plu,* I enjoyed the play; **se plaire,** to delight (*à,* in); to please one another; to be content.
plaisant [plèzaⁿ] *m.* jester, joker; *adj.* pleasant; humorous, amusing, funny. || **plaisanter** [-té] *v.* to jest, to joke; to trifle. || **plaisanterie** [-trì] *f.* jest, joke; witticism; wisecrack (fam.); humo(u)r. || **plaisir** [plèzìr] *m.* pleasure, delight; will, consent; diversion; *avec plaisir,* willingly; *à plaisir,* gratuitously; designedly; *faire plaisir à,* to please.
plan [plaⁿ] *m.* plan, scheme, project; plane surface; map; wing (aviat.); distance, ground [tableau]; *adj.* even, level, flat; *plan du métro,* subway map; *premier plan,* foreground; *arrière-plan,* background.
planche [plaⁿsh] *f.* plank, board; shelf; plate [métal]; *pl.* stage (theat.); planchette, small plank. || **plancher** [-é] *m.* floor; floor-board [auto].
planer [plàné] *v.* to hover, to soar; to plane, to make smooth; *vol plané,* glide.
planète [plànèt] *f.* planet.
planeur [plànœr] *m.* sail-plane, glider.
plant [plaⁿ] *m.* young plant, slip; sapling; plantation. || **plantation** [-tàsyoⁿ] *f.* planting, plantation. || **plante** [plaⁿt] *f.* plant; sole

[pied]; seaweed [mer]. || **planter** [-é] *v.* to plant; to set up; to leave flat, to give the slip to, to jilt. || **planteur** [-œr] *m.* planter. || **plantoir** [-wàr] *m.* dibble, planting-tool. || **planton** [-oⁿ] *m.* orderly (mil.); *de planton,* on duty.
plantureux [plaⁿtürë] *adj.* plentiful, copious, abundant; fertile, prolific.
plaque [plàk] *f.* plate [métal]; plaque; badge, tag; slab [marbre]; *plaque tournante,* turn-table (railw.). || **plaquer** [-é] *v.* to plate [métal]; to veneer [bois]; to strike [accord]; (fam.) to jilt, to leave flat. || **plaquette** [-èt] *f.* small plate; thin slab; small book, pamphlet.
plastique [plàstìk] *f.* plastic art; *adj.* plastic.
plastron [plàstroⁿ] *m.* breast-plate; plastron; shirt-front, dicky. || **plastronner** [-òné] *v.* to pose, to strut.
plat [plà] *adj.* flat; level, even; dull [style]; straight [cheveux]; calm [mer]; *m.* dish; **plate-bande,** flower bed; moulding (arch.); **plate-forme,** platform.
platane [plàtàn] *m.* plane-tree.
plateau [plàtô] *m.* tray; table-land, plateau; scale [balance]; platform, stage (theat.).
platée [plàté] *f.* dishful.
platine [plàtìn] f. plate [serrure]; screw-plate [fusil]; platen [presse].
platine [plàtìn] *m.* platinum.
platitude [plàtitüd] *f.* platitude, banal remark; flatness, dullness.
plâtre [plâtr] *m.* plaster. || **plâtrer** [-é] *v.* to plaster.
plausible [plôzìbl] *adj.* plausible; specious.
plein [pliⁿ] *adj.* full; filled; replete; complete, entire, whole; solid [pneu]; pregnant, full [animaux]; (fam.) drunk; *m.* full; full part; full tide; middle; *plein jour,* broad daylight; *plein hiver,* dead of winter; *pleine mer,* high seas; *faire le plein,* to fill the tank [auto]. || **plénipotentiaire** [plénipòtaⁿsyèr] *m., adj.* plenipotentiary. || **plénitude** [-itüd] *f.* plenitude, fullness, completeness, abundance.
pleur [plœr] *m.* tear. || **pleurer** [-é] *v.* to weep, to cry; to mourn; to run, to water [yeux]. || **pleurnicher** [-nìshé] *v.* to whimper, to whine, to snivel. || **pleurnicheur** [-nìshœr] *adj.* whimpering, snivelling; *m.* whimperer, sniveller, cry-baby.
pleuvoir [plœvwàr] *v.* to rain; *il pleut à verse,* it's pouring.
plèvre [plèvr] *f.* pleura.
pli [pli] *m.* fold, pleat; wrinkle, pucker, crease; habit; envelope, cover; letter, note; curl [lèvre]; undulation [terrain]; *sous ce pli,* enclosed, herewith; *mise en plis,* wave, hair-set [cheveux]. || **pliable** [-yàbl] *adj.* pliable, foldable, flexible. || **pliage** [-yàj] *m.* folding, creasing. || **pliant** [-yaⁿ] *adj.* pliant, flexible; docile [caractère]; collapsible [chaise]; *m.* folding-stool; camp-stool. || **plier** [-yé] *v.* to fold; to bend; to yield. || **plieuse** [-yëz] *f.* folding-machine.
plisser [plisé] *v.* to pleat, to fold; to crease; to crumple, to crinkle; to pucker.
plomb [ploⁿ] *m.* lead; fuse (electr.); shot, bullet; weight, sinker; plummet [sonde]; lead seal [sceau]; *à plomb,* upright; perpendicular; *fil à plomb,* plumb-line; *faire sauter un plomb,* to blow out a fuse. || **plombage** [-bàj] *m.* leading, plumbing; sealing [douane]; filling, *Br.* stopping [dents]. || **plomber** [-bé] *v.* to lead; to plumb; to seal; to fill, *Br.* to stop [dents]. || **plombier** [-byé] *m.* plumber; leadworker; *adj.* related to lead.
plongée [ploⁿjé] *f.* plunge, dive; submersion; submergence [sous-marin]; dip, slope [terrain]; declivity (arch.). || **plongeon** [-oⁿ] *m.* plunge, dive [natation]; diver [oiseau]. || **plonger** [-é] *v.* to plunge, to dive; to submerge [sous-marin]; to immerse, to dip; to pitch [bateau]; to thrust. || **plongeur** [-œr] *m.* diver; dish-washer, scullery-boy; plunger (mech.).
ployer [plwàyé] *v.* to bend; to bow; to give way, to yield; to ploy (mil.).
pluie [plüi] *f.* rain; shower; *pluie battante,* pelting rain, downpour.
plumage [plümàj] *m.* plumage, feathers. || **plume** [plüm] *f.* feather, plume; quill, pen. || **plumeau** [-ô] *m.* feather-duster, whisk; eiderdown quilt. || **plumer** [-é] *v.* to pluck, to plume;

(fam.) to fleece. || **plumier** [-yé] *m.* pen-box; pencil-case.
plupart [plüpàr] *f.* the most, the majority, the greater part, the bulk; *la plupart du monde,* most people; *pour la plupart,* mostly.
pluriel [plüryèl] *m., adj.* plural.
plus [plü] *adv.* more; *m.* more; most; plus (math.); *plus âgé,* older; *ne...plus,* no longer; *au plus,* at most; *de plus,* furthermore; *non plus,* neither, either; *de plus en plus,* more and more; **plus-que-parfait,** pluperfect (gramm.); **plus-value,** increment value.
plusieurs [plüzyœr] *adj., pron.* several.
plutôt [plütô] *adv.* rather, sooner; on the whole.
pluvieux [plüvyë] *adj.* rainy, wet.
pneu [pnë] *m. Br.* tyre, *Am.* tire. || **pneumatique** [-màtìk] *adj.* pneumatic; *Br.* tyre, *Am.* tire; *m.* express letter [Paris].
pneumonie [pnëmònì] *f.* pneumonia (med.).
pochade [pòshàd] *f.* rapid sketch, rough sketch. || **pochard** [-àr] *m.* drunkard, sot. || **poche** [pòsh] *f.* pocket; pouch; sack, bag. || **poché** [-é] *adj.* poached [œuf]; black [œil]]. || **pochette** [-èt] *f.* small pocket; pocket; book [allumettes]; fancy handkerchief [mouchoir]. || **pochoir** [-wàr] *m.* stencil plate.
poêle [pwàl] *f.* frying-pan.
poêle [pwàl] *m.* stove; cooker.
poêle [pwàl] *m.* pall [pompes funèbres].
poème [pòèm] *m.* poem. || **poésie** [pòézì] *f.* poetry, poem. || **poète** [pòèt] *m.* poet. || **poétesse** [pòétès] *f.* poetess. || **poétique** [-ìk] *adj.* poetic; poetical; *f.* poetics.
poids [pwà] *m.* weight; heaviness; importance; load, burden; *poids lourd,* heavy, *Br.* lorry, *Am.* truck.
poignard [pwàñàr] *m.* dagger, poniard; dirk. || **poignarder** [-dé] *v.* to stab, to pierce. || **poigne** [pwàñ] *f.* grasp, grip. || **poignée** [-é] *f.* handful; handle [porte]; hilt [épée]; grip [revolver]; haft [outil]; handshake [main]. || **poignet** [-è] *m.* wrist; wristband, cuff.
poil [pwàl] *m.* hair; fur; nap, pile [velours]; coat [animal]; down, pubescence [plante]. || **poilu** [-ü] *adj.* hairy, shaggy; nappy [tissu]; *m.* French soldier.
poinçon [pwi^{n}so^{n}] *m.* punch; stamp, die; awl; chisel; piercer, pricker [broderie]; puncheon; *poinçon de contrôle,* hall-mark. || **poinçonner** [-òné] *v.* to punch; to prick; to stamp; to cancel [ticket].
poindre [pwi^{n}dr] *v.** to break, to dawn [aube]; to sprout [plante].
poing [pwi^{n}] *m.* fist; hand.
point [pwi^{n}] *m.* point; speck, dot; stitch, pain (med.); instant; degree; *Br.* full stop, *Am.* period; *adv.* not, no, none; *point d'interrogation,* question mark; *deux-points,* colon; *points de suspension,* suspension dots; *point-virgule,* semi-colon; *arriver à point,* to come in the nick of time; *cuit à point,* cooked medium-well; *sur le point de,* about to; *sur ce point,* on that score, in that respect; *point mort, Br.* neutral, *Am.* dead center [auto].
pointage [pwi^{n}tàj] *m.* levelling, pointing. || **pointe** [pwi^{n}t] *f.* point; cape, foreland; tip, peak; nail; sting, pungency; witticism; *pointe sèche,* dry-point engraving; *pointe des pieds,* tiptoe. || **pointer** [-é] *v.* to point; to pierce; to mark; to check; to aim, to lay [fusil]. || **pointeur** [-œr] *m.* pointer, marker; checker; gunlayer. || **pointillé** [-ìyé] *adj.* dotted [ligne]; stippled; *m.* dotted line. || **pointiller** [-ìyé] *v.* to dot; to stipple; to perforate; to bicker. || **pointilleux** [-ìyë] *adj.* particular, punctilious; fastidious. || **pointu** [-ü] *adj.* pointed, sharp. || **pointure** [-ür] *f.* size.
poire [pwàr] *f.* pear; powder-flask; bulb (electr.); (fam.) dupe, (pop.) sucker.
poireau [pwàrô] *m.* leek.
poirier [pwàryé] *m.* pear-tree.
pois [pwà] *m.* pea; polka dot [dessin]; *petit pois,* green peas; *pois cassés,* split peas.
poison [pwàzo^{n}] *m.* poison.
poisseux [pwàsë] *adj.* pitchy, gluey, sticky.
poisson [pwàso^{n}] *m.* fish; *poisson d'avril,* April Fool joke; *poisson rouge,* goldfish. || **poissonnerie** [-ònrì] *f.* fishmarket. || **poissonnière** [-ònyèr] *f.* fish-kettle; fishwife.
poitrail [pwàtrày] *m.* breast.

poitrinaire [pwàtrinèr] *m., f., adj.* consumptive. || **poitrine** [pwàtrin] *f.* breast, chest, bosom; bust.

poivre [pwàvr] *m.* pepper. || **poivrer** [-é] *v.* to pepper; to spice. || **poivrier** [-iyé] *m.* pepper-shrub; pepper-shaker. || **poivrot** [-ô] *m.* drunkard, tippler.

poix [pwà] *m.* pitch; *poix sèche,* resin.

polaire [pòlèr] *adj.* polar. || **pôle** [pôl] *m.* pole.

polémique [pòlémìk] *f.* controversy, polemics; *adj.* polemical.

poli [pòlì] *m.* polish, gloss; *adj.* buffed; polished, glossy; polite, civil, courteous.

police [pòlìs] *f.* policy [assurance].

police [pòlìs] *f.* police; policing; *agent de police,* policeman; *Br.* bobby, *Am.* cop (fam.); *salle de police,* guard-room; *faire la police,* to keep order. || **policer** [-é] *v.* to civilize, to establish law and order. || **policier** [-yé] *m.* police constable; policeman; detective; *adj.* police.

polir [pòlìr] *v.* to polish, to buff. || **polissoir** [-ìswàr] *m.* polishing tool; buffer.

polisson [pòlìso^n^] *m.* scamp, rascal; mischievous child; *adj.* naughty; licentious, indecent, depraved.

politesse [pòlìtès] *f.* politeness; civility; urbanity; compliment.

politicien [pòlìtìsyi^n^] *m.* politician. || **politique** [-ìk] *f.* politics; policy; *adj.* political; politic, prudent.

pollen [pòllèn] *m.* pollen.

polluer [pòllüé] *v.* to pollute, to defile; to profane.

poltron [pòltro^n^] *m.* coward; *adj.* cowardly, craven, pusillanimous. || **poltronnerie** [-ònrì] *f.* cowardice, timidity.

polycopier [pòlìkòpyé] *v.* to manifold, to mimeograph.

pommade [pòmàd] *f.* pomade, ointment, salve, unguent.

pomme [pòm] *f.* apple; knob, ball; head [chou, laitue]; cone [pin]; *pomme de terre,* potato.

pommeau [pòmô] *m.* pommel; knob. || **pommelé** [-lé] *adj.* dappled, mottled; cloudy.

pommette [pòmèt] *f.* cheek-bone; knob; ball ornament. || **pommier** [-yé] *m.* apple tree.

pompe [po^n^p] *f.* pomp, ceremony; display, parade; state.

pompe [po^n^p] *f.* pump. || **pomper** [-é] *v.* to pump; to suck in.

pompeux [po^n^pë] *adj.* pompous.

pompier [po^n^pyé] *m.* fireman.

pompon [po^n^po^n^] *m.* pompon, tuft, tassel.

ponce [po^n^s] *f.* pumice. || **poncer** [-é] *v.* to pumice; to pounce.

ponction [po^n^ksyo^n^] *f.* puncture; tapping [poumon]; pricking.

ponctualité [po^n^ktüàlìté] *f.* punctuality, promptness.

ponctuation [po^n^ktüàsyo^n^] *f.* punctuation.

ponctuel [po^n^ktüèl] *adj.* punctual, prompt, exact.

pondération [po^n^déràsyo^n^] *f.* ponderation, balance, equilibrium. || **pondéré** [-é] *adj.* poised; weighed; moderate, sensible; considered.

pondeuse [po^n^dëz] *f.* egg-layer. || **pondre** [po^n^dr] *v.* to lay eggs.

pont [po^n^] *m.* bridge; deck [bateau]; *pont aérien,* air-lift; *pont-levis,* drawbridge; *faire le pont,* to bridge the gap; *pont arrière,* differential, rear-axle (mech.).

ponton [po^n^to^n^] *m.* bridge of boats; pontoon; convict ship.

populace [pòpülàs] *f.* populace; mob, rabble. || **populaire** [-èr] *adj.* popular; vulgar, common. || **popularité** [-àrìté] *f.* popularity. || **population** [-àsyo^n^] *f.* population. || **populeux** [-ë] *adj.* populous.

porc [pòr] *m.* pork; pig, hog, swine; dirty person (fig.).

porcelaine [pòrs^e^lèn] *f.* china, chinaware.

porc-épic [pòrképìk] *m.* porcupine, *Am.* hedge-hog.

porche [pòrsh] *f.* porch, portal.

porcher [pòrshé] *m.* swine-herd. || **porcherie** [-^e^rì] *f.* pig-sty.

pore [pòr] *m.* pore. || **poreux** [-ë] *adj.* porous; permeable; unglazed.

port [pòr] *m.* port, harbo(u)r; seaport town; wharf, quay; haven; *arriver à bon port,* to arrive safely, to reach safe harbo(u)r.

port [pòr] *m.* carrying; transport; carriage; carrying charges; postage; bearing, gait; tonnage, burden (naut.).

portail [pòrtày] *m.* portal, gate.

portant [pòrta^n^] *adj.* bearing, carrying (mech.); *m.* bearer, upright; stay, strut; tread [roue]; *bien portant,* in good health; *à bout por-*

tant, point-blank. || **portatif** [-àtìf] *adj.* portable.

porte [pòrt] *f.* gate, door; gateway, doorway, entrance; eye [agrafe]; *adj.* portal (anat.); *porte cochère,* carriage entrance; *porte à tambour,* revolving door; *mettre à la porte,* to evict, to expel, to oust; to sack; to fire; **porte-fenêtre,** *Br.* French window, *Am.* French door.

porté [pòrté] *adj.* inclined, disposed, prone; carried, worn; *porté manquant,* reported missing. || **portée** [-é] *f.* bearing; span; litter, brood [animaux]; projection; reach; scope; compass [voix]; import; comprehension; stave (mus.); *à portée de la main,* within reach, to hand. || **porter** [-é] *v.* to carry; to bear, to support; to wear [vêtements]; to take; to bring; to strike, to deal, to aim [coup]; to inscribe, to enter (comm.); to induce, to incline, to prompt; to produce [animaux]; to pass [jugement]; to shoulder [armes]; **se porter,** to proceed, to go; to be [santé]; to offer oneself [candidat]; to be worn [vêtement]; **porte-avions,** aircraft carrier, *Am.* flat-top; **porte-bagages,** carrier, luggage-rack; **porte-bonheur,** talisman, good-luck piece; **porte-bouteilles,** bottle-stand; coaster; **porte-cartes,** card-case; **porte-cigarette,** cigarette-holder; **porte-couteau,** knife-rest; **porte-crayon,** pencil-case; **porte-drapeau,** colo(u)r-bearer; **porte-étendard,** standard-bearer; **porte-faix,** street-porter; dock hand, stevedore; **portefeuille,** portfolio; bill-fold, pocket-book; **portemanteau,** portmanteau; coat-stand; coat-hanger; davit (naut.); **porte-mine,** pencil-case; eversharp pencil; **porte-monnaie,** purse; **porte-musique,** music-stand; music case; **porte-parapluies,** umbrella stand; **porte-parole,** spokesman, mouthpiece; **porte-plume,** penholder; **porte-savon,** soap-dish; **porte-serviettes,** towel-rod; napkin-ring. || **porteur** [-œr] *m.* porter; bearer, carrier.

portier [pòrtyé] *m.* porter, doorman; janitor. || **portière** [-yèr] *f.* door [voiture]; door-curtain. || **portillon** [-ìyo^{n}] *m.* wicket-gate; side-gate (railw.).

portion [pòrsyo^{n}] *f.* portion, part, share; allowance.

porto [pòrtô] *m.* port wine.

portrait [pòrtrè] *m.* portrait, likeness.

pose [pôz] *f.* putting, laying; posting; stationing (mil.); pose, attitude, posture; posing, affectation; time-exposure (phot.). || **posé** [-é] *adj.* staid, grave, sedate; poised. || **poser** [-é] *v.* to put, to set, to lay; to rest, to lie; to pose; to ask [question]; to post, to station (mil.); to put down (math.); to pitch (mus.).

positif [pòzìtìf] *adj.* positive, certain, definite; practical [esprit]; actual, real; *m.* print (phot.).

position [pòzìsyo^{n}] *f.* position; situation; condition; standing.

possédé [pòsédé] *adj.* possessed; *m.* madmam. || **posséder** [-é] *v.* to possess, to own; to have, to hold; to be master of [science]; to dominate (someone). || **possesseur** [pòsèsœr] *m.* possessor, owner. || **possession** [-yo^{n}] *f.* possession, ownership; property, belonging.

possibilité [pòsìbìlìté] *f.* possibility. || **possible** [pòsìbl] *adj.* possible.

postal [pòstàl] *adj.* postal. || **poste** [pòst] *f.* post-office; mail; post [relais]; *poste restante,* general delivery, *Br.* to be called for; *mettre à la poste,* to mail, to post.

poste [pòst] *m.* post, station; guard-house; guards (mil.); employment, position, post, job; entry, item, heading (comm.); signal-box (railw.); berth, quarters (naut.); *poste de T.S.F., Br.* wireless, *Am.* radio set; *poste de secours,* medical aid station, first-aid station; *poste de télévision,* television set; *poste d'essence,* petrol-pump, *Am.* filling station; *poste d'incendie,* fire-house, fire-station. || **poster** [-é] *v.* to station, to post.

poster [pòsté] *v.* to post, to mail.

postérieur [pòstéryœr] *adj.* posterior, subsequent, later; behind, back; *m.* behind, backside, rear.

postérité [pòstérìté] *f.* posterity.

posthume [pòstüm] *adj.* posthumous.

postiche [pòstìsh] *adj.* superadded; bogus, mock, dummy, false, sham; *cheveux postiches,* wig.

postier [pòstyé] *m.* post-office employee, postal clerk.

postulant [pòstülaⁿ] *m.* applicant; candidate; postulant. || **postulat** [-à] *m.* postulate. || **postuler** [-é] *v.* to apply for, to solicit.
posture [pòstür] *f.* posture.
pot [pô] *m.* pot; jar, jug, can; *pot pourri,* hodge-podge; *pot aux roses,* secret plot; **pot-au-feu,** soup-pot; (fig.) stay-at-home; **pot-de-vin,** tip; bribe, graft, hush-money, rake-off (pop.).
potable [pòtàbl] *adj.* potable, drinkable; acceptable (fam.).
potage [pòtàj] *m.* soup; pottage. || **potager** [-é] *m.* kitchen garden; dinner pail.
potasse [pòtàs] *f.* potash. || **potassium** [-yòm] *m.* potassium.
poteau [pòtô] *m.* post, stake; pole; *poteau indicateur,* signpost.
potelé [pòtlé] *adj.* plump, chubby, pudgy; dimpled.
potence [pòtaⁿs] *f.* gallows, gibbet.
potentiel [pòtaⁿsyèl] *adj.* potential.
poterie [pòtrì] *f.* pottery; earthenware; *poterie de grès,* stoneware.
potier [pòtyé] *m.* potter; pewterer.
potion [pòsyoⁿ] *f.* potion, draft.
potiron [pòtìroⁿ] *m.* pumpkin; mushroom.
pou [pû] *m.* louse (*pl.* lice).
poubelle [pûbèl] *f.* metal garbage-can; dustbin.
pouce [pûs] *m.* thumb; big toe; inch.
poudre [pûdr] *f.* powder; dust; gunpowder; *café en poudre,* soluble coffee, powdered coffee; *sucre en poudre,* granulated sugar; *poudre de riz,* rice powder, face powder. || **poudrer** [-é] *v.* to powder. || **poudrerie** [-ᵉrì] *f.* gunpowder factory. || **poudreux** [-ë] *adj.* dusty, powdery. || **poudrier** [-ìyé] *m.* woman's powder box, compact. || **poudrière** [-ìyèr] *f.* powder-magazine.
pouilleux [pûyë] *adj.* lice-infested, lousy.
poulailler [pûlàyé] *m.* hen-house, chicken-roost; poultry-cart; gallery, cheap seats, *Br.* gods (theat.).
poulain [pûlìⁿ] *m.* colt, foal; timber slide-way.
poularde [pûlàrd] *f.* fat pullet. || **poule** [pûl] *f.* hen; fowl; pool [jeu]; mistress; tart [femme]; *chair de poule,* gooseflesh; *poule mouillée,* milksop, timid soul. || **poulet** [-è] *m.* chicken; love-letter.
pouliche [pûlìsh] *f.* filly.
poulie [pûlì] *f.* pulley.
poulpe [pûlp] *m.* octopus, devil-fish.
pouls [pû] *m.* pulse.
poumon [pûmoⁿ] *m.* lung.
poupe [pûp] *f.* stern, poop (naut.).
poupée [pûpé] *f.* doll; puppet; tailor's dummy. || **poupon** [-oⁿ] *m.* baby. || **pouponnière** [-ònyèr] *f.* infants' nursery.
pour [pûr] *prep.* for; on account of; for the sake of; as for; in order to; *pour ainsi dire,* as it were, so to speak; *pour que,* so that, in order that.
pourboire [pûrbwàr] *m.* tip, gratuity.
pourceau [pûrsô] *m.* pig, hog, swine.
pour-cent [pûrsaⁿ] *m.* percent. || **pourcentage** [-tàj] *m.* percentage.
pourchasser [pûrshàsé] *v.* to pursue; to chase; to hound.
pourfendre [pûrfaⁿdr] *v.* to cleave asunder.
pourlécher [pûrléshé] *v.* to lick all over.
pourparler [pûrpàrlé] *m.* parley, conference, negotiations.
pourpre [pûrpr] *m.* purple colo(u)r; crimson; *adj.* purple; crimson.
pourquoi [pûrkwà] *adv.* why.
pourrir [pûrìr] *v.* to rot, to spoil; to corrupt; to decay, to putrefy. || **pourriture** [-ìtür] *f.* rot, rottenness, putrefaction; corruption.
poursuite [pûrsüìt] *f.* pursuit; prosecution; lawsuit, legal action. || **poursuivant** [-üìvaⁿ] *m.* candidate, applicant; plaintiff, prosecutor. || **poursuivre** [pûrsüìvr] *v.** to pursue; to seek; to annoy, to beset; to proceed with; to go through with; to prosecute; to carry on [procès]; to continue.
pourtant [pûrtaⁿ] *adv.* yet, still, however, nevertheless.
pourtour [pûrtûr] *m.* circumference, periphery.
pourvoi [pûrvwà] *m.* appeal (jur.); petition. || **pourvoir** [-wàr] *v.** to attend to, to see to; to furnish, to supply; to provide for, to make provision for; **se pourvoir,** to provide oneself; to petition; *se pourvoir en cassation,* to appeal for a reversal of judgment. || **pourvu** [-ü] *adj.* provided; *pourvu que,* provided (that), so long as.
pousse [pûs] *f.* shoot, sprout.

|| **poussée** [-é] *f.* push, shove, pressure. || **pousser** [-é] *v.* to push, to shove; to impel, to incite; to urge on; to thrust; to utter [cri]; to heave [soupir]; to grow, to sprout.
poussier [pûsyé] *m.* coal-dust. || **poussière** [-yèr] *f.* dust; powder; pollen; spray [eau]; small change, odd cents (fam.). || **poussiéreux** [-yérë] *adj.* dusty; dust-colo(u)red.
poussif [pûsif] *adj.* broken-winded, short-winded, pursy, wheezy.
poussin [pûsin] *m.* chick, baby chick.
poutre [pûtr] *f.* beam; girder; truss. || **poutrelle** [-èl] *f.* small beam.
pouvoir [pûvwàr] *m.* power; might; authority; command, government; *v.** to be able; to have power; to be possible; *je peux,* I can; *il se peut,* it is possible, it may be.
prairie [prèrî] *f.* meadow; prairie.
praline [pràlîn] *f.* burnt almond.
praticable [pràtìkàbl] *adj.* practicable, feasible; passable [chemin]; real (theat.). || **praticant** [-ìkan] *adj.* church-going, practising religion. || **praticien** [-ìsyin] *m.* practitioner. || **pratique** [-ìk] *f.* practice; method, usage, habit; customers, clientele, clients; *adj.* practical, business-like; matter-of-fact; convenient; expedient, advantageous, profitable. || **pratiquer** [-ìké] *v.* to practise; to exercise [profession]; to frequent, to associate with; to open, to contrive, to build; to cut [rue]; to pierce [trou].
pré [pré] *m.* meadow.
préalable [préàlàbl] *adj.* previous; preliminary; prior; anterior.
préambule [préanbül] *m.* preamble.
préau [préô] *m.* yard; courtyard.
préavis [préàvì] *m.* forewarning; advance notice.
précaire [prékèr] *adj.* precarious; risky, insecure; delicate [santé].
précaution [prékôsyon] *f.* precaution; caution, circumspection, care, prudence. || **précautionner** [-yòné] *v.* to caution, to warn; to admonish; **se précautionner,** to be cautious, to take precautions.
précédent [préséden] *adj.* preceding, previous, prior, precedent; former; *m.* precedent. || **précéder** [-é] *v.* to precede, to antecede; to antedate; to take precedence (over).
précepte [présèpt] *m.* precept, rule; principle, maxim; law, injunction. || **précepteur, -trice** [-œr, -trìs] *m., f.* tutor, teacher.
prêche [prèsh] *m.* sermon. || **prêcher** [-é] *v.* to preach; to sermonize; to exhort; to advocate.
précieux [présyë] *adj.* precious, costly; valuable; affected, finical, over-nice. || **préciosité** [-yòzìté] *f.* affectation, preciosity.
précipice [présìpìs] *m.* precipice, cliff; abyss, chasm, void, gulf.
précipitation [présìpìtàsyon] *f.* precipitancy, hurry, haste; precipitation (chem.). || **précipiter** [-é] *v.* to precipitate, to hurl, to dash down; to hustle, to hurry, to hasten, to accelerate; **se précipiter,** to precipitate oneself, to hurl oneself; to rush forward, to dash, to spring forth, to dart; to hurry, to hasten; to swoop down.
précis [présì] *m.* summary, résumé, précis; *adj.* precise, accurate, exact; fixed; formal, terse, concise. || **préciser** [-zé] *v.* to state precisely, to define, to specify; to stipulate. || **précision** [-zyon] *f.* precision, preciseness; accuracy, correctness; definiteness, conciseness.
précité [présìté] *adj.* above-mentioned, afore-said.
précoce [prékòs] *adj.* precocious, early, premature; forward. || **précocité** [-ìté] *f.* precocity.
préconçu [prékonsü] *adj.* preconceived; foregone [opinion].
préconiser [prékònìzé] *v.* to advocate, to recommend, to extol.
précurseur [prékürsœr] *m.* forerunner, precursor; harbinger; *adj.* premonitory.
prédécesseur [prédésèsœr] *m.* predecessor.
prédestiner [prédèstìné] *v.* to predestinate; to foredoom.
prédicateur [prédìkàtœr] *m.* preacher. || **prédication** [-àsyon] *f.* preaching.
prédiction [prédìksyon] *f.* prediction, forecast; prophecy, augury.
prédilection [prédìlèksyon] *f.* predilection, bias, taste, preference; *de prédilection,* favo(u)rite.
prédire [prédìr] *v.** to predict, to foretell.
prédisposer [prédìspòzé] *v.* to predispose.

prédominance [prédòmìnaⁿs] *f.* predominance, ascendancy, prevalence. || **prédominer** [-é] *v.* to predominate to prevail.
prééminent [prééminaⁿ] *adj.* preeminent; prominent; superior.
préface [préfàs] *f.* preface, foreword, introduction.
préfecture [préfèktür] *f.* prefecture; *préfecture de police,* police headquarters; police department.
préférable [préféràbl] *adj.* preferable. || **préféré** [-é] *adj.* preferred, favo(u)rite. || **préférence** [-aⁿs] *f.* preference. || **préférer** [-é] *v.* to prefer.
préfet [préfè] *m.* prefect; administrator of a department (France); *préfet de police,* chief commissioner of police; *préfet maritime,* port-admiral.
préjudice [préjüdìs] *m.* injury, hurt, detriment, damage, prejudice. || **préjudiciable** [-yàbl] *adj.* prejudicial, detrimental, injurious, hurtful, damaging. || **préjudiciel** [-yèl] *adj.* interlocutory.
préjugé [préjüjé] *m.* prejudice, bias, prejudgment. || **préjuger** [-é] *v.* to prejudge.
prélasser (se) [seprélàsé] *v.* to lounge, to relax.
prélat [prélà] *m.* prelate.
prélèvement [prélèvmaⁿ] *m.* previous deduction; advance withholding. || **prélever** [prélvé] *v.* to deduct beforehand, to withhold beforehand; to set aside, to levy.
préliminaire [préliminèr] *m., adj.* preliminary.
prélude [prélüd] *m.* prelude. || **préluder** [-é] *v.* to prelude.
prématuré [prématüré] *adj.* premature.
préméditation [préméditàsyoⁿ] *f.* premeditation. || **préméditer** [-é] *v.* to premeditate.
prémices [prémìs] *f. pl.* first-fruits; firstlings; beginnings (fig.).
premier [premyé] *adj.* first, foremost, principal, chief; best; primeval, ancient; former [de deux]; prime [nombre]; *m.* chief, head, leader; *Br.* first floor, *Am.* second floor; leading man (theat.); *premier ministre,* prime minister, premier; *matières premières,* raw materials. || **première** [-yèr] *f.* first performance, opening night (theat.); forewoman.
prémisse [prémìs] *f.* premise.
prémonition [prémònìsyoⁿ] *f.* premonition, foreboding. || **prémunir** [-ünîr] *v.* to forewarn, to caution; **se prémunir,** to guard, to provide.
prenable [prenàbl] *adj.* seizable; corruptible. || **prenant** [-aⁿ] *adj.* prehensile; engaging, captivating; *partie prenante,* payee. || **prendre** [praⁿdr] *v.** to take; to get; to seize; to buy [billet]; to grasp; to capture; to eat, to have [repas]; to coagulate, to set, to congeal [liquide]; to catch [froid, feu]; to make [décision]; *prendre le large,* to stand out to sea (naut.); *à tout prendre,* on the whole; **se prendre,** to catch, to be caught; to cling, to grasp; *s'en prendre à,* to blame, to attack (someone); *s'y prendre,* to go about it. || **preneur** [prenœr] *m.* taker; captor; lessee.
prénom [prénoⁿ] *m.* name, first name, given name, Christian name.
préoccupation [préòküpàsyoⁿ] *f.* preoccupation; anxiety, worry. || **préoccuper** [-é] *v.* to preoccupy; to disturb, to worry, to trouble; to prejudice; **se préoccuper,** to busy oneself (*de,* with); to attend (*de,* to); to bother; to care.
préparateur, -trice [prépàràtœr, -trìs] *m., f.* preparer, maker, assistant; demonstrator; coach, tutor; (fam.) crammer [école]. || **préparatifs** [-àtìf] *m. pl.* preparation. || **préparation** [-àsyoⁿ] *f.* preparation, preparing. || **préparatoire** [-àtwàr] *adj.* preparatory; preliminary. || **préparer** [-é] *v.* to prepare, to make ready; to arrange.
prépondérant [prépoⁿdéraⁿ] *adj.* preponderant; deciding [voix].
préposé [prépòzé] *m.* official in charge, superintendent, overseer. || **préposer** [-é] *v.* to appoint, to designate, to put in charge.
prérogative [prérògàtìv] *f.* prerogative, privilege.
près [prè] *adv.* near; close (*de,* to); *à peu près,* almost, pretty near.
présage [prézàj] *m.* presage, portent, foreboding; omen. || **présager** [-é] *v.* to presage, to bode, to portend; to predict, to augur.
presbyte [prèzbìt] *adj.* presbyopic, long-sighted, *Am.* far-sighted.
presbytère [prèzbitèr] *m.* parsonage, vicarage.

prescience [prèsya^{n}s] *f.* prescience, foreknowledge, foresight.
prescription [prèskripsyo^n] *f.* prescription; specification, limitation (jur.). || **prescrire** [-ìr] *v.** to prescribe; to enjoin.
présence [préza^{n}s] *f.* presence; attendance; bearing; appearance. || **présent** [-a^n] *m.* present; present tense; gift; *adj.* present; attentive to. || **présentable** [préza^{n}tàbl] *adj.* presentable. || **présentation** [-àsyo^n] *f.* presentation; exhibition; introduction. || **présenter** [-é] *v.* to present, to offer; to show, to exhibit; to introduce; **se présenter,** to appear; to occur; to arise [problème].
préservatif [prézèrvàtìf] *m., adj.* preservative; contraceptive (med.). || **préservation** [-àsyo^n] *f.* preservation, protection. || **préserver** [-é] *v.* to preserve; to protect.
présidence [prézìda^{n}s] *f.* presidency, chairmanship. || **président** [-a^n] *m.* president, chairman; presiding judge; speaker (of the *Br.* House of Commons, *Am.* House of Representatives). || **présidentiel** [-a^{n}syèl] *adj.* presidential. || **présider** [-é] *v.* to preside over.
présomptif [prézo^{n}ptìf] *adj.* presumptive, presumed; *héritier présomptif,* heir-apparent. || **présomption** [-syo^n] *f.* presumption, self-conceit. || **présomptueux** [-tüë] *adj.* presumptuous, presuming; self-conceited.
presque [prèsk] *adv.* almost, nearly, all but; **presqu'île,** peninsula.
pressant [prèsa^n] *adj.* pressing, urgent; earnest; importunate. || **presse** [près] *f.* press; printing press; crowd; haste, hurry; pressure; impressment (mil.); **presse-papiers,** paper-weight; **presse-purée,** potato-masher. || **pressé** [-é] *adj.* pressed; crowded; close; serried; in a hurry; pressing; eager.
pressentiment [prèsa^{n}tìma^n] *m.* presentiment; misgiving, apprehension, *Am.* hunch. || **pressentir** [-ìr] *v.* to have a presentiment; to sound (someone) out.
presser [prèsé] *v.* to press, to squeeze; to crowd; to hasten, to hurry; to urge, to entreat; to pull [détente]; **se presser,** to press; to crowd; to hurry. || **pression** [-yo^n] *f.* pressure; tension; stress, strain; snap [bouton]; *bière à la pression,* draught beer, *Am.* steam beer. || **pressoir** [-wàr] *m.* press; squeezer; push button. || **pressurer** [-üré] *v.* to press; to squeeze; to grind down; to oppress (fig.).
prestance [prèsta^{n}s] *f.* commanding appearance, good presence.
preste [prèst] *adj.* nimble, agile, deft; quick, brisk; quick-witted.
prestidigitateur [prèstìdìjìtàtœr] *m.* conjuror, juggler, sleight of hand artist. || **prestidigitation** [-àsyo^n] *f.* conjuring, juggling.
prestige [prèstìj] *m.* prestige.
présumer [prézümé] *v.* to presume, to suppose, to assume.
présure [prézür] *f.* rennet.
prêt [prè] *adj.* ready, prepared.
prêt [prè] *m.* loan, lending; **prêt-bail,** lend-lease.
prétendre [préta^{n}dr] *v.* to pretend, to claim; to assert, to affirm, to maintain; to intend, to mean; to aspire. || **prétendu** [-ü] *adj.* alleged, pretended, supposed, so-called, would-be.
prétentieux [préta^{n}syë] *adj.* pretentious, assuming, conceited, vain; affected; showy. || **prétention** [-yo^n] *f.* pretention, claim, allegation; pretense; demand; conceit.
prêter [prèté] *v.* to lend; to ascribe, to attribute; to impart; to bestow; to stretch [tissu]; *prêter serment,* to take oath, to swear; **se prêter,** to lend oneself; to yield, to favo(u)r. || **prêteur** [-œr] *m.* lender; bailor; *prêteur sur gages,* pawnbroker.
prétexte [prétèkst] *m.* pretext, pretense, excuse, blind. || **prétexter** [-é] *v.* to pretend, to allege.
prêtre [prètr] *m.* priest; minister.
preuve [prëv] *f.* proof; evidence, testimony; test; *faire preuve de,* to show, to display.
prévaloir [prévàlwàr] *v.** to prevail; **se prévaloir,** to take advantage, to presume upon, to avail oneself.
prévaricateur, -trice [prévàrikàtœr, -trìs] *adj.* dishonest; *m., f.* dishonest official. || **prévarication** [-àsyo^n] *f.* abuse of trust; breach, default.
prévenant [prévna^n] *adj.* obliging, kind; attentive, considerate; prepossessing, engaging. || **prévenir**

[-ir] *v.* to precede; to forestall; to warn, to caution; to prejudice; to prevent; to anticipate [besoins].

préventif [prévaⁿtìf] *adj.* preventive. || **prévention** [-aⁿsyoⁿ] *f.* prejudice, bias; accusation.

prévenu [prévnü] *adj.* prejudiced, biased; warned; forestalled; accused, indicted; *m.* prisoner, accused.

prévision [prévìzyoⁿ] *f.* prevision, forecast; anticipation; estimate. || **prévoir** [-wàr] *v.** to foresee, to forecast, to gauge; to anticipate. || **prévoyance** [-wàyaⁿs] *f.* foresight; caution. || **prévoyant** [-wàyaⁿ] *adj.* provident; careful, prudent, cautious. || **prévu** [-ü] *adj.* foreseen, anticipated.

prier [prìé] *v.* to pray; to entreat, to beseech, to request, to beg; to invite; *je vous en prie,* I beg of you; you are welcome; don't mention it. || **prière** [prìyèr] *f.* prayer; request, entreaty.

primaire [prìmèr] *adj.* primary, elementary.

prime [prìm] *f.* premium; prize, bonus; prime [escrime]; pebble [joaillerie].

prime [prìm] *adj.* first; prime (math.); *de prime abord,* at first; primesautier, impulsive, spontaneous. || **primer** [-é] *v.* to surpass, to excel; to award prizes to. || **primeur** [-œr] *f.* early product; freshness.

primevère [prìmᵉvèr] *f.* primrose.

primitif [prìmìtìf] *adj.* first, early, primitive, aboriginal; pristine; radical, principal (gramm.).

primo [prìmô] *adv.* firstly.

primordial [prìmòrdyàl] *adj.* primordial, primeval.

prince [prìⁿs] *m.* prince. || **princesse** [-ès] *f.* princess. || **princier** [-yé] *adj.* princely.

principal [prìⁿsìpàl] *adj.* principal, chief, main; staple [nourriture]; *m.* principal; main thing; headmaster. || **principe** [prìⁿsìp] *m.* principle; rudiment, element; source, basis, motive.

printanier [prìⁿtànyé] *adj.* vernal, spring-like. || **printemps** [prìⁿtaⁿ] *m.* spring, springtime.

priorité [prìòrìté] *f.* priority; precedence; right of way [route].

pris [prì] *p. p. of* **prendre**; *adj.* taken, caught, captured, seized; congealed, set [liquide]. || **prise** [prìz] *f.* capture, taking, seizure; prize; hold, handle; quarrel; plug (electr.); dose (med.); pinch [tabac]; coupling [auto]; *pl.* fighting, close quarters; *donner prise,* to give a hold; *lâcher prise,* to let go one's hold; *être aux prises avec,* to grapple with; *prise d'armes,* parade under arms; *prise de bec,* squabble, wrangle; *prise de courant,* wall socket, outlet plug (electr.); *prise d'eau,* hydrant; *prise de vues,* shooting [cinema].

priser [prìzé] *v.* to estimate; to value; to esteem.

priser [prìzé] *v.* to inhale snuff.

priseur [prìzœr] *m.* appraiser.

prisme [prìsm] *m.* prism.

prison [prìzoⁿ] *f.* prison, penitentiary; *Br.* gaol, *Am.* jail. || **prisonnier** [-ònyé] *m.* prisoner, captive.

privation [prìvàsyoⁿ] *f.* privation, deprivation, loss; want, need. || **privauté** [-ôté] *f.* familiarity, liberty. || **priver** [-é] *v.* to deprive; to bereave; **se priver,** to deprive oneself; to do without; to stint oneself; to abstain (*de,* from).

privilège [prìvìlèj] *m.* privilege; license; prerogative. || **privilégier** [-éjyé] *v.* to privilege, to license.

prix [prì] *m.* price, cost; rate, return; prize, reward, stakes; *prix de revient, prix de fabrique,* cost price; *prix de gros,* wholesale price; *prix courant,* market price; *prix homologué,* established price; *prix unique,* one-price.

probabilité [pròbàbìlìté] *f.* probability, likelihood. || **probable** [-àbl] *adj.* probable, likely.

probant [pròbaⁿ] *adj.* convincing; cogent; probative (jur.).

probe [pròb] *adj.* honest, upright, straightforward. || **probité** [-ìté] *f.* integrity, probity.

problématique [pròblémàtìk] *adj.* problematic(al); questionable. || **problème** [-èm] *m.* problem, question; difficulty.

procédé [pròsédé] *m.* proceeding; behavio(u)r, conduct; process. || **procéder** [-é] *v.* to come from, to originate in; to institute proceedings (jur.). || **procédure** [-ür] *f.* practice, procedure; proceedings.

procès [pròsè] *m.* (law)suit, action;

trial; case; *intenter un procès*, to institute proceedings.
procession [pròsèsyoⁿ] *f.* procession; parade.
procès-verbal [pròsèvèrbàl] *m.* official report; proceedings.
prochain [pròshiⁿ] *adj.* next; *m.* neighbo(u)r; fellow being. || **prochainement** [-ènmaⁿ] *adv.* shortly, soon. || **proche** [pròsh] *adj.* near; *m. pl.* near relations.
proclamation [pròklàmàsyoⁿ] *f.* proclamation, announcement. || **proclamer** [-é] *v.* to proclaim.
procuration [pròküràsyoⁿ] *f.* procuration, power of attorney, proxy. || **procurer** [-é] *v.* to procure, to get, to obtain. || **procureur** [-œr] *m.* procurator; proxy.
prodigalité [pròdigàlité] *f.* prodigality, extravagance, lavishness.
prodige [pròdìj] *m.* prodigy, marvel. || **prodigieux** [-yë] *adj.* prodigious, stupendous.
prodigue [pròdìg] *adj.* prodigal, lavish; wasteful, thriftless; *m.* prodigal, spendthrift, squanderer; *l'Enfant prodigue*, the Prodigal Son. || **prodiguer** [-ìgé] *v.* to be prodigal of, to lavish; to waste, to squander.
producteur, -trice [pròdüktœr, -trìs] *m., f.* producer; *adj.* productive, producing. || **productif** [-tìf] *adj.* productive, fruitful, bearing, yielding. || **production** [-syoⁿ] *f.* production; output. || **produire** [pròdüìr] *v.** to produce; to yield; to show; **se produire**, to occur, to happen. || **produit** [-üì] *m.* produce, production; preparation; proceeds, profit; product (math.); *produit pharmaceutique*, patent medicine, *Br.* chemist's preparation, *Am.* drug; *produits de beauté*, cosmetics.
proéminent [pròémìnaⁿ] *adj.* prominent; protuberant; salient.
profanateur, -trice [pròfànàtœr, -trìs] *m., f.* profaner, desecrator. || **profanation** [-àsyoⁿ] *f.* profanation, desecration, sacrilege. || **profane** [pròfàn] *adj.* profane; secular, temporal; *m., f.* outsider; layman. || **profaner** [-é] *v.* to profane, to desecrate; to defile.
proférer [pròféré] *v.* to utter.
professer [pròfèsé] *v.* to profess; to teach; to practise. || **professeur** [-œr] *m.* professor, teacher. || **profession** [-yoⁿ] *f.* profession; declaration; occupation, trade, calling, business. || **professionnel** [-yònèl] *adj.* professional. || **professoral** [-òràl] *adj.* professorial. || **professorat** [-òrà] *m.* professorship; teaching.
profil [pròfìl] *m.* profile, outline, silhouette. || **profiler** [-é] *v.* to shape, to contour; to outline; to streamline.
profit [pròfì] *m.* profit, gain; benefit; expediency; *mettre à profit*, to turn, to account. || **profitable** [-tàbl] *adj.* profitable, expedient, advantageous. || **profiter** [-té] *v.* to profit (*de*, by); to benefit; to avail oneself, to take advantage (*de*, of). || **profiteur** [-tœr] *m.* profiteer.
profond [pròfoⁿ] *adj.* profound; deep; low; vast; heavy [soupir]; sound [sommeil]; dark [nuit]. || **profondeur** [-dœr] *f.* depth; profundity; penetration [esprit].
profusion [pròfüzyoⁿ] *f.* profusion, abundance, plenty.
progéniture [pròjénìtür] *f.* offspring, progeny.
programme [prògràm] *m.* program; bill, list; platform [politique]; curriculum, syllabus [études].
progrès [prògrè] *m.* progress; improvement, headway, advancement. || **progresser** [-sé] *v.* to progress. || **progressif** [-sìf] *adj.* progressive. || **progression** [-syoⁿ] *f.* progression, advancement.
prohiber [pròìbé] *v.* to prohibit, to forbid. || **prohibitif** [-ìtìf] *adj.* prohibitive. || **prohibition** [-ìsyoⁿ] *f.* prohibition, forbidding; *Am.* outlawing of alcoholic beverages.
proie [prwà] *f.* prey, prize, booty, spoil; quarry [chasse].
projecteur [pròjèktœr] *m.* searchlight, floodlight. || **projectile** [-tìl] *m.* projectile, missile. || **projection** [-syoⁿ] *f.* projection; *éclairage par projection*, floodlighting.
projet [pròjè] *m.* project, plan, scheme, design; *projet de loi*, bill. || **projeter** [pròjté] *v.* to project, to throw out; to plan, to intend.
prolétaire [pròlétèr] *m., f., adj.* proletarian. || **prolétariat** [-àryà] *m.* proletariat.
prolixe [pròlìks] *adj.* prolix, diffuse, verbose, long-winded.
prolongation [pròloⁿgàsyoⁿ] *f.* prolongation, lengthening, protrac-

tion. || **prolonge** [pròlo^{n}j] *f.* lashing-rope. || **prolongement** [-ma^{n}] *m.* extension, prolonging, continuation. || **prolonger** [-é] *v.* to prolong, to protract, to lengthen, to extend.

promenade [pròmnàd] *f.* walk, walking; stroll; promenade; excursion; drive, ride [en voiture]; row, sail, cruise [en bateau]; *faire une promenade,* to take a walk. || **promener** [-é] *v.* to take out walking; to turn [regard]; **se promener,** to walk, to go for a walk (stroll, ride, drive, row, sail). || **promeneur** [-œr] *f.* walker, stroller; rider. || **promenoir** [-wàr] *m.* promenade, covered walk.

promesse [pròmès] *f.* promise, pledge, assurance; **promissory** note. || **prometteur** [-ètœr] *m.* ready promiser; *adj.* attractive, promising. || **promettre** [-ètr] *v.*° to promise, to pledge; to be promising; **se promettre,** to resolve; to hope; to promise oneself. || **promis** [-ì] *adj.* promised; intended, pledged; *m.* fiancé, betrothed.

promontoire [pròmo^{n}twàr] *m.* promontory, foreland, headland, cape.

promoteur, -trice [pròmòtœr, -trìs] *m., f.* promoter. || **promotion** [-òsyo^{n}] *f.* promotion, advancement, preferment.

prompt [pro^{n}] *adj.* prompt, quick, speedy, swift; hasty. || **promptitude** [-tìtüd] *f.* promptitude, promptness, quickness.

promu [pròmü] *adj.* promoted.

promulguer [pròmülgé] *v.* to promulgate; to publish, to issue.

prôner [prôné] *v.* to preach, to sermonize; to extol, to advocate.

pronom [pròno^{n}] *m.* pronoun.

prononcer [pròno^{n}sé] *v.* to pronounce; to declare; to pass, to return, to bring in [jugement]. || **prononciation** [-yàsyo^{n}] *f.* pronunciation.

propagande [pròpàga^{n}d] *f.* propaganda; advertising, *Am.* ballyhoo.

propagation [pròpàgàsyo^{n}] *f.* propagation. || **propager** [-àjé] *v.* to propagate, to spread.

propension [pròpa^{n}syo^{n}] *f.* propensity.

prophète [pròfèt] *m.* prophet, seer, prophesier. || **prophétie** [-ésì] *f.* prophecy. || **prophétiser** [-étìzé] *v.* to prophesy, to foretell.

propice [pròpìs] *adj.* propitious.

proportion [pròpòrsyo^{n}] *f.* proportion, ratio; rate; size, dimension. || **proportionner** [-yòné] *v.* to proportion, to adjust.

propos [pròpò] *m.* discourse, talk, words; remark, utterance; purpose; *à propos,* by the way; relevant, pertinent. || **proposer** [-zé] *v.* to propose; to offer; **se proposer,** to plan, to intend. || **proposition** [-zìsyo^{n}] *f.* proposition, proposal; motion, suggestion.

propre [pròpr] *adj.* clean, neat. tidy; proper, correct, fitting, appropriate; own; peculiar; right [sens]; *m.* characteristic, attribute; property; proper sense. || **propreté** [-^{e}té] *f.* cleanliness; neatness, tidiness.

propriétaire [pròprìétèr] *m.* owner, proprietor; landlord. || **propriété** [-é] *f.* property; realty; estate; ownership; quality, characteristic; propriety, correctness.

propulseur [pròpülsœr] *m.* propeller; *adj.* propelling, propulsive.

prorogation [pròrògàsyo^{n}] *f.* prorogation; prolongation.

prosaïque [pròzàìk] *adj.* prosaic; flat, dull; matter-of-fact.

proscrire [pròskrìr] *v.* to prohibit, to proscribe; to outlaw; to banish.

prose [prôz] *f.* prose.

prospecteur [pròspèktœr] *m.* prospector, miner.

prospectus [pròspèktüs] *m.* prospectus, handbill; blurb (fam.).

prospère [pròspèr] *adj.* prosperous, thriving. || **prospérer** [-éré] *v.* to flourish, to prosper, to thrive, to succeed. || **prospérité** [-érìté] *f.* prosperity, welfare.

prosterner (se) [s^{e}pròstèrné] *v.* to prostrate oneself, to bow down.

prostituée [pròstìtüé] *f.* prostitute, harlot, whore, strumpet. || **prostituer** [-üé] *v.* to prostitute.

protecteur, -trice [pròtèktœr, -trìs] *m.* protector; patron; *f.* protectress; patroness; *adj.* protective; patronizing. || **protection** [-syo^{n}] *f.* protection, shelter; cover; defence; support, patronage. || **protectorat** [-tòrà] *m.* protectorate. || **protégé** [pròtéjé] *m.* favo(u)rite, protégé. || **protéger** [-é] *v.* to protect, to shield, to shelter.

protestant [pròtèsta^{n}] *m., adj.* Protestant. || **protestation** [-àsyo^{n}]

f. protest, protestation. || **protester** [-*é*] *v.* to protest; to vow; to object; to affirm.
protubérance [pròtübéra^ns] *f.* protuberance.
proue [prû] *f.* prow, stem, bow (naut.); nose (aviat.).
prouesse [prûès] *f.* prowess.
prouver [prûvé] *v.* to prove.
provenance [pròvna^ns] *f.* origin, source, provenance; produce.
provenir [pròvnìr] *v.** to come, to stem, to issue, to proceed, to spring.
proverbe [pròvèrb] *m.* proverb.
providence [pròvìda^ns] *f.* providence. || **providentiel** [-yèl] *adj.* providential; opportune.
province [pròvi^ns] *f.* province. || **provincial** [-yàl] *adj.* provincial; countrified, country-like; *m.* provincial, country-person.
proviseur [pròvìzœr] *m.* headmaster [lycée].
provision [pròvìzyo^n] *f.* provision, stock, store, hoard, supply; funds, margin, deposit (comm.).
provisoire [pròvìzwàr] *adj.* provisional, temporary.
provocant [pròvòka^n] *adj.* provoking, provocative; exciting; alluring, enticing. || **provocateur, -trice** [-àtœr, -trìs] *m., f.* provoker; aggressor, instigator; *adj.* provoking, instigating, abetting; *agent provocateur,* hired agitator; instigating agent. || **provocation** [-àsyo^n] *f.* provocation. || **provoquer** [-*é*] *v.* to provoke, to incite, to bring on; to instigate; to challenge [duel].
proximité [pròksìmìté] *f.* proximity, nearness, vicinity.
prude [prüd] *adj.* prudish; *f.* prude. || **prudence** [-a^ns] *f.* prudence, discretion, caution; carefulness. || **prudent** [-a^n] *adj.* prudent, discreet, cautious. || **pruderie** [-rì] *f.* prudery, prudishness.
prune [prün] *f.* plum. || **pruneau** [-ô] *m.* prune; (pop.) bruise; bullet. || **prunelle** [-èl] *f.* sloe, blackthorn; pupil [œil]. || **prunier** [-yé] *m.* plum-tree.
prurit [prürì] *m.* itching.
psaume [psôm] *m.* psalm.
pseudonyme [psëdònìm] *m.* pseudonym; fictitious name.
psychologie [psìkòlòjì] *f.* psychology. || **psychologique** [-ìk] *adj.* psychological. || **psychologue** [psìkòlòg] *m.* psychologist.

puant [püa^n] *adj.* stinking, smelly; fetid, rank, foul. || **puanteur** [-tœr] *f.* stench, stink, reek.
public [püblìk] *adj.* public; open; *m.* public; audience [assistance]. || **publication** [-ìkàsyo^n] *f.* publication; publishing; published work. || **publiciste** [-ìsìst] *m.* publicist; advertising agent; public relations man. || **publicité** [-ìsìté] *f.* publicity; advertising; public relations. || **publier** [-ìyé] *v.* to publish, to bring out, to issue.
puce [püs] *f.* flea; *adj.* puce.
pudeur [püdœr] *f.* modesty, decency; bashfulness, shyness, reserve. || **pudibond** [-ìbo^n] *adj.* prudish. || **pudique** [-ìk] *adj.* bashful; chaste.
puer [püé] *v.* to stink, to smell bad.
puéril [püérìl] *adj.* childish.
puis [püì] *adv.* then, afterwards, next, following.
puisatier [püìzàtyé] *m.* well-digger. || **puiser** [-é] *v.* to draw up; to derive, to borrow, to extract (fig.).
puisque [püìsk] *conj.* since, as; seeing that.
puissamment [püìsàma^n] *adv.* powerfully, potently. || **puissance** [-a^ns] *f.* power; force; influence; strength; degree (math.); influential person; horse-power [auto]. || **puissant** [-a^n] *adj.* powerful, strong, mighty; wealthy; influential; numerous; stout, corpulent.
puits [püì] *m.* well, shaft, pit [mine]; cockpit (aviat.).
pulluler [pülülé] *v.* to swarm, to throng; to teem.
pulmonaire [pülmònèr] *adj.* pulmonary.
pulpe [pülp] *f.* pulp; pad.
pulsation [pülsàsyo^n] *f.* pulsation, beat, throb.
pulvérisateur [pülvérìzàtœr] *m.* pulveriser; atomizer, spray, vaporizer. || **pulvériser** [-é] *v.* to pulverize; to annihilate; to spray.
punaise [pünèz] *f.* bug, bedbug; *Br.* drawing-pin, *Am.* thumbtack.
punch [pu^nsh] *m.* punch [boisson].
punir [pünìr] *v.* to punish, to chastise. || **punition** [-ìsyo^n] *f.* punishment, chastisement; forfeit [jeux].
pupille [püpìy] *m.* ward, minor.
pupille [püpìy] *f.* pupil of the eye.
pupitre [püpìtr] *m.* desk; lectern, reading-stand.
pur [pür] *adj.* pure; innocent;

downright; sheer, stark; *pur sang*, pure-blooded, thoroughbred.
purée [püré] *f.* thick soup; mash.
pureté [pürté] *f.* purity, innocence, pureness; chastity; clearness.
purgatif [pürgàtìf] *m., adj.* purgative. || **purgatoire** [-wàr] *m.* purgatory. || **purge** [pürj] *f.* purge; cleansing; paying off [hypothèque]. || **purger** [-é] *v.* to purge; to cleanse; to pay off.
purifier [pürifyé] *v.* to purify, to cleanse; to refine.
pus [pü] *m.* pus, matter.
pustule [püstül] *f.* blotch; blister.
putois [pütwà] *m.* polecat, skunk.
putréfier [pütréfyé] *v.* to putrefy, to rot, to decompose. || **putride** [-ìd] *adj.* putrid; tainted; rotten, decayed, decomposed.
pyjama [pìjàmà] *m. Br.* pyjamas, *Am.* pajamas.

Q

quadrillage [kàdrìyàj] *m.* chequerwork. || **quadrillé** [-ìyé] *adj.* chequered; ruled in squares.
quadruple [kwàdrüpl] *adj.* quadruple; fourfold.
quai [kè] *m.* quay, wharf; embankment, mole; platform [gare].
qualificatif [kàlifikàtìf] *adj.* qualifying; *m.* epithet, name; qualificative (gramm.). || **qualifier** [-yé] *v.* to qualify; to style; to name.
qualité [kàlité] *f.* quality; property; excellence; nature; qualification.
quand [kaⁿ] *conj.* when; whenever.
quant [kaⁿ] *adv.* as; *quant à*, as for.
quantitatif [kaⁿtìtàtìf] *adj.* quantitative. || **quantité** [-é] *f.* quantity, amount, supply.
quarantaine [kàraⁿtèn] *f.* about forty, twoscore; quarantine; Lent. || **quarante** [-aⁿt] *m., adj.* forty.
quart [kàr] *m.* quarter, fourth part; quart [litre]; watch (naut.); *adj.* fourth; quartan.
quartier [kàrtyé] *m.* quarter, fourth part; piece, part; district, neighbo(u)rhood; quarter's rent, pay; flap [selle]; haunch [chevreuil]; *quartier général*, headquarters; **quartier-maître**, quartermaster.
quatorze [kàtòrz] *m., adj.* fourteen. || **quatorzième** [-yèm] *m., f., adj.* fourteenth. || **quatre** [kàtr] *m., adj.* four, fourth; **quatre-vingts**, eighty; **quatre-vingt-dix**, ninety. || **quatrième** [kàtryèm] *m., f., adj.* fourth.
quatuor [kwàtüòr] *m.* quartet.
que [kᵉ] (**qu'** before a vowel) *rel. pron.* whom, that; which; what; *interrog. pron.* what?; why?
que (**qu'** before a vowel) *conj.* that; than; as; when; only, but; *ne... que*, only, nothing but, not until.
que [kᵉ] (**qu'** before a vowel) *adv.* how, how much, how many.
quel [kèl] *adj.* what, which; what a; *quel dommage!* what a pity!
quelconque [kèlkoⁿk] *indef. adj.* whatever; mediocre, commonplace, undistinguished.
quelque [kèlkᵉ] *adj.* some, any; whatever, whatsoever; *pl.* a few; *adv.* however; some, about; **quelque chose**, something; **quelquefois**, sometimes, at times, now and then; **quelqu'un**, someone, anyone, somebody, anybody; *pl.* some, any.
quémander [kémaⁿdé] *v.* to beg (for), to solicit.
quenouille [kᵉnûy] *f.* distaff.
querelle [kᵉrèl] *f.* quarrel.
question [kèstyoⁿ] *f.* question; query, interrogation; matter, issue. || **questionnaire** [-yònèr] *m.* questionnaire, form, blank. || **questionner** [-yòné] *v.* to question, to interrogate, to quiz; to examine.
quête [kèt] *f.* quest, search; collection; beating about [chasse]. || **quêter** [-é] *v.* to go in quest of; to beg; to make a collection. || **quêteur** [-œr] *m.* collector.
queue [kë] *f.* tail; stalk, stem; end; rear; billiard-cue; handle; train [robe]; queue, file, string; *en queue*, in the rear; *faire queue*, to stand in line, to queue up.
qui [ki] *rel. pron.* who, which, that; whom; *qui que ce soit*, anyone whatever.
qui [ki] *interrog. pron.* who [sujet]: whom [complément direct]; *à qui est-ce?* whose is it?; **quiconque**, whoever, whosoever; whomever, whichever; anybody.
quignon [kìñoⁿ] *m.* chunk; hunk.
quille [kìy] *f.* keel (naut.).

quille [kīy] *f.* skittle, ninepin.
quincaillerie [kiⁿkàyrī] *f. Br.* ironmongery, *Am.* hardware.
quinine [kìnīn] *f.* quinine.
quinte [kiⁿt] *f.* fifth (mus.); quinte [escrime]; fit, paroxysm [toux]; freak, whim (fig.).
quinteux [kiⁿtë] *adj.* moody, cantankerous, crotchety, restive.
quintuple [kiⁿtüpl] *m., adj.* quintuple, fivefold.
quinzaine [kiⁿzèn] *f.* about fifteen; fortnight, two weeks. || **quinze** [kiⁿz] *m., adj.* fifteen; fifteenth; *quinze jours,* fortnight.
quittance [kìtaⁿs] *f.* receipt, discharge.
quitte [kìt] *adj.* clear, free; rid; discharged, quit [dette]; *quitte à,* liable to; on the chance of; *nous sommes quittes,* we're even. || **quitter** [-é] *v.* to depart (from); to leave; to give up; to resign [poste]; to take off [vêtements]; *ne quittez pas,* hold the line [téléphone].
quoi [kwà] *rel. pron.* what; *quoi que je fasse,* whatever I may do; *quoi qu'il en soit,* be that as it may, however it may be.
quoi [kwà] *interrog. pron.* what.
quoique [kwàk] *conj.* although.
quolibet [kòlìbè] *m.* quibble, gibe.
quote-part [kòtpàr] *f.* quota, share.
quotidien [kòtìdyiⁿ] *m., adj.* daily; *adj.* everyday; quotidian [fièvre].
quotient [kòsyaⁿ] *m.* quotient.

R

rabâcher [ràbâshé] *v.* to repeat over and over, to talk twaddle.
rabais [ràbè] *m.* reduction, discount; rebate; abatement; devaluation [monnaie]; fall [inondation]. || **rabaisser** [-sé] *v.* to lower; to reduce; to devaluate; to humble.
rabat [ràbà] *m.* band [col]; **rabat-joie,** spoil-sport, wet blanket. || **rabatteur** [-tœr] *m.* beater. || **rabattre** [ràbàtr] *v.* to pull down, to put down; to beat down; to reduce, to diminish; to lower, to humble; to beat up [gibier]; to ward off [coup]; **se rabattre,** to turn off, to change; to come down; to fall down (*sur,* upon) || **rabattu** [-ü] *adj.* turned-down; felled.
râble [râbl] *m.* back, saddle [lièvre]. || **râblé** [-é] *adj.* thick-backed [lièvre]; strong, husky, sturdy.
rabot [ràbô] *m.* plane. || **raboter** [-òté] *v.* to plane; to polish; to filch, *Am.* to lift (pop.). || **raboteux** [-ë] *adj.* rough, rugged, uneven; knotty; harsh, crabbed [style].
rabougri [ràbûgrì] *adj.* stunted, skimpy; scragged [végétation].
racaille [ràkày] *f.* rabble, scum, riffraff (fam.).
raccommodage [ràkòmòdàj] *m.* mending; darning; repairing. || **raccommoder** [-é] *v.* to mend, to darn; to repair; to piece, to patch; to set right, to correct; to reconcile.
raccord [ràkòr] *m.* joining, fitting, junction; connection [lampe]; accord; matching. || **raccorder** [-dé] *v.* to join, to connect.
raccourci [ràkûrsì] *adj.* shortened, abridged; oblate, ellipsoid (geom.); squat [taille], bobbed [cheveux]; *m.* short cut [chemin]; abridgment, digest [livre]; foreshortening [tableau]. || **raccourcir** [-ir] *v.* to shorten, to curtail, to abridge.
raccrocher [ràkròshé] *v.* to hook up again, to hang up again; to recover, to retrieve; to ring off [téléphone]; (fam.) to solicit.
race [ràs] *f.* race; stock, breed, blood; strain, line, ancestry; tribe; *de race,* pedigreed, pure-bred [chien]; thoroughbred [cheval].
rachat [ràshà] *m.* repurchase; redemption; surrender, cashing in. || **racheter** [ràshté] *v.* to repurchase, to buy back; to redeem, to ransom; to compensate, to make up for; to atone for.
rachitique [ràshìtìk] *adj.* rickety, rachitic.
racine [ràsīn] *f.* root; origin.
raclée [ràklé] *f.* thrashing, hiding, drubbing. || **racler** [-é] *v.* to scrape, to rake; to pilfer, to steal, to pinch, to lift (pop.). || **racloir** [-wàr] *m.* scraper, road-scraper. || **raclure** [-ür] *f.* scrapings.
raconter [ràkoⁿté] *v.* to relate, to tell, to narrate, to recount.

rade [ràd] *f.* roads, roadstead.
radeau [ràdô] *m.* raft, float.
radiateur [ràdyàtœr] *m.* radiator. || **radiation** [-yàsyo^n] *f.* radiation.
radiation [ràdyàsyo^n] *f.* obliteration, striking out; deletion.
radical [ràdikàl] *adj.* radical; fundamental; *m* radical; root.
radier [ràdyé] *v.* to strike out, to obliterate, to cancel; to delete.
radieux [ràdyë] *adj.* radiant; beaming [sourire].
radio [ràdiô] *f.* radio, wireless; X-ray (med.); *m.* radiogram, wireless message; wireless operator, telegraphist; **radiodiffuser**, to broadcast; **radiodiffusion**, broadcast, broadcasting; **radiothérapie**, radiotherapy, X-ray treatment.
radis [ràdì] *m.* radish.
radium [ràdyòm] *m.* radium.
radotage [ràdòtàj] *m.* drivel, nonsense, twaddle; dotage. || **radoter** [-é] *v.* to talk drivel *or* twaddle, to ramble; to be in one's dotage.
radoub [ràdû] *m.* repairing, graving (naut.); dry-dock [bassin]. || **radouber** [-bé] *v.* to repair; to mend.
radoucir [ràdûsìr] *v.* to soften, to make milder; to mitigate, to allay; to appease, to pacify, to mollify.
rafale [ràfàl] *f.* squall, gust [vent]; burst, volley, storm [tir].
raffermir [ràfèrmìr] *v.* to fortify, to strengthen; to secure, to make firm.
raffinage [ràfìnàj] *m.* refining [sucre]; distilling [huile]. || **raffiner** [-é] *v.* to refine; to be overnice. || **raffinerie** [-rì] *f.* refinery.
raffoler [ràfòlé] *v.* to dote (*de,* on); to be passionately fond (*de,* of); to be mad (*de,* about).
rafle [ràfl] *f.* stalk [raisin]; cob [maïs].
rafle [ràfl] *f.* foray, round-up, police raid; loot, swag [vol]; haul [pêche]. || **rafler** [-é] *v.* to sweep off, to carry off; to round up.
rafraîchir [ràfrèshìr] *v.* to cool; to refresh; to revive; to freshen. || **rafraîchissement** [-ìsma^n] *m.* cooling; *pl.* refreshments.
rage [ràj] *f.* rabies, hydrophobia; frenzy, rage; violent pain; passion; mania. || **rager** [-é] *v.* to rage; to fume. || **rageur** [-œr] *adj.* choleric, violent-tempered.
ragoût [ràgû] *m.* stew, ragout; relish, seasoning.
raid [rèd] *m.* raid, foray, incursion; endurance contest [sport].
raide [rèd] *adj.* stiff, rigid; tight, taut; stark; inflexible; steep; swift, rapid; (fam.) tall, exaggerated; *adv.* quickly, suddenly. || **raideur** [-œr] *f.* stiffness, rigidity; firmness, inflexibility; tightness; steepness; swiftness; tenacity; harshness. || **raidillon** [-ìyo^n] *m.* steep path, up-hill stretch. || **raidir** [-ìr] *v.* stiffen; to be inflexible.
raie [rè] *f.* parting [cheveux]; streak, stripe; line, stroke; furrow.
raie [rè] *f.* skate [poisson].
rail [ràỳ] *m.* rail.
railler [ràyé] *v.* to banter, to scoff at, to gibe, to heckle; to jest; *Am.* to twit. || **raillerie** [ràyrì] *f.* raillery, bantering; jesting; jest; jeer, mock, scoff. || **railleur** [ràyœr] *adj.* bantering, joking; jeering, scoffing; *m.* banterer, joker; scoffer.
rainette [rènèt] *f.* tree-frog.
rainure [rènür] *f.* groove; slot, notch; rabbet.
raisin [rèzi^n] *m.* grape; *raisins secs,* raisins; **raisiné**, grape jam.
raison [rèzo^n] *f.* reason; sense, sanity; reparation; justice, right; proof, ground; cause, motive; firm (comm.); ratio (math.); claim (jur.); *à raison de,* at the rate of; *avoir raison,* to be right; *donner raison à,* to decide in favo(u)r of; *à plus forte raison,* so much the more; *avoir raison de,* to get the better of; *en raison de,* in consideration of; *raison sociale,* firm name, trade name. || **raisonnable** [-ònàbl] *adj.* reasonable, rational; right, just; sensible; fair, equitable; moderate [prix]. || **raisonnement** [-ònma^n] *m.* reasoning, reason, argument. || **raisonner** [-òné] *v.* to reason; to argue; to consider, to weigh.
rajeunir [ràjœnìr] *v.* to rejuvenate, to renovate, to renew. || **rajeunissement** [-ìsma^n] *m.* rejuvenation, renovation; restoration.
rajouter [ràjûté] *v.* to add again, to add more.
rajuster [ràjüsté] *v.* to readjust; to reconcile (fig.).
râle [râl] *m.* rail [oiseau].
râle [râl] *m.* death-rattle; rattling in the throat.
ralentir [ràla^{n}tìr] *v.* to slacken, to slow; to lessen; to abate.

râler [râlé] *v.* to have a rattle in one's throat; (pop.) to grumble.
rallIement [ràlìmaⁿ] *m.* rallying, rally. || **rallier** [-yé] *v.* to rally; to rejoin; se rallier, to rally, to assemble; to hug the shore (naut.).
rallonge [ràloⁿj] *f.* extension-piece, extra leaf. || **rallonger** [-é] *v.* to lengthen, to elongate, to eke out; to thin [sauce]; to let out *or* down [jupe].
ramage [ràmàj] *m.* floral pattern; warbling, chirping, twittering.
ramassage [ràmàsàj] *m.* collection, gathering up. || **ramasser** [-é] *v.* to gather; to pick up. || **ramassis** [-ì] *m.* heap, collection; gang.
rame [ràm] *f.* oar.
rame [ràm] *f.* stick, prop (hort.); tenter-frame [textile].
rame [ràm] *f.* ream [papier]; convoy [bateaux]; string [trains].
rameau [ràmô] *m.* bough, branch; subdivision; *dimanche des Rameaux,* Palm Sunday.
ramener [ràmné] *v.* to bring back; to take home; to restore; to recall.
ramer [ràmé] *v.* to stick, to prop.
ramer [ràmé] *v.* to row. || **rameur** [-œr] *m.* rower, oarsman.
ramier [ràmyé] *m.* wood-pigeon.
ramification [ràmìfìkàsyoⁿ] *f.* ramification; subdivision; outgrowth. || **ramifier** [-yé] *v.* to ramify.
ramollir [ràmòlìr] *v.* to soften; to enervate (fig.). || **ramollissant** [-ìsaⁿ] *adj.* softening; enervating.
ramonage [ràmònàj] *m.* chimney-sweeping. || **ramoner** [-é] *v.* to sweep [cheminée]. || **ramoneur** [-œr] *m.* chimney-sweep.
rampe [raⁿp] *f.* slope, incline, banister; footlights (theat.); inclined plane (tech.). || **ramper** [-é] *v.* to creep, to crawl; to crouch, to cringe, to grovel; to fawn, to toady.
ramure [ràmür] *f.* boughs; antlers.
rance [raⁿs] *adj.* rancid, rank; rusty (fig.); *m.* rancidness. || **rancir** [-ìr] *v.* to grow rancid.
rancœur [raⁿkœr] *f.* ranco(u)r.
rançon [raⁿsoⁿ] *f.* ransom.
rancune [raⁿkün] *f.* ranco(u)r, spite, grudge. || **rancunier** [-yé] *adj.* spiteful, rancorous.
randonnée [raⁿdòné] *f.* circuit, ramble, long walk; round.
rang [raⁿ] *m.* line, row, column, range, rank; order, class; tier; rate [bateaux]. || **rangée** [-jé] *f.* row, range, file, line, tier. || **ranger** [-jé] *v.* to put in order; to tidy up; to put away; to arrange; to range; to draw up [voitures]; to rate, to rank; to coast (naut.); to keep back, to subdue; se ranger, to make way; to draw up (mil.); to fall in (mil.); to mend one's ways.
ranimer [rànìmé] *v.* to revive, to reanimate; to stir up, to rouse, to enliven.
rapace [ràpàs] *adj.* rapacious; predatory; predaceous; ravenous.
rapatriement [ràpàtrìmaⁿ] *m.* repatriation. || **rapatrier** [-ìyé] *v.* to repatriate.
râpe [râp] *f.* grater; rasp; stalk [raisin]. || **râpé** [-é] *adj.* grated, shredded; shabby, threadbare. || **râper** [-é] *v.* to grate; to rasp; to make threadbare.
rapetisser [ràptìsé] *v.* to shorten, to make smaller; to shrink.
rapide [ràpìd] *adj.* rapid, fast, swift, fleet; hasty, sudden; steep; *m.* fast train, express train. || **rapidité** [-ìté] *f.* rapidity, speed.
rapiécer [ràpyésé] *v.* to patch up, to piece.
rappel [ràpèl] *m.* recall, recalling; call [à l'ordre]; repeal, revocation; reminder, recollection; drum signal, bugle call (mil.); curtain-call (theat.). || **rappeler** [ràplé] *v.* to call back, to call again; to recall; to restore [santé]; to summon up, to muster [courage]; to retract; to remind of; se rappeler, to remember, to recall, to recollect.
rapport [ràpòr] *m.* report, account; proceeds, profit, revenue; productiveness, bearing; conformity, analogy; relation, connection, relevancy; ratio; communication. || **rapporter** [-té] *v.* to bring back, to take back; to bring in, to yield; to refund; to refer; to repeal; to report; to quote; to post (comm.); to trace (topogr.); to pay, to bring profit (comm.); to retrieve, to fetch [chiens]; se rapporter, to relate; to tally (*à,* with); *s'en rapporter à,* to rely on. || **rapporteur** [-tœr] *m.* reporter; stenographer; informer, tattle-tale, tale-bearer.
rapprochement [ràpròshmaⁿ] *m.* bringing together; reconciliation; comparison. || **rapprocher** [-é] *v.* to bring together; to reconcile; to compare; se rapprocher, to come

near again, to draw nearer; to become reconciled; to approach, to approximate.
rapt [ràpt] *m.* abduction, kidnapping, *Am.* snatch (fam.); rape.
raquette [ràkèt] *f.* racket; battledore; snow-shoe.
rare [ràr] *adj.* rare, uncommon, unusual; few, scarce, scanty, sparse; slow [pouls]. || **raréfier** [-éfyé] *v.* to rarefy. || **rarement** [-man] *adv.* infrequently, rarely, seldom. || **rareté** [-té] *f.* rarity; scarcity; unusualness.
ras [râ] *adj.* close-shaven, smooth-shaven, close-cropped, close-napped, shorn; bare, smooth; flat, low; *à ras de,* level with; *rase campagne,* open country. || **raser** [-zé] *v.* to shave; to raze; to tear down [édifice]; to graze, to skim; to hug, to skirt [côte, terre]; (pop.) to bore. || **raseur** [-zœr] *m.* shaver; (pop.) bore. || **rasoir** [-zwàr] *m.* razor.
rassasier [ràsàzyé] *v.* to sate, to satiate; to cloy, to surfeit; to satisfy, to fill.
rassembler [ràsanblé] *v.* to reassemble; to gather together; to collect; to muster (mil.).
rasséréner [ràsérénè] *v.* to calm, to clear up, to soothe; **se rasséréner,** to be soothed.
rassis [ràsì] *adj.* stale [pain]; settled; calm, staid, sedate; trite, hackneyed (fig.).
rassortir [ràsòrtir] *v.* to sort, to match again; to restock.
rassurer [ràsüré] *v.* to reassure, to tranquil(l)ize; to strengthen.
rat [rà] *m.* rat; niggard; taper [bougie]; ballet-girl (theat.).
ratatiner [ràtàtìné] *v.* to shrink, to shrivel up; to wrinkle; to wizen.
rate [ràt] *f.* spleen.
raté [ràté] *m.* misfiring [fusil, moteur]; failure, flop; wash-out, flash-in-the pan (fam.); *adj.* miscarried, ineffectual; bungled.
râteau [râtô] *m.* rake; raker; scrapper; large comb [peigne]. || **râteler** [-lé] *v.* to rake. || **râtelier** [-elyé] *m.* rack [écurie]; (pop.) denture.
rater [ràté] *v.* to misfire; to miss [train]; to fail in, to bungle, to muff, to fluff (pop.).
ratier [ràtyé] *m.* rat-catcher. || **ratière** [-yèr] *f.* rat-trap.
ratifier [ràtìfyé] *v.* to ratify; to confirm; to sanction.
ration [ràsyon] *f.* ration, allowance, share. || **rationnel** [-yònèl] *adj.* rational; reasonable. || **rationnement** [-yònman] *m.* rationing. || **rationner** [-yòné] *v.* to ration.
ratisser [ràtìsé] *v.* to rake, to scrape.
rattacher [ràtàshé] *v.* to refasten, to attach again, to connect.
rattraper [ràtràpé] *v.* to catch again, to retake; to catch up with, to overtake; to recover; **se rattraper,** to catch hold; to make up for [perte].
rature [ràtür] *f.* erasure, crossing out, cancellation. || **raturer** [-é] *v.* to erase, to cross out, to cancel, to strike out.
rauque [rôk] *adj.* hoarse.
ravage [ràvàj] *m.* ravage, havoc. || **ravager** [-é] *v.* to ravage, to ruin, to devastate, to lay waste.
ravalement [ràvàlman] *m.* resurfacing, refinishing; rough-casting, plastering; hollowing out; disparagement (fig.). || **ravaler** [-é] *v.* to resurface; to rough-cast.
ravauder [ràvôdé] *v.* to mend, to darn, to patch.
rave [ràv] *f.* rape. || **ravier** [-yé] *m.* radish-dish.
ravigoter [ràvìgòté] *v.* to refresh, to perk up.
ravin [ràvin] *m.* ravine; hollow road. || **ravine** [-ìn] *f.* gully. || **raviner** [-ìné] *v.* to plough up.
ravir [ràvir] *v.* to ravish, to abduct, to kidnap; to rob of; to charm, to delight, to enrapture (fig.).
raviser (se) [seràvìzé] *v.* to change one's mind, to think better.
ravissant [ràvìsan] *adj.* ravishing, delightful; predatory; ravenous. || **ravissement** [-man] *m.* rapture, ravishment; kidnapping; rape. || **ravisseur** [-œr] *m.* ravisher, kidnapper.
ravitaillement [ràvìtàyman] *m.* supplying; replenishment; provisioning; revictual(l)ing; refue(l)ling [carburant]. || **ravitailler** [-é] *v.* to supply; to replenish; to provision, to revictual; to refuel [carburant].
raviver [ràvìvé] *v.* to revive; to reanimate; to enliven, to rouse.
rayer [rèyé] *v.* to stripe, to streak; to cancel, to scratch, to erase, to

expunge, to strike out; to suppress (fig.); to rifle, to groove [fusil].
rayon [rèyo^n] *m.* ray, beam [lumière, soleil]; spoke [roue]; radius.
rayon [rèyo^n] *m.* shelf; rack; department [magasin]; specialty, *Am.* field [profession]; zone, circuit, sphere, honeycomb; *chef de rayon, Br.* shopwalker, *Am.* floorwalker.
rayonnant [rèyòna^n] *adj.* radiant, beaming; lambent.
rayonne [rèyòn] *f.* rayon [tissu].
rayonnement [rèyònma^n] *m.* radiance, radiation; effulgence. || **rayonner** [-é] *v.* to radiate; to beam, to shine.
rayure [rèyür] *f.* stripe; streak, scratch; strike-out, erasure, cancellation; groove, rifling [fusil].
raz [râ] *m.* strong current; *raz de marée,* tidal wave, tide-race; bore.
réactif [réàktìf] *m.* reagent (chem.); *adj.* reactive. || **réaction** [-syo^n] *f.* reaction; conservatism; *avion à réaction,* jet plane. || **réagir** [réàjìr] *v.* to react.
réalisable [réàlìzàbl] *adj.* realizable; feasible, practicable. || **réalisation** [-àsyo^n] *f.* realization; fulfil(l)ment; conversion into money. || **réaliser** [-é] *v.* to realize; to convert into money; **se réaliser,** to come true. || **réalisme** [réàlìsm] *m.* realism. || **réaliste** [-ìst] *m., f.* realist; *adj.* realistic. || **réalité** [-ìté] *f.* reality; *en réalité,* really, actually.
rebelle [r^{e}bèl] *m.* rebel; *adj.* rebellious; insurgent, insubordinate; unyielding, obstinate; wayward; refractory. || **rebeller (se)** [s^{e}r^{e}bèllé] *v.* to revolt, to rebel; to resist. || **rébellion** [rébèlyo^n] *f.* rebellion, revolt; insurrection; insubordination.
rebondissement [r^{e}bo^{n}dìsma^n] *m.* rebound, rebounding; repercussion.
rebord [r^{e}bòr] *m.* edge, brim, border.
rebrousser [r^{e}brûsé] *v.* to turn up, to brush up [cheveux]; to turn back; to retrace [chemin].
rebuffade [r^{e}büfàd] *f.* rebuff, repulse, snub.
rebut [r^{e}bü] *m.* repulse, rebuff, rejection, refusal; refuse, rubbish, garbage; outcast; *lettre au rebut,* dead-letter. || **rebuter** [-té] *v.* to rebuff, to repel; to reject, to discard; to refuse, to disallow (jur.); to disgust, to shock; to dishearten.
récalcitrant [rékàlsìtra^n] *adj.* recalcitrant, refractory.
récapitulation [rékàpìtülàsyo^n] *f.* recapitulation; summing up; repetition. || **récapituler** [-é] *v.* to recapitulate, to sum up, to summarize.
receleur [r^{e}sèlœr] *m.* receiver of stolen goods, fence.
recensement [r^{e}sa^{n}sma^n] *m.* census; inventory; verification, checking.
récent [résa^n] *adj.* recent, late, new, fresh.
récépissé [résépìsé] *m.* receipt; acknowledgment.
réceptacle [résèptàkl] *m.* receptacle, container; resort, haunt, nest [criminels]. || **récepteur, -trice** [-tœr, -trìs] *adj.* receiving; *m.* receiver; reservoir, collector [machine]. || **réception** [-syo^n] *f.* reception; receiving, receipt; welcome; reception desk.
récession [résèsyo^n] *f.* recession.
recette [r^{e}sèt] *f.* receipts, returns [argent]; receivership [bureau]; recipe [cuisine].
recevable [r^{e}s^{e}vàbl] *adj.* receivable; admissible. || **receveur** [-œr] *m.* receiver; addressee; collector [impôts]; conductor [tram]; ticket-taker (theat.). || **recevoir** [-wàr] *v.** to receive; to get; to incur; to accept, to admit; to welcome; to entertain, to be at home.
rechange [r^{e}sha^{n}j] *m.* replacement, change; *pièce de rechange,* spare part.
réchaud [réshô] *m.* hot-plate, burner; *réchaud à alcool,* spirit stove. || **réchauffer** [-fé] *v.* to warm over, to heat up.
rêche [rèsh] *adj.* rough [toucher]; sour [goût]; crabbed [moral].
recherche [r^{e}shèrsh] *f.* search, quest, pursuit; research; inquiry, investigation; prospecting; affectation. || **recherché** [-é] *adj.* sought after, in great demand; studied, affected; refined. || **rechercher** [-é] *v.* to seek again, to search after; to investigate; to aspire to; to court.
rechute [r^{e}shüt] *f.* relapse, set-back.
récidive [résìdìv] *f.* recidivism, second offense; recurrence. || **récidiver** [-ìvé] *v.* to relapse into crime,

to repeat an offense. || **récidiviste** [-ìvìst] *m.* recidivist, old offender.

récif [résìf] *m.* reef.

récipient [résìpya^n] *m.* container; recipient; reservoir.

réciprocité [résìpròsìté] *f.* reciprocity, reciprocation; interchange. || **réciproque** [-òk] *adj.* reciprocal, mutual; converse (math.); *f.* the same, the like; converse, reciprocal (math.).

récit [résì] *m.* story, narrative, account, yarn (fam.); report. || **récitation** [-tàsyo^n] *f.* recitation, reciting. || **réciter** [-té] *v.* to recite, to rehearse; to repeat; to tell, to narrate.

réclamation [réklàmàsyo^n] *f.* claim, demand; complaint, protest, objection; *bureau des réclamations, Br.* claims department, *Am.* adjustment bureau. || **réclame** [réklàm] *f.* advertisement, advertising; blurb, *Am.* ballyhoo (pop.); *faire de la réclame,* to advertise; *réclame du jour,* the day's special; *article de réclame,* feature article. || **réclamer** [-é] *v.* to claim, to demand; to reclaim, to claim back; to complain, to object, to protest.

réclusion [réklüzyo^n] *f.* seclusion, reclusion; solitary confinement.

recoin [r^{e}kwi^n] *m.* nook, recess, cranny.

récolte [rékòlt] *f.* crop, harvest, vintage; profits (fig.). || **récolter** [-é] *v.* to harvest, to reap; to gather in.

recommandable [r^{e}kòma^{n}dàbl] *adj.* commendable; estimable; recommendable, advisable. || **recommandation** [-àsyo^n] *f.* recommendation; reference, introduction; detainer (jur.); registration [postes]. || **recommander** [-é] *v.* to recommend; to charge, to request; to lodge a detainer (jur.); to register, to insure [postes].

recommencer [r^{e}kòma^{n}sé] *v.* to recommence, to begin anew, to start over (again).

récompense [réko^{n}pa^{n}s] *f.* reward; requital; award, compensation. || **récompenser** [-é] *v.* to reward, to requite; to recompense, to repay.

réconciliation [réko^{n}sìlyàsyo^n] *f.* reconciliation, reconcilement. || **réconcilier** [-yé] *v.* to reconcile.

reconduire [r^{e}ko^{n}düìr] *v.** to reconduct, to escort, to lead back; to see home.

réconfort [réko^{n}fòr] *m.* comfort, relief. || **réconforter** [-té] *v.* to comfort, to cheer up.

reconnaissance [r^{e}kònèsa^{n}s] *f.* recognition; gratitude, thankfulness; acknowledgment, avowal; recognizance; pawn-ticket; reconnaissance, reconnoitring, exploration. || **reconnaissant** [-a^n] *adj.* grateful, thankful. || **reconnaître** [-ètr] *v.** to recognize; to identify; to discover; to acknowledge, to admit (to); to concede; to reconnoitre, to explore.

reconstituant [r^{e}ko^{n}stìtüa^n] *m.* tonic; reconstituant, restorative, *Am.* bracer (fam.). || **reconstituer** [-üé] *v.* to reconstitute, to reorganize.

reconstruction [r^{e}ko^{n}strüksyo^n] *f.* reconstruction, rebuilding. || **reconstruire** [-üìr] *v.* to reconstruct, to rebuild.

record [r^{e}kòr] *m.* record [sports]; recordman, record-holder.

recoupement [r^{e}kûpma^n] *m.* cross-checking, verification.

recourir [r^{e}kûrìr] *v.* to have recourse, to resort (to); to appeal (jur.). || **recours** [r^{e}kûr] *m.* recourse; refuge, resort, resource; petition, appeal (jur.); *avoir recours à,* to resort to.

recouvrement [r^{e}kûvr^{e}ma^n] *m.* recovery; regaining, debts due.

recouvrer [r^{e}kûvré] *v.* to recover, to retrieve, to get again; to recuperate, to recoup.

récréatif [rékréàtìf] *adj.* recreative, recreational; relaxing.

récrier (se) [s^{e}rékrìyé] *v.* to exclaim, to cry out; to expostulate, to protest; to be amazed.

récriminer [rékrìmìné] *v.* to recriminate; to countercharge.

recrue [r^{e}krü] *f.* recruit, draftee, inductee. || **recrutement** [-tma^n] *m.* recruitment, engaging, drafting, enlistment, mustering.

rectangle [rèkta^{n}gl] *m.* rectangle. || **rectangulaire** [-ülèr] *adj.* rectangular, right-angled.

rectifier [rèktìfyé] *v.* to rectify, to set right, to correct, to amend, to adjust; to straighten. || **rectitude** [-ìtüd] *m.* rectitude, uprightness, correctness, straightness.

reçu [r^{e}sü] *adj.* received; admitted, recognized, customary, usual; *m.* receipt; *au reçu de,* upon receipt of; *être reçu,* to pass [examen].
recueil [r^{e}kœy] *m.* collection, selection, assortment, miscellany, anthology, compendium. || **recueillement** [-ma^n] *m.* gathering; collectedness, mental repose. || **recueillir** [-ir] *v.** to gather, to get together, to assemble, to collect; to receive, to acquire; to take in, to reap; to shelter, to harbo(u)r; to inherit [succession]; **se recueillir,** to collect one's thoughts, to wrap oneself in meditation.
recul [r^{e}kül] *m.* recoil; falling-back, retreat; kick [fusil]. || **reculer** [-é] *v.* to draw back; to put back; to defer, to postpone; to extend [limites]; to retreat, to fall back, to recede; to recoil, to flinch; to go backwards; to rein back [cheval]; **à reculons,** backwards.
récupérer [réküpéré] *v.* to recover; to recuperate [pertes]; to salvage.
récurer [réküré] *v.* to scour, to cleanse.
récuser [réküzé] *v.* to challenge, to take exception to (jur.); to impugn, to reject [témoignage]; **se récuser,** to disclaim competence (jur.).
rédacteur, -trice [rédàktœr, -trìs] *m., f.* writer, drafter [documents]; clerk; *rédacteur en chef,* chief editor. || **rédaction** [rédàksyo^n] *f.* editing; editorial staff; drawing up; wording; newsroom.
reddition [rèdìsyo^n] *f.* surrender; rendering [comptes].
redevable [r^{e}d^{e}vàbl] *adj.* indebted, owing; beholden; *m.* debtor.
rédhibitoire [rédìbìtwàr] *adj.* redhibitory; latent [vice].
rédiger [rédìjé] *v.* to draw up; to edit; to draft, to word, to indite.
redire [r^{e}dìr] *v.** to repeat, to tell again; to reiterate; to criticize. || **redite** [-ìt] *f.* repetition, redundancy; tautology.
redoubler [r^{e}dûblé] *v.* to redouble; to increase; to re-line [vêtement].
redoutable [r^{e}dûtàbl] *adj.* redoubtable, fearsome, awful. || **redouter** [-é] *v.* to dread, to fear.
redresser [r^{e}drèsé] *v.* to re-erect; to straighten up; to put right, to redress, to reform; to right (aviat.); to hold up [tête]; to rebuke, to reprimand; **se redresser,** to straighten up again; to stand erect again; to right oneself, to be righted.
réduction [rédüksyo^n] *f.* reduction; abatement; laying-off, letting-out [personnel]; subjugation; reducing (mil.); mitigation (jur.).
réduire [rédüìr] *v.** to reduce, to lessen, to abate, to diminish, to curtail; to boil down; to subjugate; to compel; **se réduire,** to be reduced, [illegible]inish, to dwindle away, [illegible] (*à,* to). || **réduit** [-üì] [illegible] nook; hovel; *adj.* reduc[illegible] to, obliged to.
réel [réèl] *adj.* real, actual; genuine; sterling; material; *m.* reality.
référence [référa^{n}s] *f.* reference; allusion; *pl.* references. || **référer** [-é] *v.* to refer; to allude; to impute, to ascribe; **se référer,** to refer, to relate; to leave it (*à,* to); *s'en référer,* to confide, to trust (*à,* to).
réfléchi [réfléshì] *adj.* reflected; deliberate, reflective, thoughtful; circumspect; wary; reflexive (gramm.). || **réfléchir** [-ìr] *v.* to reflect; to mirror; to reverberate; to think over, to cogitate, to ponder. || **réflecteur** [réflèktœr] *m.* reflector; *adj.* reflective. || **reflet** [r^{e}flè] *m.* reflection; gleam. || **refléter** [r^{e}flété] *v.* to reflect, to mirror [lumière].
réflexe [réflèks] *m., adj.* reflex. || **réflexion** [-yo^n] *f.* reflection; thought, consideration; reproach, imputation; *toute réflexion faite,* all things considered.
refluer [r^{e}flüé] *v.* to reflow, to ebb, to surge back.
reflux [r^{e}flü] *m.* ebb.
refonte [r^{e}fo^{n}t] *f.* recasting, refounding; recoining; remodel(l)ing; correction, repair.
réforme [réfòrm] *f.* reform, reformation; amendment; discharge (mil.); retirement, pension (mil.). || **réformer** [-é] *v.* to reform, to rectify, to amend, to improve; to pension, to discharge (mil.).
refouler [r^{e}fûlé] *v.* to drive back, to repel; to compress.
réfractaire [réfràktèr] *adj.* refractory; stubborn, intractable, contumacious; *m.* defaulting conscript, *Am.* draft-dodger (mil.).
refrain [r^{e}fri^n] *m.* refrain, chorus, burden.

refréner [r^e^fréné] *v.* to bridle, to curb, to restrain.
réfrigérateur [réfrìjéràtœr] *m.* refrigerator; ice-box.
refroidir [r^e^frwàdìr] *v.* to chill, to cool; to check, to temper, to dispirit (fig.). || **refroidissement** [-ìsma^n^] *m.* cooling, refrigeration; coldness; chill, cold (med.).
refuge [r^e^füj] *m.* refuge, shelter, asylum; protection; pretext, (fam.) dodge. || **réfugié** [réfüjyé] *m.* refugee; displaced person. || **réfugier (se)** [s^e^réfüjyé] *v.* to take refuge, to take shelter; to have recourse.
refus [r^e^fü] *m.* refusal, denial; rejection. || **refuser** [-zé] *v.* to refuse, to reject, to deny, to decline; to withhold, to grudge, to demur; to haul ahead (naut.).
réfuter [réfüté] *v.* to refute, to confute, to disprove.
regagner [r^e^gàñé] *v.* to regain, to recover, to reach [maison].
regain [r^e^gi^n^] *m.* aftergrowth; revival, rejuvenation (fig.).
régal [régàl] *m.* treat; delight. || **régaler** [-é] *v.* to treat to, to regale, to feast, to entertain; *se régaler*, to enjoy oneself, to have a good time.
regard [r^e^gàr] *m.* look; glance, gaze, stare; frown, scowl; notice, attention; man-hole; *en regard*, opposite, facing. || **regarder** [-dé] *v.* to look at, to glance at, to gaze at, to stare at; to look into, to consider; to face, to be opposite; to regard, to concern; to pay heed; *ça me regarde*, that is my own business.
régent [réja^n^] *m., adj.* regent. || **régenter** [-té] *v.* to direct; to govern; to domineer.
régie [réjì] *f.* administration; excise taxes; excise office.
regimber [r^e^ji^n^bé] *v.* to kick; to balk.
régime [réjìm] *m.* diet; regimen; government; rules, regulations; regime, system; object, objective case (gramm.); cluster, bunch [bananes]; rate of flow [rivière].
régiment [réjìma^n^] *m.* regiment.
région [réjyo^n^] *f.* region, area, sector, zone, district, territory, locality; *Am.* belt. || **régional** [-yònàl] *adj.* local, regional.
régir [réjìr] *v.* to rule, to govern, to administer. || **régisseur** [-ìsœr] *m.* bailiff; stage manager (theat.).
registre [r^e^jìstr] *m.* register, record; account-book.
règle [règl] *f.* rule; ruler; order; regularity; example; principle, law; *pl.* menses; *en règle*, in order, correct, regular; *règle à calcul*, slide-rule. || **réglé** [réglé] *adj.* ruled, lined [papier]; regular, steady, methodical; exact, fixed. || **règlement** [règl^e^ma^n^] *m.* settlement, adjustment [comptes]; regulation, statute; ordinance, by-law, rule. || **réglementaire** [régl^e^ma^n^tèr] *adj.* regular, statutory, prescribed; reglementary. || **réglementer** [-é] *v.* to regulate. || **régler** [réglé] *v.* to rule, to line [papier]; to regulate, to order; to settle [comptes]; to set, to adjust, to time [horloge].
règne [rèñ] *m.* reign; prevalence, duration; influence; *règne animal*, animal kingdom. || **régner** [réñé] *v.* to reign; to rule; to hold sway, to prevail; to reach, to extend.
regorger [r^e^gòrjé] *v.* overflow; to abound (*de*, in); to be glutted.
regret [r^e^grè] *m.* regret; repining, yearning; *à regret*, with reluctance, grudgingly. || **regrettable** [-tàbl] *adj.* deplorable, regrettable. || **regretter** [-té] *v.* to regret; to repent, to be sorry for; to lament, to grieve; to miss.
régulariser [régülàrìzé] *v.* to regularize. || **régularité** [-ìté] *f.* regularity; punctuality; steadiness; symmetry. || **régulier** [régülyé] *adj.* regular; punctual, exact; systematic; steady; right, correct, in order; symmetrical.
réhabiliter [réàbìlìté] *v.* to rehabilitate; to reinstate; to vindicate; to whitewash (fig.).
rehausser [r^e^ôsé] *v.* to raise, to heighten; to enhance; to set off.
rein [ri^n^] *m.* kidney; *pl.* loins; *mal aux reins*, backache, lumbago.
reine [rèn] *f.* queen; reine-claude, green-gage plum; reine-marguerite, china aster.
réitérer [réìtéré] *v.* to reiterate.
rejaillir [r^e^jàyìr] *v.* to rebound; to splash, to gush, to spurt, to spout; to spring, to leap out.
rejet [r^e^jè] *m.* rejection; throwing out; refusal; transfer [finance]; sprout, shoot [plante]. || **rejeter** [r^e^jté] *v.* to reject, to throw back,

to refuse; to discard, to shake off; to deny, to disallow (jur.); to spurn; to send forth [plantes]; to transfer (comm.). || **rejeton** [-o^n] *m.* sprig, offshoot; offspring, scion.

rejoindre [r^{e}jwi^ndr] *v.** to rejoin; to reunite; to overtake [rattraper].

réjoui [réjwì] *adj.* jolly, jovial, merry. || **réjouir** [-ìr] *v.* to gladden, to cheer, to make merry; to divert, to delight, to entertain; **se réjouir**, to rejoice, to be glad, to make merry, to enjoy oneself, to be delighted. || **réjouissance** [-ìsa^ns] *f.* rejoicing, merrymaking.

relâche [r^{e}lâsh] *m.* intermission, interruption; respite; closing (theat.); *f.* putting-in, calling at port (naut.). || **relâché** [-é] *adj.* lax, relaxed; loose, slack, remiss. || **relâchement** [-ma^n] *m.* slackening, loosening, relaxing; laxity, remissness; intermission; abatement. || **relâcher** [-é] *v.* to slacken, to loosen, to relax; to sag; to release, to liberate; to unbend [esprit]; to abate; to touch port.

relais [r^{e}lè] *m.* relay; shift; relay station.

relater [r^{e}làté] *v.* to relate, to recount, to tell. || **relatif** [-àtìf] *adj.* relative; relating, relevant, concerning; *m.* relative (gramm.). || **relation** [-àsyo^n] *f.* relation, account; report, statement; reference; relevance; connection; communication; *pl.* connections; *être en relation avec*, to be connected with; to have dealings with.

relaxer [r^{e}làksé] *v.* to release, to liberate; to relax.

relayer [r^{e}lèyé] *v.* to relay, to relieve; to take the place of; to change horses.

reléguer [r^{e}légé] *v.* to relegate, to banish, to exile; to consign.

relève [r^{e}lèv] *f.* relief; shift; relieving party. || **relevé** [r^{e}lvé] *adj.* raised, erect; elevated, lofty; pungent, spicy, hot; noble; refined [ton]; *m.* statement. || **relever** [-é] *v.* to raise again, to lift again; to rebuild [maison]; to pick up, to take up; to heighten, to enhance; to criticize; to remark; to spice, to season; to survey (topogr.); to depend, to be dependent (*de*, on); to stem (*de*, from); to take bearings (naut.); to relieve [garde]; *relever de maladie*, to recover.

relief [r^{e}lyèf] *m.* relief, embossment; enhancement; *pl.* left-overs [repas]; **bas-relief**, bas-relief, low relief.

relier [r^{e}lyé] *v.* to connect; to link; to join; to bind [livres]; to hoop [tonneau]. || **relieur** [-yœr] *m.* book-binder.

religieux [r^{e}lìjyë] *adj.* religious; scrupulous; *m.* monk, friar. || **religieuse** [-z] *f.* nun, sister; double cream-puff [pâtisserie].

reliquaire [r^{e}lìkèr] *m.* reliquary.

reliquat [r^{e}lìkà] *m.* balance, remainder; after-effects (med.).

relique [r^{e}lìk] *f.* relic; vestige.

reliure [r^{e}lyür] *f.* binding [livres].

reluire [r^{e}lüìr] *v.* to shine, to glisten, to glitter, to gleam.

remanier [r^{e}mànyé] *v.* to manipulate, to handle again; to modify, to alter, to revise, to transform.

remarquable [r^{e}màrkàbl] *adj.* remarkable, noteworthy, conspicuous, outstanding, signal. || **remarque** [r^{e}màrk] *f.* remark, observation, notice, note; comment. || **remarquer** [-é] *v.* to remark, to note, to observe, to notice; to distinguish.

rembourrer [ra^nbûré] *v.* to pad, to stuff, to upholster; to pack, to cram, to wad.

remboursable [ra^nbûrsàbl] *adj.* repayable; redeemable. || **remboursement** [-ma^n] *m.* reimbursement, refund, repayment; *contre remboursement*, cash on delivery, C. O. D. || **rembourser** [-é] *v.* to reimburse, to refund, to repay.

remède [r^{e}mèd] *m.* remedy, medicine, cure. || **remédier** [r^{e}médyé] *v.* to remedy, to cure, to relieve.

remerciement [r^{e}mèrsìma^n] *m.* thanking; gratitude; *pl.* thanks. || **remercier** [-yé] *v.* to thank; to decline politely; to discharge, to dismiss; to sack, to fire, to oust.

remettre [r^{e}mètr] *v.** to put back; to put again, to replace; to restore, to reinstate; to put off, to delay, to postpone, to defer; to deliver, to hand over, to remit; to confide, to trust; to cure; to forgive; to recognize; **se remettre**, to recover one's health; to compose oneself; to recommence; to call to mind, to

recollect; *s'en remettre à*, to rely on.
réminiscence [réminisa^ns] *f.* reminiscence, recollection.
remise [r^{e}miz] *f.* delivery; remittance; discount, reduction, rebate, commission (comm.); delay, deferment, postponement, remission (jur.); coach-house; shelter (naut.). || **remiser** [-izé] *v.* to house; to put away [véhicule].
rémission [rémisyo^n] *f.* remission; abatement (med.); subsiding.
remonter [r^{e}mo^{n}té] *v.* to remount, to get up again, to climb again; to re-equip, to restock; to rise; to increase [valeur]; to date back, to have origin; to wind [horloge]; to brace up [santé].
remontrance [r^{e}mo^{n}tra^ns] *f.* expostulation, remonstrance, reproof. || **remontrer** [-é] *v.* to show again; to demonstrate; to expostulate.
remords [r^{e}mòr] *m.* remorse.
remorque [r^{e}mòrk] *f.* towing; towline; trailer. || **remorquer** [-é] *v.* to tow, to haul, to drag. || **remorqueur** [-œr] *m.* tug(-boat).
rémouleur [rémûlœr] *m.* knife-grinder; tool-sharpener.
remous [r^{e}mû] *m.* eddy, back-water; whirlpool; swirl; movement [foule].
rempailleur [ra^{n}pàyœr] *m.* chair-mender.
rempart [ra^{n}pàr] *m.* rampart; bulwark.
remplaçant [ra^{n}plàsa^n] *m.* substitute. || **remplacement** [-ma^n] *m.* replacing, replacement; substitution. || **remplacer** [-é] *v.* to take the place of, to supplant; to substitute for; to replace, to supersede.
remplir [ra^{n}plîr] *v.* to fill; to fill again, to replenish; to cram, to stuff; to hold, to perform, to keep [fonction]; to fulfil(l) [devoir]; to occupy [temps]; to supply, to stock. || **remplissage** [-isàj] *m.* filling up; padding (fig.).
remporter [ra^{n}pòrté] *v.* to carry back, to take back; to carry off, to take away; to get, to obtain; to win [prix, victoire].
remuer [r^{e}müé] *v.* to stir; to move; to rouse; to turn up; to shake [tête]; to wag [queue]; to fidget; remue-ménage, rummaging, bustle, hubbub.
rémunérateur, -trice [rémünéràtœr, -tris] *adj.* remunerative, rewarding; profitable. || **rémunération** [-àsyo^n] *f.* remuneration, payment. || **rémunérer** [-é] *v.* to remunerate.
renâcler [r^{e}nâklé] *v.* to snort, to sniff; to shirk [besogne]; to demur, to balk, to hang back (pop.).
renard [r^{e}nàr] *m.* fox.
renchérir [ra^{n}shérîr] *v.* to increase in price; to improve on.
rencontre [ra^{n}ko^{n}tr] *f.* meeting, encounter; engagement (mil.); discovery; coincidence. || **rencontrer** [-é] *v.* to meet, to encounter; to experience; to chance upon; **se rencontrer**, to meet each other; to be met with, to be found, to tally, to agree.
rendement [ra^{n}dma^n] *m.* output, yield, production; efficiency.
rendez-vous [ra^{n}dévû] *m.* appointment, rendezvous, date, engagement; place of resort, haunt.
rendre [ra^{n}dr] *v.* to render, to return, to restore, to give back; to repay, to refund; to bring in, to yield, to produce; to make, to cause to be; to vomit; to void; to exhale, to emit; to express, to convey; to translate; to give [verdict]; to bear [témoignage]; to do [hommage]; to pay [visite, honneur]; to dispense [justice]; to issue [arrêt]; *rendre l'âme*, to die, to give up the ghost; *rendre service*, to be of service; *rendre compte*, to render an account; **se rendre**, to go oneself; to surrender, to yield, to capitulate; *se rendre compte de*, to realize, to be aware of.
rêne [rèn] *f.* rein.
renfermé [ra^{n}fèrmé] *adj.* self-contained; shut up, closed in; *m.* mustiness. || **renfermer** [-é] *v.* to shut up, to lock up; to confine; to enclose, to contain; to include; to conceal.
renfler [ra^{n}flé] *v.* to swell, to bulge.
renflouer [ra^{n}flûé] *v.* to refloat, to raise.
renfoncement [ra^{n}fo^{n}sma^n] *m.* denting in, knocking in; recess, dint, dent.
renforcer [ra^{n}fòrsé] *v.* to reinforce, to strengthen; to augment, to increase; to intensify (phot.). || **ren-**

fort [-òr] *m.* reinforcement; strengthening-piece; help, aid.
renfrogner (se) [s^eraⁿfròñé] *v.* to frown, to scowl.
rengorger (se) [s^eraⁿgòrjé] *v.* to puff up one's chest, to give oneself airs.
reniement [r^enimaⁿ] *m.* denying; disowning, disavowing. || **renier** [r^enyé] *v.* to deny; to disown, to disavow; to abjure, to forswear.
renifler [r^enifié] *v.* to sniff, to snuffle, to snivel; to spurn (fig.).
renne [rèn] *m.* reindeer.
renom [r^enoⁿ] *m.* renown, fame, celebrity. || **renommé** [-òmé] *adj.* renowned, noted, famed. || **renommée** [-òmé] *f.* renown, fame, reputation, celebrity.
renoncement [r^enoⁿsmaⁿ] *m.* renouncement, renunciation; abnegation; repudiation. || **renoncer** [-é] *v.* to renounce, to relinquish, to swear off, to abjure; to repudiate; to recant, to retract; to disavow, to waive, to disown, to disclaim; to give up [succession]; to abdicate [trône]. || **renonciation** [-yàsyoⁿ] *f.* renunciation.
renouveau [r^enûvô] *m.* springtime; renewal. || **renouveler** [-lé] *v.* to renew, to renovate; to revive; to regenerate; to recommence, to repeat. || **renouvellement** [-èlmaⁿ] *m.* renewal, renovation; increase, redoubling.
rénover [rénòvé] *v.* to renew, to renovate, to revive.
renseignement [raⁿsèñmaⁿ] *m.* information; knowledge, intelligence, account; *bureau de renseignements,* *Am.* information booth, *Br.* inquiry office. || **renseigner** [-é] *v.* to inform, to give information; to teach again; to direct.
rente [raⁿt] *f.* yearly income, revenue; stock, funds; annuity; rent; profit; *rente viagère,* life endowment, annuity. || **rentier** [-yé] *m.* stockholder, investor, annuitant.
rentrée [raⁿtré] *f.* re-entrance, re-entering; reopening; reappearance; gathering in [récolte]; warehousing [marchandise]; collection [impôts]. || **rentrer** [-é] *v.* to re-enter, to come in again; to return; to reopen, to resume; to collect [impôts]; to gather in [récolte]; to take in; to be contained, to be comprehended; to stifle, to suppress [rire]; to indent (typogr.).
renversement [raⁿvèrs^emaⁿ] *m.* reversing, overturning, overthrow; upsetting; confusion, disorder; derangement (med.). || **renverser** [-é] *v.* to throw down, to turn upside down, to upset, to overthrow, to overturn; to spill [liquide]; to throw into disorder, to confuse; to amaze, to stupefy; to transpose; to reverse [vapeur]; to drive back, to rout; to invert (math.; mus.).
renvoi [raⁿvwà] *m.* returning, sending back; sending away, dismissal, discharge, sacking, firing; referring [question]; adjournment [parlement]; remand (jur.); belch; reflection [lumière]; echo, reverberation [bruit]; repeat (mus.). || **renvoyer** [-yé] *v.* to send back, to return; to dismiss, to discharge, to fire; to recall [ministre]; to reject, to refuse; to refer [question]; to remand (jur.); to adjourn; to postpone, to defer; to reflect [lumière]; to echo, to reverberate [bruit].
répandre [répaⁿdr] *v.* to pour, to shed; to spill; to spread, to diffuse, to distribute, to scatter, to strew; to propagate.
réparable [répàràbl] *adj.* reparable, mendable; remediable; *Am.* fixable. || **réparateur, -trice** [-àtœr, -trìs] *adj.* reparative; restorative, refreshing; *m., f.* repairer; restorer; *Am.* fixer. || **réparation** [-àsyoⁿ] *f.* reparation; repair, mending, *Am.* fixing; amends, atonement, satisfaction [honneur]. || **réparer** [-é] *v.* to repair, to mend, *Am.* to fix; to make amends for; to retrieve [pertes]; to redress [torts].
repartie [r^epàrtì] *f.* repartee, retort, rejoinder, reply.
répartir [répàrtìr] *v.* to divide, to distribute, to portion out; to assess. || **répartition** [-ìsyoⁿ] *f.* distribution, division; allotment; assessment.
repas [r^epâ] *m.* meal, repast.
repassage [r^epàsàj] *m.* repassing; ironing, pressing [vêtements]; grinding, sharpening [coutellerie]. || **repasser** [-é] *v.* to repass; to call again; to iron, to press; to grind, to sharpen, to whet; to hone

[pierre]; to strop [cuir]; to review; to revise; to ponder.
repentir [r^e^pa^n^tìr] *m.* repentance, remorse; regret, contrition, compunction; **se repentir**, *v.** to repent, to be sorry, to regret.
répercussion [répèrküsyo^n^] *f.* repercussion, reverberation, echo. || **répercuter** [-üté] *v.* to reverberate, to echo, to resound.
repère [r^e^pèr] *m.* reference; mark; landmark; *point de repère*, guide mark, landmark; blaze [arbre]. || **repérer** [-éré] *v.* to mark; to locate, to discover; to blaze.
répertoire [répèrtwàr] *m.* index, card-file, catalog(ue); repertory, repository; directory; stock (theat.).
répéter [répété] *v.* to repeat, to retell; to rehearse (theat.); to reproduce (jur.). || **répétiteur, -trice** [-itœr, -trìs] *m., f.* tutor, coach, private teacher; assistant teacher; repeater (telegr.). || **répétition** [-isyo^n^] *f.* reiteration, repetition; rehearsal; recurrence, reproduction; private lesson; *répétition générale*, dress rehearsal.
répit [répì] *m.* respite, delay, pause; breather; reprieve (jur.).
replet [r^e^plè] *adj.* fat, bulky.
repli [r^e^plì] *m.* fold, crease; winding, coil (fig.). || **replier** [-yé] *v.* to fold again, to fold back; to double back; to bend back; to coil [corde]; to force back (mil.); **se replier**, to twist oneself, to fold oneself; to wind, to coil; to writhe; to fall back, to retreat (mil.).
réplique [réplìk] *f.* reply, answer, response, retort, rejoinder, *Am.* come-back (fam.); repeat (mus.); cue (theat.); replica [art]; *donner la réplique*, to give the cue, *Am.* to play the stooge (theat.). || **répliquer** [-é] *v.* to reply, to respond, to retort.
répondant [répo^n^da^n^] *m.* respondent; defendant (jur.); security, guarantee. || **répondre** [répo^n^dr] *v.* to answer, to respond, to reply; to satisfy, to come up to; to correspond; *répondre de*, to warrant, to be answerable for, to vouch for, to be responsible for, to go bail for. || **réponse** [-o^n^s] *f.* answer, reply, response; rejoinder (jur.).
report [r^e^pòr] *m.* carrying forward, bringing forward (comm.); amount brought forward; continuation [Bourse]. || **reportage** [-tàj] *m.* reporting; commentary. || **reporter** [-tèr] *m.* reporter. || **reporter** [-té] *v.* to carry forward (comm.); to carry over [Bourse]; to carry back, to take back; **se reporter**, to refer, to go back, to be carried back [par la mémoire].
repos [r^e^pô] *m.* rest, repose; quiet, peace, tranquillity; sleep; pause (mus.); half-cock [fusil]; *valeur de tout repos*, gilt-edged security. || **reposé** [-zé] *adj.* rested, reposed, refreshed; quiet, calm; *à tête reposée*, at leisure. || **reposer** [-zé] *v.* to place again, to set back; to rest, to repose; to refresh; to be based, to be established; to be inactive, to be out of use; to lie fallow [terre]; **se reposer**, to rest; to rely; to alight, to light [oiseaux]. || **reposoir** [-zwàr] *m.* resting-place; street-altar.
repoussant [r^e^pûsa^n^] *adj.* repulsive, disgusting, repugnant, offensive, repellent, loathsome; forbidding. || **repoussé** [-é] *adj.* embossed. || **repousser** [-é] *v.* to push again; to drive back, to beat back, to repel; to thrust away, to push aside; to reject, to spurn; to repulse, to rebuff; to grow again, to sprout; to recoil, to kick [fusil]. || **repoussoir** [-wàr] *m.* driving-bolt, starting-bolt; dentist's punch; foil, set-off, contrast [tableau].
répréhensible [répréa^n^sìbl] *adj.* reprehensible; censurable.
reprendre [r^e^pra^n^dr] *v.** to retake, to recapture, to get back, to recover; to resume, to begin again; to revive; to reprove, to criticize; to repair; to reply; to take root again; to freeze again.
représailles [r^e^prézày] *f. pl.* reprisal, retaliation; *user de représailles*, to retaliate.
représentant [r^e^préza^n^ta^n^] *m.* representative, deputy, delegate; agent (comm.), salesman. || **représentation** [-àsyo^n^] *f.* representation; exhibition, display; performance, show (theat.); remonstrance; agency, branch (comm.) || **représenter** [-é] *v.* to represent, to exhibit, to produce; to perform [pièce]; to depict, to portray, to describe; to typify, to symbolize.
répression [réprèsyo^n^] *f.* repression.

réprimande [réprimaⁿd] *f.* reprimand, reproach. || **réprimander** [-é] *v.* to reprimand, to reprove, to rebuke, to reproach, to chide, to upbraid; to blow up (fam.).
réprimer [réprimé] *v.* to repress, to restrain, to curb, to stifle.
repris [rᵉprì] *adj.* retaken, taken up again; reset [os]; *repris de justice,* old offender, *Br.* old lag (pop.), *Am.* repeater. || **reprise** [-iz] *f.* resumption; retaking, recapture; revival, renewal; return [maladie]; repair, darn, mending [couture]; chorus, refrain (mus.); underpinning [construction]; game [cartes]; bout [sport]. || **repriser** [-izé] *v.* to darn, to mend.
réprobateur, -trice [réprobàtœr, -trìs] *adj.* reprobative, reproachful, reproving. || **réprobation** [-àsyoⁿ] *f.* reprobation, reproval, censure.
reproche [rᵉpròsh] *m.* reproach, rebuke, reproof; taunt; *sans reproche,* blameless, unexceptionable. || **reprocher** [-é] *v.* to reproach with; to blame for; to upbraid; to challenge (jur.); *reprocher à quelqu'un d'avoir fait quelque chose,* to reproach someone with having done something.
reproduction [rᵉpròdüksyoⁿ] *f.* reproduction; replica, copy. || **reproduire** [-üir] *v.* to reproduce; to reprint; **se reproduire,** to be reproduced; to recur.
réprouver [réprûvé] *v.* to reprobate; to disapprove of; to condemn (theol.).
reptile [rèptìl] *m.* reptile.
républicain [répüblikiⁿ] *m., adj.* republican. || **république** [-ìk] *f.* republic.
répudier [répüdyé] *v.* to repudiate.
répugnance [répüñaⁿs] *f.* repugnance, loathing, repulsion; reluctance, unwillingness; *avoir de la répugnance à,* to be loath to. || **répugnant** [-aⁿ] *adj.* repulsive, repugnant, repellent, distasteful, loathsome. || **répugner** [-é] *v.* to be repugnant; to inspire repugnance; to feel repugnance, to feel loath; to be contrary to.
répulsion [répülsyoⁿ] *f.* repulsion, beating back; disgust, loathing.
réputation [répütàsyoⁿ] *f.* reputation, character; good repute, fame; *avoir la réputation de,* to pass for. || **réputer** [-é] *v.* to esteem, to repute, to account, to deem.
requérir [rᵉkérir] *v.** to request; to require, to exact, to demand; to claim, to summon. || **requête** [-èt] *f.* request, petition, demand, application; suit (jur.).
requin [rᵉkiⁿ] *m.* shark.
requis [rᵉkì] *adj.* required, requisite. proper, necessary. || **réquisition** [rékìzìsyoⁿ] *f.* requisition; summons, levy, demand; seizure. || **réquisitionner** [-ìsyòné] *v.* to requisition, to commandeer; to seize. || **réquisitoire** [-ìtwàr] *m.* indictment, list of charges; speech for the prosecution; impeachment.
rescousse [rèskûs] *f.* rescue; help.
réseau [rézô] *m.* net; network; web, complication (fig.); system [radio, rail]; tracery (arch.); *réseau de barbelés,* barbed wire entanglements.
réserve [rézèrv] *f.* reserve; reservation, caution, wariness, prudence; modesty, shyness; stock, store, supply; preserve [gibier]. || **réserver** [-é] *v.* to reserve; to keep, to intend; to lay by; to book [places]; **se réserver,** to hedge. || **réserviste** [-ìst] *m.* reservist. || **réservoir** [-wàr] *m.* reservoir; tank, cistern, well.
résidence [rézìdaⁿs] *f.* residence, residency; dwelling; house; place of abode; function of a resident. || **résident** [-aⁿ] *m.* resident; representative [diplomate]. || **résider** [-é] *v.* to reside, to dwell; to lie, to consist.
résidu [rézìdü] *m.* residue; remnant; remainder, balance (math.); amount owing (comm.).
résignation [rézìñàsyoⁿ] *f.* resignation; relinquishment, renunciation. || **résigner** [-é] *v.* to resign; to relinquish, to renounce, to give up, to abdicate; **se résigner,** to resign oneself, to be resigned; to submit, to put up (*à,* with).
résiliation [rézìlyàsyoⁿ] *f.* cancelling, abrogation, annulment, invalidation; deletion; rescission. || **résilier** [-yé] *v.* to cancel, to annul, to invalidate; to delete.
résille [rézîy] *f.* hair-net; lattice [vitrail].
résine [rézîn] *f.* resin.
résistance [rézìstaⁿs] *f.* resistance; opposition; underground forces

[guerre]. || **résistant** [-a^n] *adj.* resistant, unyielding, lasting, sturdy, tough. || **résister** [-é] *v.* to resist, to oppose, to withstand; to endure, to bear; to hold out.

résolu [rézòlü] *p. p. of* **résoudre**; *adj.* resolved, determined, decided; resolute; solved. || **résolution** [-syo^n] *f.* resolution; decision, determination; resolve; solution; reduction, conversion; annulment (jur.).

résonance [rézòna^ns] *f.* resonance; re-echo. || **résonnement** [-ma^n] *m.* resounding, re-echoing; vibration. || **résonner** [-é] *v.* to resound; to reverberate, to re-echo; to vibrate; to rattle.

résorber [rézòrbé] *v.* to reabsorb; to absorb, to imbibe.

résoudre [rézûdr] *v.* to resolve; to solve, to settle [question]; to decide upon, to determine upon; to dissolve, to melt, to break down; to annul (jur.).

respect [rèspè] *m.* respect, regard, deference, awe; reverence. || **respectable** [rèspèktàbl] *adj.* respectable, estimable, hono(u)rable, reputable. || **respecter** [-é] *v.* to respect, to revere, to hono(u)r, to venerate.

respectif [rèspèktìf] *adj.* respective.

respectueux [rèspèktüë] *adj.* respectful, deferential, dutiful [enfant].

respiration [rèspìràsyo^n] *f.* respiration, breathing. || **respirer** [-é] *v.* to respire, to breathe; to inhale.

resplendir [rèspla^ndìr] *v.* to shine brightly; to be resplendent; to gleam. || **resplendissant** [-ìsa^n] *adj.* resplendent, bright, glittering.

responsabilité [rèspo^nsàbìlìté] *f.* responsibility, accountability; liability (comm.). || **responsable** [-àbl] *adj.* responsible, accountable, answerable; liable (comm.).

resquilleur [rèskìyœr] *m.* gate-crasher.

ressac [r^{e}sàk] *m.* surf.

ressaisir [r^{e}sèzìr] *v.* to seize again, to catch again; to recover possession of.

ressemblance [r^{e}sa^nbla^ns] *f.* likeness, resemblance, similarity. || **ressemblant** [-a^n] *adj.* like, similar to; resembling. || **ressembler** [-é] *v.* to resemble, to look like, to be similar, to take after; **se ressembler**, to look alike, to resemble each other; to be similar.

ressemelage [r^{e}s^{e}mlàj] *m.* resoling. || **ressemeler** [-é] *v.* to resole.

ressentiment [r^{e}sa^ntìma^n] *m.* resentment. || **ressentir** [-ìr] *v.* to feel, to experience; to resent; **se ressentir**, to feel the effects; to resent; to be felt.

resserrer [r^{e}sèré] *v.* to draw closer, to bind tighter; to coop up, to pen in; to restrain, to confine; to condense, to compress, to contract.

ressort [r^{e}sòr] *m.* spring; elasticity, rebound, resiliency; energy.

ressort [r^{e}sòr] *m.* jurisdiction; department, province (fig.).

ressortir [r^{e}sòrtìr] *v.** to go out again, to re-exit; to stand out (fig.); to arise, to proceed, to result [*de*, from]; *faire ressortir*, to throw into relief, to point up.

ressortir [r^{e}sòrtìr] *v.** to be under the jurisdiction (*à*, of), to be dependent (*à*, on).

ressource [r^{e}sûrs] *f.* resource, expedient, shift, resort, contrivance; *pl.* funds; means.

ressusciter [r^{e}süsìté] *v.* to resuscitate, to revive, to resurrect.

restant [rèsta^n] *adj.* remaining, surviving, left; *m.* remainder, rest, residue.

restaurant [rèstòra^n] *m.* restaurant, eating-place. || **restaurer** [-é] *v.* to restore, to refresh; to repair; to re-establish; **se restaurer**, to refresh oneself, to take refreshment.

reste [rèst] *m.* rest, remainder, residue; trace, vestige; *pl.* remnants, leavings, remains, scraps; relics; left-overs [nourriture]; corpse, dead body; *du reste, au reste*, besides, furthermore, moreover; *de reste*, spare, remaining, over and above. || **rester** [-é] *v.* to remain, to stay; to be left.

restituer [rèstìtüé] *v.* to return, to refund, to repay; to restore [textes]. || **restitution** [-üsyo^n] *f.* restoration, restitution, repayment, returning, handing back.

restreindre [r^{e}stri^ndr] *v.** to restrain, to confine, to circumscribe; to limit, to restrict, to stint, to curb, to inhibit. || **restriction** [-ìksyo^n] *f.* restriction, restraint; reserve; limitation, curb, check;

austerity; *restriction mentale*, mental reservation.

résultat [rézültà] *m*. result, outcome, sequel, upshot; returns [élection]. || **résulter** [-é] *v*. to result, to follow, to ensue.

résumé [rézümé] *m*. summary, summing-up; recapitulation; précis; outline; *en résumé*, on the whole, after all. || **résumer** [-é] *v*. to sum up, to give a summary of; to recapitulate; to outline.

résurrection [rézürèksyo^n] *f*. resurrection; restoral, revival; resuscitation.

rétablir [rétàblir] *v*. to re-establish, to set up again; to restore; to repair; to recover [santé]; to reinstate; to retrieve; **se rétablir**, to recover, to get back on one's feet; to be re-established, to be restored; to be repaired. || **rétablissement** [-ìsma^n] *m*. re-establishment, restoration; repair; recovery, reinstatement; return to health; revival (comm.).

rétamer [rétàmé] *v*. to tin over again, to re-plate; to re-silver. || **rétameur** [-œr] *m*. tinker.

retard [r^etàr] *m*. delay, lateness; slowness [horloge]; retardation (mus.); *être en retard*, to be late. || **retardataire** [-dàtèr] *m., f*. laggard, lagger, loiterer; defaulter; late-comer. || **retarder** [-dé] *v*. to delay, to retard, to defer; to put back, to set back [horloge]; to be slow; to lose time [horloge].

retenir [r^etnír] *v*.* to hold back; to retain; to withhold; to reserve, to book [places]; to moderate, to restrain, to curb; to hinder, to prevent, to hold up; to carry (math.); to engage, to hire; **se retenir**, to control oneself; to refrain, to forbear; to catch hold [*à*, of]; to cling [*à*, to].

retentir [r^eta^ntír] *v*. to resound, to ring; to have repercussions; to rattle. || **retentissant** [-ìsa^n] *adj*. resounding, echoing; sonorous.

retenu [r^etnü] *adj*. reserved, discreet; detained, held up; booked [place]. || **retenue** [-ü] *f*. reserve; discretion; self-control; detention, keeping in; stoppage [paie]; deduction; carry-over (math.).

réticence [rétìsa^ns] *f*. reticence, reserve, concealment.

rétif [rétìf] *adj*. restive, unmanageable; stubborn; balky [cheval].

retiré [r^etìré] *adj*. secluded, sequestered; retired; withdrawn. || **retirer** [-é] *v*. to draw again; to pull back, to withdraw; to take out, to draw out; to take away; to remove, to take off [vêtement]; to derive, to reap, to get [bénéfice]; to redeem [dégager]; **se retirer**, to withdraw, to retire, to retreat; to subside, to recede; to shrink, to contract.

rétorquer [rétòrké] *v*. to retort, to return [argument]; to cast back, to hurl back [accusation].

retors [r^etòr] *adj*. twisted; artful, crafty, wily, sly.

retouche [r^etûsh] *f*. retouch, retouching. || **retoucher** [-é] *v*. to retouch; to touch up, to improve.

retour [r^etûr] *m*. return; repetition, recurrence; change, vicissitude; reverse; angle, elbow (arch.); reversion (jur.); *être de retour*, to be back; *retour du courrier*, return mail; *sans retour*, forever, irretrievably; *retour de flamme*, backfire [moteur]. || **retourner** [-né] *v*. to return, to go back; to send back; to turn over; to turn up [cartes]; to think about; **se retourner**, to turn around.

retracer [r^etràsé] *v*. to retrace; to relate.

rétracter [rétràkté] *v*. to retract, to disavow, to revoke; **se rétracter**, to recant.

retraite [r^etrèt] *f*. retreat; retirement; pension; seclusion, privacy; shrinking, contraction; *battre en retraite*, to beat a retreat; *prendre sa retraite*, to retire. || **retraité** [-é] *adj*. pensioned off, superannuated; *m*. pensioner.

retranchement [r^etra^nshma^n] *m*. retrenchment, abridgment; entrenchment (mil.). || **retrancher** [-é] *v*. to retrench, to curtail, to cut short; to cut off; to diminish; to subtract, to deduct (math.); to entrench (mil.); **se retrancher**, to retrench; to entrench oneself, to dig in (mil.).

rétréci [rétrésì] *adj*. shrunk, contracted; restricted; narrow, cramped. || **rétrécir** [-ír] *v*. to narrow; to shrink, to contract; to take in, to straiten; **se rétrécir**, to shrink, to contract; to grow

narrower. || **rétréoissement** [-ìsma^n] *m.* shrinking; narrowing; cramping; stricture (med.).
rétribuer [rétrìbüé] *v.* to remunerate, to pay. || **rétribution** [-üsyo^n] *f.* salary, pay; recompense.
rétroactif [rétròàktìf] *adj.* retroactive.
rétrocéder [rétròsédé] *v.* to retrocede, to cede back; to recede, to go back. || **rétrocession** [-èsyo^n] *f.* retrocession; recession.
rétrograde [rétrògràd] *adj.* retrograde, backward, decadent.
rétrospectif [rétròspèktìf] *adj.* retrospective.
retroussé [r^{e}trûsé] *adj.* turned up; tucked up; snub [nez]. || **retrousser** [-é] *v.* to turn up; to tuck up; to curl up.
retrouver [r^{e}trûvé] *v.* to find again, to regain, to recover; **se retrouver**, to meet again.
rétroviseur [rétròvìzœr] *m.* reflector; rear-vision mirror, driving-mirror [auto].
rets [rè] *m.* net; snare; *pl.* toils (fig.).
réuni [réünì] *adj.* reunited; assembled; gathered; joined. || **réunion** [-yo^n] *f.* reunion; meeting, assembly, party, gathering; junction; collection; reconciliation. || **réunir** [-ìr] *v.* to reunite; to bring together again; to gather, to assemble, to muster; to join; to collect; to reconcile; **se réunir**, to reunite, to assemble again; to meet, to gather.
réussi [réüsì] *adj.* successful, well-executed. || **réussir** [-ìr] *v.* to succeed, to be successful (*à*, in); to prosper, to thrive; to carry out well, to accomplish successfully. || **réussite** [-ìt] *f.* success; solitaire, patience [cartes].
revanche [r^{e}va^nsh] *f.* revenge; retaliation, requital; return; return-match; *en revanche*, in return.
rêve [rèv] *m.* dream; illusion; idle fancy; *c'est le rêve*, it's ideal.
revêche [r^{e}vèsh] *adj.* harsh, rough; cross, crabby, peevish.
réveil [révèy] *m.* waking, awaking, awakening; alarm-clock; disillusionment (fig.); reveille (mil.). || **réveiller** [-èyè] *v.* to awaken, to awake, to wake, to arouse; to rouse up, to stir up, to quicken; to revive, to recall; **se réveiller**, to awake, to awaken, to wake up; to be roused. || **réveillon** [-èyo^n] *m.* midnight supper.
révélateur, -trice [révélàtœr, -trìs] *m., f.* developer (phot.), *m.*; revealer, informer; *adj.* revealing; significant. || **révélation** [-àsyo^n] *f.* revelation, discovery, disclosure; avowal; information (jur.). || **révéler** [-é] *v.* to reveal, to discover, to disclose; to develop (phot.).
revenant [r^{e}vna^n] *m.* ghost, spirit, specter, phantom.
revendeur [r^{e}va^ndœr] *m.* retail dealer, peddler.
revendication [r^{e}va^ndikàsyo^n] *f.* claim, demand; claiming, reclaiming. || **revendiquer** [-é] *v.* to claim, to claim back; to insist on; to assume [responsabilité].
revenir [r^{e}vnìr] *v.** to come again, to come back, to return; to recur; to reappear, to haunt [fantôme]; to begin again; to recover, to revive, to come to; to cost, to amount to; to accrue [bénéfices]; to recant, to withdraw, to retract; *revenir à soi*, to recover, to regain consciousness; *faire revenir*, to half-cook [cuisine]; *je n'en reviens pas*, I can't believe it, I can't get over it. || **revenu** [-ü] *m.* income, revenue.
rêver [rèvé] *v.* to dream; to muse; to rave, to be light-headed; to ponder.
réverbération [révèrbéràsyo^n] *f.* reverberation; reflecting. || **réverbère** [-èr] *m.* street lamp; reverberator; reflector.
révérence [révéra^ns] *f.* reverence; veneration, awe; curtsy, bow.
rêverie [rèvrì] *f.* reverie, dreaming, musing; raving.
revers [r^{e}vèr] *m.* back, reverse, wrong side, other side; counterpart; facing [vêtement]; lapel [manteau]; cuff [manche]; top [botte]; back-stroke, back-hand [tennis]; misfortune, setback (fig.).
revêtement [r^{e}vètma^n] *m.* revetment, lining, facing, casing [maçonnerie]; retaining wall; veneering. || **revêtir** [r^{e}vètìr] *v.** to clothe again; to put on, to don; to dress, to array; to invest with, to endow with; to assume [personnage]; to cloak (fig.).
rêveur [rèvœr] *adj.* dreaming; dreamy, pensive; *m.* dreamer, muser.

revient [rᵉvyiⁿ] *m.* cost.
revirement [rᵉvìrmaⁿ] *m.* tacking, tack; sudden turn; transfer (comm.).
réviser [révìzé] *v.* to revise, to review, to examine. || **révision** [-yoⁿ] *f.* revisal, revision, review, re-examination; rehearing (jur.); proofreading; *conseil de révision, Br.* recruiting board, *Am.* draft board.
révocable [révòkàbl] *adj.* revocable, rescindable. || **révocation** [-àsyoⁿ] *f.* revocation; annulment, repeal, cancellation, countermanding; dismissal, removal [fonctionnaire].
revoir [rᵉvwàr] *v.* to see again; to meet again; to revise, to review, to re-examine; *au revoir,* good-bye.
révoltant [révòltaⁿ] *adj.* revolting; shocking, offensive. || **révolte** [révòlt] *f.* revolt, rebellion, mutiny. || **révolté** [-é] *m.* rebel, mutineer, insurgent. || **révolter** [-é] *v.* to cause to revolt; to rouse, to excite; to shock, to disgust, to horrify; *se révolter,* to revolt, to rebel, to mutiny.
révolu [révòlü] *adj.* revolved; accomplished, completed; elapsed, ended. || **révolution** [-syoⁿ] *f.* revolution; revolving; rotation. || **révolutionnaire** [-syònèr] *adj.* revolutionary; *m., f.* revolutionist. || **révolutionner** [-syòné] *v.* to revolutionize; to upset.
revolver [révòlvèr] *m.* revolver, pistol; *poche à revolver,* hip-pocket.
révoquer [révòké] *v.* to revoke; to rescind, to countermand; to repeal, to annul; to dismiss, to recall [fonctionnaire].
revue [rᵉvü] *f.* review; survey, examination, revision; magazine, periodical, publication; critical article; topical revue, *Am.* musical comedy (theat.); *passer en revue,* to review (mil.).
rez-de-chaussée [rédshôsé] *m.* ground-level; ground-floor, *Am.* first floor.
rhinocéros [rìnòséròs] *m.* rhinoceros.
rhubarbe [rübàrb] *f.* rhubarb.
rhum [ròm] *m.* rum.
rhumatisme [rümàtìsm] *m.* rheumatism.
rhume [rüm] *m.* cold.
riant [riaⁿ] *adj.* laughing, smiling, cheerful, pleasant, pleasing.
ricaner [rìkàné] *v.* to sneer; to snigger; to grin; to giggle.
riche [rìsh] *adj.* rich, wealthy, opulent; abundant, copious; precious, costly, valuable; *m.* rich person; *pl.* the rich. || **richesse** [-ès] *f.* riches, wealth, opulence; copiousness; richness, costliness.
ricin [rìsiⁿ] *m.* castor-oil plant; *huile de ricin,* castor-oil.
ricocher [rìkòshé] *v.* to rebound; to ricochet. || **ricochet** [-è] *m.* ducks and drakes [jeu]; ricochet (mil.); series, chain, succession; *par ricochet,* indirectly.
ride [rìd] *f.* wrinkle, line; pucker; ripple; corrugation; lanyard (naut.). || **ridé** [rìdé] *adj.* wrinkled, lined, seamed; puckered; rippled; shrivelled [pomme].
rideau [rìdô] *m.* curtain, drapery; screen; *rideau de fer,* iron curtain; *rideau de fumée,* smoke-screen; *lever de rideau,* curtain-raiser (theat.).
rider [rìdé] *v.* to wrinkle; to pucker; to ripple, to ruffle; to shrivel.
ridicule [rìdikül] *adj.* ridiculous, laughable, ludicrous; absurd; *m.* ridicule, ridiculousness; quirk, whim. || **ridiculiser** [-ìzé] *v.* to ridicule, to deride.
rien [ryiⁿ] *m.* nothing, nought, not anything; anything; trifle, mere nothing; love [tennis]; *cela ne fait rien,* it doesn't matter; *de rien,* don't mention it.
rieur [ryœr] *adj.* laughing, joking; mocking; *m.* laugher.
rigide [rìjìd] *adj.* rigid, stiff; firm; erect; taut, tense, strict, severe; unbending, unyielding. || **rigidité** [-ìdìté] *f.* rigidity, stiffness; strictness, severity.
rigole [rìgòl] *f.* channel, trench, small ditch; drain; gutter; furrow. || **rigoler** [-é] *v.* to furrow; to channel; (fam.) to laugh, to have fun, to be merry; **rigolo** (pop.), funny, jolly.
rigoureux [rìgûrë] *adj.* rigorous, strict; severe, stern, harsh; inclement [temps]. || **rigueur** [rìgœr] *f.* rigo(u)r, strictness; precision; severity, harshness; sternness, sharpness; inclemency; *à la rigueur,* strictly speaking, if necessary; *de rigueur,* required, enforced.
rime [rìm] *f.* rhyme; verse. || **ri-**

mer [-é] *v.* to rhyme. || **rimeur** [-œr] *m.* rhymer; rhymester.
rinçage [rinsàj] *m.* rinsing; washing, cleansing. || **rincer** [-é] *v.* to rinse; to wash, to cleanse; **rince-doigts**, fingerbowl. || **rinçure** [-ür] *f.* rincings; slops.
ripaille [rìpày] *f.* feasting.
riposte [rìpòst] *f.* repartee, retort; riposte, return [escrime]. || **riposter** [-é] *v.* to retort; to return fire (mil.); to parry and thrust [escrime].
rire [rìr] *v.** to laugh (*de*, at); to be favo(u)rable, to be propitious; to jest, to joke; to mock, to scoff; *m.* laugh, laughter, laughing; *fou rire*, guffaw.
ris [rì] *m.* reef [voiles].
ris [rì] *m.* sweetbread.
risée [rìzé] *f.* laugh; laughter, mockery, derision; laughing-stock, butt; gust, squall (naut.). || **risette** [-èt] *f.* smile. || **risible** [-ìbl] *adj.* laughable; ridiculous.
risque [rìsk] *m.* risk, hazard, peril, danger; **risque-tout**, dare-devil. || **risquer** [-é] *v.* to risk; to hazard, to venture; to chance; to run the risk of; to be exposed to.
rissoler [rìsòlé] *v.* to brown.
ristourne [rìstûrn] *f.* cancelling, annulment [police d'assurance]; rebate; return, refund.
rite [rìt] *m.* rite, ceremony, ritual.
rivage [rìvàj] *m.* shore, strand, beach; bank.
rival [rìvàl] *adj.* rival, competitive; *m.* rival, competitor. || **rivaliser** [-ìzé] *v.* to rival, to compete, to vie; to emulate. || **rivalité** [-ìté] *f.* rivalry, competition, emulation.
rive [rìv] *f.* bank, shore, strand.
river [rìvé] *v.* to rivet; to clench.
riverain [rìvrin] *adj.* riparian; bordering; *m.* riverside resident; wayside dweller.
rivet [rìvè] *m.* rivet; pin, bolt. || **riveter** [-té] *v.* to rivet.
rivière [rìvyèr] *f.* river, stream; necklace [collier].
rixe [rìks] *f.* fight, brawl, scuffle.
riz [rì] *m.* rice; *poudre de riz*, rice-powder, face powder. || **rizière** [-zyèr] *f.* rice-field, rice-paddy.
robe [ròb] *f.* robe; dress, frock, gown; wrapper; coat [animal]; skin, husk, peel [fruit]; *gens de robe*, lawyers.
robinet [ròbìnè] *m. Br.* tap, *Am.* faucet, cock, spigot.
robuste [ròbüst] *adj.* robust, sturdy.
roc [ròk] *m.* rock.
rocailleux [ròkàyë] *adj.* rocky, flinty, stony; rough, harsh.
roche [ròsh] *f.* rock; boulder; stone, stony mass. || **rocher** [-é] *m.* prominent rock, high rock. || **rocheux** [-ë] *adj.* rocky, stony.
rodage [ròdàj] *m.* running-in, *Am.* breaking-in [moteur]. || **roder** [-é] *v.* to run in [moteur].
rôder [rôdé] *v.* to prowl; to roam, to rove, to ramble; to lurk. || **rôdeur** [-œr] *m.* prowler, roamer, rover, stroller; vagrant; lurker; loafer; beach-comber.
rogner [ròñé] *v.* to pare, to crop, to trim, to clip, to prune, to lop; to curtail, to retrench [dépenses].
rognon [ròñon] *m.* kidney.
rognure [ròñür] *f.* paring, clipping; *pl.* shavings, scraps, shreds.
rogue [ròg] *adj.* haughty, arrogant; overbearing, gruff.
roi [rwà] *m.* king; *fête des rois*, Twelfth Night. || **roitelet** [-tlè] *m.* petty king; wren [oiseau].
rôle [rôl] *m.* roll; roster, catalog(ue); part, character, rôle (theat.); *à tour de rôle*, in turn.
romaine [ròmèn] *f.* romaine lettuce; scale; steelyard [balance].
roman [ròman] *m.* novel; romance; **roman-feuilleton**, serial novel; **roman policier**, detective novel.
roman [ròman] *adj.* Romance; Romanesque, *Br.* Norman [style].
romance [ròmans] *f.* song, ballad. || **romancier** [-yé] *m.* novelist.
romanesque [ròmànèsk] *adj.* romantic; imaginary, fabulous; *m.* the romantic.
romanichel [ròmànìshèl] *m.* gipsy, romany.
romantique [ròmantìk] *adj.* romantic; *m.* Romanticist; Romantic genre. || **romantisme** [ròmantìsm] *m.* romanticism.
rompre [ronpr] *v.* to break; to break off, to snap; to break asunder; to break up, to disrupt, to dissolve; to break in, to train, to inure; to interrupt; to refract; to rupture (med.); to upset [équilibre]; to call off [marché]; *rompre avec*, to fall out with; *rompre les rangs*, to fall out (mil.); *à tout rompre*, furiously, enthusiastically; se

rompre, to break, to break off, to snap; to get used (to). || **rompu** [-ü] *adj.* broken; dead tired, worn-out; *à bâtons rompus,* by fits and starts.
ronce [ro^n^s] *f.* bramble; thorn.
rond [ro^n^] *adj.* round, circular; rotund, plump; frank, open, plain-dealing; even [somme]; (fam.) tipsy, *Am.* high; *m.* round, ring, circle, disk, orb; (pop.) nickel, cent; **rond-de-cuir,** air-cushion; (pop.) clerk, bureaucrat; **rond-point,** circular intersection, *Br.* circus, *Am.* traffic circle; **rond de serviette,** napkin-ring. || **ronde** [ro^n^d] *f.* round; patrol; roundelay; round-hand [écriture]; semibreve (mus.). || **rondelet** [-lè] *adj.* roundish, plumpish, stoutish; nice, tidy [somme]. || **rondelle** [-èl] *f.* small round, disc; ring; rundle; washer [robinet]. || **rondeur** [-œr] *f.* roundness, rotundity; fullness; openness, frankness.
ronflant [ro^n^fla^n^] *adj.* snoring; sonorous; high-sounding, high-flown, pretentious, bombastic [langage]. || **ronfler** [-é] *v.* to snore; to snort; to roar [canon]; to whir [toupie]; to rumble.
ronger [ro^n^jé] *v.* to gnaw, to nibble, to pick; to corrode, to consume, to eat away; to fret, to torment, to prey upon [esprit]; to bite [ongles]; to chafe at [frein]. || **rongeur** [-œr] *adj.* gnawing, biting; corroding; consuming; *m.* rodent.
ronronner [ro^n^ròné] *v.* to purr.
rosace [ròzàs] *f.* rose-window.
rosbif [ròsbìf] *m.* roast beef.
rose [rôz] *f.* rose; rose-colo(u)r; *adj.* pink, rosy, rose-colo(u)red. || **rosé** [rosé] *adj.* rosy, roseate.
roseau [ròzô] *m.* reed.
rosée [ròzé] *f.* dew.
rosier [ròzyé] *m.* rose-bush.
rosse [ròs] *f.* jade; sarcastic person; *adj.* malicious, vicious. || **rosser** [-é] *v.* to thrash, to flog, to drub, to cudgel.
rossignol [ròsiñòl] *m.* nightingale; (pop.) false key, skeleton key, picklock; (pop.) white elephant, unsaleable article.
rot [rò] *m.* belch, eructation.
rotation [ròtàsyo^n^] *f.* rotation.
rôti [rôtì] *m.* roast, roast meat. || **rôtir** [rôtìr] *v.* to roast; to broil, to grill, to toast; to scorch, to parch (fig.). || **rôtisserie** [-ìsrî] *f.* cook-shop, roast-meat shop. || **rôtissoire** [-ìswàr] *f.* roaster, Dutch oven.
rotule [ròtül] *f.* patella, knee-cap.
roturier [ròtüryé] *adj.* plebeian; vulgar, common; *m.* plebeian, commoner, roturier.
rouage [rûàj] *m.* wheelwork, wheels; machinery, gearing; movement [horlogerie].
roucoulement [rûkûlma^n^] *m.* cooing.
roue [rû] *f.* wheel; paddle-wheel; torture-wheel; *faire la roue,* to strut, to show off; *roue libre,* free-wheeling [auto].
roué [rûé] *adj.* crafty, artful, cunning, sly, sharp; thrashed [coups]; *m.* roué, rake, profligate; trickster.
rouelle [rûèl] *f.* fillet [veau].
rouer [rûé] *v.* to break upon the wheel; to thrash; to coil [câble]. || **rouerie** [rûrî] *f.* craft, cunning; trickery, duplicity.
rouet [rûè] *m.* spinning-wheel.
rouge [rûj] *adj.* red; *m.* red colo(u)r, redness; blush; rouge; **rouge-gorge,** robin. || **rougeâtre** [-âtr] *adj.* reddish. || **rougeole** [-òl] *f.* measles. || **rouget** [-è] *m.* red gurnet [poisson]. || **rougeur** [-œr] *f.* redness; flush, blush, glow, colo(u)r; *pl.* red blotches [peau]. || **rougir** [-ìr] *v.* to redden, to blush, to flush.
rouille [rûy] *f.* rust, rustiness; blight, blast, mildew. || **rouillé** [-é] *adj.* rusty; blighted; out of practice. || **rouiller** [-é] *v.* to rust; to blight, to impair.
roulade [rûlàd] *f.* roll; roulade, run (mus.). || **roulant** [-a^n^] *adj.* rolling; easy [chemin]; running [feu]; (pop.) killing; *fauteuil roulant,* wheel-chair. || **rouleau** [-ô] *m.* roll; rolling-pin; coil; scroll; *au bout de son rouleau,* at one's wit's end. || **roulement** [-ma^n^] *m.* rolling; roll; rumbling; rattle; rotation. || **rouler** [-é] *v.* to roll; to roll up; to wind up; (pop.) to revolve; to fleece, to cheat, to do; to roll along, to drive, to ride; to ramble, to wander, to stroll [errer]. || **roulette** [-èt] *f.* small wheel; roller, castor, truckle, trundle; bathchair; roulette [jeu]. || **roulis** [-ì] *m.* rolling, roll, swell

[lames]; lurch [bateau]. || **roulotte** [-ò̩t] *f.* gipsy-van, caravan.
rouspéter [rûspété] *v.* (fam.) to protest; to complain; to gripe.
rousseur [rûsœr] *f.* redness; *tache de rousseur,* freckle. || **roussi** [-ì] *m.* burnt smell. || **roussir** [-îr] *v.* to singe, to scorch; *faire roussir,* to brown [viande].
route [rût] *f.* road, way; route, direction, path, course; *grand-route,* highway; *en route,* on the way; *faire route vers,* to make for; *faire fausse route,* to take a wrong course, to alter the course (naut.); *compagnon de route,* fellow-travel(l)er; *carte routière,* road map.
routine [rûtìn] *f.* routine, habit, practice. || **routinier** [-ìnyé] *adj.* routine(-like); habitual.
rouvrir [rûvrìr] *v.* to open again, to reopen.
roux, rousse [rû, rûs] *adj.* red-haired; reddish(-brown), russet; *m.* reddish colo(u)r; red-head [personne]; brown sauce.
royal [rwàyàl] *adj.* royal; regal, kingly. || **royalisme** [-ìsm] *m.* royalism. || **royaliste** [-ìst] *m., f., adj.* royalist. || **royaume** [rwàyôm] *m.* kingdom; realm. || **royauté** [rwàyôté] *f.* royalty.
ruade [rüàd] *f.* kick [cheval].
ruban [rüban] *m.* ribbon; tape; service ribbon.
rubicond [rübìkon] *adj.* rubicund, florid.
rubis [rübì] *m.* ruby.
rubrique [rübrìk] *f.* red chalk; rubric; heading, head, title.
ruche [rüsh] *f.* hive [abeilles]; frill, ruche, ruching. || **rucher** [-é] *m.* apiary, set of hives; *v.* to frill.
rude [rüd] *adj.* rough, harsh; rugged, uneven; grating; stern, strict; rude, uncouth, churlish [personne]; violent [choc]; hard, difficult, troublesome [besogne]. || **rudesse** [-ès] *f.* roughness; ruggedness, harshness; rudeness.
rudiment [rüdìman] *m.* rudiment. || **rudimentaire** [-tèr] *adj.* rudimentary; elementary.
rudoyer [rüdwàyé] *v.* to treat roughly, to ill-treat; to bully.
rue [rü] *f.* street; thoroughfare.
ruée [rüé] *f.* rush, surge, flinging, hurling; stampede [chevaux].
ruelle [rüèl] *f.* lane, alley; passage.
ruer [rüé] *v.* to fling, to hurl; to kick [chevaux]; to deal [coups]; se ruer, to throw oneself, to rush.
rugir [rüjìr] *v.* to roar, to bellow. || **rugissement** [-ìsman] *m.* roar, roaring.
rugueux [rügë] *adj.* rough, uneven, rugose; gnarled [arbre].
ruine [rüìn] *f.* ruin; shambles; decay, decline; overthrow, destruction, downfall. || **ruiner** [-ìné] *v.* to ruin, to wreck, to lay waste; to spoil; to overthrow, to destroy. || **ruineux** [-ë] *adj.* ruinous; disastrous.
ruisseau [rüìsô] *m.* brook, stream, rivulet, creek; gutter [rue]. || **ruisselant** [-lan] *adj.* streaming, running, flowing, dripping; trickling. || **ruisseler** [-lé] *v.* to stream, to run down, to flow, to drip, to trickle. || **ruisselet** [-lè] *m.* brooklet, rivulet. || **ruissellement** [-èlman] *m.* streaming, running, flowing, dripping; trickling.
rumeur [rümœr] *f.* confused noise, muffled din; hum; roar, uproar, clamo(u)r; report, rumo(u)r.
ruminant [rümìnan] *adj.* ruminant, ruminating; pondering (fig.); *m.* ruminant. || **ruminer** [-é] *v.* to ruminate, to chew the cud; to ponder, to brood on (fig.).
rupture [rüptür] *f.* breaking, rupture; discontinuance; parting, separation; falling out; annulment; breach; abrogation; hernia (med.); fracture [os].
rural [rüràl] *adj.* rural.
ruse [rüz] *f.* cunning, craft, guile; artifice, trick, ruse, dodge, wile; stratagem [guerre]. || **rusé** [-é] *adj.* cunning, crafty, sly, artful, wily, guileful; slick (fam.). || **ruser** [-é] *v.* to dodge; to practise deceit; to double [chasse].
russe [rüs] *m., adj.* Russian. || **Russie** [-ì] *f.* Russia.
rustaud [rüstô] *adj.* boorish, loutish; *m.* rustic, clodhopper.
rustique [rüstìk] *adj.* rustic, rural, *Br.* homely, *Am.* homey.
rustre [rüstr] *m.* churl, boor, lout.
rutilant [rütìlan] *adj.* shining, brilliant, glowing, radiant, shimmering; bright red.
rythme [rìtm] *m.* rhythm. || **rythmer** [-é] *v.* to give rhythm to. || **rythmique** [-ìk] *adj.* rhythmic.

S

sa [sà] *poss. adj.* his, her, its, one's.
sable [sàbl] *m.* sand, gravel; *sable mouvant,* quicksand. || **sablé** [-é] *adj.* sanded; sandy; *m.* small dry cake. || **sabler** [-é] *v.* to sand, to gravel; to swig, to toss off [vin]. || **sablier** [-iyé] *m.* hour-glass; sand-box; sandman. || **sablière** [-iyèr] *f.* sand-pit. || **sablonneux** [-ònë] *adj.* sandy, gritty.
sabord [sàbòr] *m.* port-hole. || **saborder** [-dé] *v.* to scuttle [bateau].
sabot [sàbô] *m.* sabot, wooden shoe [chaussure]; hoof [pied]; shoe, skid, drag [frein]; socket [socle]; top [jouet]. || **sabotage** [-òtàj] *m.* sabotage; scamping, botching bungling [travail]; sabot-making [chaussures]. || **sabotier** [-òtyé] *m.* sabot-maker.
sabre [sâbr] *m.* sabre, sword, broadsword; sword-fish [poisson].
sac [sàk] *m.* sack, bag; purse; kit-bag, knapsack, haversack (mil.); valise, satchel; wallet [besace]; sac (anat.); pouch [animal]; sackcloth; sacking, pillage; *sac à main,* purse, hand-bag; *sac de couchage,* sleeping-bag; *sac de voyage,* travel(l)ing-case, overnight bag.
saccade [sàkàd] *f.* jerk, jolt, start, fit; saccade [bride]. || **saccadé** [-é] *adj.* jerky, abrupt, broken, jolting, irregular.
saccager [sàkàjé] *v.* to sack, to pillage, to plunder, to ravage, to ransack, to despoil.
sacerdoce [sàsèrdòs] *m.* priesthood.
sachet [sàshè] *m.* satchel; sachet.
sacoche [sàkòsh] *f.* saddle-bag; courrier's bag; leather money bag; tool-bag [bicyclette].
sacre [sàkr] *m.* consecration; anointing; coronation. || **sacré** [-é] *adj.* sacred; holy, consecrated; (pop.) damned, cursed, accursed, confounded, blasted. || **sacrement** [-ᵉmaⁿ] *m.* sacrament; covenant. || **sacrer** [-é] *v.* to consecrate; to anoint; to crown; (pop.) to curse, to swear.
sacrifice [sàkrìfìs] *m.* sacrifice; privation; renunciation; oblation. || **sacrifier** [-yé] *v.* to sacrifice; to immolate; to renounce, to give up; to devote.
sacrilège [sàkrìlèj] *adj.* sacrilegious; *m.* sacrilege; sacrilegious person.
sacristain [sàkrìstiⁿ] *m.* sexton, sacristan. || **sacristie** [-ì] *f.* sacristy, vestry.
safran [sàfraⁿ] *m., adj.* saffron.
sagace [sàgàs] *adj.* sagacious; perspicacious. || **sagacité** [-ìté] *f.* sagacity, shrewdness; discernment.
sage [sàj] *adj.* wise; sensible, sage, sapient; discreet; good, well-behaved; virtuous; modest; quiet, gentle [animal]; *m.* wise man, sage; *sage-femme,* midwife. || **sagesse** [-ès] *f.* wisdom; goodness, good behavio(u)r; discretion; steadiness, sobriety; gentleness [animal].
saignant [sèñaⁿ] *adj.* bleeding, bloody; underdone, *Am.* rare [viande]. || **saignée** [-é] *f.* bleeding; blood-letting; trench [écoulement]; drain [ressources]. || **saignement** [-maⁿ] *m.* bleeding. || **saigner** [-é] *v.* to bleed; to drain [ressources].
saillant [sàyaⁿ] *adj.* projecting, protruding, salient; outstanding; *m.* salient (arch.). || **saillie** [sàyì] *f.* start, spurt, gush; sally, witticism; projection, protuberance; rabbet; servicing [animaux]. || **saillir** [sàyìr] *v.*° to gush, to spurt, to spout; to project, to protrude; to service [animaux].
sain [siⁿ] *adj.* healthy, sound, hale; healthful, wholesome; sane; clear (naut.); *sain et sauf,* safe and sound, unscathed.
saindoux [siⁿdû] *m.* lard.
saint [siⁿ] *adj.* holy, sacred; saintly; sainted, sanctified; *m.* saint; *Saint-Esprit,* Holy Ghost. || **sainteté** [siⁿtté] *f.* holiness, saintliness; sanctity.
saisie [sèzì] *f.* seizure; execution (jur.); requisitioning (mil.). || **saisir** [-ìr] *v.* to seize, to grasp; to comprehend, to understand; to

strike, to startle, to impress; to instruct (jur.); to vest (jur.); to lash (naut.); se saisir de, to seize, to take hold; to take possession. || **saisissant** [-ìsaⁿ] *adj.* keen, sharp, piercing; impressive, striking, startling, thrilling; chilly [temps]. || **saisissement** [-ìsmaⁿ] *m.* seizure; shock; thrill, access; pang; sudden chill.

saison [sèzoⁿ] *f.* season; *de saison*, seasonable; *marchand des quatre-saisons*, street vendor.

salade [sàlàd] *f.* salad; mess (fig.). || **saladier** [-yé] *m.* salad-bowl.

salaire [sàlèr] *m.* wages, pay; reward, retribution (fig.).

salaison [sàlèzoⁿ] *f.* salting; salt meat.

salarié [sàlàryé] *adj.* salaried, paid; *m.* wage-earner.

salaud [sàlô] *m.* (pop.) dirty person; sloven, slut; rotter, skunk, dirty dog (pop.). || **sale** [sàl] *adj.* dirty, nasty, filthy, foul; coarse, indecent; dingy, squalid; dull [couleurs]; scurvy [tour].

salé [sàlé] *adj.* salted, salt; briny; pungent; broad, loose, coarse (fig.); overcharged [prix]; *m.* salt pork. || **saler** [-é] *v.* to salt; to overcharge; (pop.) to fleece.

saleté [sàlté] *f.* dirtiness; filth; foulness; obscenity, smuttiness.

salière [sàlyèr] *f.* salt-cellar, salt-shaker; eye-socket [cheval].

salin [sàliⁿ] *adj.* saline, salt, briny. || **saline** [-ìn] *f.* salt works; salt marsh.

salir [sàlìr] *v.* to dirty, to soil; to stain, to taint, to sully, to tarnish. || **salissant** [-ìsaⁿ] *adj.* dirtying; easily soiled.

salive [sàlìv] *f.* spittle, saliva. || **saliver** [-ìvé] *v.* to salivate.

salle [sàl] *f.* hall; large room; ward [hôpital]; house (theat.); *salle à manger*, dining-room; *salle des pas perdus*, antechamber [palais de justice]; waiting-room [gare].

saloir [sàlwàr] *m.* salting-tub.

salon [sàloⁿ] *m.* drawing-room, living-room; exhibition, show.

salopette [sàlòpèt] *f.* coverall, overalls, dungarees, *Am.* jeans.

salpêtre [sàlpètr] *m.* saltpetre, nitre.

salsifis [sàlsìfì] *m.* salsify, oyster-plant.

saltimbanque [sàltiⁿbaⁿk] *m.* showman, tumbler; charlatan.

salubrité [sàlübrìté] *f.* salubrity, wholesomeness, healthfulness.

saluer [sàlüé] *v.* to salute, to bow to; to greet; to hail. || **salut** [-ü] *m.* safety; salvation; welfare, preservation, escape; salute, salutation; bow, greeting; hail, cheers; *léger salut*, nod; *Armée du Salut*, Salvation Army. || **salutaire** [-ütèr] *adj.* salutary; advantageous, beneficial; healthful. || **salutation** [-ütàsyoⁿ] *f.* greeting; salutation, salute; bow; *pl.* compliments [lettre].

salve [sàlv] *f.* salvo, volley; salute (artill.).

samedi [sàmdì] *m.* Saturday.

sanctifier [saⁿktìfyé] *v.* to sanctify, to hallow, to consecrate.

sanction [saⁿksyoⁿ] *f.* sanction, penalty; approbation, approval.

sanctuaire [saⁿktüèr] *m.* sanctuary.

sandale [saⁿdàl] *f.* sandal.

sang [saⁿ] *m.* blood; race, parentage, ancestry; **sang-froid**, coolness, self-control, composure; *de sang-froid*, in cold blood. || **sanglant** [-glaⁿ] *adj.* bleeding; bloody; sanguinary; bloodshot; cutting, keen.

sangle [saⁿgl] *f.* strap, band; belt; saddle-girth. || **sangler** [-é] *v.* to strap; to lace tightly; to lash.

sanglier [saⁿglìé] *m.* wild boar.

sanglot [saⁿglô] *m.* sob. || **sangloter** [-òté] *v.* to sob.

sangsue [saⁿsü] *f.* leech; bloodsucker; extortioner.

sanguin [saⁿgiⁿ] *adj.* full-blooded, sanguine; blood-colo(u)red, blooded; *vaisseau sanguin*, blood-vessel. || **sanguinaire** [-ìnèr] *adj.* sanguinary, bloodthirsty; *f.* bloodwort; bloodstone. || **sanguinolent** [-ìnòlaⁿ] *adj.* bloodstained.

sanitaire [sànìtèr] *adj.* sanitary; hygienic.

sans [saⁿ] *prep.* without; free from.

sansonnet [saⁿsònè] *m.* starling.

santé [saⁿté] *f.* health; *maison de santé*, private hospital; mental home.

saoul, *see* **soûl**.

saper [sàpé] *v.* to sap, to undermine. || **sapeur** [-œr] *m.* sapper; **sapeur-pompier**, fireman.

saphir [sàfìr] *m.* sapphire.

sapin [sàpiⁿ] *m.* fir(-tree); spruce.

sarcasme [sàrkàsm] *m.* sarcasm.
sarcelle [sàrsèl] *f.* teal.
sarcler [sàrklé] *v.* to weed.
sardine [sàrdìn] *f.* sardine.
sardonique [sàrdònìk] *adj.* sardonic.
sarment [sàrmaⁿ] *m.* vine-shoot, vine-branch, sarmentum.
sarrasin [sàràziⁿ] *m.* Saracen; buckwheat.
satiété [sàsyété] *f.* satiety.
satin [sàtiⁿ] *m.* satin. || **satiné** [-ìné] *adj.* satiny; smooth; glazed. || **satinette** [-ìnèt] *f.* sateen.
satire [sàtìr] *f.* satire; lampoon. || **satirique** [-ìrìk] *adj.* satirical.
satisfaction [sàtìsfàksyoⁿ] *f.* satisfaction; contentment; atonement. || **satisfaire** [-èr] *v.* to satisfy; to please; to give satisfaction; to make atonement. || **satisfaisant** [-ᵉzaⁿ] *adj.* satisfying, satisfactory. || **satisfait** [-è] *adj.* satisfied, contented, pleased.
saturer [sàtüré] *v.* to saturate.
sauce [sôs] *f.* sauce; gravy. || **saucer** [-é] *v.* to dip in sauce; to drench, to soak. || **saucière** [-yèr] *f.* sauce-dish, gravy-boat.
saucisse [sôsìs] *f.* sausage; kite-balloon (mil.). || **saucisson** [-oⁿ] *m.* (large) sausage; fascine (mil.).
sauf [sôf] *adj.* safe; unhurt, unscathed; *prep.* save, except, barring; reserving, under; **sauf-conduit**, safe-conduct.
saule [sôl] *m.* willow; *saule pleureur*, weeping-willow.
saumon [sômoⁿ] *m.* salmon [poisson]; pig, block (techn.).
saumure [sômür] *f.* brine, pickle.
saupoudrer [sôpùdré] *v.* to powder, to sprinkle, to dust; to intersperse.
saur [sôr] *adj.* dried; *hareng saur*, red herring, bloater.
saut [sô] *m.* leap, jump, spring, bound; vault; omission; *saut périlleux*, acrobatic somersault; *saut de haie*, hurdling. || **sauter** [-té] *v.* to jump, to leap, to bound; to blow up, to explode; to omit; to leave out; to tumble (theat.); to veer, to shift (naut.); to fry quickly [cuisine]; *sauter aux yeux*, to be self-evident, to be obvious; **saute-mouton**, leap-frog. || **sauterelle** [-trèl] *f.* grasshopper, locust. || **sauterie** [-trî] *f.* dancing party, hop, *Am.* shindig (fam.). || **sautillement** [-tìymaⁿ] *m.* hopping, skipping. || **sautiller** [-tìyé] *v.* to hop, to skip.
sauvage [sôvàj] *adj.* savage, wild; untamed, uncivilized; rude, barbarous; shy, timid, unsociable; *m.*, *f.* savage; unsociable person. || **sauvagerie** [-rî] *f.* savagery; ferocity; wildness; shyness.
sauvegarde [sôvgàrd] *f.* safeguard; guarantee; shield, protection; man-rope (naut.). || **sauvegarder** [-é] *v.* to safeguard.
sauver [sôvé] *v.* to save; to rescue; to salvage; to deliver; to preserve [apparences]; to spare; **se sauver**, to escape; to run away, *Am.* to beat it (fam.). || **sauvetage** [-tàj] *m.* rescue, saving; salvage; *ceinture de sauvetage*, life-belt. || **sauveteur** [-tœr] *m.* rescuer, deliverer; life-saver; *adj.* saving, preserving. || **sauveur** [-œr] *m.* saver, deliverer; Saviour.
savamment [sàvàmaⁿ] *adv.* learnedly, cleverly. || **savant** [-aⁿ] *adj.* learned, erudite; clever; expert, *m.* scholar; scientist; *femme savante*, bluestocking.
savate [sàvàt] *f.* old shoe, easy slipper; sole-plate (mech.); foot boxing [jeu]; bungler, clumsy workman.
saveur [sàvœr] *f.* savo(u)r, taste, flavo(u)r; zest, tang.
savoir [savwàr] *v.* to know, to be aware of; to know how, to be able; to understand; to find out, to learn, to be informed of; to be acquainted with [faits]; *m.* knowledge, learning, scholarship, erudition; *autant que je sache*, as far as I know; *savoir gré*, to be grateful; *à savoir*, namely, viz (= videlicet); **savoir-faire**, knowingness, knowledgeability; **savoir-vivre**, good manners, social grace.
savon [sàvoⁿ] *m.* soap; (pop.) rebuke; *savon à barbe*, shaving-soap. || **savonner** [-òné] *v.* to soap; to lather; to rebuke || **savonnette** [-ònèt] *f.* bar of soap.
savourer [sàvûré] *v.* to relish, to savo(u)r; to enjoy. || **savoureux** [-ë] *adj.* savo(u)ry, tangy, tasty.
scabreux [skàbrë] *adj.* scabrous; salacious, risqué; dangerous.
scalpel [skàlpèl] *m.* scalpel. || **scalper** [-é] *v.* to scalp.
scandale [skaⁿdàl] *m.* scandal.

|| **scandaleux** [-ë] *adj.* scandalous, shocking. || **scandaliser** [-ìzé] *v.* to scandalize, to shock, to horrify.
scaphandre [skàfaⁿdr] *m.* diving-suit. || **scaphandrier** [-ìyé] *m.* deep-sea diver.
scarabée [skàràbé] *m.* beetle.
scarlatine [skàrlàtìn] *f.* scarlet fever, scarlatina.
sceau [sô] *m.* seal; mark; confirmation (fig.).
scélérat [sélérà] *m.* scoundrel. || **scélératesse** [-tès] *f.* villainy.
scellé [sèlé] *m.* seal. || **sceller** [-é] *v.* to seal (up); to fasten, to fix [construction]; to confirm (fig.).
scénario [sénàryô] *m.* scenario; script.
scène [sèn] *f.* scene; stage; scenery.
scepticisme [sèptìsìsm] *m.* scepticism, *Am.* skepticism. || **sceptique** [-ìk] *adj.* sceptic, *Am.* skeptic.
sceptre [sèptr] *m.* sceptre.
schéma [shémà] *m.* diagram.
sciatique [syàtìk] *adj.* sciatic; *f.* sciatica.
scie [si] *f.* saw; saw-fish; (pop.) bore, trouble, nuisance.
sciemment [syàmaⁿ] *adv.* wittingly, knowingly, consciously; purposely. || **science** [syaⁿs] *f.* science, learning; skill, expertness. || **scientifique** [syaⁿtìfìk] *adj.* scientific.
scier [syé] *v.* to saw (off). || **scierie** [sìrî] *f.* saw-mill; lumber-mill.
scinder [siⁿdé] *v.* to divide, to sever.
scintillement [siⁿtìymaⁿ] *m.* glitter, twinkling, sparkle; flickering. || **scintiller** [-ìyé] *v.* to glitter, to twinkle, to sparkle; to flicker.
scission [sìsyoⁿ] *f.* scission; secession; *faire scission,* to secede.
sciure [syür] *f.* sawdust.
scolaire [skòlèr] *adj.* academic; *année scolaire,* school year.
scrupule [skrüpül] *m.* scruple, qualm, misgiving; scrupulousness. || **scrupuleux** [-ë] *adj.* scrupulous; punctilious; conscientious.
scruter [skrüté] *v.* to scrutinize; to investigate, to explore.
scrutin [skrütiⁿ] *m.* ballot, poll, vote.
sculpter [skülté] *v.* to sculpture, to carve. || **sculpteur** [-œr] *m.* sculptor, carver. || **sculpture** [-ür] *f.* sculpture, carving.
se [sᵉ] *refl. pron. m.* himself, itself, oneself; *f.* herself, itself; *pl.* themselves, each other, one another.
séance [séaⁿs] *f.* sitting; seat; meeting, session; seance; *séance tenante,* immediately, on the spot.
seau [sô] *m.* pail, bucket; scuttle.
sec, sèche [sèk, sèsh] *adj.* dry, arid; plain; cold, unfeeling; *adv.* dryly, sharply; *m.* dryness; dry weather; *être à sec,* to be broke, to be hard up; *perte sèche,* dead loss; *coup sec,* sharp stroke, rap; *fruit sec,* failure, washout, flop.
sécateur [sékàtœr] *m.* pruning-scissors, pruning-shears.
sécession [sésèsyoⁿ] *f.* secession.
sécher [séshé] *v.* to dry; to dry up; to cure, to season; (pop.) to shun, to avoid; to wither; *sécher une classe,* to cut class; *sécher à un examen,* to fail an examination, *Am.* to flunk. || **sécheresse** [-ᵉrès] *f.* dryness; aridity; drought; bareness; curtness. || **séchoir** [-wàr] *m.* dryer; drying-room.
second [sᵉgoⁿ] *adj.* second; another, new; inferior; *m.* second; assistant; mate, second officer; *Br.* second floor, *Am.* third floor. || **secondaire** [-dèr] *adj.* secondary; subordinate. || **seconde** [-oⁿd] *f.* second; second class; seconde [escrime]. || **seconder** [-dé] *v.* to second; to assist.
secouer [sᵉkûé] *v.* to shake, to jog, to jar, to jerk, to jolt; to rouse; *se secouer,* to shake oneself; to bestir oneself, to exert oneself.
secourable [sᵉkûràbl] *adj.* helpful, helping; relievable. || **secourir** [-îr] *v.* to help, to succo(u)r; to rescue. || **secours** [sᵉkûr] *m.* help, assistance, aid, succo(u)r; relief; rescue; *au secours!* help!; *roue de secours,* spare-wheel.
secousse [sᵉkûs] *f.* shake, jar, jerk.
secret [sᵉkrè] *adj.* secret; reserved, reticent; stealthy, secretive; furtive; *m.* secret; secrecy, privacy, mystery; secret drawer; solitary confinement. || **secrétaire** [-étèr] *m.* secretary; writing-desk. || **secrétariat** [-étàryà] *m.* secretariat, secretary's office; secretaryship.
sectaire [sèktèr] *m., adj.* sectarian. || **secte** [sèkt] *f.* sect; cult, denomination.
section [sèksyoⁿ] *f.* section; division; portion; platoon (mil.). || **sectionner** [-yòné] *v.* to divide; to sever; to cut up; to section off.

séculaire [sékülèr] *adj.* secular; centenarian. || **séculier** [-yé] *adj.* secular, worldly; laic.

sécurité [séküritè] *f.* security, safety; confidence; guarantee.

sédatif [sédàtìf] *adj.* sedative, quieting; *m.* sedative.

sédentaire [séda^{n}tèr] *adj.* sedentary; fixed, settled.

sédiment [sédìma^n] *m.* sediment.

séditieux [sédìsyë] *adj.* seditious. || **sédition** [-yo^n] *f.* sedition.

séducteur [sédüktœr] *adj.* seductive; bewitching; *m.* seducer. || **séduction** [-syo^n] *f.* seduction; enticement; allurement. || **séduire** [sédüìr] *v.** to seduce; to beguile, to bewitch; to charm, to win over; to captivate; to bribe. || **séduisant** [-üìza^n] *adj.* seductive; alluring, fascinating, beguiling.

seigle [sègl] *m.* rye.

seigneur [sèñœr] *m.* lord; squire; nobleman; the Lord. || **seigneurie** [-ì] *f.* lordship.

sein [si^n] *m.* breast; bosom; womb; heart, midst, middle (fig.).

seing [si^n] *m.* signature, signing.

seize [sèz] *m., adj.* sixteen; sixteenth [date, titre]. || **seizième** [-yèm] *m., adj.* sixteenth.

séjour [séjûr] *m.* sojourn, stay; residence. || **séjourner** [-né] *v.* to stay, to sojourn, to reside.

sel [sèl] *m.* salt; wit; pungency (fig.); *pl.* smelling-salts.

sélection [sélèksyo^n] *f.* selection; choice. || **sélectionner** [-yòné] *v.* to select; to choose, to pick out.

selle [sèl] *f.* saddle; stool; evacuation (med.). || **seller** [-é] *v.* to saddle. || **sellerie** [-rì] *f.* saddlery, saddle-room. || **sellette** [-èt] *f.* culprits' seat, stool of repentance.

selon [s^{e}lo^n] *prep.* according to; *selon que,* according as.

semaille [s^{e}mày] *f.* sowing; seed.

semaine [s^{e}mèn] *f.* week; week's work; week's wages.

semblable [sa^{n}blàbl] *adj.* similar, like, such; resembling; *m.* like; match, equal; fellow-creature. || **semblant** [-a^n] *m.* appearance, look; pretence, show, feigning, bluff; *faire semblant,* to pretend; *faux semblant,* pretence. || **sembler** [-é] *v.* to seem, to appear.

semelle [s^{e}mèl] *f.* sole [chaussure]; foot [bas]; shoe [traîneau]; sleeper, bed-plate [techn.].

semence [s^{e}ma^{n}s] *f.* seed; semen; seed-pearls; fine sprigs [clous]. || **semer** [-é] *v.* to sow; to seed; to scatter, to sprinkle; to disseminate.

semestre [s^{e}mèstr] *m.* half-year, six months; semester, *Am.* term [école]. || **semestriel** [-ìyèl] *adj.* half-yearly, semi-annual.

semeur [s^{e}mœr] *m.* sower; disseminator.

séminaire [séminèr] *m.* seminary.

semis [s^{e}mì] *m.* sowing; seed-bed, seedling. || **semoir** [-wàr] *m.* seed-bag; sowing-machine, drill.

semonce [s^{e}mo^{n}s] *f.* admonishment, talking-to.

sénat [sénà] *m.* senate. || **sénateur** [-tœr] *m.* senator.

sénevé [sénvé] *m.* black mustard.

sénile [sénìl] *adj.* senile, elderly. || **sénilité** [-ìté] *f.* senility.

sens [sa^{n}s] *m.* sense; senses, feelings; judgment, wits, intelligence; meaning, import; interpretation; opinion, sentiment; way, direction; *sens interdit,* no entry; *sens unique,* one-way; *sens dessus dessous,* upside-down.

sensation [sa^{n}sàsyo^n] *f.* sensation, feeling. || **sensationnel** [-yònèl] *adj.* sensational; dramatic.

sensé [sa^{n}sé] *adj.* sensible, intelligent.

sensibiliser [sa^{n}sibilizé] *v.* to sensitize. || **sensibilité** [-ìté] *f.* sensibility, feeling. || **sensible** [sa^{n}sìbl] *adj.* sensitive; susceptible; perceptible; evident, obvious; lively, acute; tender, sore [chair]; *être sensible à,* to feel. || **sensiblement** [-^{e}ma^n] *adv.* obviously; feelingly, keenly, deeply. || **sensiblerie** [-^{e}rì] *f.* sentimentality.

sensitif [sa^{n}sitìf] *adj.* sensitive; sensorial.

sensualité [sa^{n}süàlité] *f.* sensuality; voluptuousness. || **sensuel** [sa^{n}süèl] *adj.* sensual; voluptuous.

sentence [sa^{n}ta^{n}s] *f.* sentence; verdict; aphorism. || **sentencieux** [-yë] *adj.* sententious.

senteur [sa^{n}tœr] *f.* scent, fragrance; *pois de senteur,* sweet pea.

sentier [sa^{n}tyé] *m.* path, lane.

sentiment [sa^{n}tìma^n] *m.* sentiment; feeling; affection; perception; sensibility; opinion. || **sentimental** [-tàl] *adj.* sentimental.

|| **sentimentalité** [-tàlité] *f.* sentimentality.
sentinelle [sa^n^tìnèl] *f.* sentry, sentinel.
sentir [sa^n^tìr] *v.** to feel; to guess; to perceive; to smell, to scent; to taste of; to seem; **se sentir,** to feel (oneself); to be conscious; to be felt.
séparable [sépàràbl] *adj.* separable; distinguishable. || **séparation** [-àsyo^n^] *f.* separation, severing; partition [mur]. || **séparer** [-é] *v.* to separate, to divide; to sever; to part [cheveux]; **se séparer,** to separate, to part; to divide; to break up [assemblée]; to disperse, to scatter.
sept [sèt] *m., adj.* seven; seventh [titre, date].
septembre [sèpta^n^br] *m.* September.
septième [sètyèm] *m., adj.* seventh.
septique [sèptìk] *adj.* septic.
septuagénaire [sèptüàjénèr] *m., f., adj.* septuagenarian.
sépulcre [sépülkr] *m.* sepulchre. || **sépulture** [-tür] *f.* sepulture.
séquelle [sékèl] *f.* series [choses]; crew, gang [personnes].
séquence [séka^n^s] *f.* sequence; run.
séquestration [sékèstràsyo^n^] *f.* sequestration, seclusion. || **séquestre** [sékèstr] *m.* sequestrator; embargo [bateau]. || **séquestrer** [-é] *v.* to sequester; to confiscate (jur.).
serein [s^e^rì^n^] *adj.* serene, placid. || **sérénité** [sérénìté] *f.* serenity.
sergent [sèrja^n^] *m.* sergeant; cramp [outil]; iron hook (naut.); *sergent de ville,* policeman.
série [sérì] *f.* series; break [billard]; succession; sequence; *en série,* standardized, mass produced.
sérieux [séryë] *adj.* serious, grave; earnest; true, solid, substantial; *m.* seriousness, gravity.
serin [s^e^rì^n^] *m.* canary; (pop.) sap, booby.
seringue [s^e^rì^n^g] *f.* syringe.
serment [sèrma^n^] *m.* oath, promise; *pl.* swearing.
sermon [sèrmo^n^] *m.* sermon; lecture. || **sermonner** [-òné] *v.* to lecture, to preach, to sermonize.
serpe [sèrp] *f.* bill-hook, hedge-bill.
serpent [sèrpa^n^] *m.* serpent, snake; *serpent à sonnettes,* rattlesnake. || **serpenter** [-té] *v.* to wind, to meander, to twine, to twist.
serpillière [sèrpìyèr] *f.* packing-cloth, sacking.
serre [sèr] *f.* squeeze, pressure; talon, claw [oiseau]; greenhouse, conservatory; **serre chaude,** hot-house. || **serré** [-é] *adj.* close, serried, compact; tight; clenched; concise, terse. || **serrement** [-ma^n^] *m.* pressing, squeezing; pang [cœur]; handshake [main]. || **serrer** [-é] *v.* to press, to tighten, to squeeze; to serry; to grip; to condense; to oppress [cœur]; to close [rangs]; to clench [dents, poings]; to skirt, to hug [côte]; to take in [voiles]; *serrer la main à,* to shake hands with; **serre-frein,** brakesman; **se serrer,** to contract; to crowd; to grow tighter.
serrure [sèrür] *f.* lock; *trou de serrure,* keyhole. || **serrurier** [-yé] *m.* locksmith.
sertir [sèrtìr] *v.* to set, to mount.
sérum [séròm] *m.* serum.
servage [sèrvàj] *m.* servitude.
servant [sèrva^n^] *m.* servant; gunner; *adj.* serving, in-waiting. || **servante** [-a^n^t] *f.* maidservant; dumb-waiter. || **serveur** [-œr] *m.* waiter; dealer [cartes]; server [tennis]. || **serveuse** [-ëz] *f.* waitress. || **serviable** [-yàbl] *adj.* serviceable, willing, obliging.
service [sèrvìs] *m.* service; attendance; duty; office, function; set [argenterie, vaisselle]; course [plats]; tradesmen's entrance; *service compris,* tip included.
serviette [sèrvyèt] *f.* serviette, napkin; towel; briefcase, portfolio; *serviette éponge,* Turkish towel.
servile [sèrvìl] *adj.* servile, menial.
servir [sèrvìr] *v.** to serve, to wait on; to help to; to be of service, to assist; to supply; to work, to operate; to be useful; to be in the service (mil.); *servir de,* to serve as, to be used as; **se servir,** to serve oneself, to help oneself; to avail oneself, to make use of; *se servir de,* to use, to avail oneself of.
serviteur [sèrvìtœr] *m.* servant. || **servitude** [-üd] *f.* servitude.
ses [sè] *poss. adj. pl.* his; her; its.
session [sèsyo^n^] *f.* session, sitting.
seuil [sœy] *m.* sill, threshold.
seul [sœl] *adj.* alone, by oneself; sole, only, single; mere, bare. || **seulement** [-ma^n^] *adv.* only; but; solely, merely.

sève [sèv] *f.* sap; juice; pith.
sévère [sévèr] *adj.* severe, stern, austere; strict; correct. || **sévérité** [-érìté] *f.* severity; sternness, strictness; correctness; austerity.
sévices [sévìs] *m. pl.* ill-treatment, cruelty. || **sévir** [-ìr] *v.* to chastise; to rage [guerre].
sevrer [s^evré] *v.* to wean.
sexe [sèks] *m.* sex.
sexuel [sèksüèl] *adj.* sexual.
seyant [sèya^n] *adj.* becoming, suitable.
si [sì] *conj.* if; whether; what if.
si [sì] *adv.* yes [après question négative]; so, so much, however much; *si fait,* yes, indeed; *si bien que,* so that.
sidéré [sìdéré] *adj.* thunderstruck; (fam.) flabbergasted.
siècle [syèkl] *m.* century; age, period; world.
siège [syèj] *m.* seat; chair; coachman's box; bench (jur.); siege; see (eccles.); *le Saint-Siège,* the Holy See; *siège social,* head office.
siéger [syéjé] *v.* to sit [assemblée]; to have offices (comm.).
sien, sienne [syi^n, syèn] *poss. pron.* his, hers, its, one's; *les siens,* one's own people.
sifflement [sìfl^ema^n] *m.* whistle, whistling; wheezing; whizzing [flèche]; hiss, hissing. || **siffler** [-é] *v.* to whistle; to hiss; to pipe [oiseau]; to whizz; to wheeze; to hiss, to boo (theat.). || **sifflet** [-è] *m.* whistle; hissing; catcall, boo. || **siffloter** [-òté] *v.* to whistle lightly.
signal [sìñàl] *m.* signal; sign; watchword, *Am.* wig-wag (railw.; mil.). || **signalement** [-ma^n] *m.* description [personne]. || **signaler** [-é] *v.* to signal; to point out, to indicate; to give the description of; *Am.* to wig-wag (railw.; mil.).
signature [sìñàtür] *f.* signature.
signe [sìñ] *m.* sign; signal; mark, token, emblem, symbol, indication, badge; clue; omen. || **signer** [-é] *v.* to sign; to subscribe; to witness [document].
signet [sìñè] *m.* bookmark.
significatif [sìñìfìkàtìf] *adj.* significant, significative; meaningful; expressive; momentous. || **signification** [-àsyo^n] *f.* significance, signification, import, meaning; notification. || **signifier** [sìñìfyé] *v.* to signify, to mean; to notify; to intimate; to imply, to denote.
silence [sìla^ns] *m.* silence, stillness; quiet; secrecy; pause; reticence; rest (mus.); *passer sous silence,* to pass over in silence. || **silencieux** [-yë] *adj.* silent, quiet, still; taciturn; *m.* silencer [auto].
silex [sìlèks] *m.* silex; flint.
silhouette [sìlwèt] *f.* silhouette.
sillage [sìyàj] *m.* wake; speed, headway.
sillon [sìyo^n] *m.* furrow; groove; track, trail, wake. || **sillonner** [sìyòné] *v. Br.* to plough, *Am.* to plow, to furrow; to streak; to groove.
similaire [sìmìlèr] *adj.* similar; analogous. || **similitude** [-ìtüd] *f.* similitude, similarity.
simple [si^npl] *adj.* simple; natural; plain; only, bare, mere; easy; simple-minded; natural; single [chambre]; *m.* simpleton; *m. pl.* simples [plantes]; *simple soldat,* private; *simple matelot,* ordinary seaman. || **simplicité** [-ìsìté] *f.* plainness; simplicity; simple-mindedness. || **simplifier** [-ìfyé] *v.* to simplify.
simulacre [sìmülàkr]. *m.* image; semblance, appearance, feint, sham.
simulateur, -trice [sìmülàtœr, -trìs] *m., f.* shammer, pretender; malingerer (mil.). || **simulation** [-àsyo^n] *f.* simulation, feigning. || **simuler** [-é] *v.* to simulate, to pretend, to feign, to sham; to malinger (mil.).
simultané [sìmültàné] *adj.* simultaneous, coincident, synchronous.
sinapisme [sìnàpìsm] *m.* mustard plaster.
sincère [si^nsèr] *adj.* sincere; frank, candid, open-hearted; genuine. || **sincérité** [-érìté] *f.* sincerity, frankness; honesty; genuineness.
singe [si^nj] *m.* monkey, ape; imitator, mimic; hoist, windlass, winch, crab (techn.); (pop.) boss; bully beef (mil.). || **singer** [-é] *v.* to ape, to imitate, to mimic. || **singerie** [-rì] *f.* monkey trick; grimace; mimicry; apery.
singulariser [si^ngülàrìzé] *v.* to singularize. || **singulier** [-yé] *adj.* singular, peculiar, odd, bizarre, strange, queer; conspicuous.
sinistre [sìnìstr] *adj.* sinister, ominous, threatening, menacing, bale-

ful, lurid; grim, forbidding, dismal; *m.* disaster; fire; loss. || **sinistré** [-*é*] *m.* victim; *adj.* bomb-damaged, bombed-out; rendered homeless.

sinon [sìno^{n}] *conj.* else, or else; otherwise; if not; except, unless.

sinueux [sìnüë] *adj.* sinuous, winding, wavy, meandering, twining.

siphon [sìfo^{n}] *m.* siphon; waterspout (naut.).

sire [sìr] *m.* sir, lord; sire.

sirène [sìrèn] *f.* siren, mermaid; fog-horn, hooter.

sirop [sìrô] *m.* syrup.

site [sìt] *m.* site, location.

sitôt [sìtô] *adv.* so soon, as soon.

situation [sìtüàsyo^{n}] *f.* situation, site, location, position; place, job; predicament, plight; report; bearing (naut.). || **situer** [sìtüé] *v.* to situate, to locate.

six [sìs] *m., adj.* six; sixth [titre, date]. || **sixième** [sìzyèm] *m., f., adj.* sixth.

ski [skì] *m.* ski.

smoking [smòkìñ] *m.* dinner-jacket; *Am.* tuxedo.

snob [snòb] *m.* snob. || **snobisme** [-ìsm] *m.* snobbishness, snobbery.

sobre [sòbr] *adj.* sober, moderate, well-balanced; temperate, abstemious, frugal; restrained; sedate, cool, collected, staid; somber. || **sobriété** [-ìyété] *f.* sobriety; abstemiousness, sedateness; restraint; quietness [vêtements].

sobriquet [sòbrìkè] *m.* nickname.

soc [sòk] *m.* ploughshare.

sociable [sòsyàbl] *adj.* sociable, companionable, affable, convivial.

social [sòsyàl] *adj.* social. || **socialisme** [-ìsm] *m.* socialism. || **socialiste** [-ìst] *m., f., adj.* socialist.

sociétaire [sòsyétèr] *m.* member, associate; partner; stockholder. || **société** [-*é*] *f.* society; company, firm, association; partnership, fellowship; community.

socle [sòkl] *m.* socle.

soda [sòdà] *m.* soda; sparkling-water. || **sodium** [-yòm] *m.* sodium.

sœur [sœr] *f.* sister; nun.

sofa [sòfà] *m.* sofa, divan.

soi [swà] *pers. pron.* oneself; himself, herself, itself; self; *cela va de soi,* that goes without saying; **soi-disant,** self-styled, so-called, alleged; **soi-même,** oneself.

soie [swà] *f.* silk; silken hair; bristle [porcs]. || **soierie** [-rì] *f.* silk goods; silk-trade.

soif [swàf] *f.* thirst; *avoir soif,* to be thirsty.

soigner [swàñé] *v.* to take care of, to nurse, to attend to, to take pains with; **se soigner,** to take care of oneself; to nurse oneself. || **soigneux** [-ë] *adj.* careful, mindful; attentive; painstaking; solicitous. || **soin** [swi^{n}] *m.* care; attention; *pl.* attentions, solicitude, pains, trouble; *aux bons soins de,* in care of, courtesy of.

soir [swàr] *m.* evening; night; afternoon; *ce soir,* tonight. || **soirée** [-*é*] *f.* evening; evening party.

soit [swà] *see* **être;** *adv.* be it so, well and good, all right, agreed; suppose, grant it; *conj.* either, or; whether; *tant soit peu,* ever so little.

soixantaine [swàsa^{n}tèn] *f.* three score; about sixty. || **soixante** [-a^{n}t] *adj., m.* sixty; **soixante-dix,** seventy; **soixante-quinze,** seventy-five. || **soixantième** [-a^{n}tyèm] *m., f., adj.* sixtieth.

sol [sòl] *m.* ground; soil.

solaire [sòlèr] *adj.* solar; *cadran solaire,* sun-dial.

soldat [sòldà] *m.* soldier; *Soldat inconnu,* Unknown Warrior.

solde [sòld] *f.* pay.

solde [sòld] *m.* balance owing; selling off, clearance sale; marked-down item.

solder [sòldé] *v.* to settle, to discharge [compte]; to sell off, to clear out [marchandises].

sole [sòl] *f.* sole.

sole [sòl] *f.* sole [poisson].

soleil [sòlèy] *m.* sun; sunshine; star (fig.); *coup de soleil,* sunstroke.

solennel [sòlànèl] *adj.* solemn; formal, pompous; dignified. || **solenniser** [-ìzé] *v.* to solemnize. || **solennité** [-ìté] *f.* solemnity; ceremony; dignity, gravity.

solidaire [sòlìdèr] *adj.* mutually responsible; interdependent. || **solidariser** [-àrìzé] *v.* to render jointly liable; **se solidariser,** to join in liability; to make common cause. || **solidarité** [-àrìté] *f.* joint responsibility; solidarity; fellowship. || **solide** [sòlìd] *adj.* solid; strong; tough, stout; stalwart; firm, stable; substantial; re-

liable; solvent; fast [couleur]; *m.* solid. || **solidifier** [-ìfyé] *v.* to solidify. || **solidité** [-ìté] *f.* solidity; firmness.
solitaire [sòlìtèr] *adj.* solitary, single; lonely; desolate; *m.* hermit, recluse; solitaire [diamant]. || **solitude** [-üd] *f.* solitude, loneliness; seclusion; wilderness, desert.
solive [sòlîv] *f.* joist; *Am.* stud, scantling. || **soliveau** [-ìvô] *m.* small joist; (fam.) block-head.
sollicitation [sòlìsìtàsyo^n] *f.* solicitation, entreaty; application (jur.). || **solliciter** [-é] *v.* to solicit, to entreat; to incite, to urge; to impel. || **solliciteur** [-œr] *m.* solicitor; petitioner. || **sollicitude** [-üd] *f.* solicitude, care.
soluble [sòlübl] *adj.* soluble, dissolvable. || **solution** [-üsyo^n] *f.* solution; solving; answer (math.).
solvabilité [sòlvàbìlìté] *f.* solvency. || **solvable** [-àbl] *adj.* solvent.
sombre [so^{n}br] *adj.* dark; sombre, gloomy; murky; dull, dim; overcast, murky, cloudy [ciel]; melancholy, dismal, glum [personne].
sombrer [so^{n}bré] *v.* to founder (naut.); to sink, to collapse.
sommaire [sòmèr] *adj.* summary, brief; cursory, desultory; concise, abridged; *m.* summary.
sommation [sòmàsyo^n] *f.* summons, appeal.
somme [sòm] *f.* sum, total; amount; summary; *en somme,* in short; *somme toute,* on the whole.
somme [sòm] *m.* nap, sleep. || **sommeil** [-èy] *m.* sleep; sleepiness, slumber, drowsiness; *avoir sommeil,* to be sleepy. || **sommeiller** [-èyé] *v.* to doze, to drowse, to snooze, to slumber; to lie dormant.
sommelier [sòm^{e}lyé] *m.* butler, cellarman, wine waiter.
sommer [sòmé] *v.* to summon, to call upon.
sommet [sòmè] *m.* top, summit, peak, crest; apex, acme; crown [tête]; extremity (zool.).
sommier [sòmyé] *m.* pack-horse, sumpter-mule; bed-mattress, spring-mattress; wind-chest [orgue]; timber support (mech.).
sommité [sòmìté] *f.* summit, top; head, principal; prominent person.
somnambule [sòmna^{n}bül] *m., f.* sleep-walker, somnambulist.
somnifère [sòmnìfèr] *m.* opiate; narcotic. || **somnolence** [-òla^{n}s] *f.* sleepiness, drowsiness. || **somnolent** [-òla^n] *adj.* somnolent, sleepy, drowsy, slumberous.
somptuaire [so^{n}ptüèr] *adj.* sumptuary.
somptueux [so^{n}ptüë] *adj.* sumptuous; magnificent; lavish, luxurious. || **somptuosité** [-üòzìté] *f.* sumptuousness; magnificence, splendo(u)r; lavishness, luxury.
son [so^n] *poss. adj. m.* (*f.* **sa,** *pl.* **ses**) his, her, its, one's.
son [so^n] *m.* sound, noise.
son [so^n] *m.* bran.
sonate [sònàt] *f.* sonata.
sondage [so^{n}dàj] *m.* sounding; boring (min.); fathoming; probing. || **sonde** [so^{n}d] *f.* sounding-line, depth-line, lead (naut.); probe (med.); bore (min.). || **sonder** [-é] *v.* to sound, to fathom; to probe; to bore [mine]; to search, to explore; to plumb (naut.).
songe [so^{n}j] *m.* dream; dreaming. || **songer** [-é] *v.* to dream; to muse, to ponder; to think; to imagine. || **songerie** [-rî] *f.* dreaming; musing; reverie; meditating. || **songeur** [-œr] *adj.* dreamy, thoughtful, musing.
sonnaille [sònày] *f.* bell [bétail]. || **sonner** [-é] *v.* to sound; to ring, to toll; to strike [horloge]. || **sonnerie** [-rî] *f.* tolling, ringing, ring; buzzer; buzzing; bells, chimes; striking; striking part [horloge].
sonnet [sònè] *m.* sonnet.
sonnette [sònèt] *f.* bell; small bell; house bell, hand-bell, door-bell; buzzer, push-button. || **sonneur** [-œr] *m.* bell-ringer.
sonore [sònòr] *adj.* sonorous; resonant; deep-toned. || **sonorité** [-ìté] *f.* sonorousness; resonance.
sorcellerie [sòrsèlrî] *f.* sorcery, witchcraft. || **sorcier** [-yé] *m.* wizard, sorcerer. || **sorcière** [-yèr] *f.* witch, sorceress.
sordide [sòrdîd] *adj.* sordid, filthy, dirty, grubby; squalid; vile, base; mean, avaricious.
sorgho [sòrgô] *m.* sorghum.
sort [sòr] *m.* fate, destiny; lot, condition; hazard, chance; spell, charm.
sorte [sòrt] *f.* sort, kind, species, type; manner, way; cast (typogr.); *de sorte que,* so that.
sortie [sòrtî] *f.* going out, coming out; exit, way out, outlet, escape;

excursion, outing; sally, sortie (mil.); outburst, outbreak.
sortilège [sòrtìlèj] *m.* sortilege, witchcraft.
sortir [sòrtír] *v.** to go out, to come out, to exit; to bring out, to take out; to pull out; to leave, to depart; to deviate; to protrude, to project; to result, to ensue; to recover [santé].
sosie [sòzí] *m.* double.
sot, sotte [sô, sòt] *adj.* stupid, silly, foolish; ridiculous, absurd; *m., f.* fool. || **sottise** [sotíz] *f.* foolishness, silliness, nonsense.
sou [sû] *m.* sou [monnaie]; penny, copper; *cent sous,* five francs.
soubresaut [sûbr^e^sô] *m.* jerk, start; jolt; plunge [cheval].
souche [sûsh] *f.* stump, stock; stem; source, origin, root; head, founder [famille]; chimney-stack; counterfoil, stub [chèque, ticket]; tally.
souci [sûsì] *m.* anxiety, care, bother, worry; marigold (bot.); *sans souci,* carefree. || **soucier** [-yé] *v.* to trouble, to upset, to bother, to worry; **se soucier,** to care, to mind, to be concerned, to be anxious. || **soucieux** [-yë] *adj.* anxious, solicitous, concerned, worried.
soucoupe [sûkûp] *f.* saucer; salver.
soudain [sûdi^n^] *adj.* sudden, abrupt; *adv.* suddenly, abruptly. || **soudaineté** [-ènté] *f.* suddenness, unexpectedness, abruptness.
soude [sûd] *f.* soda.
souder [sûdé] *v.* to solder, to weld, to braze; to cement.
soudoyer [sûdwàyé] *v.* to bribe.
soudure [sûdür] *f.* solder.
souffle [sûfl] *m.* breath, breathing; expiration; puff [vent]; inspiration (fig.). || **soufflé** [-é] *m.* soufflé; *adj.* puffed [pâte]. || **souffler** [-é] *v.* to breathe, to blow; to puff, to pant; to whisper; to prompt (theat.). || **soufflerie** [-^e^rí] *f.* bellows [orgue]; blowing-apparatus. || **soufflet** [-è] *m.* bellows; slap, box on the ear; affront. || **souffleter** [-^e^té] *v.* to slap, to box the ears; to outrage. || **souffleur** [-œr] *m.* blower; prompter.
souffrance [sûfra^n^s] *f.* suffering, pain; distress; *en souffrance,* suspended, in abeyance. || **souffrant** [-a^n^] *adj.* suffering, in pain; ill, sick, unwell, poorly, ailing; injured; forbearing. || **souffreteux** [-^e^të] *adj.* sickly, weak; needy. || **souffrir** [-ír] *v.** to suffer; to bear, to endure, to undergo; to tolerate; to allow; to be suffering, to be in pain, in trouble; souffre-douleur, butt, laughing-stock.
soufre [sûfr] *m.* sulphur; brimstone. || **soufrer** [-é] *v.* to sulphur.
souhait [sûè] *m.* wish, desire. || **souhaitable** [-tàbl] *adj.* desirable. || **souhaiter** [-té] *v.* to desire; to wish (something) to (someone).
souiller [sûyé] *v.* to soil, to stain, to dirty, to sully, to blemish; to defile. || **souillon** [sûyo^n^] *m.* slut, sloven; scullion. || **souillure** [sûyür] *f.* dirt, spot, stain; blot, blemish.
soûl [sû] *adj.* surfeited, glutted; (pop.) drunk, intoxicated, tipsy, *Am.* high (fam.); satiated, cloyed.
soulagement [sûlàjma^n^] *m.* relief, alleviation; solace. || **soulager** [-é] *v.* to relieve, to alleviate, to assuage, to allay; to succo(u)r.
soûler [sûlé] *v.* to fill, to glut; to intoxicate, to inebriate.
soulèvement [sûlèvma^n^] *m.* heaving; upheaval; swelling [vagues]; rising [estomac]; insurrection. || **soulever** [sûlvé] *v.* to raise, to lift, to heave; to excite, to stir up, to provoke; to sicken; **se soulever,** to raise oneself, to rise; to heave; to revolt, to rebel.
soulier [sûlyé] *m.* shoe; slipper.
souligner [sûlìñé] *v.* to underline, to underscore; to emphasize.
soumettre [sûmètr] *v.** to submit, to defer; to subject, to subdue; to subordinate; **se soumettre,** to submit, to yield; to comply, to assent. || **soumis** [-ì] *adj.* submissive, tractable, compliant, docile; subdued. || **soumission** [-ìsyo^n^] *f.* submission, compliance; submissiveness; subjection; offer, tender [contrat]. || **soumissionner** [-ìsyòné] *v.* to tender, to present.
soupape [sûpàp] *f.* valve; plug; *soupape de sûreté,* safety-valve.
soupçon [sûpso^n^] *m.* suspicion, *Am.* hunch (pop.); surmise, conjecture; dash, touch, hint, dab, bit (fig.). || **soupçonner** [-òné] *v.* to suspect, *Am.* to have a hunch (pop.); to surmise, to conjecture; to question. || **soupçonneux** [-ònë] *adj.* suspicious, doubtful.

soupe [sûp] *f.* soup; food, grub (pop.), *Am.* chow (mil.).
soupente [sûpaⁿt] *f.* loft, garret.
souper [sûpé] *m.* supper; *v.* to have supper, to sup.
soupeser [sûpezé] *v.* to weigh in one's hand, *Am.* to heft.
soupière [sûpyèr] *f.* soup-tureen.
soupir [sûpîr] *m.* sigh; gasp; rest (mus.). || **soupirant** [-ìraⁿ] *m.* suitor, wooer, lover. || **soupirer** [-ìré] *v.* to sigh; to gasp; *soupirer après,* to long for.
souple [sûpl] *adj.* supple, pliant, flexible; compliant. || **souplesse** [-ès] *f.* pliancy, suppleness, flexibility; compliance; versatility.
source [sûrs] *f.* spring; source.
sourcil [sûrsì] *m.* eyebrow, brow. || **sourciller** [-yé] *v.* to frown; to flinch.
sourd [sûr] *adj.* deaf; dull; insensible, dead; hollow, muffled [bruit]; secret, underhanded; *m.* deaf person; **sourd-muet,** deaf-mute.
souriant [sûryaⁿ] *adj.* smiling.
souricière [sûrìsyèr] *f.* mouse-trap.
sourire [sûrîr] *v.** to smile; to be favo(u)rable; *m.* smile.
souris [sûrì] *f.* mouse; *pl.* mice.
sournois [sûrnwà] *adj.* sly; sneaking, underhanded. || **sournoiserie** [-zrî] *f.* slyness; cunning.
sous [sû] *prep.* under, beneath, below; on, upon; with, by; in; *sous peu,* before long, in a short while; **sous-bois,** undergrowth; **sous-chef,** deputy head; **sous-cutané,** subcutaneous; **sous-entendu,** understood; implied, hinted; implication, hint; **sous-lieutenant,** second-lieutenant; **sous-louer,** to sub-let, to sub-lease; **sous-main,** writing-pad; **sous-marin,** submarine; **sous-officier,** non-commissioned officer; N.C.O.; **sous-préfet,** sub-prefect; **sous-produit,** by-product; **je soussigné,** I, the undersigned; **sous-sol,** subsoil, substratum; basement, cellar; **sous-titre,** sub-title.
souscription [sûskrìpsyoⁿ] *f.* subscription; signature; underwriting. || **souscrire** [-îr] *v.** to subscribe; to underwrite, to endorse.
soustraction [sûstràksyoⁿ] *f.* subtraction; taking away, abstraction. || **soustraire** [-èr] *v.** to subtract; to remove, to lift; **se soustraire,** to withdraw; to shirk [devoir].
soutache [sûtàsh] *f.* braid.
soutane [sûtàn] *f.* cassock, soutane.
soute [sût] *f.* bunker [charbon]; magazine [poudre]; storeroom.
soutenir [sûtnîr] *v.** to support, to sustain, to hold up; to maintain, to contend, to uphold, to affirm; to bear, to endure, to stand; to defend [thèse]. || **soutenu** [-ü] *adj.* sustained; constant, unceasing, unremitting.
souterrain [sûtèrìⁿ] *adj.* underground, subterranean; *m.* underground gallery; subway [métro].
soutien [sûtyìⁿ] *m.* support, prop, stay; supporter, upholder, vindicator; **soutien-gorge,** brassière.
soutirer [sûtìré] *v.* to draw off, to rack, to extract [liqueur]; to tap [vin]; to filch [argent].
souvenance [sûvnaⁿs] *f.* remembrance. || **souvenir** [-îr] *m.* remembrance, recollection, memory; reminder, memento, souvenir, keepsake; *v.** **se souvenir de,** to remember, to recall, to recollect.
souvent [sûvaⁿ] *adv.* often, frequently.
souverain [sûvrìⁿ] *m.* sovereign; *adj.* sovereign, supreme; highest, extreme; without appeal (jur.). || **souveraineté** [-ènté] *f.* sovereignty; dominion.
soyeux [swàyë] *adj.* silky, silken.
spacieux [spàsyë] *adj.* spacious, roomy, wide, expansive.
sparadrap [spàràdrà] *m.* adhesive-tape, court-plaster.
spasme [spàsm] *m.* spasm.
speaker [spìkœr] *m.* speaker; announcer, broadcaster [radio].
spécial [spésyàl] *adj.* special, specific, particular; professional, specialistic. || **spécialiser** [-ìzé] *v.* to specialize; to specify; to particularize; **se spécialiser,** to specialize; *Am.* to major [étude]. || **spécialiste** [-ìst] *m., f.* specialist. || **spécialité** [-ìté] *f.* specialty.
spécieux [spésyë] *adj.* specious.
spécifier [spésìfyé] *v.* to specify; to stipulate. || **spécifique** [-ìk] *adj.* specific.
spécimen [spésìmèn] *m.* specimen, sample.
spectacle [spèktàkl] *m.* spectacle, sight; play, show. || **spectateur**

[-àtœr] *m.* spectator, onlooker; bystander; *pl.* audience.
spectre [spèktr] *m.* spectre, ghost; spectrum [solaire].
spéculateur, -trice [spéküIàtœr, trìs] *m., f.* theorizer, speculator. || **spéculatif** [-àtìf] *adj.* speculative. || **spéculation** [-àsyoⁿ] *f.* speculation. || **spéculer** [-é] *v.* to speculate; to ponder; to theorize.
sphère [sfèr] *f.* sphere. || **sphérique** [sférìk] *adj.* spherical.
spiritisme [spìritìsm] *m.* spiritualism. || **spirituel** [-üèl] *adj.* spiritual; religious; mental, intellectual; humorous, witty; sprightly. || **spiritueux** [-üë] *adj.* spirituous; *m. pl.* spirits.
splendeur [splaⁿdœr] *f.* splendo(u)r, radiance, glory; pomp, magnificence. || **splendide** [-ìd] *adj.* splendid, sumptuous, magnificent.
spoliation [spòlyàsyoⁿ] *f.* spoliation. || **spolier** [-yé] *v.* to despoil, to plunder; to defraud.
spongieux [spoⁿjyë] *adj.* spongy.
spontané [spoⁿtàné] *adj.* spontaneous. || **spontanéité** [-éìté] *f.* spontaneity, spontaneousness.
sport [spòr] *m.* sport. || **sportif** [-tìf] *adj.* sporting; *m.* sports lover.
square [skwàr] *m.* park, square.
squelette [skᵉlèt] *m.* skeleton.
stabilisateur, -trice [stàbìlìzàtœr, -trìs] *adj.* stabilizing; *m., f.* stabilizer. || **stabilisation** [-àsyoⁿ] *f.* stabilization, balancing. || **stabiliser** [-é] *v.* to stabilize. || **stabilité** [stàbìlìté] *f.* stability, steadfastness. || **stable** [stàbl] *adj.* steady, stable; lasting; steadfast.
stage [stàj] *m.* stage, period.
stalle [stàl] *f.* stall; seat.
stance [staⁿs] *f.* stanza.
station [stàsyoⁿ] *f.* station; stop; resort. || **stationnaire** [-yònèr] *adj.* stationary. || **stationner** [-yòné] *v.* to station; to stop, to stand; to park.
statistique [stàtìstìk] *f.* statistics; *adj.* statistical.
statue [stàtü] *f.* statue.
statuer [stàtüé] *v.* to decree, to ordain, to enact; to make laws.
stature [stàtür] *f.* stature.
statut [stàtü] *m.* statute; ordinance.
sténodactylographe [sténòdàktìlògràf] *m., f.* shorthand-typist. || **sténo(graphe)** [sténògràf] *m., f.* stenographer. || **sténo(graphie)** [-ì] *f.* stenography, shorthand. || **sténographier** [-yé] *v.* to take down in shorthand.
stérile [stérìl] *adj.* sterile, barren; fruitless. || **stériliser** [-ìzé] *v.* to sterilize; to castrate, to geld. || **stérilité** [-ìté] *f.* sterility.
stimuler [stìmülé] *v.* to stimulate, to excite, to stir; to whet [appétit].
stipuler [stìpülé] *v.* to stipulate, to specify; to contract, to covenant.
stock [stòk] *m.* stock, supply, hoard.
stop [stòp] *interj.* stop!
stoppage[stòpàj] *m.* invisible mending, reweaving. || **stopper** [-é] *v.* to reweave; to stop, to halt.
store [stòr] *m.* blind, shade; awning.
strapontin [stràpoⁿtiⁿ] *m.* folding-seat, *Am.* jumpseat.
stratagème [stràtàgèm] *m.* stratagem, dodge. || **stratégie** [-éjì] *f.* strategy.
strict [strìkt] *adj.* strict, severe.
strident [strìdaⁿ] *adj.* strident, shrill, rasping, jarring.
strophe [stròf] *f.* strophe.
structure [strüktür] *f.* structure.
stuc [stük] *m.* stucco.
studieux [stüdyë] *adj.* studious.
stupéfaction [stüpéfàksyoⁿ] *f.* stupefaction; amazement; bewilderment. || **stupéfait** [-è] *adj.* astounded, stunned, stupefied, speechless. || **stupéfiant** [-yaⁿ] *adj.* stupefying, astounding; *m.* narcotic, stupefacient. || **stupéfier** [-yé] *v.* to stupefy, to amaze, to astound, to dumbfound.
stupeur [stüpœr] *f.* stupor, daze. || **stupide** [-ìd] *adj.* foolish, senseless, stupid, *Am.* dumb. || **stupidité** [-ìdìté] *f.* stupidity, *Am.* dumbness.
style [stìl] *m.* style; stylus. || **stylo** [-ô] *m.* fountain-pen; *stylo à bille,* ball-point pen.
suaire [süèr] *m.* shroud.
suave [süàv] *adj.* sweet, agreeable; soft; suave, bland, unctuous. || **suavité** [-ìté] *f.* sweetness; suavity.
subalterne [sübàltèrn] *adj.* subaltern; *m.* underling, subaltern.
subdivision [sübdìvìzyoⁿ] *f.* subdivision; lot, tract [terre].
subir [sübìr] *v.* to undergo, to submit to; to take [examen].
subit [sübì] *adj.* sudden, brusque. || **subitement** [-tmaⁿ] *adv.* suddenly, all at once, all of a sudden.
subjectif [sübjèktìf] *adj.* subjective.

subjonctif [sübjo^n^ktìf] *m.* subjunctive.
subjuguer [sübjügé] *v.* to subjugate, to subdue; to master.
sublime [süblìm] *adj.* sublime, lofty.
submerger [sübmèrjé] *v.* to submerge, to inundate; to sink.
subordonné [sübòrdòné] *adj.* subordinate; inferior, subaltern; subservient, dependent. || **subordonner** [-é] *v.* to subordinate.
suborner [sübòrné] *v.* to bribe; to tamper with [témoin]. || **suborneur** [-œr] *m.* suborner, briber.
subséquent [sübsékaⁿ] *adj.* subsequent, ensuing.
subside [sübsìd] *m.* subsidy.
subsistance [sübsistaⁿs] *f.* subsistence, sustenance, maintenance; *pl.* provisions, supplies. || **subsister** [-é] *v.* to subsist, to stand; to be extant; to exist, to live.
substance [sübstaⁿs] *f.* substance; matter; gist. || **substantiel** [-yèl] *adj.* substantial; solid, stout.
substantif [sübstaⁿtìf] *m.* substantive, noun.
substituer [sübstìtüé] *v.* to substitute. || **substitut** [-ü] *m.* substitute. || **substitution** [-üsyoⁿ] *f.* substitution.
subterfuge [sübtèrfüj] *m.* evasion, shift, dodge.
subtil [sübtìl] *adj.* subtle, shrewd; subtile; cunning. || **subtiliser** [-ìzé] *v.* to subtilize; to filch. || **subtilité** [-ìté] *f.* subtlety, shrewdness; subtility.
subvenir [sübvᵉnîr] *v.** to supply, to provide. || **subvention** [-aⁿsyoⁿ] *f.* subsidy. || **subventionner** [-aⁿsyòné] *v.* to subsidize.
subversif [sübvèrsìf] *adj.* subversive.
suc [sük] *m.* juice, sap; pith.
succéder [süksédé] *v.* to succeed, to follow; to replace; to inherit.
succès [süksè] *m.* success; *succès fou,* wild success, smash hit.
successeur [süksèsœr] *m.* successor; heir. || **successif** [-ìf] *adj.* successive, consecutive. || **succession** [-yoⁿ] *f.* succession; sequence, series; inheritance.
succinct [süksiⁿ] *adj.* succint, concise, terse.
succomber [sükoⁿbé] *v.* to succumb, to die, to perish; to yield.
succulent [sükülaⁿ] *adj.* succulent, juicy, luscious; tasty, toothsome.
succursale [sükürsàl] *f.* branch agency, sub-office, regional office.
sucer [süsé] *v.* to suck, to absorb; to draw, to drain. || **sucette** [-èt] *f.* sucker, lollipop [bonbon].
sucre [sükr] *m.* sugar; *pain de sucre,* sugar-lump; *sucre en morceaux,* lump-sugar; *sucre semoule,* granulated sugar; *sucre cristallisé,* coarse sugar; *sucre candi,* crystallized sugar. || **sucrer** [-é] *v.* to sugar. || **sucrerie** [-ᵉri] *f.* sugar-works; *Br.* sweet, *Am.* candy. || **sucrier** [-ìyé] *m.* sugar-bowl.
sud [süd] *m.* south; *du sud,* southern.
suer [süé] *v.* to sweat, to perspire; to ooze [mur]. || **sueur** [süœr] *f.* sweat, perspiration.
suffire [süfîr] *v.** to suffice, to be enough; to be adequate; se suffire, to be self-sufficient. || **suffisamment** [-ìzàmaⁿ] *adv.* sufficiently, enough; adequately. || **suffisance** [-ìzaⁿs] *f.* sufficiency; adequacy; self-sufficiency, conceit. || **suffisant** [-ìzaⁿ] *adj.* sufficient, plenty, enough; conceited, self-sufficient.
suffocation [süfòkàsyoⁿ] *f.* suffocation, stifling. || **suffoquer** [-é] *v.* to suffocate, to stifle; to choke.
suffrage [süfràj] *m.* suffrage, vote.
suggérer [sügjéré] *v.* to suggest; to hint; to prompt, to inspire. || **suggestif** [-èstìf] *adj.* suggestive; evocative. || **suggestion** [-èstyoⁿ] *f.* instigation, incitement, hint; proposal. || **suggestionner** [-èstyòné] *v.* to suggest; to prompt.
suicide [süìsìd] *m.* suicide. || **suicider (se)** [sᵉsüìsìdé] *v.* to commit suicide, to kill oneself. || **suicidé** [süìsìdé] *m.* self-murderer.
suie [süì] *f.* soot.
suif [süìf] *m.* tallow.
suinter [süiⁿté] *v.* to ooze, to seep, to sweat, to drip, to trickle, to leak, to exude.
Suisse [süìs] *f.* Switzerland; *m.* Swiss; beadle.
suite [süìt] *f.* following, pursuit; continuation; suite, retinue; attendants; order, series, sequence; consequence, result; *tout de suite,* at once, right away; *donner suite à,* to follow up, to carry out; *et ainsi de suite,* and so on, and so forth. || **suivant** [süìvaⁿ] *adj.* next, following; *prep.* in the direction of; according to; *m.* attendant.

|| **suivante** [-aⁿt] *f.* lady's maid. || **suivre** [süìvr] *v.** to follow, to pursue; to succeed; to attend [cours, concert]; *à suivre*, to be continued.
sujet, -ette [süjè, -èt] *adj.* subject, liable, prone, exposed, apt (*à*, to); *m.* subject; topic, matter; cause, reason, ground; fellow, person; *au sujet de*, concerning, about. || **sujétion** [-ésyoⁿ] *f.* subjection.
sulfate [sülfàt] *m.* sulphate.
sulfureux [sülfürë] *adj.* sulphurous. || **sulfurique** [-ìk] *adj.* sulphuric.
sultan [sültaⁿ] *m.* sultan.
superbe [süpèrb] *adj.* superb.
supercherie [süpèrshᵉrî] *f.* deceit, fraud, swindle; trickery.
superficie [süpèrfisî] *f.* area, surface. || **superficiel** [-yèl] *adj.* superficial; shallow [esprit].
superflu [süpèrflü] *adj.* superfluous; redundant; useless; *m.* superfluity.
supérieur [süpéryœr] *adj.* superior; upper, higher; *m.* superior; principal. || **supériorité** [-yòrité] *f.* superiority; predominance; advantage; seniority [âge].
superstitieux [süpèrstisyë] *adj.* superstitious. || **superstition** [-yoⁿ] *f.* superstition.
supplanter [süplaⁿté] *v.* to supplant, to supersede, to oust.
suppléance [süpléaⁿs] *f.* substitution, deputyship, temporary term. || **suppléant** [-éaⁿ] *adj.* substitute. deputy, acting, temporary. || **suppléer** [-éé] *v.* to replace, to substitute for; to supplement.
supplément [süplémaⁿ] *m.* supplement; extra payment, extra fare. || **supplémentaire** [-tèr] *adj.* supplementary, additional, extra; *heures supplémentaires*, overtime.
supplication [süplikàsyoⁿ] *f.* supplication, entreaty, beseeching.
supplice [süplìs] *m.* torture; torment, agony.
supplier [süplìyé] *v.* to supplicate, to implore, to entreat, to beseech.
support [süpòr] *f.* support, prop. || **supportable** [-tàbl] *adj.* bearable, tolerable. || **supporter** [-té] *v.* to support, to uphold; to prop, to sustain; to endure, to bear, to suffer; to tolerate.
supposé [süpòzé] *adj.* supposed, alleged; assumed; fictitious. || **supposer** [-é] *v.* to suppose, to assume; to imply. || **supposition** [-ìsyoⁿ] *f.* supposition, assumption, surmise.
suppositoire [süpòzìtwàr] *m.* suppository.
suppression [süprèsyoⁿ] *f.* suppression; stoppage; removing; abatement [bruit]. || **supprimer** [süprìmé] *v.* to suppress, to abolish; to quell; to eliminate; to cancel; to do away with [personne].
supputer [süpüté] *v.* to reckon.
suprématie [süprémàsî] *f.* supremacy. || **suprême** [-èm] *adj.* supreme, highest, crowning.
sur [sür] *prep.* on, upon; onto; above; over; towards, about [heure]; **sur-le-champ**, right away, immediately.
sur [sür] *adj.* sour, tart.
sûr [sür] *adj.* sure, certain; safe, secure; assured; reliable, trustworthy; infallible [remède].
surabondance [süràboⁿdaⁿs] *f.* superabundance, profusion. || **surabondant** [-aⁿ] *adj.* superabundant, profuse. || **surabonder** [-é] *v.* to superabound, to overflow with.
suralimentation [süràlimaⁿtàsyoⁿ] *f.* overfeeding. || **suralimenter** [-é] *v.* to overfeed.
surcharge [sürshàrj] *f.* overloading, overworking; overtax, overcharge; surtaxe [timbre].
surcroît [sürkrwà] *m.* increase; surplus; *par surcroît*, in addition.
surdité [sürdìté] *f.* deafness.
sûreté [sürté] *f.* safety, security; guarantee; sureness; reliability; *la Sûreté*, Criminal Investigation Department, *Am.* Federal Bureau of Investigation.
surface [sürfàs] *f.* surface; area.
surfaire [sürfèr] *v.* to overcharge; to overrate; to overdo.
surgir [sürjìr] *v.* to rise, to surge, to loom up; to spring up, to bob up.
surintendant [süriⁿtaⁿdaⁿ] *m.* superintendent, overseer.
surjet [sürjè] *m.* overcasting, whipping [couture].
surlendemain [sürlaⁿdmiⁿ] *m.* two days after, the second day after.
surmenage [sürmᵉnàj] *m.* overworking, over-exertion, overdoing. || **surmener** [-é] *v.* to overwork, to over-exert, to overstrain.
surmonter [sürmoⁿté] *v.* to surmount, to top; to master.
surnaturel [sürnàtürèl] *adj.* supernatural, uncanny, weird, eerie.

surnom [sürnoⁿ] *m.* surname, family name; nickname.
surnombre [sürnoⁿbr] *m.* surplus.
surnommer [sürnòmé] *v.* to name, to style; to nickname.
surnuméraire [sürnümérèr] *m., adj.* supernumerary.
suroît [sürwà] *m.* south-west; sou'wester.
surpasser [sürpasé] *v.* to surpass, to outdo, to excel, to exceed.
surplis [sürplì] *m.* surplice.
surplomber [sürploⁿbé] *v.* to overhang, to jut out over.
surplus [sürplü] *m.* surplus, over plus; *au surplus,* besides, moreover.
surprenant [sürprᵉnaⁿ] *adj.* surprising, amazing, astonishing. || **surprendre** [sürpraⁿdr] *v.** to surprise, to astonish; to intercept; to overhear. || **surprise** [-ìz] *f.* surprise.
surproduction [sürpròdüksyoⁿ] *f.* overproduction.
sursaut [sürsô] *m.* start, jump. || **sursauter** [-té] *v.* to start; *faire sursauter,* to startle.
surseoir [sürswàr] *v.* to postpone, to suspend, to defer, to delay; to stay [jugement]. || **sursis** [-ì] *m.* delay, respite; reprieve.
surtaxe [sürtàks] *f.* surtax; extra postage, postage due [timbres].
surtout [sürtû] *adv.* especially, above all, chiefly, principally.
surveillance [sürvèyaⁿs] *f.* supervision, watching, superintendence, surveillance; observation, lookout (mil.). || **surveillant** [-èyaⁿ] *m.* overseer, inspector, supervisor. || **surveiller** [-èyé] *v.* to superintend, to supervise, to oversee, to watch over; to tend, to look after [machine].
survenir [sürvᵉnìr] *v.** to occur, to happen, to supervene; to drop in.
survivance [sürvìvaⁿs] *f.* survival; outliving. || **survivant** [-ìvaⁿ] *m.* survivor. || **survivre** [-ìvr] *v.** to survive, to outlive.
sus [süs] *prep.* on, upon; against; *en sus,* over and above, in addition, furthermore; *courir sus à,* to rush against.
susceptibilité [süsèptìbìlìté] *f.* susceptibility; sensitiveness, touchiness. || **susceptible** [-ìbl] *adj.* susceptible, sensitive, touchy; capable (*de,* of), liable (*de,* to).
susciter [süsìté] *v.* to raise up; to instigate; to kindle, to arouse, to stir up.
susdit [süsdì] *adj.* above-mentioned, aforesaid.
suspect [süspè] *adj.* suspicious; questionable; *m.* suspect. || **suspecter** [-kté] *v.* to suspect; to question.
suspendre [süspaⁿdr] *v.* to hang up, to suspend; to hold in abeyance; to defer, to stay [jugement]; to stop [paiement]. || **suspens** [-aⁿ] *m.* suspense; *adj.* suspended; *en suspens,* in abeyance; outstanding. || **suspension** [-aⁿsyoⁿ] *f.* suspension; hanging up, swinging; stoppage; springs (auto).
suspicion [süspìsyoⁿ] *f.* suspicion.
sustenter [süstaⁿté] *v.* to sustain, to nourish, to support.
susurrer [süsüré] *v.* to whisper; to buzz; to rustle, to susurrate.
suture [sütür] *f.* seam; suture, stitching (med.).
svelte [svèlt] *adj.* svelte, slender. || **sveltesse** [-ès] *f.* slenderness.
syllabe [sìllàb] *f.* syllable.
symbole [siⁿbòl] *m.* symbol, emblem. || **symbolique** [-ìk] *adj.* symbolic, emblematic; token [paiement].
symétrie [sìmétrì] *f.* symmetry. || **symétrique** [-ìk] *adj.* symmetrical.
sympathie [siⁿpàtì] *f.* sympathy; liking, attraction, congeniality. || **sympathique** [-ìk] *adj.* sympathetic; attractive, pleasing, appealing. || **sympathiser** [-zé] *v.* to sympathize; to harmonize, to correspond.
symphonie [siⁿfònì] *f.* symphony.
symptôme [siⁿptôm] *m.* symptom.
synagogue [sìnàgòg] *f.* synagogue.
syncope [siⁿkòp] *f.* syncope; faint; *tomber en syncope,* to faint.
syndical [siⁿdìkàl] *adj.* syndical; *chambre syndicale,* trade-union committee. || **syndicat** [-à] *m.* trade-union; syndicate; *syndicat d'initiative,* tourists' information bureau. || **syndiquer** [-é] *v.* to syndicate; to form into a trade-union.
synthèse [siⁿtèz] *f.* synthesis.
systématique [sìstémàtìk] *adj.* systematic, methodical. || **système** [sìstèm] *m.* system, method; plan.

T

ta [tà] *poss. adj. f.* thy, your.

tabac [tàbà] *m.* tobacco. || **tabatière** [-tyèr] *f.* snuff-box.

table [tàbl] *f.* table; meal; switch-board (teleph.); plate [métal]; *table des matières,* table of contents.

tableau [tàblô] *m.* picture, painting; scene, sight; list, catalog(ue), table; panel [jurés]; board, blackboard, bulletin-board, *Br.* notice board; telegraph-board; switchboard (electr.); indicator-board; *tableau de bord,* dashboard [auto]. || **tablette** [-èt] *f.* tablet; note-book; writing-pad; shelf; bar, slab [chocolat]; lozenge, troche (pharm.). || **tablier** [-lyé] *m.* apron; hood [cheminée].

tache [tàsh] *f.* stain, spot, blot, blob, blur, speck; taint, blemish flaw.

tâche [tâsh] *f.* task, job.

tacher [tàshé] *v.* to stain, to spot; to taint, to blemish, to mar.

tâcher [tàshé] *v.* to try, to attempt.

tacheter [tàshté] *v.* to fleck, to speckle, to mottle.

tacite [tàsìt] *adj.* tacit, implied. || **taciturne** [-ürn] *adj.* taciturn.

tact [tàkt] *m.* feeling, touch; tact, diplomacy. || **tacticien** [-ìsyi^{n}] *m.* tactician. || **tactique** [-ìk] *adj.* tactical; *f.* tactics.

taffetas [tàftà] *m.* taffeta; *taffetas gommé,* adhesive-tape.

taie [tè] *f.* pillow-case, film (med.).

taille [tày] *f.* cutting; pruning, trimming, clipping; cut, shape; edge [couteau]; tally; waist, figure; stature, height, size, measure; **taille-crayons,** pencil-sharpener; **taille-douce,** copper-plate engraving. || **tailler** [-é] *v.* to cut; to prune, to trim, to clip; to tally; to carve; to sharpen [crayon]; to cut out, to tailor (couture). || **tailleur** [-œr] *m.* tailor; cutter; tailored suit. || **taillis** [-ì] *m.* copse.

tain [ti^{n}] *m.* silvering; foil.

taire [tèr] *v.** to keep secret, to hush up, to suppress, to keep dark; *se taire,* to be quiet, to fall silent.

talc [tàlk] *m.* French chalk; talcum.

talent [tàla^{n}] *m.* talent, capacity.

talon [tàlo^{n}] *m.* heel; sole [gouvernail]; stock, reserve; pile [cartes]; shoulder [épée]; catch, clip, hook, stud; beading, bead [pneu]. || **talonner** [-òné] *v.* to follow, to tail, to dog; to dun; to spur [cheval].

talus [tàlü] *m.* slope, bank.

tambour [ta^{n}bûr] *m.* drum; drummer; barrel [horloge]; spool [bobine]; roller [treuil]; **tambour-major,** drum-major; tambour, tympanum (anat.). || **tambouriner** [-ìné] *v.* to drum; to thrum.

tamis [tàmì] *m.* sieve, sifter. || **tamiser** [-zé] *v.* to sift, to strain, to screen; to filter.

tampon [ta^{n}po^{n}] *m.* stopper; plug; rubber stamp; buffer (railw.); pad [ouate]. || **tamponnement** [-ònma^{n}] *m.* plugging; collision, shock; thumping. || **tamponner** [-òné] *v.* to plug; to rub with a pad, to dab; to collide with, to bump into.

tan [ta^{n}] *m.* tan.

tanche [ta^{n}sh] *f.* tench.

tandem [ta^{n}dèm] *m.* tandem.

tandis [ta^{n}dìs] *adv.* meanwhile; *tandis que,* while, whereas.

tangage [ta^{n}gàj] *m.* pitching, rocking.

tangent [ta^{n}ja^{n}] *adj.* tangent(ial). || **tangente** [-a^{n}t] *f.* tangent.

tanguer [ta^{n}gé] *v.* to pitch, to rock.

tanière [tànyèr] *f.* den, lair.

tanin [tàni^{n}] *m.* tannin.

tannage [tànàj] *m.* tanning, dressing. || **tanner** [-é] *v.* to tan, to dress, to cure [peaux]; (pop.) to bore. || **tannerie** [-rî] *f.* tannery. || **tanneur** [-œr] *m.* tanner.

tant [ta^{n}] *adv.* so much, so many; as much, as many; so; so far; so long, as long; while; *tant pis,* so much the worse; too bad (fam.); *tant s'en faut,* far from it.

tante [ta^{n}t] *f.* aunt.

tantôt [ta^{n}tô] *adv.* presently, by and by, anon; a little while ago, just now; sometimes, now... now.

taon [ta^{n}] *m.* gadfly, horsefly.

tapage [tàpàj] *m.* noise, uproar, racket, din, rumpus. || **tapageur** [-œr] *adj.* noisy, rowdy; gaudy, showy [couleur]; blustering [manière]; *m.* blusterer.

tape [tàp] *f.* rap, slap, tap, thump, pat. || **taper** [-*é*] *v.* to hit, to slap; to smack, to tap; to stamp; to plug; to rap, to bang; to borrow from; to dab [peinture]; to type(write) [à la machine].
tapioca [tàpyòkà] *m.* tapioca.
tapir (se) [s^{e}tàpìr] *v.* to crouch; to squat; to skulk, to cower; to nestle.
tapis [tàpì] *m.* carpet, rug; cover, cloth; *tapis roulant,* endless belt, assembly line. || **tapisser** [-*sé*] *v.* to hang with tapestry; to carpet; to paper. || **tapisserie** [-srî] *f.* tapestry; hangings; wallpaper; upholstery; *faire tapisserie,* to be a wallflower. || **tapissier** [-*yé*] *m.* upholsterer.
tapoter [tàpòté] *v.* to rap, to tap; to strum [piano].
taquet [tàkè] *m.* wedge, angle-block; peg; flange; belaying-cleat (naut.).
taquin [tàki^n] *m.* tease; *adj.* teasing. || **taquiner** [-ìné] *v.* to tease, to tantalize, to plague, *Am.* to kid (pop.). || **taquinerie** [-ìnrî] *f.* teasing, *Am.* kidding (pop.).
tard [tàr] *adv.* late; *tôt ou tard,* sooner or later. || **tarder** [-*dé*] *v.* to delay, to be long (*à,* in); to tarry, to loiter, to dally; *il me tarde de,* I long to. || **tardif** [-dìf] *adj.* late, tardy; sluggish; backward.
tare [tàr] *f.* tare [poids]; defect, blemish; taint [héréditaire].
targette [tàrjèt] *f.* slide-bolt.
targuer (se) [s^{e}tàrgé] *v.* to boast, to brag, to pride oneself (*de,* on).
tarif [tàrìf] *m.* tariff, rate; price-list, schedule of charges. || **tarifer** [-*é*] *v.* to tariff, to price, to rate.
tarir [tàrìr] *v.* to dry up; to drain; to exhaust; to leave off (fig.). || **tarissable** [-ìsàbl] *adj.* exhaustible. || **tarissement** [-ìsma^n] *m.* draining, exhausting, drying up.
tarte [tàrt] *f.* tart; flan; *Am.* pie. || **tartelette** [-^{e}lèt] *f.* tartlet. || **tartine** [-ìn] *f.* bread slice spread with something; (pop.) tirade.
tas [tà] *m.* heap, pile; lot, set, batch; *mettre en tas,* to heap up, to pile up.
tasse [tàs] *f.* cup; *tasse à café,* coffee-cup; *tasse de café,* cup of coffee.
tasseau [tàsô] *m.* bracket, clamp.
tasser [tàsé] *v.* to heap, to pile up; to compress; to squeeze; to grow thick; *se tasser,* to sink, to subside, to settle.
tâter [tâté] *v.* to feel, to touch; to try, to taste; to prod; to grope; to test; to feel [pouls]. || **tâtonner** [tâtòné] *v.* to grope, to feel one's way, to fumble; **à tâtons,** fumblingly, gropingly; *chercher à tâtons,* to grope for.
tatouage [tàtûàj] *m.* tattoo. || **tatouer** [-ûé] *v.* to tattoo.
taudis [tôdì] *m.* hovel, slum.
taupe [tôp] *f.* mole, moleskin. || **taupinière** [-ìnyèr] *f.* mole-hill.
taureau [tòrô] *m.* bull.
taux [tô] *m.* rate; fixed price.
taxe [tàks] *f.* tax, duty, rate, charge, dues; toll; impost; taxation, fixing of prices; established price; *taxe supplémentaire,* surcharge; late fee. || **taxer** [-*é*] *v.* to tax; to rate; to fix the price of; to assess; to charge, to accuse (*de,* with, of).
taxi [tàksì] *m.* taxi(cab).
te [t^e] *pers. pron.* you, to you; thee, to thee; yourself; thyself.
technicien [tèknìsyi^n] *m.* technician. || **technique** [-ìk] *adj.* technical; *f.* technique.
teigne [tèñ] *f.* tinea; ringworm; scurf (bot.).
teindre [ti^ndr] *v.** to dye, to tint; to tinge; to tincture. || **teint** [ti^n] *m.* colo(u)r, tint; dye; hue, shade; complexion; *adj.* dyed; *bon teint,* fast colo(u)r. || **teinte** [ti^nt] *f.* tint, colo(u)r, shade, hue; smack, touch; **demi-teinte,** mezzotint. || **teinture** [-ür] *f.* dye, dyeing; tinting; tincture [d'iode]. || **teinturerie** [-ürrî] *f.* dyeing; dye-works, dry-cleaner's. || **teinturier** [-ürуé] *m.* dyer.
tel, telle [tèl] *adj.* such; like, similar; *pron.* such a one; *tel que,* such as, like; *tel quel,* such as it is, just as it is; *de telle sorte que,* in such a way that; *monsieur Untel* (*un tel*), Mr. So-and-so.
télégramme [télégràm] *m.* telegram, wire.
télégraphe [télégràf] *m.* telegraph. || **télégraphie** [-î] *f.* telegraphy; *télégraphie sans fil,* wireless telegraphy, radio. || **télégraphier** [-*yé*] *v.* to telegraph. || **télégraphiste** [-ìst] *m., f.* telegraphist, telegraph operator. || **téléguidé** [télégìdé] *adj.* guided.
téléphone [téléfòn] *m.* (tele)phone.

|| **téléphoner** [-é] *v.* to (tele)-phone, to call, to ring. || **téléphoniste** [-ìst] *m., f.* telephonist; telephone operator.
télescope [télèskòp] *m.* telescope. || **télescoper** [-é] *v.* to telescope, to crumple up.
téléviser [télévìzé] *v.* to televise. || **téléviseur** [-zœr] *m.* television set, televisor. || **télévision** [-zyoⁿ] *f.* television.
tellement [tèlmaⁿ] *adv.* so, in such a manner; so much, so far; to such a degree; *tellement que,* so that.
téméraire [témérèr] *adj.* bold, daring, foolhardy, headstrong. || **témérité** [-ìté] *f.* audacity, temerity; recklessness, rashness.
témoignage [témwàñàj] *m.* testimony, evidence, witness; testimonial, certificate; token, proof. || **témoigner** [-é] *v.* to testify, to bear witness to; to show, to prove, to evince, to be a sign of. || **témoin** [témwiⁿ] *m.* witness; spectator; evidence, proof, mark; second [duels]; *prendre à témoin,* to call to witness; *témoin à charge, à décharge,* witness for the prosecution, for the defense.
tempe [taⁿp] *f.* temple (anat.).
tempérament [taⁿpéràmaⁿ] *m.* constitution, temperament; character, temper, disposition; middle-course; *par tempérament,* constitutionally; *vente à tempérament,* sale on the instalment plan.
tempérance [taⁿpéraⁿs] *f.* temperance, moderation.
température [taⁿpéràtür] *f.* temperature. || **tempérer** [-é] *v.* to temper, to moderate, to assuage; to anneal (metall.); **se tempérer,** to become mild [temps].
tempête [taⁿpèt] *f.* tempest, storm, blizzard.
temple [taⁿpl] *m.* temple.
temporaire [taⁿpòrèr] *adj.* temporary; provisional.
temporel [taⁿpòrèl] *adj.* temporal, worldly, secular.
temporiser [taⁿpòrìzé] *v.* to temporize, to procrastinate, *Am.* to stall.
temps [taⁿ] *m.* time, duration, period, term; age, epoch; hour, moment; weather, season; phase (mech.); tense (gramm.); measure (mus.); *à temps,* in time; *de temps en temps,* from time to time; *en même temps,* at the same time; *quel temps fait-il?,* what's the weather like?
tenace [teⁿnàs] *adj.* tenacious; adhesive; clinging; stubborn, obstinate, dogged, persistent; tough, cohesive; retentive [mémoire]; stiff, resistant. || **ténacité** [-ìté] *f.* tenacity; adhesiveness; stubbornness; toughness; retentiveness; steadfastness [caractère].
tenaille [teⁿnày] *f.* pincers, nippers, pliers.
tenancier [teⁿnaⁿsyé] *m.* tenant; lessee; holder, keeper; tenant-farmer.
tendance [taⁿdaⁿs] *f.* tendency; bent, leaning, trend, propensity. || **tendancieux** [-syë] *adj.* suggestive; tendentious, tendential; one-sided.
tendeur [taⁿdœr] *m.* spreader [pièges]; coupling-iron; shoe-tree [chaussures].
tendon [taⁿdoⁿ] *m.* tendon, sinew.
tendre [taⁿdr] *adj.* tender, soft; fond, affectionate; early, young, new.
tendre [taⁿdr] *v.* to stretch, to strain; to spread, to lay, to set; to pitch [tente]; to hang; to hold out, to offer, to proffer, to tender; to tend, to lead, to conduce.
tendresse [taⁿdrès] *f.* tenderness, fondness; *pl.* endearments, caresses.
tendu [taⁿdü], *p. p. of* **tendre.**
ténèbres [ténèbr] *f. pl.* darkness, night, gloom, obscurity; uncertainty (fig.). || **ténébreux** [-ébrë] *adj.* dark, gloomy, overcast, obscure; melancholy; lowering [ciel].
teneur [teⁿnœr] *f.* tenor, terms; purport; percentage; grade (metall.).
tenir [teⁿnìr] *v.** to hold, to have, to possess; to seize, to grasp; to occupy, to take up, to keep; to keep in, to manage; to retain; to deem, to regard, to look upon; to maintain; to side with; to hold fast, to adhere, to stick, to hold together; to depend, to result; to be held [marché]; to remain, to persist; to withstand; to be desirous, to be anxious (*à,* to); to sail close to the wind (naut.); *tenir compte de,* to take into consideration; *tenir tête à,* to resist; *tenir de la place,* to take up room; *il m'a tenu lieu de père,* he has been like a father to me; *je n'y tiens pas,* I don't care

for it; *il ne tient qu'à vous de,* it only depends on you to; *tiens!,* well!, say!, you don't say!; **se tenir,** to hold fast, to stand; to adhere, to stick; to consider oneself; to refrain; to be held, to take place; *s'en tenir à,* to abide by, to rest content with; *à quoi s'en tenir,* what to believe.

tennis [tènis] *m.* tennis; tennis court.

tension [ta^{n}syo^n] *f.* tension, strain; intensity; voltage (electr.); blood pressure.

tentacule [ta^{n}tàkül] *m.* tentacle, feeler.

tentation [ta^{n}tàsyo^n] *f.* temptation.

tentative [ta^{n}tàtìv] *f.* attempt, trial.

tente [ta^{n}t] *f.* tent; *dresser une tente,* to pitch a tent.

tenter [ta^{n}té] *v.* to attempt, to try, to endeavo(u)r, to strive; to tempt, to entice, to tantalize.

tenture [ta^{n}tür] *f.* hangings, tapestry; wall-paper; paper-hanging.

tenu [t^{e}nü] *p. p. of* **tenir;** *adj.* kept; obliged, bound. || **tenue** [-ü] *f.* holding [assemblée]; session; attitude; behavio(u)r, deportment, bearing; dress (mil.); appearance; seat [cavalier]; steadiness (mil.); keeping [livres]; holding-note (mus.); anchor-hold (naut.); *grande tenue,* full dress (mil.); *petite tenue,* undress (mil.); *tenue de corvée,* fatigues (mil.); *tenue de ville,* street dress; *tenue des livres,* bookkeeping.

térébenthine [térébа^{n}tìn] *f.* turpentine.

tergiverser [tèrjìvèrsé] *v.* to tergiversate, to practise evasion, to be shifty, to beat around the bush.

terme [tèrm] *m.* term; relationship; termination, end; bound, limit; due date; appointed time; three months; quarter's rent; word, expression; *pl.* state, terms, condition; *à long terme,* long-dated.

terminaison [tèrminèzo^n] *f.* termination, ending, conclusion. || **terminer** [-é] *v.* to terminate, to end, to conclude, to finish; to bound.

terminus [tèrminüs] *m.* terminus; terminal point.

terne [tèrn] *adj.* dull, dim; wan; lustreless; colo(u)rless, drab; tarnished; tame, flat. || **ternir** [-ìr] *v.* to tarnish, to dull, to dim, to deaden; to sully, to besmirch [réputation].

terrain [tèri^n] *m.* ground; ground-plot, site, position; soil, earth; field; terrain (mil.); formation (geol.); *terrain d'aviation,* airfield.

terrasse [tèràs] *f.* terrace; bank, earthwork; flat roof, balcony. || **terrasser** [-é] *v.* to embank, to bank up; to down, to throw, to floor; to overwhelm, to confound. || **terrassier** [-yé] *m. Br.* navvy, *Am.* ditch-digger, day-laborer.

terre [tèr] *f.* earth, ground; land, shore; soil, loam, clay; world; estate, grounds, property; territory; *terre cuite,* terra-cotta; *terre à terre,* matter-of-fact, commonplace; *ventre à terre,* at full speed; *mettre pied à terre,* to alight; **terre-plein,** platform, terrace; road-bed. || **terreau** [-ô] *m.* vegetable mo(u)ld, compost. || **terrer** [-é] *v.* to earth up; to clay [sucre]; **se terrer,** to burrow; to dig in, to entrench oneself. || **terrestre** [-èstr] *adj.* terrestrial, earthly, worldly; ground. || **terreux** [-ë] *adj.* earthy, clayey; dull.

terreur [tèrœr] *f.* terror; fright, fear, dread; awe. || **terrible** [-ìbl] *adj.* terrible, terrific, dreadful, awful; unmanageable; *enfant terrible,* little terror.

terrier [tèryé] *m.* burrow, hole; terrier dog.

terrifier [tèrìfyé] *v.* to terrify.

territoire [tèrìtwàr] *m.* territory; district; extent of jurisdiction.

terroriser [tèròrìzé] *v.* to terrorize; to coerce.

tertre [tèrtr] *m.* hillock, mound, knoll, hump.

tes [tè] *poss. adj. pl.* thy; your.

tesson [tèso^n] *m.* potsherd, shard.

test [tèst] *m.* test, trial.

testament [tèstàma^n] *m.* will, testament.

têtard [têtàr] *m.* tadpole, *Am.* polliwog; pollard, chub.

tête [tèt] *f.* head; head-piece, cranium; leader, head of an establishment; head of hair; front; beginning; summit, crown, top; vanguard; brains, sense, judgment; presence of mind, self-possession; *faire la tête à quelqu'un,* to frown at someone, to be sulky with someone; *faire une tête,* to look glum; *faire à sa tête,* to have one's own way; *une femme de tête,* a capable woman; *tenir tête à,* to stand up to; *tête de ligne,* rail-head; starting-point; *voiture en tête,* front train; *tête de pont,* bridge-head (mil.); *se monter la tête,* to get worked up; *forte tête,* unmanageable person, strong-minded person; *coup de tête,* rash action; *la tête la première,* headlong; **tête-à-tête,** private interview; sofa, settee, *Am.* love-seat.

tétée [tété] *f.* suck, suckling. || **téter** [-é] *v.* to nurse, to suck, to suckle. || **tétine** [-în] *f.* udder, dug; teat, nipple.

têtu [tètü] *adj.* stubborn, headstrong, wilful, obstinate; mulish, pig-headed.

texte [tèkst] *m.* text; textbook, manual; subject; passage.

textile [tèkstìl] *m., adj.* textile.

textuel [tèkstüèl] *adj.* textual; verbatim.

texture [tèkstür] *f.* texture; disposition, arrangement.

thé [té] *m.* tea; tea party; *boîte à thé,* tea-caddy.

théâtral [téâtràl] *adj.* theatrical; stagy; spectacular. || **théâtre** [-âtr] *m.* theater, playhouse; stage, scene, the boards; dramatic art; plays; setting, place of action.

théière [téyèr] *f.* teapot.

thème [tèm] *m.* theme, subject, topic; exercise.

théorème [téòrèm] *m.* theorem.

théorie [téòrî] *f.* theory; doctrine; training-manual (mil.). || **théorique** [-ìk] *adj.* theoretic(al).

thérapeutique [téràpëtìk] *adj.* therapeutic; *f.* therapeutics.

thermal [tèrmàl] *adj.* thermal; *eaux thermales,* hot springs.

thermomètre [tèrmòmètr] *m.* thermometer.

thésauriser [tézòrìzé] *v.* to hoard up, to pile up.

thèse [tèz] *f.* thesis.

thon [toⁿ] *m.* tunny-fish, *Am.* tuna.

thym [tiⁿ] *m.* thyme.

tibia [tìbyà] *m.* tibia, shin-bone, shin.

tic [tìk] *m.* tic, twitch.

ticket [tìkè] *m.* ticket, check.

tiède [tyèd] *adj.* lukewarm, tepid; mild, soft; warm [wind]; indifferent (fig.). || **tiédeur** [tyédœr] *f.* tepidness, tepidity, lukewarmness; indifference, coolness (fig.). || **tiédir** [-ìr] *v.* to cool, to tepefy, to grow lukewarm.

tien, tienne [tyiⁿ, -èn] *poss. pron.* yours, thine.

tiers, tierce [tyèr, tyèrs] *adj.* third; *m., f.* third; third person; third party.

tige [tìj] *f.* stem, stalk, tige; trunk [arbre]; shaft [colonne]; shank [ancre]; leg [botte]; stock [famille]; rod (mech.).

tigre, tigresse [tìgr, tìgrès] *m.* tiger, *f.* tigress.

tillac [tìyàk] *m.* deck (naut.).

tilleul [tìyœl] *m.* lime-tree; linden-tree.

timbale [tiⁿbàl] *f.* kettledrum [musique]; metal cup; pie-dish. || **timbalier** [-yé] *m.* kettledrummer.

timbre [tiⁿbr] *m.* stamp; bell; tone, timbre; snare, cord [tambour]; *droit de timbre,* stamp fee; **timbre-poste,** postage-stamp. || **timbré** [-é] *adj.* stamped [papier]; sonorous; (pop.) cracked, crazy, nuts. || **timbrer** [-é] *v.* to stamp.

timide [tìmîd] *adj.* timid, shy; timorous, apprehensive. || **timidité** [-ìté] *f.* timidity, shyness, diffidence.

timon [tìmoⁿ] *m.* pole, shaft; beam [charrue]; tiller (naut.). || **timonier** [-ònyé] *m.* helmsman.

timoré [tìmòré] *adj.* timorous.

tinter [tiⁿté] *v.* to ring, to toll; to tinkle; to jingle, to chink; to clink; to buzz, to tingle [oreilles].

tique [tìk] *f.* tick, cattle-tick.

tir [tìr] *m.* shooting; firing; gunnery (artill.); shooting-match; *tir à la cible,* target-firing.

tirade [tìràd] *f.* tirade; passage.

tirage [tìràj] *m.* drawing, pulling, hauling, traction, towing; towing-path; print (phot.); striking off (typogr.); circulation, number printed [périodiques]; draught [cheminée]; difficulty, obstacle; quarrying, extraction [pierre]; blasting [poudre]; *tirage au sort,* drawing lots, balloting; *tirage à part,* off-print. || **tirailler** [-àyé] *v.* to pull about; to twitch; to tease; to shoot wildly, to fire away; to skirmish, to snipe. || **tirailleur** [-àyœr] *m.* sharpshooter. || **tire** [tìr] *f.* pull, pulling, tug; *voleur à la tire,* pickpocket; **tire-au-flanc,** shirker, malingerer; **tire-botte,** bootjack; boothook; **tire-bouchon,**

corkscrew; ringlet; **tire-bouton,** buttonhook; **tire-d'aile (à),** at full speed; **tire-ligne,** drawing-pen; scribing-tool; **tirelire,** money-box. ‖ **tirer** [-é] *v.* to draw, to pull, to drag, to haul, to tug; to stretch; to pull out; to pull off; to draw [ligne]; to wiredraw [métal]; to shoot, to fire; to infer, to deduce; to print, to work off (typogr.); to get, to derive; *tirer vanité de,* to take pride in; *tirer à sa fin,* to draw to a close; **se tirer,** to extricate oneself; to get out; to recover [santé]; to beat it (pop.); *se tirer d'affaire,* to get along, to manage, to pull through; to get out of trouble; *s'en tirer,* to get along, to make ends meet; to pull through, to scrape through.

tiret [tìrè] *m.* dash; hyphen.

tireur [tìrœr] *m. f.* marksman, rifleman; *tireuse de cartes,* fortune-teller.

tiroir [tìrwàr] *m.* drawer [table]; slide, slide-valve (mech.); episode.

tisane [tìzàn] *f.* infusion, decoction; herb tea.

tison [tìzoⁿ] *m.* fire-brand, ember, live-coal. ‖ **tisonner** [-òné] *v.* to poke, to stir, to fan a fire. ‖ **tisonnier** [-ònyé] *m.* poker, fire-iron.

tissage [tìsàj] *m.* weaving; cloth-mill. ‖ **tissé** [-é] *adj.* woven. ‖ **tisser** [-é] *v.* to weave, to loom; to plait; to spin; to contrive (fig.). ‖ **tisserand** [-raⁿ] *m.* weaver. ‖ **tissu** [-ü] *m.* texture; textile, goods, fabric; tissue, web; *tissu de mensonges,* pack of lies.

titre [tìtr] *m.* title, style, denomination; headline; title-page; head, heading; right, claim; standard [monnaie]; voucher; title-deed; bond, stock, share (fin.); diploma, certificate; *pl.* securities; *à juste titre,* deservedly, justly; *à titre de,* by right of, in virtue of; *en titre,* titular, acknowledged; *titre de créance,* proof of debt. ‖ **titrer** [-é] *v.* to confer a title upon; to titrate (chem.).

tituber [tìtübé] *v.* to stagger, to totter, *Am.* to weave (fam.).

titulaire [tìtülèr] *adj.* titular; regular; *m., f.* holder, titular. ‖ **titulariser** [-àrìzé] *v.* to appoint as titular.

toast [tôst] *m.* toast.

tocsin [tòksiⁿ] *m.* alarm-bell.

toi [twà] *pron.* thou, you.

toile [twàl] *f.* linen; cloth; canvas; sail-cloth; painting, picture; curtain (theat.); *pl.* toils; *toile écrue,* unbleached linen; *toile d'avion,* airplane fabric; *toile à matelas,* ticking; *toile de coton,* calico; *toile cirée,* oilcloth; *toile vernie,* oilskin; *toile d'araignée,* spider web, cobweb.

toilette [twàlèt] *f.* toilet, washing, dressing; dressing table; dress, costume; lavatory; *faire sa toilette,* to groom oneself, to dress; *grande toilette,* full dress.

toiser [twàzé] *v.* to measure; to size up; to look (someone) up and down.

toison [twàzoⁿ] *f.* fleece; mop, shock [cheveux].

toit [twà] *m.* roof; *sous les toits,* in a garret. ‖ **toiture** [-tür] *f.* roofing.

tôle [tôl] *f.* sheet-iron; boiler-plate; *tôle ondulée,* corrugated iron; *tôle de blindage,* armo(u)r plate.

tolérance [tòléraⁿs] *f.* tolerance; forbearance; allowance (comm.); *par tolérance,* on sufferance; *maison de tolérance,* licensed brothel. ‖ **tolérer** [-é] *v.* to tolerate, to allow; to suffer, to endure, to bear, to put up with; to wink at.

tomate [tòmàt] *f.* tomato.

tombal [toⁿbàl] *adj.* *pierre tombale,* tombstone. ‖ **tombe** [-toⁿb] *f.* tomb, grave; tombstone. ‖ **tombeau** [-ô] *m.* *see* **tombe.**

tomber [toⁿbé] *v.* to fall, to drop down, to tumble down; to sink; to decay; to crash (aviat.); to droop, to dwindle, to fall, to sag; to flag; *tomber sur,* to meet, to run across; to light; *tomber bien,* to happen opportunely, to come at the right time; *tomber mal,* to come at an inopportune moment, to be unlucky; *tomber amoureux de,* to fall in love with; *tomber en poussière,* to crumble into dust; *laisser tomber,* to drop, to throw down.

ton [toⁿ] *poss. adj. m.* (*f.* **ta,** *pl.* **tes**) your; thy.

ton [toⁿ] *m.* tone; intonation; manner, style; pitch (mus.); tint, colo(u)r, shade. ‖ **tonalité** [tònàlìté] *f.* tonality, key.

tondeuse [toⁿdëz] *f.* shearing-machine; clippers; lawn-mower [gazon]. ‖ **tondre** [toⁿdr] *v.* to shear;

to mow; to clip; to fleece. || **tondu** [-ü] *adj.* shorn; fleeced.
tonique [tònìk] *m., adj.* tonic; *f.* stressed syllable; keynote (mus.).
tonnage [tònàj] *m.* tonnage.
tonne [tòn] *f.* tun; ton [poids]. || **tonneau** [-ô] *m.* cask, tun, barrel; horizontal spin, roll (aviat.); tonneau [auto]; *petit tonneau,* keg. || **tonnelier** [-ᵉlyé] *m.* cooper. || **tonnelle** [-èl] *f.* arbo(u)r, bower.
tonner [tòné] *v.* to thunder; to boom. || **tonnerre** [-èr] *m.* thunder; thunderclap; thunderbolt; *coup de tonnerre,* clap, peal of thunder.
topaze [tòpàz] *f.* topaz.
topinambour [tòpìnaⁿbûr] *m.* Jerusalem artichoke.
topographie [tòpògràfì] *f.* topography; surveying.
toqué [tòké] *adj.* crazy, cracked, *Am.* goofy, nuts (pop.).
torche [tòrsh] *f.* torch, link; twist [paille]. || **torchis** [-ì] *m.* loam; cob. || **torchon** [-oⁿ] *m.* towel, dish-towel; dish-cloth; dust-cloth; twist [paille].
tordant [tòrdaⁿ] *adj.* (pop.) screamingly funny, killing; *c'est tordant,* it's a scream, *Am.* it's a howl. || **tordre** [tòrdr] *v.* to twist, to wring, to wring out; to contort, to disfigure; to wrest; to beat (fam.); **se tordre,** to twist, to writhe; *se tordre de rire,* to be convulsed with laughter.
torpeur [tòrpœr] *f.* torpor.
torpille [tòrpìy] *f.* torpedo; numbfish. || **torpiller** [-ìyé] *v.* to torpedo; to mine. || **torpilleur** [-ìyœr] *m.* torpedo-boat; **contre-torpilleur,** destroyer.
torréfier [tòrréfyé] *v.* to torrefy, to roast, to grill; to scorch.
torrent [tòraⁿ] *m.* torrent; flow. || **torrentiel** [-syèl] *adj.* torrential; pelting, impetuous.
torride [tòrìd] *adj.* torrid, scorching, broiling, parching.
torsade [tòrsàd] *f.* twisted fringe, twisted cord; coil [cheveux].
torsion [torsyoⁿ] *f.* twist, twisting.
tort [tòr] *m.* wrong; mistake, fault; injury, harm, hurt; prejudice; *avoir tort,* to be wrong; *à tort,* wrongly; *donner tort à,* to decide against; *faire tort à,* to wrong; *à tort et à travers,* at random, haphazardly.
torticolis [tòrtìkòlì] *m.* stiff neck; wryneck.
tortiller [tòrtìyé] *v.* to twist; to wriggle, to shuffle; to waddle; to twirl; to kink; **se tortiller,** to wriggle, to writhe, to twist, to squirm, to fidget.
tortue [tòrtü] *f.* tortoise; turtle.
tortueux [tòrtüë] *adj.* tortuous, winding; wily, underhanded.
torture [tòrtür] *f.* torture. || **torturer** [-é] *v.* to torture, to torment; to put to the rack; to tantalize; to strain, to twist (fig.).
tôt [tô] *adv.* soon, quickly, speedily; early; *le plus tôt possible,* as soon as possible, at your earliest convenience; *tôt ou tard,* sooner or later.
total [tòtàl] *adj.* total, whole, entire, complete; utter, universal; *m.* whole, total, sum-total. || **totaliser** [-ìzé] *v.* to totalize, to tot up, to add up. || **totalité** [-ìté] *f.* totality, entirety, whole; *en totalité,* as a whole.
touchant [tûshaⁿ] *adj.* touching, moving, stirring; *prep.* concerning, regarding, touching. || **touche** [tûsh] *f.* touch, touching; assay, trial; stroke, style [peinture]; key [clavier]; fret [guitare]; hit [escrime]; drove [bétail]; (fam.) look, mien; **touche-à-tout,** meddler, busybody. || **toucher** [-é] *v.* to touch; to handle, to finger, to feel; to move, to affect; to try [métal]; to receive [argent]; to cash [chèque]; to hit [escrime]; to drive [bétail]; to play [guitare]; to call, to put in (naut.); *m.* touch, feeling; *toucher à,* to touch on, to allude to; to concern, to regard; to meddle in, with; to draw near, to approach; to be like; **se toucher,** to touch, to adjoin; to be contiguous.
touffe [tûf] *f.* tuft, wisp; clump, cluster, bunch. || **touffu** [-ü] *adj.* bushy, tufted; thick, dense, close; branchy, leafy; full, luxuriant; plethoric, turgid, bombastic [style].
toujours [tûjûr] *adv.* always, ever, forever; *toujours est-il que,* the fact remains that.
toupet [tûpè] *m.* tuft [cheveux]; forelock [cheval]; (fam.) cheek,

nerve, brass; *avoir du toupet,* to be cheeky.

toupie [tûpî] *f.* top; (pop.) head.

tour [tûr] *m.* turn, round, twining, winding; rotation, revolution; circuit, compass; twist, strain; tour, trip, excursion; trick, dodge, wile; manner, style; place, order; lathe [techn.]; turning-box; wheel [potier]; *tour à tour,* by turns.

tour [tûr] *f.* tower; rook, castle [échecs].

tourbe [tûrb] *f.* peat, turf.

tourbillon [tûrbìyoⁿ] *m.* whirlwind; whirlpool, eddy; whirl, bustle; vortex. || **tourbillonner** [-ìyònè] *v.* to whirl; to eddy, to swirl.

tourelle [tûrèl] *f.* turret.

tourillon [tûrìyoⁿ] *m.* axle; arbor; swivel, spindle; trunnion; hinge.

tourisme [tûrìsm] *m.* touring, sightseeing. || **touriste** [-ìst] *m., f.* tourist, sight-seer.

tourment [tûrmaⁿ] *m.* torment; anguish, worry; agony, pain, pang. || **tourmente** [-t] *f.* storm; gale; blizzard; turmoil (fig.). || **tourmenter** [-té] *v.* to torment; to distress; to worry; to bother; to molest; to plague, to tantalize; to tease; **se tourmenter,** to be uneasy, to worry, to fret; to toss.

tournant [tûrnaⁿ] *m.* turning, turn, bend; turning-space; expedient; whirlpool, eddy; *au tournant de la rue,* around the corner. || **tournebroche** [-ebròsh] *m.* turnspit; roasting-jack. || **tournedos** [-edô] *m.* fillet steak. || **tournée** [-é] *f.* round, turn, visit, journey, trip, tour; circuit. || **tourner** [-é] *v.* to turn; to shape, to fashion; to turn round, to revolve, to whirl, to twirl, to spin; to wind; to express; to get round, to circumvent; to outflank (mil.); to evade, to dodge; to change, to convert; to construe, to interpret; to turn out, to result; to tend; to sour [vin]; to curdle [lait]; to shoot [film]; *la tête me tourne,* I feel giddy; **se tourner,** to turn round, to turn about; to turn, to change. || **tournesol** [-esòl] *m.* sunflower. || **tournevis** [-vìs] *m.* screwdriver, turnscrew. || **tourniquet** [-ìkè] *m.* turnstile, turnpike; revolving stand; swivel; tourniquet. || **tournoyer** [-wàyé] *v.* to turn round and round, to whirl; to spin; to wheel; to eddy, to swirl. || **tournure** [-ür] *f.* turn, direction, course; turning [tour]; shape, form, figure; cast [esprit, style]; construction [phrase].

tourterelle [tûrterèl] *f.* turtle-dove.

Toussaint [tûsiⁿ] *f.* All Saints' day; *la veille de la Toussaint,* Hallowe' en.

tousser [tûsé] *v.* to cough; to hem.

tout, toute [tû, tût] (*pl.* **tous, toutes**) [**tous** as a pronoun is pronounced *tûs*] *adj.* all; whole, the whole of; every; each; any; *pron.* all, everything; *m.* whole, lot; main thing; total (math.); *adv.* quite, entirely, thoroughly, very, wholly; however; *tous les deux,* both of them; *tous les trois jours,* every third day; *tout droit,* straight ahead; *toutes les fois que,* whenever, each time that; *toute la journée,* all day long; *du tout,* not at all; *tout nouveau,* quite new; *tout neuf,* brand new; *tout nu,* stark naked; *tout fait,* ready-made; *tout haut,* aloud; *tout à fait,* entirely, completely, wholly, quite, altogether; *tout à l'heure,* just now; presently; *à tout à l'heure!,* see you later!; *tout de même,* just the same, all the same; *tout de suite,* at once, immediately, right away; *tout au plus,* at the very most; *tout en parlant,* while speaking. || **toutefois** [tûtfwà] *adv.* however, yet, nevertheless.

toux [tû] *f.* cough, coughing.

toxine [toksìn] *f.* toxin. || **toxique** [-ìk] *adj.* toxic; *m.* poison.

tracas [tràkà] *m.* bother, worry, annoyance; turmoil, bustle; hoist-hole, *Am.* hoist-way. || **tracasser** [-sé] *v.* to worry; to fuss, to fidget.

trace [tràs] *f.* trace, track, mark; footprint; spoor, trail, scent; clue; vestige. || **tracé** [-é] *m.* tracing; sketching; marking out, laying out; outline, sketch, diagram, drawing; graph, plotting [courbe]. || **tracer** [-é] *v.* to trace, to draw, to sketch, to outline; to lay out.

trachée [tràshé] *f.* trachea; **trachée-artère,** windpipe.

tracteur [tràktœr] *m.* tractor, traction-engine. || **traction** [-syoⁿ] *f.* traction; pulling; *Br.* draught, *Am.* draft; motor traction.

tradition [tràdìsyoⁿ] *f.* tradition;

custom. || **traditionnel** [-yònèl] *adj.* traditional.

traducteur, -trice [tràdüktœr, -trìs] *m., f.* translator. || **traduction** [-syo^{n}] *f.* translation; interpreting; crib, *Am.* pony [texte]. || **traduire** [tràdüir] *v.** to translate; to interpret; to prosecute (jur.).

trafic [tràfìk] *m.* traffic; trade; trading; dealings. || **trafiquer** [-é] *v.* to trade, to traffic, to deal.

tragédie [tràjédî] *f.* tragedy. || **tragique** [tràjìk] *adj.* tragic, tragical; *m.* tragicness; tragic art.

trahir [tràîr] *v.* to betray; to deceive, to be false to; to disclose, to give away [secret]; to go back on, to fail, to play false. || **trahison** [-ìzo^{n}] *f.* betrayal, treachery, perfidy, foul play; treason (jur.).

train [tri^{n}] *m.* train; suite, attendants; pace, rate; way, course; noise, clatter; raft, float; railway-train; *train de marchandises*, *Br.* goods train, *Am.* freight train; *train de voyageurs*, passenger train; *train omnibus*, slow train, local train, *Am.* accommodation train; *train direct*, through-train, non-stop train; *train rapide*, fast express; *train de luxe*, Pullman-car express; *train d'atterrissage*, undercarriage; landing-gear (aviat.); *être en train de parler*, to be talking, to be busy talking; *mettre en train*, to start.

traînard [trènàr] *m.* loiterer, straggler, dawdler, laggard, *Am.* slowpoke (fam.). || **traîne** [trèn] *f.* dragging; drag [corde]; train [robe]; drag-net; rope's end (naut.); *à la traîne*, in tow, astern. || **traîneau** [-ô] *m.* sled, sledge, sleigh. || **traînée** [-é] *f.* trail, track; train [poudre]; air lag [bombe]; street-walker. || **traîner** [-é] *v.* to drag, to draw, to pull, to trail, to haul; to tow; to drag on, to drag out [existence]; to drawl [voix]; to protract, to spin out [discussion]; to trail, to draggle; to lag behind, to straggle; to linger, to loiter, to dawdle; to lie about, to litter; to flag, to droop, to languish; *traîner en longueur*, to drag on; se traîner, to crawl along, to creep; to lag; to hang heavy [temps].

traire [trèr] *v.** to milk.

trait [trè] *m.* pulling; arrow, dart; stroke; streak, bar; trace [harnais]; leash [laisse]; draught, *Am.* draft, gulp [liquide]; dash [tiret]; flash, beam [lumière]; idea, burst [éloquence]; cut [scie]; trait [caractère]; feature [visage]; characteristic touch; act, deed (fig.); relation, connection [rapport]; *tout d'un trait*, at one stretch; *d'un seul trait*, at one gulp; *trait d'esprit*, witticism, sally; *trait d'union*, hyphen.

traite [trèt] *f.* stage, stretch [voyage]; draft, bill (comm.); milking [lait]; *la traite des blanches*, white-slave traffic.

traité [trèté] *m.* treaty, compact, agreement; treatise. || **traitement** [-ma^{n}] *m.* treatment; reception; salary, pay, stipend; *mauvais traitements*, ill-usage. || **traiter** [-é] *v.* to treat, to use, to behave towards, to deal by; to discuss, to handle, to discourse upon; to entertain, to receive; to qualify, to call, to style, to dub; to negotiate, to transact; to execute, to do.

traître, -esse [trètr, -ès] *m.* traitor; villain (theat.); *f.* traitress; *m., f.* treacherous person; *adj.* treacherous, false; vicious [animal]; dangerous. || **traîtrise** [-îz] *f.* treachery.

trajet [tràjè] *m.* distance, way; passage, journey, voyage; course.

trame [tràm] *f.* web, weft, woof; plot, conspiracy. || **tramer** [-é] *v.* to weave; to plot, to contrive.

tramway [tràmwè] *m. Br.* tramway, tram; *Am.* streetcar, trolley car.

tranchant [tra^{n}sha^{n}] *adj.* cutting, sharp; decisive, sweeping; peremptory; salient; glaring [couleurs]; *m.* (cutting) edge. || **tranche** [tra^{n}sh] *f.* slice, chop; round [bœuf]; rasher [bacon]; edge [page]; block, portion [valeurs]; cross-section [vie]; period, series (math.); *doré sur tranche*, gilt-edged. || **tranchée** [-é] *f.* trench; entrenchment; *pl.* gripes, colic. || **trancher** [-é] *v.* to slice; to cut off, to sever, to chop off; to cut short, to break off; to settle, to solve [difficulté]; to contrast, to stand out [couleurs].

tranquille [tra^{n}kìl] *adj.* quiet, calm, still, serene; easy, undisturbed. || **tranquilliser** [-ìzé] *v.* to tranquillize, to reassure, to soothe, to

calm, to make easy. || **tranquillité** [-ìté] *f.* tranquillity.
transaction [traⁿzàksyoⁿ] *f.* transaction; compromise; *pl.* dealings.
transatlantique [traⁿzàtlaⁿtìk] *adj.* transatlantic; *m.* liner; deck-chair, steamer-chair.
transborder [traⁿsbòrdé] *v.* to transship; to transfer; to ferry; || **transbordeur** [-œr] *m.* travel(l)ing-platform; transporter-bridge; aerial ferry [pont]; train-ferry [bac].
transcription [traⁿskrìpsyoⁿ] *f.* transcription; transcript. || **transcrire** [traⁿskrìr] *v.* to transcribe.
transférer [traⁿsféré] *v.* to transfer; to convey, to remove; to shift, to move, to postpone; to translate [évêque]; to assign (jur.).
transformateur -trice [traⁿsfòrmàtœr, -trìs] *adj.* transforming; *m.* transformer. || **transformation** [-àsyoⁿ] *f.* transformation; conversion; wig, toupee. || **transformer** [-é] *v.* to transform, to change, to alter, to convert.
transfusion [traⁿsfüzyoⁿ] *f.* transfusion.
transgresser [traⁿsgrèsé] *v.* to transgress, to trespass against, to break, to infringe against, to contravene. || **transgresseur** [-œr] *m.* transgressor, trespasser.
transiger [traⁿzìjé] *v.* to compound, to compromise, to come to terms.
transir [traⁿsìr] *v.* to chill, to benumb [froid]; to paralyze.
transitaire [traⁿzìtèr] *m.* forwarding agent, transport agent.
transitif [traⁿzìtìf] *adj.* transitive.
transition [traⁿzìsyoⁿ] *f.* transition; modulation (mus.). || **transitoire** [-ìtwàr] *adj.* transitory.
transmettre [traⁿsmètr] *v.** to transmit; to convey, to impart; to forward, to send on, to pass on, to relay; to hand down [héritage]; to transfer, to assign (jur.).
transmission [traⁿsmìsyoⁿ] *f.* transmission; transference, assignment (jur.); handing down.
transparence [traⁿspàraⁿs] *f.* transparency. || **transparent** [-aⁿ] *adj.* transparent; pellucid.
transpercer [traⁿspèrsé] *v.* to transpierce, to transfix; to stab.
transpiration [traⁿspìràsyoⁿ] *f.* perspiration; transpiring. || **transpirer** [-é] *v.* to perspire.
transplanter [traⁿsplaⁿté] *v.* to transplant.
transport [traⁿspòr] *m.* transport, removal; haulage, freight; carriage, conveyance; transfer; balance brought forward (comm.); troop-transport; rapture, ecstasy. || **transporter** [-té] *v.* to transport, to convey, to remove, to carry; to transfer, to make over (jur.); to carry over (comm.); to enrapture, to ravish (fig.).
transposer [traⁿspôzé] *v.* to transpose; to transmute.
transversal [traⁿsvèrsàl] *adj.* transversal, transverse; *rue transversale,* cross-street.
trapèze [tràpèz] *m.* trapeze; trapezium (geom.).
trappe [tràp] *f.* trap, pitfall [piège].
trapu [tràpü] *adj.* thick-set, squat.
traquer [tràké] *v.* to beat up [gibier]; to track down [criminel].
traumatisme [trômàtìsm] *m.* traumatism.
travail [travày] *m.* (*pl.* **travaux**) work, labo(u)r, toil; industry; trouble; piece of work, task, job; workmanship; employment, occupation; working, operation; study; travail, childbirth; *pl.* works, constructions; transactions; proceedings; *travaux forcés,* hard labo(u)r; *travail en série,* mass production. || **travailler** [-é] *v.* to work, to labo(u)r, to toil; to be industrious, to be at work; to fashion, to shape; to strive, to endeavo(u)r; to study, to take pains with; to cultivate, to till [terre]; to overwork, to fatigue; to torment, to obsess; to ferment [vin]; to knead [pâte]; to be strained [bateau]; to warp [bois]; to crack [mur]; to prey on [esprit]. || **travailleur** [-œr] *adj.* hard-working, diligent, industrious; painstaking; *m.* worker, workman, labo(u)rer, toiler.
travée [tràvé] *f.* bay; span [pont].
travers [tràvèr] *m.* breadth; defect; oddity, eccentricity; bad habit; broadside (naut.); *en travers,* across, athwart, crosswise; *au travers de, à travers,* through; *de travers,* askew, awry, amiss, askance. || **traversée** [-sé] *f.* passage, crossing, voyage. || **traverser** [-sé] *v.* to cross, to traverse; to

go through, to pass through, to travel through; to run through [percer]; to lie across, to span; to intersect; to penetrate, to drench. || **traversin** [-siⁿ] *m.* bolster-pillow; transom; cross-tree (naut.).
travestir [tràvèstir] *v.* to disguise.
trébucher [trébüshé] *v.* to stumble, to trip, to stagger, to totter, to slip; to blunder; to weigh down [monnaie].
trèfle [trèfl] *m.* clover, shamrock; trefoil; clubs [cartes].
treille [trèy] *f.* vine-trellis.
treillis [trèyì] *m.* trellis, lattice-work; coarse canvas, sackcloth.
treize [trèz] *m. adj.* thirteen; thirteenth [date, titre]. || **treizième** [-yèm] *m., adj.* thirteenth.
tréma [trémà] *m.* dieresis.
tremble [traⁿbl] *m.* aspen. || **tremblement** [-ᵉmaⁿ] *m.* trembling, shaking, shivering, shuddering, quivering, quaking; quavering; tremor; flickering [lumière]; quaver, tremolo (mus.); *tremblement de terre,* earthquake. || **trembler** [-é] *v.* to tremble, to shake, to quake, to shiver. || **trembloter** [-òté] *v.* to tremble slightly, to quiver; to quaver [voix]; to flicker [lumière]; to flutter [ailes].
trémousser [trémûsé] *v.* to hustle; to flutter, to flap [ailes]; **se trémousser,** to frisk about.
trempe [traⁿp] *f.* temper [acier]; steeping; dipping, soaking; damping, wetting; character, stamp. || **trempé** [-é] *adj.* wet, soaked, drenched, sopping. || **tremper** [-é] *v.* to steep, to soak, to drench, to sop; to wet, to dampen; to temper [acier]; to water, to dilute [vin]; to imbrue; to dip, *Am.* to dunk.
tremplin [traⁿpliⁿ] *m.* springboard; diving-board; ski-jump.
trentaine [traⁿtèn] *f.* about thirty. || **trente** [traⁿt] *m., adj.* thirty; thirtieth [date, titre]. || **trentième** [-yèm] *m., f., adj.* thirtieth.
trépan [trépaⁿ] *m.* trepan, trephine. || **trépaner** [-àné] *v.* to trepan.
trépas [trépâ] *m.* death, decease. || **trépasser** [trépàsé] *v.* to die.
trépidation [trépidàsyoⁿ] *f.* vibration, trepidation, jarring; quaking; tremor [terre]; flurry.
trépigner [trépiñé] *v.* to stamp, to trample; to prance, to dance.
très [trè] *adv.* very; most; very much; quite; greatly, highly.
trésor [trézòr] *m.* treasure; treasury; riches; hoard; relics and ornaments [église]. || **trésorerie** [-rì] *f.* treasury; *Br.* Exchequer. || **trésorier** [-yé] *m.* treasurer; paymaster (mil.).
tressaillement [trèsàymaⁿ] *m.* start; shudder, quiver; flutter, disturbance; thrill; wince. || **tressaillir** [-àyir] *v.** to start, to give a start, to jump; to shudder, to quiver; to bound, to throb; to thrill; to wince.
tressauter [trèsôté] *v.* to start.
tresse [très] *f.* braid, tress; tape. || **tresser** [-é] *v.* to weave, to braid, to plait; to wreathe.
tréteau [trétô] *m.* trestle; stage.
treuil [trœy] *m.* winch, windlass.
trêve [trèv] *f.* truce.
tri [trì] *m.* sorting; choosing.
triangle [triaⁿgl] *m.* triangle.
tribord [tribòr] *m.* starboard.
tribu [tribü] *f.* tribe.
tribulation [tribülàsyoⁿ] *f.* tribulation; trial, distress.
tribunal [tribünàl] *m.* tribunal; court of justice, law-court; magistrates. || **tribune** [-ün] *f.* tribune; rostrum, platform; gallery.
tribut [tribü] *m.* tribute; contribution; tax; debt. || **tributaire** [-tèr] *m., adj.* tributary.
tricher [trishé] *v.* to cheat, to trick. || **tricheur** [-œr] *m.* cheat, trickster, *Am.* four-flusher (fam.).
tricot [trikô] *m.* knitting; knitted fabric; sweater, pullover, *Br.* jersey. || **tricoter** [-òté] *v.* to knit.
trier [triyé] *v.* to sort (out), to screen; to classify, to arrange; to pick, to choose, to select. || **trieuse** [triyëz] *f.* sorting-machine; gin.
trille [triy] *m.* trill.
trimer [trimé] *v.* to toil, to drudge.
trimestre [trimèstr] *m.* quarter; three months; trimester; term, *Am.* session [école]; quarter's salary; quarter's rent. || **trimestriel** [-iyèl] *adj.* quarterly.
tringle [triⁿgl] *f.* rod; curtain-rod.
trinquer [triⁿké] *v.* to clink glasses, to touch glasses; to hobnob with.
trio [triô] *m.* trio.
triomphal [triyoⁿfàl] *adj.* triumphal. || **triomphateur, -trice** [-àtœr, -trìs] *adj.* triumphing; *m., f.* triumpher. || **triomphe** [triyoⁿf] *m.* triumph. || **triompher** [-é] *v.* to

triumph; to overcome, to master; to excel; to exult, to glory.
tripe [trip] *f.* tripe; guts, entrails. || **tripier** [-yé] *m.* tripe-dealer.
triple [tripl] *adj.* triple, treble, threefold. || **tripler** [-é] *v.* to triple, to treble.
tripot [tripô] *m.* gambling-den, gaming-house; bawdy-house. || **tripoter** [-òté] *v.* to putter, to mess around, to fiddle about; to handle, to toy with, to finger, to manipulate, to paw; to meddle with; to tamper with; to gamble, to speculate in; to deal shadily. || **tripoteur** [-òtœr] *m.* intriguer; mischief-maker; shady speculator.
trique [trik] *f.* cudgel.
triste [trist] *adj.* sad, sorrowful, mournful, downcast, dejected, doleful; glum, blue, moping; woeful; woebegone [visage]; cheerless, gloomy; unfortunate, painful; mean, wretched, paltry. || **tristesse** [-ès] *f.* sadness, sorrow, gloom, melancholy; dullness.
trivial [trivyàl] *adj.* vulgar, low, coarse; trivial, trite, hackneyed. || **trivialité** [-ité] *f.* vulgarity.
troc [tròk] *m.* truck; exchange; barter; swop.
trognon [tròñoⁿ] *m.* core; stump; stalk [chou].
trois [trwà] *m., adj.* three; third [titre, date]. || **troisième** [-zyèm] *m., f., adj.* third.
trombe [troⁿb] *f.* waterspout; whirlwind [vent].
trombone [troⁿbòn] *m.* trombone; paper-clip.
trompe [troⁿp] *f.* horn, trump; proboscis; probe [insecte]; trunk [éléphant]; blast-pump [forge].
tromper [troⁿpé] *v.* to deceive, to delude, to mislead; to cheat; to betray, to be unfaithful to [époux]; to elude [surveillance]; **se tromper**, to be mistaken, to be wrong, to make a mistake; to deceive one another; *se tromper de chemin*, to take the wrong road. || **tromperie** [-ri] *f.* deceit, deception, cheating; delusion.
trompeter [troⁿpᵉté] *v.* to trumpet abroad; to sound the trumpet; to divulge; to scream [aigle]. || **trompette** [troⁿpèt] *f.* trumpet; trumpeter; *nez en trompette*, turned-up nose.
trompeur [troⁿpœr] *adj.* deceitful, delusive, misleading, deceptive.
tronc [troⁿ] *m.* trunk; bole, body, stem [arbre]; parent-stock [famille]; alms-box, poor box; frustum (geom.). || **tronçon** [-soⁿ] *m.* stub, stump, butt, fragment, broken piece; frustum [colonne].
trône [trôn] *m.* throne. || **trôner** [-é] *v.* to sit enthroned; to lord it.
tronquer [troⁿké] *v.* to truncate; to curtail; to mangle; to garble.
trop [trô] *adv.* too much, too many; too, over, overly, overmuch, unduly; too far, too long, too often; *m.* excess, superfluity; *de trop*, superfluous; unwelcome, unwanted; **trop-plein**, overflow, surplus.
troquer [tròké] *v.* to exchange, to barter, to truck, *Br.* to swop, *Am.* to swap.
trot [trô] *m.* trot; *au petit trot*, at a jog-trot. || **trotter** [-tròté] *v.* to trot; to run about, to toddle [enfant]; to scamper [souris]. || **trottiner** [-iné] *v.* to trot short; to jog along; to trot about; to toddle [enfant]. || **trottoir** [-wàr] *m.* footway, footpath; pavement, *Am.* sidewalk; *bordure du trottoir*, *Br.* kerb, *Am.* curb.
trou [trû] *m.* hole; gap; cave, pothole; orifice, mouth; foramen (anat.); eye [aiguille]; *trou d'homme*, manhole; *trou d'air*, air-pocket.
trouble [trûbl] *adj.* turbid, roiled; muddy, murky; cloudy, overcast; dim, dull; confused; *m.* confusion, disorder, disturbance, turmoil, perturbation, uneasiness; turbidity, muddiness; dispute; *pl.* broils, dissensions, disorders, riots; **trouble-fête**, kill-joy, spoil-sport, wet-blanket. || **troubler** [-é] *v.* to disturb, to stir up, to make muddy, to cloud; to muddle; to disorder, to confuse, to agitate; to perplex, to upset, to disconcert; to mar; to ruffle, to annoy.
trouée [trûé] *f.* gap, breach; break-through. || **trouer** [-é] *v.* to bore, to pierce, to drill, to breach.
troupe [trûp] *f.* troop, band; crew, gang, set; company, herd, flock, drove, throng; *pl.* troops, forces. || **troupeau** [-ô] *m.* herd, drove; flock; pack.
trousse [trûs] *f.* bundle; truss; package; saddle-roll; case, kit,

pouch. || **trousseau** [-ô] *m.* bunch; kit; outfit [vêtements]; bride's trousseau. || **trousser** [-é] *v.* to bundle up; to tuck up; to truss.
trouvaille [trûvày] *f.* discovery; lucky find. || **trouver** [-é] *v.* to find, to discover, to meet with, to hit upon; to find out; to invent; to think, to deem, to judge, to consider; *objets trouvés*, lost-and-found; *enfant trouvé*, foundling; **se trouver**, to be, to be found; to be located, situated; to feel; to happen, to turn out, to prove; to be met with, to exist; *se trouver mal*, to feel ill, to swoon.
truc [trük] *m.* thing, gadget, whatnot, jigger, *Am.* gimmick (pop.); knack, hang, skill; dodge, trick; machinery (theat.); thingamajig.
trucage [trükàj] *m.* faking, counterfeit; camouflage, dummy work; trick picture [cinéma]; gerrymandering [élection].
truelle [trüèl] *f.* trowel.
truie [trüi] *f.* sow.
truite [trüit] *f.* trout.
tu, toi, te [tü, twà, t°] *pers. pron.* you; thou; thee (obj.); *c'est à toi*, it is yours, it is thine.
tu *p. p. of* **taire.**
tub [tœb] *m.* tub; (sponge-)bath.
tube [tüb] *m.* tube, pipe.
tuberculeux [tübèrkulë] *adj.* tubercular (bot.); tuberculous (med.); *m.* consumptive. || **tuberculose** [-ôz] *f.* tuberculosis, consumption.
tuer [tüé] *v.* to kill, to slay; to slaughter, to butcher; to bore to death; to while away [temps]; **se tuer**, to kill oneself, to commit suicide; to be killed, to get killed; to wear oneself out. || **tuerie** [türî] *f.* slaughter, massacre.
tuile [tüîl] *f.* tile; bad luck, *Am.* tough luck (pop.).
tulipe [tülîp] *f.* tulip; tulip-shaped lamp-shade.
tulle [tül] *m.* tulle.
tuméfier [tüméfyé] *v.* to tumefy. || **tumeur** [-œr] *f.* tumo(u)r.
tumulte [tümült] *m.* tumult, hubbub, turmoil, uproar; riot. || **tumultueux** [-üë] *adj.* tumultuous, noisy; riotous; boisterous.
tunique [tünìk] *f.* tunic; membrane.
tunnel [tünèl] *m.* tunnel.
turbine [türbîn] *f.* turbine.
turbulent [türbülan] *adj.* turbulent; wild [enfants]; stormy [vie].
turc, turque [türk] *adj.* Turkish; *m.* Turkish language; *m., f.* Turk.
turf [türf] *m.* turf, racecourse.
turpitude [türpìtüd] *f.* turpitude.
turquoise [türkwàz] *f.* turquoise.
tutelle [tütèl] *f.* tutelage, guardianship; protection. || **tuteur, -trice** [tütœr, -trìs] *m., f.* guardian; prop [plante].
tutoyer [tütwàyé] *v.* to address as « *tu* » and « *toi* ».
tuyau [tüìyô] *m.* pipe, tube; hose; shaft, funnel; chimney-flue; stem [pipe], tip, pointer, hint (fam.). *avoir des tuyaux*, to be in the know (fam.); *tuyau d'échappement*, exhaust pipe (auto). || **tuyauter** [-té] *v.* to flute, to frill, to plait; to give a tip-off to. || **tuyauterie** [-trî] *f.* pipe system, pipage.
tympan [tinpan] *m.* ear-drum.
type [tîp] *m.* type; standard model; symbol; (fam.) fellow, chap, *Br.* bloke, *Am.* guy (pop.).
typhoïde [tìfòìd] *f.* typhoid.
typhon [tìfon] *m.* typhoon.
typhus [tìfüs] *m.* typhus.
typique [tìpìk] *adj.* typical.
typographie [tìpògràfî] *f.* typography.
tyran [tìran] *m.* tyrant. || **tyrannie** [-ànî] *f.* tyranny. || **tyrannique** [-ànìk] *adj.* tyrannical, despotic; high-handed. || **tyranniser** [-ànìzé] *v.* to tyrannize over, to oppress; to bully.

U

ulcère [ülsèr] *m.* ulcer; sore. || **ulcérer** [-éré] *v.* to ulcerate; to fester; to wound, to embitter, to gall.
ultérieur [ültéryœr] *adj.* ulterior, later; further.
ululer [ülülé] *v.* to hoot, to tu-whoo; to ululate.
un, une [un, ün]. *indef. art.* one; a, an (before a vowel); *adj., pron.* one; first; *un à un*, one by one;

les uns les autres, one another; *les uns... les autres,* some... others; *l'un l'autre,* each other; *l'un et l'autre,* both; *l'un ou l'autre,* either.

unanime [ünànîm] *adj.* unanimous. || **unanimité** [-ìmìté] *f.* unanimity; *à l'unanimité,* unanimously.

uni [ünì] *adj.* united; harmonious (family); uniform; smooth, level, even; plain, all-over [couleur, dessin]. || **unification** [-fìkàsyo^n] *f.* unification; merger (ind.). || **unifier** [-fyé] *v.* to unify; to unite.

uniforme [ünìfòrm] *adj.* uniform; flat [tarif]; *m.* uniform; regimentals. || **uniformité** [-ìté] *f.* uniformity.

union [ünyo^n] *f.* union; junction, coalition, combination; blending [couleurs]; marriage; society, association; unity, concord, agreement; union-joint, coupling.

unique [ünìk] *adj.* only, sole, single; unique, unrivalled; *fils unique,* only son; *sens unique,* one-way; *prix unique,* one-price [magasin], *Am.* five-and-ten, dime store.

unir [ünîr] *v.* to unite, to join, to combine, to connect; to make one; to smooth; **s'unir,** to unite; to join forces (*à,* with); to marry.

unisson [ünìso^n] *m.* unison, harmony; keeping (fig.).

unité [ünìté] *f.* unity.

univers [ünìvèr] *m.* universe. || **universel** [-sèl] *adj.* universal.

universitaire [ünìvèrsìtèr] *adj.* university, academic; *m., f.* professor, Academic person. || **université** [-é] *f.* university; *Am.* college.

uranium [ürànyom] *m.* uranium.

urbain [ürbi^n] *adj.* urban; town. || **urbanité** [ürbànìté] *f.* urbanity.

urgence [ürja^{n}s] *f.* urgency; emergency; pressure; *d'urgence,* immediately. || **urgent** [-a^n] *adj.* urgent, pressing; instant; *cas urgent,* emergency.

urine [ürîn] *f.* urine. || **uriner** [-ìné] *v.* to urinate.

urne [ürn] *f.* urn, vessel; ballot-box.

urticaire [ürtìkèr] *f.* hives; nettle-rash.

usage [üzàj] *m.* use, using, employment; usage, habit, practice, wont; experience; service, everyday use; wear, wearing-out [vêtements]; *usage externe,* external application; *faire de l'usage,* to wear well. || **usagé** [-é] *adj.* worn. || **usager** [-é] *m.* user; commoner.

usé [üzé] *adj.* worn out; shabby, threadbare [vêtements]; frayed [corde]; commonplace. || **user** [-é] *v.* to use up, to consume; to abrade; to wear out, to wear down; *user de,* to use, to make use of, to avail oneself of; to resort to; **s'user,** to wear away, to wear down; to wear oneself out; to be used; to decay, to be spent.

usine [üzîn] *f.* (manu)factory, works, plant; mills [textiles, papier]. || **usiner** [-é] *v.* to machine, to tool. || **usinier** [-yé] *m.* manufacturer; mill-owner.

usité [üzìté] *adj.* used, usual.

ustensile [üsta^{n}sìl] *m.* utensil.

usuel [üzüèl] *adj.* usual, common.

usure [üzür] *f.* usury; wearing out; wear and tear; wearing away, erosion (geol.); *guerre d'usure,* war of attrition. || **usurier** [-yé] *m.* usurer; money-lender.

usurpateur, -trice [üzürpàtœr, -trìs] *m.* usurper, *f.* usurpress; *adj.* usurping; arrogating; encroaching. || **usurpation** [-àsyo^n] *f.* usurpation; arrogation; encroaching, encroachment. || **usurper** [-é] *v.* to usurp; to arrogate; to encroach.

utile [ütìl] *adj.* useful, serviceable, of use, convenient; expedient, beneficial; *m.* what is useful; *en temps utile,* in due time. || **utilisation** [-ìzàsyo^n] *f.* utilization, use; utilizing. || **utiliser** [-ìzé] *v.* to utilize, to use; to make use of. || **utilité** [-ìté] *f.* utility, usefulness; useful purpose; service, avail; utility-man (theat.).

V

va, *see* **aller.**

vacance [vàka^{n}s] *f.* vacancy; *Br.* abeyance, *Am.* opening [poste]; *pl.* vacation, holidays; recess [parlement]; *grandes vacances,* summer vacation. || **vacant** [-a^n] *adj.* vacant, unoccupied; tenantless.

vacarme [vàkàrm] *m.* uproar, din.

vaccin [vàksiⁿ] *m.* vaccine. || **vaccination** [-ìnàsyoⁿ] *f.* vaccination; *Am.* shot. || **vacciner** [-ìné] *v.* to vaccinate.
vache [vàsh] *f.* cow; cow-hide. || **vacher** [-é] *m.* cowherd.
vacillant [vàsìyaⁿ] *adj.* unsteady, shaky; wobbly, staggering [pas]; flickering [lumière]; vacillating [esprit]. || **vaciller** [-ìyé] *v.* to be unsteady, to shake; to wobble; to sway; to stagger, to totter, to reel, to lurch [tituber]; to flicker; to twinkle [étoile]; to vacillate.
vagabond [vàgàboⁿ] *m.* vagabond, wanderer; vagrant; tramp, *Am.* hobo, bum; *adj.* roving; flighty, wayward. || **vagabonder** [-dé] *v.* to roam, to rove; to wander.
vagissement [vàjìsmaⁿ] *m.* wailing; squeaking [lièvre].
vague [vàg] *adj.* vague, indefinite; hazy; indeterminate, indecisive; rambling; vacant, uncultivated [terrain]; *m.* vagueness.
vague [vàg] *f.* wave, billow.
vaguemestre [vàgmèstr] *m.* baggage-master (mil.); army postman; navy postman.
vaillance [vàyaⁿs] *f.* valo(u)r. || **vaillant** [vàyaⁿ] *adj.* valiant.
vain [viⁿ] *adj.* vain, fruitless, sham; shadowy; idle, frivolous; vainglorious; *en vain,* vainly, in vain.
vaincre [viⁿkr] *v.** to conquer, to vanquish, to beat, to win; to defeat, to overcome, to worst, to outdo; to master, to surmount [difficulté]. || **vaincu** [viⁿkü] *adj.* conquered, beaten. || **vainqueur** [-œr] *adj.* triumphant; victorious; *m.* vanquisher, conqueror, winner.
vaisseau [vèsô] *m.* vessel; ship; nave [église].
vaisselle [vèsèl] *f.* table service; table ware; flatware plates and dishes, china; earthenware, crockery [faïence]; *faire la vaisselle,* to do the washing-up.
val [vàl] *m.* vale, dale.
valable [vàlàbl] *adj.* valid, good; worthwhile; cogent [raison]; available (jur.).
valet [vàlè] *m.* valet, (man-)servant, footman; varlet; groom [écurie]; farmhand [ferme]; hireling; knave, jack [cartes]; claw (techn.).
valeur [vàlœr] *f.* value, worth; weight; import, meaning; length of note (mus.); valo(u)r, bravery; asset; *pl.* bills, paper, stocks, shares, securities; *mettre en valeur,* to emphasize; to enhance; to reclaim [terre]. || **valeureux** [-ë] *adj.* valiant, valorous.
valide [vàlìd] *adj.* valid; good; sound, cogent; able-bodied, fit for service (mil.). || **valider** [-é] *v.* to validate; to ratify; to authenticate. || **validité** [-ìté] *f.* validity, availability (jur.); cogency.
valise [vàlìz] *f.* valise, portmanteau; suitcase; grip; *valise diplomatique,* embassy dispatch-bag.
vallée [vàlé] *f.* valley. || **vallon** [-oⁿ] *m.* dale, dell, vale; *Br.* glen.
valoir [vàlwàr] *v.** to be worth; to cost; to be equal to, to be as good as; to deserve; to procure, to furnish; *à valoir,* on account; *cela vaut la peine,* that is worth while; *valoir mieux,* to be better; *faire valoir,* to make the most of, to turn to account.
valse [vàls] *f.* waltz. || **valser** [-é] *v.* to waltz.
valve [vàlv] *f.* valve.
van [vaⁿ] *m.* winnowing-basket.
vanille [vànìy] *f.* vanilla.
vanité [vànìté] *f.* vanity, conceit, self-sufficiency; futility, emptiness; *tirer vanité de,* to be vain of. || **vaniteux** [-ë] *adj.* vain, conceited, stuck-up.
vanne [vàn] *f.* water-gate.
vanneau [vànô] *m.* lapwing.
vanner [vàné] *v.* to winnow, to fan, to sift [grain]; to van [minerai].
vannerie [vànrì] *f.* basket-making.
vantard [vaⁿtàr] *m.* bragger, braggart, boaster, vaunter, swaggerer, *Am.* blow-hard (pop.); *adj.* boasting, boastful. || **vantardise** [-dìz] *f.* boasting, bragging, swaggering; braggadocio. || **vanter** [-é] *v.* to vaunt, to extol; to advocate, to cry up, to boost, to puff, to push; *se vanter,* to boast, to brag.
vapeur [vàpœr] *f.* vapo(u)r; steam; haze, fume; *m.* steamer, steamship; *machine à vapeur,* steam-engine. || **vaporeux** [vàpòrë] *adj.* vaporous, misty; steamy; filmy, hazy; nebulous. || **vaporisateur** [-ìzàtœr] *m.* vaporizer; atomizer; sprayer; evaporator. || **vaporiser** [-ìzé] *v.* to vaporize; to spray.
vaquer [vàké] *v.* to be vacant [situation]; to be on vacation [école]; to be recessed [parlement]; *vaquer*

à, to attend to; to go about [affaires].
varech [vàrèk] *m.* seaweed, wrack.
vareuse [vàrëz] *f.* pea-jacket, pilot-jacket; jersey; jumper [marin]; *Am.* blouse (mil.).
variable [vàryàbl] *adj.* variable; changeable; unsteady; fickle, inconstant; unequal [pouls]; *f.* variable (math.). || **variante** [-yaⁿt] *f.* variant [texte]; pickles (comm.). || **variation** [-yàsyoⁿ] *f.* variation. || **varié** [-yé] *adj.* varied; various, sundry; variegated; miscellaneous. || **varier** [-yé] *v.* to vary; to variegate; to diversify; to fluctuate (fin.); to disagree, to differ [opinions]. || **variété** [-yété] *f.* variety; diversity; variedness; choice.
variole [vàryòl] *f.* smallpox.
varlope [vàrlòp] *f.* trying-plane.
vase [vâz] *m.* vase.
vase [vâz] *f.* silt, slime, mire, ooze.
vaseline [vàzlîn] *f.* vaseline, *Am.* petroleum jelly, petrolatum.
vasistas [vàzistàs] *m.* fanlight, *Am.* transom; casement window.
vaste [vàst] *adj.* vast, wide.
vaudeville [vôdvàl] *m.* vaudeville.
vaurien [vôryiⁿ] *m.* good-for-nothing, ne'er-do-well.
vautour [vôtûr] *m.* vulture.
vautrer (se) [sᵉvôtré] *v.* to wallow, to welter; to sprawl; to revel (fig.).
veau [vô] *m.* calf [animal]; veal [viande]; calfskin [cuir].
vedette [vᵉdèt] *f.* vedette; patrol boat, scout [bateau]; star, leading-man, leading lady (theat.).
végétal [véjétàl] *adj.* vegetable; *m.* plant. || **végétation** [-àsyoⁿ] *f.* vegetation; *pl.* adenoids (med.). || **végéter** [-é] *v.* to vegetate.
véhémence [vééma ⁿs] *f.* vehemence. || **véhément** [-aⁿ] *adj.* vehement.
véhicule [véikül] *m.* vehicle; medium (pharm.). || **véhiculer** [-é] *v.* to convey.
veille [vèy] *f.* watching, vigil; waking; sleeplessness; sitting up, staying up [nuit]; night watch (mil.); look-out (naut.); eve. || **veillée** [-é] *f.* evening; night attendance [malade]; watching, *Am.* wake [mort]; sitting up. || **veiller** [-é] *v.* to sit up, to stay up, to keep awake; to watch, to be on the look-out (mil.; naut.); to watch over, to look after, to tend, to attend to [malade]; to watch, to wake [mort]; *veiller à*, to see to, to look after. || **veilleur** [-œr] *m.* watcher; *veilleur de nuit*, night-watchman. || **veilleuse** [-ëz] *f.* night-light; *mettre en veilleuse*, to douse.
veinard [vènàr] *adj.* lucky; *m.* lucky person. || **veine** [vèn] *f.* vein; seam, lode [mine]; humo(u)r, luck. || **veiner** [-é] *v.* to vein; to grain. || **veineux** [-ë] *adj.* veiny; venous.
vélocité [vélòsité] *f.* velocity. || **vélodrome** [-òdròm] *m.* velodrome.
velours [vᵉlûr] *m.* velvet; *velours côtelé*, corduroy; *velours de coton*, velveteen; *velours de laine*, velours. || **velouté** [-ûté] *adj.* velvety; downy [joue, pêche]; mellow [vin].
velu [vᵉlü] *adj.* hairy, shaggy.
venaison [vᵉnèzoⁿ] *f.* venison.
vénal [vénàl] *adj.* venal.
vendange [vaⁿdaⁿj] *f.* vintage, grape-gathering; vine-harvest; *pl.* grapes. || **vendanger** [-é] *v.* to harvest grapes. || **vendangeur** [-œr] *m.* vintager; wine-harvester.
vendeur [vaⁿdœr] *m.* seller, vendor; salesman, dealer, salesclerk, *Br.* shopman, *Am.* storeclerk. || **vendeuse** [-ëz] *f.* salesgirl, saleswoman. || **vendre** [vaⁿdr] *v.* to sell; to barter; *à vendre*, for sale.
vendredi [vaⁿdrᵉdi] *m.* Friday; *vendredi saint*, Good Friday.
vénéneux [vénénë] *adj.* poisonous.
vénérable [vénéràbl] *adj.* venerable. || **vénération** [-àsyoⁿ] *f.* veneration. || **vénérer** [-é] *v.* to venerate.
vengeance [vaⁿjaⁿs] *f.* revenge; vengeance. || **venger** [-é] *v.* to avenge; **se venger**, to revenge oneself; *se venger de*, to get revenge on. || **vengeur, -eresse** [-œr, -rès] *m., f.* avenger, revenger; *adj.* avenging; vindictive.
véniel [vényèl] *adj.* venial.
venimeux [vᵉnimë] *adj.* venomous; poisonous; malignant. || **venin** [-iⁿ] *m.* venom; poison; malice.
venir [vᵉnîr] *v.** to come, to be coming; to arrive; to reach; to occur, to happen; to grow; to issue, to proceed; to be descended; *je viens de voir*, I have just seen; *venir chercher*, to call for, to come and get; *faire venir*, to send for.
vent [vaⁿ] *m.* wind; scent [vénerie]; windage (artill.); emptiness (fig.); *sous le vent*, to leeward; *avoir vent de*, to get wind of.

vente [va^{n}t] *f.* sale; selling; *vente aux enchères,* auction.

ventilateur [va^{n}tìlàtœr] *m.* ventilator, fan, blower. || **ventilation** [-àsyo^{n}] *f.* ventilation, airing; separate valuation (jur.); apportionment (comm.).

ventouse [va^{n}tûz] *f.* cupping(-glass); air-hole; nozzle [aspirateur]; sucker [sangsue]; air-scuttle (naut.); *appliquer des ventouses,* to cup.

ventre [va^{n}tr] *m.* abdomen, belly; stomach, paunch, tummy (fam.); womb; bowels, insides; *à plat ventre,* prone. || **ventru** [-ü] *adj.* paunchy, big-bellied.

venu [v^{e}nü] *adj.* come; *bienvenu,* welcome; *mal venu,* unwelcome, ill-received; *le premier venu,* the first comer, anybody; *nouveau venu,* newcomer. || **venue** [-ü] *f.* coming, arrival, advent; growth; *allées et venues,* goings and comings.

vêpres [vèpr] *f. pl.* vespers; evensong.

ver [vèr] *m.* worm; maggot, mite; grub, larva; moth; *ver luisant,* glow-worm; *ver solitaire,* tapeworm; *ver à soie,* silk-worm.

véranda [véra^{n}dà] *f.* verandah.

verbal [vèrbàl] *adj.* verbal; oral. || **verbaliser** [-ìzé] *v.* to minute. || **verbe** [vèrb] *m.* verb; *avoir le verbe haut,* to be loudmouthed, dictatorial. || **verbeux** [-ë] *adj.* wordy, verbose, long-winded, prolix. || **verbiage** [-yàj] *m.* wordiness, verbosity.

verdâtre [vèrdâtr] *adj.* greenish. || **verdeur** [-œr] *f.* greenness; viridity, sap [bois]; vitality; tartness, acidity; acrimony (fig.).

verdict [vèrdìkt] *m.* verdict.

verdir [vèrdír] *v.* to grow green; to colo(u)r green; to become covered with verdigris [cuivre]. || **verdoyant** [-wàya^{n}] *adj.* verdant; greenish. || **verdure** [-ür] *f.* verdancy, verdure, greenery, foliage; greens; pot-herbs.

véreux [vérë] *adj.* wormy, maggoty, worm-eaten; rotten; suspicious; shaky; bogus, *Am.* phony.

verge [vèrj] *f.* rod, wand, switch; shank [ancre].

verger [vèrjé] *m.* orchard.

verglas [vèrglà] *m.* glazed frost.

vergue [vèrg] *f.* yard (naut.).

véridique [véridìk] *adj.* veracious.

vérificateur [vérìfìkàtœr] *m.* verifier, inspector, checker, tester, comptroller; auditor; gauge, calipers. || **vérification** [-ìkàsyo^{n}] *f.* verification; inspection, checking, testing; auditing; surveying; probate (jur.). || **vérifier** [-yé] *v.* to verify; to inspect, to check, to test; to overhaul (mech.); to audit; to scrutinize [suffrages].

véritable [véritàbl] *adj.* veritable, true, real, actual, genuine, authentic; veracious; staunch, thorough, downright. || **vérité** [-é] *f.* truth, verity; fact; truthfulness, sincerity; *en vérité,* truly, really.

vermeil [vèrmèy] *adj.* ruby; rosy; *m.* silver-gilt.

vermine [vèrmìn] *f.* vermin; rabble.

vermisseau [vèrmisô] *m.* small worm, grub.

vermoulu [vèrmûlü] *adj.* worm-eaten.

verni [vèrnì] *adj.* varnished; glazed; patent [cuir]; *toile vernie,* oilskin. || **vernir** [vèrnír] *v.* to varnish; to polish; to japan; to glaze [céramique]. || **vernis** [-ì] *m.* varnish, polish, gloss; glaze, glazing. || **vernissage** [-ìsàj] *m.* varnishing; glazing; varnishing-day.

verrat [vèrà] *m.* boar.

verre [vèr] *m.* glass; lens [lentille]; crystal [montre]; *verre de vin,* glass of wine; *verre à vin,* wine-glass; *verre à pied,* stemmed glass; *verre à liqueur,* liqueur glass, pony (pop.); *verre à vitre,* sheet-glass; *verre de sûreté,* safety-glass; *verre pilé,* ground glass. || **verrerie** [-^{e}rì] *f.* glassmaking; glass-works; glass-ware. || **verrière** [-yèr] *f.* glass casing; stained glass window. || **verroterie** [-òtrì] *f.* glass trinkets; glass beads, bugle beads.

verrou [vèrû] *m.* bolt, bar; lock. || **verrouiller** [-yé] *v.* to bolt, to lock.

verrue [vèrü] *f.* wart.

vers [vèr] *m.* verse, line.

vers [vèr] *prep.* toward(s), to; about.

versant [vèrsa^{n}] *m.* slope, versant.

versatile [vèrsàtìl] *adj.* changeable, fickle; variable; versatile (bot.).

versé [vèrsé] *adj.* (well) versed, conversant, practised, experienced; poured; paid. || **versement** [-^{e}ma^{n}] *m.* payment; deposit; instalment; pouring; spilling, shedding; issue (mil.). || **verser** [-é] *v.* to

pour [liquide]; to discharge; to spill, to shed [sang, larmes]; to pay in, to deposit [argent]; to upset [voiture]; to issue (mil.).
verset [vèrsè] *m.* verse.
version [vèrsyo^n] *f.* version.
vert [vèr] *adj.* green; verdant, grassy; sharp, harsh; tart; fresh, raw; unripe, sour; smutty, off-colo(u)r [histoire]; vigorous, robust, hale; sharp [réplique]; *m.* green, green colo(u)r, grass; food; tartness; putting-green [golf].
vertébral [vèrtébràl] *adj.* vertebral; *colonne vertébrale,* spinal column. || **vertèbre** [vèrtèbr] *f.* vertebra.
vertical [vèrtikàl] *adj.* vertical.
vertige [vèrtij] *m.* dizziness, vertigo, giddiness; bewilderment; intoxication (fig.); *avoir le vertige,* to feel dizzy.
vertu [vèrtü] *f.* virtue; chastity; faculty; efficacy; *en vertu de,* by virtue of. || **vertueux** [-ë] *adj.* virtuous.
verve [vèrv] *f.* verve, zest, spirits.
vésicule [vézikül] *f.* vesicle; *vésicule biliaire,* gall-bladder.
vessie [vèsì] *f.* bladder.
veste [vèst] *f.* jacket. || **vestiaire** [-yèr] *m.* cloakroom.
vestibule [vèstibül] *m.* vestibule.
vestige [vèstij] *m.* trace; remains.
veston [vèsto^n] *m.* man's jacket; lounge-coat; *veston d'intérieur,* smoking-jacket; *complet veston,* lounge suit.
vêtement [vètma^n] *m.* garment; vestment (eccles.); vesture, raiment [poésie]; cloak, disguise (fig.); *pl.* clothes, clothing, dress, apparel, attire; garb; weeds [deuil].
vétérinaire [vétérinèr] *adj.* veterinary; *m.* veterinarian.
vêtir [vètir] *v.** to clothe, to dress; to put on, to don; *se vêtir,* to get dressed, to dress (oneself); to put on. || **vêtu** [-ü] *p. p. of* **vêtir.**
veuf, veuve [vœf, vœv] *m.* widower; *f.* widow; *adj.* widowed; bereft.
veuillez, *see* **vouloir.**
veule [vœl] *adj.* flabby; cowardly; toneless [voix]; flat [existence].
veuvage [vœvàj] *m.* widowhood, widowerhood, widowed state.
vexation [vèksàsyo^n] *f.* vexation; annoyance, irritation; harassment, plaguing; molestation. || **vexer** [-é] *v.* to vex; to annoy, to provoke, to irritate, to molest; to harass, to plague; *se vexer,* to get vexed, to be chagrined.
viaduc [vyàdük] *m.* viaduct.
viager [vyàjé] *adj.* for life; *m.* life interest; *rente viagère,* life annuity; *en viager,* at life interest.
viande [vya^nd] *f.* meat; flesh.
vibrant [vibra^n] *adj.* vibrating, vibrant; resonant; ringing, quivering [voix]; rousing, stirring [discours]. || **vibration** [-àsyo^n] *f.* vibration; fluttering (aviat.). || **vibrer** [-é] *v.* to vibrate; to tingle.
vicaire [vikèr] *m.* curate.
vice [vìs] *m.* vice; sin, blemish.
vice-président [vìsprézida^n] *m.* vice-chairman; vice-president.
vicier [visyé] *v.* to vitiate, to pollute; to invalidate [contrat]. || **vicieux** [-yë] *adj.* vicious; defective, faulty; tricky, restive [cheval]; *usage vicieux,* wrong use.
vicinal [visinàl] *adj.* parochial; local.
vicissitude [visisitüd] *f.* vicissitude; *pl.* ups and downs.
victime [viktìm] *f.* victim; casualty.
victoire [viktwàr] *f.* victory. || **victorieux** [-òryë] *adj.* victorious.
victuailles [viktüày] *s. pl.* victuals.
vide [vìd] *adj.* empty; void, vacant, unoccupied; devoid, destitute; *m.* void, vacuum; blank, empty space; gap, cavity, chasm, hole; emptiness, vanity; *à vide,* empty; *vide-poches,* tray, tidy; work-basket. || **vider** [-é] *v.* to empty; to void; to drain, to draw off; to clear out; to bore, to hollow out; to vacate; to eviscerate; to draw [volaille]; to clean, to gut [poisson]; to core [pomme]; to stone [fruit]; to bail [eau]; to adjust, to settle [querelle, comptes]; to decide, to end [querelle]; to exhaust [esprit].
vie [vì] *f.* life; lifetime; existence, days; vitality; livelihood, living; food, subsistence; profession, way of life; spirit, animation, noise; biography, memoir; *en vie,* alive; *gagner sa vie,* to earn one's living.
vieil, *see* **vieux.** || **vieillard** [vyèyàr] *m.* old man, oldster, old fellow, greybeard; *pl.* the aged, old people. || **vieillerie** [vyèyrì] *f.* old stuff; *pl.* old rubbish; outworn ideas. || **vieillesse** [vyèyès] *f.* oldness; old age. || **vieillir** [vyèyìr] *v.* to age, to grow old; to become obso-

lete or antiquated. || **vieillot** [ô] *adj.* oldish; wizened [visage].
vierge [vyèrj] *f.* virgin, maiden, maid; *adj.* virgin(al), pure; untrodden, unwrought; blank [page]; unexposed (phot.).
vieux, vieille [vyë, vyèy] (**vieil**, *m.*, before a vowel or a mute *h*), *adj.* old, aged, advanced in years, elderly; ancient, venerable; old-fashioned, old-style [mode]; obsolete; veteran; *m.* old man, oldster, old fellow; *f.* old woman, old lady; *vieille fille*, old maid, spinster.
vif, vive [vìf, vìv] *adj.* alive, live, living; fast, quick; lively, brisk, sprightly; ardent, eager, hasty; hot [feu]; bracing [air]; sharp, smart, alert [esprit]; sparkling [œil]; keen [plaisir]; violent [douleur]; bright, intense, vivid [couleurs]; mettlesome [cheval]; biting, piercing [froid]; *m.* quick; living person; *de vive voix*, by word of mouth, orally; **vif-argent**, quicksilver, mercury.
vigie [vìjî] *f.* lookout man; watchtower; observation-box (railw.); vigia (naut.); danger-buoy.
vigilance [vìjìlaⁿs] *f.* vigilance, watchfulness, wakefulness; caution. || **vigilant** [-aⁿ] *adj.* vigilant, watchful, wakeful; cautious. || **vigile** [vìjìl] *f.* vigil, eve.
vigne [vìñ] *f.* vine; vineyard; *vigne vierge*, Virginia creeper. || **vigneron** [-ᵉroⁿ] *m.* wine-grower. || **vignette** [-èt] *f.* vignette. || **vignoble** [-òbl] *m.* vineyard.
vigoureux [vìgûrë] *adj.* vigorous, strong, sturdy; forceful, energetic; stout, stalwart, sound. || **vigueur** [vìgœr] *f.* vigo(u)r, strength; force, power, energy; stamina, endurance, sturdiness, stalwartness; effectiveness; *entrer en vigueur*, to come into effect; *mise en vigueur*, enforcing, enforcement (jur.).
vil [vìl] *adj.* vile, base; lowly, mean; paltry; *à vil prix*, dirt cheap.
vilain [vìliⁿ] *adj.* ugly, unsightly; vile, villainous; nasty; undesirable; mean, scurvy, dirty [tour]; shabby; sordid, wretched; *m.* villein, bondman, serf; cad, blackguard, rascal; naughty child.
vilebrequin [vìlbrᵉkiⁿ] *m.* wimble.
villa [vìllà] *f.* villa. || **village** [vìlàj] *m.* village. || **villageois** [-wà] *m.* villager; countryman; country bumpkin; *adj.* rustic, country.
ville [vìl] *f.* town, city; *hôtel de ville*, town hall, city hall; *costume de ville*, plain clothes; morning dress; *dîner en ville*, to dine out.
villégiature [vìlléjyàtür] *f.* sojourn in the country; out-of-town holiday; *en villégiature*, on holiday.
vin [viⁿ] *m.* wine; *vin ordinaire*, table wine; *vin de marque*, vintage wine; *vin mousseux*, sparkling wine; *vin chaud*, mulled wine.
vinaigre [vìnègr] *m.* vinegar. || **vinaigrette** [-èt] *f.* vinegar dressing.
vindicatif [viⁿdìkàtìf] *adj.* vindictive, revengeful.
vingt [viⁿ] *m., adj.* twenty; a score; twentieth [date, titre]. || **vingtaine** [-tèn] *f.* about twenty; a score. || **vingtième** [-tyèm] *m., f., adj.* twentieth.
viol [vyòl] *m.* rape; violation. || **violateur, -trice** [-àtœr, -trìs] *m., f.* violator; infringer, transgressor, breaker; ravisher. || **violation** [-àsyoⁿ] *f.* violation, infringement.
violence [vyòlaⁿs] *f.* violence; duress (jur.). || **violent** [-aⁿ] *adj.* violent; fierce; high, buffeting [vent]. || **violenter** [-aⁿté] *v.* to do violence to; to force; to rape, to ravish. || **violer** [-é] *v.* to violate; to transgress [loi]; to break [promesse]; to rape, to ravish, to outrage [femme].
violet [vyòlè] *adj.* violet, purple. || **violette** [-èt] *f.* violet.
violon [vyòloⁿ] *m.* violin; fiddle (fam.); violin player; (pop.) *Br.* quod, *Am.* clink, cooler (pop.). || **violoncelle** [-sèl] *f.* violoncello. || **violoniste** *m., f.* violinist. || **violoncelliste** *m., f.* violoncellist.
vipère [vìpèr] *f.* viper.
virage [vìràj] *m.* turning; veering; swinging round, slewing round; tacking, going about (naut.); bank [piste]; toning (phot.); turn, corner, bend [auto]; *virage sans visibilité*, blind corner. || **virement** [vìrmaⁿ] *m.* turning; veering; clearing, transfer (comm.). || **virer** [-é] *v.* to turn; to veer; to transfer (comm.); to clear [chèque]; to bank (aviat.); to tack about (naut.); to tone (phot.).
virginité [vìrjìnìté] *f.* virginity; maidenhood.
virgule [vìrgül] *f.* comma.

viril [vìrìl] *adj.* virile; male; manly. || **virilité** [-ìté] *f.* virility.
virtuel [vìrtüèl] *adj.* virtual.
virulence [vìrülaⁿs] *f.* virulence; malignity. || **virulent** [-aⁿ] *adj.* virulent; malignant; noxious. || **virus** [vìrüs] *m.* virus.
vis [vìs] *f.* screw.
visa [vìzà] *m.* visa, visé [passeport].
visage [vìzàj] *m.* face, countenance, visage; aspect, look, air.
vis-à-vis [vìzàvì] *m.* person opposite; vis-à-vis; *adv.* opposite; face to face; towards, with respect to.
visée [vìzé] *f.* aiming; sighting (mil.); *pl.* aims, designs, ambitions. || **viser** [-é] *v.* to aim at; to sight, to take a sight on (topogr.); to have in view; to concern; to allude to, to refer to. || **viseur** [-œr] *m.* aimer; view-finder (phot.); sighting-tube, eyepiece.
visibilité [vìzìbìlìté] *f.* visibility. || **visible** [-ìbl] *adj.* visible, perceptible; obvious, evident; accessible; at home, ready to receive.
visière [vìzyèr] *f.* visor, vizor; peak [casquette]; eye-shade.
vision [vìzyoⁿ] *f.* vision; (eye)sight; seeing; view; fantasy; phantom. || **visionnaire** [-yònèr] *m., f.* visionary; seer; *adj.* visionary.
visite [vìzìt] *f.* visit; call; inspection; examination [douane]; search (jur.); attendance [médecin]; *faire des visites,* to pay calls; *carte de visite,* visiting-card, *Am.* calling-card. || **visiter** [-é] *v.* to visit, to attend; to examine, to inspect; to tour; to search (jur.). || **visiteur** [-œr] *m.* visitor, caller.
vison [vìzoⁿ] *m.* mink.
visqueux [vìskë] *adj.* viscous, gluey.
visser [vìsé] *v.* to screw.
visuel [vìzüèl] *adj.* visual; *champ visuel,* field of vision.
vital [vìtàl] *adj.* vital; *minimum vital,* basic minimum. || **vitalité** [-ìté] *f.* vitality; vigo(u)r.
vite [vìt] *adj.* fast, swift, rapid, speedy, quick; *adv.* fast, swiftly, rapidly, speedily, quickly. || **vitesse** [-ès] *f.* speed, swiftness, rapidity, quickness, fleetness, celerity; velocity [son, lumière]; *gagner de vitesse,* to outrun.
viticole [vìtìkòl] *adj.* viticultural; wine [industrie]. || **viticulture** [-ültür] *f.* viticulture.
vitrail [vìtrày] *m.* (*pl.* **vitraux** [vìtrô]) stained *or* leaded glass window. || **vitre** [vìtr] *f.* (window-) pane. || **vitré** [-é] *adj.* glazed; vitreous, glassy; *porte vitrée,* glass door. || **vitrer** [-é] *v.* to equip with glass panes, to glaze. || **vitreux** [-ë] *adj.* vitreous. || **vitrier** [-ìyé] *m.* glazier. || **vitrifier** [-ìfyé] *v.* to vitrify. || **vitrine** [-ìn] *f.* shop-window, store-window; show-case.
vivace [vìvàs] *adj.* long-lived; perennial (bot.); everlasting, enduring, deep-rooted. || **vivacité** [-ìté] *f.* promptness, alertness; hastiness, petulance; acuteness, intensity [discussion]; vividness, brilliancy [couleur]; vivaciousness, sprightliness; mettle [cheval].
vivant [vìvaⁿ] *adj.* alive, living; lively, animated; vivid [image]; modern [langues]; lifelike [portrait]; *m.* living person; lifetime. || **viveur** [-œr] *m.* free liver, fast man, gay dog. || **vivier** [-yé] *m.* fish-pond, fish-preserve. || **vivifier** [-ìfyé] *v.* to vivify, to quicken; to enliven, to revive, to exhilarate. || **vivoter** [-òté] *v.* to live from hand to mouth, to scrape along. || **vivre** [vìvr] *v.** to live, to be alive; to subsist; to board; to last; to behave; *m.* living; board, food; *pl.* provisions, supplies, victuals; rations (mil.).
vocabulaire [vòkàbülèr] *m.* vocabulary; word-list.
vocation [vòkàsyoⁿ] *f.* vocation; calling, bent, inclination; call.
vociférer [vòsìféré] *v.* to vociferate, to shout, to yell, to scream, to bawl.
vœu [vë] *m.* vow; wish, desire; *meilleurs vœux,* best wishes.
vogue [vòg] *f.* vogue, fashion, style, craze, fad, rage. || **voguer** [vògé] *v.* to sail; to row; to float, to go, to scud along; to forge ahead (fig.).
voici [vwàsì] *adv.* here is, here are; see here, behold; this is, these are; *le voici qui vient,* here he comes; *voici deux ans qu'il est ici,* he has been here for two years.
voie [vwâ] *f.* way; highway; path; means, channel, course (fig.); duct, canal (anat.); leak (naut.); process (chem.); *voie ferrée,* railway (track), *Am.* railroad; *voie de départ,* runway (aviat.); *voies de fait,* assault and battery (jur.); *voie d'eau,* leak.

voilà [vwàlà] *adv.* there is, there are; see there, behold; that is, those are; *voilà tout,* that's all; *le voilà qui vient,* there he comes.

voile [vwàl] *f.* sail; canvas.

voile [vwàl] *m.* veil; voile; pretence, cover; fog (phot.); *voile du palais,* soft palate. || **voilé** [-é] *adj.* veiled; hazy [ciel]; muffled [tambour]; fogged (phot.); buckled, bent (mech.). || **voiler** [-é] *v.* to veil; to conceal; to dim, to obscure, to blur, to cloud; to muffle [bruit]; to shade [lumière]; to buckle, to bend, to warp (mech.). || **voilette** [-èt] *f.* hat-veil.

voilier [vwàlyé] *m.* sailing-boat. || **voilure** [-ür] *f.* sails; wings, flying surface (aviat.).

voir [vwàr] *v.** to see; to behold, to perceive; to sight; to watch; to witness; to observe, to look at, to view; to inspect; to visit; to attend [malades]; to have to do with; to understand; *faire voir,* to show.

voire [vwàr] *adv.* indeed, even; nay; in truth.

voisin [vwàzin] *m.* neighbo(u)r; *adj.* neighbo(u)ring, adjacent, adjoining, next; *maison voisine,* next door. || **voisinage** [-ìnàj] *m.* neighbo(u)rhood; proximity, vicinity, nearness; *bon voisinage,* neighbo(u)rliness. || **voisiner** [-ìné] *v.* to be neighbo(u)rly, to border, to be adjacent.

voiture [vwàtür] *f.* carriage, conveyance, vehicle; transportation; *Br.* car, *Am.* automobile; machine; van, cart, wagon; coach (railw.); freight, load; *voiture d'enfant,* perambulator, baby-carriage, pram (fam.); *petites voitures,* costers' barrows; *lettre de voiture,* waybill, bill of lading; *en voiture!* take your seats!, *Am.* all aboard! || **voiturer** [-é] *v.* to convey, to carry, to transport, to cart.

voix [vwà] *f.* voice; tone; vote, suffrage; part (mus.); opinion; judgment; speech; *mettre aux voix,* to put to the vote.

vol [vòl] *m.* theft, robbery, thieving, stealing; *vol à la tire,* pickpocketing; *vol à l'étalage,* shop-lifting.

vol [vòl] *m.* flying, soaring; flight; flock, covey [oiseaux]; spread [ailes]; *au vol,* on the wing; *vue à vol d'oiseau,* bird's-eye view.

volage [vòlàj] *adj.* fickle, inconstant.

volaille [vòlày] *f.* poultry; fowl; *marchand de volaille,* poulterer.

volant [vòlan] *adj.* flying; loose, floating; movable, portable; *m.* shuttlecock [jeu]; sail [moulin]; flywheel, hand-wheel (techn.); steering-wheel [auto]; flounce, panel [couture]; *feuille volante,* loose-leaf.

volatil [vòlàtìl] *adj.* volatile.

volatile [vòlàtìl] *m.* winged creature.

volcan [vòlkan] *m.* volcano.

voler [vòlé] *v.* to steal; to rob; to usurp [titre]; to swipe (fam.).

voler [vòlé] *v.* to fly; to soar; to travel fast; *voler à voile,* to glide. || **volet** [-è] *m.* shutter; flap (aviat.). || **voleter** [-té] *v.* to flutter; to skip, to shift (fig.).

voleur [vòlœr] *m.* thief, robber, burglar; shoplifter; stealer, pilferer; plunderer; extortioner; *adj.* thievish; fleecing; pilfering.

volontaire [vòlontèr] *adj.* voluntary, spontaneous; intentional, deliberate; self-willed, wilful, wayward, headstrong, obstinate, stubborn; *m.* volunteer. || **volonté** [-é] *f.* will; willingness; *pl.* whims, caprices; *payable à volonté,* payable on demand, promissory [billet]; *dernières volontés,* last will and testament; *mauvaise volonté,* unwillingness. || **volontiers** [-yé] *adv.* willingly, gladly, readily.

volt [vòlt] *m.* volt. || **voltage** [-àj] *m.* voltage.

volte [vòlt] *f.* volt [escrime]; vaulting [gymnastique]; volte-face, about-face; right-about turn; *faire volte-face,* to face about; to reverse one's opinions.

voltiger [vòltìjé] *v.* to flutter; to fly about, to flit, to hover; to flap [rideau]; to perform on a tight-rope, on a trapeze; to tumble.

volubile [vòlübìl] *adj.* voluble; glib; volubile, twining (bot.).

volume [vòlüm] *m.* volume, tome; bulk, mass; capacity; compass [voix]. || **volumineux** [-ìnë] *adj.* voluminous; large, bulky, massive; capacious.

volupté [vòlüpté] *f.* delight. || **voluptueux** [-üë] *adj.* voluptuous.

vomir [vòmìr] *v.* to vomit; to bring up, to throw up, to spew up; to puke (fam.); to belch forth (fig). || **vomissement** [-ìsman] *m.* vom-

iting; vomit. || **vomitif** [-ìtìf] *m., adj.* emetic, vomitory.
vorace [vòràs] *adj.* voracious, greedy, ravenous, gluttonous. || **voracité** [-ìté] *f.* voracity, greediness, gluttony; *avec voracité*, greedily, ravenously.
vos [vô] *poss. adj. pl.* your.
votant [vòtaⁿ] *adj.* voting, enfranchised; *m.* voter, poller; *pl.* constituents. || **vote** [vòt] *m.* vote; voting, balloting, poll; returns, decision, result. || **voter** [-é] *v.* to vote; to ballot; to pass, to carry [projet de loi].
votre [vòtr] *poss. adj.* your.
vôtre [vôtr] *poss. pron.* yours.
vouer [vûé] *v.* to vow, to dedicate, to consecrate; to swear; to pledge.
vouloir [vûlwàr] *v.** to want, to wish; to intend; to require; to need; to resolve, to determine; to try, to seek, to attempt, to endeavo(u)r; to admit, to grant; *m.* will; *vouloir dire*, to mean, to signify; *en vouloir à*, to bear (someone) a grudge; *je ne veux pas*, I won't, I refuse; *vouloir bien*, to be willing; *j'ai voulu le voir*, I tried to see him; *sans le vouloir*, unintentionally; *que voulez-vous?*, what do you want?; *je voudrais*, I should like; *je veux que vous sachiez*, I want you to know; *veuillez agréer*, please accept; *de son bon vouloir*, of one's own accord; *mauvais vouloir*, ill will. || **voulu** [-ü] *adj.* required, requisite; deliberate, intentional; wished, desired; due, received; *en temps voulu*, in due time.
vous [vû] *pron.* you; to you; yourself.
voûte [vût] *f.* vault, arch; archway; roof (med.). || **voûté** [-é] *adj.* vaulted, arched, curved, bowed, bent; stooping, stoop-shouldered, round-shouldered.
voyage [vwàyàj] *m.* travel, travel(l)ing; journey, excursion, trip, tour, run; visit, sojourn, stay; *faire un voyage*, to take a trip. || **voyager** [-é] *v.* to travel; to migrate [oiseaux]; to be on the road (comm.); to be transported [marchandises]. || **voyageur** [-œr] *m.* travel(l)er; tourist; passenger; fare [taxi]; *adj.* travel(l)ing.
voyant [vwàyaⁿ] *adj.* showy, gaudy, garish, loud, vivid, conspicuous; *m.* seer, clairvoyant, prophet; sighting-slit (techn.).
voyelle [vwàyèl]] *f.* vowel.
voyer [vwàyé] *m.* road-inspector.
voyou [vwàyû] *m.* hooligan, loafer, street-arab; *Am.* hoodlum.
vrac [vràk] *m.* *en vrac*, in bulk; wholesale.
vrai [vrè] *adj.* true, truthful, correct; proper, right, accurate, veracious; real, genuine, authentic; downright, arrant, regular, very; legitimate [théâtre]; *adv.* truly, really, indeed; *m.* truth; *à vrai dire*, to tell the truth, actually; *être dans le vrai*, to be right. || **vraiment** [-maⁿ] *adv.* truly, really, in truth; indeed; actually; is that so?, indeed? || **vraisemblable** [vrèsaⁿblàbl] *adj.* likely, probable; plausible. || **vraisemblablement** [-ᵉmaⁿ] *adv.* probably, to all appearances, very likely. || **vraisemblance** [vrèsaⁿblaⁿs] *f.* probability.
vrille [vriy] *f.* gimlet, borer, piercer; tendril (bot.); tail spin (aviat.).
vrombir [vroⁿbìr] *v.* to hum, to buzz [mouche, toupie]; to throb, to purr, to whirr [moteur]. || **vrombissement** [-ìsmaⁿ] *m.* buzzing, hum, humming; throbbing, purring, whirring.
vu [vü] *p. p. of* **voir**; *adj.* seen, observed; considered; *prep.* regarding; considering; *mal vu*, ill thought of. || **vue** [vü] *f.* sight; view; eyesight; aspect; survey; prospect, outlook; appearance; light; intention, purpose, design; insight, penetration; *à première vue*, at first sight; *en vue de*, with a view to; *à vue d'œil*, visibly; *connaître de vue*, to know by sight; *hors de vue*, out of sight; *prise de vues*, shooting [film].
vulcaniser [vülkànìzé] *v.* to vulcanize.
vulgaire [vülgèr] *adj.* vulgar, common; ordinary, everyday; unrefined, coarse; *m.* the common people, the vulgar herd; *langue vulgaire*, vernacular. || **vulgarisation** [vülgàrìzàsyoⁿ] *f.* vulgarization. || **vulgariser** [-ìzé] *v.* to vulgarize, to popularize; to coarsen. || **vulgarité** [-ìté] *f.* vulgarity; *vulgarité criarde*, blatancy.
vulnérable [vülnéràbl] *adj.* vulnerable.

W

wagon [vàgo^n^] *m.* (railway) carriage; coach, car; wagon, truck; *wagon de marchandises, Br.* goods-van, *Am.* freight-car; *wagon frigorifique,* refrigerator car; **wagon-citerne,** tank-car; **wagon-lit,** sleeping-car, sleeper, *Am.* pullman; **wagon-poste,** *Br.* mail-van, *Am.* mail-car; **wagon-restaurant,** dining-car, diner; **wagon-salon,** saloon-car, *Am.* observation car, parlo(u)r car. || **wagonnet** [-ònè] *m.* tilt-truck, tip-wagon, *Am.* dump-truck.

warrant [wàra^n^t] *m.* warrant. || **warranter** [-é] *v.* to warrant, to guarantee.

watt [wàt] *m.* watt.

X

xénophobie [ksénòfòbî] *f.* xenophobia.

xérès [kérès] *m.* sherry; Jerez.

xylophone [ksilòfòn] *m.* xylophone.

Y

y [î] *adv.* there; here, thither; within; *pron.* to it; by it; at it; in it; *il y a,* there is, there are; *il y a dix ans,* ten years ago; *pendant que j'y pense,* while I think of it; *ça y est!* it's done!, that's it!; *vous y êtes?,* do you follow it?, are you with me?, do you get it?; *je n'y suis pour rien,* I had nothing to do with it, I had no part in it; *vous y gagnerez,* you will profit from it.

yeuse [yëz] *f.* holm-oak, holly-oak, ilex.

yeux [yë] *m. pl.* eyes; *see* **œil.**

Z

zèbre [zèbr] *m.* zebra.

zèle [zèl] *m.* zeal. || **zélé** [zélé] *adj.* zealous, ardent.

zénith [zénît] *m.* zenith.

zéphir [zéfir] *m.* zephyr.

zéro [zérô] *m.* zero, naught, cipher; freezing point; starting point; love [tennis]; nonentity, nobody (fam.).

zeste [zèst] *m.* peel, twist [citron].

zézaiement [zézèma^n^] *m.* lisp, lisping. || **zézayer** [-èyé] *v.* to lisp.

zibeline [zìblîn] *f.* sable.

zigzag [zìgzàg] *m.* zigzag; *éclair en zigzag,* forked lightning; *disposé en zigzag,* staggered. || **zigzaguer** [-àgé] *v.* to zigzag; to flit about.

zinc [zi^n^g] *m.* zinc; spelter [plaques]; (pop.) bar, counter; airplane.

zodiac [zòdyàk] *m.* zodiac.

zone [zôn] *f.* zone, area, region, sector; belt [climat]; circuit, girdle.

zoo [zòò] *m.* zoo. || **zoologie** [zòòlòjî] *f.* zoology. || **zoologique** [-ìk] *adj.* zoological; *jardin zoologique,* zoo (fam.).

zut [züt] *interj.* hang it! darn it! *Br.* dash it!

DEUXIÈME PARTIE

ANGLAIS - FRANÇAIS

THE ESSENTIALS OF FRENCH GRAMMAR

SENTENCE-BUILDING

Interrogation. — When the subject is a pronoun, place it after the verb, and, in compound tenses, between the auxiliary and the verb. Ex. : Do you speak? *Parlez-vous?* Did you speak? *Avez-vous parlé?* With verbs ending in a vowel, put an euphonic **t** before a third person pronoun. Ex. : Did he speak? *A-t-il parlé?* Does he speak? *Parle-t-il?* When the subject is a noun, add a pronoun. Ex. : Does Paul speak? *Paul parle-t-il?*

A handy way of putting questions is merely to place *est-ce que* before the positive sentence. Ex. : Does he write? *Est-ce qu'il écrit?*

Objective pronouns. — They are placed after the verb only in the imperative of reflexive verbs : sit down, *asseyez-vous*. They come before the verb even in compound tenses ; he had said it to me, *il me l'avait dit*. The verb should be separated from its auxiliary only by an adverb, or by a pronoun subject in an interrogative sentence. Ex. : *il a bien fait; avez-vous mangé?*

THE ARTICLE

The **definite article** is *le* (m.), *la* (f.), *les* (m. f. pl.). Ex. : the dog, *le chien;* the girl, *la fille;* the cats, *les chats. Le, la* are shortened to *l'* before a vowel or a mute *h*. Ex. : the man, *l'homme;* the soul, *l'âme* (but *le héros*).

The **indefinite article** is *un, une*. Ex. : a boy, *un garçon;* a woman, *une femme*.

The **partitive article** *du* (m.), *de la* (f.), *des* (pl.) is used in sentences like : take some bread, *prenez du pain;* here are pears, *voici des poires*.

THE NOUN

Plural. — The plural is generally formed in **s**, as in English.

Nouns in **s**, **x** and **z** do not change in the plural.

Nouns in **au** and **eu** (exc. *bleu*) and some in ou (*chou, bijou, genou, caillou, hibou, joujou, pou*) form their plural in **x**. Ex. : *chou* (cabbage), *choux; jeu* (game), *jeux*.

Nouns in **al** and **ail** form their plural in **aux**. Ex. : *cheval* (horse), *chevaux; travail* (work), *travaux*.

Aïeul, ciel and **œil** become *aïeux, cieux, yeux* in the ordinary meaning.

Gender of nouns. — There are no neuter nouns in French. Nearly all nouns ending in a mute **e** are feminine, except those in *isme, age* (but *image, nage, rage* are f.), and **iste** (the latter being often either m. or f.). — Nearly all nouns ending in a consonant or a vowel other than a mute **e** are masculine, except nouns in **ion** and **té** (but *été, pâté* are m.).

Feminine. — The feminine is generally formed by adding **e** to the masculine. Ex. : *parent* (relative), *parente; ami* (friend), *amie*.

Nouns in **er** form their feminine in **ère**. Ex. : *laitier* (milkman), *laitière*. — Nouns in **en, on** form their feminine in **enne, onne**. Ex. : *chien* (dog), *chienne; lion, lionne*. — Nouns in **eur** form their feminine in **euse**, except those in **ateur**, which give **atrice**. Ex. : *acheteur, acheteuse, admirateur, admiratrice*. — A few words in **e** form their feminine in **esse**. Ex. : *maître, maîtresse*.

THE ADJECTIVE

Plural. — The plural is generally formed in **s**.

Adjectives in **s** or **x** do not change. Adjectives in **al** form their plural in **aux** (except *bancal, glacial, natal, naval*, which take an s). Ex.: *principal, principaux; naval, navals*.

Feminine. — The feminine is generally formed by adding **e** to the masculine form. Ex. : *élégant, élégante; poli, polie*. Adjectives in **f** change *f* into **ve**. Ex. : *vif, vive*. — Those in **x** change *x* into **se**. Ex. : *heureux, heureuse*. (Exc. : *doux, douce; faux, fausse; roux, rousse* and *vieux, vieille*.) — Adjectives in **er** form their feminine in **ère**. Ex. : *amer, amère*. — Those in **el, eil, en, et, on** double the final consonant before adding *e*. Ex. : *bel, belle; bon, bonne; ancien, ancienne*.

Comparative. — « More » or the ending « ...er » of adjectives should be translated by *plus*, « less » by *moins*, and « than » by *que*. Ex. : more sincere, *plus sincère;* stronger, *plus fort;* less good than, *moins bon que, moins bonne que*. « As... as » should be translated by *aussi... que;* « as much... as » and « as many... as » by *autant... que;* « not so... as » by *pas si... que*, « not so much (many)... as » by *pas tant... que*.

Superlative. — « The most » or the ending « ... est » should be translated by *le plus*. Ex. : the poorest, *le plus pauvre;* the most charming, *le plus charmant*. « Most » is in French *très*. Ex. : most happy, *très heureux*.

Irregular forms : better, *meilleur;* the best, *le meilleur;* smaller, *moindre;* the least, *le moindre;* worse, *pire;* the worst, *le pire*.

Cardinal numbers. — *Un, deux, trois, quatre, cinq, six, sept, huit, neuf, dix, onze,* *douze, treize, quatorze, quinze, seize, dix-sept, dix-huit, dix-neuf, vingt, vingt et un, vingt-deux; trente et un, quarante, cinquante, soixante, soixante-dix, quatre-vingts, quatre-vingt-dix; cent, cent un, cent deux...; deux cents, trois cents...; mille; un million; un milliard.*

Vingt and **cent** are invariable when immediately followed by another number. Ex. : *quatre-vingt-trois ans; deux cent douze francs.*

Mille is invariable (in dates, it is written *mil*).

Ordinal numbers. — *Premier, deuxième, troisième, quatrième, cinquième, sixième, septième, huitième, neuvième, dixième, onzième, douzième, treizième, quatorzième, quinzième, seizième, dix-septième...; vingtième, vingt et unième, vingt-deuxième...; trentième, quarantième...; centième, deux centième...; millième...; millionième...*

Demonstrative adjectives. — « This » and « that » are generally translated by *ce, cet* (m.) *cette* (f.) *ces* (pl.) [*ce* before a masc. noun beginning with a consonant or an aspirate *h*; *cet* before a masc. word beginning with a vowel or a mute *h*]. The opposition between « this » and « that » may be emphasized by adding *-ci* or *-là*. Ex. : this book, *ce livre-ci;* those men, *ces hommes-là.*

« That of » should be translated by *celui* (f. *celle,* pl. *ceux, celles*) *de,* « he who, the one which, those or they who » by *celui* (*celle, ceux, celles*) *qui.*

Possessive adjectives. — « My » is in French *mon* (m.), *ma* (f.), *mes* (pl.); « your » (for « thy ») is *ton, ta, tes;* « his », « her », « its » are *son, sa, ses* (agreeing with the following noun); « our » is *notre* (m. f.), *nos* (pl.); « your » is *votre, vos;* « their » is *leur* (m. f.), *leurs* (pl.). Ex. : his king, *son roi;* his sister, *sa sœur,* his books, *ses livres;* her father, *son père;* her mother, *sa mère.*

THE PRONOUN

Personal pronouns (subject). — *Je, tu, il, elle* (f.); pl. *nous, vous, ils, elles* (f.). Ex. : you speak, *tu parles* [*vous parlez*]*;* she says, *elle dit.*

The second person singular (*tu, te, toi, ton, ta, tes, le tien,* etc.), indicating intimacy, is used between members of the same family, at school, between soldiers and close friends.

Personal pronouns (direct object). — *Me, te, le, la* (f.); pl. *nous, vous, les.* Ex. : I see her, *je la vois;* I see him (or it), *je le vois* (the same pr. is used for masculine and neuter in most cases).

Personal pronouns (indirect object; dative).— *Me, te, lui* (m. f.); pl. *nous, vous, leur.* Ex. : he speaks to her, *il lui parle.*

Personal pronouns (after a preposition). — *Moi, toi, lui, elle* (f.). pl. *nous, vous, eux.* They are also used emphatically : I think, *moi, je pense.*

Reflexive pronouns. — *Me, te, se;* pl. *nous, vous, se.* Ex. : they flatter themselves, *ils se flattent;* he spoke to himself, *il se parlait.*

The same pronoun is used to translate « each other » and « one another ». Ex. : they flatter each other, *ils se flattent.*

Possessive pronouns. — *Le mien* (f. *la mienne,* pl. *les miens, les miennes*)*; le tien* (f. *la tienne,* pl. *les tiens, les tiennes*)*; le sien* (f. *la sienne,* pl. *les siens, les siennes*)*; le nôtre* (f. *la nôtre,* pl. *les nôtres*)*; le vôtre* (f. *la vôtre,* pl. *les vôtres*)*; le leur,* (f. *la leur,* pl. *les leurs*). Ex. : I have lost my watch, lend me yours, *j'ai perdu ma montre, prêtez-moi la vôtre.*

NOTE. This book is mine, yours, his, hers... *Ce livre est à moi, à toi* (*à vous*), *à lui, à elle...* See ***Personal pronouns*** (after a preposition).

Relative pronouns. — « Who » is translated by *qui,* « whom » by *que* (*qui* after a preposition), « whose » by *dont,* « which » by *qui* (subject) or *que* (object). Ex. : the man who comes, *l'homme qui vient;* the girl whom I see, *la fille que je vois;* the author whose book I read, *l'auteur dont je lis le livre;* the books which (that) I read, *les livres que je lis.*

NOTE. After a preposition, « which » should be translated by *lequel* (m.), *laquelle* (f.), *lesquels* (m. pl.), *lesquelles* (f. pl.); « of which » by *duquel, de laquelle, desquels, desquelles;* « to which » by *auquel, à laquelle, auxquels, auxquelles.*

Interrogative pronouns. — « Who », « whom » are translated by *qui;* « what » by *que* (object). « What » when an adjective should be translated by *quel, quelle, quels, quelles,* when a subject by *qu'est-ce qui.* Ex. : Who came? *Qui est venu?* What do you say? *Que dis-tu?* What time is it? *Quelle heure est-il?* What happened? *Qu'est-ce qui est arrivé?*

THE ADVERB

Most French adverbs are formed by adding *ment* to the **feminine** form of the corresponding adjective. Ex. : happily, *heureusement.*

Adjectives in **ant** form their adverbs in **amment,** and those in **ent** in **emment.** Ex. : abundantly, *abondamment;* patiently, *patiemment.*

Negative adverbs and pronouns. — « Not » should be translated by *ne... pas,* « never » by *ne... jamais,* « nobody » by *ne... personne,* « nothing » by *ne... rien,* « nowhere » by *ne... nulle part.* Ex. : I do not speak, *je ne parle pas;* he never comes, *il ne vient jamais.* « Nobody », when subject, should be translated by *personne ne,* and « nothing » by *rien ne.* Ex. : nobody laughs, *personne ne rit;* nothing stirred, *rien n'a bougé.*

THE VERB

French regular verbs are generally grouped in four classes or conjugations ending in **er, ir, oir** and **re.**

Compound tenses are conjugated with the auxiliary *avoir* and the past participle, except reflexive verbs and the most usual intransitive verbs (like *aller, arriver, devenir, partir, rester, retourner, sortir, tomber, venir,* etc.), which are conjugated with *être.* Ex. : he spoke, *il a parlé;* he came, *il est venu.*

The French past participle. — 1° It always agrees with the noun to which it is either an attribute or an adjective. Ex. : the woman was punished, *la femme fut punie;* the broken tables, *les tables brisées.*

2° It agrees with the object of a verb conjugated with *avoir* **only** when the object comes before it. Ex. : he broke the plates, *il a cassé les assiettes;* the plates he broke, *les assiettes qu'il a cassées.*

First conjugation. — **Aimer,** to love.

Indicative.

Present.	Past tense.
J'aime	J'aimai
Tu aimes	Tu aimas
Il aime	Il aima
Nous aimons	Nous aimâmes
Vous aimez	Vous aimâtes
Ils aiment	Ils aimèrent

Imperfect.	Future.
J'aimais	J'aimerai
Tu aimais	Tu aimeras
Il aimait	Il aimera
Nous aimions	Nous aimerons
Vous aimiez	Vous aimerez
Ils aimaient	Ils aimeront

Conditional.

J'aimerais	Nous aimerions
Tu aimerais	Vous aimeriez
Il aimerait	Ils aimeraient

Imperative.

aime aimons aimez

Subjunctive.

Present.	Imperfect.
Que j'aime	Que j'aimasse
Que tu aimes	Que tu aimasses
Qu'il aime	Qu'il aimât
Que nous aimions	Que n. aimassions.
Que vous aimiez	Que vous aimassiez
Qu'ils aiment	Qu'ils aimassent

Pres. participle.	Past participle.
Aimant	aimé, ée, és, ées.

Second conjugation. — **Finir,** to end.

Indicative.

Present.	Past tense.
Je finis	Je finis
Tu finis	Tu finis
Il finit	Il finit
Nous finissons	Nous finîmes
Vous finissez	Vous finîtes
Ils finissent	Ils finirent

Imperfect.	Future.
Je finissais	Je finirai
Tu finissais	Tu finiras
Il finissait	Il finira
Nous finissions	Nous finirons
Vous finissiez	Vous finirez
Ils finissaient	Ils finiront

Conditional.

Je finirais	Nous finirions
Tu finirais	Vous finiriez
Il finirait	Ils finiraient

Imperative.

finis finissons finissez

Subjunctive.

Present.	Imperfect.
Que je finisse	Que je finisse
Que tu finisses	Que tu finisses
Qu'il finisse	Qu'il finît
Que nous finissions	Que nous finissions
Que vous finissiez	Que vous finissiez
Qu'ils finissent	Qu'ils finissent

Pres. participle.	Past participle.
finissant	fini, ie, is, ies

Third conjugation. — **Recevoir,** to receive.

Indicative.

Present.	Past tense.
Je reçois	Je reçus
Tu reçois	Tu reçus
Il reçoit	Il reçut
Nous recevons	Nous reçûmes
Vous recevez	Vous reçûtes
Ils reçoivent	Ils reçurent

Imperfect.	Future.
Je recevais	Je recevrai
Tu recevais	Tu recevras
Il recevait	Il recevra
Nous recevions	Nous recevrons
Vous receviez	Vous recevrez
Ils recevaient	Ils recevront

Conditional.

Je recevrais	Nous recevrions
Tu recevrais	Vous recevriez
Il recevrait	Ils recevraient

Imperative.

reçois recevons recevez

Subjunctive.

Present.	Imperfect.
Que je reçoive	Que je reçusse
Que tu reçoives	Que tu reçusses
Qu'il reçoive	Qu'il reçût
Que nous recevions	Que n. reçussions
Que vous receviez	Que vous reçussiez
Qu'ils reçoivent	Qu'ils reçussent

Pres. participle.	Past participle.
recevant	reçu, ue, us, ues

Fourth conjugation. — **Rompre,** to break.

Indicative.

Present.	Past tense.
Je romps	Je rompis
Tu romps	Tu rompis
Il rompt	Il rompit
Nous rompons	Nous rompîmes
Vous rompez	Vous rompîtes
Ils rompent	Ils rompirent
Imperfect.	**Future.**
Je rompais	Je romprai
Tu rompais	Tu rompras
Il rompait	Il rompra
Nous rompions	Nous romprons
Vous rompiez	Vous romprez
Ils rompaient	Ils rompront

Conditional.

Je romprais	Nous romprions
Tu romprais	Vous rompriez
Il romprait	Ils rompraient

Imperative.

romps rompons rompez

Subjunctive.

Present.	Imperfect.
Que je rompe	Que je rompisse
Que tu rompes	Que tu rompisses
Qu'il rompe	Qu'il rompît
Que nous rompions	Que n. rompissions
Que vous rompiez	Que v. rompissiez
Qu'ils rompent	Qu'ils rompissent
Pres. participle.	**Past participle.**
rompant	rompu, ue, us, ues

FRENCH IRREGULAR VERBS (1)

FIRST CONJUGATION

Aller. Pr. ind. : vais, vas, va, vont. Fut. : irai, iras, etc. Imper. : va (vas-y). Subj. pr. : aille, ailles, aille, allions, alliez, aillent.

Envoyer. Fut. : enverrai, etc.

Verbs in **cer** take **ç** before **a** and **o.** Ex. : *percer,* je perçais, nous perçons.

Verbs in **ger** add **e** before endings in **a** and **o.** Ex. : *manger,* je mangeais, nous mangeons.

Verbs in **eler, eter** double the **l** or **t** before a mute **e.** Ex. : *appeler,* j'appelle; *jeter,* je jette. (*Acheter, bourreler, celer, déceler, dégeler, écarteler, épousseter, geler, harceler, marteler, modeler, peler, racheter* only take **è.** Ex. : *geler,* gèle; *acheter,* achète).

Verbs having a mute **e** in the last syllable but one change **e** into **è** when the ending begins with a mute **e.** Ex. : *peser,* je pèse.

Verbs having an acute **é** in the last syllable but one change it for a grave **è** when the ending begins with a mute **e** (except in the future and cond.). Ex. : *protéger,* je protège.

Verbs in **yer** change **y** into **i** before a mute **e.** Ex. : *ployer,* je ploie.

Verbs in **ayer** keep the **y.**

SECOND CONJUGATION

Acquérir. Pr. ind. : acquiers, acquiers, acquiert, acquérons, acquérez, acquièrent. Imp. : acquérais, etc. Past tense : acquis, etc. Fut. : acquerrai, etc. Pr. subj. : acquière, acquières, acquière, acquérions, acquériez, acquièrent. Pr. part. : acquérant. Past part. : acquis.

Assaillir. Pr. ind. : assaille, etc. (1). Pr. subj. : assaille, etc. (1). Pr. part. : assaillant.

Bénir. Past part. : béni, ie; bénit, bénite [consecrated].

Bouillir. Pr. ind. : bous, bous, bout, bouillons, bouillez, bouillent. Imp. : bouillais, etc. (1). Pr. subj. : bouille (1). Pr. part. : bouillant.

Conquérir. See *Acquérir.*

Courir. Pr. ind. : cours, cours, court, courons, courez, courent. Imp. : courais, etc. (1). Past tense : courus (3). Fut. : courrai, etc. Pr. subj. : coure, etc. (1). Imp. subj. : courusse (3). Pr. part. : courant.

Couvrir. See *Ouvrir.*

Cueillir. Pr. ind. : cueille, etc. (1). Imp. : cueillais, etc. (1). Fut. : cueillerai, etc. (1). Pr. subj. : cueille (1). Pr. part. : cueillant.

Dormir. Pr. ind. : dors, dors, dort, dormons, dormez, dorment. Imp. : dormais, etc. (1). Pr. subj. : dorme (1). Pr. part. : dormant.

Faillir. Pr. ind. : faux, faux, faut, faillons, faillez, faillent. Imp. : faillais (1). Pr. part. : faillant.

Fleurir. Has a form in the imperfect : florissais, etc., and for pr. part. : florissant, in the meaning of *prospering.*

Fuir. Pr. ind. : fuis, fuis, fuit, fuyons, fuyez, fuient. Imp. : fuyais, etc. (1). Pr. subj. : fuie, fuies, fuie, fuyons, fuyez, fuient. Pr. part. : fuyant. Past part. : fui, fuie.

Gésir. Used only in pr. ind. : gis, gis, gît, gisons, gisez, gisent; imp. : gisais, etc. (1) ; pr. part. : gisant.

Haïr. Regular except in singular of present ind. and imper. : je hais, tu hais, il hait; haïs, haïssons, haïssez.

Mentir. Pr. ind. : mens, mens, ment, mentons, mentez, mentent. Imp. : mentais (1). Pr. subj. : mente, etc.

Mourir. Pr. ind. : meurs, meurs, meurt, mourons, mourez, meurent. Imp. : mourais, etc. (1). Past tense : mourus, etc. (3). Fut. : mourrai, etc. Pr. subj. : meure, meures, meure, mourions, mouriez, meurent. Pr. part. : mourant. Past part. : mort, morte.

Offrir. Pr. ind. : offre, etc. (1). Imp. : offrais, etc. (1). Pr. part. : offrant. Past part. : offert, erte.

Ouvrir. Pr. ind. : ouvre, etc. (1). Imp. : ouvrais, etc. (1). Pr. part. : ouvrant. Past part. : ouvert, erte.

(1) In this list numbers (1), (2), (3) indicate whether the foregoing tense should be conjugated like the corresponding tense of the first, second or third conjugation.

Partir. See *Mentir.*
Repentir. See *Mentir.*
Requérir. See *Acquérir.*
Sentir. See *Mentir.*
Servir. Pr. ind. : sers, sers, sert, servons, servez, servent. Imp. : servais, etc. (1). Pr. subj. : serve, etc. (1). Pr. part. : servant.
Sortir. See *Mentir.*
Souffrir. See *Offrir.*
Tenir. Pr. ind. : tiens, tiens, tient, tenons, tenez, tiennent. Imp. : tenais, etc. (1). Past tense : tins, tins, tint, tînmes, tîntes, tinrent. Fut. : tiendrai, etc. Pr. subj. : tienne. Pr. part. : tenant. Past part. : tenu, ue.
Tressaillir. See *Assaillir.*
Venir. See *Tenir.*
Vêtir. Pr. ind. : vêts, vêts, vêt, vêtons, vêtez, vêtent. Imp. : vêtais, etc. (1). Pr. subj. : vête, etc. (1). Pr. part. : vêtant. Past part. : vêtu, ue.

THIRD CONJUGATION

Asseoir. Pr. ind. : assieds, assieds, assied, asseyons, asseyez, asseyent. Imp. : asseyais, etc. Past tense : assis, etc. (2). Fut. : assiérai, etc. *or* asseyerai, etc. Pr. subj. : asseye, etc. Pr. part. : asseyant. Past part. : assis, ise.
Avoir. Pr. ind. : ai, as, a, avons, avez, ont. Past tense : eus, eus, eut, eûmes, eûtes, eurent. Fut. : aurai, etc. Pr. subj. : aie, aies, ait, ayons, ayez, aient. Imp. subj. : eusse, eusses, eût, eussions, eussiez, eussent. Imper. : aie, ayons, ayez. Pr. part. : ayant. Past part. : eu, eue.
Choir. Past part. : chu, chue.
Déchoir. Pr. ind. : déchois, déchois, déchoit, déchoyons, déchoyez, déchoient. Imp. : déchoyais, etc. Fut. : décherrai, etc. Pr. subj. : déchoie, déchoies, déchoie, déchoyions, déchoyiez, déchoient. Pr. part. : none. Past part. : déchu, ue.
Devoir. Pr. ind. dois, etc. Imp. : devais, etc. Past tense : dus, etc. Fut. : devrai, etc. Pr. subj. : doive, etc. Pr. part. : devant. Past part. : dû, due.
Echoir. Pr. ind. : échoit. Imp. : échéait. Past tense : échus, etc. Fut. : écherrai, etc. Pr. part. : échéant. Past part. : échu, ue.
Falloir. Pr. ind. : il faut. Imp. : il fallait. Past tense : il fallut. Fut. : il faudra. Pr. subj. : il faille. Past part. : fallu.
Mouvoir. Pr. ind. : meus, meus, meut, mouvons, mouvez, meuvent. Imp. : mouvais. Past tense : mus, etc. Fut. : mouvrai, etc. Pr. subj. : meuve, etc. Pr. part. : mouvant. Past part. : mû, ue.
Pleuvoir. Pr. ind. : pleut. Imp. : pleuvait. Past tense : plut. Fut. : pleuvra. Pr. subj. : pleuve. Pr. part. : pleuvant. Past part. : plu.
Pourvoir. Like *Voir,* except in the past tense : pourvus, etc. Fut. : pourvoirai.
Pouvoir. Pr. ind. : puis *or* peux, peux, peut, pouvons, pouvez, peuvent. Past tense : pus, etc. Fut. : pourrai, etc. Pr. subj. : puisse, puisses, puisse. Pr. part. : pouvant. Past part. : pu.
Prévaloir. Like *Valoir,* except in pr. subj. : prévale, etc.
Savoir. Pr. ind. : sais, sais, sait, savons, savez, savent. Past tense : sus, etc. Fut. : saurai, etc. Imper. : sache, sachons, sachez. Pr. subj. : sache. Pr. part. : sachant. Past part. : su, ue.
Seoir. Pr. ind. : sieds, sieds, sied, seyons, seyez, siéent. Imp. séyait, séyaient. Fut. : siéra, siéront. Pr. subj. : siée, siéent. Pr. part. : séyant.
Valoir. Pr. ind. : vaux, vaux, vaut, valons, valez, valent. Imp. : valais, etc. Past tense : valus, etc. Fut. : vaudrai, etc. Pr. subj. : vaille. Pr. part. : valant. Past part. : valu, ue.
Voir. Pr. ind. : vois, vois, voit, voyons, voyez, voient. Imp. : voyais, etc. Past tense : vis, etc. (2). Fut. : verrai, etc. Pr. subj. : voie, voies, voie, voyions, voyiez, voient. Pr. part. : voyant. Past part : vu, vue.
Vouloir. Pr. ind. : veux, veux, veut, voulons, voulez, veulent. Imp. : voulais, etc. Past tense : voulus, etc. Fut. : voudrai, etc. Imper. : veux *or* veuille, veuillons, veuillez. Pr. subj. : veuille, etc. Pr. part. : voulant. Past part. : voulu, ue.

FOURTH CONJUGATION

Absoudre. Pr. ind. : absous, absous, absout, absolvons, absolvez, absolvent. Imp. : absolvais, etc. Fut. : absoudrai, etc. Pr. subj. : absolve, etc. Pr. part. : absolvant. Past part. : absous, oute.
Atteindre. See *Peindre.*
Battre. Pr. ind. : bats, bats, bat, battons, battez, battent.
Boire. Pr. ind. : bois, bois, boit, buvons, buvez, boivent. Imp. : buvais, etc. Past tense : bus, bus, but, bûmes, bûtes, burent. Fut. : boirai, etc. Pr. subj. : boive, boives, boive, buvions, buviez, boivent. Imp. subj. : busse, etc. (3). Pr. part. : buvant. Past part. : bu, bue.
Braire. Pr. ind. : brait. Imp. : brayait. Cond. : brairait.
Ceindre. See *Peindre.*
Clore. Pr. ind. : clos, clos, clôt. Pr. subj. : close. Past part. : clos, close.
Conclure. Pr. ind. : conclus, conclus, conclut, concluons, concluez, concluent. Imp. : concluais. Past tense : conclus, etc. (3). Pr. subj. : conclue, conclues, conclue, concluions, concluiez, concluent. Imp. subj. : conclusse, etc. Pr. part. : concluant. Past part. : conclu, ue.
Conduire. See *Déduire.*
Confire. See *Interdire.*
Connaître. See *Paraître.*
Construire. See *Déduire.*
Contraindre. See *Craindre.*
Contredire. Pr. ind. : contredis, contredisez, contredisent. The other tenses like *Dire.*
Coudre. Pr. ind. : couds, couds, coud, cousons, cousez, cousent. Imp. : cousais, etc. Past tense : cousis, etc. Pr. subj. : couse, etc. Pr. part. : cousant. Past part. : cousu, ue.

Craindre. Pr. ind. : crains, crains, craint, craignons, craignez, craignent. Imp. : craignais, etc. Past tense : craignis, etc. Pr. subj. : craigne, etc. Pr. part. : craignant. Past part. : craint, crainte.
Croire. Pr. ind. : crois, crois, croit, croyons, croyez, croient. Imp. : croyais, etc. Fut. : croirai, etc. Past tense : crus, crus, crut, crûmes, crûtes, crurent. Pr. subj. : croie, croies, croie, croyions, croyiez, croient. Imp. subj. : crusse, etc. Pr. part. : croyant. Past part. : cru, crue.
Croître. Pr. ind. : croîs, croîs, croît, croissons, croissez, croissent. Imp. : croissais, etc. Past tense : crûs, crûs, crût, crûmes, crûtes, crûrent. Pr. subj. : croisse, etc. Imp. subj. : crûsse, etc. Pr. part. : croissant. Past part. : crû, crue.
Déduire. Pr. ind. : déduis, déduis, déduit, déduisons, déduisez, déduisent. Imp. : déduisais, etc. Past tense : déduisis, etc. Fut. : déduirai, etc. Pr. subj. : déduise, etc. Pr. part. : déduisant. Past part. : déduit, ite.
Détruire. See *Déduire.*
Dire. Pr. ind. : dis, dis, dit, disons, dites, disent. Imp. : disais, etc. Past tense : dis, dis, dit, dîmes, dîtes, dirent. Fut. : dirai, etc. Pr. subj. : dise, etc. Pr. part. : disant. Past part. : dit, dite.
Dissoudre. See *Absoudre.*
Ecrire. Pr. ind. : écris, écris, écrit, écrivons, écrivez, écrivent. Imp. : écrivais, etc. Past tense : écrivis, etc. Fut. : écrirai, etc. Pr. subj. : écrive, etc. Pr. part. : écrivant. Past part. : écrit, ite.
Elire. See *Lire.*
Enduire. See *Déduire.*
Enfreindre, éteindre, étreindre. See *Peindre.*
Etre. Pr. ind. : suis, es, est, sommes, êtes, sont. Imp. : étais, etc. Past tense : fus, fus, fut, fûmes, fûtes, furent. Fut. : serai, seras, etc. Imper. : sois, soyons, soyez. Pr. subj. : sois, sois, soit, soyons, soyez, soient. Pr. part. : étant. Past part. : été.
Faire. Pr. ind. : fais, fais, fait, faisons, faites, font. Imp. : faisais, etc. Past tense : fis, fit, etc. Fut. : ferai, etc. Pr. subj. : fasse, etc. Pr. part. : faisant. Past part. : fait, faite.
Feindre. See *Peindre.*
Frire. Pr. ind. : fris, fris, frit. Fut. : frirai. No other tenses.
Instruire. See *Déduire.*
Interdire. Like *Dire*, 2nd pers. pl. pr. ind. and imper. : interdisez.
Joindre. Pr. ind. : joins, joins, joint, joignons, joignez, joignent. Imp. : joignais, etc. Fut. : joindrai, etc. Past tense : joignis, etc. Pr. subj. : joigne, etc. Pr. part. : joignant. Past part. : joint, jointe.
Lire. Pr. ind. : lis, lis, lit, lisons, lisez, lisent. Imp. : lisais, etc. Past tense : lus, etc. Fut. : lirai, etc. Pr. subj. : lise, etc. Pr. part. : lisant. Past part. : lu, lue.
Luire. See *Déduire.*
Maudire. Pr. ind. : maudis, etc. (2). The other tenses like *Dire.*
Médire. See *Interdire.*
Mettre. Pr. ind. : mets, mets, met, mettons, mettez, mettent. Imp. : mettais, etc. Past tense : mis, etc. Pr. subj. : mette, etc. Past part. : mis, mise.
Moudre. Pr. ind. : mouds, mouds, moud, moulons, moulez, moulent. Imp. : moulais, etc. Past tense : moulus, etc. (3). Pr. subj. : moule, etc. Pr. part. : moulant. Past part. : moulu, ue.
Naître. Pr. ind. : nais, nais, naît, naissons, naissez, naissent. Imp. : naissais, etc. Past tense : naquis, etc. Pr. subj. : naisse, naisses, naisse. Pr. part. : naissant. Past part. : né, née.
Nuire. Like *Déduire* (except past part. : nui).
Oindre. See *Joindre.*
Paître. Like *Paraître.* No past tenses.
Paraître. Pr. ind. : parais, parais, paraît, paraissons, paraissez, paraissent. Imp. : paraissais, etc. Past tense : parus, etc. Pr. subj. : paraisse, etc. Pr. part. : paraissant. Past part. : paru, ue.
Peindre. Pr. ind. : peins, peins, peint, peignons, peignez, peignent. Imp. : peignais, etc. Past tense : peignis. Pr. subj. : peigne, etc. Pr. part. : peignant. Past part : peint, peinte.
Plaindre. See *Craindre.*
Plaire. Pr. ind. : plais, plais, plaît, plaisons, plaisez, plaisent. Imp. : plaisais, etc. Past tense : plus, etc. Pr. subj. : plaise, etc. Pr. part. : plaisant. Past part : plu, plue.
Poindre. See *Joindre.*
Prendre. Pr. ind. : prends, prends, prend, prenons, prenez, prennent. Imp. : prenais, etc. Past tense : pris, etc. Pr. subj. : prenne, etc. Pr. part. : prenant. Past part. : pris, prise.
Résoudre. Like *Absoudre.* Past tense : résolus, etc. (3).
Rire. Pr. ind. : ris, etc. (2). Imp. : riais, riais, riait, riions, riiez, riaient. Past tense : ris, etc. Fut. : rirai, etc. Pr. subj. : rie, etc. Pr. part. : riant. Past part. : ri.
Suffire. See *Déduire.*
Suivre. Pr. ind. : suis, suis, suit, suivons, suivez, suivent. Imp. : suivais, etc. Past tense : suivis, etc. Pr. subj. : suive, etc. Pr. part. : suivant. Past part. : suivi, ie.
Taire. See *Plaire.*
Teindre. See *Peindre.*
Traire. Pr. ind. : trais, trais, trait, trayons, trayez, traient. Imp. : trayais, etc. No past tenses. Pr. subj. : traie, etc. Pr. part. : trayant. Past part. : trait, traite.
Vaincre. Pr. ind. : vaincs, vaincs, vainc, vainquons, vainquez, vainquent. Imp. : vainquais, etc. Past tense : vainquis, etc. Pr. subj. : vainque. Pr. part. : vainquant. Past part. : vaincu, ue.
Vivre. Pr. ind. : vis, vis, vit, vivons, vivez, vivent. Past tense : vécus, etc. (3). Pr. subj. : vive. Pr. part. : vivant. Past part. : vécu, ue.

THE FRENCH SOUNDS EXPLAINED TO ENGLISH-SPEAKING PEOPLE

SIGN	FRENCH TYPE	NEAREST ENGLISH SOUND	EXPLANATION
î	bise	bees	Shorter than English *ee*.
ì	vif	beef	Same sound but shorter.
é	clé	clay	The French sound is closer and without the final *i*.
è	bec	beck	French sound more open.
e	re(gain)	a(gain)	*a* as short as possible. Cf. the *a* in *abed* and *China*.
ë	eux	ear(th)	French sound closer, with the lips well rounded.
œ	œuf	up	The *u* sound of *up*, but closer.
à	bague	bag	Between *bag* and *bug*.
â	pâme	palm	
ò	bosse	boss	The French sound is closer.
ô	seau	so	Without the final *u* of the English.
au	lau(re)	law	
û	poule	pool	
ü	du	There is no such sound in English : round your lips as if to whistle and try to pronounce the *e* sound of *he* (German ü).	
a^{n} i^{n} o^{n} u^{n}	These four nasal sounds are best described as the sounds of *â, è, ò, œ*, uttered while keeping the passage between throat and nose closely shut, but it has been thought advisable to note them with their usual French spelling (a smaller ^{n} being used to emphasize the nasal sound).		
t, d	In French are placed next to the teeth.		
l	French *l* is much lighter and clearer than in English, especially when final		
r	Though usually uvular in French, is quite correctly pronounced as a slightly rolled English *r*.		
ñ	Is spelt *gn* in French. It is found in the *ni* of *lenient*.		
y	Like *y* in *yes*, even at the end of a word (*fille* : fìy).		
j	Is never *dj* but always like *ge* in *rouge*.		
g, g	Is never *dj*. Before *a, o, u*, French *g* has the English sound; before *e, i, y*, it has the value of French *j*. In figurative pronunciation g (before *e, i*) has the value of *g* in *give*.		
h, '	Is never sounded in French. When it is said to be « aspiré » (in which case we print a (') before the word), it merely means that no *liaison* should be made.		

Liaison. — In most cases, when a word begins with a vowel (or a mute *h*), it is joined with the last consonant of the preceding word, even when the consonant is followed by a mute *e*. Ex. : *sept heures* (sètœr), *cette âme* (sètâm). In such cases, final *c* and *g* are pronounced as *k* [*avec elle* (avèkèl)]; final *s* and *x* as *z* : [*six années* (sìzàné)]; final *d* as *t* [*grand homme* (gra^{n}tòm)].

The *liaison* only occurs when the two words are intimately connected and pronounced in one breath.

FRENCH CURRENCY, WEIGHTS AND MEASURES

CURRENCY

(when the rate of exchange is £ 1 : 1 000 F and 1 $: 350 F).

1 franc.............	100 centimes.......	1/2 penny.	1 cent.
100 francs..........		2 pence.	4 cents.
		16 shillings.	4 dollars.

Coins : 1 F, 2 F, 5 F, 10 F, 20 F, 50 F, 100 F.

Banknotes : 20 F, 50 F, 100 F, 500 F, 1 000 F, 5 000 F, 10 000 F.

METRIC WEIGHTS

Milligramme	1 thousandth of a gram.	0.015 grain.
Centigramme	1 hundredth of a gram.	0.154 grain.
Décigramme	1 tenth of a gram.	1.543 grain.
Gramme	1 cub. centim. of pure water.	15.432 grains.
Décagramme	10 grams.	6.43 pennyweights.
Hectogramme	100 grams.	3.527 oz. avoir.
Kilogramme	1 000 grams.	2.204 pounds.
Quintal métrique ...	100 kilograms.	220.46 pounds.
Tonne	1 000 kilograms.	19 cwts 2 grs 23 lbs.

METRIC LINEAL MEASURES

Millimètre	1 thousandth of a meter.	0.039 inch.
Centimètre	1 hundredth of a meter.	0.393 in.
Décimètre	1 tenth of a meter.	3.937 ins.
Mètre		1.0936 yard.
Décamètre	10 meters.	32.7 ft., 10.9 yards.
Hectomètre	100 meters.	109.3 yards.
Kilomètre	1 000 meters.	1,093 yards.

METRIC SQUARE AND CUBIC MEASURES

Centiare	1 square meter.	1.196 square yard.
Are	100 square meters.	about 4 poles.
Hectare	100 ares.	about 2 1/2 acres.
Stère	1 cubic meter.	35 cubic feet.
Décastère	10 cubic meters.	13.1 cubic yards.

METRIC FLUID AND CORN MEASURES

Centilitre	1 hundredth of a liter.	0.017 pint.
Décilitre	1 tenth of a liter.	0.176 pint.
Litre		1.76 pint.
Décalitre	10 liters.	2.2 gallons.
Hectolitre	100 liters.	22.01 gallons.

THERMOMETER. — 0° centigrade or Réaumur = 32° Fahrenheit.

100° centigrade = 212° Fahrenheit = 80° Réaumur.

To convert Fahrenheit degrees into centigrade, deduct 32, multiply by 5 and divide by 9.

Pour convertir les degrés centésimaux en degrés Fahrenheit, multiplier par 9, diviser par 5 et ajouter 32.

ANGLAIS-FRANÇAIS

A

a [^{e}, é^i] *indef. art.* un, une; *what a...!,* quel!, quelle!; *such a,* tel, telle.
abandon [^{e}bànd^{e}n] *v.* abandonner, laisser; *s.* abandon, m.; désinvolture, f. || **abandoned** [-d] *adj.* abandonné, laissé; immoral, déréglé, perdu. || **abandonment** [-m^{e}nt] *s.* abandon, délaissement, m.
abase [^{e}bé^{i}s] *v.* abaisser; humilier.
abashed [^{e}basht] *adj.* confus.
abate [^{e}bé^{i}t] *v.* abattre, réduire; faiblir, se calmer. || **abatement** [-m^{e}nt] *s.* diminution; décrue, f.; rabais, m.
abbey [abi] *s.* abbaye, f.
abbot [ab^{e}t] *s.* abbé, m.
abbreviate [^{e}brivié^{i}t] *v.* abréger; réduire (math.). || **abbreviation** [^{e}briviésh^{e}n] *s.* abréviation; réduction, f.
abdicate [abdiké^{i}t] *v.* abdiquer.
abdomen [abd^{e}m^{e}n] *s.* abdomen, m.
abduct [abdœkt] *v.* enlever [rapt].
aberration [ab^{e}ré^{i}sh^{e}n] *s.* aberration, f.; égarement, m.
abhor [^{e}bhau^r] *v.* abhorrer, détester. || **abhorrence** [-r^{e}ns] *s.* horreur, aversion, f.
abide [^{e}ba^{i}d] *v.* attendre; endurer; séjourner, rester; persister; *to abide by,* se conformer, rester fidèle à; *to abide with,* habiter chez.
ability [^{e}bil^{e}ti] *s.* capacité, habileté, solvabilité, f.; *pl.* ressources, f.
abjectness [abdjèktnis] *s.* abjection.
abjure [abdjou^{er}] *v.* abjurer.
able [é^{i}b'l] *adj.* capable; compétent; **able-bodied,** bon pour le service; *to be able to,* pouvoir, être capable de; **ably,** habilement.
abnormality [abnaurmaliti] *s.* anomalie, f. || **abnormal** [abnaurm'l] *adj.* anormal.
aboard [^{e}bo^{ou}rd] *adv.* à bord; *to go aboard,* embarquer.
abode [^{e}bo^{ou}d] *s.* séjour, domicile, m.; *pret., p. p. of* **to abide.**
abolish [^{e}bâlish] *v.* abolir, annuler. || **abolition** [^{e}b^{e}lish^{e}n] *s.* abolition, abrogation, f.
abominable [^{e}bâmn^{e}b'l] *adj.* abominable, horrible. || **abominate** [^{e}bâminé^{i}t] *v.* détester.
abortion [^{e}bau^{r}sh^{e}n] *s.* avortement; avorton, m.
abound [^{e}ba^{ou}nd] *v.* abonder (*with,* en).
about [^{e}ba^{ou}t] *adv.* autour; à peu près, presque; sur le point de; çà et là; plus ou moins; *prep.* autour de; environ; vers; au sujet de; à, pour; *about eleven,* vers onze heures; *put about,* ennuyé; *to be about,* s'agir de; *to be about to,* être sur le point de.
above [^{e}bœv] *prep.* au-dessus de; (en) plus de, outre; *adv.* en haut, au-dessus, en outre, ci-dessus; *above all,* surtout; **above-mentioned,** susdit; *from above,* d'en haut.
abridge [^{e}bridj] *v.* abréger.
abroad [^{e}braud] *adv.* au loin; (au-)dehors; à l'étranger.
abrogate [abr^{e}gé^{i}t] *v.* abroger.
abrupt [^{e}brœpt] *adj.* abrupt; brusque; heurté (style). || **abruptly** [-li] *adv.* brusquement.
abscess [absès] *s.* abcès, m.
absence [abs^{e}ns] *s.* absence, f.; *absence of mind,* distraction; *leave of absence,* permission, congé. || **absent** [abs^{e}nt] *adj.* absent; distrait; **absent-minded,** distrait; [absènt] *v. to absent oneself,* s'absenter.
absolute [abs^{e}lout] *adj.* absolu; complet; formel; certain. || **absolutely** [-li] *adv.* absolument.
absolution [abs^{e}loush^{e}n] *s.* absolution, f.
absolve [absâlv] *v.* absoudre; acquitter; délier [obligation].
absorb [^{e}bsau^{r}b] *v.* absorber. || **absorbent** [-^{e}nt] *adj.* absorbant. || **absorber** [-^{er}] *s.* amortisseur, m.
absorption [^{e}bsaurpsh^{e}n] *s.* absorption, f.; ravissement, m.
abstain [^{e}bsté^{i}n] *v.* s'abstenir. || **abstinence** [abstin^{e}ns] *s.* abstinence, f.

abstract [*a*bstrakt] *s.* abrégé; extrait, m.; [abstr*a*kt] *adj.* abstrait; *v.* abstraire; soustraire; extraire; résumer. || **abstraction** [abstr*a*ksh^{e}n] *s.* abstraction; distraction, f.; détournement, m.
absurd [^{e}bsë^{r}d] *adj.* absurde. || **absurdity** [-^{e}ti] *s.* absurdité, f.
abundance [^{e}bœnd^{e}ns] *s.* abondance, f. || **abundant** [^{e}bœnd^{e}nt] *adj.* abondant.
abuse [^{e}by*ou*s] *s.* abus, m.; insulte, f.; [^{e}by*ou*z] *v.* abuser de; médire de; insulter; léser, nuire à. || **abusive** [-siv] *adj.* abusif.
abyss [^{e}b*i*s] *s.* abîme, m.
academic [ak^{e}dèmik] *adj.* académique; *Am.* classique. || **academy** [^{e}k*a*d^{e}mi] *s.* académie; école, f.
accede [aksîd] *v.* accéder; consentir à.
accelerate [aksèl^{e}ré^{i}t] *v.* accélérer. || **acceleration** [aksèl^{e}ré^{i}sh^{e}n] *s.* accélération, f. || **accelerator** [aksèl^{e}ré^{i}t^{er}] *s.* accélérateur, m.
accent [*a*ksènt] *s.* accent, m.; [aksènt] *v.* accentuer. || **accentuate** [aksèntyoué^{i}t] *v.* accentuer.
accept [^{e}ksèpt] *v.* accepter; admettre. || **acceptable** [-^{e}b'l] *adj.* acceptable, agréable. || **acceptance** [-^{e}ns] *s.* acceptation; popularité; lettre de change acceptée, f.
access [*a*ksès] *s.* accès, m.; admission; crise, f. || **accessible** [aksès^{e}b'l] *adj.* accessible. || **accessory** [aksès^{e}ri] *adj.* accessoire, secondaire; *s.* complice; *pl.* accessoires.
accident [*a*ks^{e}d^{e}nt] *s.* accident, hasard, contretemps, m. || **accidental** [aks^{e}dènt'l] *adj.* accidentel, fortuit; accessoire.
acclaim [^{e}klé^{i}m] *v.* acclamer. || **acclamation** [akl^{e}mé^{i}sh^{e}n] *s.* acclamation, f.
acclimation [akl^{e}mé^{i}sh^{e}n] *s.* acclimatation, f. || **acclimate** [^{e}kl*a*^{i}mit] *v.* (s')acclimater.
accommodate [^{e}kâm^{e}dé^{i}t] *v.* accommoder; adapter; concilier; loger; rendre service; *to accommodate oneself*, s'adapter. || **accommodation** [^{e}kâm^{e}dé^{i}sh^{e}n] *s.* accommodement; logement; emménagement, m.; adaptation; conciliation; installation, f.; **accommodation-train**, *Am.* train omnibus.
accompaniment [^{e}kœmp^{e}nim^{e}nt] *s.* accompagnement; accessoire, m. || **accompanist** [-ist] *s.* accompagnateur, m. || **accompany** [-i] *v.* accompagner, escorter.
accomplice [^{e}kâmplis] *s.* complice.
accomplish [^{e}kâmplish] *v.* accomplir; réaliser. || **accomplished** [-t] *adj.* accompli, effectué; parfait, consommé. || **accomplishment** [-m^{e}nt] *s.* accomplissement; *pl.* arts d'agrément, m.
accord [^{e}k*au*^{r}d] *s.* accord; consentement, m.; convenance, f.; *of one's own accord*, spontanément; *v.* s'accorder, s'entendre; concéder; arranger, régler. || **accordance** [-^{e}ns] *s.* accord, m.; concession; conformité, f. || **according as** [-ingaz] *conj.* suivant que, selon que. || **according to** [-ingtou] *prep.* d'accord avec, conformément à, selon. || **accordingly** [-ingli] *adv.* en conséquence, conformément.
accost [^{e}k*au*st] v. accoster.
account [^{e}k*a*^{ou}nt] *s.* compte; rapport; relevé, m.; estime; importance; cause, f.; *on account of*, à cause de; *of no account*, sans importance; **current account**, compte courant; *on account*, en acompte. || **accountable** [-^{e}b'l] *adj.* responsable; explicable. || **accountant** [-^{e}nt] *s.* comptable, m.; *chartered accountant*, expert comptable. || **accounting** [-ing] *s.* comptabilité, f.
accredit [^{e}krèdit] *v.* accréditer; mettre sur le compte de.
accrue [^{e}kr*ou*] *v.* croître; résulter.
accumulate [^{e}ky*ou*my^{e}lé^{i}t] *v.* accumuler; s'entasser. || **accumulation** [^{e}ky*ou*my^{e}lé^{i}sh^{e}n] *s.* accumulation, f.; montant [sum], m. || **accumulator** [^{e}ky*ou*my^{e}lé^{i}t^{er}] *s.* accu(mulateur), m.
accuracy [*a*ky^{e}r^{e}si] *s.* exactitude, précision, f. || **accurate** [*a*ky^{e}rit] *adj.* précis, exact, correct.
accursed [^{e}kërst] *adj.* maudit.
accusation [aky^{e}zé^{i}sh^{e}n] *s.* accusation, f. || **accuse** [^{e}ky*ou*z] *v.* accuser. || **accuser** [-^{er}] *s.* accusateur, dénonciateur, m.
accustom [^{e}kœst^{e}m] *v.* habituer, accoutumer; *to get accustomed to*, s'accoutumer à. || **accustomed** [-d] *adj.*, *p. p.* accoutumé; habituel, coutumier.
ace [é^{i}s] *s.* as; homme supérieur.
ache [é^{i}k] *s.* douleur, f.; *v.* souffrir;

faire mal; **headache**, mal de tête; **toothache**, mal de dents.

achieve [^{e}tshîv] *v.* achever; acquérir; obtenir; accomplir, réaliser; remporter [victory]. || **achievable** [-^{e}b'l] *adj.* faisable. || **achievement** [-m^{e}nt] *s.* achèvement; succès, exploit, m.; réalisation; prouesse, réussite, f.

acid [asid] *adj.*, *s.* acide. || **acidify** [^{e}sid^{e}fa^{i}] *v.* acidifier. || **acidity** [^{e}sid^{e}ti] *s.* acidité, f. || **acidulate** [^{e}sidy^{e}lé^{i}t] *v.* aciduler, aigrir.

acknowledge [^{e}knâlidj] *v.* reconnaître, admettre, avouer. || **acknowledgment** [-m^{e}nt] *s.* reconnaissance; réponse, f.; remerciement; accusé de réception, m.

acorn [é^{i}k^{er}n] *s.* gland, m.; pomme de girouette [naut.], f.

acoustics [^{e}koustiks] *s.* acoustique.

acquaint [^{e}kwé^{i}nt] *v.* informer, renseigner; *to acquaint oneself with*, se mettre au courant de; *to get acquainted with*, faire la connaissance de. || **acquaintance** [-^{e}ns] *s.* connaissance; *pl.* relations, f.

acquiesce [akwiès] *v.* acquiescer, accéder à. || **acquiescence** [-^{e}ns] *s.* acquiescement, m. || **acquiescent** [-^{e}nt] *adj.* accommodant.

acquire [^{e}kwa^{ier}] *v.* acquérir, obtenir; apprendre. || **acquisition** [akw^{e}zish^{e}n] *s.* acquisition, f.

acquit [^{e}kwit] *v.* acquitter; exonérer; *to acquit oneself of*, s'acquitter de, se libérer de. || **acquittal** [-'l] *s.* acquittement, m.

acre [é^{i}k^{er}] *s.* acre, arpent, m.

acrimonious [akr^{e}mo^{ou}ny^{e}s] *adj.* acrimonieux. || **acrimony** [akr^{e}mo^{ou}ni] *s.* acrimonie, f.

acrobat [akr^{e}bat] *s.* acrobate, m.

across [^{e}kraus] *prep.* en travers de; à travers; sur, par-dessus; *adv.* en croix; d'un côté à l'autre.

act [akt] *s.* acte, m.; action, f.; *Br.* thèse (univ.), loi (jur.), f.; acte [theater], m.; *v.* agir; exécuter; commettre; faire représenter [play]; jouer [part]; feindre; *to act as*, faire fonction de. || **acting** [-ing] *s.* représentation; action, f.; *adj.* suppléant intérimaire. || **action** [aksh^{e}n] *s.* action, f.; geste; fonctionnement [gun]; combat, m.; *pl.* conduite, entreprise, f. || **active** [aktiv] *adj.* actif, alerte. || **activity** [aktiv^{e}ti] *s.* activité, f. || **actor** [akt^{er}] *s.* acteur, m. || **actress** [aktris] *s.* actrice, f. || **actual** [aktshou^{e}l] *adj.* réel, véritable. || **actually** [-i] *adv.* réellement, effectivement. || **actuality** [aktyoualiti] *s.* réalité; existence effective, f.

acumen [^{e}kyoumin] *s.* perspicacité, finesse, f.

acute [^{e}kyout] *adj.* aigu, pénétrant. || **acuteness** [-nis] *s.* acuité; perspicacité; finesse; profondeur, f.

adamant [ad^{e}mant] *adj.* infrangible; inflexible.

adapt [^{e}dapt] *v.* adapter. || **adaptation** [ad^{e}pté^{i}sh^{e}n] *s.* adaptation, f.

add [ad] *v.* ajouter, additionner.

adder [ad^{er}] *s.* vipère, f.

addict [adikt] *s.* toxicomane, m.; [^{e}dikt] *v.* s'adonner à.

addition [^{e}dish^{e}n] *s.* addition; somme, f.; *in addition to*, en plus de. || **additional** [-'l] *adj.* additionnel.

address [^{e}drès] *s.* adresse, f.; discours, m.; *v.* adresser, interpeller; s'adresser à. || **adressee** [^{e}drèsî] *s.* destinataire, m.

adduce [^{e}dyous] *v.* fournir, alléguer.

adept [^{e}dèpt] *adj.* expert, initié; [adèpt] *s.* expert; adepte, m.

adequate [ad^{e}kwit] *adj.* adéquat; proportionné; suffisant.

adhere [^{e}dhi^{er}] *v.* adhérer; maintenir [décision]; tenir [promise]. || **adherence** [-r^{e}ns] *s.* adhérence, f. || **adherent** [-r^{e}nt] *adj.* adhérent. || **adhesion** [^{e}dhij^{e}n] *s.* adhésion, f. || **adhesive** [^{e}dhisiv] *adj.* adhésif, collant, gommé; *adhesive tape*, sparadrap.

adjacent [^{e}djé^{i}s^{e}nt] *adj.* adjacent.

adjoin [^{e}djo^{i}n] *v.* toucher à, avoisiner, attenir à. || **adjoining** [-ing] *adj.* contigu, voisin.

adjourn [^{e}djë^{r}n] *v.* ajourner; différer; proroger; s'ajourner [meeting]; lever [session]. || **adjournment** [-m^{e}nt] *s.* ajournement, m.

adjudge [^{e}djœdj] *v.* juger; adjuger. || **adjudication** [^{e}djoudiké^{i}sh^{e}n] *s.* jugement déclaratif de faillite, m.

adjunct [adjœngkt] *adj.*, *s.* adjoint.

adjust [^{e}djœst] *v.* ajuster, régler; *to adjust oneself*, se conformer, s'adapter. || **adjustment** [-m^{e}nt] *s.* accommodement, règlement d'avaries (naut.), m.

administer [^{e}dmin^{e}st^{er}] *v.* adminis-

trer; gérer; *to administer an oath,* faire prêter serment. || **administration** [ᵉdminᵉstréⁱshᵉn] *s.* administration; gestion; curatelle, f. || **administrative** [ᵉdminᵉstréⁱtiv] *adj.* administratif. || **administrator** [ᵉdminᵉstréⁱtᵉʳ] *s.* administrateur; curateur (jur.), m.
admirable [admᵉrᵉb'l] *adj.* admirable. || **admirably** [-i] *adv.* admirablement.
admiral [admᵉrᵉl] *s.* amiral; vaisseau amiral, m. || **admiralty** [-ti] *s.* amirauté, f.; ministère de la Marine, m.
admiration [admᵉréⁱshᵉn] *s.* admiration, f. || **admire** [ᵉdmaⁱᵉʳ] *v.* admirer; estimer; *Am.* éprouver du plaisir à. || **admirer** [ᵉdmaⁱᵉrᵉʳ] *s.* admirateur; soupirant, m.
admission [ᵉdmishᵉn] *s.* admission; concession, f.; aveu (jur.); accès; prix d'entrée, m. || **admit** [ᵉdmit] *v.* admettre, accepter; convenir de; avouer; permettre, rendre possible; donner entrée. || **admittance** [-ᵉns] *s.* admission; entrée, f.; accès, m.
admonish [ᵉdmânish] *v.* avertir; admonester; diriger, guider; informer. || **admonition** [admᵉnishᵉn] *s.* admonestation, f.; conseil, m.
ado [ᵉdou] *s.* agitation, activité; affaire, f.; bruit, m.
adolescence [ad'lèsᵉns] *s.* adolescence, f. || **adolescent** [-t] *adj., s.* adolescent.
adopt [ᵉdâpt] *v.* adopter; se rallier à. || **adoption** [ᵉdâpshᵉn] *s.* adoption, f. || **adoptive** [ᵉdâptiv] *adj.* adoptif.
adoration [adᵉréⁱshᵉn] *s.* adoration, f. || **adore** [ᵉdôᵘʳ] *v.* adorer.
adorn [ᵉdauʳn] *v.* orner, parer. || **adornment** [-mᵉnt] *s.* ornement, m.
adrift [ᵉdrift] *adv.* à la dérive; à l'aventure; *Am. to be adrift,* divaguer.
adroit [ᵉdroⁱt] *adj.* adroit.
adult [ᵉdœlt] *adj., s.* adulte.
adulterate [ᵉdœltᵉréⁱt] *v.* adultérer, falsifier; frelater. || **adulterer** [ᵉdœltᵉrᵉʳ] *s.* amant, adultère, m. || **adultery** [ᵉdœltᵉri] *s.* adultère, m. || **adulteration** [ᵉdœltᵉréⁱshᵉn] *s.* falsification, f.; produit falsifié, m.
advance [ᵉdvàns] *v.* avancer; hausser [price]; accélérer; anticiper; *s.* avance; augmentation; promotion, f.; progrès; paiement anticipé; avancement, m.; *pl.* avances, démarches, f.; **advance corps,** *Am.* avant-garde. || **advanced** [-t] *adj.* avancé; en saillie; âgé; avancé, d'avant-garde [opinion]; plus élevé [price]. || **advancement** [-mᵉnt] *s.* avancement; progrès, m.; promotion; donation (jur.), f.
advantage [ᵉdvàntidj] *s.* avantage, bénéfice, m.; utilité; supériorité, f.; *to derive (to reap) advantage from,* tirer avantage de. || **advantageous** [advᵉntéⁱdjᵉs] *adj.* avantageux; profitable; seyant.
advent [advènt] *s.* venue, arrivée, f.; **Advent,** avent, m.
adventure [ᵉdvèntshᵉʳ] *s.* aventure; spéculation hasardeuse, f. || **adventurer** [ᵉdvèntshᵉrᵉʳ] *s.* aventurier; chevalier d'industrie, m. || **adventurous** [ᵉdvèntshᵉrᵉs] *adj.* aventureux, entreprenant.
adverb [advëʳb] *s.* adverbe, m.
adversary [advëʳsèri] *s.* adversaire, m. || **adverse** [ᵉdvëʳs] *adj.* adverse; hostile. || **adversity** [-ᵉti] *s.* adversité; infortune, f.
advert [advëʳt] *v.* faire attention; faire allusion à; parler de. || **advertence** [ᵉdvëʳtᵉns] *s.* attention, f. || **advertise** [advᵉʳtaⁱz] *v.* avertir, aviser, informer; faire de la réclame; demander par voie d'annonce. || **advertisement** [advᵉʳtaⁱzmᵉnt] *s.* avertissement, m.; préface; annonce, réclame, f. || **advertiser** [advᵉʳtaⁱzᵉʳ] *s.* annonceur; journal d'annonces, m. || **advertising** [advᵉʳtaⁱzing] *s.* réclame, f.; *advertising agency,* agence de publicité.
advice [ᵉdvaⁱs] *s.* avis, conseil, m.; *to seek legal advice,* consulter un avocat; *as per advice,* suivant avis (comm.). || **advisable** [ᵉdvaⁱzᵉb'l] *adj.* judicieux, prudent; opportun, indiqué, à propos. || **advise** [ᵉdvaiz] *v.* conseiller; informer, aviser; *to advise with,* prendre conseil de, consulter; *to advise against,* déconseiller. || **adviser, advisor** [-ᵉʳ] *s.* conseiller, conseilleur, m.
advocacy [advᵉkᵉsi] *s.* plaidoyer, m.; défense, f. || **advocate** [advᵉkit] *s.* avocat, défenseur, m.; [advᵉkéⁱt] *v.* plaider pour.
aerate [éⁱᵉréⁱt] *v.* aérer; *aerated*

water, eau gazeuse. || **aeration** [é^1^eréishen] *s*. aération, f. || **aerial** [érie l] *adj*. aérien; *s*. antenne, f.
aeroplane [éreplé^i^n], *see* **airplane**.
aerodrome [éredro^ou^m], *see* **airport**.
aesthetic [èsthètic], *see* **esthetic**.
afar [efâr] *adv*. loin, au loin.
affability [afebileti] *s*. affabilité, f. || **affable** [afeb'l] *adj*. affable.
affair [efèer] *s*. affaire, f.; négoce, m.; chose, f.; événement, m.; fonction; *pl*. affaires, f.
affect [efèkt] *v*. affecter; émouvoir; afficher; feindre; influer sur. || **affectation** [afiktéishen] *s*. affectation, ostentation, f. || **affected** [efèktid] *adj*. affecté; ému; artificiel; feint; *well affected to*, bien disposé envers; *affected by*, influencé par; atteint de. || **affection** [efèkshen] *s*. affection, inclination; maladie, f. || **affectionate** [efèkshenit] *adj*. affectueux.
affidavit [afedéivit] *s*. affidavit, m.; déclaration sous serment, f.
affiliate [efiliéit] *v*. affilier; s'associer; adopter [child]; [efilit] *s*. compagnie associée, f.
affinity [efineti] *s*. affinité, f.
affirm [efërm] *v*. affirmer; soutenir; déclarer solennellement.
affirmative [efërmetiv] *adj*. affirmatif; *s*. affirmative, f.
affix [efiks] *v*. apposer [signature]; fixer; afficher; [afiks] *s*. affixe, m.
afflict [eflikt] *v*. affliger, tourmenter. || **affliction** [eflikshen] *s*. affliction, f.; chagrin, m.
affluence [aflouens] *s*. opulence; affluence, f. || **affluent** [aflouent] *adj*. opulent, abondant; cossu; *s*. affluent, m.
afford [efo^ou^rd] *v*. donner, fournir; avoir les moyens de.
affront [efrœnt] *s*. affront, m.; *v*. faire face à; affronter; insulter.
afield [efild] *adv*. en campagne; *far afield*, très loin.
afire [efa^ier] *adj*. en feu; ardent.
afloat [eflo^ou^t] *adj*., *adv*. à flot, sur l'eau; en circulation [rumor].
afoot [efout] *adv*. à pied; sur pied; en cours; en route.
aforesaid [efo^ou^rsèd] *adj*. susdit; ci-dessus mentionné; en question.
afraid [efréid] *adj*. effrayé; hésitant; *to be afraid*, craindre, avoir peur (*of*, de).
afresh [efrèsh] *adv*. de nouveau.
after [after] *prep*. après; d'après; *adv*. après, plus tard; *conj*. après que, quand; *adj*. ultérieur, postérieur; de l'arrière (naut.); *after my own liking*, d'après mon goût; **aftermath**, regain [crop]; répercussions, conséquences; **aftertaste**, arrière-goût; **afterthought**, réflexion après coup.
afternoon [afternoun] *s*. après-midi.
afterwards [afterwerdz] *adv*. après, ensuite.
again [egèn] *adv*. de nouveau, aussi; *never again*, jamais plus; *now and again*, de temps à autre.
against [egènst] *prep*. contre; en vue de; *against the grain*, à contre-poil; *against a bad harvest*, en prévision d'une mauvaise récolte; *over against*, en face de.
age [éidj] *s*. âge, m.; époque; maturité; génération, f.; *of age*, majeur; *under age*, mineur; *v*. vieillir; *the Middle Ages*, le Moyen Age. || **aged** [-id] *adj*. âgé; vieux; âgé de; vieilli [wine]; **middle-aged**, entre deux âges.
agency [éidjensi] *s*. agence; action, activité; intervention, f. || **agent** [éidjent] *s*. agent; représentant; mandataire; moyen, m.
agenda [edjènde] *s*. mémorandum; programme; ordre du jour; agenda, m.
aggrandize [agrendaiz] *v*. agrandir, accroître, exagérer.
aggravate [agrevéit] *v*. aggraver; exaspérer. || **aggravation** [agrevéishen] *s*. aggravation; irritation, f.
aggregate [agrigit] *s*. total; agrégat, m.; [agrigéit] *v*. réunir, rassembler; s'agréger. || **aggregation** [agrigéishen] *s*. agrégation; affiliation, foule, f.; assemblage, m.
aggression [egrèshen] *s*. agression, f. || **aggressive** [egrèsiv] *adj*. agressif. || **aggressor** [egrèser] *s*. agresseur, m.
aggrieve [egriv] *v*. chagriner; léser.
aghast [egast] *adj*. épouvanté.
agile [adjel] *adj*. agile. || **agility** [edjileti] *s*. agilité, f.
agitate [adjetéit] *v*. agiter, troubler; faire campagne pour; machiner; débattre [question]. || **agitation** [adjetéishen] *s*. agitation; discussion; campagne, f. || **agitator** [adjetéiter] *s*. agitateur, m.
aglow [eglo^ou^] *adj*. embrasé.
ago [ego^ou^] *adj*., *adv*. passé, écoulé;

many years ago, il y a de nombreuses années; *how long ago?,* combien de temps y a-t-il?
agonize [*a*g^e^na^i^z] *v.* torturer; être au supplice; souffrir cruellement. || **agony** [*a*g^e^ni] *s.* angoisse, f.
agree [^e^grî] *v.* s'entendre; être d'accord; consentir; convenir à; concorder; s'accorder (gramm.); **agreed,** d'accord. || **agreeable** [-^e^b'l] *adj.* agréable, conforme ; consentant ; concordant. || **agreement** [-m^e^nt] *s.* pacte, contrat; accord commercial, m.; convention, f.; *to be in agreement,* être d'accord; *as per agreement,* comme convenu.
agricultural [agrikœltsh^e^r^e^l] *adj.* agricole. || **agriculture** [agrikœltsh^er^] *s.* agriculture, f. || **agriculturist** [-rist] *s.* agriculteur, m.
ahead [^e^hèd] *adv.* en avant; devant; de face; *adj.* avant; en avant; *to go ahead,* aller de l'avant; passer le premier; *to look ahead,* penser à l'avenir.
aid [é^i^d] *s.* aide, assistance, f.; *v.* aider, secourir; *pl.* subsides.
ail [*é*^i^l] *v.* faire mal; affecter douloureusement; *what ails you?,* qu'avez-vous? || **ailment** [-m^e^nt] *s.* malaise, mal, m.
aim [é^i^m] *s.* but, m.; cible; trajectoire, f.; *v.* viser; pointer [weapon]; porter [blow]; diriger [effort]; **aimless,** sans but.
air [è^er^] *s.* air, m.; brise; mine; allure, f.; *adj.* aérien; d'aviation; *v.* aérer; exposer; publier; exhiber; **airborne,** aéroporté; **airfield,** terrain d'aviation; **air force,** aviation militaire; armée de l'air; **air hostess,** hôtesse de l'air; **air-line,** ligne aérienne; **air raid,** attaque aérienne; **airship,** aéronef; *by air mail,* par avion; *air terminal,* aérogare; *to be on the air,* émettre [radio]; *they put on airs,* ils se donnent des airs. || **aircraft** [èrkraft] *s.* avion, appareil, m.; **aircraft carrier,** porte-avion. || **airman** [èrm^e^n] *s.* aviateur, m. || **airplane** [èrplé^i^n] *s.* avion, m. || **airport** [èrpo^ou^rt] *s.* aéroport, m. || **airtight** [èrta^i^t] *adj.* hermétique, imperméable à l'air, étanche. || **airy** [èri] *adj.* aéré, ventilé; léger, gracieux; vain, en l'air.
aisle [a^i^l] *s.* bas-côté, m.; nef latérale, f.; passage central, m.
ajar [^e^djâr] *adj.* entrouvert.
alarm [^e^lârm] *s.* alarme, alerte; inquiétude, f.; **alarm bell,** tocsin; **alarm box,** avertisseur d'incendie; **alarm clock,** réveil-matin; *v.* alarmer, s'alarmer; effrayer.
alcohol [*a*lk^e^haul] *s.* alcool, m. || **alcoholic** [-ik] *adj.* alcoolique. || **alcoholism** [-iz^e^m] *s.* alcoolisme, m.
alcove [*a*lko^ou^v] *s.* alcôve, f.
alderman [*au*ld^er^m^e^n] *s.* échevin; conseiller municipal, m.
ale [é^i^l] *s.* bière, ale, f.
alert [^e^lë^r^t] *adj.* alerte, vif; *s.* alerte, f.
alfalfa [alf*a*f^e^] *s.* luzerne, f.
algebra [*a*ldj^e^br^e^] *s.* algèbre, f.
alien [*é*^i^ly^e^n] *adj., s.* étranger. || **alienate** [-é^i^t] *v.* aliéner; détacher, éloigner. || **alienation** [é^i^ly^e^né^i^sh^e^n] *s.* aliénation, f.
alienist [*é*^i^ly^e^nist] *s.* aliéniste, m.
alight [^e^la^i^t] *v.* descendre; mettre pied à terre; se poser [bird]; atterrir, amerrir (aviat.).
alight [^e^la^i^t] *adj.* allumé; éclairé.
alike [^e^la^i^k] *adj.* semblable, pareil; *to be alike to,* être égal à; ressembler à; *adv.* également, de la même façon.
alimony [al^e^mo^ou^ni] *s.* pension alimentaire après divorce (jur.), f.
alive [^e^la^i^v] *adj.* vivant; vif; actif.
all [aul] *adj.* tout, toute, tous; *adv.* entièrement; *all at once,* tout à coup; *all in,* fatigué; *all out,* complet; *all right,* bien, bon!; *not at all,* pas du tout; *most of all,* surtout; *all in all,* à tout prendre; *that's all,* voilà tout; *all over,* fini.
allay [^e^lé^i^] *v.* apaiser, calmer.
allegation [al^e^gé^i^sh^e^n] *s.* allégation; conclusions (jur.), f. || **allege** [^e^lèdj] *v.* alléguer, prétendre.
allegiance [^e^lîdj^e^ns] *s.* fidélité; obéissance, allégeance, f.
allergy [alë^r^dji] *s.* allergie, f.
alleviate [^e^lîvié^i^t] *v.* alléger; soulager. || **alleviation** [^e^livié^i^sh^e^n] *s.* allégement, soulagement, m.
alley [ali] *s.* passage, m.; ruelle, f.; *blind alley,* impasse; *to be up one's alley,* être dans ses cordes.
alliance [^e^la^i^e^ns] *s.* alliance, entente, f. || **allied** [^e^la^i^d] *adj.* allié; parent; connexe.
alligator [al^e^gé^i^t^er^] *s.* alligator, m.; **alligator pear,** poire avocat.
allot [^e^lât] *v.* assigner, répartir.
allow [^e^la^ou^] *v.* accorder; approu-

ver; allouer; permettre; admettre; *to allow for*, tenir compte de, faire la part de. || **allowable** [-ᵉb'l] *adj.* admissible; permis. || **allowance** [-ᵉns] *s.* allocation; pension; indemnité; ration; remise; concession, tolérance, f.; rabais, m.; *monthly allowance*, mensualité; *travel(l)ing allowance*, indemnité de déplacement.
alloy [aloⁱ] *s.* alliage; mélange, m.; [ᵉloⁱ] *v.* allier; altérer; s'allier.
allude [ᵉlyoud] *v.* faire allusion.
allure [ᵉlyour] *v.* attirer; séduire, charmer. || **allurement** [-mᵉnt] *s.* séduction, f.; charme, m. || **alluring** [-ing] *adj.* séduisant.
allusion [ᵉloujᵉn] *s.* allusion, f.
ally [ᵉlaⁱ] *v.* allier; unir; *to ally oneself with*, s'allier à; [alaⁱ] *s.* allié, m.
almanac [aulmᵉnak] *s.* almanach, m.
almighty [aulmaⁱti] *adj.* omnipotent, tout-puissant.
almond [âmᵉnd] *s.* amande, f.
almost [aulmoᵒᵘst] *adv.* presque; quasi; *I had almost thrown myself...*, j'avais failli me jeter...
alms [âmz] *s.* aumône; charité, f.; **alms box**, tronc des pauvres, **alms-house**, hospice.
aloft [ᵉlauft] *adv.* en haut.
alone [ᵉloᵒᵘn] *adj.* seul; isolé; unique; *adv.* seulement; *to let alone*, laisser tranquille; ne pas s'occuper de; renoncer à.
along [ᵉlaung] *prep.* le long de; sur; *adv.* dans le sens de la longueur; *along with*, avec, joint à; ainsi que; *all along*, tout le temps, toujours; *come along!* venez donc! *to go along*, passer, s'en aller, longer. || **alongside** [-saⁱd] *prep.*, *adv.* le long de; à côté de; *to come alongside*, accoster, aborder.
aloof [ᵉlouf] *adj.* à distance; à l'écart; séparé. || **aloofness** [-nis] *s.* froideur, réserve, indifférence, f.
aloud [ᵉlaᵒᵘd] *adv.* à haute voix.
alp [alp] *s.* alpe, f.; pâturage de montagne, m.; *the Alps*, les Alpes.
alphabet [alfᵉbèt] *s.* alphabet, m.
already [aulrèdi] *adv.* déjà.
Alsace [alsas] *s.* Alsace, f. || **Alsatian** [alséⁱshᵉn] *adj.*, *s.* alsacien.
also [aulso] *adv.* de même façon; également; aussi; de plus.
altar [aultᵉʳ] *s.* autel, m.; **altar-cloth**, nappe d'autel; **altar-piece**, **altar-screen**, retable.
alter [aultᵉʳ] *v.* modifier; se modifier. || **alteration** [aultᵉréⁱshᵉn] *s.* changement, m.; modification, f.
alternate [aultᵉʳnit] *v.* alterner; *adj.* alterné, alternatif, réciproque. || **alternately** [-li] *adv.* alternativement; tour à tour. || **alternation** [aultᵉʳnéⁱshᵉn] *s.* alternance; alternative, f. || **alternative** [aultëʳnᵉtiv] *s.* alternative, f.; *adj.* alternatif.
although [aulzhoᵒᵘ] *conj.* quoique, bien que.
altitude [altᵉtyoud] *s.* altitude, f.
altogether [aultᵉgèzhᵉʳ] *adv.* entièrement; absolument; tout compris.
alum [alᵉn] *s.* alun, m.; *v.* aluner.
alumine [ᵉlyouminᵉ] *s.* alumine, f. || **aluminate** [-yéⁱt] *v.* aluminer. || **alumin(i)um** [-ᵉm] *s.* aluminium, m.
alumnus [ᵉlœmnᵉs] *s.* diplômé; ancien élève, m.
always [aulwiz] *adv.* toujours.
am [am], *see* **to be**.
amalgamate [ᵉmalgᵉméⁱt] *v.* amalgamer, mélanger; fusionner [shares]. || **amalgamation** [ᵉmalgᵉméⁱshᵉn] *s.* mélange, m.; fusion, f.
amass [ᵉmas] *v.* amasser.
amateur [amᵉtshour] *s.* amateur, m.
amaze [ᵉméⁱz] *v.* étonner; émerveiller; confondre. || **amazement** [-mᵉnt] *s.* étonnement, émerveillement, m. || **amazing** [-ing] *adj.* étonnant.
ambassador [àmbassᵉdᵉʳ] *s.* ambassadeur, m.
amber [àmbᵉʳ] *s.* ambre, m.; *adj.* ambré; *v.* ambrer.
ambiguity [àmbigyouᵉti] *s.* ambiguïté, équivoque, f. || **ambiguous** [àmbigyouᵉs] *adj.* ambigu.
ambition [àmbishᵉn] *s.* ambition, aspiration, f. || **ambitious** [àmbishᵉs] *adj.* ambitieux.
amble [àmb'l] *s.* amble, m.; *v.* ambler; se promener.
ambulance [àmbyᵉlᵉns] *s.* ambulance, f.; *Ambulance Corps*, Service sanitaire.
ambush [àmboush] *v.* embusquer; s'embusquer; surprendre dans une embuscade; *s.* embuscade, embûche.
ameliorate [ᵉmilyᵉréⁱt] *v.* améliorer; s'améliorer. || **amelioration** [ᵉmilyᵉréⁱshᵉn] *s.* amélioration, f.
amenable [ᵉminᵉb'l] *adj.* soumis, docile; justiciable; responsable.
amend [ᵉméⁱnd] *v.* modifier; corri-

ger; s'amender; s'améliorer; *s. pl.* compensation, f.; dédommagement, m.; *to make amends for,* racheter, dédommager. || **amendment** [eméindment] *s.* rectification, f.; amendement, m.

American [emèreken] *adj., s.* américain. || **Americanism** [-iz'm] *s.* américanisme, m.

amethyst [amethist] *s.* améthyste.

amiable [éimieb'l] *adj.* aimable; affable; prévenant; amical.

amicable [amikeb'l] *adj.* amical; à l'amiable [arrangement].

amid [emid], **amidst** [-st] *prep.* au milieu de; parmi; entre.

amiss [emis] *adv.* mal, de travers; *adj.* inconvenant; fautif; impropre; *to take amiss,* prendre mal.

amity [ameti] *s.* amitié, bonnes relations (internationales), f.

ammonia [emoounye] *s.* ammoniaque, f. || **ammoniac** [-nyak] *adj.* ammoniac. || **ammoniacal** [àmoounaiekel] *adj.* ammoniacal.

ammunition [àmyenishen] *s.* munitions, f.

amnesia [àmnîjie] *s.* amnésie, f.

amnesty [àmnèsti] *s.* amnistie, f.; *v.* amnistier.

among [emœng], **amongst** [-st] *prep.* au milieu de; entre; parmi; chez.

amorous [ameres] *adj.* amoureux; amorously, amoureusement.

amortize [emaurtaiz] *v.* amortir [debt]. || **amortization** [amaurtezéishen] *s.* amortissement, m.

amount [emaount] *v.* s'élever à; se chiffrer; équivaloir; *s.* total; somme, f.; montant, m.; *in amount,* au total; *to the amount of,* jusqu'à concurrence de.

amphitheater [àmfethieter] *s.* amphithéâtre, m.

ample [àmp'l] *adj.* ample; spacieux; abondant; suffisant. || **amplifier** [àmplefaier] *s.* amplificateur, m. || **amplify** [àmplefai] *v.* amplifier; s'étendre sur [subject].

amputate [àmpyetéit] *v.* amputer. || **amputation** [àmpyetéishen] *s.* amputation, f.

amuse [emyouz] *v.* amuser, divertir; tromper; s'amuser. || **amusement** [-ment] *s.* amusement, m. || **amusing** [-ing] *adj.* amusant.

an [en, àn] *indef. art.* un, une.

analogical [àneladjikel] *adj.* analogique. || **analogous** [enalegès] *adj.* analogue. || **analogy** [enaledji] *s.* analogie, f.

analysis [enalesis] *s.* analyse, f. || **analyze** [anelaiz] *v.* analyser.

anarchy [anerki] *s.* anarchie, f.

anatomy [enatemi] *s.* anatomie, f.

ancestor [ànsèster] *s.* ancêtre, m. || **ancestral** [-trel] *adj.* ancestral. || **ancestry** [-tri] *s.* lignage, m.

anchor [àngker] *s.* ancre, f.; *v.* ancrer, mouiller; attacher, fixer. || **anchorage** [-ridj] *s.* ancrage; mouillage, m.

anchovy [àntshoouvi] *s.* anchois, m.

ancient [éinshent] *adj.* ancien.

and [end, ànd] *conj.* et.

anecdote [ànikdoout] *s.* anecdote, f.

anemia [enîmie] *s.* anémie, f. || **anemic** [enîmik] *adj.* anémique.

anew [enyou] *adv.* de nouveau, à nouveau.

angel [éindjel] *s.* ange, m. || **angelic** [àndjèlik] *adj.* angélique.

anger [àngger] *s.* colère, f.; *v.* irriter, courroucer.

angina [àndjaine] *s.* angine, f.

angle [àngg'l] *s.* hameçon, m.; ligne, f.; *v.* pêcher à la ligne; essayer d'attraper. || **angler** [-er] *s.* pêcheur à la ligne, m.

angle [àngg'l] *s.* angle; point de vue; aspect, m.; *Br.* tournant [road].

angry [ànggri] *adj.* irrité, fâché; en colère.

anguish [ànggwish] *s.* angoisse, f.; tourment, m.; *v.* angoisser.

animadversion [ànemadvërjen] *s.* critique, f.; blâme, m.

animal [anem'l] *adj., s.* animal.

animate [anemit] *v.* animer; encourager; stimuler; exciter; *adj.* animé, vivant. || **animation** [aneméishen] *s.* animation; verve, f.

animosity [anemâseti] *s.* animosité, f.

ankle [àngk'l] *s.* cheville [foot], f.

annals [an'lz] *s.* annales, f.

annex [anèks] *v.* annexer, joindre; attacher; *s.* annexe, f. || **annexation** [anèkséishen] *s.* annexion, f.

annihilate [enaieléit] *v.* annihiler.

anniversary [anevërseri] *adj., s.* anniversaire.

annotate [anooutéit] *v.* annoter. || **annotation** [anooutéishen] *s.* annotation, note, f.

announce [enaouns] *v.* annoncer; présager; prononcer. || **announcement** [-ment] *s.* avertissement, avis, m.; annonce, f. || **announcer**

[-^{er}] *s.* annoncier; speaker [radio] m.; **woman announcer,** speakerine.
annoy [^{e}no^{i}] *v.* contrarier, importuner. || **annoyance** [-^{e}ns] *s.* désagrément, m.; vexation, f.
annual [anyou^{e}l] *adj.* annuel; annuaire; *s.* plante annuelle, f.; **annually,** annuellement. || **annuity** [^{e}nou^{e}ti] *s.* annuité, rente, f.
annul [^{e}nœl] *v.* annihiler; annuler; abroger [law]; casser [sentence].
annulary [anyoul^{e}ri] *adj., s.* annulaire.
anoint [^{e}no^{i}nt] *v.* oindre; sacrer; administrer l'extrême-onction.
anon [^{e}nân] *adv.* immédiatement, bientôt, tout à l'heure.
anonymous [^{e}nân^{e}m^{e}s] *adj.* anonyme.
another [enœzh^{er}] *adj., pron.* un autre; un de plus; encore un; autrui; *one another,* l'un l'autre, les uns les autres.
answer [àns^{er}] *s.* réponse; réplique; solution [problem], f.; *v.* répondre; réussir; être conforme à; *to answer for,* répondre de; *to answer the purpose,* faire l'affaire; *to answer the door,* aller ouvrir.
ant [ànt] *s.* fourmi, f.; **ant-eater,** fourmilier; **ant-hill,** fourmilière.
antagonism [àntag^{e}niz^{e}m] *s.* antagonisme. || **antagonist** [-nist] *s.* antagoniste, m. || **antagonize** [-na^{i}z] *v.* s'aliéner; offusquer.
antecedent [ànt^{e}sîd'nt] *adj., s.* antécédent.
antenna [àntèn^{e}] *pl.* **antennæ** [-ni] *s.* antenne, f.
anteroom [àntiroum] *s.* antichambre; salle d'attente, f.
anthem [ànth^{e}m] *s.* antienne, f.; hymne national, m.
anthracite [ànthr^{e}sa^{i}t] *s.* anthracite, m.
anticipate [àntis^{e}pé^{i}t] *v.* anticiper; empiéter; prévoir; s'attendre à. || **anticipation** [àntis^{e}pé^{i}sh^{e}n] *s.* anticipation; prévision, f.
antics [àntiks] *s.* bouffonneries; cabrioles, f.
antipathy [àntip^{e}thi] *s.* antipathie, f.
antiquary [àntikwèri] *s.* antiquaire. m. || **antiquity** [àntikw^{e}ti] *s.* antiquité, f.
antiseptic [ànt^{e}sèptik] *adj., s.* antiseptique.
antler [àntl^{er}] *s.* andouiller, m.
anvil [ànvil] *s.* enclume, f.
anxiety [àngza$^{i e}$ti] *s.* anxiété, inquiétude, f. || **anxious** [àngksh^{e}s] *adj.* inquiet; désireux; inquiétant; pénible; **anxiously,** anxieusement.
any [èni] *adj., pron.* quelque; du, de, des; de la; en; quiconque; aucun; nul; personne; n'importe quel; *adv.* si peu que ce soit; *any way,* n'importe comment; de toute façon; *any time,* à tout moment.
anybody [ènibâdi] *pron.* quelqu'un; personne; n'importe qui.
anyhow [èniha^{ou}] *adv.* en tout cas.
anyone [èniwœn] *pron.* = **anybody.**
anything [ènithing] *pron.* quelque chose; n'importe quoi; rien; *adv.* un peu; si peu que ce soit.
anyway [èniwé^{i}] *adv.* en tout cas.
anywhere [ènihwè^{er}] *adv.* n'importe où; quelque part; nulle part.
apart [^{e}pârt] *adv.* à part, à l'écart; séparé; *to move apart,* se séparer; s'écarter; *to tell apart,* distinguer; *to set apart,* mettre de côté; différencier.
apartment [^{e}pârtm^{e}nt] *s.* appartement, m.; *Br.* grande pièce; salle, f.; *pl.* logement, m.; **apartment-house,** maison de rapport.
apathy [ap^{e}thi] *s.* apathie, f.
ape [é^{i}p] *s.* singe, m.; guenon, f.; *v.* imiter, singer.
aperture [ap^{er}tsh^{er}] *s.* ouverture, f.
apex [é^{i}pèks] *s.* sommet; bout [finger], m.; apogée [glory], f.
apiece [^{e}pîs] *adv.* la pièce; chacun.
apologetic [^{e}pâl^{e}djètik] *adj.* relatif à des excuses; **apologetically,** en s'excusant. || **apologize** [^{e}pâl^{e}dja^{i}z] *v.* s'excuser. || **apology** [^{e}pâl^{e}dji] *s.* apologie; excuse, f.; semblant de, m.
apoplexy [ap^{e}plèksi] *s.* apoplexie, f.
apostle [^{e}pâs'l] *s.* apôtre, m. || **apostleship** [-ship] *s.* apostolat, m. || **apostolic(al)** [ap^{e}stâlik('l)] *adj.* apostolique.
appal [^{e}paul] *v.* terrifier. || **appalling** [-ing] *adj.* terrifiant.
apparatus [ap^{e}ré^{i}t^{e}s] *s.* appareil; attirail, m.
apparel [^{e}par^{e}l] *s.* habillement, m.; *v.* vêtir; équiper; orner.
apparent [^{e}par^{e}nt] *adj.* apparent, évident; *heir apparent,* héritier présomptif. || **apparently** [-li] *adv.* apparemment, visiblement. || **apparition** [ap^{e}rish^{e}n] *s.* apparition, f.; fantôme, m.

appeal [ᵉpîl] *v.* interjeter appel [law]; implorer ; en appeler à ; avoir recours à; attirer; *s.* appel; attrait; recours, m.; *does that appeal to you?*, est-ce que cela vous dit quelque chose?
appear [ᵉpiᵉʳ] *v.* apparaître, paraître; comparaître; sembler; se manifester; *it appears that*, il appert que (jur). || **appearance** [apîrᵉns] *s.* aspect, m.; apparence; publication; représentation; comparution, f.; semblant, m.; *first appearance*, début [artist].
appease [ᵉpîz] *v.* apaiser. || **appeasement** [ᵉpîzmᵉnt] *s.* apaisement, m.; conciliation, f.
appellant [ᵉpèlᵉnt] *adj.*, *s.* appelant (jur.). || **appellation** [apᵉléⁱshᵉn] *s.* appellation, f.; titre, m. || **appellee** [apᵉlî] *s.* intimé (jur.), m.
appendix [ᵉpèndiks] *s.* appendice, m.
appertain [apᵉʳtéⁱn] *v.* appartenir.
appetite [apᵉtaⁱt] *s.* appétit; désir, m. || **appetizer** [apᵉtaⁱzer] *s.* apéritif, m. || **appetizing** [apᵉtaⁱzing] *adj.* appétissant.
applaud [ᵉplaud] *v.* applaudir; approuver. || **applause** [ᵉplauz] *s.* applaudissements, m.
apple [ap'l] *s.* pomme, f.; *apple of the eye*, prunelle de l'œil; *in apple-pie order*, en ordre parfait; *apple-pie*, chausson aux pommes; *apple-sauce*, compote de pommes; *Am.* blague (slang).
appliance [ᵉplaⁱᵉns] *s.* mise en pratique, f.; engin; appareil, m.
applicable [aplikᵉb'l] *adj.* applicable. || **applicant** [aplᵉkᵉnt] *s.* postulant, candidat; demandeur (jur.), m. || **application** [aplᵉkéⁱshᵉn] *s.* application; demande d'emploi; démarche, f.
apply [ᵉplaⁱ] *v.* appliquer; infliger; diriger vers; *to apply oneself to*, s'appliquer à; *to apply for*, faire une demande, une démarche; solliciter; *apply to*, s'adresser à.
appoint [ᵉpoⁱnt] *v.* désigner; assigner; nommer; établir, instituer; décider; résoudre; équiper. || **appointment** [ᵉpoⁱntmᵉnt] *s.* nomination; situation, f.; rendez-vous, m.; *pl.* équipement, m.; installation, f.; mobilier, m.
apportion [ᵉpoᵒᵘrshᵉn] *v.* répartir, distribuer; proportionner. || **apportionment** [-mᵉnt] *s.* répartition, f.; prorata, m.
appraisal [ᵉpréⁱz'l] *s.* estimation, évaluation, f. || **appraise** [ᵉpréⁱz] *v.* évaluer; estimer. || **appraiser** [-ᵉʳ] *s.* commissaire-priseur, m.
appreciable [ᵉprîshiᵉb'l] *adj.* appréciable. || **appreciate** [ᵉprîshiéⁱt] *v.* apprécier; augmenter [price]. || **appreciation** [ᵉprîshiéⁱshᵉn] *s.* appréciation; hausse [price], f.
apprehend [aprihènd] *v.* appréhender; arrêter; comprendre; supposer. || **apprehension** [aprihènshᵉn] *s.* arrestation ; compréhension ; crainte, f. || **apprehensive** [-siv] *adj.* inquiet.
apprentice [ᵉprèntis] *s.* apprenti; élève; stagiaire, m.; *v.* mettre en apprentissage. || **apprenticeship** [-ship] *s.* apprentissage, m.
approach [ᵉproᵒᵘtsh] *v.* approcher; aborder; s'approcher de; *s.* approche, f.; abord, m.; proximité, f.; *pl.* avances, f.; accès, abords; travaux d'approche, m.
approbation [aprᵉbéⁱshᵉn] *s.* approbation, f.
appropriate [ᵉproᵒᵘpriéⁱt] *v.* s'approprier; affecter à; attribuer; [ᵉproᵒᵘpriit] *adj.* approprié, indiqué. || **appropriation** [ᵉproᵒᵘpriéⁱshᵉn] *s.* somme affectée; destination [sum], f.; crédit, m.
approval [ᵉprouv'l] *s.* approbation, ratification, f. || **approve** [ᵉprouv] *v.* approuver; consentir.
approximate [ᵉprâksᵉméⁱt] *v.* approcher, rapprocher; [ᵉprâksᵉmit] *adj.* proche; approximatif. || **approximately** [-li] *adv.* presque, environ, approximativement.
appurtenance [ᵉpërt'nᵉns] *s.* propriété; dépendances; suite, f.
apricot [éⁱprikât] *s.* abricot, m.
April [éⁱprᵉl] *s.* avril, m.; *April fool joke*, poisson d'avril.
apron [éⁱprᵉn] *s.* tablier, m.
apt [apt] *adj.* apte à; sujet à; doué pour; enclin à; habile. || **aptitude** [aptᵉtyoud] *s.* aptitude, capacité.
aquarium [ᵉkwèriᵉm] *s.* aquarium, m.
aquatic [ᵉkwatik] *adj.* aquatique; *s.* plante, sport aquatique.
aqueduct [akwidœkt] *s.* aqueduc, m.
Arab [arᵉb] *adj. s.* arabe.
Arabia [ᵉréⁱbyᵉ] *s.* Arabie, f. || **Arabian** [-n] *adj.* arabe.
arbiter [ârbitᵉʳ] *s.* arbitre, m.

|| **arbitrament** [ârbitr^{e}m^{e}nt] *s.* arbitrage, m.; sentence, f. || **arbitrary** [ârb^{e}trèri] *adj.* arbitraire. || **arbitrate** [ârb^{e}tré^{i}t] *v.* arbitrer. || **arbitration** [ârb^{e}tré^{i}sh^{e}n] *s.* arbitrage, m. || **arbitrator** [ârb^{e}tré^{i}t^{er}] *s.* arbitre, juge, m.

arbor [ârb^{er}] *s.* verger; bosquet, m.

arc [ârk] *s.* arc, m.

arcade [ârké^{i}d] *s.* arcade, f.

arch [ârtsh] *s.* arche; voûte, f.; arc (geom.), m.; *v.* jeter un pont, une arche; arquer, courber; *adj.* maniéré; *pref.* principal; **archbishop,** archevêque.

archaic [ârké^{i}ik] *adj.* archaïque. || **archaism** [â^{r}kiiz^{e}m] *s.* archaïsme, m.

archipelago [ârk^{e}pèl^{e}go^{ou}] *s.* archipel, m.

architect [ârk^{e}tèkt] *s.* architecte, m. || **architecture** [ârk^{e}tèktsh^{er}] *s.* architecture, f.

archway [ârtshwé^{i}] *s.* voûte, f.

arctic [ârktik] *adj.* arctique.

ardent [ârd'nt] *adj.* ardent; passionné; *ardent spirits,* spiritueux. || **ardo(u)r** [ârd^{er}] *s.* ardeur, ferveur, f.; zèle, m.

arduous [ârdjou^{e}s] *adj.* ardu.

are [âr] *pl. indic. of* **to be;** sommes, êtes, sont.

area [èri^{e}] *s.* aire, superficie; région (mil.); cour, f.; quartier, m.

arena [^{e}rîn^{e}] *s.* arène, f.; sable, gravier (med.), m.

argue [ârgyou] *v.* argumenter; débattre; soutenir [opinion]; prouver; *to argue down,* réduire au silence; *to argue into,* persuader. || **argument** [ârgy^{e}m^{e}nt] *s.* argument, m.; preuve; argumentation; discussion, f.; débat, m.

arid [arid] *adj.* aride, sec. || **aridity** [^{e}rid^{e}ti] *s.* sécheresse, aridité, f.

arise [^{e}ra^{i}z] *v.** se lever; s'élever; surgir; provenir; se produire; se révolter (*against,* contre). || **arisen** [^{e}riz'n] *p. p. of* **to arise.**

aristocracy [ar^{e}stâkr^{e}si] *s.* aristocratie; élite, f. || **aristocrat** [^{e}rist^{e}krat] *s.* aristocrate, m. || **aristocratic** [^{e}rist^{e}kratik] *adj.* aristocratique.

arithmetic [^{e}rithm^{e}tik] *s.* arithmétique, f.

ark [ârk] *s.* arche, f.; *Noah's ark,* arche de Noé.

arm [ârm] *s.* bras, m.; *arm in arm,* bras dessus, bras dessous; *at arm's length,* à bout de bras. || **armful** [-f^{e}l] *s.* brassée, f.

arm [ârm] *s.* arme, f.; *v.* (s')armer.

armada [ârmâd^{e}] *s.* flotte, escadre.

armament [ârm^{e}m^{e}nt] *s.* armement, m.

armature [ârm^{e}tsh^{er}] *s.* arme, armature (arch.); armure (electr.), f.

armchair [ârmtshèr] *s.* fauteuil, m.

armistice [ârm^{e}stis] *s.* armistice, m.

armo(u)r [ârm^{er}] *s.* armure; cuirasse, f.; blindage, m.; *v.* cuirasser, blinder. || **armo(u)red** [ârm^{e}rd] *p. p.* blindé, cuirassé. || **armo(u)ry** [ârm^{e}ri] *s.* armurerie, f.; arsenal, m.; armes, f.

armpit [ârmpit] *s.* aisselle, f.

army [ârmi] *s.* armée; multitude, f.; *adj.* militaire; de l'armée; **army area,** zone de l'armée; *to enter the army,* entrer dans l'armée; *Am.* **army hostess,** cantinière.

aroma [^{e}ro^{ou}m^{e}] *s.* arome, m. || **aromatic** [ar^{e}matik] *adj.* aromatique. || **aromatise** [aro^{ou}m^{e}ta^{i}z] *v.* aromatiser.

arose [^{e}ro^{ou}z] *pret. of* **to arise.**

around [^{e}ra^{ou}nd] *adv.* autour, alentour; de tous côtés; *prep.* autour de; *Am.* à travers; ça et là; dans.

arouse [^{e}ra^{ou}z] *v.* (r)éveiller; *Am.* susciter.

arraign [^{e}ré^{i}n] *v.* traduire en justice; accuser. || **arraignment** [-m^{e}nt] *s.* mise en accusation, f.

arrange [^{e}ré^{i}ndj] *v.* arranger; disposer; régler [business]; convenir de; fixer; s'entendre pour. || **arrangement** [^{e}ré^{i}ndjm^{e}nt] *s.* arrangement; préparatif, m.; transaction; organisation; combinaison, mesure, f.

array [^{e}ré^{i}] *v.* ranger; disposer; orner; faire l'appel (mil.); *s.* ordre, m.; formation [battle], f.; troupe, f.; vêtements; gala, m.; constitution de jury, f.

arrear [^{e}ri^{er}] *s.* retard, m.; *pl.* arrérages, m.

arrest [^{e}rèst] *v.* arrêter; fixer; surseoir; retenir [attention]; prévenir [danger]; *s.* arrêt, m.; arrestation, f.; surséance (jur.), f.; arrêts (mil.), m. pl.

arrival [^{e}ra^{i}v'l] *s.* arrivée, f.; arrivage, m. || **arrive** [^{e}ra^{i}v] *v.* arriver; aboutir; survenir.

arrogance [ar^{e}g^{e}ns] *s.* arrogance, f. || **arrogant** [ar^{e}g^{e}nt] *adj.* arrogant.

arrogate [aregéit] *v.* s'arroger; attribuer. || **arrogation** [aregéishen] *s.* usurpation; prétentions injustifiées, f.
arrow [arou] *s.* flèche, f.; *arrowroot,* marante.
arsenal [ârs'nel] *s.* arsenal, m.
arsenic [ârs'nik] *s.* arsenic, m.
arson [ârs'n] *s.* crime d'incendie volontaire, m.
art [ârt] *s.* art; artifice, m.; ruse, f; *fine arts,* beaux-arts.
artery [ârteri] *s.* artère; grande route, f.; fleuve navigable, m.
artful [ârtfel] *adj.* ingénieux, adroit; rusé; artificiel.
artichoke [ârtitshoouk] *s.* artichaut; *Jerusalem artichoke,* topinambour.
article [ârtik'l] *s.* article, m.; *pl.* contrat d'apprentissage, m.; rôle d'équipage (naut.), m.; *v.* mettre en apprentissage; stipuler; passer un contrat (naut.).
articulate [ârtikyelit] *adj.* articulé; manifeste; intelligible; [ârtikyeléit] *v.* articuler; énoncer. || **articulation** [ârtikyeléishen] *s.* articulation, f.
artifice [ârtefis] *s.* artifice, m.; ruse, f. || **artificial** [ârtefishel] *adj.* artificiel; feint; affecté.
artillery [ârtileri] *s.* artillerie, f.; **artillery-man,** artilleur.
artisan [ârtez'n] *s.* artisan, m.
artist [ârtist] *s.* artiste, m. || **artistic** [ârtistik] *adj.* artistique; **artistically,** artistiquement, avec art.
as [ez] *adv., conj., prep.* comme; si, aussi; ainsi que; tant que; de même que; puisque; en tant que; *as regards, as for,* quant à; *as if,* comme si; *as it were,* pour ainsi dire; *the same as,* le même que.
ascend [esènd] *v.* monter; s'élever. || **ascension** [esènshen] *s.* ascension, f. || **ascent** [esènt] *s.* ascension, montée, f.
ascertain [asertéin] *v.* vérifier; confirmer; s'informer; constater.
ascribe [eskraib] *v.* attribuer; imputer.
ash [ash] *s.* frêne, m.
ash [ash] *s.* cendre, f.; *v.* réduire en cendres; **ash-colo(u)red,** cendré; **ash-tray,** cendrier; **Ash Wednesday,** mercredi des Cendres.
ashamed [eshéimd] *adj.* honteux.
ashore [eshoour] *adv.* à terre; sur terre; échoué; *to go ashore,* débarquer.
aside [esaid] *adv.* à part; à l'écart; de côté; *Am.* en dehors de, à côté de; *aside from, Am.* outre, en plus de; *s.* aparté [theater], m.
ask [ask] *v.* demander; solliciter; inviter; poser [question]; *to ask somebody for something,* demander quelque chose à quelqu'un.
askance [eskàns] *adv.* de travers, de côté.
asleep [eslîp] *adj.* endormi; engourdi; *to fall asleep,* s'endormir; *to be asleep,* dormir.
aslope [esloup] *adv. adj.* en pente.
aspen [aspin] *s.* tremble [tree], m.
asparagus [esparegés] *s.* asperge, f.; **asparagus fern,** asparagus.
aspect [aspèkt] *s.* aspect; air, m.; physionomie; orientation, exposition, f.; *in its true aspect,* sous son vrai jour.
asphalt [asfault] *s.* asphalte, m.
aspiration [asperéishen] *s.* aspiration, f.; souffle, m. || **aspirator** [asperéiter] *s.* aspirateur, m. || **aspire** [espair] *v.* aspirer; exhaler; ambitionner.
ass [as] *s.* âne, imbécile (fam.), m.; **she-ass,** ânesse.
assail [eséil] *v.* assaillir, attaquer. || **assailant** [eséilent] *s.* agresseur, assaillant, m.
assassin [esassin] *s.* assassin, m. || **assassinate** [esas'néit] *v.* assassiner. || **assassination** [esas'néishen] *s.* assassinat, m.
assault [esault] *s.* assaut (mil.), m.; agression (jur.); attaque, f.; *v.* assaillir, attaquer.
assay [eséi] *s.* essai [metal], m.; analyse ; vérification [weight, quantity], f.; *v.* faire l'essai; *Am.* contenir une certaine proportion de métal.
assemble [esèmb'l] *v.* assembler; ajuster, monter; se réunir. || **assembly** [esèmbli] *s.* réunion; assemblée, f.; montage, m.
assent [esènt] *v.* acquiescer, adhérer; *s.* assentiment, m.
assert [esërt] *v.* revendiquer; affirmer. || **assertion** [esërshen] *s.* revendication; affirmation, f.
assess [esès] *v.* imposer; évaluer; assigner; taxer. || **assessment** [-ment] *s.* taxation; évaluation; imposition, f.; *Am.* emprunt pour industrie minière, m.
asset [asèt] *s.* qualité, f.; avantage, m.; *pl.* avoirs; actif, capital, m.

assiduity [asᵉdyouᵉti] *s.* assiduité, f. || **assiduous** [ᵉsidjouᵉs] *adj.* assidu; empressé.
assign [ᵉsaⁱn] *v.* attribuer; affecter (mil.); alléguer [reason]; assigner; nommer; transférer [law]). || **assignment** [ᵉsaⁱnment] *s.* attribution; cession; affectation (mil.), f.; transfert [property]; *Am.* devoir (educ.), m.
assimilate [ᵉsim'léⁱt] *v.* assimiler; comparer; s'assimiler. || **assimilation** [ᵉsimiléⁱshᵉn] *s.* assimilation, f.
assist [ᵉsist] *v.* assister, aider; faciliter; contribuer à. || **assistance** [ᵉsistᵉns] *s.* assistance; aide, f. || **assistant** [ᵉsistᵉnt] *adj., s.* assistant; adjoint, aide; auxiliaire.
assizes [ᵉsaⁱziz] *s.* assises, f., pl. tribunal, m.
associate [ᵉsoᵒᵘshiit] *adj.* associé; *s.* associé; compagnon; confrère, collègue; complice, m.; titre académique; [ᵉsoᵒᵘshiéⁱt] *v.* associer; s'associer. || **association** [ᵉsoᵒᵘsiéⁱshᵉn] *s.* association; société; *pl.* relations, f.
assort [ᵉsaurt] *v.* classer, trier; assortir; être assorti; fréquenter. || **assortment** [ᵉsaurtmᵉnt] *s.* classement; tri; assortiment, m.
assume [ᵉsoum] *v.* assumer; prendre; s'emparer de; s'arroger; feindre; présumer. || **assumed** [-d] *adj., p. p.* feint; d'emprunt [name].
assumption [ᵉsœmpshᵉn] *s.* prétention; hypothèse; action d'assumer; Assomption, f.
assurance [ᵉshourᵉns] *s.* affirmation, conviction; promesse; assurance; garantie, f.
assure [ᵉshour] *v.* assurer; certifier. || **assuredly** [-idli] *adv.* assurément; avec assurance.
asterisk [astᵉrisk] *s.* astérisque, m.
astern [ᵉstërn] *adv.* à l'arrière; en arrière; *adj.* arrière.
astonish [ᵉstânish] *v.* confondre; étonner. || **astonishing** [-ing] *adj.* étonnant; surprenant. || **astonishment** [-mᵉnt] *s* étonnement, m.
astound [ᵉstâᵒᵘnd] *v.* stupéfier
astray [ᵉstréⁱ] *adv.* hors du chemin; perdu; de travers; dérangé; erroné; *to go astray,* s'égarer.
astride [ᵉstraⁱd] *adv.* à cheval; à califourchon; jambes écartées.
astronomer [ᵉstrânᵉmᵉr] *s.* astronome, m. || **astronomy** [ᵉstrânᵉmi] *s.* astronomie, f.
astute [ᵉstyout] *adj.* fin, rusé, sagace.
asunder [ᵉsœndᵉr] *adj.* séparé; écarté; *adv.* coupé en deux.
asylum [ᵉsaⁱlᵉm] *s.* asile; hospice, hôpital, m.
at [at] *prep.* à; au; de; dans; chez; sur; par; *I live at my brother's,* j'habite chez mon frère; *at hand,* à portée de la main; *at sea,* en mer; *at any rate,* en tout cas; *at any sacrifice,* au prix de n'importe quel sacrifice; *at last,* enfin; *at this,* sur ce.
ate [éⁱt] *pret. of* **to eat.**
athlete [athlît] *s.* athlète, m. || **athletic** [athlètik] *adj.* athlétique. || **athletics** [athlètiks] *s.* gymnastique, f.; athlétisme, m.
atmosphere [atmᵉsfiᵉʳ] *s.* atmosphère, f. || **atmospheric** [atmᵉsfèrik] *adj.* atmosphérique.
atoll [atâl] *s.* atoll, m.
atom [atᵉm] *s.* atome, m.; molécule, f.; **atom bomb,** bombe atomique. || **atomic** [ᵉtâmik] *adj.* atomique.
atone [ᵉtoᵒᵘn] *v.* expier; racheter; compenser; concilier. || **atonement** [-mᵉnt] *s.* réconciliation; compensation; expiation; rédemption, f.
atrocious [ᵉtroᵒᵘshᵉs] *adj.* atroce. || **atrocity** [ᵉtrâsᵉti] *s.* atrocité, f.
atrophy [atrᵉfi] *s.* atrophie, f.; *v.* atrophier.
attach [ᵉtatsh] *v.* attacher; imputer; saisir [law]. || **attachment** [-mᵉnt] *s.* attachement, m.; saisie-arrêt, f. (jur.); embargo, m.
attack [ᵉtak] *v.* attaquer; entamer, commencer; *s.* attaque, offensive, f. || **attacker** [-ᵉʳ] *s.* assaillant, m.
attain [ᵉtéⁱn] *v.* atteindre; acquérir; parvenir à. || **attainder** [-dᵉʳ] *s.* condamnation [treason]; flétrissure, f. || **attainment** [-mᵉnt] *s.* acquisition; réalisation; connaissances, f.; savoir, m.
attempt [ᵉtèmpt] *s.* tentative, f.; effort; essai; attentat, m.; *v.* tenter; tâcher; attenter à.
attend [ᵉtènd] *v.* faire attention [*to,* à]; suivre [lessons]; assister à [lectures]; vaquer à [work] || **attendance** [-ᵉns] *s.* présence; assistance, f.; soins (med.); service [hotel], m. || **attendant** [-ᵉnt] *adj.* résultant, découlant de; au service de; *s.* assistant, aide; serviteur,

garçon, m.; ouvreuse; *pl.* suite, f.
attention [etènshen] *s.* attention, f.; égards, m.; garde-à-vous (mil.), m.; *to pay attention to,* faire attention à. || **attentive** [etèntiv] *adj.* attentif.
attenuate [etéinyouéit] *v.* atténuer; amaigrir. || **attenuation** [etéinyouéishen] *s.* atténuation, f.
attest [etèst] *v.* attester; *s.* témoignage, m.; attestation, f.
attic [atik] *s.* mansarde, f.; grenier, m.
attire [etair] *s.* vêtement, m.; parure, f.; *v.* orner, parer; vêtir.
attitude [atetyoud] *s.* attitude, f.
attorney [etërni] *s.* avoué; mandataire, m.; *by attorney,* par procuration; Attorney-general, procureur général. *Am.* procureur du gouvernement.
attract [etrakt] *v.* attirer. || **attraction** [-shen] *s.* attrait, m.; séduction, f. || **attractive** [-tiv] *adj.* attrayant, séduisant.
attribute [atrebyout] *s.* attribut, m.; [etribyout] *v.* attribuer, imputer. || **attribution** [atribyoushen] *s.* attribution; prérogative, f.
auburn [aubërn] *adj.* brun-rouge.
auction [aukshen] *s.* enchère, f.; *v.* vendre aux enchères; *Am.* auction-room, salle des ventes. || **auctioneer** [aukshenier] *s.* commissaire-priseur; courtier inscrit, m.
audacious [audéishes] *adj.* audacieux. || **audacity** [audaseti] *s.* audace, f.
audible [audeb'l] *adj.* perceptible [ear]. || **audience** [audiens] *s.* audience [hearing], f. spectateurs; auditoire [hearers], m.; assistance, f. || **audit** [audit] *v.* apurer; vérifier; *s.* bilan; apurement, m.; vérification, f.; audit-office, cour des comptes. || **audition** [audishen] *s.* audition; ouïe, f. || **auditor** [auditer] *s.* auditeur; vérificateur, m. || **auditorium** [audetoouriem] *s.* salle de conférence ou de concert, f.; parloir, m.
auger [auger] *s.* tarière; sonde, f.
aught [aut] *pron., s.* quelque chose; rien; *for aught I know,* pour autant que je sache.
augment [augmènt] *s.* accroissement, m.; [augmènt] *v.* augmenter. || **augmentation** [augmentéishen] *s.* augmentation, f.
augur [auger] *s.* augure, m.; *v.* augurer.
august [augest] *adj.* auguste; *s.* août.
aunt [ànt] *s.* tante, f.
auspices [auspisiz] *s.* auspices, m. || **auspicious** [auspishes] *adj.* propice, favorable.
austere [austier] *adj.* austère. || **austerity** [austèreti] *s.* austérité, f.; austerity plan, plan de restrictions.
authenticity [authentiseti] *s.* authenticité, f.
author [auther] *s.* auteur, m.
authoritative [ethaureteitiv] *adj.* autorisé; qui fait autorité; autoritaire. || **authority** [ethaureti] *s.* autorité, source, f. || **authorize** [etharaiz] *v.* autoriser.
auto, automobile [autoou] [autemebil] *s.* auto, automobile, f.
automatic [autematik] *adj.* automatique; *s.* revolver, m.; automatically, d'office; automatiquement.
autonomous [autânemes] *adj.* autonome. || **autonomy** [autânemi] *s.* autonomie, f.
autopsy [autepsi] *s.* autopsie, f.
autumn [autem] *s.* automne, m.
auxiliary [augzilyeri] *adj., s.* auxiliaire.
avail [evéil] *s.* utilité, f.; profit, m.; *v.* servir; être utile; se servir de. || **available** [-eb'l] *adj.* disponible, utilisable; *I am available,* je suis à votre disposition.
avaricious [averishes] *adj.* avare.
avenge [evèndj] *v.* venger. || **avenger** [-er] *s.* vengeur, m.; vengeresse, f.
avenue [avenyou] *s.* avenue, f.
average [avridj] *adj.* moyen; ordinaire; *s.* moyenne; avarie [ship], f.; *v.* faire, donner une moyenne de.
averse [evërs] *adj.* opposé; adversaire de; non disposé à. || **aversion** [evërjen] *s.* aversion, f. || **avert** [evërt] *v.* détourner; éviter; empêcher; prévenir [accident].
aviation [éiviéshen] *s.* aviation, f. || **aviator** [éiviéter] *s.* aviateur.
avidity [evideti] *s.* avidité, f.
avoid [evoid] *v.* éviter; annuler [law]. || **avoidable** [-eb'l] *adj.* évitable; annulable.
avow [evaou] *v.* avouer; reconnaître. || **avowal** [-el] *s.* aveu, m.
await [ewéit] *v.* attendre; guetter.
awake [ewéik] *v.** éveiller; inspirer;

exciter [interest]; se réveiller, s'éveiller; *adj.* éveillé; vigilant. || **awaken** [-ᵉn] *v.* éveiller, réveiller; ranimer; susciter. || **awakening** [-ᵉning] *s.* réveil; désappointement, m.
award [ᵉwaurd] *s.* décision, f.; dommages-intérêts (jur.), m. pl.; récompense, f.; prix, m.; *v.* décider; décerner; accorder.
aware [ᵉwèr] *adj.* au courant de; averti de; qui a conscience de.
away [ᵉwéⁱ] *adv.* au loin, loin; *away back,* il y a longtemps, il y a loin; *to keep away,* se tenir à l'écart; *right away,* tout de suite; **going-away,** départ; *ten miles away,* à dix milles de distance; *adj.* absent, éloigné.
awe [au] *s.* crainte; terreur, f.; *v.* inspirer de la crainte. || **awful** [aufᵉl] *adj.* terrible; formidable. || **awfully** [-i] *adv.* terriblement; extrêmement.
awhile [ᵉhwaⁱl] *adv.* quelque temps; un instant; de si tôt.
awkward [aukwᵉʳd] *adj.* gauche, embarrassé; incommode, gênant. || **awkwardness** [-nis] *s.* gêne, gaucherie; incommodité, f.
awl [aul] *s.* alène, f.
axe [aks] *s.* hache, f.
axis [aksis] (*pl.* **axes** [aksiz]) *s.* axe, m.
axle [aks'l] *s.* essieu; tourillon [wheel], m.; **stub axle,** fusée.
aye [aⁱ] *adv.* oui; vote affirmatif.
azure [ajᵉʳ] *adj.* azur; *s.* azur, m.

B

baa [bâ] *s.* bêlement, m.; *v.* bêler.
babble [bab'l] *s.* babil; *v.* babiller; **babbling,** babillard.
baby [béⁱbi] *s.* bébé; enfant; petit, m.; *adj.* puéril; d'enfant; **baby-carriage,** voiture d'enfant; **baby-linen,** layette; **baby-grand,** demi-queue [piano]; *Am.* **baby-sitter,** gardienne d'enfant.
bach [batsh] *v. Am.* vivre en célibataire. || **bachelor** [-ᵉlᵉʳ] *s.* célibataire; bachelier (univ.), m.; *Am.* **bachelor girl,** jeune personne célibataire qui vit en dehors de sa famille.
bacillus [bᵉsilᵉs] *s.* bacille, m.
back [bak] *s.* arrière; dos; reins; revers [hand]; verso [sheet], m.; *adj.* d'arrière; *adv.* en arrière; *to be back,* être de retour; *v.* aller en arrière; renforcer [wall]; soutenir; endosser [document]; renverser [steam]; reculer; *to back up,* faire marche arrière; soutenir; appuyer; *to backslide,* récidiver; **backache,** mal de reins; **backfire,** retour de flamme; **background,** arrière-plan, fond; **backhanded,** déloyal, équivoque; **backhead,** *Am.* occiput; **backing,** appui, soutien, protection; **back-shop,** arrière-boutique; **backstairs,** escalier de service; **backstitch,** point arrière; || **backward** [-wᵉʳd] *adj.* en retard; arriéré. || **backwardness** [-wᵉʳdnis] *s.* hésitation; lenteur d'intelligence, f.; défaut d'empressement, m. || **backwards** [-wᵉʳdz] *adv.* en arrière; à la renverse; à rebours.
bacon [béⁱkᵉn] *s.* lard, m.
bacteriology [baktiriâlᵉdji] *s.* bactériologie, f.
bad [bad] *adj.* mauvais, méchant; hostile, dangereux; insuffisant [price]; **bad-tempered,** acariâtre; *to look bad,* être mauvais signe; *Am. to be in bad with,* être en mauvais termes avec. || **badly** [-li] *adv.* méchamment; mal.
bade [bad] *pret. of* **to bid.**
badge [badj] *s.* insigne; brassard, m.; plaque [policeman], f.
badger [badjᵉʳ] *s.* blaireau, m.; *v.* harceler, tourmenter.
badness [badnis] *s.* méchanceté; mauvaise qualité, f.; mauvais état, m.
baffle [baf'l] *v.* déjouer [curiosity]; dérouter; *s.* défaite; chicane; cloison, f. || **baffling** [-ing] *adj.* déconcertant; *baffling winds,* brises folles.
bag [bag] *s.* sac, m.; valise, f.; *Am.* ballot [cotton], m.; *v.* ensacher; chiper; tuer [game]; **bagpipe,** cornemuse; **money-bag,** porte-monnaie.
baggage [bagidj] *s.* bagages; équipement, m.; **baggage-car,** fourgon; **baggage-check,** bulletin de

bagages; **baggage-tag**, étiquette; **baggage-truck**, chariot à bagages.
bail [béil] *s.* seau, m.; *v.* vider; écoper (naut.); *to bail out of a plane*, sauter en parachute.
bail [béil] *v.* libérer sous caution; se porter garant de; *s.* caution; liberté sous caution, f.; cautionnement; répondant, m.
bait [béit] *v.* amorcer [fish]; harceler [person]; *s.* appât, m.
bake [béik] *v.* faire cuire au four; *s.* fournée, f.; *half-baked*, prématuré, inexpérimenté, mal fait. || **baker** [-er] *s.* boulanger; *Am.* petit four, m. || **bakery** [eri] *s.* boulangerie, f.; fournil, m. || **baking** [-ing] *s.* cuisson, cuite, f.; **baking-pan**, tourtière; **baking-powder**, levure anglaise.
balance [balens] *s.* balance, f.; stabilité; indécision, f.; équilibre; compte; bilan; solde [account]; reste, m.; *v.* balancer; équilibrer; solder [account]; **balance-beam**, fléau de balance; **balance-weight**, contrepoids.
balcony [balkeni] *s.* balcon, m.
bald [bauld] *adj.* chauve; dénudé; dépouillé; plat [style].
bale [béil] *s.* ballot [wares, cotton], m.; balle; botte [hay], f.; *v.* emballer. || **baler** [-er] *s.* emballeur, m.; botteleuse, f.
balk [bauk] *s.* déception; poutre, f.; obstacle; contretemps, m.; *v.* faire obstacle à; contrarier; frustrer; se dérober [horse].
ball [baul] *s.* balle, f.; ballon, m.; boule; bille, f.; boulet, m.; balle [firearms]; boulette [flesh]; pelote [wool], f.; *abbrev. of* baseball; *v.* mettre en boule, en pelote; *to ball up*, échouer; embrouiller.
ball [baul] *s.* bal, m.
ballad [baled] *s.* ballade, f.; romance [music], f.
ballast [balest] *s.* lest; ballast, m.; *v.* lester; ballaster.
balloon [beloun] *s.* ballon; aérostat, m.; **balloon sleeve**, manche ballon.
ballot [balet] *s.* *Am.* bulletin de vote, m.; scrutin secret, m.; *v.* voter; élire; **ballot-box**, urne électorale; **second ballot**, ballottage.
balm [bâm] *s.* baume, m.; *v.* embaumer. || **balmy** [-i] *adj.* embaumé; lénifiant; calmant; maboul (pop.).
balsam [baulsem] *s.* baume, m.; balsamine, f.
bamboo [bàmbou] *s.* bambou, m. || **bamboozle** [bàmbouz'l] *v.* duper, tromper, « refaire ».
ban [bàn] *s.* ban; bannissement; embargo, m.; *v.* proscrire; maudire; **marriage ban(n)s**, publications de mariage, bans.
banana [benane] *s.* banane, f.; **banana boat**, bananier [ship]; **banana tree**, bananier.
band [bànd] *s.* lien; bandage; ruban; orchestre; troupeau, m.; bande, bague [bird], f.; *v.* (se liguer; grouper; baguer [bird]. || **bandage** [-idj] *s.* bandage; bandeau, m.; *v.* bander.
bandit [bàndit] *s.* bandit, m.
bandy [bàndi] *v.* renvoyer; échanger; lutter; *adj.* arqué; **bandy-legged**, bancal.
bang [bàng] *v.* cogner; claquer [door]; couper à la chien [hair]; *s.* coup; fracas, m.; détonation; frange [hair], f.; *interj.* pan!
banish [bànish] *v.* bannir; chasser. || **banishment** [-ment] *s.* exil, m.
banister [banister] *s.* balustrade; rampe, f.
bank [bàngk] *s.* berge; digue, f.; talus; banc [sand], m.; *v.* couvrir [fire]; endiguer; faire un talus; virer [plane].
bank [bàngk] *s.* banque, f.; *v.* mettre en banque; diriger une banque; *to bank on*, compter sur. || **banker** [-er] *s.* banquier, m. || **banking** [-ing] *s.* opérations bancaires; profession de banquier, f.; *adj.* bancaire. || **banknote** [-noout] *s.* billet de banque, m. || **bankrupt** [-rœpt] *s.* banqueroutier, m.; *adj.* en faillite; insolvable; *to go bankrupt*, faire faillite. || **bankruptcy** [-rœptsi] *s.* banqueroute, faillite, f.
banner [bàner] *s.* bannière, f.; étendard, m.; *Am. adj.* principal.
banquet [bàngkwit] *s.* banquet, m.; *v.* banqueter.
banter [bànter] *v.* plaisanter; taquiner; *s.* plaisanterie; taquinerie, f.
baptism [baptizem] *s.* baptême, m. || **baptize** [baptaiz] *v.* baptiser.
bar [bâr] *s.* barre; barrière; buvette; mesure [music]; bande [flag], f.; obstacle; bar; lingot; barreau [law], m.; *v.* barrer; annuler; ex-

clure; *to bar oneself in*, se barricader chez soi.
barb [bârb] *s.* barbe [arrow], f.; barbillon, m.; *v.* barbeler; barder; **barbed wire**, fil de fer barbelé.
barbarian [bârbèrien] *adj.*, *s.* barbare. || **barbarous** [bârberes] *adj.* barbare.
barbecue [bârbikyou] *s. Am.* boucan, gril; animal rôti, m.; *v.* préparer ce rôti.
barber [bârber] *s.* barbier; coiffeur pour hommes, m.
bard [bârd] *s.* barde [poet.], m.; barde [bacon], f.; *v.* barder.
bare [bèr] *adj.* nu, dénudé; simple; démuni; manifeste; *v.* découvrir; dénuder; révéler; **barefaced**, éhonté; **barefoot(ed)**, nu-pieds; **bare-headed**, nu-tête; **bare-legged**, nu-jambes. || **barely** [-li] *adv.* à peine, tout au plus. || **bareness** [-nis] *s.* nudité, f.; dénuement, m.
bargain [bârgin] *s.* marché, négoce; pacte, m.; emplette; occasion, f.; solde, m.; *v.* traiter; conclure; marchander; *into the bargain*, pardessus le marché; *at bargain price*, à bas prix; **bargain day**, jour de solde. || **bargaining** [-ing] *s.* marchandage, m. ; négociations, f.
barge [bârdj] *s.* chaland, m.
bark [bârk] *s.* écorce, f.; *v.* écorcer; décortiquer; écorcher [leg].
bark [bârk] *s.* aboiement, m.; *v.* aboyer.
barley [bârli] *s.* orge, f.
barm [bârm] *s.* levure de bière, f. || **barmy** [-i] *adj.* écumeux; loufoque (fam.).
barn [bârn] *s.* grange, f.; grenier; hangar, m.; *v.* engranger; abriter sous hangar; **streetcar barn**, dépôt de tramways; **barnyard**, cour de ferme.
barometer [berâmeter] *s.* baromètre, m.
baron [baren] *s.* baron, m.; *Am.* magnat de la finance ou du commerce, m.
barracks [bareks] *s.* caserne, f.; baraquements; abri agricole, m.
barrel [barel] *s.* baril, fût; canon [gun]; tambour [machine]; corps [pump], m.; caque [herring]; hampe [feather]; mesure [corn], f.; *v.* embariller; bomber [road]; *double-barrel(l)ed*, à deux coups.
barren [baren] *adj.* aride, stérile. || **barrenness** [-nis] *s.* stérilité, f.
barrette [berèit] *s.* barrette, f.
barricade [barekéid] *s.* barricade, f.; *v.* barricader.
barrier [barier] *s.* barrière, f.; obstacle, m.; limite, f.
barrister [barister] *s.* avocat, m.
barrow [barorou] *s.* brouette, f.; diable [porter], m.; baladeuse [coster], f.; *v.* brouetter.
barrow [barou] *s.* tumulus; terrier.
barter [bârter] *v.* troquer; *s.* troc.
base [béis] *adj.* bas; vil. || **baseness** [-nis] *s.* bassesse, f.
base [béis] *s.* base, f.; *v.* fonder; établir. || **basement** [-ment] *s.* soubassement; sous-sol [story], m.
baseball [béisbaul] *s.* base-ball, m.
bashful [bashfel] *adj.* timide. || **bashfulness** [-nis] *s.* timidité, f.
basic [béisik] *adj.* fondamental.
basin [béis'n] *s.* bassin, m.
basis [béisis] (*pl.* **bases** [béisiz]) *s.* base, f.; fondement, m.
bask [bask] *v.* se chauffer.
basket [baskit] *s.* panier, m.; corbeille, f.; **basket-maker**, vannier; **basket-work**, vannerie; *the pick of the basket*, le dessus du panier, l'élite; *v.* mettre dans un panier; clisser [bottle]. || **basket-ball** [-baul] *s.* basket(-ball) [game], m.
bass [béis] *s.* basse [music], contrebasse, f.; *adj.* grave [music]; **bass-horn**, cor de basset.
bass [bas] *s.* bar [fish], m.
bastard [basterd] *adj.*, *s.* bâtard. || **bastardize** [-aiz] *v.* (s')abâtardir.
baste [béist] *v.* arroser (culin.).
baste [béist] *v.* bâtir [to sew].
baste [béist] *v.* bâtonner, battre.
bat [bat] *s.* bâton, m.; crosse, f.; battoir [cricket], m.
bat [bat] *s.* chauve-souris, f.
batch [batsh] *s.* fournée, grande quantité, f.; tas, m.; *v.* réunir.
bath [bath] *s.* bain, m.; **bath-house**, cabine de bain; **bath-robe**, peignoir de bain; **bathroom**, salle de bains; **bath-tub**, baignoire. || **bathe** [béizh] *v.* se baigner. || **bather** [-er] *s.* baigneur, m.
battalion [betalyen] *s.* bataillon, m.
batter [bater] *s.* pâte, f.
batter [bater] *v.* frapper, heurter; démolir; bossuer; délabrer; taper sur (mil.); **battering gun**, pièce de siège; *s.* batteur [baseball], m.
battery [bateri] *s.* batterie, f.
battle [bat'l] *s.* bataille, f.; combat,

m.; *v.* combattre; se battre; **battledress,** tenue de campagne; **battlefield,** champ de bataille. || **battleship** [-ship] *s.* cuirassé.

bawl [baul] *s.* cri, m.; *v.* crier; proclamer; *to bawl out,* réprimander.

bay [bé¹] *s.* baie, f.; **bay-tree,** laurier; **bay-window,** fenêtre, baie.

bay [bé¹] *s.* abois, m.; *to stand at bay,* être aux abois.

bay [bé¹] *adj.* bai [color].

bayonet [bé¹ᵉnit] *s.* baïonnette, f.; *v.* attaquer à la baïonnette.

bazaar [bᵉzâr] *s.* bazar, m.; vente, f.

be [bî] *v.** être; se porter, se trouver; *I am well,* je vais bien; *I am hungry,* j'ai faim; *it is fine,* il fait beau; *the hall is twenty feet long,* la salle a vingt pieds de long; *to be born,* naître; *how much it that?,* combien coûte cela?

beach [bîtsh] *s.* plage; rive; grève, f.; *v.* tirer à sec; **beachcomber,** clochard; **beached,** échoué; **beachhead,** tête de pont.

beacon [bîkᵉn] *s.* signal, m.; balise, f.; phare, m.; *v.* baliser; signaliser.

bead [bîd] *s.* grain [rosary], m.; perle [necklace]; mire [gun]; goutte [sweat], f.; *pl.* chapelet, m.; *v.* orner de perles; *to bead with,* émailler de; *Am. to draw a bead on,* coucher en joue.

beak [bîk] *s.* bec [bird], m.; proue [ship], f.; **beak-iron,** bigorne.

beam [bîm] *s.* poutre, f.; fléau [balance]; timon; bau [ship]; rayon [light]; éclat; rayonnement, m.; *v.* briller; rayonner; **émettre; radio beam,** signal par radio. || **beaming** [-ing] *adj.* radieux; rayonnant.

bean [bîn] *s.* fève, f.; haricot; grain [coffee], m.; **green beans, French beans,** haricots verts.

bear [bèr] *s.* ours; baissier [market price], m.; **bear-pit,** fosse aux ours; **ant-bear,** tamanoir.

bear [bèr] *v.** porter; supporter; rapporter; peser sur; *to bear upon,* avoir du rapport; *to bear out,* confirmer; *to bear up,* résister; *to bear with,* excuser; avoir de la patience; *to bear five per cent,* rapporter cinq pour cent; *to bring to bear,* mettre en jeu. || **bearer** [-ᵉʳ] *s.* porteur; support, m.; **ensign - bearer,** porte - drapeau; **fruit-bearer,** arbre fruitier; **stretcher - bearer,** brancardier; **talebearer,** cancanier. || **bearing** [-ing] *s.* endurance; relation; applicabilité, f.; relèvement (naut.), m.; conduite, f.; *pl.* tenants et aboutissants, m.; situation, position, f.; *adj.* porteur; productif; *to take bearings,* faire le point [ship]; **childbearing,** enfantement.

beard [biᵉʳd] *s.* barbe, f.; **whitebeard,** barbon. || **bearded** [-id] *adj.* barbu; *bearded lady,* femme à barbe. || **beardless** [-lis] *adj.* imberbe.

beast [bîst] *s.* bête, f.; animal, m.

beat [bît] *v.** battre; frapper; *s.* battement, m.; pulsation; batterie [drum]; ronde, tournée, f.; *to beat back,* refouler; *to beat in,* enfoncer; *Am. to beat it,* filer, décamper; *that beats everything,* ça c'est le comble; *adj.* épuisé, fourbu; **dead beat,** éreinté. || **beaten** [-'n] *p. p. of* **to beat;** *adj.* battu; rebattu. || **beater** [-ᵉʳ] *s.* batteur; rabatteur; *Am.* vainqueur, m.; **egg-beater,** fouet (culin.); **drumbeater,** tambour [man]. || **beating** [-ing] *s.* battement, m.; raclée; défaite, f.; louvoyage (naut.), m.; *adj., pr. p.* palpitant.

beatitude [biatᵉtyoud] *s.* béatitude.

beau [boᵒᵘ] *s.* galant, amoureux, prétendant, m. || **beauteous** [byoutiᵉs] *adj.* beau, belle; accompli. || **beautiful** [byoutᵉfᵉl] *adj.* beau, belle; admirable. || **beautify** [byoutᵉfa¹] *v.* embellir. || **beauty** [byouti] *s.* beauté, f.; **beauty-spot,** grain de beauté; *that's the beauty of it,* c'est le plus beau de l'affaire.

beaver [bîvᵉʳ] *adj., s.* castor; **beavertree,** magnolia.

became [biké¹m] *pret. of* **to become.**

because [bikauz] *conj.* parce que; car; *adv.* **because of,** à cause de.

beckon [bèkᵉn] *v.* faire signe.

become [bikœm] *v.** devenir; convenir [suit]; aller bien à; *to become red,* rougir; *to become warm,* s'échauffer; *what has become of you?,* qu'êtes-vous devenu? || **becoming** [-ing] *adj.* convenable.

bed [bèd] *s.* lit, m.; platebande, f.; gisement; banc [oyster], m.; couche, f.; *v.* coucher; reposer; *ill in bed,* alité; *to tuck up the bed,* border le lit; **sick-bed,** lit de douleur; **single bed,** lit à une place; **double bed,** lit à deux places; **bedbug,** punaise; **bedclothes,** linge de lit;

bed-quilt, couvre-pieds piqué; **bedside**, chevet; **bed-spring**, ressort du sommier; **folding-bedstead**, lit-pliant; **bedtime**, heure du coucher. || **bedded** [-id] *adj.* couché. || **bedding** [-ing] *s.* literie, f.

bee [bî] *s.* abeille, f.; *Am.* réunion de travail, f.; **bee-bread**, pollen; **bee-culture**, apiculture; **bee-garden**, rucher; **bee-hive**, ruche; *to have a bee in one's bonnet*, avoir une araignée au plafond.

beech [bîtsh] *s.* hêtre, m.; **beechnut**, faine.

beef [bîf] *s.* viande de bœuf, f.; *v. Am.* tuer un bovin; gémir; rouspéter; **beefsteak**, bifteck; **cornedbeef**, bœuf salé; **roast beef**, rosbif.

been [bìn, bèn] *p. p. of* to be.

beer [bi^er] *s.* bière, f.; **beer-pull**, **beer-pump**, pompe à bière.

beet [bît] *s.* bette; betterave, f.; **sugar-beet**, betterave sucrière; **beet-radish**, betterave rouge.

beetle [bît'l] *s.* demoiselle [paving], f.; pilon, m.; *v.* pilonner.

beetle [bît'l] *s.* escargot, scarabée, m.; **black-beetle**, cafard.

beetle [bît'l] *v.* surplomber; **beetle-browed**, aux sourcils proéminents.

befall [bifaul] *v.* arriver à, échoir à; avoir lieu. || **befallen**, *p. p.;* **befell**, *pret. of* to befall.

befit [bifit] *v.* convenir. || **befitting** [-ing] *adj.* convenable.

before [bifo^our] *adv.* avant; devant; auparavant; *conj.* avant que; *before long*, avant peu, sans tarder. || **beforehand** [-hand] *adv.* d'avance; au préalable; à l'avance.

befriend [bifrènd] *v.* traiter en ami; favoriser; venir en aide à.

beg [bèg] *v.* prier; solliciter; mendier; *I beg your pardon*, je vous demande pardon; *to beg the question*, faire une pétition de principe.

began [bigan] *pret. of* to begin.

beget [bigèt] *v.* engendrer; causer.

beggar [bèg^er] *s.* mendiant, m.; *v.* réduire à la mendicité, ruiner. || **begging** [bèging] *s.* mendicité, f.

begin [bigin] *v.** commencer; débuter; se mettre à; *to begin with*, pour commencer, d'abord. || **beginner** [-^er] *s.* commençant; débutant, m. || **beginning** [-ing] *s.* commencement, début, m.; origine, f.; fait initial, m.

begot [bigât] *pret., p. p. of* to beget. || **begotten**, *p. p. of* to beget.

begrudge [bigrœdj] *v.* donner à contrecœur; envier.

beguile [biga^il] *v.* tromper, séduire.

begun [bigœn] *p. p. of* to begin.

behalf [bihaf] *s.* sujet, intérêt, m.; cause, f.; *in his behalf*, en sa faveur; *on behalf of*, au nom de.

behave [bihé^iv] *v.* se conduire; se comporter ; *behave !* sois sage ! || **behavio(u)r** [-y^er] *s.* comportement, m.; tenue; manières, f.

behead [bihèd] *v.* décapiter.

beheld [bihèld] *pret., p. p. of* to behold.

behind [biha^ind] *adv.* arrière; derrière; en arrière; en réserve, de côté; *prep.* derrière; **behindhand**, en retard; *s.* arrière [baseball], m.

behold [biho^ould] *v.** regarder; contempler; *interj.* voyez! voici! || **beholden** [-'n] *adj., p. p.* obligé, redevable.

behove [bihouv] *v.* convenir.

being [bîing] *s.* être, m.; existence, f.; *pr. p.* étant; *adj.* existant.

belated [bilé^itid] *adj.* attardé; en retard; tardif.

belay [bilé^i] *v.* amarrer; *Am.* arrêter, cesser (colloq.).

belch [bèltsh] *v.* roter; vomir; *s.* éructation, f.

Belgium [bèldji^em] *s.* Belgique, f.

Belgian [bèldji^en] *adj., s.* belge.

belie [bila^i] *v.* démentir.

belief [b^elîf] *s.* croyance; foi; conviction; opinion, f. || **believable** [b^elîv^eb'l] *adj.* croyable. || **believe** [b^elîv] *v.* croire, avoir foi en. || **believer** [-^er] *s.* croyant, convaincu, m. || **believing** [-ing] *adj.* croyant; crédule.

belittle [bilit'l] *v.* déprécier; dévaloriser; discréditer. || **belittling** [-ing] *s.* discrédit, m.; dépréciation, f.

bell [bèl] *s.* cloche; clochette; sonnette, f.; **bellboy**, groom d'hôtel; **bell-flower**, campanule; **bell-tower**, beffroi, clocher; **call-bell**, timbre; **jingle-bell**, grelot.

bell [bèl] *v.* bramer.

belle [bèl] *s.* belle, beauté, f.

belligerent [b^elidj^er^ent] *adj., s.* belligérant.

bellow [bèlo^ou] *v.* mugir, beugler; hurler; *s.* mugissement, hurlement.

bellows [bèlo^ouz] *s.* soufflet, m.

belly [bèli] *s.* ventre; estomac, m.; *v.* gonfler; s'enfler.
belong [b^{e}laung] *v.* appartenir; incomber à; être le propre de; *to belong here,* être à sa place ici, être du pays. || **belongings** [-ingz] *s.* effets, m.; affaires; possessions.
beloved [bilœvid] *adj.* bien-aimé.
below [b^{e}lo^{ou}] *adv.* au-dessous; *prep.* au-dessous de; sous; **here below,** ici-bas.
belt [bèlt] *s.* ceinture, f.; ceinturon; bandage (med.), m.; courroie (mech.); zone (geogr.), f.; *v.* ceindre; ceinturer; **belt-line,** ligne de ceinture; **belt-work,** travail à la chaîne.
bemoan [bimo^{ou}n] *v.* se lamenter.
bench [bèntsh] *s.* banc, m.; banquette, f.; tribunal, m.; magistrature, f., gradin, m.
bend [bènd] *s.* courbure, f.; tournant [road]; nœud [rope]; pli [limb]; salut, m.; inclinaison, f.; *v.** courber, plier; bander [bow]; fléchir [will]; diriger [steps]; fixer [eyes]; appliquer [mind]; enverguer [sail]; se courber; se soumettre à.
beneath [bini*th*] *prep.* sous; au-dessous de; *adv.* au-dessous : *it is beneath you,* c'est indigne de vous.
benediction [bèn^{e}diksh^{e}n] *s.* bénédiction, f.
benefactor [bèn^{e}fakt^{er}] *s.* bienfaiteur, f. || **benefactress** [bèn^{e}faktris] *s.* bienfaitrice, f.
benefice [bé^{i}n^{e}fis] *s.* bénéfice, m. || **beneficent** [b^{e}nèf^{e}s'nt] *adj.* bienfaisant. || **beneficial** [b^{e}n^{e}fish^{e}l] *adj.* avantageux; salutaire. || **benefit** [bèn^{e}fit] *s.* profit; bienfait; avantage, m.; **benefit society,** société de secours mutuel; *for the benefit of,* au profit de.
benevolence [b^{e}nèv^{e}l^{e}ns] *s.* bienveillance, f. || **benevolent** [b^{e}nèv^{e}l^{e}nt] *adj.* bienveillant; charitable [institution].
benign [bina^{i}n] *adj.* bénin; doux; affable. || **benignant** [b^{e}nign^{e}nt] *adj.* doux, bienfaisant.
bent [bènt] *s.* penchant, m.; inclination; tendance, f.; *pret., p. p. of* **to bend;** *adj.* courbé; penché; tendu [mind]; *to be bent on,* être décidé à.
bequeath [bikwizh] *v.* léguer. || **bequest** [bikwèst] *s.* legs, m.
bereave [biriv] *v.* priver; perdre, être en deuil de.
berry [bèri] *s.* baie [fruit], f.; grain [coffee], m.
berth [bë^{r}th] *s.* couchette [sleeping-car]; cabine [ship], f.; mouillage (naut.); emplacement (naut.), m.; *v.* placer à quai; *to give a wide berth to,* se tenir à l'écart de.
beseech [bisitsh] *v.* supplier.
beset [bisèt] *v.* assaillir; parsemer; *besetting sin,* péché mignon.
beside [bisa^{i}d] *prep.* à côté de; hors de; *beside oneself,* hors de soi; *beside the mark,* hors de propos; à côté du but. || **besides** [-z] *adv.* d'ailleurs; en outre; en plus; de plus; *prep.* outre.
besiege [bisidj] *v.* assiéger.
besought [bisaut] *pret., p. p. of* **to beseech.**
best [bèst] *adj.* meilleur; le meilleur; le mieux; *to have the best of,* avoir le dessus, l'avantage; *as best I could,* de mon mieux; *in one's best,* sur son trente et un; *to make the best of,* tirer le meilleur parti de; **bestseller,** livre à succès.
bestow [bisto^{ou}] *v.* accorder, donner; consacrer à.
bestride [bistra^{i}d] *v.* monter; chevaucher; enjamber.
bet [bèt] *v.* parier; *s.* pari, m.
betake [bité^{i}k] *v.* se rendre (à); avoir recours à; se mettre à. || **betaken** [bité^{i}k'n] *p. p. of* **to betake.**
betoken [bito^{ou}k'n] *v.* annoncer; présager; dénoter; révéler.
betook [bitouk] *pret. of* **to betake.**
betray [bitré^{i}] *v.* trahir; tromper. || **betrayer** [-^{er}] *s.* traître, m.
betrothal [bitrauth^{e}l] *s.* fiançailles f. || **betrothed** [bitrautht] *s.* fiancé, m.; fiancée, f.
better [bèt^{er}] *adj.* meilleur; *adv.* mieux; *v.* améliorer; *s.* supériorité, f.; *pl.* supérieurs, m.; *you had better,* vous feriez mieux; *so much the better,* tant mieux; *to know better,* être fixé; *all the better because,* d'autant mieux que. || **betterment** [-m^{e}nt] *s.* amélioration, f.
between [b^{e}twin] **betwixt** [b^{e}twikst] *prep.* entre; *adv.* parmi; entre; **between-decks,** entrepont; **betweenwhiles,** dans l'intervalle, de temps en temps.
bevel [bé^{i}v'l] *s.* biseau; biveau, m.; *adj.* de biais, oblique; *v.* biseauter.
beverage [bèvridj] *s.* boisson, f.

bewail [biwé^i^l] *v.* se lamenter; déplorer.
beware [biwèr] *v.* prendre garde; *interj.* attention!
bewilder [biwild^er^] *v.* affoler ; dérouter, déconcerter. || **bewilderment** [-m^e^nt] *s.* affolement, m.
bewitch [biwitsh] *v.* ensorceler; captiver. || **bewitcher** [-^er^] *s.* ensorceleur, m. || **bewitchment** [-m^e^nt] *s.* ensorcellement; enchantement, m.
beyond [biyând] *adv.* au-delà; là-bas; *prep.* au-delà de, outre; en dehors de; *the house beyond,* la maison d'à côté; *it is beyond me,* ça me dépasse.
bias [bai^e^s] *s.* biais, m.; tendance, f.; préjugé, m.; *adj.* de biais, oblique; *adv.* obliquement; *v.* influencer, détourner; biaiser.
bib [bib] *s.* bavette, f.; *v.* siroter.
Bible [ba^i^b'l] *s.* Bible, f. || **biblical** [biblik'l] *adj.* biblique.
bicker [bik^er^] *v.* se chamailler; couler vite. || **bickering** [-ring] *s.* dispute, bisbille, f.
bicycle [ba^i^sik'l] *s.* bicyclette, f.; *v.* aller à bicyclette. || **bicyclist** [-ist] *s.* cycliste, m.
bid [bid] *v.** inviter; ordonner; offrir [price] ; demander ; souhaiter; *s.* offre; enchère; invitation; demande [cards], f.; *to bid the ban(n)s,* publier les bans; *to call for bids,* mettre en adjudication; *the last bid,* la dernière mise. || **bidden** [bid^e^n] *p. p. of* **to bid, to bide.**
bide [ba^i^d] *v.* attendre; endurer; résider; *to bide one's time,* attendre le moment favorable.
biennial [ba^i^èni^e^l] *adj.* biennal.
bier [bir] *s.* civière, f.; cercueil, m.
bifurcate [ba^i^f^er^ké^i^t] *v.* bifurquer. || **bifurcation** [ba^i^f^ë^r^ké^i^sh^e^n] *s.* bifurcation, f.
big [big] *adj.* gros; grand; important; *to talk big,* le prendre de haut ; faire le fanfaron ; *Br.* **big end,** *Am.* **bighead,** tête de bielle [auto]. || **bigness** [-nis] *s.* grosseur, grande taille, f.
bigot [big^e^t] *s.* bigot; fanatique, m. || **bigotry** [-tri] *s.* bigoterie, f.
bike [ba^i^k] *s. Am.* bécane, f.; *v.* aller à bicyclette.
bile [ba^i^l] *s.* bile; colère, f.; **bilecyst,** vésicule biliaire. || **bilious** [bili^e^s] *adj.* bilieux; colérique; atrabilaire.
bilge [bildj] *s.* fond de cale, m.
bill [bil] *s.* facture; addition [restaurant]; note [hotel]; traite, f.; billet à ordre (comm.), m.; *Am.* billet de banque; projet de loi, m.; affiche [theatre], f.; programme [theatre], m.; état, m.; table, f.; *v.* facturer; faire un compte; établir une liste; annoncer par affiche; *bill of fare,* menu; *bill of exchange,* lettre de change; *to discount a bill,* escompter un effet; *to settle a bill,* régler une note; **billboard,** tableau d'affichage.
billet [bilit] *s.* billet, m.; lettre, f.; billet de logement, m.; *v.* donner un billet de logement; loger.
billiards [bily^er^dz] *s.* billard, m.
billion [bily^e^n] *s. Br.* million de millions; trillion; *Am.* billion, milliard, m.
billow [bilo^ou^] *s.* vagues; houle, f.; *v.* ondoyer. || **billowy** [bil^e^wi] *adj.* houleux; ondoyant.
bin [bin] *s.* coffre, m.; caisse; huche, f.; **dustbin,** *Br.* boîte à ordures; *v.* ranger en caisse.
bind [ba^i^nd] *v.** attacher; lier; obliger, forcer; relier [book]. || **binding** [-ing] *s.* reliure, f.; lien, m.; *adj.* obligatoire; **cloth-binding,** reliure en toile.
biography [ba^i^âgr^e^fi] *s.* biographie.
biology [ba^i^âl^e^dji] *s.* biologie, f.
birch [bë^r^tsh] *s.* bouleau, m.; verges, f.
bird [bë^r^d] *s.* oiseau, m.; *early bird,* personne matinale; **bird-lime,** glue; **bird's eye view,** vue à vol d'oiseau.
birth [bë^r^th] *s.* naissance, f.; enfantement, m.; origine, f.; commencement, m.; extraction, f.; **birth certificate,** acte de naissance; **birthday,** anniversaire; **birthplace,** pays natal; **birthrate,** natalité; **birthright,** droit d'aînesse.
biscuit [biskit] *s.* biscuit, m.
bishop [bish^e^p] *s.* évêque; fou [chess], m. || **bishopric** [-ric] *s.* évêché, m.
bit [bit] *s.* morceau; fragment, m.; mèche [tool], f.; mors [horse], m.; *adv.* un peu; *to champ at the bit,* ronger son frein; *a good bit older,* sensiblement plus âgé; *not a bit,* pas un brin; *pret., p. p. of* **to bite.**

bitch [bitsh] *s.* chienne; femelle; garce, f.
bite [baᶦt] *v.** mordre; piquer [insect]; *s.* morsure, piqûre; bouchée, f. || **bitten** [bitᵉn] *p. p. of* **to bite.**
bitter [bitᵉʳ] *adj.* amer; âpre; aigre; mordant; cruel; *s. pl.* amers [drink], m. || **bitterly** [-li] *adv.* amèrement; violemment; extrêmement. || **bitterness** [-nis] *s.* amertume; irritation; violence; hostilité; acuité, f. || **bittersweet** [-swit] *s.* douce-amère, f.; *adj.* aigre-doux.
bitumen [bityoumin] *s.* bitume, m.
bivouac [bivouak] *s.* bivouac, m.; *v.* bivouaquer.
bizarre [bizâr] *adj.* bizarre.
black [blak] *adj.* noir; obscur; sombre; poché [eye]; sinistre, mauvais; *s.* nègre, Noir, m.; *v.* noircir, dénigrer; **Black Monday,** lundi de Pâques; **black-out,** camouflage des lumières. || **blackberry** [-bèri] *s.* mûre, f. || **blackbird** [-bëʳd] *s.* merle, m. || **blackboard** [boᵒᵘʳd] *s.* tableau noir, m. || **blacken** [-ᵉn] *v.* noircir; dénigrer. || **blackjack** [-djak] *s. Am.* assommoir; vingt-et-un [cards]. || **blackleg** [-lèg] *s. Br.* escroc, tricheur; jaune [strikebreaker], m. || **blackmail** [-méᶦl] *s.* chantage; *v.* faire chanter. || **blackness** [-nis] *s.* noirceur; couleur noire, f. || **black-pudding** [-pouding] *s.* boudin, m. || **blacksmith** [-smith] *s.* forgeron, m. || **blackthorn** [-thaurn] *s.* prunellier, m. || **blacky** [-i] *s.* Noir.
bladder [bladᵉʳ] *s.* ampoule, vessie.
blade [bléᶦd] *s.* feuille; lame [knife], f.; brin [grass]; plat [oar], m.; palette [propeller]; aile d'hélice, f.; **shoulder-blade,** omoplate.
blain [bléᶦn] *s.* pustule, f.
blame [bléᶦm] *s.* blâme, f.; *v.* blâmer; reprocher; **blameworthy,** blâmable, fautif. || **blameless** [-lis] *adj.* irréprochable.
blanch [blàntsh] *v.* blanchir.
bland [blànd] *adj.* doux; aimable.
blank [blàngk] *adj.* blanc; dénudé; vide; vain; en blanc; à blanc; complet, total; blanc, non rimé [verse]; *s.* blanc, m.; lacune, f.; vide, trou, m.; *to look blank,* avoir l'air confondu.
blanket [blàngkit] *s.* couverture, f.; *v.* couvrir; *Am.* inclure sous une rubrique générale; étouffer [scandal]; **blanket ballot,** bulletin électoral général.
blare [blèr] *v.* retentir; résonner; proclamer; *s.* bruit; fracas, m.
blaspheme [blasfîm] *v.* blasphémer. || **blasphemy** [blasfimi] *s.* blasphème, m.
blast [blast] *s.* rafale [wind], f.; son [trumpet], m.; explosion [dynamite], f.; souffle [bomb], m.; *v.* exploser; détruire; flétrir [reputation]; **blast furnace,** haut fourneau; **blasting-oil,** nitroglycérine.
blatancy [bléᶦt'nsi] *s.* vulgarité, f.
blaze [bléᶦz] *s.* flamme, f.; éclat, m.; *v.* flamber, resplendir; marquer [trees]; *in a blaze,* en feu.
bleach [blîtsh] *v.* blanchir; pâlir. || **bleacher** [-ᵉʳ] *s.* blanchisseur, m.; *pl. Am.* gradins, m.
bleak [blîk] *adj.* froid, venteux; désolé, lugubre; désert; morne.
blear [bliᵉʳ] *adj.* chassieux [eyes]; *v.* brouiller la vue.
bleat [blît] *v.* bêler; *s.* bêlement, m.
bled [blèd] *pret., p. p. of* **to bleed.** || **bleed** [blîd] *v.* saigner. || **bleeding** [-ing] *s.* saignement, m.; saignée; hémorragie, f.
blemish [blèmish] *v.* ternir; flétrir; souiller; *s.* défaut, m.; faute, tache; imperfection, f.
blench [blèntsh] *v.* reculer; éviter, fuir; broncher.
blench [blèntsh] *v.* blêmir; pâlir; faire pâlir.
blend [blènd] *s.* mélange, m.; *v.* mélanger, mêler; dégrader [colors]; fondre [sounds], harmoniser; se mélanger. || **blending** [-ing] *s.* mélange, m.
bless [blès] *v.* bénir. || **blessed** [-id] *adj.* béni; saint; bienheureux; [blèst] *pret., p. p., of* **to bless.** || **blessing** [-ing] *s.* bénédiction; grâce, f.; bienfait, m.
blest, *see* **blessed.**
blew [blou] *pret. of* **to blow.**
blight [blaᶦt] *s.* nielle [corn]; rouille; influence perverse, f.; *v.* brouir; gâcher; ruiner [hope].
blind [blaᶦnd] *adj.* aveugle; *s.* persiennes; œillère [horse], f.; abat-jour; prétexte; store; masque, m.; *v.* aveugler; **blind lantern,** lanterne sourde; **stone-blind,** complètement aveugle. || **blinder** [-ᵉʳ] *s.* œillère; *Am.* persienne, f. || **blindfold** [-foᵒᵘld] *v.* aveugler; bander les yeux à; *adj.* qui a les

yeux bandés; *s.* ruse, f. || **blindly** [-li] *adv.* à l'aveuglette. || **blindness** [-nis] *s.* cécité, f.; aveuglement, m. || **blindworm** [-wërm] *s.* orvet, m.
blink [bl*i*ngk] *v.* clignoter; cligner des yeux; fermer les yeux sur; *s.* coup d'œil; clignotement; aperçu, m.; lueur, f. || **blinking** [-ing] *adj.* clignotant; vacillant [flame].
bliss [bl*i*s] *s.* félicité; béatitude, f. || **blissful** [-fel] *adj.* bienheureux. || **blissfulness** [-felnis] *s.* béatitude, f.; bonheur total, m.
blister [bl*i*ster] *s.* pustule; ampoule; boursouflure, f.; *v.* boursoufler.
blithe [bla*i*zh] *adj.* gai; heureux. || **blitheness** [-nis] *s.* joie, gaieté.
blizzard [bl*i*zerd] *s.* tempête de neige, f.; *Am.* attaque violente.
bloat [bloout] *v.* enfler; se gonfler; *adj.* *Am.* prétentieux, « gonflé »; météorisant [cattle]. || **bloater** [-er] *s.* hareng saur, m.
block [blâk] *s.* bloc; pâté, îlot [houses], m.; forme [hat], f.; encombrement, m.; *v.* bloquer; encombrer; **chopping block,** billot.
blockade [blâkéid] *s.* blocus; *Am.* blocage, m.; obstruction, f.; *v.* bloquer, obstruer. || **blockhead** [blâkèd] *s.* lourdaud; imbécile, m.
blond(e) [blând] *adj., s.* blond(e).
blood [blœd] *s.* sang; *v.* acharner [hound]; donner le baptême du sang; **blood count,** analyse du sang; **blood vessel,** veine, artère; || **blooded** [-id] *adj.* de race, pur sang. || **bloodshed** [-shèd] *s.* effusion de sang, f. || **bloodshot** [-shât] *adj.* injecté de sang. || **bloodthirsty** [-thërsti] *adj.* sanguinaire. || **bloodsucker** [-sœker] *s.* sangsue, f. || **bloody** [-i] *adj.* sanglant; ensanglanté.
bloom [bloum] *s.* fleur; floraison, f.; incarnat, m.; *v.* fleurir, s'épanouir. || **blooming** [-ing] *adj.* en fleur; florissant; *s.* floraison, f.
blossom [blâsem] *s.* fleur, f.; épanouissement, m.; *Am.* sorte de quartz; *v.* fleurir, s'épanouir.
blot [blât] *s.* tache, f.; pâté [ink], m.; rature, f.; faute, erreur, f.; *v.* tacher; maculer; buvarder; **blotting paper,** papier buvard.
blotch [blâtsh] *s.* pustule; éclaboussure; flaque, f.; *v.* tacher.
blotter [blâter] *s.* buvard, m.; brouillard (comm.); *Am.* livre de police, m.
blouse [blaous] *s.* blouse, chemisette, f.; corsage, m.
blow [bloou] *v.** fleurir, s'ouvrir.
blow [bloou] *v.** souffler; sonner [trumpet]; fondre (electr.); *Am.* déguerpir; *s.* coup, m.; soufflement; coup de vent, m.; *to blow a fuse,* faire sauter un plomb; *to blow one's nose,* se moucher; *to blow out,* éteindre, éclater [tire]. || **blower** [-er] *s.* souffleur, ventilateur, m.; soufflerie, f. || **blown** [-n] *p. p. of* **to blow.**
blowout [bloouaout] *s.* éclatement, m.; crevaison [tire]; ventrée, f.
blowpipe [bloouпaip] *s.* chalumeau, m.
blowzy [blaouzi] *adj.* rouge; ébouriffée, mal soignée [woman].
blue [blou] *adj.* bleu; triste; *s.* bleu, ciel, azur; *pl.* mélancolie, f.; *v.* bleuir; passer au bleu; *out of the blue,* soudainement; *to feel blue,* avoir le cafard; **bluecap,** bluet; **blue light,** feu de Bengale; **bluestone,** sulfate de cuivre. || **bluebell** [-bèl] *s.* jacinthe des prés, f.
bluff [blœf] *s.* falaise, f.; escarpement; bluff, m.; *adj.* escarpé; rude; brusque; *v.* bluffer. || **bluffer** [-er] *s.* bluffeur, m. || **bluffly** [-li] *adv.* rudement, brutalement.
bluing [blouing] *s.* bleu de blanchisseuse, m. || **bluish** [blouish] *adj.* bleuâtre.
blunder [blœnder] *s.* bévue, gaffe, sottise, f.; *v.* gaffer, commettre une maladresse. || **blunderer** [-rer] *s.* gaffeur, m.; maladroit, m.
blunt [blœnt] *adj.* émoussé; obtus, stupide; brusque, rude; *v.* émousser; amortir [blow].
blur [blër] *s.* tache; bavochure; buée, f.; *v.* brouiller; tacher; ternir; estomper; ennuager.
blurb [blërb] *s.* *Am.* réclame; prière d'insérer [book]; publicité, f.
blurt [blërt] *v.* parler à l'étourdi; gaffer; *to blurt out,* révéler.
blush [blœsh] *s.* rougeur, f.; incarnat, m.; *v.* rougir.
bluster [blœster] *s.* tapage, m.; tempête; forfanterie, f.; *v.* faire une bourrasque; faire le fanfaron. || **blustering** [-ring] *adj.* fanfaron.
boar [boour] *s.* verrat; sanglier, m.
board [boourd] *s.* planche; table; pension, f.; écriteau; carton;

comité; établi; bord [ship], m.; côte (naut.), f.; *pl.* le théâtre, m.; *v.* planchéier; nourrir; prendre pension; aborder; *board and room,* pension complète; *Board of Trade,* ministère du Commerce; *to board out,* mettre en pension. || **boarder** [-^{er}] *s.* pensionnaire. || **boarding-house** [-ingha^{ou}s] *s.* pension de famille. || **boarding-school** [-ingskoul] *s.* pensionnat, m.

boast [bo^{ou}st] *s.* vantardise, f.; *v.* se vanter, s'enorgueillir. || **boastful** [-f^{e}l] *adj.* vantard, vaniteux. || **boasting** [-ing] *s.* vantardise, f.

boat [bo^{ou}t] *s.* bateau, m.; embarcation, f. || **boater** [-^{er}] *s.* canotier, m. || **boathouse** [-ha^{ou}s] *s.* hangar à bateaux, m. || **boating** [-ing] *s.* canotage; transport par bateau, m. || **boatman** [-m^{e}n] *s.* batelier, navigateur, marin, m.

bob [bâb] *s.* pendant [ear]; plomb [line]; gland, m.; lentille [clock]; secousse; monnaie [shilling]; coiffure à la Ninon, f.; *v.* secouer par saccades; balloter; écourter [tail]; pendiller; *to bob up and down,* tanguer; **bob-sleigh,** traîneau.

bode [bo^{ou}d] *pret., p. p. of* **to bide.**

bodice [bâdis] *s.* corsage, m.

bodiless [bâdilis] *adj.* immatériel; sans corps. || **bodily** [bâdili] *adj.* corporel; matériel; sensible; *adv.* corporellement; par corps; d'un bloc; unanimement. || **body** [bâdi] *s.* corps; code, recueil; corsage; fuselage (aviat.), m.; nef [church]; carrosserie [auto]; masse [water], f.; *to come in a body,* venir en masse; *as a body,* dans l'ensemble, collectivement; *the constituent body,* le collège électoral.

bog [bâg] *s.* marais, m.; *v.* embourber; *to bog down,* s'enliser. || **boggy** [-i] *adj.* marécageux.

Bohemian [bo^{ou}himi^{e}n] *adj.* bohémien.

boil [bo^{i}l] *s.* furoncle, m.

boil [bo^{i}l] *v.* bouillir; faire bouillir; *s.* ébullition; *to boil over,* déborder en bouillant; *to boil away,* s'évaporer en bouillant; *to boil down,* faire réduire à l'ébullition, condenser. || **boiler** [-^{er}] *s.* bouilloire, f.; chaudière, f.; calorifère, m.

boisterous [bo^{i}st^{e}r^{e}s] *adj.* bruyant, tumultueux; turbulent.

bold [bo^{ou}ld] *adj.* hardi; courageux; escarpé [cliff]; gras (typogr.); **bold-faced,** effronté. || **boldly** [-li] *adv.* hardiment. || **boldness** [-nis] *s.* audace; hardiesse; insolence, f.

Bolshevik [bo^{ou}lsh^{e}vik] *adj.* bolchevique; *s.* bolcheviste.

bolster [bo^{ou}lst^{er}] *s.* traversin, m.; *v. to bolster up,* étayer [doctrine]; soutenir [person].

bolt [bo^{ou}lt] *s.* verrou; boulon; bond; rouleau [paper], m.; cheville [pin]; flèche [arrow]; culasse [rifle]; foudre [thunder]; fuite, f.; *adj.* rapide et droit; *v.* verrouiller; boulonner; avaler; fuir; bluter; tamiser; *Am.* se retirer d'un parti, s'abstenir de voter. || **bolter** [-^{er}] *s.* blutoir; *Am.* dissident d'un parti, m.

bomb [bâm] *s.* bombe, f.; *v.* bombarder; **bombed-out,** sinistré; **bombing plane,** bombardier (aviat.). || **bombard** [bâmbârd] *v.* bombarder. || **bombardier** [bâmb^{e}dir] *s.* bombardier, m. || **bombardment** [bâmbârdm^{e}nt] *s.* bombardement, m.

bombastic [bâmbastik] *adj.* ampoulé, amphigourique.

bomber [bâm^{er}] *s.* bombardier, m.

bond [bând] *s.* lien, m.; obligation, f.; *v.* garantir par obligations; entreposer à la douane. || **bondage** [-idj] *s.* esclavage, m.; servitude, f. || **bondsman** [-zm^{e}n] *s.* garant, m.; serf, esclave, m.

bone [bo^{ou}n] *s.* os, m.; arête [fish]; baleine de corset, f.; *v.* désosser; baleiner; *Am.* bûcher, travailler dur; *a bone of contention,* une pomme de discorde; *he is a bag of bones,* il n'a que la peau et les os; *to make no bones about,* n'avoir pas de scrupules à; *I feel it in my bones,* j'en ai le pressentiment.

bonfire [bânfa^{i}r] *s.* bûcher; feu de joie, m.

bonnet [bânit] *s.* capote, f.; capot [auto]; complice, m.; *v.* coiffer.

bonus [bo^{ou}n^{e}s] *s.* prime, f.; boni, m.

bony [bo^{ou}ni] *adj.* osseux; plein d'arêtes.

boo [bou] *v.* huer; *s. pl.* huées, f.

booby [boubi] *s. adj.* nigaud; lourdaud.

book [bouk] *s.* livre; registre, m.; *v.* enregistrer; *book of tickets,* carnet de tickets; *on the books,* inscrit dans la comptabilité; **order-**

books, carnet de commandes; *to book one's place,* louer sur place. || **bookcase** [-kéⁱs] *s.* bibliothèque, f. || **bookkeeper** [-kipᵉʳ] *s.* comptable, m. || **booking** [-ing] *s.* enregistrement, m. || **bookish** [-ish] *adj.* pédantesque. || **bookkeeping** [-kiping] *s.* comptabilité, f.; *double-entry bookkeeping,* comptabilité en partie double. || **booklet** [-lèt] *s.* livret, opuscule, m. || **bookseller** [-sèlᵉʳ] *s.* libraire, m. || **bookshelf** [shèlf] *s.* étagère de bibliothèque, f. || **bookshop** [-shâp], **bookstore** [-stoᵒᵘr] *s.* librairie, f.

boom [boum] *s.* grondement, m.; hausse (comm.); chaîne, f.; *v.* gronder [wind]; voguer rapidement; prospérer; augmenter; *boom and bust,* prospérité et dépression.

boon [boun] *adj.* gai, joyeux.

boon [boun] *s.* bienfait, m.; faveur, f.

boor [bour] *s.* rustre; lourdaud, m. || **boorish** [bourish] *adj.* rustre.

boost [boust] *s.* *Am.* poussée; augmentation, f.; *v.* pousser, faire l'article; augmenter [price].

boot [bout] *s.* surplus, m.; *to boot,* en plus, par-dessus le marché.

boot [bout] *s.* chaussure, botte, bottine, f.; brodequin [torture]; coffre [vehicle]; coup de pied, m.; *v.* botter; donner un coup de pied. || **bootblack** [-blak] *s.* cireur de bottes, m. || **bootlegger** [-lègᵉʳ] *s.* *Am.* contrebandier de spiritueux. || **bootlick** [-lik] *v.* *Am.* lécher les bottes, flagorner.

booty [bouti] *s.* butin, m.

booze [bouz] *s.* boisson, f.; *v.* se griser; **boozer,** pochard.

border [baurdᵉʳ] *s.* bord, m.; bordure; frontière, f.; *v.* border; être limitrophe de.

bore [boᵒᵘr] *pret. of* **to bear.**

bore [boᵒᵘr] *v.* percer; forer; *s.* trou; calibre [gun]; mascaret [tide]; alésage (mech.), m.; sonde [mine], f.

bore [boᵒᵘr] *v.* ennuyer, importuner; *s.* ennui; importun; raseur (fam.), m. || **boredom** [-dᵉm] *s.* ennui, m. || **boring** [-ing] *adj.* ennuyeux.

born [baurn] *p. p. of* **to bear;** *adj.* né; inné. || **borne** [baurn] *p. p. of* **to bear.**

borough [bëʳoᵒᵘ] *s.* bourg, m.; cité; circonscription électorale, f.

borrow [bauroᵒᵘ] *v.* emprunter, « taper ». || **borrowed** [-d] *adj.* d'emprunt, faux, usurpé. || **borrower** [-ᵉʳ] *s.* emprunteur, m. || **borrowing** [-ing] *s.* emprunt, m.

bosom [bouzᵉm] *s.* sein; cœur; plastron [shirt], m.; **bosom friend,** ami intime.

boss [baus] *s.* bosse; butée; protubérance, f.; *v.* bosseler.

boss [baus] *s.* patron, m.; *Am.* politicien influent; *adj.* de premier ordre; en chef; *v.* diriger, contrôler; *to boss it,* gouverner. || **bossy** [-i] *adj.* autoritaire, impérieux.

both [boᵒᵘ**th**] *adj., pron., conj.* tous les deux; ensemble; à la fois; *both of us,* nous deux; *on both sides,* des deux côtés.

bother [bâ**zh**ᵉʳ] *s.* tracas; ennui; souci, m.; *v.* ennuyer, tourmenter; se tracasser. || **bothersome** [-sᵉm] *adj.* ennuyant; inquiétant.

bottle [bât'l] *s.* bouteille, f.; flacon, m.; botte [hay], f.; *v.* mettre en bouteille; *to bottle up,* embouteiller, bloquer; **bottle brush,** rince-bouteille; **bottle cap,** capsule; **bottleneck,** embouteillage.

bottom [bâtᵉm] *s.* fond; bout; bas [page], m.; carène (naut.), f.; *bottoms up!* à la vôtre!; *to be at the bottom of,* être l'instigateur de.

bough [baᵒᵘ] *s.* rameau, m.

bought [baut] *pret., p. p. of* **to buy.**

boulder [boᵒᵘldᵉʳ] *s.* rocher, m.

boulevard [boulᵉvârd] *s.* boulevard, m.

bounce [baᵒᵘns] *v.* sauter; se jeter sur; rebondir; faire sauter; se vanter, exagérer; *Am.* expulser, congédier; *s.* saut, rebondissement; bruit, m.; explosion; vantardise, f.; *Am.* expulsion, f.; renvoi, m.

bound [baᵒᵘnd] *adj., p. p.* lié, attaché; *Am.* résolu à; *bound up in,* entièrement pris par; *bound to happen,* inévitable.

bound [baᵒᵘnd] *s.* limite, f.; bond, m.; *adj.* à destination de; tenu; *v.* borner; bondir; *out of bounds,* accès défendu. || **boundary** [baᵒᵘndᵉri] *s.* borne; frontière, f. || **boundless** [baᵒᵘndlis] *adj.* illimité, sans borne.

bountiful [baᵒᵘntᵉfᵉl] *adj.* libéral, généreux. || **bounty** [baᵒᵘnti] *s.* bonté, f.; largesses, f.; pl.; *Am.* récompense, prime, f.

bouquet [boukéⁱ] *s.* bouquet, m.

bout [baᵒᵘt] *s.* coup; match, m.; partie; crise (med.), f.

bow [ba^ou] *s.* salut, m.; inclinaison; proue (naut.), f.; *v.* s'incliner; courber.
bow [bo^ou] *s.* arc; archet; nœud; arçon [saddle], m.; monture [spectacles], f.; **bow-legged,** bancal.
bowels [ba^ou^elz] *s. pl.* intestins, m.; entrailles, tripes, f.
bower [ba^ou^er] *s.* tonnelle, f.
bowl [bo^oul] *s.* bol; vase rond; fourneau [pipe], m.; boule, f.; *v.* jouer aux boules; rouler [carriage]; servir la balle [game]. || **bowler** [-^er] *s.* joueur; chapeau melon, m.
box [bâks] *s.* boîte, malle; loge (theat.), f.; compartiment; carton; banc, box, m.; guérite, cabine, f.; **box-office,** bureau de location.
box [bâks] *s.* buis [wood], m.
box [bâks] *s.* gifle, claque, f.; *s.* gifler; boxer. || **boxer** [-^er] *s.* boxeur, m. || **boxing** [-ing] boxe, f.
boy [bo^i] *s.* garçon, m.
boycott [bo^ikât] *v.* boycotter; *s.* boycottage, m.
boyhood [bo^ihoud] *s.* enfance, f. || **boyish** [bo^iish] *adj.* puéril.
brace [bré^is] *s.* paire; attache; agrafe (mech.); accolade (typogr.); *pl. Br.* bretelles, f.; *v.* attacher; tendre; accolader; *carpenter's brace,* vilebrequin; *to brace up,* fortifier, tonifier.
bracelet [bré^islit] *s.* bracelet, m.
bracken [brak^en] *s.* fougère, f.
bracket [brakit] *s.* applique, f.; tasseau; crochet (typogr.), m.; *v.* mettre entre crochets; réunir.
brag [brag] *s.* fanfaronnade, f.; *v.* se vanter; **braggart,** fanfaron.
braid [bré^id] *s.* galon, m.; tresse; soutache, f.; *v.* tresser.
brain [bré^in] *s.* cerveau, m.; cervelle, f.; *v.* casser la tête; faire sauter la cervelle à; **brainstorm,** idée de génie, trouvaille.
brake [bré^ik] *s.* frein; bordage (mech.), m.; *v.* ralentir, freiner; enrayer; **brakeman,** serre-frein.
bramble [bràmb'l] *s.* ronce, f.; **bramble-berry,** mûre; **bramble-rose,** églantine.
bran [bràn] *s.* son, m.
branch [bràntsh] *s.* branche; succursale, agence; bifurcation, f.; embranchement; affluent, m.; *v.* s'embrancher; se ramifier.
brand [brànd] *s.* tison; stigmate, m.; flétrissure; marque de fabrique; sorte, f.; *v.* stigmatiser, marquer au fer rouge; marquer les bestiaux; **brand-new,** flambant neuf.
brandish [bràndish] *v.* brandir; secouer; agiter.
brandy [bràndi] *s.* brandy, m.; eau-de-vie, f.
brass [bras] *s.* cuivre, laiton, airain, m.; *adj.* de cuivre; *v.* cuivrer; **brass-band,** fanfare.
brassière [br^ezir] *s.* soutien-gorge, m.
brat [brat] *s.* marmot, gosse, m.
brave [bré^iv] *adj.* brave; beau, chic; *v.* braver, défier. || **bravery** [-^eri] *s.* bravoure, f.
bravo [bravo^ou] *interj.* bravo.
brawl [braul] *v.* crier, brailler; *s.* vacarme, m.; querelle, rixe, f.
brawn [braun] *s.* muscle, m.; force, f.; **brawny,** musclé.
bray [bré^i] *s.* braiment, m.; *v.* braire.
brazen [bré^iz'n] *adj.* de cuivre, d'airain; impudent, effronté.
brazier [bré^ij^er] *s.* chaudronnier; braséro, m.
breach [britsh] *s.* brèche; rupture; infraction à, violation de, f.; *v.* ouvrir une brèche dans.
bread [brèd] *s.* pain, m.; *v.* paner; **brown bread,** pain bis; **stale bread,** pain rassis; **bread-winner,** gagne-pain.
breadth [brèdth] *s.* largeur; dimension, f.; lé, m.
break [bré^ik] *s.* brèche, trouée; interruption, lacune, rupture; baisse [price]; aubaine, f.; *v.*° casser, briser; violer [law]; ruiner, délabrer [health]; éclater [storm]; annoncer, faire part de [purpose]; **breakdown,** rupture de négociations; *to break down,* abattre; broyer; *to break out,* éclater [war]; *to break up,* se séparer, (se) disperser, cesser; *to give a break,* donner une chance. || **breakable** [-^eb'l] *adj.* cassable. || **breaker** [-^er] *s.* briseur; perturbateur; interrupteur; brisants [waves], m. || **breakfast** [-f^est] *s., v.* déjeuner.
breast [brèst] *s.* poitrine, f.; sein; poitrail; cœur; sentiment; blanc de volaille, m.; *v.* lutter contre; *to make a clean breast,* faire des aveux complets; **breastbone,** sternum; **breastwork,** parapet.
breath [brèth] *s.* souffle, m.; haleine, f.; *v.* respirer, souffler; *out of*

breath, à bout de souffle; *to gasp for breath*, haleter.
breathe [brîzh] *v.* respirer; exhaler; souffler; *to breathe one's last*, rendre le dernier soupir; *not to breathe a word*, ne pas souffler mot. || **breathless** [brèthlis] *adj.* essoufflé; suffocant; émouvant.
bred [brèd] *pret.*, *p. p. of* **to breed**; **well-bred**, bien élevé.
breeches [britshiz] *s. pl.* pantalon.
breed [brîd] *s.* race; sorte, espèce, f.; *v.** élever, nourrir; éduquer; engendrer. || **breeder** [-er] *s.* étalon; éleveur; éducateur, m. || **breeding** [-ing] *s.* procréation, f.; éducation, f.; élevage, m.
breeze [brîz] *s.* brise, f. || **breezy** [-i] *adj.* aéré; animé, vif.
brethren [brèzhrin] *s. pl.* frères [religion], m.
breve [brîv] *s.* brève (mus.), f. || **brevity** [brèveti] *s.* brièveté, f.
brew [brou] *v.* brasser [ale]; tramer, comploter; faire infuser [tea]; *s.* bière, f. || **brewer** [-er] *s.* brasseur, m. || **brewery** [-eri] *s.* brasserie, f.
briar [braier] *s.* ronce, f.; églantier, m.
bribe [braib] *s.* paiement illicite, pot de vin, m.; *v.* corrompre. || **bribery** [-eri] *s.* concussion, f.
brick [brik] *s.* brique, f.; *Am.* brave type, bon garçon; *v.* briqueter; **bricklayer**, maçon; **brickwork**, briquetage; **brickyard**, briqueterie. || **brickbat** [-bat] *s.* morceau de brique, m.; insulte, f.
bridal [braid'l] *adj.* nuptial. || **bride** [braid] *s.* mariée, f.; *the bride and groom*, les nouveaux mariés. || **bridegroom** [-groum] *s.* marié, m. || **bridesmaid** [-zméid] *s.* demoiselle d'honneur, f.
bridge [bridj] *s.* pont, m.; passerelle (naut.), f.; chevalet [violin]; dos [nose]; appareil dentaire; jeu de cartes, m.; *v.* jeter un pont sur; **drawbridge**, pont-levis.
bridle [braid'l] *s.* bride, f.; frein, m.; restriction, f.; *v.* brider; maîtriser, subjuguer; se rengorger; **bridle-path**, piste cavalière.
brief [brîf] *adj.* bref, concis; *s.* dossier (jur.); sommaire, abrégé; bref apostolique, m.; *pl. Am.* culottes de dame; *v.* abréger, résumer. || **briefly** [-li] *adv.* brièvement. || **briefcase** [-kéis] *s.* portefeuille, m.; serviette; chemise, f.
brier, *see* **briar**.
brig [brig] *s.* brick (naut.), m.; *Am.* prison (fam.), f.
brigade [brigéid] *s.* brigade, f.
bright [brait] *adj.* brillant; gai; intelligent; vif [color]; *Am.* blond [tobacco]. || **brighten** [-'n] *v.* faire briller; égayer; embellir; polir; s'éclairer. || **brightness** [-nis] *s.* éclat, m.; clarté; splendeur; vivacité; gaieté, f.
brilliance [brilyens] *s.* éclat; lustre; brillant, m.; splendeur, f. || **brilliant** [brilyent] *adj.* brillant, éclatant; talentueux. || **brilliantine** [brilyentìn] *s.* brillantine, f.; [brilyentìn] *v.* brillantiner.
brim [brìm] *s.* bord, m.; *v.* remplir jusqu'au bord; être tout à fait plein; *to brim over*, déborder. || **brimmer** [-er] *s.* rasade, f.
brimstone [brìmstooun] *s.* soufre, m.
brine [brain] *s.* saumure; eau salée, f;. *v.* plonger dans la saumure.
bring [bring] *v.** amener, conduire; apporter; coûter, revenir [price]; *to bring along*, apporter, amener; *to bring about*, produire, occasionner; *to bring back*, rapporter, ramener; *to bring down*, faire descendre; humilier; abattre; *to bring forth*, produire; *to bring forward*, avancer, reporter [sum]; *to bring in*, introduire; *to bring out*, faire sortir; publier; *to bring off*, renflouer; *to bring up*, élever, nourrir; mettre sur le tapis [subject]; *how much does coal bring?*, combien coûte le charbon?
brink [bringk] *s.* bord, m.
brioche [briooush] *s.* brioche, f.
briquette [brikèt] *s.* briquette, f.
brisk [brisk] *adj.* vif; actif (comm.); animé, alerte. || **briskly** [-li] *adv.* allégrement, activement.
bristle [bris'l] *s.* soie [pig], f.; *v.* se hérisser. || **bristly** [-i] *adj.* hérissé.
Britain [brit'n] *s.* Grande-Bretagne, f. || **British** [british] *adj.*, *s.* britannique, anglais. || **Brittany** [brit'ni] *s.* Bretagne, Armorique, f.
brittle [brit'l] *adj.* fragile, cassant.
broach [broutsh] *s.* broche, f.; *v.* embrocher; mettre en perce [cask]; entamer [subject].
broad [braud] *adj.* large, vaste; hardi; fort [accent]; tolérant [mind]; clair [hint]; **broad-**

minded, à l'esprit large. || **broadcast** [-kast] *s.* radiodiffusion; émission; transmission, f.; *v.* radiodiffuser, émettre; semer à la volée.

brocade [bro^{ou}ké^{i}d] *s.* brocart, m.

broil [bro^{i}l] *s.* querelle, échauffourée, f.; tumulte, m.

broil [bro^{i}l] *v.* griller, rôtir; faire rôtir. || **broiler** [-^{er}] *s.* gril, m.

broke [bro^{ou}k] *pret. of* **to break**; *adj.* ruiné, fauché. || **broken** [-^{e}n] *p. p. of* **to break**; *adj.* brisé, rompu; délabré, en ruine; fractionnaire [number]; vague [hint]; entrecoupé [voice]; *broken French*, mauvais français.

broker [bro^{ou}k^{er}] *s.* courtier; brocanteur; prêteur sur gages, m. || **brokerage** [bro^{ou}k^{e}ridj] *s.* courtage, m.; **brokerage fee**, commission de courtier.

bronchitis [brânka^{i}tis] *s.* bronchite.

bronze [brânz] *s.* bronze, m.; *adj.* bronzé; *v.* bronzer.

brooch [broutsh] *s.* broche [clasp], f.

brood [broud] *s.* couvée; famille (colloq.), f.; *v.* couver; méditer. || **brooder** [-^{er}] *s.* couveuse, f.

brook [brouk] *s.* ruisseau, m.

brook [brouk] *v.* supporter.

broom [broum] *s.* genêt; balai, m.; *v.* balayer; **broomstick**, manche à balai.

broth [brauth] *s.* bouillon ; potage, m.

brother [brœzh^{er}] *s.* frère; collègue, m. || **brotherhood** [-houd] *s.* fraternité, f.; groupe, m. || **brotherly** [-li] *adj.* fraternel.

brought [braut] *pret., p. p. of* **to bring**.

brow [bra^{ou}] *s.* sourcil; front; sommet [hill], m.

brown [bra^{ou}n] *adj.* brun; sombre; bis; marron; châtain; bronzé; *v.* brunir; *browned off*, déprimé.

browning [bra^{ou}ning] *s.* revolver, m

browse [bra^{ou}z] *v.* brouter; bouquiner; *s.* pousse verte, f.

bruise [brouz] *s.* contusion, f.; bleu, m.; *v.* contusionner, meurtrir.

brunette [brounèt] *adj.* brun, brunet; *s.* femme brune, f.

brunt [brœnt] *s.* choc; assaut, m.

brush [brœsh] *s.* fourré; pinceau, m.; brosse; escarmouche; friche, f.; *v.* brosser; effleurer; *to brush aside*, écarter; *to brush away*, essuyer, balayer; *to brush up a lesson*, repasser une leçon. || **brushwood** [-woud] *s.* fourré, m.; broussailles, f. pl.

brusque [brœsk] *adj.* brusque.

brutal [brout'l] *adj.* brutal. || **brutality** [broutal^{e}ti] *s.* brutalité, f.

brute [brout] *s.* brute; *adj.* brut; bestial; grossier; brutal. || **brutish** [-ish] *adj.* brutal, de brute, grossier.

bubble [bœb'l] *s.* bulle; ampoule; affaire véreuse, f.; *v.* bouillonner.

buck [bœk] *s.* mâle (renne, antilope, lièvre, lapin), m.; *Am.* un dollar (colloq.), m.

buck [bœk] *s.* ruade, f.; *v.* ruer; désarçonner; *Am.* regimber.

bucket [bœkit] *s.* seau; baquet; auget [wheel]; piston [pump], m.; *to kick the bucket*, casser sa pipe (fam.).

buckle [bœk'l] *s.* boucle, f.; *v.* boucler; s'atteler à [work]; *to buckle down*, travailler dur.

buckle [bœk'l] *v.* se ployer, se recroqueviller; courber.

buckshot [bœkshât] *s.* chevrotine, f.

buckwheat [bœkhwit] *s.* sarrazin.

bud [bœd] *s.* bourgeon; bouton, m.; *v.* bourgeonner. || **buddy** [-i] *s.* *Am.* camarade, copain, m.

budge [bœdj] *v.* bouger, reculer.

budget [bœdjit] *s.* budget; sac, m.

buff [bœf] *s.* peau de buffle, f.; chamois, m.

buff [bœf] *s.* coup, soufflet, m.; *blindman's buff*, colin-maillard.

buffalo [bœf'lo^{ou}] *s.* buffle, bison, m.

buffet [bœfit] *s.* coup, soufflet, m.; *v.* frapper.

buffet [bœfé^{i}] *s.* buffet; [boufé^{i}] *s.* restaurant, m.; *Am.* **buffet-car**, wagon-restaurant.

bug [bœg] *s.* punaise, f.; microbe, germe, m.

bugle [byoug'l] *s.* cor de chasse; clairon, m.; *v.* claironner.

build [bild] *s.* structure; stature; taille, f.; *v.** bâtir, construire; établir; *to build up*, édifier; *to build upon*, compter sur. || **builder** [-^{er}] *s.* entrepreneur, constructeur, m. || **building** [-ing] *s.* construction, f.; bâtiment, m.; *public building*, édifice public; *adj.* de construction; à bâtir; du bâtiment; **building land**, terrain à bâtir. || **built** [bilt] *adj.*, *p. p.* bâti; façonné.

bulb [bœlb] *s.* bulbe, oignon; globe

[eye], m.; ampoule (electr.); poire [rubber], f.
bulge [bœldj] *s.* renflement, m.; bosse, f.; *v.* bomber; faire eau (naut.). ‖ **bulgy** [-i] *adj.* tors.
bulk [bœlk] *s.* masse, f.; volume, m.; *Am.* pile de tabac, f.; *in bulk,* en vrac, en gros; *to bulk large,* faire figure importante. ‖ **bulky** [-i] *adj.* volumineux, massif; lourd.
bull [boul] *s.* taureau; haussier [Stock Exchange]; *Am.* agent de police; boniment, m.; *adj.* de hausse; *v.* provoquer la hausse; **bull fight,** corrida; **bull fighter,** torero.
bull [boul] *s.* bulle [papal], f.
bulldozer [bouldoouzer] *s.* bulldozer.
bullet [boulit] *s.* balle [gun], f.
bulletin [boulet'n] *s.* bulletin, m.; **bulletin board,** panneau d'affichage.
bullfinch [boulfintsh] *s.* *Br.* bouvreuil, m.
bullion [boulyen] *s.* or en barres; lingots, m.; encaisse métallique, f.
bully [bouli] *s.* matamore, m.; *adj.* fanfaron; jovial; épatant; *v.* intimider; malmener; le faire à l'influence.
bulwark [boulwerk] *s.* fortification; défense, f.
bum [bœm] *s.* vagabond; écornifleur; débauché, m.; *adj.* *Am.* de mauvaise qualité, inutilisable; *v.* rouler sa bosse; vivre aux crochets de.
bumblebee [bœmb'lbi] *s.* bourdon.
bump [bœmp] *s.* bosse, f.; coup, m.; *v.* se cogner; heurter. ‖ **bumper** [-er] *s.* pare-choc, m.; *adj.* excellent, abondant.
bunch [bœntsh] *s.* brioche, f.; petit pain, m.
bunch [bœntsh] *s.* botte [vegetables]; grappe [grapes]; bosse [hump], f.; bouquet; trousseau [keys], m.; *v.* se grouper; réunir; se renfler, faire une bosse.
bundle [bœnd'l] *s.* paquet; fagot, m.; botte; liasse, f.; *v.* botteler; entasser; *to bundle up,* emmitoufler, empaqueter.
bunghole [bœnghooul] *s.* bonde, f.
bungle [bœngg'l] *v.* gâcher, bousiller; *s.* gâchis, m.
bunion [bœnyen] *s.* oignon, bulbe.
bunk [bœngk] *s.* couchette; blague, foutaise, f.; bourrage de crâne, m.; *v.* partager une chambre; se mettre au lit.
bunny [bœni] *s.* lapin, m.
bunt [bœnt] *v.* pousser, encorner.
buoy [boi] *s.* bouée, f.; *v.* maintenir à flot; *to buoy up,* soutenir. ‖ **buoyant** [-ent] *adj.* qui peut flotter; léger; gai, vif.
bur [bër] *s.* grasseyement, m.; *v.* grasseyer.
burden [bërden] *s.* fardeau, m.; charge, f.; tonnage (naut.), m.; *v.* charger.
burden [bërden] *s.* refrain; accompagnement [music], m.
burdock [bërdâk] *s.* bardane, f.
bureau [byouroou] *s.* bureau; cabinet; secrétaire, m.; **travel bureau,** agence de voyage; **weather bureau,** office de météorologie.
burglar [bërgler] *s.* cambrioleur, voleur, m. ‖ **burglary** [-ri] *s.* cambriolage, m. ‖ **burglarize** [-raiz] *v.* cambrioler.
burial [bèriel] *s.* enterrement, m.; **burial-ground, burial-place,** cimetière, caveau, tombe.
burlap [bërlap] *s.* serpillière, f.
burly [bërli] *adj.* corpulent; bruyant; volumineux.
burn [bërn] *s.* brûlure, f.; *v.** brûler; incendier; être enflammé; *to burn to ashes,* réduire en cendres. ‖ **burner** [-er] *s.* brûleur; bec [lamp]; réchaud, m. ‖ **burning** [-ing] *s.* incendie, feu, m.; *adj.* brûlant, ardent.
burnish [bërnish] *v.* brunir, polir; *s.* brunissage, polissage, éclat, m.
burnt [bërnt] *pret., p. p. of* **to burn.**
burrow [bëroou] *s.* terrier, m.; *v.* se terrer; creuser; miner.
bursar [bërser] *s.* boursier; économe, m.
burst [bërst] *s.* éclat; mouvement brusque; élan, m.; explosion, f.; *v.** éclater; jaillir; crever; faire éclater; *to burst open,* enfoncer; *to burst into tears,* éclater en sanglots; *pret. of* **to burst.**
bury [bèri] *v.* enterrer; *buried in thought,* perdu dans ses pensées.
bus [bœs] *s.* autobus, bus; omnibus; *Am.* car, m.
bush [boush] *s.* fourré; buisson; arbuste, m.; brousse; *Am.* friche, f.
bushel [boushel] *s.* boisseau, m.
bushy [boushi] *adj.* touffu, épais.
busily [bizli] *adv.* activement, avec diligence. ‖ **business** [biznis] *s.* affaires; occupations, f.; commerce; négoce, m.; *adj.* concernant

les affaires; *to send someone about his business,* envoyer promener quelqu'un; **business house,** maison de commerce; *to make it one's business,* se charger de. || **businesslike** [-laik] *adj.* méthodique; efficace; pratique. || **businessman** [-man] *s.* homme d'affaires, m.
bust [bœst] *s.* buste, m.
bust [bœst] *s.* noce; *Am.* banqueroute, f.; *v. Am.* dompter [horse].
bustle [bœst'l] *s.* confusion; agitation, f.; remue-ménage, m.; *v.* se remuer; s'empresser; bousculer.
busy [bizi] *adj.* affairé; occupé; diligent; laborieux. || **busybody** [-bâdi] *s.* officieux; ardélion; indiscret, m.; commère, f.
but [bœt] *conj., prep., adv.* mais; ne... pas; ne... que, seulement; excepté, sauf; *but for him,* sans lui; *it was but a moment,* ce fut l'affaire d'un instant; *nothing but,* rien que; *but yesterday,* pas plus tard qu'hier.
butcher [boutsh^er] *s.* boucher, m.; *v.* massacrer; *butcher's shop,* boucherie. || **butchery** [boutsh^eri] *s.* carnage, m.
butler [bœtl^er] *s.* sommelier; maître d'hôtel, m.
butt [bœt] *s.* bout; derrière; trognon; culot; mégot, m.; crosse [gun]; cible; butte, victime, f.; *butt and butt,* bout à bout; *the butt of ridicule,* un objet de risée.
butt [bœt] *s.* barrique, f.
butt [bœt] *v.* donner des coups de tête, de cornes; *s.* coup de tête; coup de corne, m.; botte [fencing], f.; *to butt in,* se mêler de ce qui ne vous regarde pas; interrompre.
butter [bœt^er] *s.* beurre, m.; *v.* beurrer; **butter-pat,** coquille de beurre. || **buttercup** [-kœp] *s.* bouton d'or, m. || **butterfly** [-flai] *s.* papillon, m. || **buttermilk** [-milk] *s.* petit lait, m. || **butterscotch** [-skâtsh] *s.* caramel au beurre, m.
buttocks [bœt^eks] *s. pl.* derrière, m.; fesses, f. pl.
button [bœt'n] *s.* bouton, m.; *v.* boutonner; **button hook,** tire-bouton. || **buttonhole** [-ho^oul] *s.* boutonnière, f.; *v.* cramponner.
buttress [bœtris] *s.* arc-boutant, pilier, soutien, m.; *v.* soutenir.
buy [bai] *v.** acheter; *to buy back,* racheter; *to buy up,* accaparer. || **buyer** [-^er] *s.* acheteur, m.
buzz [bœz] *s.* bourdonnement, m.; *v.* bourdonner; chuchoter.
buzzard [bœz^erd] *s.* buse, f.
by [bai] *prep.* par; de; en; à; près de; envers; sur; *by far,* de beaucoup; *one by one,* un à un; *by twelve,* vers midi; *by day,* de jour; *close by,* tout près; *by and by,* peu après, tout à l'heure; *by the by,* en passant, incidemment; *by the way,* à propos; *by oneself,* tout seul; *two feet by four,* deux pieds sur quatre; *by the pound,* à la livre. || **bygone** [-gaun] *adj.* passé; démodé; d'autrefois; *s.* passé, m. || **bylaw** [-lau] *s.* loi locale, f.; règlement, statut, m. || **bypath** [-path] *s.* chemin détourné, m. || **by-product** [-prâd^ekt] *s.* sous-produit, m. || **bystander** [-stand^er] *s.* spectateur, assistant, m. || **byword** [-wë^rd] *s.* proverbe; objet de risée, m.

C

cab [kab] *s.* fiacre; taxi; *Am.* abri de locomotive, m.; **cab-driver, cabman,** cocher, chauffeur; **cab-stand,** station de taxis.
cabbage [kabidj] *s.* chou, m.
cabin [kabin] *s.* cabane; cabine, f.
cabinet [kabinit] *s.* cabinet, m.
cable [kéib'l] *s.* câble, m.; *v.* câbler; **cablegram,** câblogramme.
cackle [kak'l] *s.* caquet, m.; *v.* caqueter, bavarder.
cactus [kakt^es] (*pl.* **cacti** [kaktai]) *s.* cactus, m.
cad [kad] *s.* voyou, goujat, m.
cadence [kéid'ns] *s.* cadence, f.
cadet [k^edèt] *s.* cadet, m.
café [k^eféi] *s.* café, restaurant, m. || **cafeteria** [kaf^etiri^e] *s. Am.* restaurant de libre service, m.
cage [kéidj] *s.* cage, f.
cake [kéik] *s.* gâteau; tourteau; pain [soap], m.; tablette [choco-

late], f.; *v.* recouvrir d'une croûte; transformer en une masse compacte.
calaboose [kalebous] *s.* prison, f.
calamity [kelameti] *s.* calamité, f.
calcine [kalsain] *v.* (se) calciner.
calcium [kalsiem] *s.* calcium, m.
calculate [kalkyeléit] *v.* calculer; *to calculate on,* compter sur. || **calculation** [kalkyeléishen] *s.* calcul, m.; conjectures, f. || **calculus** [kalkyeles] *s.* calcul (med.); calcul infinitésimal, m. || **calculator** [kalkyeléiter] *s.* calculateur, m.; machine à calculer, f.
caldron [kauldren] *s.* chaudron, m.
calendar [kalender] *s.* calendrier, m.
calf [kaf] (*pl.* **calves** [kavz]) *s.* veau; mollet, m.; **calfskin,** veau [leather].
caliber [kaleber] *s.* calibre, m. || **calibrate** [kalebréit] *v.* calibrer.
calico [kalekoou] *s.* calicot, m.
calk [kauk] *v.* calfater.
call [kaul] *s.* appel, m.; invitation; visite; convocation; vocation, f.; coup de fil, m.; *v.* appeler; visiter; téléphoner; convoquer; toucher (naut.); *to call at a port,* faire escale à un port; *to call for,* demander; *to call forth,* faire naître, évoquer; *to call in,* faire entrer; *to be called,* s'appeler; *to call up on the phone,* appeler par téléphone. || **caller** [-er] *s.* visiteur, m. || **calling** [-ing] *s.* appel, m.; convocation; vocation, f.
callous [kales] *adj.* calleux; dur.
callus [kales] *s.* callosité, f.
calm [kâm] *adj., s.* calme; *v.* calmer, tranquilliser. || **calmness** [-nis] *s.* calme, m.; tranquillité, f.
calorie [kaleri] *s.* calorie, f.
calumniate [kelœmniéit] *v.* calomnier. || **calumny** [kalemni] *s.* calomnie, f.
calyx [kéiliks] (*pl.* **calyces** [kalisiz]) *s.* calice (bot.), m.
came [kéim] *pret. of* **to come.**
camel [kàm'l] *s.* chameau, m.
camera [kamere] *s.* appareil photographique, m.
camouflage [kameflâj] *s.* camouflage, m.; *v.* camoufler.
camp [kàmp] *s.* camp, m.; *v.* camper; **camp-stool,** pliant; *political camp,* parti politique.
campaign [kàmpéin] *s.* campagne, f.; *v.* faire campagne.
camphor [kàmfer] *s.* camphre, m.
campus [kàmpes] *s.* *Am.* terrain de l'université, m.
can [kàn] pot; bidon, m.; boîte; jarre, f.; *v.* mettre en boîte, en conserve; **can-opener,** ouvre-boîtes.
can [kàn] *v.* savoir; pouvoir, être capable; *who can tell?* qui le sait?
Canadian [kenéidien] *adj., s.* canadien.
canal [kenal] *s.* canal, m. || **canalization** [kenalezéishen] *s.* canalisation, f. || **canalize** [kenalaiz] *v.* canaliser.
cancel [kàns'l] *v.* annuler; biffer; décommander; résilier; *s.* feuillet supprimé ou refait, m.
cancer [kànser] *s.* cancer, m.; **cancerous,** cancéreux.
candid [kàndid] *adj.* franc, loyal.
candidacy [kàndedesi] *s.* candidature, f. || **candidate** [kàndedéit] *s.* candidat, m.
candle [kànd'l] *s.* chandelle; bougie, f.; **candlestick,** chandelier, bougeoir.
candor [kànder] *s.* bonne foi; sincérité; loyauté, f.
candy [kàndi] *s.* bonbon; candi, m.; **candy-shop,** confiserie; *v.* confire; *candied-almonds,* pralines.
cane [kéin] *s.* canne, f.; *v.* bâtonner; canner; **sugar-cane,** canne à sucre; **walking-cane,** canne.
canine [kéinain] *adj.* canin; *s.* canine, f.
canned [kànd] *adj.* en conserve, en boîte; **canned goods,** conserves alimentaires. || **cannery** [kàneri] *s.* fabrique de conserves, f.
cannon [kànen] *s.* canon; carambolage [billards], m. || **cannonade** [kanenéid] *s.* canonnade, f.; *v.* canonner. || **cannoneer** [kanenir] *s.* canonnier, m.
cannot [kànât] = **can not,** *see* **can.**
canoe [kenou] *s.* canot, m.; chaloupe; pirogue, f.; *v.* canoter.
canon [kànen] *s.* canon; règlement, m. || **canonic** [kenânik] *adj.* canonique. || **canonize** [kànenaiz] *v.* canoniser.
canopy [kànepi] *s.* dais, m.
cantaloupe [kàntloоup] *s.* melon cantaloup, m.
cantankerous [kàntàngkeres] *adj.* désagréable, revêche.
canteen [kàntin] *s.* cantine, f.; bidon, m.

canter [kànt^{er}] *s.* petit galop, m.; *v.* aller au petit galop.
canticle [kàntik'l] *s.* cantique, m.
canton [kànt^{e}n] *s.* canton, m.; région, f.; [kàntân] *v.* diviser en cantons; [kàntân] cantonner. || **cantonment** [kàntânm^{e}nt] *s.* cantonnement, m.
canvas [kànv^{e}s] *s.* toile de tente; enquête; inspection; sollicitation des votes, f.; *v.* examiner, enquêter; faire une campagne électorale; dépouiller le scrutin.
canyon [kàny^{e}n] *s.* cañon, m.
cap [kap] *s.* bonnet, m.; casquette; toque, calotte, barrette; capsule, f.; *v.* coiffer d'un bonnet; surmonter; capsuler.
capability [kéip^{e}bil^{e}ti] *s.* capacité, aptitude, f.; **capable** [kéip^{e}b'l] *adj.* capable, compétent. || **capacious** [k^{e}péish^{e}s] *adj.* vaste, ample, spacieux. || **capacity** [k^{e}pas^{e}ti] *s.* capacité ; contenance ; aptitude; compétence légale, f.
cape [kéip] *s.* cap, promontoire, m.
cape [kéip] *s.* collet, m.; pèlerine, f.
caper [kéip^{er}] *s.* cabriole, f.; *v.* cabrioler.
caper [kéip^{er}] *s.* câpre; câprier, m.
capital [kap^{e}t'l] *s.* capital; chapiteau, m.; capitale; majuscule, f.; *adj.* capital; excellent; principal. || **capitalism** [-iz^{e}m] *s.* capitalisme, m. || **capitalist** [-ist] *s.* capitaliste, m. || **capitalize** [-aiz] *v.* capitaliser; accumuler; écrire avec une majuscule.
capitulate [k^{e}pitsh^{e}léit] *v.* capituler. || **capitulation** [k^{e}pitsh^{e}léish^{e}n] *s.* capitulation, f.
capote [k^{e}po^{ou}t] *s.* capote, f.
caprice [k^{e}prîs] *s.* caprice, m.
capsize [kapsaiz] *v.* chavirer, faire chavirer.
capstan [kapst^{e}n] *s.* cabestan, m.
capsule [kaps'l] *s.* capsule, f.
captain [kaptin] *s.* capitaine, m.; *v.* commander.
caption [kapsh^{e}n] *s.* *Am.* sous-titre, m.; légende, f.
captious [kapsh^{e}s] *adj.* pointilleux; critique; captieux.
captivate [kapt^{e}véit] *v.* captiver. || **captive** [kaptiv] *adj.*, *s.* captif, prisonnier. || **captivity** [kaptiv^{e}ti] *s.* captivité, f. || **capture** [kaptsh^{er}] *s.* capture, prise, f.; *v.* capturer.
car [kâr] *s.* voiture; auto, f.; **wagon**; ascenseur, m.; *Am.* **freight-car**, wagon de marchandises; **dining-car**, wagon-restaurant.
caramel [kar^{e}m'l] *s.* caramel, m.
carat [kar^{e}t] *s.* carat, m.
caravan [kar^{e}van] *s.* caravane, f.
carbolic [kârbâlik] *adj.* phénique.
carbon [kârbân] *s.* carbone, m.; **carbon-copy**, double; **carbon-paper**, papier-carbone.
carbonate [kârb^{e}nit] *s.* carbonate.
carburation [kârb^{e}réish^{e}n] *s.* carburation, f. || **carburetor** [kârb^{e}réit^{er}] *s.* carburateur, m.
carcass [kârk^{e}s] *s.* carcasse, f.; cadavre, m.
card [kârd] *s.* carte; lettre de faire-part; fiche (comm.); rose des vents (naut.), f.; diagramme (mech.); m.; *to play cards*, jouer aux cartes.
card [kârd] *s.* carde, f.; *v.* carder.
cardboard [kârdbo^{ou}rd] *s.* carton.
cardinal [kârdin^{e}l] *adj.*, *s.* cardinal.
care [kèr] *s.* soin; souci, m.; attention, f.; *v.* se soucier de; faire attention à; *to take care of*, avoir soin de; prendre garde à; *with care*, fragile [wares]; *care of*, aux bons soins de.
careen [k^{e}rîn] *v.* caréner (naut.); *s.* carénage, m.
career [k^{e}rîr] *s.* carrière; profession; course, f.; cours, m.
careful [kèrf^{e}l] *adj.* soigneux; soucieux; prudent; attentif; *be careful!*, prenez garde! || **carefully** [-li] *adv.* avec soin, attentivement, avec anxiété. || **carefulness** [-nis] *s.* attention, vigilance, f.; soin; souci, m. || **careless** [kèrlis] *adj.* négligent, insouciant. || **carelessly** [-li] *adv.* négligemment, avec insouciance, sans soin. || **carelessness** [-nis] *s.* négligence, f.
caress [k^{e}réis] *s.* caresse, f.; *v.* caresser.
caretaker [kèrtéik^{er}] *s.* gardien, m.
careworn [kèrwo^{ou}rn] *adj.* dévoré de souci; rongé d'angoisse.
cargo [kârgo^{ou}] *s.* cargaison, f.; fret, m.; **cargo boat**, cargo.
caricature [karik^{e}tsh^{er}] *s.* caricature, f.; *v.* caricaturer.
carload [kârlo^{ou}d] *s.* chargement d'un wagon, m.
carnal [kârn'l] *adj.* charnel.
carnation [kârnéish^{e}n] *s.* teint, m.
carnival [kârn^{e}v'l] *s.* carnaval, m.
carnivorous [kârniv^{e}r^{e}s] *adj.* carnivore.

carol [kar^{e}l] *s.* chant, cantique, m.; *v.* chanter; *Christmas carol,* Noël.
carom [kar^{e}m] *s.* carambolage, m.; *v.* caramboler, heurter.
carouse [k^{e}ra^{ou}z] *v.* festoyer; nocer.
carousel [kar^{e}zèl] *s.* carrousel, m.
carpenter [kârp^{e}nt^{er}] *s.* charpentier, menuisier, m. || **carpentry** [-ri] *s.* menuiserie; charpenterie, f.
carpet [kârpit] *s.* tapis, m.; moquette, f.; *v.* couvrir d'un tapis; mettre sur le tapis [subject]; **bedside carpet,** descente de lit; **carpet-sweeper,** balai mécanique.
carriage [karidj] *s.* voiture, f.; véhicule; transport; wagon; port, m.; attitude, f.; **sea-carriage,** transport par mer; **carriage-paid,** franco.
carrier [kari^{er}] *s.* porteur; transporteur; voiturier, m.; compagnie de transport, f.; **airplane carrier,** porte-avions; **disease carrier,** porteur de germes; **mail-carrier,** facteur.
carrion [kari^{e}n] *s.* charogne, f.
carrot [kar^{e}t] *s.* carotte, f.
carry [kari] *v.* porter; emporter; emmener; faire voter [law]; reporter [sum]; *to carry away,* entraîner, enthousiasmer, remporter [victory]; *to carry on,* continuer; *to carry out,* mettre à exécution.
cart [kârt] *s.* charrette, f.; fourgon, m.; *v.* transporter dans une charrette, charrier.
cartograph [kârt^{e}graf] *s.* cartographe, m.
carton [kârt'n] *s.* carton, m.
cartoon [kârtoun] *s.* caricature, f.; dessin animé, m. || **cartoonist** [-ist] *s.* caricaturiste, m.
cartridge [kârtridj] *s.* cartouche, f.; **cartridge-belt,** cartouchière.
carve [kârv] *v.* sculpter; graver; ciseler; découper [meat]; *to carve up,* démembrer. || **carver** [-^{er}] *s.* sculpteur; graveur; découpeur, m.; **fish-carver,** truelle à poisson. || **carving** [-ing] *s.* sculpture; ciselure, f.; découpage, m.; **carving-knife,** couteau à découper.
cascade [kaskéid] *s.* cascade, f.
case [kéis] *s.* caisse; taie; trousse, f.; étui; boîtier; écrin, m.
case [kéis] *s.* cas; événement; état, m.; condition; affaire; cause [law], f.; *in case,* au cas où; *in any case,* en tout cas.
casement [kéism^{e}nt] *s.* croisée; fenêtre, f.
casern [k^{e}zë^{r}n] *s.* caserne, f.
cash [kash] *s.* espèces, f.; numéraire; argent comptant, m.; *v.* payer; toucher [check]; **cash box,** caisse; **cash payment,** paiement comptant; *cash on delivery* (*c. o. d.*), contre remboursement. || **cashier** [-i^{er}] *s.* caissier, m.
cask [kask] *s.* tonneau, fût, m.
casket [kaskit] *s.* cassette, f.; écrin, coffret; *Am.* cercueil, m.
casque [kask] *s.* casque, m.
casserole [kas^{e}ro^{ou}l] *s.* casserole, f.
cassock [kas^{e}k] *s.* soutane, f.
cast [kast] *s.* jet; lancement; coup [dice]; mouvement [eye]; moulage, m.; disposition [mind]; distribution [theat.]; interprétation [theat.], f.; *v.** jeter; couler [metal]; clicher (print.); monter; distribuer (theat.); *to cast a ballot,* voter; *to cast about,* chercher de tous côtés; *to cast aside,* mettre de côté; *to cast lots,* tirer au sort; *to have a cast in the eye,* loucher; *to cast down,* décourager; baisser [eyes]; *pret., p. p. of* **to cast.**
castanets [kast^{e}nèts] *s. pl.* castagnettes, f.
castaway [kast^{e}wéi] *s.* naufragé, m.
caste [kast] *s.* caste, f.; *to lose caste,* perdre son prestige social.
castigate [kast^{e}géit] *v.* châtier.
castle [kas'l] *s.* château, m.; tour [chess], f.
castoff [kastauf] *adj.* de rebut.
castor [kast^{er}] *s.* castor, m.; **castor oil,** huile de ricin.
castor [kast^{er}] *s.* flacon perforé, m.; salière; poivrière; roulette [armchair], f.
casual [kajou^{e}l] *adj.* fortuit; accidentel; *Am.* sans cérémonie; à bâtons rompus. || **casualty** [-ti] *s.* accident; blessé, accidenté, m.; victime, f.; pertes (mil.), f.
cat [kat] *s.* chat, m.; chatte, f.
catalog(ue) [katlo^{ou}g] *s.* catalogue, m.; *v.* cataloguer.
cataract [kat^{e}rakt] *s.* cataracte, f.
catarrh [k^{e}târ] *s.* catarrhe, m.
catastrophe [k^{e}tastr^{e}fi] *s.* catastrophe, f.
catch [katsh] *s.* prise, f.; loquet, crampon; air à reprises (mus.), m.; *v.** attraper, saisir; surprendre; donner, appliquer; *to catch fire,* prendre feu; *to catch cold,* prendre

froid; *to catch on,* comprendre; *catch-as-catch-can,* catch [sport]; *to catch up with,* rattraper. || **catching** [-ing] *adj.* prenant, séduisant; contagieux; *s.* prise, f. || **catchpenny** [-pèni] *s.* attrape-nigaud, m. || **catchy** [-i] *adj.* entraînant; facile à retenir; insidieux.
catechism [katekizem] *s.* catéchisme, m.
categorical [kategaurik'l] *adj.* catégorique. || **category** [katego ouri] *s.* catégorie, f.
cater [kéiter] *v.* approvisionner.
caterpillar [katerpiler] *s.* chenille, f.; *Am.* tracteur, m.
cathedral [kethidrel] *s.* cathédrale, f.
catholic [kathelik] *adj., s.* catholique. || **catholicism** [kethâlesizem] *s.* catholicisme, m.
catsup [katsep] *s.* sauce tomate, f.
cattle [kat'l] *s.* bétail; bestiaux, m.
caught [kaut] *pret., p. p. of* **to catch.**
cauliflower [kauleflaouer] *s.* chou-fleur, m.
cause [kauz] *s.* cause; *v.* causer; *there is cause to,* il y a lieu de.
causeway [kauzwéi] *s.* chaussée, f.
caution [kaushen] *s.* avertissement, m.; précaution; caution, f.; *v.* avertir; mettre en garde; *interj.* attention! || **cautious** [kaushes] *adj.* circonspect, prudent. || **cautiousness** [-nis] *s.* circonspection, prudence, f.
cavalier [kavelier] *adj., s.* cavalier. || **cavalry** [kav'lri] *s.* cavalerie, f.
cave [kéiv] *s.* caverne, f.; repaire, m.; *v.* creuser; *to cave in,* s'effondrer, s'affaisser.
cavern [kavërn] *s.* caverne, f.
cavity [kaveti] *s.* cavité; carie, f.
caw [kau] *s.* croassement, m.; *v.* croasser.
cayman [kéimen] *s.* caïman, m.
cease [sîs] *v.* cesser; arrêter; renoncer à; interrompre; *s.* cessation, cesse; relâche, f.; répit; arrêt, m.; **ceaseless,** incessant.
cedar [sîder] *s.* cèdre, m.
cede [sîd] *v.* céder.
ceiling [sîling] *s.* plafond, m.; *ceiling price,* prix maximum.
celebrate [sèlebréit] *v.* célébrer. || **celebrated** [-id] *adj.* célèbre. || **celebration** [sèlebréishen] *s.* célébration, f. || **celebrity** [selèbreti] *s.* célébrité, f.
celery [sèleri] *s.* céleri, m.
celestial [selèstshel] *adj.* céleste.
celibacy [sèlebesi] *s.* célibat, m.
cell [sèl] *s.* cellule, f.; cachot, m.; pile électrique, f.
cellar [sèler] *s.* cave, f.; cellier, m.
celluloid [sèlyeloid] *s.* celluloïd, m.
cement [semènt] *s.* ciment, m.; *v.* cimenter; *reinforced cement,* ciment armé.
cemetery [sèmeteri] *s.* cimetière, m.
censor [sènser] *s.* censeur; critique, m.; *v.* censurer. || **censorship** [-ship] *s.* censure; fonction de censeur, f. || **censure** [sènsher] *s.* censure, f.; *v.* censurer.
census [sènses] *s.* recensement, m.
cent [sènt] *s.* cent, m.; *Am.* pièce de monnaie, f.; *per cent,* pour cent. || **centennial** [sentèniel] *adj., s.* centenaire.
center [sènter] *s.* centre; cintre (arch.), m.; *v.* centrer; placer au centre; (se) concentrer.
centigrade [sèntegréid] *adj.* centigrade.
centipede [sèntepîd] *s.* mille-pattes, m.; scolopendre, f.
central [sèntrel] *adj.* central; *s.* central téléphonique, m. || **centralize** [sèntrelaiz] *v.* centraliser.
century [sèntsheri] *s.* siècle, m.
cereal [sîriel] *adj., s.* céréale.
ceremonial [sèremoouniel] *adj., s.* cérémonial. || **ceremonious** [-nies] *adj.* cérémonieux, solennel. || **ceremony** [sèremoouni] *s.* cérémonie, f.
certain [sërt'n] *adj.* certain, sûr. || **certainly** [-li] *adv.* certainement, assurément. || **certainty** [-ti] *s.* certitude, assurance, f.
certificate [sërtifekit] *s.* certificat; diplôme; brevet, m.
certify [sërtefai] *v.* certifier; légaliser.
certitude [sërtetyoud] *s.* certitude. assurance, f.
cessation [sèséishen] *s.* arrêt, m.; interruption; suspension, f.; *cessation of arms,* armistice.
cession [sèshen] *s.* cession, f.
cesspool [sèspoul] *s.* cloaque, m.; fosse d'aisances, f.
chafe [tshéif] *v.* chauffer; irriter; frotter; raguer (naut.); s'érailler [rope]; s'échauffer.
chaff [tshaf] *s.* balle [corn]; paille

d'avoine; paille hachée, f.; v. railler, plaisanter. || **chaffer** [-ᵉʳ] s. taquin, plaisantin, m.
chaffinch [tshafintsh] s. pinson, m.
chafing [tshéⁱfing] s. irritation, f.
chagrin [shᵉgrin] s. chagrin, m.; v. chagriner.
chain [tshéⁱn] s. chaîne, f.; v. enchaîner; captiver; *Am.* **chain store**, succursale commerciale; **chain stitch**, point de chaînette; **chain work**, travail à la chaîne.
chair [tshèr] s. siège, m.; chaise; chaire, f.; **armchair, easy-chair**, fauteuil; **rocking-chair**, fauteuil à bascule. || **chairman** [tshèrmᵉn] s. président [meeting], m.
chaise [shéⁱz] s. cabriolet, m.; chaise de poste, f.
chalice [tshalis] s. calice, m.
chalk [tshauk] s. craie; « ardoise », somme due [account], f.; v. marquer à la craie; blanchir; **French chalk**, talc; *to chalk up*, inscrire une somme au compte de; **chalky**, crayeux, blanc.
challenge [tshalindj] s. défi, m.; provocation; interpellation; sommation; récusation (jur.), f.; *interj.* qui vive!; v. défier; revendiquer; interpeller; récuser (jur.); arrêter [sentry]; héler (naut.).
chamber [tshéⁱmbᵉʳ] s. chambre; salle; âme [gun], f.; **air chamber**, chambre à air. || **chambermaid** [-méⁱd] s. femme de chambre, f.
chamfer [tshàmfᵉʳ] s. chanfrein, m.
champagne [shàmpéⁱn] s. champagne [wine], m.
champion [tshàmpiᵉn] s. champion, m.; v. défendre, protéger. || **championship** [-ship] s. championnat.
chance [tshàns] s. sort, hasard, m.; occasion; probabilité, f.; billet de loterie, m.; *adj.* accidentel, fortuit; v. survenir; avoir lieu; avoir l'occasion de; risquer; *by chance*, par hasard; *to run a chance*, courir le risque.
chancellor [tshànsᵉlᵉʳ] s. chancelier; recteur [univ.]; *Am.* juge, m.
chandelier [shànd'liᵉʳ] s. lustre, m.
change [tshéⁱndj] s. changement; linge de rechange, m.; monnaie; la Bourse, f.; v. changer; modifier; **small change**, petite monnaie; *to get change*, faire de la monnaie. || **changeable** [-ᵉb'l] *adj.* variable, changeant; inconstant. || **changer** [-ᵉʳ] s. changeur, m.
channel [tshàn'l] s. canal; chenal; porte-hauban (naut.); lit [river], m.; *the English Channel*, la Manche.
chant [tshànt] s. plain-chant, m.; v. psalmodier.
chaos [kéⁱâs] s. chaos, m.
chap [tshap] s. gerçure; crevasse, f.; v. se gercer, se crevasser.
chap [tshap] s. camarade, copain; garçon, individu, type, m.
chapel [tshap'l] s. chapelle, f.
chaperon [shapᵉroᵒᵘn] s. chaperon, m.; duègne, f.; v. chaperonner.
chaplain [tshaplin] s. chapelain, m.; **army chaplain**, aumônier (mil.).
chapter [tshaptᵉʳ] s. chapitre [book]; chapitre des chanoines, m.; *Am.* branche d'une société, f.; v. chapitrer.
char [tshâr] v. carboniser; s. charbon animal, m.
character [kariktᵉʳ] s. marque, qualité dominante; réputation, f. caractère; genre; personnage; rôle (theat.); certificat, m. || **characteristic** [kariktᵉristik] *adj.*, s. caractéristique. || **characterize** [kariktᵉraⁱz] v. caractériser.
charcoal [tshârkoᵒᵘl] s. charbon de bois, m.; **charcoal-drawing**, fusain.
charge [tshârdj] s. charge; accusation, f.; prix, frais, m.; v. charger; percevoir; faire payer; grever; accuser, accabler; recharger (electr.); *at my own charge*, à mes frais; **charge account**, compte dans un magasin; *charge prepaid*, port payé. || **charger** [-ᵉʳ] s. cheval de bataille; chargeur; plateau, m.
chariot [tshariᵉt] s. char, m.; voiture, f.
charitable [tsharᵉtᵉb'l] *adj.* charitable. || **charity** [tsharᵉti] s. charité, offrande; bonnes œuvres, f.
charlatan [shârlᵉt'n] s. charlatan, m.
charm [tshârm] s. charme; attrait; talisman, m.; v. charmer. || **charming** [-ing] *adj.* charmant.
chart [tshârt] s. carte marine, f.; diagramme; graphique, m.; v. cartographier; hydrographier.
charter [tshârtᵉʳ] s. charte, f.; affrètement, m.; v. affréter; louer; accorder une charte.
chase [tshéⁱs] s. chasse, poursuite, f.; v. chasser, courre.
chase [tshéⁱs] s. rainure, ciselure, f.

chasm [kazᵉm] *s.* abîme, m. crevasse; lacune, f.
chaste [tshéˡst] *adj.* chaste, honnête, pudique.
chastise [tshastaˡz] *v.* châtier. || **chastisement** [tshastizmᵉnt] *s.* châtiment, m.; punition, f.
chastity [tshastᵉti] *s.* chasteté, f.
chat [tshat] *s.* causerie, causette, f.; *v.* causer, bavarder.
chattel [tshat'l] *s.* biens meubles, m.; propriété, f.
chatter [tshatᵉʳ] *s.* cri de la pie; cri du singe; claquements de dents; bavardage, m.; jacasserie, f.; *v.* jaser; jacasser; claquer [teeth].
chauffeur [shoᵒᵘfᵉʳ] *s.* chauffeur, m.
cheap [tshîp] *adj., adv., s.* bon marché; *at a cheap rate,* à bas prix; *to hold cheap,* faire peu de cas de; *to feel cheap,* se sentir honteux. || **cheapen** [-ᵉn] *v.* marchander; déprécier. || **cheaply** [-li] *adv.* bon marché. || **cheapness** [-nis] *s.* bas prix, m.; basse qualité, f.
cheat [tshît] *s.* escroquerie, f.; escroc; tricheur, m.; *v.* duper; escroquer; tricher [cards].
check [tshèk] *s.* échec, m.; rebuffade, f.; frein; obstacle, empêchement; poinçon; chèque bancaire, m.; contremarque, f.; *Am.* note de restaurant, f.; jeton de vestiaire, m.; *v.* faire échec; réprimer, entraver; enregistrer; contrôler; consigner [luggage]; laisser au vestiaire. || **checkbook** [-bouk] *s.* carnet de chèques; carnet à souche, m. || **checkroom** [-roum] *s.* bureau d'enregistrement des bagages; vestiaire, m.; consigne, f. || **checker** [-ᵉʳ] *s.* pion du jeu de dames; dessin à carreaux; pointeur; contrôleur, m.; *v.* orner de carreaux; diversifier; **checker board,** damier.
cheek [tshîk] *s.* joue; bajoue; impudence, f.; **cheekbone,** pommette. || **cheeky** [-i] *adj.* effronté.
cheer [tshiᵉʳ] *s.* joie; bonne humeur; acclamation; chère [fare], f.; *v.* encourager; égayer; acclamer; *to cheer up,* réconforter. || **cheerful** [fᵉl] *adj.* gai, allègre; réconfortant. || **cheerfully** [-fᵉli] *adv.* allègrement, de bon cœur. || **cheerfulness** [-fᵉlnis] *s.* allégresse, gaieté, bonne humeur, f. || **cheerless** [-lis] *adj.* abattu, morne.
cheese [tshîz] *s.* fromage, m.; **cottage cheese,** fromage blanc.
chemical [kèmik'l] *adj.* chimique; *s.* produit chimique, m.; **chemical warfare,** guerre des gaz. || **chemist** [kèmist] *s. Br.* pharmacien, m.; *Am.* chimiste, m. || **chemistry** [-ri] *s.* chimie, f.
cherish [tshèrish] v. chérir; soigner; nourrir [hope].
cherry [tshèri] *s.* cerise, f.; **cherry stone,** noyau de cerise.
chervil [tshërvil] *s.* cerfeuil, m.
chess [tshès] *s.* échecs, m.; **chessboard,** échiquier.
chest [tshèst] *s.* coffre, m.; caisse, boîte; poitrine, f.; poitrail, m.; *chest of drawers,* commode.
chestnut [tshèsnᵉt] *s.* châtaigne, f.; marron, m.; plaisanterie, f.; *adj.* châtain; **chestnut-tree,** châtaignier; **chestnut horse,** alezan.
chew [tshou] *s.* chique, f.; *v.* chiquer; mâcher; ruminer.
chicanery [shikéˡnri] *s.* chicane; argutie, f.
chick [tshik] *s.* poussin, m.; **chick-pea,** pois chiche. || **chicken** [-in] *s.* poulet, m.; **chicken pox,** varicelle; **chicken-hearted,** poule mouillée.
chicory [tshikᵉri] *s.* chicorée, f.
chide [tshaˡd] *v.*° gronder, réprimander. || **chiding** [-ing] *s.* réprimande, f.
chief [tshîf] *s.* chef, m.; *adj.* principal; **chief justice,** président de la Cour suprême. || **chiefly** [-li] *adv.* surtout, principalement.
chiffon [shifân] *s.* gaze, f.
chilblain [tshilbléˡn] *s.* engelure, f.
child [tshaˡld] (*pl.* **children** [tshildrᵉn]) *s.* enfant, m., f.; **godchild,** filleul; *with child,* enceinte. || **childbirth** [-bërth] *s.* accouchement, m. || **childhood** [-houd] *s.* enfance, f. || **childish** [-ish] *adj.* puéril, enfantin. || **childless** [-lis] *adj.* sans enfant. || **childlike** [-laˡk] *adj.* enfantin.
chili [tshili] *s. Am.* poivre de cayenne; piment, m.
chill [tshil] *s.* froid, refroidissement, m.; *adj.* glacé; *v.* glacer; se refroidir. || **chilly** [-i] *adj.* froid; frileux.
chim(a)era [kᵉmirᵉ] *s.* chimère, f.
chime [tshaˡm] *s.* carillon, m.; harmonie, f.; *v.* carillonner; *to chime*

in, placer son mot; *to chime with*, être en harmonie avec.
chimney [tsh*i*mni] *s.* cheminée, f.; **lamp chimney**, verre de lampe; **chimney hook**, crémaillère; **chimney pot**, cheminée extérieure; **chimney sweep**, ramoneur.
chin [tshin] *s.* menton, m.
china [tsh*a*ine] *s.* porcelaine, f.; **china closet**, vaisselier.
Chinese [tsh*a*iniz] *adj.*, *s.* chinois.
chink [tshingk] *s.* crevasse, fente, f.; *v.* fendiller, crevasser.
chip [tship] *s.* copeau; fragment, m.; *Am.* incision dans un pin, f.; *v.* couper, hacher; chapeler; s'effriter; inciser; *to chip in*, placer son mot, payer son écot.
chiropractor [k*a*ireprakter] *s.* chiropractor; ostéopathe, m. || **chiropractic** [kaireprak*tik*] *s.* chiropractique, f.
chirp [tshërp] *s.* gazouillement, m.; *v.* gazouiller. || **chirping** [-ing] *s.* pépiement, m.
chisel [tsh*i*z'l] *s.* ciseau, m.; *v.* ciseler; filouter (pop.).
chivalrous [sh*i*v'lres] *adj.* chevaleresque. || **chivalry** [sh*i*v'lri] *s.* chevalerie, f.
chlorine [kloourin] *s.* chlore, m. || **chloroform** [kloouraufaurm] *s.* chloroforme, m.
chocolate [tsh*au*klit] *adj.*, *s.* chocolat; **chocolate pot**, chocolatière.
choice [tshois] *s.* choix; assortiment, m.; alternative, f.; *adj.* choisi, excellent; *by choice*, par goût, volontairement.
choir [kwâier] *s.* chœur, m.
choke [tshoouk] *s.* étouffer; obstruer; étrangler; régulariser [motor]; *s.* suffocation; constriction, f.; obturateur [auto], m.
cholera [k*â*lere] *s.* choléra, m.
choose [tshouz] *v.** choisir; décider; préférer; opter; *to pick and choose*, faire son choix.
chop [tsh*â*p] *v.* taillader; hacher; gercer; *s.* côtelette, f.; coup de hache, de couperet, m. || **chopping** [-ing] *s.* coupe, f.
choral [koourel] *s.* chœur, m.; *adj.* choral.
chord [kaurd] *s.* corde [music], f.; accord [music], m.
chore [tshoour] *s.* besogne, f.
chorus [kooures] *s.* chœur, m.; *v.* chanter, répéter en chœur.
chose [tshoouz] *pret. of* **to choose**. || **chosen** [-'n] *p. p. of* **to choose**.
chrism [kr*i*zem] *s.* chrême, m.
Christ [kraist] *s.* Christ, m. || **christen** [kr*i*s'n] *v.* baptiser. || **christening** [-ing] *s.* baptême, m. || **Christian** [kr*i*stshen] *adj.*, *s.* chrétien; *Christian name*, prénom. || **Christianity** [kristshianeti] *s.* christianisme, m.
Christmas [krismes] *s.* Noël, *m. f.*; **Christmas Eve**, nuit de Noël, **Christmas log**, bûche de Noël.
chronic [kr*â*nik] *adj.* chronique.
chronicle [kr*â*nik'l] *s.* chronique, f.; *v.* relater, narrer. || **chronicler** [-er] *s.* chroniqueur, m.
chronological [krânel*â*djik'l] *adj.* chronologique.
chronometer [kren*â*meter] *s.* chronomètre, m.
chrysalid [kr*i*s'lid] *s.* chrysalide, f.
chrysanthemum [kris*à*nthemem] *s.* chrysanthème, m.
chubby [tshœbi] *adj.* joufflu, dodu.
chuck [tshœk] *s.* gloussement, m.; *v.* glousser.
chuck [tshœk] *s.* tapotement, m.; *v.* tapoter; (fam.) lancer, balancer.
chuckle [tshœk'l] *s.* rire étouffé; gloussement, m.; *v.* glousser.
chum [tshœm] *s.* camarade, copain, m.; **chummy**, intime.
chump [tshœmp] *s.* bûche, f.; lourdaud, m.
chunk [tshœngk] *s.* gros morceau; quignon [bread], m. || **chunky** [-i] *adj. Am.* trapu, grassouillet.
church [tshërtsh] *s.* église, f.; temple, m. || **churchman** [-men] *s.* ecclésiastique, m. || **churchyard** [-yârd] *s.* cimetière, m.
churn [tshërn] *s.* baratte, f.; *v.* baratter; fouetter [cream].
cicada [sik*é*ide] *s.* cigale, f.
cider [saider] *s.* cidre, m.
cigar [sig*â*r] *s.* cigare, m.; **cigar-store**, débit de tabac. || **cigarette** [sigerèt] *s.* cigarette, f.; **cigarette holder**, porte-cigarette; **cigarette case**, étui à cigarettes; **cigarette lighter**, briquet.
cinch [sintsh] *s. Am.* sangle, f.; « filon », m.; *v.* sangler.
cinder [sinder] *s.* braise; escarbille, f.; *pl.* cendres, f.
cinema [s*i*neme] *s.* cinéma, m.
cinnamon [s*i*nemen] *s.* cannelle, f.
cipher [s*a*ifer] *s.* zéro; chiffre; code

secret, m.; *v.* chiffrer; calculer; cipherer, officier du chiffre.
circle [sërk'l] *s.* cercle; milieu social, m.; *v.* encercler; circuler; tournoyer.
circuit [sërkit] *s.* circuit; parcours, tour; pourtour, m.; tournée; rotation, révolution, f.
circular [sërkyeler] *adj.*, *s.* circulaire. || **circulate** [sërkyeléit] *v.* circuler; répandre; **circulating library,** bibliothèque circulante. || **circulation** [sërkyeléishen] *s.* circulation, f.
circumference [sërkœmferens] *s.* circonférence; périphérie, f. || **circumlocution** [sërkemloukyoushen] *s.* circonlocution, f.
circumscribe [sërkemskraib] *v.* circonscrire.
circumspect [sërkemspèkt] *adj.* circonspect. || **circumspection** [sërkemspèkshen] *s.* circonspection, f.
circumstance [sërkemstans] *s.* circonstance, f.; événement; détail, m.; *pl.* situation de fortune, f.; *in no circumstances,* en aucun cas.
circus [sërkes] *s.* cirque; rond-point.
cistern [sistërn] *s.* citerne, cuve, f.
citadel [sited'l] *s.* citadelle, f.
citation [saitéishen] *s.* citation; mention, f. || **cite** [sait] *v.* citer; mentionner; appeler en justice.
citizen [sitez'n] *s.* citoyen, m. || **citizenship** [-ship] *s.* droit de cité, m.
citron [sitren] *s.* cédrat, m.
city [siti] *s.* cité, ville, f.; *adj.* urbain; municipal; **city council,** municipalité; **city hall,** mairie; **city item,** *Am.* nouvelle locale.
civic [sivik] *adj.* civique. || **civics** [-s] *s.* *Am.* instruction civique, f.
civil [siv'l] *adj.* civil; **civil duty,** devoir civique. || **civilian** [sevilyen] *s.* civil; **civilian clothes,** habit civil. || **civility** [seviletі] *s.* urbanité, courtoisie, f. || **civilization** [siv'lezéishen] *s.* civilisation, f. || **civilize** [siv'laiz] *v.* civiliser.
clad [klad] *pret.*, *p. p. of* **clothe.**
claim [kléim] *s.* demande; revendication; prétention, f.; droit, titre, m.; *v.* revendiquer; prétendre à; accaparer [attention]. || **claimant** [-ent] *s.* réclamant; prétendant [throne]; postulant, m.
clairvoyant [klèrvoient] *adj.* clairvoyant.
clam [klàm] *s.* peigne [shellfish], m.; palourde, f.
clamber [klamber] *v.* grimper.
clammy [klami] *adj.* visqueux, gluant.
clamor [klamer] *s.* clameur, f.; *v.* clamer, vociférer. || **clamorous** [klameres] *adj.* bruyant.
clamp [klàmp] *s.* crampon, m.; armature; agrafe, f.; *v.* cramponner; assujétir; soutenir.
clan [klàn] *s.* clan, m.; **clannish,** attaché à sa coterie.
clandestine [klàndèstin] *adj.* clandestin.
clang [klàng] *s.* sonnerie, f.; bruit métallique, m.; *v.* sonner, tinter; résonner, retentir.
clap [klap] *s.* claquement; coup, m.; *v.* claquer; taper; battre [wings]; applaudir; *clap of thunder,* coup de tonnerre.
claret [klaret] *s.* bordeaux [wine], m.
clarify [klarefai] *v.* clarifier, élucider.
clarinet [klarenèt] *s.* clarinette, f.
clarion [klarien] *s.* clairon, m.
clarity [klareti] *s.* clarté, lumière, f.
clash [klash] *s.* collision, f.; choc; fracas, m.; *v.* choquer, heurter; entrer en lutte; résonner; se heurter.
clasp [klasp] *s.* fermoir; clip, m.; agrafe; étreinte, f.; *v.* agrafer; étreindre; joindre [hands].
class [klas] *s.* classe; leçon; catégorie, f.; cours; ordre; rang, m.; *v.* classer, classifier; *the lower classes,* le prolétariat. || **classic** [-ik] *adj.*, *s.* classique; **classic scholar,** humaniste. || **classical** [-ik'l] *adj.* classique. || **classmate** [-méit] *s.* condisciple, m. || **classroom** [-roum] *s.* salle de classe, f.
clatter [klater] *s.* fracas; bruit de roue, m.; *v.* résonner, retentir.
clause [klauz] *s.* article, m.; clause. proposition (gramm.), f.; membre de phrase, m.
claw [klau] *s.* griffe; serre [eagle]; pince [crab], f.; valet [bench], m.; *v.* griffer; agripper; égratigner; érafler.
clay [kléi] *s.* argile; glaise, f.; limon, m.; **clayish,** argileux.
clean [klin] *adj.* propre; pur; net; *adv.* absolument, totalement; *v.* nettoyer; purifier; vider [fish]; **clean-cut,** bien coupé, élégant, net; **clean-handed,** probe.

|| **cleaner** [-^{er}] *s.* nettoyeur; dégraisseur; cireur, m. || **cleaning** [-ing] *s.* nettoyage, dégraissage, m. || **cleanliness** [klènlinis] *s.* propreté, f. || **cleanly** [klènli] *adv.* proprement; *adj.* propre. || **cleanness** [klinnis] *s.* propreté, f. || **cleanse** [klènz] *v.* nettoyer, purifier. || **cleanser** [klèns^{er}] *s.* produit d'entretien, m.

clear [kli^{er}] *adj.* clair; serein; évident; pur; sans mélange; entier; débarrassé de; *adv.* clairement; entièrement; *v.* clarifier; éclaircir; nettoyer; défricher; débarrasser; disculper; ouvrir [way]; dégager; franchir; liquider; toucher net [sum]; *s.* espace dégagé; **clear loss,** perte sèche; **clear majority,** majorité absolue; **clear profit,** bénéfice net; *to clear the ground,* déblayer le terrain; *to clear the table,* desservir; *the sky clears up,* le ciel s'éclaire; **clear-sighted,** clairvoyant. || **clearance** [-r^{e}ns] *s.* dégagement; déblaiement; dédouanement; congé (naut.), m.; **clearance sale,** liquidation. || **clearing** [-ring] *s.* éclaircissement; déblaiement; dédouanement, m.; justification, f.; terrain défriché, m.; éclaircie [wood]; liquidation [account]; compensation bancaire, f. || **clearness** [-nis] *s.* clarté, f.

cleat [klit] *s.* taquet; tasseau, m.

cleave [kliv] *v.* fendre. || **cleaver** [-^{er}] *s.* couperet; fendoir, m.

clef [klèf] *s.* clef (mus.), f.

cleft [klèft] *s.* fente, fissure, f.; *adj.* fendu, fissuré; *p. p. of* **to cleave.**

clematis [klèm^{e}tis] *s.* clématite, f.

clemency [klèm^{e}nsi] *s.* clémence; douceur [weather], f. || **clement** [klèm^{e}nt] *adj.* clément, indulgent; doux.

clench [klèntsh] *s* crampon, rivet, m.; *v.* river [nail]; serrer [teeth]; serrer [fist]; empoigner.

clergy [klë^{r}dji] *s.* clergé, m. || **clergyman** [-m^{e}n] *s.* ecclésiastique, m. || **clerical** [klèrik'l] *adj.* ecclésiastique, clérical; de bureau; **clerical work,** travail d'écritures.

clerk [klë^{r}k] *s.* clerc; commis; employé; secrétaire municipal; *Am.* vendeur, m.; **law-clerk,** greffier.

clever [klèv^{er}] *adj.* habile; intelligent; adroit. || **cleverly** [-li] *adv.* habilement; sagement; bien. || **cleverness** [-nis] *s.* dextérité; habileté; intelligence, culture, f.

clew [klou] *s.* *Br.* fil conducteur; indice; écheveau, m.; piste; pelote; trace, f.; *v.* hâler [sail].

cliché [klishé^{i}] *s.* cliché; lieu commun; banalité, f.

click [klik] *s.* cliquetis; clic; clappement [tongue]; bruit métallique, m.; *v.* cliqueter; claquer; *to click the heels,* claquer des talons.

client [kla^{i}^{e}nt] *s.* client, cliente. || **clientele** [kla^{i}^{e}ntèl] *s.* clientèle, f.

cliff [klif] *s.* falaise, f.; rocher escarpé, m.

climate [kla^{i}mit] *s.* climat [weather], m.

climax [kla^{i}maks] *s.* gradation, f.; comble; faîte, sommet, m.; *v.* culminer.

climb [kla^{i}m] *v.* grimper; gravir; escalader; s'élever; *s.* ascension, escalade, f.; *to climb down,* descendre; déchanter. || **climber** [-^{er}] *s.* grimpeur; alpiniste, m.; plante grimpante, f.; *Am.* arriviste, m.

clinch [klintsh] *v.* river; serrer; tenir bon; assujétir; *s.* crampon; corps-à-corps [boxing], m.

cling [kling] *v.** se cramponner; adhérer; coller à; demeurer en mémoire.

clinic [klinik] *s.* clinique, f.

clink [klingk] *v.* cliqueter; *s.* cliquetis; tintement, m. || **clinker** [-^{er}] *s.* cliquetis; mâchefer, m.

clip [klip] *s.* broche; attache, agrafe, f.

clip [klip] *s.* tonte, f.; coup, m.; *v.* tondre; rogner; couper ras; donner des coups de poing (fam.); *to go a good clip,* marcher à vive allure, « allonger le compas ». || **clipper** [-^{er}] *s.* tondeuse, f.; clipper [ship, plane], m. || **clipping** [-ing] *s.* tonte; taille [hair], f.; *Am.* coupure de journal, f.; **clipping bureau,** argus de la presse.

clique [klik] *s.* clique, coterie, f.

cloak [klo^{ou}k] *s.* manteau, pardessus, m.; capote, f.; prétexte; masque, m.; *v.* couvrir d'un manteau; masquer, dissimuler. || **cloakroom** [-roum] *s.* vestiaire (theat.), m.; consigne (railw.), f.; *Am.* antichambre [Capitole, Washington].

clock [klâk] *s.* horloge; pendule;

montre, f.; *adj.* régulier, réglé; *v.* minuter [race]; chronométrer; **alarm clock**, réveil-matin; *to set a clock by*, régler une pendule sur; *the clock is fast*, l'horloge avance; **time-recording clock**, pendule enregistreuse; **clockwise**, dans le sens des aiguilles d'une montre; **clockwork**, rouages.

clod [klâd] *s.* motte de terre, f.; caillot; lourdaud, m.; *v.* s'agglomérer [earth].

clodhopper [klâdhâp[er]] *s.* paysan; cul-terreux, m.; godasse, f.

clog [klâg] *s.* entrave, f.; obstacle, empêchement, m.; galoche, f.; *v.* obstruer; se boucher; s'étouffer.

cloister [klo[i]st[er]] *s.* cloître, m.; *v.* cloîtrer.

close [klo[ou]z] *s.* fin, conclusion; clôture, f.; enclos, m.; *v.* fermer; enfermer; se clore; arrêter [account]; conclure; serrer [ranks]; *to close out*, liquider; **closed session**, huis-clos (jur.).

close [klo[ou]s] *adj.* clos, fermé; enclos; mesquin, avare; lourd [weather]; renfermé [air]; suffocant; compact ; serré [questioning] ; étroit, rigoureux; intime: ininterrompu [bombardment]; appliqué, attentif; littéral [translation]; *adv.* hermétiquement, tout près, tout de suite; **close-fitting**, ajusté, collant; **close-mouthed**, peu communicatif; **close shaven**, rasé de près. || **closely** [-li] *adv.* de près; étroitement; rigoureusement, secrètement. || **closeness** [-nis] *s.* proximité, étroitesse; ladrerie; solitude, f.; rapprochement; isolement; manque d'air, m.; fidélité [translation]; rigueur; texture serrée, f.; caractère renfermé, m.

closet [klâzit] *s.* cabinet, m.; armoire, f.; *adj.* secret, intime; *v.* conférer secrètement.

clot [klât] *s.* grumeau, caillot, m.; (fam.) idiot, m.; *v.* se cailler, se coaguler.

cloth [klauth] *s.* toile; nappe; étoffe; livrée, f.; tapis de table; tissu; uniforme; drap; torchon, m.; **tea cloth**, nappe à thé; *man of the cloth*, ministre du culte. || **clothe** [klo[ou]zh] *v.** vêtir; habiller. || **clothes** [klo[ou]z] *s. pl.* habits, vêtements; linge, m.; **underclothes**, sous-vêtements; *suit of clothes*, complet; **clothes pin**, pince à linge. || **clothier** [klo[ou]zhy[er]] *s.* drapier; fabricant de confections, m. || **clothing** [klo[ou]zhing] *s.* costume; vêtement; linge, m.; fabrication du drap, f.

cloud [kla[ou]d] *s.* nuage, m.; foule; nuée, f.; *v.* couvrir de nuages; s'assombrir; se voiler; menacer, ternir; s'amonceler. || **cloudburst** [-bë[r]st] *s.* averse, trombe, f. || **cloudless** [-lis] *adj.* serein, clair, sans nuage. || **cloudy** [-i] *adj.* nuageux, couvert.

clove [klo[ou]v] *s.* clou de girofle, m.; **clove of garlic**, gousse d'ail.

clover [klo[ou]v[er]] *s.* trèfle, m.; *to be in clover*, être dans l'abondance.

clown [kla[ou]n] *s.* rustre; bouffon, clown; *v.* faire le clown.

cloy [klo[i]] *v.* rassasier, repaître; gorger.

club [klœb] *s.* massue; trique, f.; trèfle [cards]; club, m.; *v.* frapper, assommer; réunir, rassembler; **clubhouse**, club, cercle.

cluck [klœk] *s.* gloussement, m.; *v.* glousser.

clue, see **clew.**

clump [klœmp] *s.* groupe, bloc, m.; bouquet, massif [trees], m.; *Am.* bloc [houses], m.; bruit sourd, m.; *v.* grouper en bouquet; marcher d'un pas lourd.

clumsy [klœmzi] *adj.* engourdi; gauche, maladroit; disgracieux.

clung *pret., p. p. of* **to cling.**

cluster [klœst[er]] *s.* grappe, f.; bouquet; groupe; essaim [bees], m.; *Am.* entourage [gems], m.; *v.* (se) grouper; se mettre en grappe.

clutch [klœtsh] *s.* prise, f.; griffe, serre; couvée [eggs], f.; embrayage [auto], m.; *v.* saisir, empoigner; accrocher; *to step on the clutch*, débrayer; *to throw in the clutch*, embrayer; **foot clutch**, pédale d'embrayage.

clutter [klœt[er]] *v.* désordre, m.; confusion, f.; *v.* mettre en désordre; rendre confus.

coach [ko[ou]tsh] *s.* voiture; automobile, f.; répétiteur, m.; *v.* préparer, guider, mettre au courant. || **coachman** [-m[e]n] *s.* conducteur, m.

coagulate [ko[ou]*a*gy[e]lé[i]t] *v.* coaguler; se cailler; se coaguler.

coal [ko[ou]l] *s.* charbon, m.; houille, f.; *v.* approvisionner en charbon; **hard coal**, anthracite; **coal-dust**, poussier; **coal oil**, pétrole.

coalesce [koouelès] *v.* s'unir, se combiner, se fondre.
coalition [koouelishen] *s.* coalition, f.
coarse [koours] *adj.* grossier; brut; vulgaire. || **coarseness** [-nis] *s.* rudesse; grossièreté, vulgarité, f.
coast [kooust] *s.* côte; berge; pente [hill], f.; littoral, m.; *v.* côtoyer; caboter (naut.); *Am.* glisser le long de; **coastal**, côtier; **coastline**, littoral.
coat [koout] *s.* habit, m.; veste; tunique; peau [snake]; robe [animal]; couche [paint], f.; *v.* revêtir; enduire; peindre; goudronner; glacer (culin.); **coated tongue**, langue chargée; **coat-hanger**, porte-manteau; *to turn one's coat*, tourner casaque.
coax [koouks] *v.* cajoler; caresser.
cob [kâb] *s.* épi de maïs; bidet [horse]; torchis, m.
cobalt [kooubault] *s.* cobalt, m.
cobble [kâb'l] *v.* raccommoder [shoes]. || **cobbler** [-er] *s.* cordonnier; cobbler [drink], m.; *Am.* tourte aux fruits, f.
cobweb [kâbwèb] *s.* toile d'araignée, f.
cocaine [kooukéin] *s.* cocaïne, f.
cock [kâk] *s.* coq; oiseau mâle; robinet [tap]; chien [gun], m.; meule [hay], f.; *v.* relever [hat]; armer [gun]; **fuel cock**, robinet d'essence; **cockeyed**, qui louche; **safety cock**, cran d'arrêt; **cocksure**, absolument sûr; **cock-a-doodle-doo**, cocorico.
cockroach [kâkroooutsh] *s.* blatte, f.; cafard, m.
cocktail [kâktéil] *s.* cocktail, m.
cocky [kâki] *adj.* impertinent, insolent; fat.
cocoa [kooukoou] *s.* cacao, m.
coconut [koouk enet] *s.* noix de coco.
cocoon [kekoun] *s.* cocon, m.
cod [kâd] *s.* morue, f.; **cod-liver oil**, huile de foie de morue.
coddle [kâd'l] *v.* mitonner; choyer; câliner.
code [kooud] *s.* code, m.; *v.* chiffrer; **code message**, message chiffré.
codger [kâdjer] s. type; original; gaillard, m.
codicil [kâdes'l] *s.* codicille, m.
codify [kâdefai] *v.* codifier.
coerce [koouërs] *v.* contraindre; réprimer. || **coercion** [koouërshen] *s.* coercition, contrainte; coaction (jur.), f.
coffee [kaufi] *s.* café, m.; **coffee-cup**, tasse à café; **coffee-mill**, moulin à café; **coffee-pot**, cafetière.
coffer [kaufer] *s.* coffre, m.; cassette, f.
coffin [kaufin] *s.* cercueil, m.
cog [kooug] *s.* dent [wheel], f.; rouage, m.; **cogwheel**, roue dentée.
cogent [kooudjent] *adj.* convaincant; puissant [argument].
coherent [koouhirent] *adj.* cohérent. || **cohesion** [koouhijen] *s.* cohésion, f.
coiffeur [kwâfër] *s.* coiffeur, m. || **coiffure** [kwâfyour] *s.* coiffure [hairdo], f.
coil [koil] *s.* rouleau; repli, m.; spirale, f.; glène [rope]; bobine (electr.), f.; *v.* s'enrouler; lover.
coin [koin] *s.* pièce de monnaie, f.; coin, m.; *v.* battre [money]; inventer; fabriquer; *to pay one in his own coin*, rendre à quelqu'un la monnaie de sa pièce. || **coinage** [-idj] *s.* monnayage, m.; frappe; invention, f.
coincide [koouinsaid] *v.* coïncider. || **coincidence** [koouinsedens] *s.* coïncidence, f.
coke [coouk] *s.* coke, m.
colander [kœlender] *s.* tamis, m.
cold [koould] *adj.* froid; *s.* froid; refroidissement; rhume, m.; **cold-cream**, crème de beauté; *to give the cold shoulder*, battre froid; **head cold**, rhume de cerveau; **chest cold**, rhume de poitrine. || **coldness** [-nis] *s.* froidure; froideur, f.
cole-seed [kooulsîd] *s.* graine de colza, f.
collaborate [kelaberéit] *v.* collaborer. || **collaboration** [kelaberéishen] *s.* collaboration, f.
collapse [kelaps] *v.* s'écrouler; s'effondrer; être démoralisé; *s.* effondrement; évanouissement, m.; prostration, f.
collar [kâler] *s.* collier [dog]; col [shirt]; collet, m.; *v.* colleter; prendre au collet; **stiff collar**, faux col; **collarbone**, clavicule; **collar size**, encolure.
collateral [kelaterel] *adj.* collatéral; secondaire, accessoire; coïncident; *s.* nantissement, m.
colleague [kelîg] *s.* collègue, m.
collect [kelèkt] *v.* rassembler; collectionner; percevoir [taxes];

recouvrer [debts]; faire la levée [mail]; s'amasser; *s.* collecte, f.; *to collect oneself*, se ressaisir, se recueillir; *collect on delivery*, en port dû. || **collection** [k^{e}lèksh^{e}n] *s.* collection; accumulation; perception; collecte; levée [letters], f.; ramassage; encaissement, m.; *to take up a collection*, faire la quête. || **collective** [k^{e}lèktiv] *adj.* collectif. || **collector** [k^{e}lèkt^{er}] *s.* collecteur; percepteur; quêteur; collectionneur, m.
college [kâlidj] *s.* collège; corps constitué, m.; faculté [univ.], f.
collide [k^{e}la^{i}d] *v.* entrer en collision; s'emboutir.
collier [kâly^{er}] *s.* mineur, m.; navire charbonnier, m.
colloquial [k^{e}lo^{ou}kwi^{e}l] *adj.* familier; de la conversation courante.
colon [ko^{ou}l^{e}n] *s.* côlon [anat.], m.
colon [ko^{ou}l^{e}n] *s.* deux-points [ponctuation], m. pl.
colonel [kë^{r}n'l] *s.* colonel, m.
colonial [k^{e}lo^{ou}ni^{e}l] *adj., s.* colonial. || **colonist** [kâl^{e}nist] *s.* colon, m. || **colonization** [kâl^{e}n^{e}zé^{i}sh^{e}n] *s.* colonisation, f. || **colonize** [kâl^{e}na^{i}z] *v.* coloniser. || **colony** [kâl^{e}ni] *s.* colonie, f.
colo(u)r [kœl^{er}] *s.* couleur, teinte, f.; ton, m.; *pl.* drapeau; *v.* colorer; colorier; teinter; rougir; se colorer; **colo(u)rblind**, daltonien. || **colo(u)red** [-d] *adj.* coloré; colorié; de couleur. || **colo(u)rful** [-f^{e}l] *adj.* haut en couleurs. || **colo(u)ring** [-ing] *s.* coloration, f.; coloris; prétexte, m. || **colo(u)rless** [-lis] *adj.* incolore, terne.
colossal [k^{e}lâs'l] *adj.* colossal.
colt [ko^{ou}lt] *s.* revolver, colt; poulain, m.
column [kâl^{e}m] *s.* colonne, f. || **columnist** [-ist] *s.* journaliste, m.
coma [ko^{ou}m^{e}] *s.* coma, m.; **comatose**, comateux.
comb [ko^{ou}m] *s.* peigne, m.; trille; carde; crête [cock, wave], f.; rayon [honey], m.; *v.* peigner; étriller; carder; déferler [wave]. || **comber** [-^{er}] *s.* cardeur; brisant, m.
combat [kâmbat] *s.* combat, m.; *v.* combattre, se battre. || **combatant** [kâmb^{e}t^{e}nt] *adj., s.* combattant.
combination [kâmb^{e}né^{i}sh^{e}n] *s.* combinaison; coalition; association, entente, f.; complot, m. || **combine** [k^{e}mba^{i}n] *v.* combiner; associer; se liguer; *s.* combine, f.; *Am.* batteuse (agric.), f.
combustible [k^{e}mbœst^{e}b'l] *adj., s.* combustible. || **combustion** [k^{e}mbœstsh^{e}n] *s.* combustion, f.
come [kœm] *v.** venir; arriver; provenir; advenir; parvenir; *p. p. of* **to come**; *to come across*, traverser; venir à l'esprit; *to come away*, s'en aller; *to come back*, retourner; *to come forth*, paraître, être publié; *to come in*, entrer; *to come out*, sortir; *to come of age*, atteindre sa majorité; *to come near*, approcher; *to come on*, avancer; *to come to pass*, se faire, se réaliser; *to come up*, pousser, monter, surgir; *to make a come-back*, se rétablir.
comedian [k^{e}midi^{e}n] *s.* comédien; comique, m. || **comedy** [kâm^{e}di] *s.* comédie, f.
comely [kœmli] *adj.* gracieux, séduisant, avenant. || **comeliness** [-nis] *s.* beauté, grâce, amabilité.
comet [kâmit] *s.* comète, f.
comfit [kœmfit] *s.* fruit confit, m.; dragée, f.
comfort [kœmf^{er}t] *s.* confort, bien-être; réconfort, m.; aisance; consolation, f.; *v.* réconforter. || **comfortable** [-^{e}b'l] *adj.* confortable; consolant; aisé [life]. || **comfortably** [-^{e}b'li] *adv.* confortablement. || **comforter** [-^{er}] *s.* consolateur, m.; *Br.* cache-nez; *Am.* couvre-pied, m.; couverture piquée, f. || **comfortless** [-lis] *adj.* triste; incommode.
comic [kâmik] *adj.* comique; *s.* comique; dessin comique, m. || **comical** [-'l] *adj.* plaisant, drôle.
coming [kœming] *adj.* prochain; *s.* venue, arrivée, f.
comma [kâm^{e}] *s.* virgule, f. *Br.* **inverted commas**, guillemets.
command [k^{e}mànd] *s.* ordre; pouvoir, m.; autorité, maîtrise; région militaire, f.; *v.* commander; dominer; *to have full command of*, être entièrement maître de. || **commander** [-^{er}] *s.* commandant, chef, m. || **commandment** [-m^{e}nt] *s.* commandement, m.; autorité, f.
commemorate [k^{e}mèm^{e}ré^{i}t] *v.* commémorer.
commence [k^{e}mèns] *v.* commencer. || **commencement** [-m^{e}nt] *s.* dé-

but, commencement, m.; distribution des diplômes, f.
commend [kemènd] *v.* recommander; louer; confier. || **commendable** [-eb'l] *adj.* recommandable, louable. || **commendation** [kâmendéishen] *s.* recommandation; approbation, f.
comment [kâment] *s.* commentaire, m.; annotation, f.; *v.* commenter; annoter. || **commentator** [-éiter] *s.* commentateur, m.
commerce [kâmers] *s.* commerce international, m.; fréquentation; relations, f. || **commercial** [kemërshel] *adj.* commercial.
commiseration [kemizeréishen] *s.* compassion; condoléances, f.
commissary [kâmesèri] *s.* délégué; commissaire du gouvernement; intendant militaire, m.; *Am.* coopérative, f.
commission [kemishen] *s.* commission; autorisation; mission; gratification; remise; réunion, f.; mandat; brevet (mil.), m.; *v.* charger de; mandater; armer (naut.). || **commissioner** [-er] *s.* commissaire; mandataire; gérant, m.
commit [kemit] *v.* commettre; confier; envoyer; *to commit to memory,* apprendre par cœur; *to commit oneself,* se compromettre; *to commit to prison,* faire incarcérer.
committee [kemiti] *s.* comité, m.
commodity [kemâdeti] *s.* produit, m.; denrée, marchandise, f.
commodore [kâmedoour] *s.* chef d'escadre, m.
common [kâmen] *adj.* commun; public; général; familier; usuel; vulgaire; *s.* terrains communaux, m.; réfectoire; repas, m.; *pl.* Communes, f.; *v.* manger en commun; **common law,** droit coutumier; **common prayer,** liturgie anglicane; **common road,** sentiers battus; **common sense,** sens commun. || **commonly** [-li] *adv.* communément. || **commonness** [-nis] *s.* fréquence; banalité, f. || **commonplace** [-pléis] *adj.* banal; *s.* banalité, f. || **commonweal** [-wîl] *s.* bien public, m.; chose publique, f. || **commonwealth** [-wèlth] *s.* république; collectivité, f.; gouvernement, m.
commotion [kemooushen] *s.* commotion; agitation, f.; trouble, m.
commune [kemyoun] *v.* converser; *to commune with oneself,* se recueillir; [kâmyoun] *s.* conversation, f. || **communicate** [kemyounekéit] *v.* communiquer; communier. || **communication** [kemyounekéishen] *s.* communication, f.; message, m. || **communicative** [kemyounekéitiv] *adj.* communicatif. || **communion** [kemyounyen] *s.* communion, f. || **communism** [kâmyounizem] *s.* communisme, m. || **communist** [kâmyounist] *adj., s.* communiste, m. || **community** [kemyouneti] *s.* communauté, société, f.; **community chest,** *Am.* caisse de secours.
commutation [kâmyoutéishen] *s.* commutation; substitution, f.; remplacement; échange; paiement anticipé et réduit, m.; **commutation ticket,** *Am.* carte d'abonnement au chemin de fer. || **commutator** [kâmyoutéiter] *s.* commutateur, m. || **commute** [kemyout] *v.* commuer; *Am.* voyager avec un abonnement. || **commuter** [kemyouter] *s.* abonné des chemins de fer, m.
compact [kempakt] *adj.* compact, dense; *s. Am.* boîte à poudre; *v.* condenser; tasser; [kâmpakt] *s.* pacte, m.
companion [kempanyen] *s.* compagnon, m.; compagne, f. || **companionship** [-ship] *s.* camaraderie; compagnie, f.; compagnonnage, m. || **company** [kœmpeni] *s.* compagnie; troupe; société, f.; **limited company,** société à responsabilité limitée; **joint-stock company,** société par actions.
comparable [kâmpereb'l] *adj.* comparable. || **comparative** [kemparetiv] *adj.* comparatif; comparé. || **compare** [kempèr] *v.* comparer; *s.* comparaison, f.; *beyond compare,* incomparable. || **comparison** [kemparés'n] *s.* comparaison, f.; *by comparison with,* en comparaison de.
compartment [kempârtment] *s.* compartiment, m.; section, f.
compass [kœmpes] *s.* enceinte; limites; boussole, f.; enclos; circuit; compas, m.; *v.* entourer; faire un circuit; atteindre [ends]; **compass card,** rose des vents.
compassion [kempashen] *s.* com-

passion, f. || **compassionate** [-it] *adj.* compatissant.
compatible [k^{e}mpat^{e}b'l] *adj.* compatible.
compatriot [k^{e}mpé^{i}tri^{e}t] *s.* compatriote, m.
compel [k^{e}mpèl] *v.* contraindre.
compendious [k^{e}mpèndi^{e}s] *adj.* abrégé, compendieux.
compensate [kâmp^{e}nsé^{i}t] *v.* compenser; indemniser. || **compensation** [kàmp^{e}nsé^{i}sh^{e}n] *s.* compensation; rémunération, f.; dédommagement, m.
compete [k^{e}mpit] *v.* concourir, rivaliser.
competence [kâmp^{e}t^{e}ns] *s.* compétence, f. || **competent** [kâmp^{e}t^{e}nt] *adj.* compétent.
competition [kâmp^{e}tish^{e}n] *s.* concours, m.; compétition; concurrence, f. || **competitive** [k^{e}mpèt^{e}tiv] *adj.* compétitif; concurrent; **competitive examination,** concours. || **competitor** [k^{e}mpèt^{e}t^{er}] *s.* rival, concurrent, compétiteur, m.
compile [k^{e}mpa^{i}l] *v.* compiler.
complacent [k^{e}mplès'nt] *adj.* content de soi.
complain [k^{e}mplé^{i}n] *v.* gémir; se plaindre; porter plainte, réclamer. || **complaint** [-t] *s.* plainte; réclamation; maladie, f.; *to lodge a complaint,* formuler une réclamation, porter plainte; **complaint book,** registre des réclamations.
complement [kâmpl^{e}m^{e}nt] *s.* complément; effectif, personnel, m.; [kâmpl^{e}mènt] *v.* compléter.
complete [k^{e}mplit] *adj.* complet; achevé; entier; *v.* achever, compléter. || **completeness** [-nis] *s.* plénitude, f. || **completion** [k^{e}mplish^{e}n] *s.* achèvement; accomplissement, m.; conclusion, f.
complex [kâmplèks] *s.* complexe; *pl.* assemblage, m.; [k^{e}mplèks] *adj.* complexe. || **complexion** [k^{e}mplèksh^{e}n] *s.* complexion, f.; tempérament; teint [skin], m. || **complexity** [k^{e}mplèks^{e}ti] *s.* complexité, f.
compliance [k^{e}mpla^{ie}ns] *s.* acquiescement, m.; complaisance; soumission, f.; *in compliance with,* conformément à, d'accord avec. || **compliant** [k^{e}mpla^{ie}nt] *adj.* souple, complaisant.
complicate [kâmpl^{e}ké^{i}t] *v.* compliquer; embrouiller. || **complication** [kampl^{e}ké^{i}sh^{e}n] *s.* complication, f.
compliment [kâmpl^{e}m^{e}nt] *s.* compliment; cadeau, m.; [kâmpl^{e}mènt] *v.* complimenter; féliciter; faire un cadeau; **complimentary,** flatteur; gratis [ticket].
comply [k^{e}mpla^i] *v.* se plier à; se conformer; accéder à; consentir. || **complying** [-ing] *adj.* accommodant, conciliant, complaisant.
component [k^{e}mpo^{ou}n^{e}nt] *adj., s.* composant.
compose [k^{e}mpo^{ou}z] *v.* composer; apaiser; *to compose oneself,* se calmer, se disposer à. || **composer** [-^{er}] *s.* compositeur; auteur; conciliateur, m. || **composite** [k^{e}mpâzit] *adj.* composite, varié; *s.* mélange; composé, m. || **composition** [kâmp^{e}zish^{e}n] *s.* constitution; composition; transaction, f.; accommodement; concordat (comm.), m. || **composure** [k^{e}mpo^{ou}j^{er}] *s.* calme, sang-froid, m.
compound [kâmpa^{ou}nd] *s.* composé; [kâmpa^{ou}nd] *adj.* composé; *v.* composer; mêler, combiner; transiger; *to compound interest,* calculer les intérêts composés.
comprehend [kâmprihènd] *v.* comprendre; concevoir; inclure. || **comprehensible** [kâmprihèns^{e}b'l] *adj.* compréhensible, intelligible. || **comprehension** [-sh^{e}n] *s.* comprehension, f. || **comprehensive** [-siv] *adj.* compréhensif; total, d'ensemble. || **comprehensively** [-sivli] *adv.* en bloc, en général; avec concision. || **comprehensiveness** [-sivnis] *s.* concision; étendue; compréhension, f.
compress [kâmprès] *s.* compresse, f.; *Am.* machine à compresser le coton; [k^{e}mprès] *v.* comprimer; condenser; tasser. || **compression** [kaumprèsh^{e}n] *s.* compression, f.
comprise [k^{e}mpra^{i}z] *v.* comprendre, renfermer, contenir.
compromise [kâmpr^{e}ma^{i}z] *s.* compromis, m.; transaction, f.; *v.* transiger; (se) compromettre.
comptroller [k^{e}ntro^{ou}l^{er}] *s.* contrôleur, m.
compulsion [k^{e}mpœlsh^{e}n] *s.* contrainte, f. || **compulsory** [k^{e}mpœls^{e}ri] *adj.* obligatoire, forcé.
computation [kâmpy^{e}té^{i}sh^{e}n] *s.* supputation, estimation, f.; calcul,

m. || **compute** [k^{e}mpyout] *v.* calculer; supputer; compter.
comrade [kâmrad] *s.* camarade, m.
concave [kânké^{i}v] *adj.* concave.
conceal [k^{e}nsîl] *v.* cacher, dissimuler; recéler. || **concealment** [-m^{e}nt] *s.* dissimulation, f.; secret, mystère; recel, m.
concede [k^{e}nsîd] *v.* concéder, accorder.
conceited [k^{e}nsîtid] *adj.* vaniteux, présomptueux, suffisant.
conceivable [k^{e}nsîv^{e}b'l] *adj.* concevable. || **conceive** [k^{e}nsîv] *v.* concevoir, imaginer.
concentrate [kâns'ntré^{i}t] *v.* concentrer; condenser. || **concentration** [kâns'ntré^{i}sh^{e}n] *s.* concentration, f.
concept [kânsèpt] *s.* concept, m.; idée, opinion, f. || **conception** [k^{e}nsèpsh^{e}n] *s.* conception, f.; projet, m.
concern [k^{e}nsë^{r}n] *s.* affaire; préoccupation; entreprise commerciale, f.; souci, m.; *v.* concerner; intéresser; préoccuper; *it is no concern of mine*, cela ne me regarde pas; *to be concerned about*, se préoccuper de. || **concerning** [-ing] *prep.* concernant, au sujet de, relatif à.
concert [kânsë^{r}t] *s.* concert; accord, m.; [k^{e}nsë^{r}t] *v.* concerter; organiser.
concession [k^{e}nsèsh^{e}n] *s.* concession, f.; lieu concédé, m. || **concessionaire** [-^{er}] *s.* concessionnaire, m.
conciliate [k^{e}nsilié^{i}t] *v.* concilier.
concise [k^{e}nsa^{i}s] *adj.* concis. || **conciseness** [-nis] *s.* concision, f.
conclude [k^{e}nkloud] *v.* conclure; décider, juger; résoudre. || **conclusion** [k^{e}nkloûj^{e}n] *s.* conclusion; fin; décision, f. || **conclusive** [k^{e}nklousiv] *adj.* concluant.
concoct [kânkâkt] *v.* préparer [food]; ourdir, tramer. || **concoction** [kânkâksh^{e}n] *s.* mélange, m.; élaboration; machination, f.
concord [kânkaurd] *s.* concorde, f.; accord, pacte, m.
concrete [kânkrît] *adj.* concret.
concrete [kânkrit] *s.* béton; ciment, m.; *v.* cimenter.
concrete [kânkrît] *v.* coaguler, solidifier, congeler.
concur [k^{e}nkë^{r}] *v.* s'unir; être d'accord, s'accorder. || **concurrence** [k^{e}nkë^{re}ns] *s.* concours, m.; coïncidence; approbation, f.
condemn [k^{e}ndèm] *v.* condamner. || **condemnation** [kândèmné^{i}sh^{e}n] *s.* condamnation, *f.*
condensation [kândènsé^{i}sh^{e}n] *s.* condensation, f.; résumé, abrégé, m. || **condense** [k^{e}ndèns] *v.* (se) condenser; raccourcir. || **condenser** [-^{er}] *s.* condensateur, m.
condescend [kândisènd] *v.* condescendre. || **condescension** [kândisènsh^{e}n] *s.* condescendance, f.
condiment [kând^{e}m^{e}nt] *s.* condiment, m.
condition [k^{e}ndish^{e}n] *s.* condition; situation; clause, f.; *pl.* état des affaires, m; situation de fortune, f.; *Am.* travail de « rattrapage » (éduc.), m.; *v.* stipuler; limiter; conditionner; mettre en bon état; *Am.* ajourner sous conditions (educ.) || **conditional** [-'l] *adj.* conditionnel.
condole [k^{e}ndo^{ou}l] *v.* déplorer; faire des condoléances, s'apitoyer avec. || **condolence** [-^{e}ns] *s.* condoléances, f. pl.
condone [k^{e}ndo^{ou}n] *v.* pardonner; ne pas blâmer.
conduce [k^{e}ndyous] *v.* tendre à, contribuer à. || **conducive** [-iv] *adj.* contributif.
conduct [kândœkt] *s.* conduite, f.; comportement, m.; [k^{e}ndœkt] *v.* conduire, diriger. || **conductor** [-^{er}] *s.* conducteur; guide, m.; **orchestra conductor**, chef d'orchestre; **lightning conductor**, paratonnerre; *Am.* **train conductor**, contrôleur [train].
conduit [kândit] *s.* conduit, m.; canalisation, f.
cone [ko^{ou}n] *s.* cône; *Am.* cornet de glace [cake], m.; **pine cone**, pomme de pin, **cone-shaped**, conique.
confection [k^{e}nfèksh^{e}n] *s.* sucrerie, confiserie, f. || **confectioner** [-^{er}] *s.* confiseur, m. || **confectionery** [-èri] *s.* confiserie, f.; bonbons, m.
confederacy [k^{e}nfèd^{e}r^{e}si] *s.* confédération, f. || **confederate** [k^{e}nfèd^{e}rit] *s.* confédéré, m.; *v.* confédérer.
confer [k^{e}nfë^{r}] *v.* conférer; comparer; tenir une conférence; gratifier de; communiquer. || **conference** [kânf^{e}r^{e}ns] *s.* conférence, f.; entretien; congrès, m.

confess [k^{e}nfès] *v.* (se) confesser; admettre; avouer. || **confession** [k^{e}nfèsh^{e}n] *s.* confession, f. || **confessional** [-'l] *s.* confessionnal, m. || **confessor** [k^{e}nfès^{er}] *s.* confesseur, m.

confidant [kânf^{e}dant] *s.* confident, m. || **confide** [k^{e}nfa^{i}d] *v.* confier; charger; se fier. || **confidence** [kânf^{e}d^{e}ns] *s.* confidence; assurance; confiance, f.; *Am.* **confidence game**, escroquerie; **confidence man**, escroc. || **confident** [kânf^{e}d^{e}nt] *adj.* confiant; assuré; présomptueux. || **confidential** [kânf^{e}dènsh^{e}l] *adj.* confidentiel, secret.

confine [kânfa^{i}n] *s.* confin, m.; limites, f.; [k^{e}nfa^{i}n] *v.* confiner; emprisonner, limiter; *to confine oneself to*, se borner à. || **confinement** [-m^{e}nt] *s.* détention, réclusion; limitation, restriction, f.; accouchement, m.

confirm [k^{e}nfë^{r}m] *v.* confirmer. || **confirmation** [kânf^{er}méish^{e}n] *s.* confirmation, f.

confiscate [kânfiskéit] *v.* confisquer. || **confiscation** [kânfiskéish^{e}n] *s.* confiscation, f.

conflagration [kânfl^{e}gréish^{e}n] *s.* incendie, m.

conflict [kânflikt] *s.* conflit; antagonisme, m.; [k^{e}nflikt] *v.* s'opposer à; entrer en conflit; être en contradiction (*with*, avec).

conform [k^{e}nfaurm] *v.* (se) conformer; se rallier. || **conformable** [-^{e}b'l] *adj.* conforme; soumis. || **conformation** [k^{e}nfaurméish^{e}n] *s.* conformation; adaptation, f. || **conformity** [k^{e}nfaurm^{e}ti] *s.* conformité, f.

confound [kânfa^{ou}nd] *v.* confondre; déconcerter; *confound it!* le diable l'emporte!

confront [k^{e}nfrœnt] *v.* confronter; affronter; se rencontrer.

confuse [k^{e}nfyouz] *v.* embrouiller; dérouter; confondre; bouleverser. || **confusing** [-ing] *adj.* confus, déconcertant. || **confusion** [k^{e}nfyouj^{e}n] *s.* confusion, f.; désarroi, désordre; tumulte, m.

confutation [kânfyoutéish^{e}n] *s.* réfutation, f. || **confute** [k^{e}nfyout] *v.* réfuter.

congeal [k^{e}ndjîl] *v.* geler; se congeler; coaguler.

congenial [k^{e}ndjîny^{e}l] *adj.* en harmonie avec; *to be congenial with*, sympathiser avec. || **congeniality** [k^{e}ndjîniäl^{e}ti] *s.* affinité, sympathie, f.

congestion [k^{e}ndjèstsh^{e}n] *s.* congestion, f.; encombrement, m.

conglomerate [k^{e}nglâm^{e}rit] *adj.* congloméré, aggloméré; *s.* conglomérat, m.; agglomération, f.; [k^{e}nglâm^{e}réit] *v.* conglomérer; agglomérer.

congratulate [k^{e}ngratsh^{e}léit] *v.* féliciter. || **congratulation** [k^{e}ngratsh^{e}léish^{e}n] *s.* félicitation, f.; compliment, m.

congregate [kânggrigéit] *v.* assembler; se réunir. || **congregation** [kânggrigéish^{e}n] *s.* réunion; congrégation; assemblée des fidèles, f.

congress [kânggrès] *s.* congrès, m.; assemblée, f.; *Am.* Parlement national des Etats-Unis, m.; **congressman**, député.

congruity [k^{e}ngrou^{e}ti] *s.* convenance; conformité, f.; accord, m.

conjecture [k^{e}ndjèktsh^{er}] *s.* conjecture, f.; *v.* conjecturer.

conjugate [kândj^{e}géit] *v.* unir, accoupler; conjuguer (gramm.). || **conjugation** [kândj^{e}géish^{e}n] *s.* conjugaison, f.

conjunction [k^{e}ndjœngksh^{e}n] *s.* conjonction; rencontre, f.

conjure [kœndj^{er}] *v.* conjurer [magic]; [k^{e}ndjour] implorer, supplier.

connect [k^{e}nèkt] *v.* joindre, unir; associer [mind]; relier [road]; correspondre avec [train]. || **connection** [k^{e}nèksh^{e}n] *s.* jonction, union; liaison (gramm.); famille, parenté; relations d'amitiés ou d'affaires; clientèle; correspondance, communication [train, boat], f.; groupe, parti, m.; *to miss connections*, manquer la correspondance; **air connection**, liaison aérienne.

conniption [k^{e}nipsh^{e}n] *s.* accès de colère, de passion (slang), m.

connive [k^{e}na^{i}v] *v.* être de connivence; fermer les yeux [*at*, sur].

connoisseur [kân^{e}së^r] *s.* connaisseur, m.

conquer [kângk^{er}] *v.* conquérir; subjuguer. || **conqueror** [-r^{e}r] *s.* conquérant; vainqueur, m. || **conquest** [kânkwèst] *s.* conquête, f.

conscience [kânsh^{e}ns] *s.* conscience, f.; **conscience stricken**,

pris de remords. || **conscientious** [kânshiènsh^{e}s] *adj.* consciencieux. || **conscious** [kânsh^{e}s] *adj.* conscient; intentionnel; au courant de; *conscious of*, sensible à. || **consciousness** [-nis] *s.* conscience, connaissance, f.
conscript [k^{e}nskr*i*pt] *v.* enrôler; [kânskript] *s.* conscrit, m.
consecrate [kânsikré^{i}t] *v.* consacrer; dédier. || **consecration** [kânsikré^{i}sh^{e}n] *s.* consécration, dédicace, f.
consecutive [k^{e}nsèky^{e}tiv] *adj.* consécutif, successif.
consent [k^{e}nsènt] *v.* consentir; approuver; *s.* consentement; accord, m.; acceptation, f.
consequence [kâns^{e}kwèns] *s.* conséquence; importance, f. || **consequent** [kâns^{e}kwènt] *adj.* résultant, conséquent.
conservation [kâns^{er}vé^{i}sh^{e}n] *s.* conservation, préservation; surveillance, supervision, f. || **conservative** [k^{e}nsë^{r}v^{e}tiv] *adj.* conservatif, conservateur; *s.* conservateur, m. || **conservatory** [k^{e}nsë^{r}v^{e}to^{ou}ri] *s.* conservatoire [music], m.; serre [greenhouse], f.
consider [k^{e}nsid^{er}] *v.* considérer. || **considerable** [k^{e}nsid^{e}r^{e}b'l] *adj.* considérable; important; éminent; beaucoup de (fam.).
considerate [k^{e}nsid^{e}rit] *adj.* modéré, tolérant; prévenant. || **consideration** [k^{e}nsid^{e}ré^{i}sh^{e}n] *s.* considération; réflexion; compensation; cause (jur.), f.; motif, mobile; jugement, m. || **considering** [k^{e}nsid^{e}ring] *prep.* attendu que, étant donné que, vue que.
consign [k^{e}nsa^{i}n] *v.* consigner (comm.); livrer; confier, remettre; expédier [wares].
consist [k^{e}nsist] *v.* consister [*in*, en]. || **consistency** [-^{e}nsi] *s.* consistance; stabilité, harmonie; cohésion; solidité, f.; esprit de suite, m. || **consistent** [-^{e}nt] *adj.* consistant; cohérent; solide; compatible (*with*, avec).
consolation [kâns^{e}lé^{i}sh^{e}n] *s.* consolation, f. || **console** [k^{e}nso^{ou}l] *v.* consoler.
consolidate [k^{e}nsâl^{e}dé^{i}t] *v.* consolider; combiner; s'unir.
consommé [kâns^{e}mé^i] *s.* consommé, bouillon, m.
consonant [kâns^{e}n^{e}nt] *adj.* en harmonie; compatible; sympathique; *s.* consonne, f.
consort [kânsaurt] *s.* époux; consort [prince]; navire d'escorte, croiseur (naut.), m.; [k^{e}nsaurt]; *v.* s'associer (*with*, avec); fréquenter.
conspicuous [k^{e}nspikyou^{e}s] *adj.* notoire, manifeste; remarquable.
conspiracy [k^{e}nspir^{e}si] *s.* conspiration, f. || **conspirator** [k^{e}nspir^{e}t^{er}] *s.* conspirateur, m. || **conspire** [k^{e}nspa^{i}r] *v.* conspirer.
constable [kœnst^{e}b'l] *s.* constable, agent de police, m.
constancy [kânst^{e}nsi] *s.* constance, persévérance; stabilité, f. || **constant** [kânst^{e}nt] *adj.* constant; *s.* constante, f.
constellation [kânst^{e}lé^{i}sh^{e}n] *s.* constellation, f.
consternation [kanstë^{r}né^{i}sh^{e}n] *s.* épouvante; consternation, f.
constituent [k^{e}nstitshou^{e}nt] *adj.* constituant; constitutif; électoral; *s.* élément constituant; électeur; commettant, m. || **constitute** [kânst^{e}tyout] *v.* constituer; établir; élire, nommer. || **constitution** [kânst^{e}tyoush^{e}n] *s.* constitution (med.; jur.), f.
constrain [k^{e}nstré^{i}n] *v.* contraindre; gêner; réprimer.
construct [k^{e}nstrœkt] *v.* construire, fabriquer. || **construction** [k^{e}nstrœksh^{e}n] *s.* construction; structure; interprétation, f. || **constructive** [k^{e}nstrœktiv] *adj.* constructif. || **construe** [k^{e}nstrou] *v.* expliquer; traduire; construire (gramm.).
consul [kâns'l] *s.* consul, m. || **consulate** [-it] *s.* consulat, m.
consult [k^{e}nsœlt] *v.* consulter; conférer; tenir compte de. || **consultation** [kâns'lté^{i}sh^{e}n] *s.* consultation, f.
consume [k^{e}nsoum] *v.* consumer; consommer; absorber. || **consumer** [-^{er}] *s.* consommateur, m.
consummate [kâns^{e}mé^{i}t] *v.* consommer, achever; [k^{e}nsœmit] *adj.* consommé, achevé, parfait. || **consummation** [kâns^{e}mé^{i}sh^{e}n] *s.* consommation, f.; accomplissement, m.
consumption [k^{e}nsœmpsh^{e}n] *s.* consommation [goods]; tuberculose, f. || **consumptive** [k^{e}nsœmptiv] *adj.* tuberculeux.
contact [kântakt] *s.* contact, m.;

[k^e^ntakt] *v.* toucher; être en contact; entrer en relations avec; **contactor,** interrupteur automatique (electr.).
contagion [k^e^ntéidj^e^n] *s.* contagion, f. || **contagious** [k^e^ntéidj^e^s] *adj.* contagieux.
contain [k^e^ntéin] *v.* contenir; enclore; inclure; refréner; se contenir. || **container** [-^er^] *s.* récipient; réservoir; container, m.
contaminate [k^e^ntam^e^néit] *v.* contaminer; infecter; polluer. || **contamination** [k^e^ntam^e^néish^e^n] *s.* contamination, f.
contemn [k^e^ntèm] *v.* mépriser.
contemplate [kânt^e^mpléit] *v.* contempler; méditer; projeter. || **contemplation** [kânt^e^mpléish^e^n] *s.* contemplation, f.; projet, m.
contemporary [k^e^ntèmp^e^rèri] *adj., s.* contemporain; actuel.
contempt [k^e^ntèmpt] *s.* mépris, dédain, m.; infraction à la loi, f. || **contemptible** [-^e^b'l] *adj.* méprisable. || **contemptuous** [-shou^e^s] *adj.* méprisant, dédaigneux.
contend [k^e^ntènd] *v.* rivaliser de; concourir; lutter; discuter; soutenir [opinion]; affirmer, prétendre.
content [k^e^ntènt] *adj.* content, satisfait; consentant; *v.* satisfaire; *s.* contentement; *Br.* assentiment, vote favorable, m.
content [kântènt] *s.* contenu; volume, m.; capacité; contenance, f.; *table of contents,* table des matières.
contention [k^e^ntènsh^e^n] *s.* contestation; controverse; affirmation, assertion, f.; argument, m. || **contentious** [k^e^ntènsh^e^s] *adj.* contentieux; litigieux; querelleur.
contentment [k^e^ntèntm^e^nt] *s.* contentement, m.; satisfaction, f.
contest [kântèst] *s.* lutte, f.; rencontre; controverse, dispute, f.; combat; débat m.; [k^e^ntèst] *v.* lutter, combattre; disputer; rivaliser (*with,* avec).
context [kântèkst] *s.* contexte, m.
contiguous [k^e^ntigyou^e^s] *adj.* contigu, voisin.
continence [kânt^e^n^e^ns] *s.* continence, f.; empire sur soi, m. || **continent** [kânt^e^n^e^nt] *adj.* continent, chaste; modéré.
continent [kânt^e^n^e^nt] *s.* continent, m. || **continental** [kânt^e^nènt'l] *adj., s.* continental.
contingency [k^e^ntindj^e^nsi] *s.* contingence; éventualité, f. || **contingent** [k^e^ntindj^e^nt] *adj.* contingent; éventuel; aléatoire; conditionnel; *s.* événement contingent; contingent militaire, m.
continual [k^e^ntinyou^e^l] *adj.* continu, ininterrompu. || **continually** [-i] *adv.* continuellement, sans interruption. || **continuance** [k^e^ntinyou^e^ns] *s.* continuation, durée; continuité; prorogation [law], f. || **continuation** [k^e^ntinyouéish^e^n] *s.* continuation, prolongation, suite, f. || **continue** [k^e^ntinyou] *v.* continuer; maintenir; prolonger; demeurer (*with,* chez); persister. || **continuity** [kânt^e^nou^e^ti] *s.* continuité, f.; scénario, m. || **continuous** [k^e^ntinyou^e^s] *adj.* continu.
contorsion [k^e^ntaursh^e^n] *s.* contorsion, f.
contour [kântour] *s.* contour; profil de terrain, m.
contraband [kântr^e^band] *s.* contrebande, f.
contract [kântrakt] *s.* contrat; pacte; marché; traité, m.; convention; entreprise, f.; [k^e^ntrakt] *v.* attraper; contracter [illness]; acquérir; abréger [words]; froncer [eyebrows]; [kântrakt] passer un contrat. || **contraction** [k^e^ntraksh^e^n] *s.* contraction, f. || **contractor** [k^e^ntrakt^er^] *s.* contractant; entrepreneur; adjudicataire; fournisseur (mil.), m.
contradict [kântr^e^dikt] *v.* contredire. || **contradiction** [kântr^e^diksh^e^n] *s.* contradiction, f.; *beyond all contradiction,* sans contredit. || **contradictory** [kântr^e^dikt^e^ri] *adj.* contradictoire.
contrary [kântrèri] *adj.* contraire, opposé; défavorable; hostile; contrariant; *s.* contraire, m.; *on the contrary,* au contraire.
contrast [kântrast] *s.* contraste, m.; [k^e^ntrast] *v.* contraster.
contribute [k^e^ntribyout] *v.* contribuer. || **contribution** [kântr^e^byoush^e^n] *s.* apport, m.; contribution; souscription; cotisation, f. || **contributor** [k^e^ntriby^e^t^er^] *s.* souscripteur, collaborateur, m.
contrivance [k^e^ntraiv^e^ns] *s.* procédé, plans, m.; invention, f.; appareil; expédient, m. || **contrive** [k^e^ntraiv] *v.* inventer; agencer;

réussir. || **contriver** [-^{er}] *s.* inventeur; auteur de complot, m.

control [k^{e}ntro^{ou}l] *s.* contrôle, m.; autorité, influence, f.; levier de commande, frein régulateur (mech.), m.; *v.* contrôler; diriger; refréner, régler; *to control oneself*, se maîtriser. || **controller** [-^{er}] *s.* contrôleur, appareil de contrôle, m.; **control lever**, levier de commande.

controversy [kântr^{e}vërsi] *s.* controverse, polémique, f.

contumacious [kântyouméish^{e}s] *adj.* contumace; rebelle.

conundrum [k^{e}nœdr^{e}m] *s.* énigme, devinette, « colle », f.

convalesce [kânv^{e}lès] *v.* se rétablir [health]. || **convalescence** [kânv^{e}lès'ns] *s.* convalescence, f.

convene [k^{e}nvîn] *v.* assembler, convoquer; citer (jur.); se réunir.

convenience [k^{e}nvînyens] *s.* commodité, convenance, f. || **convenient** [k^{e}nvîny^{e}nt] *adj.* commode; convenable; à proximité.

convent [kânvènt] *s.* couvent, m.

convention [k^{e}nvènsh^{e}n] *s.* convention; bienséance; assemblée, f.; accord, contrat m. || **conventional** [-'l] *adj.* conventionnel.

converge [k^{e}nvërdj] *v.* converger.

conversant [kânvërs'nt] *adj.* versé (*with*, dans); familier avec. || **conversation** [kânvërséish^{e}n] *s.* conversation, f. || **converse** [k^{e}nvërs] *v.* converser, causer; fréquenter; *adj.* inverse, réciproque; [kânvërs] *s.* contrepartie, f.

conversion [k^{e}nvërsh^{e}n] *s.* conversion, f.; détournement [law], m. || **convert** [kânvërt] *s.* converti, m.; [k^{e}nvërt] *v.* convertir; transformer; détourner [funds].

convex [kânvèks] *adj.* convexe; bombé [road].

convey [k^{e}nvéi] *v.* transporter; communiquer; exprimer [thanks]; céder [property]; donner [idea]. || **conveyance** [-^{e}ns] *s.* transport; transfert; acte de vente, m.; transmission, f.; **public conveyance**, véhicule de transport en commun.

convict [kânvikt] *s.* condamné, forçat, m.; [k^{e}nvikt] *v.* convaincre de culpabilité; condamner. || **conviction** [k^{e}nviksh^{e}n] *s.* conviction; preuve de culpabilité; condamnation, f. || **convince** [k^{e}nvins] *v.* convaincre. || **convincing** [-ing] *adj.* convaincant.

convocation [kânv^{e}kéish^{e}n] *s.* convocation; assemblée, f. || **convoke** [k^{e}nvo^{ou}k] *v.* convoquer.

convoy [kânvoi] *s.* convoi, m.; escorte, f.; vaisseau d'escorte, m.; [k^{e}nvoi] *v.* convoyer; escorter, protéger.

convulsion [k^{e}nvœlsh^{e}n] *s.* convulsion, f.

cony [ko^{ou}ni] *s.* lapin [animal, fur], m.; **cony-wool**, poil de lapin.

coo [kou] *s.* roucoulement, m.; *v.* roucouler.

cook [kouk] *s.* cuisinier, m.; cuisinière, f.; coq [naut.], m.; *v.* cuisiner; cuire; préparer; **cook book**, livre de cuisine. || **cookery** [-^{e}ri] *s.* cuisine f.; art culinaire. || **cookie, cooky** [-i] *s.* petit gâteau; biscuit, m. || **cooking** [-ing] *s.* cuisine [art], f.; **cooking utensils**, ustensiles de cuisine, m.

cool [koul] *adj.* frais, fraîche; calme, froid; indifférent; impudent; évalué sans exagération; *s.* fraîcheur, f.; frais, m. *v.* rafraîchir ; calmer ; (se) refroidir. || **coolness** [-nis] *s.* fraîcheur; froideur, f. || **cooler** [-^{er}] *s.* réfrigérateur; garde-frais; cocktail frais, m.; *Am.* prison (slang), f.

coon [koun] *s.* *Am.* raton [animal]; nègre (slang), m.

coop [koup] *s.* cage [hens]; mue, f.; poulailler, m.; *v.* enfermer; *to coop up*, claquemurer. || **cooper** [-^{er}] *s.* tonnelier, m.

cooperate [ko^{ou}âp^{e}réit] *v.* coopérer. || **cooperation** [ko^{ou}âp^{e}réish^{e}n] *s.* coopération, f. || **cooperative** [ko^{ou}âp^{e}réitiv] *adj.* coopératif; *s.* coopérative, f.

coordinate [ko^{ou}aurd'néit] *v.* coordonner; [ko^{ou}aurd'nit] *adj.* coordonné. || **coordination** [ko^{ou}aurd'néish^{e}n] *s.* coordination, f.

coot [kout] *s.* foulque, f.

cop [kâp] *s.* *Am.* policier, m.; *v.* voler (slang).

cope [ko^{ou}p] *v.* lutter, contester; tenir tête (*with*, à).

copious [ko^{ou}pi^{e}s] *adj.* copieux.

copper [kâp^{er}] *s.* cuivre; sou [coin]; *Am.* policier, m.; *adj.* cuivré; **coppersmith**, chaudronnier.

coppice [kâpis] *s.* taillis, m.

copy [kâpi] *s.* copie, f.; double; exemplaire [book]; numéro [news-

paper], m.; *v.* copier, imiter. || **copyright** [-ra^{i}t] *s.* propriété littéraire, f.; droits d'auteur, m.; *v.* prendre le copyright.
coquette [ko^{ou}kèt] *s.* coquette, f.
coral [k*au*r^{e}l] *adj., s.* corail.
cord [kaurd] *s.* corde, f.; cordon; cordage, m.; stère [wood], f.; *pl.* culotte de velours à côtes; **spinal cord**, moelle épinière.
cordial [k*au*rdj^{e}l] *adj., s.* cordial.
cordon [k*au*rd'n] *s.* cordon, m.
corduroy [kaurd^{e}ro^{i}] *s.* velours côtelé, m.; *pl.* pantalon de velours.
core [ko^{ou}r] *s.* centre, noyau; trognon [apple], m.; *v.* dénoyauter.
cork [kaurk] *s.* liège; bouchon, m.; *v.* boucher; *to be corked,* être éreinté; **cork-tree**, chêne-liège; **corkscrew**, tire-bouchon.
corn [kaurn] *s.* grain; blé; *Am.* maïs, m.; *v.* saler [corned-beef]; **cornflower**, bleuet.
corn [kaurn] *s.* cor [foot], m.
corner [k*au*rn^{er}] *s.* angle, coin, m.; encoignure, f.; *v.* rencogner; acculer; serrer dans un coin.
cornet [kaurnèt] *s.* cornet à pistons, m.; cornette, f.
cornfield [k*au*rnfîld] *s. Am.* champ de maïs; *Br.* champ de blé, d'avoine, de seigle, d'orge, m.
cornice [k*au*rnis] *s.* corniche, f.
coronation [kaur^{e}né^{i}sh^{e}n] *s.* couronnement, m.
coroner [k*au*r^{e}n^{er}] *s.* coroner; officier de police judiciaire, m.
coronet [k*au*r^{e}nit] *s.* couronne, f.; diadème, m.
corporal [k*au*rp^{e}r^{e}l] *adj.* corporel, matériel; *s.* corporal, m.
corporal [k*au*rp^{e}r^{e}l] *s.* caporal, m.
corporation [kaurp^{e}ré^{i}sh^{e}n] *s.* municipalité; corporation, société, f.; corps directorial d'un collège, m.
corps [ko^{ou}r] (*pl.* [-z]) *s.* corps (mil.), m.; forces (mil.), f.
corpse [kaurps] *s.* cadavre, m.
corpulence [k*au*rpy^{e}l^{e}ns] *s.* corpulence, f.
corpuscle [k*au*rp^{e}s'l] *s.* corpuscule; globule [blood], m.
corral [k^{e}ral] *s. Am.* enclos, m.; *v.* enfermer dans un enclos; capturer.
correct [k^{e}rèkt] *v.* corriger; redresser; *adj.* exact, juste; conforme. || **correctly** [-li] *adv.* correctement, exactement. || **correction** [k^{e}rèksh^{e}n] *s.* correction, f. || **correctness** [k^{e}rèktnis] *s.* exactitude; correction; justesse, f. || **corrector** [k^{e}rèkt^{er}] *s.* correcteur, m.; correctrice, f.; correctif, m.
correlate [k*au*r^{e}lé^{i}t] *v.* mettre en relation; relier. || **correlative** [k^{e}rèl^{e}tiv] *adj., s.* corrélatif.
correspond [k^{e}r^{e}spând] *v.* correspondre; être assorti; écrire. || **correspondence** [-^{e}ns] *s.* correspondance; harmonie; relations; lettres, f.; accord, m. || **correspondent** [-^{e}nt] *adj., s.* correspondant; **special correspondent**, envoyé spécial [newspaper]. || **corresponding** [-ing] *adj.* correspondant.
corridor [k*au*r^{e}d^{e}r] *s.* couloir, m.
corroborate [k^{e}râb^{e}ré^{i}t] *v.* corroborer, confirmer.
corrode [k^{e}ro^{ou}d] *v.* corroder. || **corrosive** [k^{e}ro^{ou}siv] *adj.* corrosif.
corrupt [k^{e}rœpt] *v.* corrompre; pervertir, suborner; *adj.* dépravé, pervers; corrompu. || **corruption** [k^{e}rœpsh^{e}n] *s.* corruption; dépravation; concussion, f.
corsage [kaursâj] *s.* bouquet-garniture de costume, m.
corset [k*au*rsit] *s.* corset, m.; **corset bone**, baleine de corset.
cortege [k*au*rté^{i}j] *s.* cortège, m.
corvette [kaurvèt] *s.* corvette, f.
cosmetic [kâzmètik] *s.* cosmétique, m.
cosmopolitan [kâzm^{e}pâl^{e}t'n] *adj.* cosmopolite.
cost [k*au*st] *s.* coût, prix; frais, m.; dépens (jur.), m. pl.; *v.** coûter; **cost price**, prix coûtant; *at any cost,* coûte que coûte; *to bear the cost of,* faire les frais de; *pret., p. p. of* **to cost**. || **costly** [-li] *adj.* coûteux.
costume [kâstyoum] *s.* costume, m. || **costumer** [-^{er}] *s. Am.* costumier, m.
cot [kât] *s.* lit d'enfant, lit pliant, lit de camp, m.
cottage [kâtidj] *s.* maisonnette, f.
cotton [kât'n] *s.* coton, m.; cotonnade, f.; *adj.* en coton; **cotton batting**, rouleau de coton cardé; **cotton mill**, filature de coton; **cotton wool**, ouate; **absorbent cotton**, coton hydrophile; **sewing cotton**, fil à coudre.
couch [ka^{ou}tsh] *s.* canapé, divan, m.; couche (techn.), f.; *v.* cou-

cher; étendre une couche; rédiger; se coucher, se tapir.

cough [kauf] s. toux, f.; v. tousser; **whooping cough**, coqueluche; *to cough up*, expectorer.

could [koud] *pret. of* **to can.**

council [ka^{ou}ns'l] s. assemblée en conseil, f.; concile, m.; **City Council**, conseil municipal; **councilman**, conseiller municipal.

counsel [ka^{ou}ns'l] s. conseil, avis; projet; avocat conseil, m.; délibération, f.; v. conseiller; **private counsel**, fondé de pouvoir. || **counselor** [-^{er}] s. conseiller; avocat, m.

count [ka^{ou}nt] s. compte; calcul; chef d'accusation (jur.); dépouillement du scrutin, m.; v. compter.

countenance [ka^{ou}nt^{e}n^{e}ns] s. physionomie, f.; aspect, air; encouragement, m.; v. favoriser, appuyer; encourager.

counter [ka^{ou}nt^{er}] s. comptoir; compteur, m.

counter [ka^{ou}nt^{er}] *adj.* opposé, contraire, adverse; *adv.* à l'encontre; s. contraire; contre [fencing], m.; v. riposter; s'opposer. || **counteract** [ka^{ou}nt^{er}akt] v. contrecarrer, neutraliser. || **counterbalance** [-bal^{e}ns] v. contrebalancer. || **counter-clockwise** [-klâkwa^{i}z] *adv.* au sens inverse des aiguilles d'une montre. || **counterfeit** [ka^{ou}nt^{er}fit] s. contrefaçon. f.; v. contrefaire, feindre; *adj.* faux, contrefait. || **countermand** [-mand] s. contrordre, m.; [-mand] v. décommander, donner contrordre. || **counterpart** [-pârt] s. contrepartie; copie, f.; pendant, m. || **counterpoise** [-po^{i}z] s. contrepoids, m.; v. contrebalancer. || **counterpane** [-pé^{i}n] s. couverture, f.; couvre-pied, m.

countinghouse [ka^{ou}ntingha^{ou}s] s. bureaux; comptoir-caisse, m.

countless [ka^{ou}ntlis] *adj.* innombrable.

country [kœntri] s. pays, territoire, m.; région, contrée; patrie; campagne, province, f.; **country seat**, propriété à la campagne. || **countryman** [-m^{e}n] s. paysan; compatriote, m.

county [ka^{ou}nti] s. comté, m.; division d'un territoire, f.

coup [kou] s. coup; coup de main, m.

coupé [koupé^{i}] s. coupé, m.

couple [kœp'l] s. couple, m.; paire, f.; v. coupler, accoupler; associer. || **coupling** [-ing] s. accouplement, m.; attache [railway]; union, f.

coupon [koupân] s. coupon [stocks, ticket], m.

courage [kë^{r}idj] s. courage, m. || **courageous** [k^{e}ré^{i}dj^{e}s] *adj.* courageux, brave.

courier [kouri^{er}] s. courrier, m.

course [ko^{ou}rs] s. course; direction, f.; cours, courant; service [meal], m.; succession, f.; cours des études, m.; v. poursuivre; courir; **race course**, champ de courses; *of course*, naturellement.

court [ko^{ou}rt] s. cour [house; king; homage; justice; tribunal]; court [tennis], m.; v. courtiser; solliciter; **court day**, jour d'audience; **court house**, palais de justice. || **courteous** [kë^{r}ti^{e}s] *adj.* courtois. || **courtesy** [kë^{r}t^{e}si] s. courtoisie; politesse; attention aimable, f. || **courtier** [ko^{ou}rti^{er}] s. courtisan. m. || **courtship** [ko^{ou}rtship] s. cour, galanterie, assiduités, f. || **courtyard** [ko^{ou}rtyârd] s. cour de maison, f.

cousin [kœz'n] s. cousin, m.; cousine, f.; **first cousin**, cousin germain.

cove [ko^{ou}v] s. anse, crique, f.

covenant [kœv^{e}n^{e}nt] s. contrat, accord, engagement, m.; convention, alliance, f.; v. s'engager; stipuler par contrat.

cover [kœv^{er}] s. couvercle, m.; couverture, housse; protection, f.; abri; déguisement; tapis de table, m., enveloppe [letter], f.; v. couvrir; recouvrir; protéger; inclure; dissimuler; embrasser, s'étendre sur; féconder; couvrir [stocks]; *Am.* assurer un reportage; **cover-girl**, modèle (phot.). || **covering** [-ing] s. couverture; enveloppe, f.; abri; revêtement, m. || **covert** [kâv^{er}t] *adj.* voilé, secret, indirect.

covet [kœvit] v. convoiter. || **covetous** [-^{e}s] *adj.* avide, cupide.

cow [ka^{ou}] s. vache; femelle des ruminants, f.

cow [ka^{ou}] v. intimider; atterrer.

coward [ka^{oue}rd] *adj.*, s. couard, poltron. || **cowardice** [-is] s. poltronnerie, f. || **cowardly** [-li] *adj.* poltron; *adv.* lâchement.

cowboy [ka^{ou}bo^{i}] *s.* cow-boy, m.
cower [ka^{ou}^{er}] *v.* ramper de peur ou de honte.
cowl [ka^{ou}l] *s.* capuchon, m.; capote [auto], f.
cowlick [ka^{ou}lik] *s.* épi [hair], m.
cowslip [ka^{ou}slip] *s. Am.* souci des marais, m.; *Br.* primevère, f.
coy [ko^{i}] *adj.* réservé, modeste.
cozen [kœz'n] *v.* tromper, duper.
cozy [ko^{ou}zi] *adj.* confortable, agréable; *s.* capuchon de théière, m.
crab [crab] *s.* crabe, m.; **crab apple**, pomme sauvage. || **crabbed** [-id] *adj.* aigre, acariâtre; obscur, indéchiffrable.
crack [krak] *s.* craquement; coup de feu, m.; fissure, lézarde; crevasse; *Am.* pointe, méchanceté; toquade, f.; mensonge, m.; *adj.* excellent; *v.* craquer; muer [voice]; se fendre; fissurer; gercer; casser [nuts]; faire claquer [whip]. || **cracker** [-^{er}] *s.* pétard; diablotin [cake], m. || **crackle** [-'l] *v.* crépiter, pétiller; se craqueler; *s.* crépitement, pétillement, m.; craquelure, f. || **crackling** [-ling] *s.* friton, gratton, m.
cradle [kré^{i}d'l] *s.* berceau; cadre, ber (naut.); chariot (aviat.), m.; *v.* bercer; endormir; coucher dans un berceau.
craft [kraft] *s.* habileté, adresse; ruse, f.; art, métier; navire, m.; unité (naut.), f. || **craftsman** [-sm^{e}n] *s.* artisan, m. || **crafty** [-i] *adj.* rusé, astucieux.
crag [krag] *s.* rocher escarpé, m.
cram [kràm] *v.* s'empiffrer; entasser; bourrer; chauffer [study].
cramp [kràmp] *s.* crampe; colique, f.; *v.* cramponner; restreindre; gêner; donner des crampes à.
cranberry [kрànbèri] *s.* airelle, f.
crane [kré^{i}n] *s.* grue [bird, machine], f.; *v.* tendre le cou.
crank [kрànk] *s.* manivelle; lubie, manie, f.; maniaque (fam.), m.; *v.* faire tourner avec la manivelle. || **cranky** [-i] *adj.* capricieux; maniaque; maussade.
cranny [krani] *s.* fente, lézarde, f.
crape [kré^{i}p] *s.* crêpe [mourning], m.; *v.* crêper [hair].
crash [krash] *s.* fracas, m.; collision; catastrophe, f.; atterrissage brutal; écrasement; krach (fin.), m.; grosse toile de fil, f.; *v.* fracasser; faire du fracas; s'écraser; « casser du bois » (aviat.).
crate [kré^{i}t] *s.* cadre [frame]; cageot, m.
crater [kré^{i}t^{er}] *s.* cratère, m.
cravat [kr^{e}vat] *s.* cravate, f.
crave [kré^{i}v] *v.* implorer; convoiter; être avide de.
crawl [kraul] *s.* marche lente, f.; crawl [swimming], m.; *v.* ramper; s'insinuer; *to crawl with*, grouiller de.
crayfish [kré^{i}fish] *s.* écrevisse; langouste, f.; *v.* marcher à reculons; se dérober.
crayon [kré^{i}^{e}n] *s.* crayon de pastel; pastel, m.; *v.* faire du pastel; esquisser; ébaucher [plan].
craze [kré^{i}z] *v.* rendre fou; *s.* folie; insanité; toquade, f. || **crazy** [-i] *adj.* fou, toqué; *to be crazy about*, raffoler de.
creak [krik] *v.* grincer [door]; craquer [shoes]; chanter [insects]; *s.* grincement, crissement, m.
cream [krim] *s.* crème [milk, cosmetic, cookery]; élite, f.; jaune crème, m.; *v.* écrémer; battre en crème; **creamy**, crémeux. || **creamery** [-^{e}ri] *s.* crémerie, f.
crease [kris] *s.* pli, faux pli, m.; *v.* plisser; faire des faux plis.
create [krié^{i}t] *v.* créer. || **creation** [krié^{i}sh^{e}n] *s.* création, f. || **creative** [krié^{i}tiv] *adj.* créateur, créatrice. || **creator** [krié^{i}t^{er}] *s.* créateur, m. || **creature** [kritsh^{er}] *s.* créature, f.
credence [krid'ns] *s.* croyance, foi, f. || **credentials** [kridènsh^{e}lz] *s. pl.* lettres de créance, f. || **credible** [krèd^{e}b'l] *adj.* digne de foi.
credit [krèdit] *s.* estime; influence, f.; crédit; honneur, mérite; actif (comm.), m.; *v.* croire, attribuer à; créditer; fournir à crédit. || **creditable** [-^{e}b'l] *adj.* honorable. || **creditor** [-^{er}] *s.* créancier, m.
credulous [krèdy^{e}l^{e}s] *adj.* crédule.
creed [krid] *s.* credo, m.; croyance; profession de foi, f.
creek [krik] *s.* crique, f.; ruisseau, m.
creep [krip] *v.** ramper; se glisser; s'insinuer; avoir la chair de poule; *s. pl.* appréhension, horreur, f. || **creeper** [-^{er}] *s.* plante grimpante, f.; grimpereau [bird], m.

|| **crept** [krèpt] *pret., p. p. of* to creep.
crescent [krès'nt] *adj., s.* croissant.
crest [krèst] *s.* crête, f.; cimier; écusson [heraldry], m.; **crestfallen**, abattu, penaud.
cress [krès] *s.* cresson, m.
crevice [krèvis] *s.* crevasse, f.
crew [krou] *s.* bande, troupe, f.; équipage (naut.), m.
crib [krib] *s.* crêche, mangeoire, f.; petit lit; coffre [grain], m.; traduction juxtalinéaire, f.; *v.* enfermer, encager; piller, copier, chiper.
cricket [krikit] *s.* grillon, m.
cricket [krikit] *s.* cricket [game], m.
crime [kraim] *s.* crime, m. || **criminal** [krimen'l] *adj., s.* criminel.
crimp [krimp] *v.* gaufrer; onduler [hair]; *s.* ondulation, f.
crimson [krìmz'n] *adj., s.* cramoisi.
cringe [krindj] *v.* ramper; se dérober peureusement.
cripple [krip'l] *s.* estropié, boiteux, m.; *v.* estropier; paralyser (fig.).
crisis [kraisis] *s.* crise, f.
crisp [krisp] *adj.* crépu, frisé; croustillant, friable [cake]; vif [fire, repartee]; frais [lettuce]; frisquet [wind]; *v.* crêper, friser.
criterion [kraitirien] *s.* critérium, m.
critic [kritik] *s.* critique, m. || **critical** [-'l] *adj.* critique. || **criticism** [kritesizem] *s.* critique, f. || **criticize** [kritesaiz] *v.* critiquer.
croak [kroouk] *v.* croasser; coasser; grogner; *Am.* mourir (slang); *s.* coassement; croassement, m.
crochet [krooushéi] *s.* crochet [knitting], m.; *v.* faire du crochet; **crochet hook**, crochet [needle].
crock [krâk] *s.* pot, m.; cruche, f. || **crockery** [-eri] *s.* poterie, faïence, f.
crocodile [krâkedail] *s.* crocodile, m.
crony [kroouni] *s.* commère, f.; compère; vieil ami, m.
crook [krouk] *s.* manche recourbé, m.; houlette, crosse, f.; escroc (fam.), m.; *v.* courber; se courber; s'incurver. || **crooked** [-id] *adj.* tordu; crochu; tortueux; frauduleux.
croon [kroun] *v.* chantonner d'une voix plaintive.
crop [krâp] *s.* jabot [bird]; manche de fouet, m.; récolte, f.; *v.* épointer; bretauder; surgir.
crosier [kroouj^er] *s.* crosse, f.
cross [kraus] *s.* croix, f.; crucifix; croisement, m.; *adj.* transversal; contraire, opposé; maussade, désagréable; métis; *v.* croiser; traverser; rencontrer; contrarier; barrer [check]; franchir [door]; métisser; **crossword puzzle**, mots croisés. || **crossing** [-ing] *s.* croisement; passage; barrement [check]; signe de croix, m.; contrariété; traversée [sea], f.; **river-crossing**, gué; **railroad crossing**, passage à niveau.
crouch [kraoutsh] *v.* se tapir, s'accroupir.
croup [kroup] *s.* croupe [horse], f.
croup [kroup] *s.* croup, m.
crouton [kroutân] *s.* croûton, m.
crow [kroou] *s.* corneille, f.; **crow's feet**, pattes d'oie, rides.
crow [kroou] *v.** chanter comme le coq; se vanter.
crowbar [kroou bâr] *s.* pince [lever], f.
crowd [kraoud] *s.* foule, multitude, troupe, bande, f.; rassemblement, m.; *v.* pousser, serrer; entasser; affluer; se presser; *Am.* encombrer.
crown [kraoun] *s.* couronne; pièce de monnaie, f.; fond [hat]; sommet, m.; *v.* couronner; achever; honorer; récompenser.
crucial [kroushel] *adj.* décisif; éprouvant.
crucible [krouseb'l] *s.* creuset, m.
crucifix [krousefiks] *s.* crucifix, m. || **crucifixion** [krousefikshen] *s.* crucifixion, f. || **crucify** [krousefai] *v.* crucifier.
crude [kroud] *adj.* cru; brut; grossier; fruste.
cruel [krouel] *adj.* cruel. || **cruelty** [-ti] *s.* cruauté, f.
cruet [krouit] *s.* burette, f.; **vinegar cruet**, vinaigrier; **oil cruet**, huilier.
cruise [krouz] s. croisière, f.; *v.* croiser. || **cruiser** [-er] *s.* croiseur (naut.); car de police, m.
cruller [krœler] *s.* beignet, m.
crumb [krœm] *s.* miette; mie, f.; *v.* émietter.
crumble [krœmb'l] *v.* pulvériser; (s')émietter.
crumple [krœmp'l] *v.* froisser, chiffonner; tordre, déformer.
crunch [krœntsh] *v.* croquer; broyer; *s.* bruit de broiement, m.
crupper [krœper] *s.* croupière, f.

crusade [krousé^{i}d] *s.* croisade, f. *v.* entreprendre une croisade; crusader, croisé.
cruse [krouz] *s.* flacon, m.
crush [krœsh] *s.* écrasement, m.; cohue, f.; *v.* écraser; presser [juice]; opprimer; *to have a crush on,* avoir le béguin pour.
crust [krœst] *s.* croûte, f.; *v.* faire croûte; couvrir d'une croûte; crusty, croûteux; revêche.
crutch [krœtsh] *s.* béquille, f.
crux [krœks] *s.* difficulté, f.; point crucial, m.
cry [kra^{i}] *s.* cri; appel, m.; proclamation; crise de larmes, f.; *v.* crier; pleurer; réclamer; proclamer; *to cry out against,* se récrier contre; *to cry down,* décrier; *to cry up,* vanter; *Am.* cry-baby, pleurnicheur.
crystal [krist'l] *s.* cristal, m. ‖ **crystalline** [-in] *adj.* cristallin. ‖ **crystallize** [-a^{i}z] *v.* cristalliser.
cub [kœb] *s.* petit d'animal; lionceau, louveteau, renardeau, ourson; enfant; *Am.* débutant, m.
cube [kyoub] *s.* cube, m.; *v.* cuber; cubic, cubique.
cuckoo [koukou] *s.* coucou [bird], m.; cuckoo clock, coucou.
cucumber [kyoukœmb^{e}r] *s.* concombre, m.
cud [kœd] *s.* aliment ruminé, m.; *Am.* chique, f.
cuddle [kœd'l] *v.* embrasser; s'étreindre.
cudgel [kœdj^{e}l] *s.* trique, f.; gourdin, m.; *v.* bâtonner, rosser.
cue [kyou] *s.* réplique (theat.); queue [billiards], f.; signal (theat.), m.
cuff [kœf] *s.* manchette [sleeve], f.; parement; revers [trousers], m.
cuff [kœf] *s.* soufflet, coup de poing, m.; *v.* gifler; cogner.
cuirass [kwiras] *s.* cuirasse, f.
culinary [kyoul^{e}nèri] *adj.* culinaire.
cull [kœl] *v.* cueillir; choisir.
culminate [kœlm^{e}né^{i}t] *v.* culminer.
culprit [kœlprit] *s.* inculpé; coupable, m.
cult [kœlt] *s.* culte, m.; secte, f.
cultivate [kœlt^{e}vé^{i}t] *v.* cultiver; civiliser; chérir. ‖ **cultivation** [kœlt^{e}vé^{i}sh^{e}n] *s.* culture, f. ‖ **cultivator** [kœlt^{e}vé^{i}t^{e}r] *s.* cultivateur, m. ‖ **culture** [kœltsh^{e}r] *s.* culture, f.
cumbersome [kœmb^{e}rs^{e}m] *adj.* encombrant; pesant.
cumulative [kyoumy^{e}lé^{i}tiv] *adj.* cumulatif.
cunning [kœning] *adj.* rusé, astucieux; ingénieux; *Am.* attrayant, mignon; *s.* ruse, astuce, adresse, f.; talent, m.
cup [kœp] *s.* coupe; tasse, f.; bol, m.; *v.* mettre des ventouses; egg-cup, coquetier; wet cup, ventouse scarifiée; tin cup, quart (mil.). ‖ **cupboard** [kœb^{e}rd] *s.* armoire, f.; buffet, m.
cur [kër] *s.* corneau [dog]; être méprisable, m.
curate [kyourit] *s.* vicaire, m.
curb [kërb] *s.* gourmette [horse], f.; frein, m.; margelle du puits, f.; bord du trottoir; marché libre (fin.), m.; *v.* refréner, brider.
curd [kërd] *v.* (se) cailler; *s.* caillé, m. ‖ **curdle** [-'l] *v.* cailler.
cure [kyour] *s.* soin spirituel, m.; charge d'âme; cure (med.); guérison, f.; remède, m.; *v.* guérir; remédier; saler [meat]; faire sécher [hay, tobacco].
curfew [kërfyou] *s.* couvre-feu, m.
curio [kyourio^{ou}] *s.* curiosité; rareté, f. ‖ **curiosity** [kyouriâs^{e}ti] *s.* curiosité, f. ‖ **curious** [kyouri^{e}s] *adj.* curieux; inhabituel; étrange.
curl [kërl] *s.* boucle; spirale, f.; *v.* boucler, friser; s'enrouler; s'élever en volutes; curly, bouclé, frisé; curled cabbage, chou frisé.
currant [kër^{e}nt] *s.* raisin de Corinthe, m.; groseille, f.; black currant, cassis [fruit]; currant wine, cassis [liquor].
currency [kër^{e}nsi] *s.* cours, m.; monnaie en circulation, f.; paper-currency, papier-monnaie. ‖ **current** [kër^{e}nt] *adj.* courant [change]; habituel; *s.* courant, m.; current price, prix courant; current-breaker, interrupteur (electr.).
curse [kërs] *s.* malédiction; calamité, f.; *v.* maudire; jurer; cursed, maudit.
curt [kërt] *adj.* bref, cassant.
curtail [kërté^{i}l] *v.* rogner, raccourcir; réduire.
curtain [kërt'n] *s.* rideau, m.; *v.* poser des rideaux; voiler.
curvature [kërv^{e}tsh^{e}r] *s.* courbure, f. ‖ **curve** [kërv] *s.* courbe, f.; virage, m.; (se) courber.

cushion [koushᵉn] *s.* coussin; coussinet (mech.); amortisseur, m.; bande [billiard table], f.; *v.* garnir de coussins; amortir; **air cushion,** coussin pneumatique.
custard [kœstërd] *s.* flan, m.; crème, f.
custodian [kœstoᵒᵘdiᵉn] *s.* gardien, m. || **custody** [kœstᵉdi] *s.* garde, protection; détention, f.
custom [kœstᵉm] *s.* coutume; habitude; *Br.* clientèle, f.; achalandage, m.; *pl.* droits de douane; *adj.* fait sur mesure; **custom garments,** vêtements sur mesure. || **customary** [-ᵉri] *adj.* coutumier, usuel. || **customer** [-ᵉʳ] *s.* marchand; client, m. || **customhouse** [-haᵒᵘs] *s.* administration, bureaux des douanes; **customhouse official,** douanier.
cut [kœt] *s.* coupure, entaille; blessure; tranchée; tranche; coupe [clothes]; réduction [price]; gravure, planche; parcelle de terre cultivée; coupe de bois, f.; *Am.* tunnel, m.; *v.** couper, tailler; séparer; diminuer [price]; traverser; couper, cingler; prendre un raccourci; creuser [canal, road]; tailler sur un patron [cloth]; manquer [class]; **short-cut,** raccourci; *to cut out,* couper (electr.); exclure; *pret., p. p. of* **to cut.**
cute [kyout] *adj.* adroit; attirant.
cuticle [kyoutik'l] *s.* épiderme, m.
cutlery [kœtlᵉri] *s.* coutellerie, f.
cutlet [kœtlit] *s.* côtelette, f.
cutter [kœtᵉʳ] *s.* coupeur [wood, cloth]; cotre, cutter (naut.); *Am.* navire garde-côte (naut.); coutre de moissonneuse ou de faucheuse; petit traîneau, m.
cycle [saᶦk'l] *s.* cycle, m.; bicyclette, f.
cyclone [saᶦkloᵒᵘn] *s.* cyclone, m.
cylinder [silindᵉʳ] *s.* cylindre; barillet [revolver]; corps de pompe (mech.), m.
cynic [sinik] *s.* cynique; misanthrope, m.
cyst [sist] *s.* kyste, m.
cypress [saᶦprᵉs] *s.* cyprès, m.

D

dab [dab] *v.* tapoter; *s.* tapotement; petit tas mou, m. || **dabble** [-'l] *v.* barboter; *to dabble in,* s'occuper un peu de.
dad, daddy [dad, dadi] *s.* papa, m.
daffodil [dafᵉdil] *s.* narcisse, m.; asphodèle, f.
daft [daft] *adj.* idiot; toqué.
dagger [dagᵉʳ] *s.* poignard, m.
dahlia [dalyᵉ] *s.* dahlia, m.
daily [déᶦli] *adj.* journalier; *adv.* journellement; *s.* quotidien [newspaper], m.
dainty [déᶦnti] *adj.* gracieux; délicat; exquis; *s.* friandise, f.
dairy [dèri] *s.* laiterie, f.
daisy [déᶦzi] *s.* pâquerette, f.
dale [déᶦl] *s.* vallon, m.
dally [dali] *v.* badiner; batifoler; flâner, se retarder.
dam [dàm] *s.* digue; écluse, f.; barrage, m.; *v.* endiguer.
damage [dàmidj] *s.* dommage; dégât; préjudice, m.; *pl.* dommages-intérêts; *v.* abîmer; nuire à; s'endommager; *to pay for damages,* dédommager.
damn [dàm] *v.* damner; jurer. || **damnation** [damnéᶦshᵉn] *s.* damnation; condamnation, f.
damp [dàmp] *adj.* humide; *s.* humidité, f.; *v.* humidifier; étouffer [fire]; décourager, abattre. || **dampness** [-nis] *s.* humidité, f.
dance [dàns] *s.* danse, f.; bal, m.; *v.* gambader, danser. || **dancer** [-ᵉʳ] *s.* danseur, danseuse.
dandelion [dànd'laᶦᵉn] *s.* pissenlit, m.
dandruff [dàndrᵉf] *s.* pellicules, f. pl.
dandy [dàndi] *s.* dandy, m.; chose élégante, f.; *adj. Am.* élégant, excellent.
danger [déᶦndjᵉʳ] *s.* danger, risque, m. || **dangerous** [-rᵉs] *adj.* dangereux.
dangle [dàng'l] *v.* pendre, pendiller.
dapple [dap'l] *s.* cheval pommelé, m.; *v.* tacheter, pommeler.
dare [dèᵉʳ] *s.* défi, m.; audace, f.; *v.** oser; défier; affronter; **dare-devil,** casse-cou. || **daring** [-ring] *s.* audace, f.; *adj.* audacieux.
dark [dârk] *adj.* obscur; sombre;

noir; ténébreux; foncé; secret; *s.* obscurité; ignorance, f.; noir, secret, m.; **dark-complexioned**, basané, bronzé. || **darken** [-^{e}n] *v.* obscurcir; noircir. || **darkness** [-nis] *s.* obscurité, ténèbres, f.
darling [dârling] *adj.*, *s.* chéri; favori.
darn [dârn] *s.* reprise, f.; *v.* repriser; *interj.* maudit soit!; **darning needle**, aiguille à repriser.
darnel [dârn'l] *s.* ivraie, f.
dart [dârt] *s.* dard; trait; brusque mouvement, élan, m.; *v.* lancer; s'élancer.
dash [dash] *s.* choc; élan; coup de main, m.; impétuosité; petite quantité, dose; course, f.; tiret, m.; *v.* heurter, cogner; lancer; éclabousser; ruiner; déprimer; griffonner; se précipiter. || **dasher** [-^{er}] *s.* baratton, m.
data [dé^{i}t^{e}] *s.* données, f.
date [dé^{i}t] *s.* datte [fruit], f.
date [dé^{i}t] *s.* date; échéance, f.; terme; *Am.* rendez-vous, m.; *v.* dater; être daté; *up to date*, à la page; *at short date*, à courte échéance; *to date from*, remonter à; *under the date of*, en date de.
daub [daub] *v.* barbouiller; souiller; plâtrer [trees]; *s.* enduit; barbouillage, m.; croûte, f. [painting].
daughter [daut^{er}] *s.* fille, f.; **daughter-in-law**, bru.
daunt [daunt] *v.* intimider, effrayer; **dauntless**, intrépide.
davenport [dav^{e}npo^{ou}rt] *s.* sofa, m.
dawdle [daud'l] *v.* flâner, musarder, muser.
dawn [daun] *s.* aube, f.; commencement, m.; *v.* poindre; apparaître.
day [dé^{i}] *s.* jour, m.; journée; époque, f.; âge, m.; *a week from today*, *Br. this day week*, d'aujourd'hui en huit; *today*, aujourd'hui; *to the day*, au jour fixé; *by day* de jour; **daybreak**, aurore, aube; **day laborer**, journalier [man]; **daylight**, lumière du jour; **day nursery**, garderie d'enfants; **day school**, externat; **daytime**, journée.
daze [dé^{i}z] *v.* hébéter; étourdir; éblouir; *s.* étourdissement, m.; confusion, f.
dazzle [daz'l] *v.* éblouir; *s.* éblouissement, m.
deacon [dîk^{e}n] *s.* diacre, m.
dead [dèd] *adj.* mort; amorti; inactif; insensible; terne [color]; éteint [fire]; disparu [language]; *s.* mort, m.; période la plus calme, f.; *adv.* extrêmement; droit, directement; net [stop]; **dead center**, point mort (mech.); **dead letter**, lettre au rebut; **dead shot**, excellent tireur; **dead tired**, éreinté; **dead wall**, mur aveugle. || **deaden** [-'n] *v.* amortir; émousser; assourdir. || **deadly** [-li] *adj.* mortel; meurtrier; implacable; *adv.* mortellement; terriblement.
deaf [dèf] *adj.* sourd; **deaf-mute**, sourd-muet. || **deafen** [-^{e}n] *v.* assourdir; étourdir. || **deafening** [-^{e}ning] *adj.* assourdissant. || **deafness** [-nis] *s.* surdité, f.
deal [dîl] *s.* quantité; donne [cards]; opération commerciale; *Am.* transaction; partie liée (pol.), f.; marché, m.; *v.** distribuer; faire le commerce (*in*, de); négocier (*with*, avec); *a great deal of*, beaucoup de; *to give a square deal*, se montrer juste envers. || **dealer** [-^{er}] *s.* marchand, négociant, m. || **dealings** [-ingz] *s.* affaires, négociations, f.; commerce, m.
deal [dîl] *s.* bois blanc, sapin, m.; planche, f.
dealt [dèlt] *pret.*, *p. p. of* **to deal.**
dean [dîn] *s.* doyen, m.
dear [di^{er}] *adj.* cher, aimé; précieux; coûteux; *s.* être cher, m. || **dearly** [-li] *adv.* avec tendresse; chèrement, à prix élevé.
dearth [dë^{r}th] *s.* disette; pénurie, f.
death [dèth] *s.* mort; fin, f.; décès, m.; **death-bell**, glas; **death rate**, mortalité.
debacle [dé^{i}bâk'l] *s.* débâcle, f.
debar [dibâr] *v.* exclure, éliminer.
debark [dibârk] *v.* débarquer.
debase [dibé^{i}s] *v.* avilir; dégrader.
debate [dibé^{i}t] *s.* débat, m.; discussion, f.; *v.* discuter, débattre.
debauch [dibautsh] *s.* débauche, f.; *v.* débaucher, pervertir.
debilitate [dibil^{e}té^{i}t] *v.* débiliter, déprimer. || **debility** [dibil^{e}ti] *s.* débilité, faiblesse, f.
debit [dèbit] *s.* débit; débet; doit, m.; *v.* débiter; passer au débit.
debouch [dibou*sh*] *v.* déboucher, sortir.
debt [dèt] *s.* dette; créance, f.; *to run into debt*, s'endetter; **gambling debt**, dette de jeu; **national**

debt, dette publique. || **debtor** [-^{er}] *s.* débiteur, m.
debut [dibyou] *s.* début, m.
decade [dèkéid] *s.* décade, f.
decadence [dikéid'ns] *s.* décadence, f.
decamp [dikàmp] *v.* décamper; lever le camp.
decant [dikànt] *v.* décanter. || **decanter** [-^{er}] *s.* carafe, f.
decapitate [dikap^{e}téit] *v.* décapiter.
decay [dikéi] *s.* délabrement; dépérissement, m.; décadence; carie [teeth], f.; *v.* décliner; dépérir; se délabrer; se carier; se pourrir.
decease [disîs] *s.* décès, m.; *v.* décéder. || **deceased** [-t] *adj.*, *s.* défunt, mort.
deceit [disît] *s.* tromperie, f. || **deceitful** [-f^{e}l] *adj.* trompeur. || **deceive** [disîv] *v.* tromper, abuser.
decelerate [disèl^{e}réit] *v.* ralentir.
December [disèmb^{er}] *s.* décembre, m.
decency [dîs'nsi] *s.* bienséance, f. || **decent** [dîs'nt] *adj.* bienséant, décent; convenable, suffisant.
deception [disèpsh^{e}n] *s.* tromperie; illusion, f.
decide [disaid] *v.* décider.
decimal [dès^{e}m'l] *adj.* décimal; *s.* décimale, f.
decimate [dès^{e}méit] *v.* décimer.
decipher [disaif^{er}] *v.* déchiffrer.
decision [disij^{e}n] *s.* décision, f.; arrêt; jugement, m. || **decisive** [disaisiv] *adj.* décisif.
deck [dèk] *s.* pont, tillac (naut.), m.; *Am.* toit [train]; jeu de cartes, m.; *v.* couvrir, orner; **flight deck**, pont d'envol; **fore-deck**, gaillard d'avant; **quarter deck**, gaillard d'arrière.
declaim [dikléim] *v.* déclamer.
declaration [dèkl^{e}réish^{e}n] *s.* déclaration, f. || **declare** [diklèr] *v.* déclarer; proclamer; affirmer; annoncer [cards].
declension [diklènsh^{e}n] *s.* déclinaison (gramm.); baisse, pente, f. || **decline** [diklain] *v.* incliner, pencher; baisser [price]; refuser; décliner (gramm.); *s.* déclin, m.; décadence; pente; baisse [price]; consomption (med.), f.
declivity [dikliv^{e}ti] *s.* pente, déclivité, descente, f.
decode [dikooud] *v.* déchiffrer.
decompose [dik^{e}mpoouz] *v.* (se) décomposer; (se) pourrir. || **decomposition** [dikâmp^{e}zish^{e}n] *s.* décomposition, f.
decorate [dèk^{e}réit] *v.* décorer; enjoliver. || **decoration** [dèk^{e}réish^{e}n] *s.* décoration; médaille, f.; pavoisement; décor, m. || **decorative** [dèk^{e}réitiv] *adj.* décoratif. || **decorum** [dikoour^{e}m] *s.* décorum, m.; bienséance; étiquette, f.
decoy [dikoi] *s.* leurre; appât; piège, m.; *v.* leurrer, attirer.
decrease [dikrîs] *v.* décroître; diminuer; [dîkrîs] *s.* décroissance, diminution; baisse, décrue, f.
decree [dikrî] *s.* décret, arrêt, m.; *v.* décréter, décider.
decrepit [dikrèpit] *adj.* décrépit.
decrial [dikrai^{e}l] *s.* dénigrement, m. || **decry** [dikrai] *v.* décrier, dénigrer.
decuple [dèkyoup'l] *s.* décuple; *v.* décupler.
dedicate [dèd^{e}kéit] *v.* dédier. || **dedication** [dèd^{e}kéish^{e}n] *s.* dédicace; consécration, f.
deduce [didyous] *v.* déduire. || **deduct** [didœkt] *v.* décompter, retrancher. || **deduction** [didœksh^{e}n] *s.* déduction; retenue, f.
deed [dîd] *s.* action, f.; haut fait; acte, document (jur.), m.; *v.* transférer par un acte; *deed of gift*, donation; **foul deed**, forfait; **private deed**, acte sous seing privé.
deem [dîm] *v.* juger; estimer.
deep [dîp] *adj.* profond; sage, pénétrant; intense [feeling]; foncé [color]; grave [tone]; grand [mourning]; *deep in thought*, absorbé; *s.* océan; ciel; abîme, m.; profondeur, f.; *adv.* profondément; tout au fond; intensément. || **deepen** [-^{e}n] *v.* approfondir; creuser; assombrir; sombrer [voice]; foncer. || **deepness** [-nis] *s.* profondeur, f.
deer [di^{er}] *s.* daim, cerf, cervidé, m.; **deerhound**, chien courant; **deerskin**, peau de daim.
deface [diféis] *v.* défigurer, mutiler.
defalcation [difalkéish^{e}n] *s.* détournement de fonds, m.
defame [diféim] *v.* diffamer. || **defamation** [dèf^{e}méish^{e}n] *s.* diffamation, f.
default [difault] *s.* défaut (jur.), m.; déficience, f.; *v.* faire défaut (jur.); faillir à.
defeat [difît] *s.* défaite; frustra-

tion; f.; *v.* battre, défaire; frustrer; déjouer [plan].
defect [difèkt] *s.* défaut, m.; imperfection; tare, f. || **defective** [-iv] *adj.* défectueux; déficient; défectif (gramm.).
defend [difènd] *v.* protéger; défendre (jur.). || **defendant** [-ent] *s.* défendeur (jur.), m. || **defender** [-er] *s.* défenseur (jur.), m. || **defense** [difèns] *s.* défense, f. || **defensive** [-iv] *adj.* défensif; *s.* défensive, f.
defer [difër] *v.* différer, remettre, ajourner.
defer [difër] *v.* déférer, soumettre. || **deference** [dèferens] *s.* déférence, f.; || **deferential** [dèferènshel] *adj.* respectueux, déférent.
defiance [difaiens] *s.* défi, m.; résistance, f. || **defiant** [difaient] *adj.* provocant, agressif.
deficiency [difishensi] *s.* manque, défaut, m.; carence, déficience, lacune, f.; déficit, m. || **deficient** [difishent] *adj.* insuffisant, défectueux. || **deficit** [dèfesit] *s.* déficit, m.
defile [difail] *s.* défilé, m.; gorge, f.
defile [difail] *v.* souiller, corrompre. || **defilement** [-ment] *s.* souillure.
define [difain] *v.* définir. || **definite** [dèfenit] *adj.* déterminé, précis; défini (gramm.). || **definition** [dèfenishen] *s.* définition, f. || **definitive** [difinetiv] *adj.* définitif, décisif; déterminatif (gramm.).
deflate [difléit] *v.* dégonfler. || **deflation** [difléishen] *s.* déflation, f.
deflect [diflèkt] *v.* détourner, dévier.
deform [difaurm] *v.* déformer; défigurer. || **deformed** [-d] *adj.* difforme. || **deformity** [-eti] *s.* difformité, f.
defraud [difraud] *v.* frustrer; frauder, tromper.
defray [difréi] *v.* défrayer.
deft [dèft] *adj.* agile, adroit.
defy [difai] *v.* défier, braver.
degenerate [didjènerit] *adj.*, *s.* dégénéré; [-réit] *v.* dégénérer.
deglutition [digloutishen] *s.* déglutition, f.
degradation [dègredéishen] *s.* dégradation, f.; avilissement, m. || **degrade** [digréid] *v.* dégrader; avilir.
degree [digrî] *s.* degré; rang; diplôme (educ.); degré (math., gramm.), m.; puissance (math.), f.; *by degrees*, peu à peu.
dehydrate [dihaidréit] *v.* déshydrater.
deign [déin] *v.* daigner.
deity [dîeti] *s.* divinité; déité, f.
dejected [didjèktid] *adj.* abattu, découragé. || **dejection** [didjèkshen] *s.* abattement, découragement, m.
delay [diléi] *s.* délai; retard, sursis, m.; *v.* différer, retarder; tarder.
delectable [dilèkteb'l] *adj.* délectable, délicieux.
delegate [dèlegéit] *s.* délégué, représentant; *Am.* député, m.; *v.* déléguer. || **delegation** [délegéishen] *s.* délégation, f.
delete [dilît] *v.* effacer, biffer.
deliberate [dilibérit] *adj.* délibéré; prémédité; circonspect; [dilibéréit] *v.* délibérer; peser, examiner. || **deliberation** [dilibéréishen] *s.* délibération ; réflexion ; discussion, f.
delicacy [dèlekesi] *s.* friandise; délicatesse; fragilité; sensibilité, f. || **delicate** [dèleket] *adj.* délicat; raffiné; fragile. || **delicatessen** [dèleketéis'n] *s.* plats cuisinés, m.
delicious [dilishes] *adj.* délicieux.
delight [dilait] *s.* délice, joie, f.; *v.* ravir, enchanter; prendre plaisir à. || **delightful** [-fel] *adj.* délicieux, charmant.
delineate [diliniéit] *v.* tracer, esquisser; délimiter.
delinquent [dilingkwent] *adj.*, *s.* délinquant (jur.).
delirious [dilìries] *adj.* délirant (med.); extravagant; *to be delirious*, délirer. || **delirium** [diliriem] *s.* délire (med.), m.
deliver [diliver] *v.* délivrer, libérer; exprimer, énoncer; remettre; distribuer [letters]; prononcer [speech]; donner [blow]; accoucher de. || **deliverance** [-rens] *s.* délivrance; libération, f. || **deliverer** [diliverer] *s.* libérateur; livreur, m. || **delivery** [diliveri] *s.* délivrance; livraison [goods]; distribution [letters]; élocution, f.; accouchement; service [baseball], m.; **delivery man**, livreur; **delivery truck**, voiture de livraison.
dell [dèl] *s.* vallon, m.
delouse [dilaous] *v.* épouiller.
delude [diloud] *v.* tromper, abuser.

deluge [dèlyoudj] *s.* déluge, m.; *v.* inonder.
delusion [dil*ou*j^e^n] *s.* tromperie; erreur, f.; *optical delusion,* illusion d'optique. || **delusive** [dil*ou*siv] *adj.* trompeur; illusoire.
demagogue [dèm^e^gaug] *s.* démagogue, m.
demand [dim*a*nd] *s.* demande; réclamation; exigence; commandes (econ.); sommation (jur.); f.; débouché (comm.), m.; *v.* demander; exiger; solliciter; s'enquérir. || **demanding** [-ing] *adj.* exigeant.
demean [dimîn] *v.* abaisser, avilir.
demeanor [dimîn^er^] *s.* conduite, f.; maintien, comportement, m.
demented [dimèntid] *adj.* dément.
demerit [dimèrit] *s.* faute, f.; mauvais point (educ.), m.
demobilize [dim*o^ou^*b'la^i^z] *v.* démobiliser. || **demobilization** [dim*o^ou^*b'l^e^zé^i^sh^e^n] *s.* démobilisation, f.
democracy [d^e^mâkr^e^si] *s.* démocratie, f. || **democrat** [dèm^e^krat] *s.* démocrate, m. || **democratic** [dèm^e^kratik] *adj.* démocratique.
demolish [dimâlish] *v.* démolir.
demoniac [dim*o^ou^*niak] *adj.* démoniaque.
demonstrate [dèm^e^nstré^i^t] *v.* démontrer. || **demonstration** [dèm^e^nstré^i^sh^e^n] *s.* démonstration f. || **démonstrative** [dimânstr^e^tiv] *adj.* démonstratif; expansif.
demoralize [dim*au*r^e^la^i^z] *v.* démoraliser.
demur [dimë^r^] *v.* objecter.
demure [dimy*ou*r] *adj.* grave; prude.
demurrage [dimë^r^idj] *s.* surestarie (naut.), f.
den [dèn] *s.* antre, repaire; cabinet de travail, m.
denial [din*a*^i^^e^l] *s.* démenti; refus, déni, m.; dénégation, f.
denomination [dinâm^e^né^i^sh^e^n] *s.* dénomination; secte religieuse; valeur d'une coupure [money], f.
denote [din*o^ou^*t] *v.* dénoter.
denounce [din*a^ou^*ns] *v.* dénoncer; stigmatiser; rompre [treaty].
dense [dèns] *adj.* dense, épais, compact; stupide. || **density** [-^e^ti] *s.* densité; sottise, f.
dent [dènt] *s.* entaille, f.; *v.* entailler. || **dental** [-'l] *adj.* dentaire; *s.* dentale (gramm.). f.; *dental office,* cabinet dentaire. || **dentist** [-ist] *s.* dentiste, m.
denunciation [dinœnsié^i^sh^e^n] *s.* dénonciation; accusation publique; rupture [treaty], f.
deny [din*a*^i^] *v.* nier; démentir; refuser; *to deny oneself to callers,* ne pas recevoir, interdire sa porte.
depart [dipârt] *v.* partir; se retirer; mourir. || **departed** [-id] *adj.* absent; défunt. || **department** [-m^e^nt] *s.* département; ministère; service (comm.); rayon, comptoir, m.; administration, section; discipline (univ.); division (mil.), f. || **departure** [-sh^er^] *s.* départ, m.; déviation, f.
depend [dipènd] *v.* dépendre (*on,* de); compter (*on,* sur). || **dependable** [-^e^b'l] *adj.* digne de confiance, sûr. || **dependence** [-^e^ns] *s.* dépendance; confiance, f. || **dependency** [-^e^nsi] *s.* dépendance; colonie, f. || **dependent** [-^e^nt] *adj.* dépendant; subordonné (gramm.); *s.* protégé, m.
depict [dipikt] *v.* peindre; décrire.
deplete [diplît] *v.* épuiser, vider.
deplorable [diplo^ou^r^e^b'l] *adj.* déplorable. || **deplore** [diplo^ou^r] *v.* déplorer; pleurer.
deploy [diplo^i^] *v.* (se) déployer.
deport [dip*o^ou^*rt] *v.* déporter; *to deport oneself,* se comporter. || **deportation** [dip*o^ou^*rté^i^sh^e^n] *s.* déportation, f. || **deportment** [dip*o^ou^*rtm^e^nt] *s.* comportement, m.
depose [dip*o^ou^*z] *v.* déposer, destituer; témoigner. || **deposit** [dipâzit] *v.* mettre en dépôt; consigner; déposer; verser; *s.* dépôt, m.; versement; cautionnement [money]; gisement (geol.), m.; consignation, f. || **deposition** [dèp^e^zish^e^n] *s.* déposition; destitution, f.; témoignage; dépôt, m. || **depositor** [dipâzit^er^] *s.* déposant, m. || **depot** [dip*o^ou^*] *s.* entrepôt, m.; *Am.* gare, f.
depreciate [diprîshié^i^t] v. (se) déprécier; faire baisser le prix. || **depreciative** [-iv] *adj.* péjoratif.
depredation [dèpr^e^dé^i^sh^e^n] *s.* déprédation, f.
depress [diprès] *v.* déprimer; humilier; déprécier; accabler. || **depressed** [-t] *adj.* déprimé, abattu. || **depression** [diprèsh^e^n] *s.* dépression; crise (comm.); baisse, f.; affaissement; dénivellement; découragement, m.
deprive [dipr*a*^i^v] *v.* priver.

depth [dèpth] *s.* profondeur; gravité [sound]; vivacité [colors], f., abîme; fond, m.
deputation [dèpyetéishen] *s.* députation; délégation, f. || **depute** [dipyout] *v.* députer, déléguer. || **deputy** [dèpyeti] *s.* député, délégué; suppléant, adjoint, m.
derange [diréindj] *v.* déranger; troubler; affoler; rendre fou.
derelict [dèrelikt] *s.* épave, f.; *adj.* abandonné.
deride [diraid] *v.* railler; ridiculiser, rire de. || **derision** [dirijen] *s.* dérision, f.
derive [diraiv] *v.* provenir; tirer; recevoir; déduire; dériver (gramm.).
derrick [dèrik] *s.* grue, f.; derrick, m.
descend [disènd] *v.* descendre; déchoir; être transmis par héritage. || **descendant** [-ent] *adj.*, *s.* descendant. || **descent** [disènt] *s.* descente; origine, extraction; pente; transmission par héritage, f.
describe [diskraib] *v.* décrire. || **description** [diskripshen] *s.* signalement, m.; description; sorte, espèce, f.
descry [diskrai] *v.* apercevoir, discerner.
desert [dizërt] *s.* mérite, m.; sanction, f.
desert [dèzert] *adj.*, *s.* désert.
desert [dizërt] *v.* déserter; abandonner. || **deserter** [dizërter] *s.* déserteur, m. || **desertion** [dizërshen] *s.* désertion, f.; abandon, m.
deserve [dizërv] *v.* mériter. || **deserving** [-ing] *adj.* méritant; méritoire; digne (*of*, de).
design [dizain] *s.* dessein, projet; plan; dessin, m.; *v.* projeter; faire le plan de; destiner (*for*, à); *designing*, intrigant; *designedly*, à dessein.
designate [dèzignéit] *v.* désigner; spécifier; nommer. || **designation** [dèzignéishen] *s.* désignation, f.
designer [dizainer] *s.* dessinateur; architecte; intrigant, m.
desirability [dizairebileti] *s.* utilité, f. || **desirable** [dizaireb'l] *adj.* désirable. || **desire** [dizair] *s.* désir, m.; *v.* désirer, souhaiter. || **desirous** [dizaires] *adj.* désireux.
desist [dizist] *v.* cesser.
desk [dèsk] *s.* bureau, pupitre, m.; chaire, f.
desolate [dès'lit] *adj.* désolé; désert; dévasté; [dès'léit] *v.* désoler; ravager; affliger. || **desolation** [dès'léishen] *s.* désolation, *f.*
despair [dispèr] *s.* désespoir, m.; *v.* désespérer. || **despairing** [-ing] *adj.* désespéré.
desperate [dèsprit] *adj.* désespéré; forcené; téméraire; très grave (med.); *to do something desperate*, faire un malheur. || **desperation** [dèsperéishen] *s.* désespoir, m.; témérité désespérée, f.
despicable [dèspikeb'l] *adj.* méprisable.
despise [dispaiz] *v.* mépriser, dédaigner.
despite [dispait] *prep.* en dépit de, malgré.
despoil [dispoil] *v.* dépouiller.
despond [dispând] *v.* se décourager. || **despondency** [-ensi] *s.* découragement, m.; dépression, f. || **despondent** [-ent] *adj.* abattu, découragé, déprimé.
despot [dèspet] *s.* despote, tyran, m. || **despotic** [dispâtik] *adj.* despotique. || **despotism** [dèspetizem] *s.* despotisme, m.
dessert [dizërt] *s.* dessert, m.
destination [dèstenéishen] *s.* destination, f. || **destine** [dèstin] *v.* destiner. || **destiny** [dèsteni] *s.* destinée, f.; destin, m.; *pl.* Parques, f. pl.
destitute [dèstetyout] *adj.* dénué, dépouvu; indigent, nécessiteux. || **destitution** [dèstetyoushen] *s.* dénuement, m.; pauvreté, indigence; destitution, f.
destroy [distroi] *v.* détruire; exterminer; *to destroy oneself*, se suicider. || **destroyer** [-er] *s.* destructeur; meurtrier; destroyer (naut.), m. || **destruction** [distrœkshen] *s.* destruction; ruine, f. || **destructive** [distrœktiv] *adj.* destructif, destructeur.
detach [ditatsh] *v.* détacher; séparer; retrancher. || **detachment** [-ment] *s.* détachement (mil.), m; séparation; indifférence, f.
detail [ditéil] *s.* détail; détachement (mil.), m.; [ditéil] *v.* détailler; attribuer, assigner; détacher (mil.); *to go into details*, entrer dans les détails.
detain [ditéin] *v.* détenir; retenir. || **detainer** [-er] *s.* détenteur, m.
detect [ditèkt] *v.* déceler, détecter. || **detection** [ditèkshen] *s.* découverte, f.; fait d'être découvert, m.

|| **detective** [ditèktiv] *s.* détective, m.
detention [ditènsh^{e}n] *s.* détention, f.; emprisonnement; retard involontaire, m.
deter [ditë̈r] *v.* dissuader.
detergent [ditë^{r}dj^{e}nt] *adj.*, *s.* détergent, détersif.
deteriorate [ditiri^{e}ré^{i}t] *v.* (se) détériorer. || **deterioration** [ditiri^{e}ré^{i}sh^{e}n] *s.* détérioration, f.
determination [ditë^{r}m^{e}né^{i}sh^{e}n] *s.* décision; résolution; délimitation; détermination, f. || **determine** [ditë^{r}min] *v.* déterminer; délimiter; décider; résoudre; produire.
detest [ditèst] *v.* détester.
dethrone [dithro^{ou}n] *v.* détrôner.
detonate [dèt^{e}né^{i}t] *v.* détoner; faire exploser.
detour [dîtour] *s.* détour, m.; déviation [way], f.; *v.* prendre un détour, aller par un détour.
detract [ditrakt] *v.* enlever; dénigrer; déroger.
detriment [dètr^{e}m^{e}nt] *s.* détriment, préjudice, m.
devastate [dèv^{e}sté^{i}t] *v.* dévaster, ravager.
develop [divèl^{e}p] *v.* développer; exposer; exploiter; accroître; développer (phot.); se manifester; se développer. || **developer** [-^{er}] *s.* révélateur (phot.), m. || **development** [-m^{e}nt] *s.* développement, m.
deviate [divié^{i}t] *v.* dévier; s'écarter. || **deviation** [divié^{i}sh^{e}n] *s.* déviation, f.; écart, m.
device [diva^{i}s] *s.* projet; plan, système; stratagème; mécanisme; appareil; engin, dispositif; procédé, m.; invention, devise, f., pl. désir, m.
devil [dèv'l] *s.* démon, diable; homme méchant ou cruel; apprenti imprimeur, m.; *v.* tourmenter; endiabler; assaisonner fortement (culin.); **devilry**, diablerie; **devil-may-care**, étourdi, insouciant. || **devilish** [-ish] *adj.* diabolique; endiablé.
devious [divi^{e}s] *adj.* détourné; sinueux; dévié.
devise [diva^{i}z] *v.* imaginer, inventer; ourdir; léguer; *s.* legs, m.
devoid [divo^{i}d] *adj.* dénué, privé, dépourvu (*of*, de.)
devolve [divâlv] *v.* échoir, transmettre par héritage; incomber (*on*, *upon*, à).
devote [divo^{ou}t] *v.* consacrer; vouer; *to devote oneself to*, se livrer à. || **devoted** [-id] *adj.* adonné (*to*, à); dévoué. || **devotion** [divo^{ou}sh^{e}n] *s.* dévotion; consécration, f.; dévouement, m.; pl. dévotions, f.
devour [diva^{ou}r] *v.* dévorer.
devout [diva^{ou}t] *adj.* dévot, pieux; sincère.
dew [dyou] *s.* rosée, f.; *v.* couvrir de rosée; humecter; **dewberry**, mûre; **dewdrop**, goutte de rosée; **dewlap**, fanon. || **dewy** [-i] *adj.* couvert de rosée; pareil à la rosée.
dexterity [dèkstèr^{e}ti] *s.* dextérité; adresse, f. || **dexterous** [dèkstr^{e}s] *adj.* adroit.
diabetes [da^{i}^{e}bîtis] *s.* diabète, m.
diadem [da^{i}^{e}dèm] *s.* diadème, m.
diagnose [da^{i}^{e}gno^{ou}s] *v.* diagnostiquer.
diagonal [da^{i}ag^{e}n'l] *s.* diagonale, f.
diagram [da^{i}^{e}gram] *s.* diagramme, m.
dial [da^{i}^{e}l] *s.* cadran, m.; *v.* capter, connecter (teleph.); **dial telephone**, téléphone automatique; *to dial a number*, composer un numéro (teleph.).
dialect [da^{i}^{e}lèkt] *s.* dialecte, m.
dialog(ue) [da^{i}^{e}laug] *s.* dialogue, m.; *v.* dialoguer.
diameter [da^{i}am^{e}t^{er}] *s.* diamètre, m.
diamond [da^{i}^{e}m^{e}nd] *s.* diamant; losange (geom.); carreau [cards]; terrain de base-ball, m.
diapason [da^{i}^{e}pé^{i}z'n] *s.* diapason, m.
diaper [da^{i}^{e}p^{er}] *s.* linge damassé, m.; couche [infant], f.
diarrhea [da^{i}^{e}rî^{e}] *s.* diarrhée, f.
diary [da^{i}^{e}ri] *s.* journal particulier; agenda, m.
dibble [dib'l] *s.* plantoir, m.
dice [da^{i}s] *s. pl.* dés, m.; **dice box**, cornet.
dicker [dik^{er}] *v.* *Am.* marchander.
dictate [dikté^{i}t] *s.* ordre, m.; *v.* dicter; ordonner. || **dictation** [dikté^{i}sh^{e}n] *s.* dictée; domination, f. || **dictator** [dikté^{i}t^{er}] *s.* dictateur, m. || **dictatorship** [-ship] *s.* dictature, f.
diction [diksh^{e}n] *s.* diction, f.
dictionary [diksh^{e}nèri], *Br.* [diksh^{e}nri] *s.* dictionnaire, m.
did [did] *pret. of* **to do**.
die [da^{i}] (*pl.* **dice** [-s]) *s.* dé à jouer; m. (*pl.* **dies** [-z]) coin [tool], m.; matrice (mech.), f.
die [da^{i}] *v.* mourir, périr.
dieresis [da^{i}èr^{e}sis] *s.* tréma, m.

diet [daiet] *s.* menu, m.; nourriture, f.; régime, m.; *v.* nourrir; donner, suivre un régime; **low diet**, diète.
dietetics [daietetiks] *s. pl.* diététique, f.
differ [difer] *v.* différer; n'être pas d'accord (*with*, avec). || **difference** [difrens] *s.* différence; divergence; dissension, discussion, f.; différend, m.; *it makes no difference*, cela ne fait rien. || **different** [difrent] *adj.* différent. || **differentiate** [diferènshiéit] *v.* différencier; se distinguer. || **differently** [difrentli] *adv.* différemment.
difficult [difekœlt] *adj.* difficile, ardu. || **difficulty** [difekœlti] *s.* difficulté, f.; embarras d'argent, m.
diffidence [difedens] *s.* défiance; timidité, f. || **diffident** [difedent] *adj.* défiant; timide.
diffuse [difyouz] *v.* diffuser, répandre; [difyous] *adj.* répandu; diffus, prolixe. || **diffusion** [difyoujen] *s.* diffusion, f.
dig [dig] *v.** creuser; bêcher; déterrer; *s.* coup; sarcasme, m.
digest [daidjèst] *s.* compilation, f.; digeste, m.; [dedjèst] *v.* digérer; assimiler, compiler. || **digestible** [-eb'l] *adj.* digestible. || **digestion** [dedjèstshen] *s.* digestion, f. || **digestive** [dedjèstiv] *adj.* digestif.
dignified [dignefaid] *adj.* digne, solennel, sérieux, grave. || **dignify** [dignefai] *v.* honorer. || **dignitary** [dignetèri] *s.* dignitaire, m. || **dignity** [digneti] *s.* dignité; gravité; importance, f.
digress [degrès] *v.* s'écarter du sujet. || **digression** [degrèshen] *s.* digression, f.
dike [daik] *s.* fossé, m.; digue, f.
dilapidate [delapedéit] *v.* dilapider; délabrer; tomber en ruines.
dilate [dailéit] *v.* dilater, distendre; s'étendre (*on*, sur). || **dilatory** [diletoouri] *adj.* lent, dilatoire.
dilemma [delème] *s.* dilemme, m.
diligence [diledjens] *s.* diligence; application, f. || **diligent** [diledjent] *adj.* diligent, actif, appliqué.
dilute [dilout] *v.* diluer; délayer; baptiser [wine].
dim [dim] *adj.* sombre; indistinct; terne; *v.* assombrir, obscurcir, voiler; s'effacer.
dime [daim] *s. Am.* pièce de dix cents, f.; **dime novel**, roman populaire à bon marché.
dimension [demènshen] *s.* dimension, mesure, f.
diminish [deminish] *v.* diminuer, réduire. || **diminution** [dimenyoushen] *s.* diminution, f. || **diminutive** [deminyetiv] *adj.*, *s.* diminutif.
dimity [dimeti] *s.* basin, m.
dimness [dimnis] *s.* pénombre, obscurité; ternissure, f.
dimple [dimp'l] *s.* fossette, f.; *v.* creuser des fossettes.
din [din] *s.* vacarme, m.; *v.* assourdir; rabâcher; faire du tintamarre.
dine [dain] *v.* dîner; faire dîner; **dining room**, salle à manger. || **diner** [-er] *s.* dîneur; *Am.* wagon restaurant, m.
dinghy [dìngi] *adj.* yole, f.; bachot.
dingle [dingg'l] *s.* vallon, m.
dingy [dìndji] *adj.* terne, sale, gris.
dinner [diner] *s.* dîner, déjeuner, m.; **dinner jacket**, smoking; **dinner service**, service de table.
dint [dint] *s.* coup, m.; *by dint of*, à force de, grâce à.
diocese [daiesis] *s.* diocèse, m.
dip [dip] plongeon; bain [sheep], m.; pente, f.; *v.* immerger, plonger; s'incliner; baisser [headlight]; saluer [flag]; **sheep-dip**, produit désinfectant.
diphtheria [difthirie] *s.* diphtérie, f.
diploma [diplooume] *s.* diplôme, m.
diplomacy [diploouesi] *s.* diplomatie, f. || **diplomat** [diplemat] *s.* diplomate, m. || **diplomatic** [diplematik] *adj.* diplomatique.
dipper [diper] *s.* cuiller à pot, m.; écope, f.
dire [daier] *adj.* horrible, terrible, affreux; extrême.
direct [derèkt] *adj.* direct; franc; immédiat, imminent; *v.* diriger; guider; indiquer; prescrire; adresser [letter]; *adv.* directement; tout droit. || **direction** [derèkshen] *s.* direction; instruction; adresse, f.; mode d'emploi, m. || **directive** [derèktiv] *adj.* directif; *s.* directive, f. || **directness** [derèktnis] *s.* franchise, spontanéité, f. || **director** [derèkter] *s.* directeur; membre d'un conseil d'administration; conducteur [locomotive]; officier superviseur, m. || **directory** [derèkteri] *s.* conseil d'administration; répertoire d'adresse, m.;

telephone directory, annuaire téléphonique.
dirigible [dir°dj°b'l] *adj.*, *s.* dirigeable.
dirt [dë^rt] *s.* ordure, boue; saleté; impuretés (mech.), f., **dirt floor**, plancher en terre battue. || **dirty** [-i] *adj.* sale, crasseux; couvert [weather]; *v.* salir.
disable [disé^ib'l] *v.* estropier; mettre hors d'usage ou de combat; disqualifier; frapper d'incapacité (jur.); désemparer (naut.).
disadvantage [dis°dvàntidj] *s.* désavantage, m.; *v.* désavantager; *at a disadvantage,* dans des conditions d'infériorité.
disagree [dis°gri] *v.* différer; se disputer (*with,* avec); ne pas convenir. || **disagreeable** [-°b'l] *adj.* désagréable; incommodant. || **disagreement** [-m°nt] *s.* désaccord, m.; discordance, f.
disappear [dis°pi°r] *v.* disparaître. || **disappearance** [-r°ns] *s.* disparition, f.
disappoint [dis°po^int] *v.* désappointer; décevoir. || **disappointing** [-ing] *adj.* décevant. || **disappointment** [-m°nt] *s.* désappointement, m.; contrariété, f.
disapproval [dis°prouv'l] *s.* désapprobation, f. || **disapprove** [dis°prouv] *v.* désapprouver.
disarm [disârm] *v.* désarmer. || **disarmament** [-°m°nt] *s.* désarmement, m.
disarrange [dis°ré^indj] *v.* déranger.
disarray [dis°ré^i] *s.* désarroi, désordre, m.; confusion, f.
disaster [dizast°r] *s.* désastre, m. || **disastrous** [dizastr°s] *adj.* désastreux.
disavow [dis°va^ou] *v.* désavouer.
disband [disbànd] *v.* licencier; disperser; se débander.
disbelieve [disb°liv] *v.* ne pas croire (*in,* à); nier.
disburse [disbërs] *v.* débourser. || **disbursement** [-m°nt] *s.* débours, m.; dépense, f.
discard [diskârd] *s.* écart [cards], m.; [diskârd] *v.* écarter; rejeter; se défausser.
discern [dizë^rn] *v.* discerner; distinguer. || **discernment** [-m°nt] *s.* discernement, m.
discharge [distshârdj] *v.* décharger [load, gun]; libérer [prisoner]; congédier [servant]; acquitter [debt]; remplir [duty]; lancer [projectile]; suppurer [wound]; *s.* déchargement; acquittement; élargissement; accomplissement; congé [soldier]; débit [river], m.; décharge; quittance (comm.); libération; suppuration, f.
disciple [disa^ip'l] *s.* disciple, m.
discipline [dis°plin] *s.* discipline, f.; *v.* discipliner; punir. || **disciplinary** [-°ri] *adj.* disciplinaire.
disclaim [disklé^im] *v.* désavouer; rejeter; se défendre de.
disclose [disklo^ouz] *v.* découvrir; divulguer. || **disclosure** [disklo^ouj°r] *s.* divulgation, révélation, f.
discolo(u)r [diskœl°r] *v.* décolorer.
discomfit [diskœmfit] *v.* déconfire.
discomfort [diskœmfë^rt] *v.* peiner; incommoder, gêner; *s.* malaise, m.; gêne, incommodité, f.
disconcert [disk°nsë^rt] *v.* déconcerter, embarrasser.
disconnect [disk°nèkt] *v.* dissocier; séparer. || **disconnected** [-id] *adj.* détaché; décousu; isolé; désuni; incohérent.
disconsolate [diskâns'lit] *adj.* inconsolable.
discontent [disk°ntènt] *s.* mécontentement, m.; *v.* mécontenter.
discontinuance [disk°ntinyou°ns] *s.* interruption; suspension; solution de continuité, f. || **discontinue** [disk°ntinyou] *v.* interrompre; suspendre; cesser; discontinuer. || **discontinuity** [diskânt°nou°ti] *s.* discontinuité, f.
discord [diskaurd] *s.* discorde; dissonance, f. || **discordant** [-'nt] *adj.* discordant.
discount [diska^ount] *s.* rabais; escompte, m.; *v.* rabattre, déduire [sum]; décompter; escompter; faire une remise; réduire à ses justes proportions.
discourage [diskë^ridj] *v.* décourager; dissuader (*from,* de). || **discouragement** [-m°nt] *s.* découragement, m.
discourse [disko^ours] *s.* discours; entretien, m.; [disko^ours] *v.* discourir; causer.
discourteous [diskë^rti°s] *adj.* discourtois. || **discourtesy** [diskë^rt°si] *s.* discourtoisie, f.
discover [diskœv°r] *v.* découvrir; dévoiler; révéler. || **discoverer** [-r°r] *s.* découvreur, inventeur, m.

|| **discovery** [diskœvri] *s.* découverte; invention; révélation, f.
discredit [diskrèdit] *s.* discrédit; déshonneur, m.; *v.* discréditer; perdre confiance en; déshonorer.
discreet [diskrît] *adj.* prudent, circonspect, discret.
discrepancy [diskrèpensi] *s.* différence [account]; variation, f.
discretion [diskrèshen] *s.* prudence, circonspection; discrétion; libre disposition, f.
discriminate [diskrimenéit] *v.* distinguer; discriminer; favoriser; **discriminating**, plein de discernement, fin.
discursive [diskërsiv] *adj.* discursif.
discuss [diskœs] *v.* discuter. || **discussion** [diskœshen] *s.* discussion, f.; débat, m.
disdain [disdéin] *s.* dédain, mépris, m.; *v.* dédaigner; **disdainful**, dédaigneux.
disease [dizîz] *s.* maladie, f. || **diseased** [-d] *adj.* malade; morbide, maladif.
disembark [disimbârk] *v.* débarquer. || **disembarkation** [disèmbârkéishen] *s.* débarquement, m.
disenchant [disintshànt] *v.* désenchanter, désillusionner.
disengage [disingéidj] *v.* dégager; se libérer; débrayer (mech.).
disentangle [disintànggʼl] *v.* démêler, débrouiller; élucider.
disfigure [disfigyer] *v.* défigurer.
disgorge [disgaurdj] *v.* dégorger.
disgrace [disgréis] *s.* disgrâce; honte, f.; déshonneur, m.; *v.* disgrâcier; déshonorer; discréditer; **disgraceful**, honteux; dégradant.
disgruntled [disgrœntʼld] *adj.* mécontent, maussade.
disguise [disgaiz] *s.* déguisement, m.; dissimulation, f.; *v.* déguiser.
disgust [disgœst] *s.* dégoût, m.; *v.* dégoûter; **disgusting**, répugnant.
dish [dish] *s.* plat; mets, m.; *pl.* vaisselle, f.; *v.* servir; **dishcloth**, torchon; **dishrag**, lavette.
dishearten [dishârtʼn] *v.* décourager, démoraliser.
dishevel [dishèvʼl] *v.* écheveler.
dishonest [disânist] *adj.* malhonnête; frauduleux. || **dishonesty** [-i] *s.* malhonnêteté; déloyauté, f. || **dishono(u)r** [disâner] *v.* déshonorer; laisser protester (comm.); *s.* déshonneur, m.; protêt, m. (comm.). || **dishono(u)rable** [-rebʼl] *adj.* déshonorant.
disillusion [disilouj*e*n] *s.* désillusion, f.; *v.* désillusionner.
disinfect [disinfèkt] *v.* désinfecter. || **disinfectant** [-ent] *s.* désinfectant, m.
disinherit [disinhèrit] *v.* déshériter.
disintegrate [disintegréit] *v.* (se) désintégrer.
disinterested [disinterestid] *adj.* désintéressé.
disjoin [disdjoin] *v.* disjoindre.
disk [disk] *s.* disque, m.
dislike [dislaik] *s.* antipathie, f.; *v.* ne pas aimer; *to take a dislike to*, prendre en grippe; *to be disliked by*, être mal vu de.
dislocate [disloouk éit] *v.* disloquer.
dislodge [dislâdj] *v.* déloger.
disloyal [dislauiel] *adj.* déloyal. || **disloyalty** [-ti] *s.* déloyauté, f.
dismal [dizmʼl] *adj.* lugubre, sombre.
dismantle [dismàntʼl] *v.* démanteler [fort]; dépouiller [clothes]; vider [house]; désarmer [ship].
dismast [dismast] *v.* démâter.
dismay [disméi] *s.* consternation; stupeur, f.; *v.* terrifier; consterner, décourager.
dismiss [dismis] *v.* renvoyer; congédier; révoquer; bannir [thought]; *Am.* acquitter (jur.); rejeter [appeal]; lever [meeting]. || **dismissal** [-ʼl] *s.* congé, m.; révocation; expulsion, f.
dismount [dismaount] *v.* descendre de cheval; démonter [gun, jewel]; désarçonner.
disobedience [disebîdiens] *s.* désobéissance, f. || **disobedient** [disebîdient] *adj.* désobéissant. || **disobey** [disebéi] *v.* désobéir à; enfreindre.
disoblige [diseblaidj] *v.* désobliger.
disorder [disaurder] *s.* désordre; trouble, m.; anarchie, émeute; confusion; maladie, f.; *v.* déranger; dérégler; bouleverser. || **disorderly** [-li] *adj.* en désordre; déréglé; perturbé; débauché; *adv.* d'une manière désordonnée ou déréglée.
disorganization [disaurgenezéishen] *s.* désorganisation, f.
disown [disooun] *v.* désavouer; nier; renier.
disparage [disparidj] *v.* déprécier; dénigrer.
disparate [disperit] *adj.* disparate.

dispassionate [dispashᵉnit] *adj.* calme; impartial.
dispatch [dispatsh] *s.* envoi, m.; dépêche; hâte; expédition, f.; **cipher dispatch**, message chiffré; *v.* expédier; dépêcher; exécuter.
dispel [dispèl] *v.* dissiper, chasser.
dispensary [dispènsᵉri] *s.* dispensaire, m.
dispensation [dispᵉnséˈshᵉn] *s.* dispensation (relig.); distribution; dispense; loi religieuse, f. ‖ **dispense** [dispèns] *v.* dispenser; distribuer; administrer; exempter (*from*, de); se dispenser (*with*, de); **gasoline dispenser**, distributeur d'essence.
disperse [dispërs] *v.* disperser.
displace [displéˈs] *v.* déplacer; muter; supplanter.
display [displéˈ] *v.* déployer; étaler; se pavaner; *s.* déploiement; étalage, m.; exhibition, f.
displease [displiz] *v.* déplaire; mécontenter. ‖ **displeasure** [displèjᵉr] *s.* mécontentement, m.
disport [dispoᵒurt] *v.* s'amuser; *s.* divertissement, m.
disposal [dispoᵒuz'l] *s.* disposition; répartition; dispensation; vente, f.; ‖ **dispose** [dispoᵒuz] *v.* disposer; arranger; vendre, céder; incliner à; *to dispose of*, se défaire de; vaincre. ‖ **disposition** [dispᵉzishᵉn] *s.* disposition; aptitude; inclination; humeur; décision, f.
dispossess [dispᵉzès] *v.* déposséder.
disprove [disprouv] *v.* réfuter.
dispute [dispyout] *s.* dispute; discussion, f.; *v.* disputer; discuter.
disqualify [diskwâlᵉfaˈ] *v.* disqualifier; mettre dans l'incapacité de.
disregard [disrigârd] *v.* négliger; dédaigner; *s.* dédain, m.
disreputable [disrèpyᵉtᵉb'l] *adj.* mal famé, discrédité.
disrespect [disrispèkt] *s.* irrespect; manque d'égards, m.
dissatisfy [dissatisfaˈ] *v.* mécontenter.
dissect [disèkt] *v.* disséquer.
dissemble [disèmb'l] *v.* dissimuler.
disseminate [disèmᵉnéˈt] *v.* disséminer.
dissension [disènshᵉn] *s.* dissension, f. ‖ **dissent** [disènt] *v.* être en désaccord ou en dissidence; *s.* dissentiment, m.; dissidence (eccles.), f
dissertation [disᵉrtéˈshᵉn] *s.* dissertation, f.
dissever [disèvᵉr] *v.* séparer.
dissimilar [disimᵉlᵉr] *adj.* différent.
dissimulation [disimyᵉléˈshᵉn] *s.* dissimulation, duplicité, f.
dissipate [disᵉpéˈt] *v.* dissiper; disperser. ‖ **dissipation** [disᵉpéˈshᵉn] *s.* dissipation; dispersion, f.
dissociate [disoᵒushiéˈt] *v.* dissocier, séparer.
dissolute [disᵉlout] *adj.* dissolu. ‖ **dissolution** [disᵉloushᵉn] *s.* dissolution; dispersion, f. ‖ **dissolve** [dizâlv] *v.* séparer; disperser; détruire; (se) dissoudre.
dissuade [diswéˈd] *v.* dissuader.
distaff [distaf] *s.* quenouille, f.
distance [distᵉns] *s.* distance, f.; lointain, m.; *v.* distancer, devancer. ‖ **distant** [distᵉnt] *adj.* éloigné; distant, hautain.
distaste [distéˈst] *s.* répulsion, f.; dégoût, m. ‖ **distasteful** [-fᵉl] *adj.* repoussant, répugnant.
distend [distènd] *v.* distendre.
distil [distil] *v.* distiller. ‖ **distillation** [dis'tléˈshᵉn] *s.* distillation, f. ‖ **distillery** [distilᵉri] *s.* distillerie, f.
distinct [distingkt] *adj.* distinct. ‖ **distinction** [distingshᵉn] *s.* distinction, f. ‖ **distinctive** [distingktiv] *adj.* distinctif.
distinguish [distingwish] *v.* distinguer; discerner; différencier. ‖ **distinguishing** [-ing] *adj.* distinctif, caractéristique.
distort [distaurt] *v.* déformer; fausser; distordre; altérer [truth].
distract [distrakt] *v.* distraire; détourner; rendre fou. ‖ **distraction** [distrakshᵉn] *s.* distraction; perturbation, f.; affolement, m.
distress [distrès] *s.* détresse; saisie (jur.), f.; *v.* affliger; saisir (jur.).
distribute [distribyout] *v.* distribuer; répartir; classifier. ‖ **distribution** [distrᵉbyoushᵉn] *s.* distribution, répartition, f. ‖ **distributor** [distribyᵉtᵉr] *s.* distributeur, dispensateur, m.
district [distrikt] *s.* district; arrondissement; quartier, m.; région, f.
distrust [distrœst] *s.* défiance, méfiance, f.; *v.* se défier de. ‖ **distrustful** [-fᵉl] *adj.* défiant, soupçonneux.
disturb [distërb] *v.* déranger; inquiéter; incommoder. ‖ **distur-**

bance [distë^rb^ens] s. dérangement; tumulte; ennui; désordre, m.; inquiétude, f. || **disturber** [distë^rb^er] s. perturbateur, m.
disunion [disyouny^en] s. désunion. || **disunite** [disyounaⁱt] v. désunir.
disuse [disyous] s. désuétude, f.
ditch [ditsh] s. fossé, m.; rigole, f.; v. creuser un fossé; drainer ou arroser [meadow]; *Am.* plaquer.
ditto [dito^ou] s. dito, idem, m.
ditty [diti] s. chansonnette, f.
diurnal [daⁱë^rn'l] adj. quotidien.
divan [daⁱvàn] s. divan, m.
dive [daⁱv] s. plongeon, m.; piqué (aviat.); bistrot, m.; v. plonger; piquer (aviat.) || **diver** [-^er] s. plongeur; scaphandrier; plongeon [bird], m.; **pearl diver**, pêcheur de perles.
diverge [d^evë^rdj] v. diverger; différer. || **divergence** [-^ens] s. divergence, f.
divers [daⁱv^erz] adj. divers. || **diverse** [d^evë^rs] adj. différent. || **diversion** [d^evë^rj^en] s. diversion; distraction, f. || **diversity** [d^evë^rs^eti] s. diversité, f. || **divert** [d^evë^rt] v. dévier; divertir.
divest [d^evèst] v. dévêtir; déposséder, dépouiller.
divide [d^evaⁱd] v. diviser; séparer; partager; désunir. || **dividend** [div^edènd] s. dividende (math.; comm.), f. || **dividers** [d^evaⁱd^erz] s. pl. compas, m.
divination [div^enéⁱsh^en] s. divination, f. || **divine** [d^evaⁱn] adj. divin; s. théologien, prêtre, m.; v. deviner. || **divinity** [d^evin^eti] s. divinité; théologie, f.
divisible [d^eviz^eb'l] adj. divisible. || **division** [d^evij^en] s. division, f. || **divisor** [d^evaⁱz^er] s. diviseur, m.
divorce [d^evo^ours] s. divorce, m.; v. divorcer.
divulge [d^evœldj] v. divulguer.
dizziness [diz'nis] s. vertige, m. || **dizzy** [dizi] adj. étourdi; *to feel dizzy*, avoir le vertige.
do [dou] v.* faire; accomplir; réussir; exécuter; préparer; arranger; se porter; prospérer; travailler; suffire; *he tried to do me*, il a essayé de me refaire; *we cannot do without him*, nous ne pouvons nous passer de lui; *do not lie*, ne mentez pas; *how do you do?*, comment allez-vous?; *he sees us, does he not?*, il nous voit, n'est-ce pas?; *you hate me. I do not*, vous me détestez. Pas du tout; *I must do without*, il faut que je m'en passe; *do stay for dinner with us*, restez donc dîner avec nous; *he is done in*, il est fourbu; *that will do*, cela suffit; *well to do*, aisé, cossu; *well done*, bravo, à la bonne heure.
docile [dâs'l] adj. docile. || **docility** [do^ousil^eti] s. docilité, f.
dock [dâk] s. dock; bassin; quai, m.; **dry dock**, cale sèche; v. faire entrer dans le dock; diminuer [wages]; **docker**, docker.
doctor [dâkt^er] s. docteur; médecin, m.; v. soigner; exercer la médecine; **eye-doctor**, oculiste. || **doctorate** [-rit] s. doctorat, m.
doctrine [dâktrin] s. doctrine, f.
document [dâky^em^ent] s. document, m.; [dâky^emènt] v. documenter.
dodge [dâdj] s. ruse, f.; détour; stratagème, m.; v. esquiver; louvoyer; ruser.
doe [do^ou] s. femelle du daim, du lapin, du lièvre, f.
doff [dâf] v. enlever, ôter.
dog [daug] s. chien; chenêt; crampon (mech.), m.; suivre à la piste, chasser; **dogberry tree**, cornouiller; **dog days**, canicule; **dogfish**, squale; **doggedly**, avec acharnement; **dog-house**, niche; **dog's ear**, corne à un livre; **dog show**, exposition canine; **dog-tired**, éreinté.
dogma [daugm^e] s. dogme, m.; **dogmatic**, dogmatique, catégorique.
doings [douingz] s. pl. agissements, m. pl.; conduite, f.; actions, f. pl.
doldrums [dâldr^emz] s. pl. cafard; marasme; calmes équatoriaux, m.
dole [do^oul] s. distribution gratuite; aumône, f.; secours, m.; v. distribuer; **unemployment dole**, indemnité de chômage.
doleful [do^oulf^el] adj. lugubre; endeuillé; plaintif.
doll [dâl] s. poupée, f.
dollar [dâl^er] s. dollar, m.
dolly [dâli] s. chariot, m.
dolor [do^oul^er] s. douleur, f.
dolphin [dâlfin] s. dauphin [mammal], m.
dolt [do^oult] s. lourdaud, sot, m.
domain [do^ouméⁱn] s. domaine, m.
dome [do^oum] s. dôme, m.
domestic [d^emèstik] adj. domesti-

que; privé; national; apprivoisé; *s.* domestique, serviteur, m.
domicile [dâm^es'l] *s.* domicile, m.
dominant [dâm^en^ent] *adj.* dominant. || **dominate** [dâm^enéit] *v.* dominer. || **domination** [dâm^enéish^en] *s.* domination, f. || **domineer** [dâm^enier] *v.* tyranniser.
dominion [d^eminy^en] *s.* dominion, m.; domination; souveraineté, f.
domino [dâm^enoou] *s.* domino [costume, mask, game], m.
don [dân] *v.* mettre, vêtir.
donate [doounéit] *v.* donner, accorder. || **donation** [doounéish^en] *s.* donation, f.; don, m.
done [dœn] *p. p. of* **to do;** fait, achevé; *to be done with,* en avoir fini avec; *to be done for,* être épuisé, ruiné; **overdone,** trop cuit.
donkey [dânki] *s.* âne, m.
donor [doouner] *s.* donateur, m.
doom [doum] *s.* jugement, m.; sentence; destinée, f.; **doomsday,** jour du jugement dernier; *v.* condamner; destiner.
door [doour] *s.* porte; entrée; portière, f.; **doorframe,** chambranle; **doorkeeper,** portier, huissier; **doorknob,** bouton; **doormat,** paillasson; **doorstep,** pas de porte, seuil; **doorway,** entrée; *next door,* à côté.
dope [dooup] *s.* stupéfiant; opium; *Am.* tuyau (slang); benêt, m.; *v.* droguer, doper; **dope fiend,** morphinomane.
dormer [daurmer] *s.* lucarne, f.
dormitory [daurm^etoouri] *s.* dortoir, m.
dormouse [daurmaous] *s.* loir, m.
dorsal [daurs'l] *adj.* dorsal.
dose [doous] *s.* dose, f.; *v.* médicamenter. || **dosage** [doousidj] *s.* dosage, m.
dot [dât] *s.* point, m.; *v.* mettre des points; pointiller; *to a dot,* parfaitement, minutieusement; **polka dots,** pois sur étoffe.
dotage [doo utidj] *s.* radotage, m. || **dotard** [doouterd] *s.* radoteur.
double [dœb'l] *adj.* double; *s.* double; duplicata; pli; contre [bridge], m.; ruse, duplicité, f.; *v.* doubler; plier; replier; redoubler; serrer [fists]; *adv.* doublement; **double-bedroom,** chambre à deux lits; **double-breasted,** croisé; **double-deal,** duplicité; **double-quick,** pas gymnastique (mil.); *to double-cross,* duper.
doubt [daout] *s.* doute, m.; *v.* douter; hésiter; soupçonner; **doubtful,** douteux; indécis; **doubtless,** sans doute.
douche [doush] *s.* douche; *Am.* injection, f.
dough [doou] *s.* pâte, f.; argent (slang); **doughboy,** fantassin américain; **doughnut,** beignet; **dough-tray,** pétrin.
doughty [daouti] *adj.* courageux.
douse [daous] *v.* immerger; éteindre.
dove [doouv] *pret. of* **to dive.**
dove [dœv] *s.* colombe, f.; pigeon, m.; **dove-cot,** pigeonnier; **dovetail,** queue d'aronde.
dowager [daouedjer] *s.* douairière, f.
dowdy [daoudi] *adj.* négligé; mal tenu; fagoté.
dower [daouer] *s.* douaire, m.; dot, f.; *v.* donner en douaire; doter.
down [daoun] *s.* dune, f.
down [daoun] *s.* duvet, m.; **downy,** duveteux.
down [daoun] *adv.* en bas; bas; au fond; à terre; *adj.* descendant; déprimé; baissé, abaissé; *prep.* du haut en bas de; *s.* descente, f.; *v.* baisser; descendre; renverser; *the sun is down,* le soleil est couché; *down here,* ici-bas; *to pay down,* verser des arrhes; **downcast,** abattu; **downdraft,** trou d'air (aviat.); **down-stream,** au fil du courant. || **downfall** [-faul] *s.* chute, f. || **downpour** [-poour] *s.* averse, f. || **downright** [-rait] *adj.* vertical; franc, catégorique. || **downstairs** [-stèrz] *adv.* en bas; *adj.* du rez-de-chaussée. || **downward** [-werd] *adj.* en pente; incliné; *adv.* en descendant; vers le bas; en bas.
dowry [daouri] *s.* dot, f.; douaire, m.
doze [doouz] *s.* somme, m.; sieste, f.; *v.* sommeiller; s'assoupir.
dozen [dœz'n] *s.* douzaine, f.; *a baker's dozen,* treize à la douzaine.
drab [drab] *adj.* grisâtre; monotone.
draft [draft] *s.* tirage; puisage; plan; brouillon; dessin; virement bancaire; courant d'air; détachement (mil.); tirant d'eau (naut.), m.; circonscription (mil.); boisson; traite (comm.), f.; *pl.* dames [game], f.; *v.* esquisser; dessiner; faire un brouillon; détacher (mil.); **draftee,** conscrit; **draftsman,**

dessinateur; *to rough-draft*, ébaucher.

drag [drag] *s.* herse; drague, f.; grappin; frein, sabot; obstacle; drag, m.; trace artificielle du renard [hunting], f.; *v.* traîner; draguer; pêcher à la seine; passer lentement [time]; enrayer [wheel]; chasser sur ses ancres (naut.); chasser le renard [hunting]; **dragnet**, chalut.

dragonfly [drag^enflaⁱ] *s.* libellule, f.

drain [dréⁱn] *s.* drain; conduit d'écoulement; égout, m.; *v.* drainer; assécher; épuiser, vider; s'égoutter. || **drainage** [-ⁱdj] *s.* drainage; soutirage; assèchement; écoulement, m

drake [dréⁱk] *s.* canard, m.

dram [dram] *s.* drachme [weight], f.; goutte [drink], f.

drama [drâm^e] *s.* drame, m. || **dramatic** [dr^ematik] *adj.* dramatique. || **dramatist** [drâm^etist] *s.* dramaturge, auteur dramatique, m. || **dramatize** [dram^etaⁱz] *v.* dramatiser.

drank [dràngk] *pret. of* **to drink.**

drape [dréⁱp] *s.* draperie, f.; rideau, m.; *v.* draper. || **draper** [-^{er}] *s.* drapier, marchand de nouveautés, m. || **drapery** [-^eri] *s.* draperie; étoffes, f.; métier de drapier, m.

drastic [drastik] *adj.* rigoureux.

draught [draft], *see* **draft.**

draw [drau] *v.** tirer; hâler; extraire; dégainer [sword]; inspirer [breath]; tirer, gagner [lot]; toucher [money]; attirer; tirer [chimney]; tirer sur (comm.); dessiner, esquisser; arracher [teeth]; étirer [wire]; puiser [water]; faire match nul; *to draw up*, pousser [sigh]; rédiger [document]; relever, tirer en haut; *to draw together*, se rapprocher, se rassembler; *s.* lot gagné; tirage du lot; montant obtenu ou touché, m.; partie nulle; attraction, f.; **drawback**, obstacle, handicap; drawback (comm.); **drawbridge**, pont-levis. || **drawer** [-^{er}] *s.* tireur; tiroir, m.; [-^{er}z] *pl.* caleçon, m. || **drawing** [-ing] *s.* tirage; dessin, m.; extraction; attraction; quantité de thé à infuser, f.; **drawing-paper**, papier à dessin; **drawing-pin**, punaise; **drawing-room**, salon. || **drawn** [-n] *p. p. of* **to draw.**

drawl [draul] *v.* ânonner; *s.* élocution lente et traînante, f.

dray [dréⁱ] *s.* camion, m.; **drayage**, camionnage.

dread [drèd] *s.* crainte, terreur, f.; *adj.* terrible; *v.* redouter, s'épouvanter. || **dreadful** [-f^el] *adj.* terrifiant, épouvantable, redoutable.

dreadnought [drèdnaut] *s.* dreadnought, m.; ratine [cloth], f.

dream [drîm] *s.* rêve, m.; *v.** rêver. || **dreamer** [-^{er}] *s.* rêveur, m. || **dreamily** [-ili] *adv.* rêveusement. || **dreamt** [drèmt] *pret., p. p. of* **to dream.** || **dreamy** [drîmi] *adj.* rêveur; mélancolique; irréel; vague.

dreary [drîri] *adj.* morne; lugubre.

dredge [drèdj] *s.* drague, f.; *v.* draguer; **dredge boat**, dragueur.

dredge [drèdj] *v.* saupoudrer de farine.

dregs [drègz] *s.* lie, f.

drench [drèntsh] *s.* bain [tanning]; remède [horse], m.; *v.* tremper; inonder; faire boire; donner un remède vétérinaire à.

dress [drès] *s.* habillement, m.; robe; toilette, tenue, f.; *v.* habiller, vêtir; apprêter; orner; parer; coiffer [hair]; tanner [leather]; cultiver [land]; panser [wound]; pavoiser [ship]; aligner [soldiers]; s'habiller; se parer; s'aligner (mil.); **dress-coat**, habit de soirée; **dress-rehearsal**, répétition générale. || **dresser** [-^{er}] *s.* coiffeuse, f. || **dressing** [-ing] *s.* toilette; sauce; raclée (fam.), f.; pantoufle; apprêt (techn.); alignement (mil.), m.; **French dressing**, vinaigrette; **dressing gown**, robe de chambre; **dressy**, chic, élégant. || **dressmaker** [-méⁱk^{er}] *s.* couturier, m.; couturière, f. || **dressmaking** [-méⁱking] *s.* couture, f.

drew *pret. of* **to draw.**

dribble [drib'l] *v.* dégoutter; verser goutte à goutte; dribbler [game]; *s.* goutte, f. || **driblet** [driblit] *s.* goutte; bribe, f.; brin, soupçon, m.

dried [draⁱd] *pret., p. p. of* **to dry;** *adj.* sec; déshydraté; tapé [pear]. || **drier** [dra^{ier}] *s.* séchoir, m.; sécheuse, f.; siccatif, m.

drift [drift] *s.* poussée; tendance; alluvion; dérive (naut.); masse [snow], f.; nuage [dust]; *v.* pousser; amonceler; aller à la dérive; s'amasser; être chassé par le vent.

drill [dril] *s.* foret; exercice (mil.), m.; *v.* forer, percer; faire l'exercice; **drill ground,** terrain de manœuvres.
drill [dril] *s.* sillon; semoir, m.; *v.* semer par sillon.
drily [dra¹li], *see* **dryly.**
drink [dringk] *s.* boisson, f.; alcool, m.; *v.** boire; *to drink up,* vider [glass]; *to drink in,* écouter attentivement, absorber; **drink-money,** pourboire; *to drink off,* boire d'un trait. || **drinkable** [-eb'l] *adj.* buvable, potable. || **drinker** [-er] *s.* buveur, m.
drip [drip] *s.* égouttement, m.; *v.* dégoutter; **dripping-pan,** lèchefrite.
drive [dra¹v] *s.* promenade en voiture; route carossable; presse (comm.); vente-réclame (comm.); transmission (mech.); *Am.* touche [cattle], f.; drive [sport], m.; *v.** pousser; conduire [auto]; faire marcher, actionner; contraindre; enfoncer [nail]; toucher [cattle]; driver; aller en voiture; percer [tunnel]; *he has a lot of drive,* il a beaucoup d'allant; *what are you driving at?,* où voulez-vous en venir?; **driving wheel,** roue motrice.
drivel [driv'l] *v.* baver; radoter; *s.* bave; bêtises, f.
driven [driven] *p. p. of* **to drive.** || **driver** [dra¹ver] *s.* conducteur; chauffeur; mécanicien; machiniste; driver [sport], m.
drizzle [driz'l] *v.* bruiner; *s.* bruine, f.
droll [dro^ou^l] *adj.* drôle, amusant.
drone [dro^ou^n] *s.* bourdon; écornifleur, m.; *v.* bourdonner; paresser.
droop [droup] *v.* se pencher; languir; s'affaiblir; pendre; *s.* affaissement, m.
drop [dràp] *s.* goutte; chute; pendeloque, f.; *v.* laisser tomber; goutter; tomber; jeter [anchor]; lâcher [bombs]; sauter [stitch]; laisser échapper [word]; **cough drop,** pastille contre la toux; **drop curtain,** rideau de théâtre; **dropper, dropping tube,** compte-gouttes.
dropsy [drâpsi] *s.* hydropisie, f.
drought [dra^ou^t] *s.* sécheresse, f.
drove [dro^ou^v] *s.* troupeau, m.
drove [dro^ou^v] *pret. of* **to drive.**
drown [dra^ou^n] *v.* noyer; étouffer [sound]; submerger.
drowse [dra^ou^z] *v.* sommeiller; somnoler. || **drowsiness** [dra^ou^zinis] *s.* somnolence, f. || **drowsy** [dra^ou^zi] *adj.* somnolant, assoupi.
drudge [drœdj] *v.* peiner, trimer; *s.* esclave du travail; **drudgery,** corvée; besogne harassante.
drug [drœg] *s.* drogue, f.; narcotique, m.; *v.* droguer. || **druggist** [-ist] *s.* droguiste, pharmacien, m. || **drugstore** [-sto^ou^r] *s.* pharmacie, droguerie, f.
drum [drœm] *s.* tambour; tympan; cylindre; rouleau, m.; *v.* tambouriner; battre du tambour; **bass drum,** grosse caisse; **drumhead,** peau de tambour; **drum major,** tambour-major; **drumstick,** baguette de tambour. || **drummer** [-er] *s.* tambour [man]; *Am.* voyageur de commerce, m.
drunk [drœngk] *p. p. of* **to drink;** *adj.* ivre. || **drunkard** [-erd] *s.* ivrogne, poivrot, m. || **drunken** [-en] *adj.* ivre. || **drunkenness** [-enis] *s.* ivresse, ivrognerie, f.
dry [dra¹] *adj.* sec; sèche; desséché; aride; altéré; caustique; ardu; *Am.* antialcoolique; ennuyeux, « rasoir »; *v.* sécher; faire sécher; essuyer [dishes]; se tarir; *s. Am.* prohibitionniste, m.; **dry goods,** textiles; mercerie; **dry cleaning,** nettoyage à sec. || **dryly** [-li] *adv.* sèchement. || **dryness** [-nis] *s.* sécheresse; dessiccation; aridité, f.
dual [dyou^e^l] *adj.* double; **dual control,** double commande; **dual office,** cumul.
dub [dœb] *v.* qualifier; doubler [film]; raboter, aplanir.
dubious [dyoubi^e^s] *adj.* douteux; contestable; problématique.
duchess [dœtshis] *s.* duchesse, f.
duck [dœk] *s.* coutil, m.
duck [dœk] *s.* canard, m.; cane, f.; **duckling,** caneton.
duck [dœk] *v.* plonger; immerger; éviter en baissant la tête.
duct [dœkt] *s.* conduit, m.
ductile [dœkt'l] *adj.* ductile; docile.
dudgeon [dœdj^e^n] *s.* colère, f.
due [dyou] *adj.* dû; convenable; échu [bill]; qui doit arriver; *s.* dû; droit, m.; taxe, f.; *due North,* droit vers le Nord; *what is it due to?* à quoi cela tient-il?; *in due time,* en temps voulu; *the train is due at six,* le train doit arriver à six heures; **town dues,** octroi.
duel [dyou^e^l] *s.* duel, m.; *v.* se battre en duel.

duet [dyouèt] *s.* duo, m.
dug *pret., p. p. of* **to dig.** || **dugout** [dœga^{ou}t] *s.* abri, m.; cagna; pirogue, f.
duke [dyouk] *s.* duc, m.; **dukedom,** duché.
dull [dœl] *adj.* stupide, hébété; borné; traînard; morne, terne; ennuyeux; ralenti (comm.); triste; gris [sky]; sourd [sound]; pâle [color]; émoussé [blade]; *v.* hébéter, engourdir; ternir; émousser; amortir. || **dullness** [-nis] *s.* stupidité; lenteur; torpeur; tristesse, f.; ennui; engourdissement, m.
duly [dyouli] *adv.* dûment.
dumb [dœm] *adj.* muet, muette; silencieux; *Am.* stupide; **dumb-waiter,** monte-plat. || **dumbness** [-nis] *s.* mutisme, m.; stupidité, f.
dumfound [dœmfa^{ou}nd] *v.* abasourdir, confondre.
dummy [dœmi] *s.* mannequin; acteur d'un rôle muet; homme de paille; mort [bridge], m.; *adj.* faux, simulé.
dump [dœmp] *s.* dépôt, m.; décharge publique des ordures, f.; *v.* décharger, vider; entasser. || **dumpy** [-i] *adj.* trapu, replet.
dun [dœn] *v.* harceler un débiteur; *s.* créancier impatient, m.
dunce [dœns] *s.* ignorant, m.; *dunce's cap,* bonnet d'âne.
dune [dyoun] *s.* dune, f.
dung [dœng] *s.* fumier, m.; **dung-hill,** tas de fumier.
dungeon [dœndj^{e}n] *s.* cachot, m.
dunk [dœnk] *v.* tremper, faire des mouillettes.
Dunkirk [dœnkë^{r}k] *s.* Dunkerque.
dupe [dyoup] *s.* dupe, f.; *v.* duper.
duplicate [dyoupl^{e}kit] *adj.* double; *s.* double, duplicata, m.; [dyoupl^{e}ké^{i}t] *v.* copier; établir en double; faire un duplicata.
duplicity [dyouplis^{e}ti] *s.* duplicité, hypocrisie, f.
durable [dyour^{e}b'l] *adj.* durable. || **duration** [dyouré^{i}sh^{e}n] *s.* durée, f. || **during** [douring] *prep.* durant, pendant.
dusk [dœsk] *s.* crépuscule, m. || **dusky** [-i] *adj.* sombre.
dust [dœst] *s.* poussière; cendres [corpse]; ordures, balayures, f.; poussier, m.; *v.* épousseter; saupoudrer; **saw-dust,** sciure; **dust coat,** cache-poussière; **dust-pan,** pelle à ordures. || **duster** [-^{er}] *s.* torchon, essuie-meuble, m.; **feather-duster,** plumeau. || **dusty** [-i] *adj.* poussiéreux; poudreux.
Dutch [dœtsh] *adj., s.* Hollandais, Néerlandais; **Dutch oven,** rôtissoire. || **Dutchman** [-m^{e}n] *s.* Hollandais, m.
dutiable [dyouti^{e}b'l] *adj.* soumis aux droits de douane. || **dutiful** [dyoutif^{e}l] *adj.* soumis, respectueux. || **duty** [dyouti] *s.* devoir; respect, m.; tâche, obligation; taxe, imposition, f.; **duty-free,** exempt d'impôt.
dwarf [dwaurf] *adj., s.* nain, naine; *v.* rapetisser; arrêter la croissance; réduire (*to,* à).
dwell [dwèl] *v.** habiter, demeurer; rester; insister (*on,* sur). || **dweller** [-^{er}] *s.* habitant, résidant, m. || **dwelling** [-ing] *s.* habitation, f.; domicile, m. || **dwelt** [-t] *pret., p. p. of* **to dwell.**
dwindle [dwind'l] *v.* diminuer; dépérir; se ratatiner.
dye [da^{i}] *s.* teinture; couleur, f.; *v.* teindre; *Br.* dye-house; *Am.* dye-work, teinturerie. || **dyer** [-^{er}] *s.* teinturier, m.
dying [da^{i}ing] *adj.* moribond, mourant.
dynamic [da^{i}namik] *adj.* dynamique; énergique; *s. pl.* dynamique, f.
dynamite [da^{i}n^{e}ma^{i}t] *s.* dynamite, f.; *v.* dynamiter, miner. || **dynamiter** [-^{er}] *s.* dynamiteur, m.
dynamo [da^{i}n^{e}m^{e}] *s.* dynamo, f.
dysentery [dis'ntèri] *s.* dysenterie, f.
dyspepsia [dispèpsh^{e}] *s.* dyspepsie, f.

E

each [ìtsh] *adj.* chaque; *pron.* chacun, chacune; **each other,** l'un l'autre.
eager [ig^{er}] *adj.* avide; ardent; impatient. || **eagerness** [-nis] *s.* avidité; ardeur; impatience, f.; zèle.
eagle [ig'l] *s.* aigle, m.; **eagle-eyed,** perspicace.

ear [i^{e}^{r}] *s.* oreille; anse, f.; épi, m.; **ear-drum**, tympan; **ear-ring**, boucle d'oreille; **earshot**, portée d'ouïe; **ear-trumpet**, cornet acoustique.

earl [ë^{r}l] *s.* comte, m.

early [ë^{r}li] *adv.* tôt, de bonne heure; *adj.* matinal; précoce; prompt; de primeur [fruit]; bas [age].

earn [ë^{r}n] *v.* gagner; acquérir; mériter; **earnings**, salaire.

earnest [ë^{r}nist] *adj.* sérieux; sincère; ardent; *s.* sérieux, m.; *in earnest,* sérieusement, pour de bon; **earnest money**, arrhes.

earth [ë^{r}th] *s.* terre, f.; monde; univers; sol, m. || **earthen** [-^{e}n] *adj.* en terre; de terre; **earthenware**, poterie, faïence. || **earthly** [-li] *adj.* terrestre; mondain; matériel. || **earthquake** [-kwé^{i}k] *s.* tremblement de terre, m. || **earthwork** [-wë^{r}k] *s.* terrassement, m. || **earthworm** [-wë^{r}m] *s.* ver de terre; lombric, m.

ease [iz] *s.* aise, confort; soulagement, m.; aisance; facilité; détente, f.; *v.* soulager; détendre; faciliter; mollir (naut.); alléger.

easel [iz'l] *s.* chevalet, m.

easily [iz^{e}li] *adv.* aisément.

east [ist] *s.* est; orient; levant, m.; *adj.* oriental; *adv.* à l'est, vers l'est, de l'est; *Near East,* Proche-Orient; *Far East,* Extrême-Orient.

Easter [ist^{e}^{r}] *s.* Pâques.

eastern [ist^{e}^{r}n] *adj.* oriental, de l'est. || **eastward** [istw^{e}^{r}d] *adv.*, *adj.* vers l'est.

easy [izi] *adj.* facile; à l'aise; léger; libre; docile; tranquille; *to feel easy,* se sentir à son aise; **easy-going**, placide, accommodant; *by easy stages,* à petites étapes.

eat [it] *v.** manger; *to eat up the ground,* dévorer les kilomètres. || **eatables** [it^{e}b'lz] *s.* aliments, m.; choses comestibles, f. || **eaten** [it'n] *p. p. of* to eat. || **eating-house** [itingha^{ou}s] *s.* restaurant.

eaves [ivz] *s.* bord du toit, m.; **eavesdropper**, espion, qui écoute aux portes.

ebb [èb] *s.* reflux; déclin, m.; baisse, f.; *v.* refluer; décliner, péricliter; **ebb tide**, jusant.

ebony [èb^{e}ni] *s.* ébène, m.

ebullient [ibœly^{e}nt] *adj.* exubérant.

ebullition [èb^{e}lish^{e}n] *s.* ébullition, f.

eccentric [iksèntrik] *adj.*, *s.* excentrique, original.

ecclesiastic [ikliziastik] *adj.*, *s.* ecclésiastique.

echo [èko^{ou}] *s.* écho, m.; *v.* répéter; faire écho; répercuter.

eclipse [iklips] *s.* éclipse, f.; *v.* éclipser.

economical [ik^{e}nâmik'l] *adj.* économique; économe, épargnant. || **economically** [-'li] *adv.* économiquement. || **economics** [ik^{e}nâmiks] *s.* économie politique, f. || **economist** [ikân^{e}mist] *s.* économiste, m. || **economize** [ikân^{e}ma^{i}z] *v.* économiser; ménager, épargner. || **economy** [ikân^{e}mi] *s.* économie, parcimonie; frugalité; administration, f.

ecstasy [èkst^{e}si] *s.* extase, f.

eddy [èdi] *s.* tourbillon, remous, m.; *v.* tourbillonner.

edge [èdj] *s.* tranchant; bord; fil [sword], m.; lisière; tranche [book]; acuité, f.; *v.* aiguiser; border; se faufiler; *to set the teeth on edge,* agacer les dents; **gilt-edged**, doré sur tranche.

edible [èd^{e}b'l] *adj.*, *s.* comestible.

edict [idikt] *s.* édit, m.

edifice [èd^{e}fis] *s.* édifice, m. || **edify** [èd^{e}fa^{i}] *v.* édifier.

edit [èdit] *v.* réviser; éditer. || **edition** [idish^{e}n] *s.* édition, f. || **editor** [èdit^{e}^{r}] *s.* rédacteur en chef; directeur de journal ou de collection, m. || **editorial** [èd^{e}to^{ou}ri^{e}l] *adj.*, *s.* éditorial, m.

educate [èdj^{e}ké^{i}t] *v.* éduquer, élever; instruire. || **education** [èdj^{e}ké^{i}sh^{e}n] *s.* éducation; pédagogie; études, f. || **educational** [-'l] *adj.* instructif; pédagogique. || **educative** [èdj^{e}ké^{i}tiv] *adj.* éducatif. || **educator** [èdj^{e}ké^{i}t^{e}^{r}] *s.* éducateur, m.; éducatrice, f.

eel [il] *s.* anguille, f.

efface [ifès] *v.* effacer.

effect [^{e}fèkt] *s.* effet, résultat; sens; accomplissement, m.; réalisation; influence, f.; *pl.* effets, biens, m.; *v.* effectuer, accomplir. || **effective** [-iv] *adj.* effectif; efficace; impressionnant; en vigueur (jur.); bon pour le service (mil.). || **effectual** [^{e}fèktshou^{e}l] *adj.* efficace.

effeminate [^{e}fèm^{e}nit] *adj.* efféminé.

effervescent [èf^{e}^{r}vès'nt] *adj.* effervescent.

effete [èfit] *adj.* épuisé; stérile.

efficacy [èf^{e}k^{e}si] *s.* efficacité, f.

efficiency [^{e}fish^{e}nsi] *s.* efficience, f.

|| **efficient** [ᵉfishᵉnt] *adj.* efficient; compétent; capable; utile.
effigy [èfᵉdji] *s.* effigie, f.
effort [èfᵉrt] *s.* effort, m.
effrontery [ᵉfrœntᵉri] *s.* effronterie, impudence, f.
effulgence [èfœldjᵉns] *s.* éclat, brillant, m.; splendeur, f.
effusive [èfyousiv] *adj.* expansif, démonstratif.
egg [èg] *s.* œuf, m.; **boiled egg,** œuf à la coque; **fried egg,** œuf sur le plat; **hard-boiled egg,** œuf dur; **poached egg,** œuf poché; **scrambled eggs,** œufs brouillés; **egg-cup,** coquetier; **eggplant,** aubergine.
egotism [igᵉtizᵉm] *s.* égoïsme, égotisme, m.
eight [éⁱt] *adj.* huit. || **eighth** [-th] *adj.* huitième. || **eighty** [-i] *adj.* quatre-vingts.
either [izhᵉr] *adj., pron.* l'un ou l'autre; *conj.* ou bien; *adv.* non plus; *either of them,* chacun d'eux; *nor he either,* ni lui non plus; *in either case,* dans les deux cas.
eject [idjèkt] *v.* éjecter, expulser. || **ejection** [-shᵉn] *s.* expulsion, f.
elaborate [ilabᵉrit] *adj.* compliqué, recherché; soigné, fini; [ilabᵉréⁱt] *v.* élaborer, produire.
elapse [ilaps] *v.* s'écouler [time].
elastic [ilastik] *adj.* élastique; souple; *s.* élastique, m. || **elasticity** [ilastisᵉti] *s.* élasticité, f.
elate [iléⁱt] *v.* exalter, transporter.
elbow [èlboᵒᵘ] *s.* coude, m.; *v.* coudoyer; *to elbow one's way,* jouer des coudes pour se frayer un chemin; elbow grease, huile de coude.
elder [èldᵉr] *adj.* aîné; plus âgé; ancien; *s.* aîné, ancien; dignitaire (eccles.), m; || **elderly** [-li] *adj.* d'un certain âge. || **eldest** [èldist] *adj.* aîné.
elder [èldᵉr] *s.* sureau, m.
elect [ilèkt] *adj., s.* élu; d'élite; *v.* élire. || **election** [ilèkshᵉn] *s.* élection, f. || **elector** [ilèktᵉr] *s.* électeur, m. || **electoral** [ilèktᵉrᵉl] *adj.* électoral.
electric [ilèktrik] *adj.* électrique. || **electrical** [-'l] *adj.* électrique; **electrical engineering,** électrotechnique. || **electrician** [ilèktrishᵉn] *s.* électricien, m. || **electricity** [ilèktrisᵉti] *s.* électricité, f. || **electrify** [ilèktrᵉfaⁱ] *v.* électrifier; électriser. || **electrocute** [ilèktrᵉkyout] *v.* électrocuter. || **electrode** [ilèktroᵒᵘd] *s.* électrode, f. || **electromagnet** [ilèktroᵒᵘmagnit] *s.* électro-aimant, m. || **electron** [ilèktrân] *s.* électron, m.
elegance [èlᵉgᵉns] *s.* élégance, f. || **elegant** [èlᵉgᵉnt] *adj.* élégant.
element [èlᵉmᵉnt] *s.* élément, m. || **elementary** [-ᵉri] *adj.* élémentaire; primaire [school].
elephant [èlᵉfᵉnt] *s.* éléphant, m.
elevate [èlᵉvéⁱt] *v.* élever, hausser; exalter, ennoblir; enthousiasmer. || **elevation** [èlᵉvéⁱshᵉn] *s.* élévation; altitude; exaltation, f. || **elevator** [èlᵉvéⁱtᵉr] *s.* ascenseur; élévateur, m.
eleven [ilèvᵉn] *adj.* onze.
elicit [ilisit] *v.* tirer, arracher [word]; susciter [applause].
eligible [èlidjᵉb'l] *adj.* éligible.
eliminate [ilimᵉnéⁱt] *v.* éliminer. || **elimination** [ilimᵉnéⁱshᵉn] *s.* élimination, f.
elixir [iliksᵉr] *s.* élixir, m.
elk [èlk] *s.* élan; *Am.* wapiti, m.
ellipse [ilips] *s.* ellipse, f.
elm [èlm] *s.* orme, m.
elope [iloᵒᵘp] *v.* s'enfuir (*from,* de); se faire enlever (*with,* par).
eloquence [èlᵉkwᵉns] *s.* éloquence, f. || **eloquent** [èlᵉkwᵉnt] *adj.* éloquent.
else [èls] *adj.* autre; *adv.* autrement; *nothing else,* rien d'autre; *or else,* ou bien; *everything else,* tout le reste; *nowhere else,* nulle part ailleurs. || **elsewhere** [-hwèᵉr] *adv.* ailleurs.
elucidate [ilousᵉdéⁱt] *v.* élucider; clarifier. || **elucidation** [ilousᵉdéⁱshᵉn] *s.* élucidation, explication, f.; éclaircissement, m.
elude [iloud] *v.* éluder; échapper à.
emaciate [iméⁱshiéⁱt] *v.* amaigrir.
emanate [èmᵉnéⁱt] *v.* émaner. || **emanation** [èmᵉnéⁱshᵉn] *s.* émanation, f.
emancipate [imansᵉpéⁱt] *v.* émanciper. || **emancipation** [imansᵉpéⁱshᵉn] *s.* émancipation, f.
embalm [imbâm] *v.* embaumer.
embankment [imbàngkmᵉnt] *s.* digue, f.; remblai; quai, m.
embargo [imbârgoᵒᵘ] *s.* embargo, m.
embark [imbârk] *v.* (s')embarquer.
embarrass [imbârᵉs] *v.* embarrasser; déconcerter; causer des difficultés financières. || **embarrassment**

[-m^e^nt] *s.* embarras; trouble, m.; gêne pécuniaire, f.
embassy [èmb^e^si] *s.* ambassade, f.
embellish [imbèlish] *v.* embellir.
ember [èmb^er^] *s.* cendre, f.; *pl.* braises, f.
embezzle [imbèz'l] *v.* détourner [money]. || **embezzlement** [-m^e^nt] *s.* détournement, m.
embitter [imbit^er^] *v.* rendre amer; aigrir [feelings].
emblem [èmbl^e^m] *s.* emblème, m.
embody [imbâdi] *v.* incorporer.
embolden [imbo^ou^ld'n] *v.* enhardir.
emboss [imb*au*s] *v.* graver en relief.
embrace [imbré^i^s] *s.* embrassement, m.; étreinte, f.; *v.* embrasser; inclure; adopter [profession].
embroider [imbro^i^d^er^] *v.* broder. || **embroidery** [-^e^ri] *s.* broderie, f.
embryo [èmbrio^ou^] *s.* embryon, m.
emend [imènd] *v.* corriger.
emerald [èm^e^r^e^ld] *s.* émeraude, f.
emerge [imë^r^dj] *v.* émerger. || **emergency** [-^e^nsi] *s.* circonstance critique, f.; cas urgent, m.
emery [èm^e^ri] *s.* émeri, m.
emigrant [èm^e^gr^e^nt] *adj.*, *s.* émigrant. || **emigrate** [èm^e^gré^i^t] *v.* émigrer. || **emigration** [èm^e^gré^i^sh^e^n] *s.* émigration, f.
eminence [èm^e^n^e^ns] *s.* éminence, f. || **eminent** [èm^e^n^e^nt] *adj.* éminent; élevé; remarquable.
emissary [èm^e^sèri] *s.* émissaire; agent secret, m.
emission [imish^e^n] *s.* émission, f.
emit [imit] *v.* émettre [paper money]; dégager [smoke]; publier [decree].
emotion [imo^ou^sh^e^n] *s.* émotion, f. || **emotional** [imo^ou^sh^e^n'l] *adj.* émotionnel; émotif; ému.
emperor [èmp^e^r^er^] *s.* empereur, m.
emphasis [èmf^e^sis] *s.* accent oratoire, m.; force, énergie, f. || **emphasize** [èmf^e^sa^i^z] *v.* accentuer; appuyer sur; insister. || **emphatic** [imf*a*tik] *adj.* accentué, appuyé.
empire [èmpa^i^r] *s.* empire, m.
employ [implo^i^] *v.* employer; occuper [time]; *s.* emploi, m. || **employee** [-i] *s.* employé, m. || **employer** [-^er^] *s.* employeur, m. || **employment** [-m^e^nt] *s.* emploi, m.; occupation, charge, f.
emporium [èmpo^ou^ri^e^m] *s.* entrepôt, magasin, marché, m.
empress [èmpris] *s.* impératrice, f.
emptiness [èmptinis] *s.* vide, m. || **empty** [èmpti] *adj.* vide; stérile; vain; *v.* vider; se jeter [river].
emulate [èmy^e^lé^i^t] *v.* rivaliser avec.
enable [iné^i^b'l] *v.* habiliter; mettre à même de.
enact [in*a*kt] *v.* décréter, promulguer (jur.).
enamel [in*a*m'l] *s.* émail, m.; *v.* émailler.
enamo(u)r [in*a*m^er^] *v.* séduire.
encamp [inkàmp] *v.* camper. || **encampment** [-m^e^nt] *s.* campement, m.
enchain [èntshé^i^n] *v.* enchaîner.
enchant [intshànt] *v.* enchanter; fasciner. || **enchantment** [-m^e^nt] *s.* enchantement, m.; féerie, f.
encircle [insë^r^k'l] *v.* encercler.
enclose [inklo^ou^z] *v.* enclore; enfermer; entourer [surround]; inclure. || **enclosure** [inklo^ou^j^er^] *s.* enclos; pli [letter], m.; clôture, f.
encomium [ènko^ou^mi^e^m] *s.* éloge; panégyrique, m.
encompass [inkœmp^e^s] *v.* encercler; contenir.
encore [ângkaur] *interj.* bis!; *s.* bis, m.; *v.* bisser.
encounter [inka^ou^nt^er^] *s.* rencontre, bataille, f.; *v.* rencontrer, affronter; combattre.
encourage [inkë^r^idj] *v.* encourager; inciter; aider. || **encouragement** [m^e^nt] *s.* encouragement, stimulant; soutien, m.
encroach [inkro^ou^tsh] *v.* empiéter (*upon*, sur).
encumber [inkœmb^er^] *v.* encombrer; charger.
encyclical [ènsiklik'l] *s.* encyclique, f.
encyclopedia [insa^i^kl^e^pidi^e^] *s.* encyclopédie, f.
end [ènd] *s.* fin; extrémité; mort, f.; bout; but, m.; *v.* finir; achever; aboutir; se terminer; mourir; *to secure one's end*, arriver à ses fins; *to make an end to*, en finir avec.
endanger [indé^i^ndj^er^] *v.* mettre en danger; risquer.
endear [indi^er^] *v.* rendre cher, faire aimer. || **endearment** [-m^e^nt] *s.* caresse, f.
endeavo(u)r [indèv^er^] *s.* effort, m.; tentative, f.; *v.* essayer; s'efforcer (*to*, de); tenter.
ending [ènding] *s.* conclusion; fin, mort, f. || **endless** [èndlis] *adj.* perpétuel; interminable; incessant.
endorse, *see* **indorse**.

endow [inda^ou] *v.* doter; douer. || **endowment** [-m^ent] *s.* dotation, f.; don, m.
endue [indyou] *v.* douer.
endurance [indyour^ens] *s.* endurance; résistance; patience, f. || **endure** [indyour] *v.* durer; endurer; patienter.
enema [èn^em^e] *s.* lavement; broc, m.
enemy [èn^emi] *s.* ennemi, m.
energetic [èn^erdjètik] *adj.* énergique. || **energy** [èn^erdji] *s.* énergie.
enervate [èn^ervé^it] *v.* énerver; débiliter.
enfeeble [infîb'l] *v.* affaiblir.
enfold, *see* **infold.**
enforce [info^ours] *v.* forcer [obedience]; faire appliquer [law]; faire valoir [right]; || **enforcement** [-m^ent] *s.* contrainte; exécution; application, f.
enfranchise [ènfràntsha^iz] *v.* affranchir; donner droit de cité ou de vote.
engage [ingé^idj] *v.* engager; garantir; attirer [attention]; attaquer; se fiancer; employer; embrayer (mech.); s'engager; se livrer à [business]; s'engrener (mech.). || **engagement** [-m^ent] *s.* fiançailles; occupation; promesse, f.; engagement; combat; contrat; engrenage (mech.); rendez-vous, m.
engender [indjènd^er] *v.* engendrer.
engine [èndj^en] *s.* machine; locomotive, f.; engin [war]; moteur, m. || **engineer** [èndj^eni^er] *s.* ingénieur; mécanicien; soldat du génie, m.; *v.* diriger la construction de; établir des plans. || **engineering** [-ing] *s.* art de l'ingénieur; génie, m.
England [inggl^end] *s.* Angleterre, f. || **English** [inggl̲ish] *adj.*, *s.* anglais. || **Englishman** [-m^en] *s.* Anglais, m. || **Englishwoman** [-woum^en] *s.* Anglaise, f.
engraft [èngraft] *v.* greffer.
engrave [ingré^iv] *v.* graver. || **engraver** [-^er] *s.* graveur, m. || **engraving** [-ing] *s.* gravure, f.
engross [ingro^ous] *v.* grossoyer [writing]; absorber [attention]; monopoliser.
engulf [ingœlf] *v.* engloutir.
enhance [inhàns] *v.* augmenter; intensifier.
enigma [inigm^e] *s.* énigme, f.
enjoin [indjo^in] *v.* enjoindre; interdire (*from*, de).
enjoy [indjo^i] *v.* jouir de; apprécier; savourer; *to enjoy oneself*, se divertir; *to enjoy the use of*, avoir l'usufruit de. || **enjoyable** [-^eb'l] *adj.* agréable, attirant. || **enjoyment** [-m^ent] *s.* jouissance, f.; plaisir; usufruit, m.
enkindle [ènkind'l] *v.* enflammer.
enlarge [inlârdj] *v.* agrandir, étendre, élargir; s'accroître; commenter, s'étendre (*upon*, sur).
enlighten [inla^it'n] *v.* éclairer; instruire; illuminer.
enlist [inlist] *v.* enrôler; s'engager. || **enlistment** [-m^ent] *s.* recrutement; engagement, m.
enliven [inla^iv^en] *v.* animer, égayer.
enmity [ènm^eti] *s.* inimitié, m.
ennoble [ino^oub'l] *v.* ennoblir; anoblir.
enormous [inaurm^es] *adj.* énorme.
enough [^nœf] *adj.* suffisant; *adv.* assez; *s.* quantité suffisante, f.; *enough to pay*, de quoi payer; *good enough*, assez bon; *more than enough*, plus qu'il n'en faut.
enquire, *see* **inquire.**
enrage [inré^idj] *v.* enrager.
enrapture [inraptsh^er] *v.* ravir,
enrich [inritsh] *v.* enrichir.
enroll [inro^oul] *v.* enrôler; immatriculer; s'inscrire. || **enrollment** [-m^ent] *s.* enrôlement; enregistrement; registre, rôle, m.
enshroud [ènshra^oud] *v.* ensevelir.
ensign [èns'n] *s.* enseigne de vaisseau, m.; [ènsa^in] *s.* enseigne; étendard; insigne, m.
enslave [inslé^iv] *v.* asservir.
ensnare [ènsnè^er] *v.* prendre au piège.
ensue [ènsou] *v.* s'ensuivre, résulter.
ensure [inshour] *v.* assurer.
entail [intéil] *v.* léguer (jur.); entraîner [consequence].
entangle [intàngg'l] *v.* enchevêtrer, embrouiller.
enter [ènt^er] *v.* entrer; commencer; pendre part à; s'affilier à; enregistrer [act, address]; notifier (jur.); embrasser [profession].
enterprise [ènt^erpra^iz] *s.* entreprise; initiative, f. || **enterprising** [-ing] *adj.* entreprenant.
entertain [ènt^erté^in] *v.* recevoir [guest]; accueillir [suggestion]; caresser [hope]; nourrir [project]; divertir, amuser. || **entertaining** [-ing] *adj.* amusant.

|| **entertainment** [-mᵉnt] *s.* accueil; divertissement, m.
enthrall [inthr*au*l] *v.* asservir.
enthusiasm [inthy*ou*ziazᵉm] *s.* enthousiasme, m. || **enthusiast** [-ziast] *s.* enthousiaste, m., f. || **enthusiastic** [-ziastik] *adj.* enthousiaste.
entice [int*a*ⁱs] *v.* attirer, séduire.
entire [int*a*ⁱr] *adj.* entier, complet, total. || **entirely** [-li] *adv.* entièrement, intégralement. || **entirety** [-ti] *s.* totalité, intégralité, f.
entitle [int*a*ⁱt'l] *v.* intituler; habiliter; donner le droit à
entity [èntᵉti] *s.* entité, f.
entomb [int*ou*m] *v.* enterrer.
entrails [èntrᵉlz] *s.* entrailles, f.
entrance [èntrᵉns] *s.* entrée; introduction, f.; début; accès; droit d'entrée, m.
entreat [intr*i*t] *v.* supplier, implorer. || **entreaty** [-ti] *s.* supplication, instances, f.
entree [*â*ntréⁱ] *s.* entrée [dish], f.
entrust [intrœst] *v.* confier; remettre, déposer; charger.
entry [èntri] *s.* entrée [passage]; inscription; écriture (comm.); prise de possession (jur.), f.; débuts, m.; **entry form**, feuille d'inscription.
entwine [intw*a*ⁱn] *v.* entrelacer.
enumerate [iny*ou*mᵉréⁱt] *v.* énumérer.
enunciate [inœnsiéⁱt] *v.* énoncer.
envelop [invèlᵉp] *v.* envelopper. || **envelope** [ènvᵉloᵒᵘp] *s.* enveloppe, f.
enviable [ènviᵉb'l] *adj.* enviable. || **envious** [ènviᵉs] *adj.* envieux.
environ [inv*a*ⁱrᵉn] *v.* environner. || **environment** [-mᵉnt] *s.* environs; milieu ambiant, m. || **environs** [-z] *s.* environs, m.
envoy [ènvoⁱ] *s.* envoyé, m.
envy [ènvi] *s.* envie, f.; *v.* envier.
epaulet [èpᵉlèt] *s.* épaulette, f.
ephemeral [ᵉfèmᵉrᵉl] *adj.* éphémère.
epic [èpik] *adj.* épique; *s.* épopée, f.
epidemic [èpᵉdèmik] *adj.* épidémique; *s.* épidémie, f.
episcopal [ip*i*skᵉpᵉl] *adj.* épiscopal.
epistle [ip*i*s'l] *s.* épître, f.
epitaph [èpᵉtaf] *s.* épitaphe, f.
epoch [èpᵉk] *s.* époque, f.
equal [*i*kwᵉl] *adj.* égal; capable de; *s.* égal, pair, m.; *v.* égaler; *I don't feel equal to it,* je ne m'en sens pas la force; **equally**, également.
|| **equality** [ikw*â*lᵉti] *s.* égalité, f.
|| **equalize** [*i*kwᵉlaⁱz] *v.* égaliser; niveler.
equation [ikw*é*ⁱjᵉn] *s.* équation, f.
equator [ikw*é*ⁱtᵉʳ] *s.* équateur, m.
equilibrium [ikwᵉl*i*briᵉm] *s.* équilibre, m.
equip [ikw*i*p] *v.* équiper; outiller. || **equipment** [-mᵉnt] *s.* équipement; outillage, m.
equitable [èkwitᵉb'l] *adj.* équitable.
|| **equity** [èkwᵉti] *s.* équité, f.
equivalence [ikw*i*vᵉlᵉns] *s.* équivalence, f. || **equivalent** [ikw*i*vᵉlᵉnt] *adj.* équivalent.
equivocal [ikw*i*vᵉk'l] *adj.* équivoque.
era [*i*ᵉrᵉ] *s.* ère, époque, *f.*
eradicate [ir*a*dikéⁱt] *v.* déraciner.
erase [ir*é*ⁱs] *v.* raturer. || **eraser** [-ᵉʳ] *s.* grattoir, m.; gomme, f. || **erasure** [iréⁱjᵉʳ] *s.* rature, f.
ere [èr] *prep.* avant de; *conj.* avant que.
erect [irèkt] *adj.* droit; *v.* ériger; dresser; monter [machine].
ermine [ë̈ʳmin] *s.* hermine, f.
err [ëʳ] *v.* errer; se tromper; s'égarer.
errand [èrᵉnd] *s.* commission; course, f.; message, m.; **errand boy**, commissionnaire, coursier, m.
errant [èrᵉnt] *adj.* errant.
erroneous [ᵉroᵒᵘniᵉs] *adj.* erroné.
|| **error** [èrᵉʳ] *s.* erreur, f.
erudite [èroud*a*ⁱt] *adj.* érudit.
|| **erudition** [èroud*i*shᵉn] *s.* érudition, f.
eruption [irœpshᵉn] *s.* éruption, f.
escalator [èskᵉléⁱtᵉʳ] *s.* escalier roulant, m.
escapade [èskᵉpéⁱd] *s.* escapade, f.
|| **escape** [ᵉskéⁱp] *v.* s'échapper; éluder; éviter [pain]; échapper à; *s.* évasion; fuite [gas], f.; moyen de salut, m.; **fire escape**, échelle de sauvetage; **escaped prisoner**, évadé.
eschew [èstsh*ou*] *v.* éviter.
escort [èsk*au*rt] *s.* escorte, f.; convoi, m.; [isk*au*rt] escorter; convoyer.
escutcheon [iskœtshᵉn] *s.* écusson.
especial [ᵉspèshᵉl] *adj.* spécial; **especially**, spécialement, surtout.
espionage [èspiᵉnidj] *s.* espionnage, m.
essay [èséⁱ] *s.* essai, m.; [ᵉs*é*ⁱ] *v.* essayer, tenter.
essence [ès'ns] *s.* essence, f.; **essential**, *adj.* essentiel.

establish [ᵉstablish] *v.* établir; installer; démontrer; fonder [firm]. || **establishment** [-mᵉnt] *s.* établissement, effectifs (mil.), m.; maison de commerce, f.
estate [ᵉstéⁱt] *s.* état; biens, domaine, m.; condition sociale; fortune, f.; **family estate**, patrimoine.
esteem [ᵉstîm] *v.* estimer; *s.* estime, f. || **estimable** [èstᵉmᵉb'l] *adj.* estimable. || **estimate** [èstᵉmit] *s.* estimation, f.; devis, m.; [èstᵉméⁱt] *v.* estimer; évaluer; juger. || **estimation** [èstᵉméⁱshᵉn] *s.* estimation; appréciation; évaluation, f.; jugement, m.
estrange [ᵉstréⁱndj] *v.* aliéner [affection].
estuary [èstshouᵉri] *s.* estuaire, m.
etch [ètsh] *v.* graver à l'eau-forte; **etching**, eau-forte.
eternal [itëʳn'l] *adj.* éternel. || **eternity** [itëʳnᵉti] *s.* éternité, f.
ether [îthᵉʳ] *s.* éther, m. || **ethereal** [ithiriᵉl] *adj.* éthéré.
ethical [èthik'l] *adj.* éthique. || **ethics** [èthiks] *s.* morale, éthique, f.
etiquette [ètikèt] *s.* étiquette, f.; cérémonial, m.
ethnic [èthnik] *adj.* ethnique.
etymology [ètᵉmâlᵉdji] *s.* étymologie, f.
eucalyptus [youkᵉliptᵉs] *s.* eucalyptus, m.
euphemism [youfᵉmizᵉm] *s.* euphémisme, m.
European [yourᵉpîᵉn] *adj., s.* européen.
evacuate [ivakyouéⁱt] *v.* évacuer.
evade [ivéⁱd] *v.* éviter; éluder; s'évader; s'esquiver.
evaluate [ivalyouéⁱt] *v.* évaluer.
evangelical [ivàndjèlik'l] *adj.* évangélique.
evaporate [ivapᵉréⁱt] *v.* (s') évaporer. || **evaporation** [ivapᵉréⁱshᵉn] *s.* évaporation, f.
evasion [ivéⁱjᵉn] *s.* échappatoire; évasion, f. || **evasive** [ivéⁱsiv] *adj.* évasif; fuyant.
eve [îv] *s.* veille; vigile, f.; soir, m.
even [îvᵉn] *adj.* égal; uni; plat; équivalent; pair [number]; juste; *adv.* même; exactement; également; *v.* égaliser; aplanir; niveler; *to get even with,* rendre la pareille à; *to be even with,* être quitte avec; **even-handed**, équitable; **even money**, compte rond; **even now**, à l'instant; **even so**, pourtant; **even though**, quand même.
evening [îvning] *s.* soir, m.
event [ivènt] *s.* événement; incident; résultat; « event », m. || **eventful** [-fᵉl] *adj.* mouvementé; mémorable. || **eventual** [-shouᵉl] *adj.* final; éventuel; **eventually**, finalement. || **eventuality** [ivèntshoualᵉti] *s.* éventualité, f.
ever [èvᵉʳ] *adv.* toujours; *if ever,* si jamais; *ever so little,* si peu que ce soit; *hardly ever,* presque jamais; *ever so much,* infiniment. || **evergreen** [-grîn] *adj.* toujours vert [plant]. || **everlasting** [-lasting] *adj.* perpétuel; *s.* éternité; éternelle [plant], f. || **evermore** [moºᵘr] *adv.* pour jamais.
every [èvri] *adj.* chaque; tout, toute, tous; *every day,* tous les jours; *every other day,* tous les deux jours; *every now and then,* de temps à autre; *every one,* chacun, tous. || **everybody** [-bâdi] *pron.* tout le monde. || **everyday** [-déⁱ] *adj.* quotidien; habituel. || **everyone** [-wœn] *pron.* chacun; tous; tout le monde. || **everything** [-thing] *pron.* tout, toute chose. || **everywhere** [-hwèr] *adv.* partout.
evict [ivikt] *v.* évincer; expulser.
evidence [èvᵉdᵉns] *s.* évidence; indication; preuve, f.; témoignage (jur.), m. || **evident** [èvᵉdᵉnt] *adj.* évident, manifeste.
evil [îv'l] *adj.* mauvais; *s.* mal; malheur, m.; *adv.* mal; **evil-doer**, malfaiteur.
evince [ivins] *v.* montrer; déployer.
evocation [èvoºᵘkéⁱshᵉn] *s.* évocation, f. || **evoke** [ivoºᵘk] *v.* évoquer; provoquer [laughter].
evolution [èvᵉloushᵉn] *s.* évolution, f. || **evolve** [ivâlv] *v.* développer.
ewe [you] *s.* brebis, f.
ewer [youᵉʳ] *s.* aiguière, f.
exact [igzakt] *adj.* exact; **exactly**, exactement. || **exactitude** [igzaktᵉtyoud] *s.* exactitude, f.
exact [igzakt] *v.* exiger; commettre des exactions. || **exacting** [-ing] *adj.* exigeant.
exaggerate [igzadjᵉréⁱt] *v.* exagérer. || **exaggeration** [igzadjᵉréⁱshᵉn] *s.* exagération, f.
exalt [igzault] *v.* exalter. || **exal-**

tation [ègzaultéishen] s. exaltation, f.
examination [igzamenéishen] s. examen; interrogatoire [prisoner], m.; visite [customs]; instruction (jur.), f.; **examination-paper,** composition, épreuve. || **examine** [igzamin] v. examiner; interroger (jur.; univ.); visiter (customs). || **examinee** [igzameni] s. candidat, m. || **examiner** [igzaminer] s. examinateur; juge d'instruction, m.
example [igzàmp'l] s. exemple, m.
exasperate [igzasperéit] v. exaspérer; irriter.
excavate [èksk evéit] v. creuser.
exceed [iksid] v. excéder; outrepasser; **exceedingly,** extrêmement.
excel [iksèl] v. exceller; surpasser. || **excellence** [èks'lens] s. excellence, f. || **excellent** [èks'lent] adj. excellent.
except [iksèpt] prep. excepté, sauf; conj. à moins que; v. excepter; objecter (*against,* contre). || **excepting** [-ing] prep. excepté, hormis. || **exception** [iksèpshen] s. exception; objection; opposition (jur.), f. || **exceptional** [-'l] adj. exceptionnel.
excerpt [èksërpt] s. extrait, m.
excess [iksès] s. excès; dérèglement; **excess baggage,** excédent de bagages. || **excessive** [iksèsiv] adj. excessif; **excessively,** excessivement.
exchange [ikstshéindj] s. échange; change [money]; bureau central [telephone], m.; Bourse [place]; permutation (mil.), f.; v. échanger, troquer; changer [money]; permuter (mil.); *rate of exchange,* taux du change.
excitable [iksaiteb'l] adj. excitable. || **excite** [iksait] v. exciter; irriter; stimuler. || **excited** [-id] adj. agité; impatient; enthousiasmé. || **excitement** [-ment] s. excitation; émotion; animation, f. || **exciting** [-ing] adj. excitant; émouvant; passionnant.
exclaim [ikskléim] v. s'exclamer; protester. || **exclamation** [èksklεméishen] s. exclamation, f.; **exclamation-point,** point d'exclamation.
exclude [ikskloud] v. exclure. || **excluding** [-ing] prep. non compris. || **exclusion** [iksklouјen] s. exclusion, f. || **exclusive** [ikskl ousiv] adj. exclusif; privé, fermé; *exclusive of,* sans compter, non compris.
excommunicate [èkskemyounekéit] v. excommunier. || **excommunication** [èkskemyounekéishen] s. excommunication, f.
excoriate [ikskoouriéit] v. écorcher.
excrement [èkskriment] s. excrément, m.
exculpate [èkskœlpéit] v. disculper.
excursion [ikskërjen] s. excursion, f.; **excursion train,** train de plaisir.
excusable [ikskyouzeb'l] adj. excusable. || **excuse** [ikskyous] s. excuse, f.; [ikskyouz] v. excuser; dispenser de.
execrable [èksikreb'l] adj. exécrable; détestable.
execute [èksikyout] v. exécuter; accomplir; mettre à mort. || **execution** [èksikyoushen] s. accomplissement, m.; saisie-exécution (jur.), f. || **executioner** [-er] s. bourreau, m. || **executor** [igzèkyeter] s. exécuteur testamentaire, m.; [èksikyouter] s. exécutant, m.
exemplary [igzèmpleri] adj. exemplaire. || **exemplify** [igzèmplefai] v. illustrer par des exemples.
exempt [igzèmpt] adj. exempt; v. exempter. || **exemption** [igzèmpshen] s. exemption, f.
exercise [èksersaiz] s. exercice; usage; devoir scolaire, m.; occupation, f.; pl. programme de variétés, m.; v. exercer; pratiquer; faire de l'exercice; *to be exercised about,* être préoccupé par.
exert [igzërt] v. exercer; *to exert oneself,* s'efforcer de; se dépenser. || **exertion** [igzërshen] s. effort, m.
exhalation [èkseléishen] s. exhalaison, f. || **exhale** [èks-héil] v. émettre; (s')exhaler.
exhaust [igzaust] v. achever; débiliter; s. évacuation (mech.), f.; *to be exhausted,* être à bout de forces. || **exhaustion** [igzaustshen] s. épuisement, m. || **exhaustive** [igzaustiv] adj. complet.
exhibit [igzibit] v. exhiber; exposer. || **exhibition** [èksebishen] s. exhibition; exposition, f.
exhilarate [igzileréit] v. égayer.
exhort [igzaurt] v. exhorter.
exhume [igzyoum] v. exhumer.
exigency [èksedјensi] s. exigence;

urgence, f. || **exigent** [èksedjent] *adj.* exigeant; urgent.
exiguous [igzigyoues] *adj.* exigu.
exile [ègzail] *s.* exilé; exil, m.; *v.* exiler.
exist [ègzist] *v.* exister. || **existence** [-ens] *s.* existence, f. || **existent** [-ent] *adj.* existant.
exit [ègzit] *s.* sortie, f.; *v.* sortir.
exodus [èksedes] *s.* exode, m.
exonerate [igzânerélt] *v.* disculper.
exorbitant [igzaurbetent] *adj.* exorbitant.
exotic [igzâtik] *adj.* exotique.
expand [ikspànd] *v.* étendre; développer; amplifier; se dilater, s'agrandir. || **expanse** [ikspàns] *s.* étendue, f. || **expansion** [ikspànshen] *s.* expansion; dilatation, f. || **expansive** [ikspànsiv] *adj.* expansif.
expatriate [èkspéitriéit] *v.* expatrier.
expect [ikspèkt] *v.* attendre; s'attendre à; exiger; *what to expect,* à quoi s'en tenir. || **expectation** [èkspèktéishen] *s.* attente; espérance; expectative; *pl.* espérances.
expectorate [ikspèkteréit] *v.* expectorer.
expedient [ikspidient] *adj.* opportun; avantageux; *s.* expédient, m.
expedition [èkspidishen] *s.* diligence; hâte; expédition, f. || **expeditionary** [-eri] *adj.* expéditionnaire. || **expeditious** [èkspidishes] *adj.* expéditif.
expel [ikspèl] *v.* expulser.
expend [ikspènd] *v.* dépenser. || **expenditure** [-itsher] *s.* dépense, f. || **expense** [ikspèns] *s.* dépense, f.; frais; dépens (jur.), m. || **expensive** [-iv] *adj.* coûteux, cher. || **expensiveness** [-ivnis] *s.* prix exagéré, m.; grosse dépense, f.
experience [ikspiriens] *s.* expérience, f.; *v.* éprouver, expérimenter; subir [feeling]. || **experienced** [-t] *adj.* expérimenté, expert. || **experiment** [ikspèrement] *s.* expérience, f.; *v.* expérimenter. || **experimentation** [ikspèrementéishen] *s.* expérimentation, f.
expert [èkspërt] *s.* expert, spécialiste, m.; [ikspërt] *adj.* expert.
expiate [èkspiéit] *v.* expier.
expiration [èkspereréishen] *s.* expiration, f. || **expire** [ikspair] *v.* expirer; prendre fin; exhaler [air].
explain [ikspléin] *v.* expliquer. || **explainable** [-eb'l] *adj.* explicable. || **explanation** [èksplenéishen] *s.* explication, f. || **explanatory** [iksplanetoouri] *adj.* explicatif.
explode [iksploºud] *v.* exploser; faire sauter; discréditer.
exploit [èksploit] *s.* exploit, m.; [iksploit] *v.* exploiter; utiliser; abuser de. || **exploitation** [èksploitéishen] *s.* exploitation, f.
exploration [èksplerréishen] *s.* exploration, f. || **explore** [iksplaur] *v.* explorer. || **explorer** [-er] *s.* explorateur, m.
explosion [iksploºujen] *s.* explosion, f. || **explosive** [iksploºusiv] *adj., s.* explosif.
exponent [ikspoºunent] *s.* exposant; représentant; interprète, m.
export [èkspoºurt] *s.* exportation, f.; article d'exportation, m.; [ikspoºurt] *v.* exporter.
expose [ikspoºuz] *v.* exposer; exhiber; démasquer. || **exposition** [èkspezishen] *s.* exposition; exhibition, f.; exposé, m.
expostulate [ikspâstshelélt] *v.* gourmander, faire la morale (*with,* à).
exposure [ikspoºujer] *s.* exposition; divulgation; pose (phot.), f.
expound [ikspaºund] *v.* expliquer.
express [ikssprès] *adj.* exprès; formel; précis; rapide; *s.* exprès [messenger]; express [train], m.; *Am.* factage, service de transport des colis, m.; *v.* exprimer; extraire; exposer; envoyer par exprès; *adv.* exprès; d'urgence; rapidement. || **expression** [ikspréishen] *s.* expression, f. || **expressive** [ikssprèsiv] *adj.* expressif.
expropriate [èksproºupriéit] *v.* exproprier.
expulsion [ikspœlshen] *s.* expulsion, f.
expurgate [èkspergéit] *v.* expurger.
exquisite [èkskwizit] *adj.* exquis; intense; exquisite despair, désespoir atroce. || **exquisiteness** [-nis] *s.* raffinement, m.; intensité, f.
extant [ikstànt] *adj.* existant.
extend [ikstènd] *v.* étendre; prolonger; accroître; accorder [protection]; s'étendre. || **extension** [ikstènshen] *s.* extension; prolongation; prorogation, f.; **extension table,** table à rallonges. || **extensive** [ikstènsiv] *adj.* étendu; spacieux. || **extent** [ikstènt] *s.* éten-

due, f.; *to such an extent*, à tel point.
extenuate [ikstènyoué'''t] *v.* atténuer; amoindrir.
exterior [ikstiri^er] *adj.*, *s.* extérieur.
exterminate [ikstë^rm^enéⁱt] *v.* exterminer. || **extermination** [ikstë^rm^enéⁱsh^en] *s.* extermination, f.
external [ikstë^rn'l] *adj.* externe.
extinct [ikstingkt] *adj.* éteint; aboli. || **extinguish** [ikstinggwish] *v.* éteindre, détruire.
extirpate [èkst^erpéⁱt] *v.* extirper.
extol [iksto^oul] *v.* exalter, glorifier.
extort [ikstaurt] *v.* extorquer. || **extortion** [ikstaursh^en] *s.* extorsion, f.
extra [èkstr^e] *adj.* supplémentaire, extra; **extra tire**, pneu de secours; *do you have an extra copy?*, avez-vous un exemplaire de trop? *s.* supplément [payment]; figurant [cinema]; extra [workman], m.; édition spéciale, f.; *adv.* extra.
extract [èkstrakt] *s.* extrait, m.; [ikstrakt] *v.* extraire. || **extraction** [ikstraksh^en] *s.* extraction; origine, f.; extrait, m.
extradite [èkstr^edaⁱt] *v.* extrader.
extraneous [ikstréⁱni^es] *adj.* étranger (*to*, à).
extraordinary [ikstraurd'n^eri] *adj.* extraordinaire ; **extraordinarily**, extraordinairement.
extravagance [ikstrav^eg^ens] *s.* extravagance; prodigalité, f.; gaspillage, m. || **extravagant** [ikstrav^eg^ent] *adj.* extravagant; prodigue; exorbitant [price]; excessif.
extreme [ikstrîm] *adj.* extrême; ultime; exceptionnel [case]; rigoureux; avancé [opinion]; *s.* extrémité, f.; extrême, m.; **extremely**, extrêmement. || **extremity** [ikstrèm^eti] *s.* extrémité, f.; extrême; bout; besoin; danger, m.
extricate [èkstrikéⁱt] *v.* dégager.
exuberance [igzyoub^er^ens] *s.* exubérance, f. || **exuberant** [igzyoub^er^ent] *adj.* exubérant.
exult [igzœlt] *v.* exulter. || **exultation** [ègzœltéⁱsh^en] *s.* exultation, f.
eye [aⁱ] *s.* œil; œillet [cloth]; chas [needle]; piton, m.; vision; discrimination, f.; *v.* observer; examiner; toiser; *to keep an eye on*, ne pas perdre de vue; *hook and eye*, crochet et porte; *to make eyes at*, faire les yeux doux à; **pearl-eye**, cataracte; **eye-opener**, nouvelle sensationnelle. || **eyeball** [-baul] *s.* prunelle, f. || **eyebrow** [-bra^ou] *s.* sourcil, m. || **eyeglass** [-glas] *s.* lorgnon; oculaire, m.; jumelles; lunettes, f. || **eyelash** [-lash] *s.* cil, m. || **eyelet** [-lit] *s.* œillet de lacet, m. || **eyelid** [-lid] *s.* paupière, f. || **eyesight** [-saⁱt] *s.* vue, f. || **eyesore** [-so^our] *s.* mal d'yeux; repoussoir [person], m.

F

fable [féⁱb'l] *s.* fable, f.
fabric [fabrik] *s.* tissu, textile; ouvrage; édifice, m. || **fabricate** [-éⁱt] *v.* fabriquer; construire; inventer. || **fabrication** [fabrikéⁱsh^en] *s.* fabrication; construction; invention, f.
fabulous [faby^el^es] *adj.* fabuleux.
façade [f^esâd] *s.* façade, f.
face [féⁱs] *s.* face, figure; façade; facette [diamond]; physionomie; apparence; tournure; surface, f.; aspect; cadran [dial]; œil (typogr.). m.; *pl.* grimace; *v.* affronter; faire face; donner sur [house]; **face-lifting**, chirurgie esthétique; *to face a coat*, mettre des revers à une veste; *to face out*, payer d'audace; *to about-face*, faire demi-tour (mil.); **facial**, facial.
facilitate [f^esil^etéⁱt] *v.* faciliter. || **facility** [f^esil^eti] *s.* facilité, f.
facing [féⁱsing] *s.* revêtement; revers; parement [cloth], m.
fact [fakt] *s.* fait, m.; *as a matter of fact*, en réalité.
faction [faksh^en] *s.* faction, f.
factor [fakt^er] *s.* facteur; agent, m.; *v.* mettre en facteur. || **factorage** [-ridj] *s.* courtage; droits de commission, m. || **factory** [faktri] *s.* fabrique; usine, f.; atelier, m.
faculty [fak'lti] *s.* faculté, f.
fad [fad] *s.* marotte; vogue, f.
fade [féⁱd] *v.* se flétrir; dépérir; s'évanouir; disparaître.

fag [fag] *v.* peiner; s'éreinter; *s.* trimeur, manœuvre, m.; (fam.) cigarette, pipe, f.

fail [féil] *v.* échouer; manquer à; faiblir; faire faillite (comm.) *he will not fail to,* il ne manquera pas de; *without fail,* sans faute. || **failure** [-yer] *s.* manque; manquement; échec; raté, m.; faillite (comm.); panne [current], f.

faint [féint] *adj.* faible; épuisé; pusillanime; vague; *v.* défaillir; s'évanouir; **faint-hearted,** lâche. || **faintness** [-nis] *s.* faiblesse; timidité, f.; découragement m.

fair [fèr] *s.* foire, f.

fair [fèr] *adj.* beau; belle; favorable; bon [wind]; clair [complexion]; blond [hair]; juste; moyen; *Am. just fair,* médiocrement; **fair play,** franc jeu; **fair price,** prix honnête; *to bid fair to,* promettre de; **a fair copy,** une copie au propre. || **faired** [-d] *adj.* fuselé; caréné (aviat.). || **fairing** [-ing] *s.* profilage, carénage, m. (aviat.). || **fairly** [-li] *adv.* honnêtement; loyalement; passablement. || **fairness** [-nis] *s.* beauté; équité; honnêteté; bonne foi, f. || **fairway** [-wéi] *s.* passe, f.; canal navigable (naut.); *Am.* terrain de golf, m.

fairy [fèri] *adj.* féerique; *s.* fée; **fairyland,** pays des fées.

faith [féith] *s.* foi; fidélité; croyance; confiance, f.; *to break faith,* manquer à sa parole. || **faithful** [-fel] *adj.* fidèle; loyal; **faithfully,** loyalement; fidèlement. || **faithless** [-lis] *adj.* infidèle; déloyal. || **faithlessness** [-lisnis] *s.* déloyauté, f.

falange [felàndj] *s.* phalange, f.

falchion [faultshen] *s.* glaive, m.

falcon [faulken] *s.* faucon, m.

fall [faul] *s.* chute; tombée [night]; déchéance; baisse [price]; cascade [water]; décrue [waters], f.; renversement [government]; éboulement [earth]; automne [season], m.; *v.** tomber; baisser; succomber; *to fall back,* se replier (mil.); **fall guy,** « lampiste » (fam.); *to fall into a spin,* descendre en vrille (aviat.); *to fall behind,* rester en arrière; *to fall out with,* se brouiller avec; *to fall through,* échouer. || **fallen** [-en] *p. p. of* **to fall.**

fallow [falo^ou] *adj.* en jachère; *s.* jachère, f.; *v.* jachérer.

false [fauls] *adj.* faux, fausse; **false answer,** faux témoignage (jur.); *to play false,* tricher, tromper; **falsely,** faussement. || **falsehood** [-houd] *s.* fausseté, f.; mensonge, m. || **falseness** [-nis] *s.* fausseté; perfidie, f. || **falsify** [-efai] *v.* falsifier. || **falsity** [-eti] *s.* fausseté, f.

falter [faulter] *v.* chanceler; hésiter; balbutier; *s.* balbutiement; tremblement; vertige, m.

fame [féim] *s.* renommée, réputation, f;. *of ill fame,* mal famé. || **famed** [-d] *adj.* célèbre, réputé.

familiar [femilyer] *adj.* familier; intime; familiarisé (*with,* avec); *s.* familier, m. || **familiarity** [femiliareti] *s.* familiarité, f. || **familiarize** [femilyeraiz] *v.* familiariser. || **family** [famli] *s.* famille, f.; **family name,** nom de famille; **family tree,** arbre généalogique; *to be in a family way,* être enceinte.

famine [famin] *s.* famine, f.

famish [famish] *v.* affamer; mourir de faim.

famous [féimes] *adj.* fameux; célèbre; renommé.

fan [fàn] *s.* éventail; ventilateur; van; *Am.* amateur, admirateur, m.; *v.* éventer; vanner [grain]; attiser [fire]; *to fan out,* se déployer (mil.).

fanatic [fenatik] *adj., s.* fanatique. || **fanaticism** [fenatesizem] *s.* fanatisme, m.

fanciful [fànsifel] *adj.* capricieux; fantasque; fantastique. || **fancy** [fànsi] *s.* fantaisie; imagination, f.; goût; caprice, m.; *v.* s'imaginer; avoir du goût pour; *to take a fancy to,* s'éprendre de; *to fancy oneself,* s'imaginer; **fancy ball,** bal costumé; **fancy goods,** nouveautés, fantaisies.

fang [fàng] *s.* croc, m.

fantastic [fàntastik] *adj.* fantastique; extravagant. || **fantasy** [fàntesi] *s.* fantaisie; imagination, f.; caprice, m.

far [fâr] *adv.* loin; au loin; *adj.* lointain; éloigné; reculé; *far and wide,* de tous côtés; *in so far as,* dans la mesure où; *as far as,* aussi loin que, autant que; *how far?* jusqu'où; *so far,* jusqu'ici; *far from it,* tant s'en faut; *by far,* de beaucoup; **farfetched,** recherché; **faraway,** lointain.

farce [fârs] *s.* farce, f.

fare [fèer] *s.* prix du voyage, de la course; tarif, m.; nourriture, f.; *v.* voyager; avoir tel ou tel sort; se porter [health]; *bill of fare,* menu, carte; **round trip fare,** prix d'un aller-et-retour. || **farewell** [-wèl] *s.* adieu, m.

farm [fârm] *s.* ferme; métairie, f.; *v.* affermer; exploiter; **farm products,** produits agricoles; *to farm out,* donner à ferme. || **farmer** [-er] *s.* fermier; cultivateur, m. || **farming** [-ing] *s.* agriculture; exploitation agricole, f.; *adj.* agricole; de la terre.

farrier [farier] *s.* maréchal-ferrant, m.

farsightedness [fârsaitidnis] *s.* clairvoyance; presbytie (med.), f.

farther [fârzher] *adv.* plus loin; au-delà; en outre; davantage, de plus; *adj.* ultérieur; plus éloigné. || **farthest** [fârzhist] *adv.* le plus loin; *adj.* le plus éloigné.

farthing [fârzhing] *s.* liard, sou, m.

fascinate [fas'néit] *v.* fasciner, séduire. || **fascination** [fas'néishen] *s.* fascination, f.

fashion [fashen] *s.* façon; forme; mode, f.; usage; style, m.; *v.* façonner; former; *to go out of fashion,* passer de mode; *to bring into fashion,* mettre à la mode; *after a fashion,* tant bien que mal, en quelque sorte. || **fashionable** [-eb'l] *adj.* élégant, à la mode.

fast [fast] *adj.* ferme; solide; fixe; amarré (naut.); bon teint [dye]; serré [tie]; fidèle [friend]; profond [sleep]; *adv.* solidement; profondément; fermement.

fast [fast] *adj.* rapide; dissipé [life]; en avance [clock]; *adv.* vite, rapidement; *to live fast,* mener la vie à grandes guides.

fast [fast] *s.* jeûne, m.; *v.* jeûner; **breakfast,** déjeuner; **fast day,** jour maigre.

fasten [fas'n] *v.* fixer; attacher; fermer [door]; agrafer; cramponner; *to fasten on,* imputer à. || **fastener** [-er] *s.* agrafe, f.; fermoir, m.; *Br.* **interlocking fastener,** fermeture-éclair.

fastidious [fastidies] *adj.* difficile, délicat, exigeant.

fastness [fastnis] *s.* fermeté; forteresse, f.

fat [fat] *adj.* gros; gras; *s.* graisse, f.; gras, m.; *v.* engraisser; **fat profits,** profits substantiels.

fatal [féit'l] *adj.* fatal; mortel [disease]. || **fatality** [fetaleti] *s.* fatalité, f. || **fate** [féit] *s.* destin; sort, m. || **fated** [-id] *adj.* inéluctable; marqué par le destin.

father [fâzher] *s.* père, m. || **fatherhood** [-houd] *s.* paternité, f. || **father-in-law** [-inlau] *s.* beau-père, m. || **fatherland** [-land] *s.* patrie, f. || **fatherly** [-li] *adj.* paternel; *adv.* paternellement. || **fatherless** [-lis] *adj.* orphelin de père.

fathom [fazhem] *s.* brasse, f.; *v.* sonder; approfondir; pénétrer. || **fathomable** [-eb'l] *adj.* sondable. || **fathomless** [-lis] *adj.* insondable; impénétrable.

fatigue [fetig] *s.* fatigue; corvée (mil.); usure [material], f.; *v.* fatiguer.

fatness [fatnis] *s.* embonpoint, m.; fertilité [land], f. || **fatten** [-'n] *v.* engraisser. || **fatty** [-i] *adj.* graisseux.

fatuous [fatshoues] *adj.* sot, vain.

fauces [fausiz] *s.* gosier, m.

faucet [fausit] *s.* robinet; fausset, m.; douille, f.

fault [fault] *s.* défaut, m.; faute; faille (geol.), f.; *to be at fault,* être en défaut; **faultfinder,** critiqueur; **faultless,** parfait. || **faulty** [-i] *adj.* fautif; en faute; défectueux, imparfait.

favo(u)r [féiver] *s.* faveur, f.; *v.* favoriser; gratifier; préférer; *to have everything in one's favo(u)r,* avoir tout pour soi; *to find favo(u)r with,* se faire bien voir de. || **favo(u)rable** [-eb'l] *adj.* favorable. || **favo(u)red** [-d] *adj.* favorisé; **well-favo(u)red,** de bonne mine. || **favo(u)rite** [-rit] *adj.* *s.* favori. || **favo(u)ritism** [féivritizem] *s.* favoritisme, m.

fawn [faun] *s.* faon, m.

fawn [faun] *v.* flatter, aduler. || **fawning** [-ing] *s.* servilité, flatterie, f.

fealty [fielti] *s.* loyauté, f.

fear [fier] *s.* crainte; peur, f.; *v.* craindre; redouter. || **fearful** [-fel] *adj.* craintif; timide; redoutable. || **fearless** [-lis] *adj.* intrépide; sans peur. || **fearlessness** [-lisnis] *s.* intrépidité; bravoure, f.

feasible [fizᵉb'l] *adj.* faisable; réalisable, praticable.
feast [fist] *s.* fête, f.; festin, m.; *v.* fêter; régaler; *to feast one's eyes with,* se repaître les yeux de.
feat [fit] *s.* exploit, m.; **feat of arms,** fait d'armes.
feather [fèzhᵉʳ] *s.* plume, f.; sillage d'un sous-marin (naut.), m.; *v.* emplumer; empenner; *to feather one's nest,* s'enrichir; *to show the white feather,* laisser voir qu'on a peur; **featherless,** déplumé; **feather-weight,** poids plume; **feathery,** couvert de plumes; léger.
feature [fitshᵉʳ] *s.* trait, m.; caractéristique, f.; *Am.* attraction, film principal; *v.* donner la vedette à; **artificial feature,** ouvrage d'art (mil.).
February [fèbrouèri] *s.* février, m.
feculent [fèkyoulᵉnt] *s.* féculent, m.
federal [fèdᵉrᵉl] *adj.* fédéral. || **federate** [fèdᵉrit] *adj., s.* fédéré. || **federation** [fèdᵉréⁱshᵉn] *s.* fédération; confédération, f.
fee [fi] *s.* fief; honoraires, m.; propriété héréditaire (jur.), f.; **admission fee,** droit d'entrée; **retaining fee,** provisions à un avocat.
feeble [fib'l] *adj.* faible, débile; **feebly,** faiblement.
feed [fid] *v.** nourrir; faire paître [cattle]; *s.* nourriture; alimentation; pâture, f.; **fuel feed,** alimentation en combustible ou en essence; **feeding-bottle,** biberon. || **feeder** [-ᵉʳ] *s.* mangeur; pourvoyeur; éleveur [cattle]; alimenteur (mech.), m.; mangeoire, f.; **poultry-feeder,** épinette.
feel [fil] *v.** sentir; se sentir; toucher; éprouver; *s.* toucher, tact, m.; sensation, f.; *to feel one's way,* avancer à tâtons; *to feel strongly on,* avoir à cœur; *to feel for,* partager la douleur de; *to feel like,* avoir envie de. || **feeler** [-ᵉʳ] *s.* antenne [insect]; moustache [cat], f.; ballon d'essai, m. || **feeling** [-ing] *s.* toucher [sense]; sentiment, m.; sensation; sensibilité, f.; *adj.* sensible, ému; **feelingly,** d'une manière émue.
feet [fit] *pl. of* **foot.**
feign [féⁱn] *v.* feindre; simuler. **feint** [féⁱnt] *s.* feinte, f.
felicitate [fᵉlisᵉtéⁱt] *v.* féliciter.
fell [fèl] *v.* abattre [tree]; rabattre [seam]; *pret. of* **to fall.**
fellow [fèloᵒᵘ] *s.* camarade, compagnon; individu; membre [society]; universitaire; pendant [thing], m.; **fellow citizen,** concitoyen; **fellow student,** condisciple. || **fellowship** [-ship] *s.* association; camaraderie; situation universitaire; bourse à un étudiant gradué, f.
felon [fèlᵉn] *s.* criminel; panaris (med.), m.; *adj.* perfide, scélérat. || **felony** [-i] *s.* crime, m.
felt [fèlt] *pret. of* **to feel.**
felt [fèlt] *s.* feutre, m.; *adj.* en feutre.
female [fiméⁱl] *adj.* féminin; femelle; *s.* femme; femelle, f.; **female friend,** amie.
feminine [fèmᵉnin] *adj.* féminin.
fen [fèn] *s.* marécage, m.
fence [fèns] *s.* clôture; enceinte; escrime, f.; recéleur, m.; *v.* enclore; faire de l'escrime; *to be on the fence,* être indécis. || **fencing** [-ing] *s.* escrime, f.; **fencing school,** salle d'armes.
fend [fènd] *v.* parer; détourner. || **fender** [-ᵉʳ] *s.* pare-feu; pareboue; amortisseur; pare-choc [auto], m.
fennel [fèn'l] *s.* fenouil, m.
ferment [fëʳmᵉnt] *s.* ferment, m.; agitation, f.; [fᵉrmènt] *v.* fermenter. || **fermentation** [fëʳmᵉntéⁱshᵉn] *s.* fermentation, f.
fern [fëʳn] *s.* fougère, f.
ferocious [fᵉroᵒᵘshᵉs] *adj.* féroce. || **ferocity** [fᵉrâsᵉti] *s.* férocité, f.
ferret [fèrit] *s.* furet, m.; *v.* fureter; dénicher; *to ferret out,* dépister.
ferrous [fèrᵉs] *adj.* ferreux.
ferrule [fèrᵉl] *s.* virole; bague; frette (mech.), f.; embout; bout carré [umbrella], m.
ferry [fèri] *s.* bac; passage de rivière, m.; *v.* passer en bac; transporter par mer ou air; **aerial ferry,** pont transbordeur.
fertile [fëʳt'l] *adj.* fertile. || **fertility** [fëʳtilᵉti] *s.* fertilité; fécondation, f. || **fertilize** [fëʳt'laⁱz] *v.* fertiliser; féconder. || **fertilizer** [fëʳt'laⁱzᵉʳ] *s.* engrais, m.
fervent [fëʳvᵉnt] *adj.* fervent. || **fervo(u)r** [fëʳvᵉʳ] *s.* ferveur; ardeur, f.
fester [fèstᵉʳ] *v.* suppurer; ulcérer; *s.* ulcère, m.; suppuration, f.
festival [fèstᵉv'l] *s.* fête, f. || **festivity** [fèstivᵉti] *s.* festivité; fête, f.

festoon [fèstoun] *s.* guirlande, f.; réseau de barbelés (mil.), m.
fetch [fètsh] *v.* aller chercher; amener; apporter; pousser [sigh]; atteindre [price].
fetid [fètid] *adj.* fétide.
fetter [fèt^{er}] *s.* entraves, f.; fers, m.; *v.* entraver; enchaîner.
feud [fyoud] *s.* querelle; vendetta, f.
feud [fyoud] *s.* fief, m.; **feudal**, féodal; **feudality**, féodalité.
fever [fiv^{er}] *s.* fièvre, f.; **scarlet fever**, scarlatine; **swamp fever**, paludisme, malaria. || **feverish** [-rish] *adj.* fiévreux; fébrile. || **feverishness** [-rishnis] *s.* fièvre, fébrilité, f.
few [fyou] *adj., pron.* peu; **a few**, quelques.
fiancé(e) [fi^{e}nsé^{i}] *s.* fiancé, fiancée.
fib [fib] *s.* petit mensonge, m.; blague, f.; *v.* mentir, blaguer. || **fibber** [-^{er}] *s.* menteur, blagueur, m.
fiber [fa^{i}b^{er}] *s.* fibre, f.; filament, m. || **fibrous** [-r^{e}s] *adj.* fibreux.
fickle [fik'l] *adj.* inconstant; volage. || **fickleness** [-nis] *s.* inconstance, f.
fiction [fiksh^{e}n] *s.* fiction, f. || **fictitious** [fiktish^{e}s] *adj.* fictif.
fiddle [fid'l] *s.* violon, m.; *v.* jouer du violon; gesticuler; **fiddle stick**, archet; *fiddlesticks!*, bah!
fidelity [fa^{i}dèl^{e}ti] *s.* fidélité, f.
fidget [fidjit] *v.* s'agiter.
field [fild] *s.* champ; champ de bataille; terrain; espace, m.; campagne, f.; *in the field*, aux armées; *field of study*, spécialité; **landing field**, terrain d'atterrissage.
fiend [find] *s.* diable, démon, m.; **fiendish**, diabolique.
fierce [fi^{er}s] *adj.* féroce; furieux; farouche. || **fierceness** [-nis] *s.* férocité, fureur, f.
fiery [fa^{i}ri] *adj.* fougueux, ardent.
fifteen [fiftin] *adj.* quinze. || **fifteenth** [-th] *adj.* quinzième. || **fifth** [fifth] *adj.* cinquième. || **fiftieth** [fiftiith] *adj.* cinquantième. || **fifty** [fifti] *adj.* cinquante.
fig [fig] *s.* figue, f.; **fig-tree**, figuier.
fight [fa^{i}t] *s.* combat, m.; lutte; rixe; action (mil.), f.; *v.** combattre; se battre; **air fight**, combat aérien; **dog fight**, mêlée générale; **hand-to-hand fight**, corps-à-corps. || **fighter** [-^{er}] *s.* combattant; lutteur; avion de combat ou de chasse, m. || **fighting** [-ing] *s.* combat, m.; lutte, f.; **fighting top**, hune (naut.).
figure [figy^{er}] *s.* figure; silhouette; forme; taille; tournure, f.; dessin; chiffre, m.; *v.* figurer; calculer; *to figure on*, compter sur; se trouver sur [list]. || **figurative** [figy^{er}^{e}tiv] *adj.* figuré.
filament [fil^{e}m^{e}nt] *s.* filament, m.
file [fa^{i}l] *s.* lime, f.; *v.* limer.
file [fa^{i}l] *s.* file, f.; classeur; *pl.* dossier, m.; *v.* défiler; classer; **file card**, fiche; **file closer**, serre-file; **card index file**, fichier.
filial [fili^{e}l] *adj.* filial.
filing [fa^{i}ling] *s.* limaille, f.
fill [fil] *s.* suffisance, f.; content; remblai [road], m.; *v.* remplir; tenir [part]; combler; rassasier [food]; plomber [tooth]; occuper [post]; exécuter [order]; *to fill out a blank*, remplir une formule; *to fill in*, insérer.
fillet [filé^{i}] *s.* filet [meat], m.; [filit] *s.* bande, f.; ruban; bandeau; bloc de remplissage (aviat.); collet (mech.), m.
filling [filing] *s.* remplissage; plombage, m.; **gold filling**, aurification.
filly [fili] *s.* pouliche, f.
film [film] *s.* pellicule; taie; bande [cinema]; couche, f.; film, m.; *v.* couvrir d'une pellicule; filmer.
filter [filt^{er}] *s.* filtre, m.; *v.* filtrer.
filth [filth] *s.* ordure, f.; immondice, m.; **filthy**, sale, immonde.
fin [fin] *s.* nageoire [fish]; ailette [auto]; aileron (aviat.); *Am.* billet de cinq dollars (slang), m.
final [fa^{i}n'l] *adj.* final; définitif; **finally**, finalement, définitivement.
finance [f^{e}nàns] *s.* finance, f., *pl.* finances, f.; fonds, m.; *v.* financer; commanditer. || **financial** [f^{e}nànsh^{e}l] *adj.* financier, pécuniaire. || **financier** [fin^{e}nsi^{er}] *s.* financier, m. || **financing** [f^{e}nànsing] *s.* financement, m.
finch [fintsh] *s.* pinson, m.
find [fa^{i}nd] *v.** trouver; découvrir; constater; *to find guilty*, déclarer coupable. || **finder** [-^{er}] *s.* trouveur [person]; chercheur; viseur (phot.), m.; lunette de repère [telescope], f.; **altitude finder**, altimètre. || **finding** [-ing] *s.* découverte; constatation; trouvaille, f.; *pl.* conclusions (jur.), f.
fine [fa^{i}n] *s.* amende, f.; *v.* mettre à l'amende.

fine [*fa*^{i}n] *adj.* fin; menu; subtil; joli; raffiné; excellent; **fine arts**, beaux-arts; *I am fine*, je vais bien; *v.* affiner; amincir; clarifier [wine]. || **fineness** [-nis] *s.* finesse; délicatesse; élégance; excellence, f. || **finery** [-^{e}ri] *s.* parure, f.
finger [*f*ing^{er}] *s.* doigt, m.; **little finger**, auriculaire; **middle finger**, médius; **ring finger**, annulaire; **fingerprint**, empreinte digitale; **finger tip**, bout du doigt; *v.* toucher, palper.
finicky [*f*iniki] *adj.* difficile, délicat, chipoteur.
finish [*f*inish] *v.* finir; terminer; compléter; *s.* fin; conclusion, f.; fini; finissage, m.; *he's finished*, c'en est fait de lui; *to finish up*, mettre la dernière main.
Finn [fin] *s.* Finnois, m.
fir [fë^{r}] *s.* sapin, m.
fire [*fa*^{i}r] *s.* feu; incendie; tir, m.; flamme, ardeur, f.; *v.* allumer; enflammer; incendier; faire feu; congédier; *belt of fire*, zone de feu; **drum fire**, feu roulant; **firearm**, arme à feu; **firebrand**, tison; **firecracker**, pétard; **fire extinguisher**, extincteur; **fire insurance**, assurance-incendie; **firewood**, bois de chauffage; **fireworks**, feu d'artifice. || **firehouse** [-ha^{ou}s] *s.* poste des pompiers, m. || **fireman** [-m^{e}n] *s.* pompier; chauffeur (mech.), m. || **fireplace** [-plé^{i}s] *s.* cheminée, f.; âtre, foyer, m. || **fireproof** [-prouf] *adj.* incombustible; ignifuge. || **fireside** [-sa^{i}d] *s.* coin du feu, m.; *adj.* intime. || **firewater** [-waut^{er}] *s.* eau-de-vie, f.; alcool, m.
firm [fë^{r}m] *s.* firme, maison de commerce, f.
firm [fë^{r}m] *adj.* ferme; résolu; stable [price]; **firmly**, fermement; solidement.
firmament [fë^{r}m^{e}m^{e}nt] *s.* firmament, m.
firmness [fë^{r}mnis] *s.* fermeté, f.
first [fë^{r}st] *adj.*, *s.* premier; *adv.* premièrement; *s.* commencement, début, m.; *at first*, d'abord; **first-aid kit**, pansement individuel; **first born**, aîné; **first class**, de qualité supérieure; **first hand**, de première main; **first sergeant**, sergent-chef.
fisc [*f*isk] *s.* fisc, m. || **fiscal** [-'l] *adj.* fiscal; **fiscal year**, année budgétaire.
fish [*f*ish] *s.* poisson, m.; *v.* pêcher; **fish bone**, arête; **fish story**, histoire à dormir debout. || **fisher** [-^{er}] *s.* pêcheur, m. || **fisherman** [-^{e}rm^{e}n] *s.* pêcheur, m. || **fishing** [-ing], **fishery** [-^{e}ri] *s.* pêche, f. || **fishhook** [-houk] *s.* hameçon, m.
fission [*f*ish^{e}n] *s.* fission, f.
fissure [*f*ish^{er}] *s.* fissure; fente, f.
fist [fist] *s.* poing, m.; *to clench one's fist*, serrer les poings.
fistula [*f*istshoul^{e}] *s.* fistule (med.), f.
fit [*f*it] *s.* attaque; crise (med.), f.; accès, m.; *by fits and starts*, par accès; *to throw into fits*, donner des convulsions à. || **fitful** [-f^{e}l] *adj.* agité; capricieux; variable; spasmodique.
fit [*f*it] *adj.* propre, convenable; opportun; en bonne santé; *s.* ajustement; ajustage (mech.), m.; *v.* convenir à; ajuster; adapter; *to think fit*, juger bon; *to fit in with*, s'harmoniser avec; *to fit out*, équiper; *to fit up a shop*, monter une boutique; *a coat that fits you*, un habit qui vous va bien. || **fitness** [-nis] *s.* aptitude; bienséance; justesse, f. || **fitted** [-id] *adj.* ajusté, monté. || **fitter** [-^{er}] *s.* ajusteur; monteur (mech.); installateur (electr.); essayeur [tailor], m. || **fitting** [-ing] *adj.* convenable, opportun; *s.* garniture, fournitures, f.; agencement; montage, m.
five [fa^{i}v] *adj.* cinq.
fix [fiks] *v.* fixer; établir; régler; repérer [radio]; *s.* embarras, m.; difficulté, f.; point observé (naut.), m. || **fixed** [-t] *adj.* fixe; ferme; *to be fixed for*, disposer de.
fizz [fiz] *v.* siffler; pétiller; *s.* pétillement, m.
flabby [*f*labi] *adj.* flasque, mou.
flaccid [*f*laksid] *adj.* mou, flasque.
flag [flag] *s.* glaïeul, m.
flag [flag] *s.* dalle [stone], f.; *v.* daller.
flag [flag] *s.* drapeau; pavillon, m.; *v.* pavoiser; faire des signaux; *flag at half-mast*, drapeau en berne; **flagship**, vaisseau amiral; **flagstaff**, hampe.
flag [flag] *v.* faiblir, languir.
flagrant [flé^{i}gr^{e}nt] *adj.* scandaleux.
flail [flé^{i}l] *s.* fléau, m.; *v.* battre au fléau [corn].
flair [flè^{er}] *s.* flair, instinct, m.

flake [flé^i^k] *s.* flocon [snow], m.; écaille, f.; *v.* floconner; s'écailler; corn **flakes**, flocons de maïs.
flame [flé^i^m] *s.* flamme, f.; feu; zèle, m.; *v.* flamber, flamboyer; s'enflammer; *to flame up*, s'emporter; **flame thrower**, lance-flammes; **flaming**, flamboyant; passionné.
flamingo [fl^e^minggo^ou^] *s.* flamant, m.
flange [flàndj] *s.* rebord; collet (mec.); patin [rail], m.
flank [flàngk] *s.* flanc, m.; *v.* flanquer; prendre de flanc.
flannel [flàn'l] *s.* flanelle, f.
flap [flap] *s.* aileron; volet (aviat.); clapet (mech.); battant [door]; rabat; pan [coat]; battement [wing], m.; rallonge [table]; patte [pocket], f.; *v.* agiter; battre [wing]; ballotter; tourner vivement [page].
flare [flè^er^] *s.* flamme vacillante; fusée éclairante, f.; feu signalisateur, m.; *v.* flamber; s'enflammer; **ground flare**, feu d'atterrissage (aviat.); *to flare up*, s'emporter.
flash [flash] *s.* éclair; éclat; trait; clin d'œil, instant, m.; *v.* jeter des lueurs; étinceler; jaillir; darder; *a flash of hope*, un rayon d'espoir; *a flash of lightning*, un éclair d'orage; *a flash of wit*, un trait d'esprit; *it flashed upon me*, soudain l'idée me vint; **news flash**, dernières nouvelles; **flashlight**, lampe de poche. || **flashy** [flashi] *adj.* voyant, tapageux, criard.
flask [flask] *s.* flacon, m.; bouteille, f.; flasque (artill.), m.
flat [flat] *adj.* plat; uni; épaté [nose]; éventé [drink]; dégonflé [tire]; monotone, terne; bémol [music]; *s.* plaine, f.; appartement; bas-fond (naut.); paume [hand], f.; *to fall flat*, tomber à plat; **flat rate**, à prix fixe; **flat car**, wagon-plateforme; **flat iron**, fer à repasser; *to sing flat*, chanter faux. || **flatten** [-'n] *v.* aplanir; laminer; (s')aplatir; **flattening mill**, laminoir.
flatter [flat^er^] *v.* flatter. || **flatterer** [-r^er^] *s.* flatteur, m. || **flattering** [-ring] *adj.* flatteur. || **flattery** [-ri] *s.* flatterie, f.
flaunt [flaunt] *v.* se pavaner; étaler; *s.* étalage, m.; parade, ostentation, f.
flavo(u)r [flé^i^v^er^] *s.* saveur, f.; goût; arôme; bouquet [wine], m.; *v.* donner du goût; assaisonner; aromatiser. || **flavo(u)rless** [-lis] *adj.* insipide; fade.
flaw [flau] *s.* défaut; vice (jur.), m.; imperfection; paille [metal]; fêlure [glass], f.; *v.* rendre défectueux; fêler [glass]; **flawless**, impeccable; sans défaut.
flax [flaks] *s.* lin, m.; **flaxseed**, graine de lin; **flaxen**, de lin; blond.
flay [flé^i^] *v.* écorcher; semoncer.
flea [flî] *s.* puce, f.; **fleabite**, piqûre de puce.
fleck [flèk] *s.* tache; moucheture, f.
fled [flèd] *pret.*, *p. p. of* **to flee**.
flee [flî] *v.** fuir; s'enfuir; échapper.
fleece [flîs] *s.* toison, f.; *v.* tondre; dépouiller.
fleet [flît] *s.* flotte, f.; **home fleet**, flotte britannique.
fleet [flît] *adj.* prompt, rapide. || **fleeting** [-ing] *adj.* fugace; éphémère.
Flemish [flèmish] *adj.*, *s.* flamand.
flesh [flèsh] *s.* chair; viande; pulpe [fruit], f.; *v.* assouvir; acharner [dogs]; **flesh-broth**, bouillon de viande; **flesh-eater**, carnassier; **fleshless**, décharné; **flesh-worm**, asticot; **fleshy**, charnel; charnu.
flew [flou] *pret. of* **to fly**.
flex [flèks] *v.* fléchir. || **flexibility** [flèks^e^bil^e^ti] *s.* flexibilité, f. || **flexible** [flèks^e^b'l] *adj.* flexible; influençable. || **flexor** [flèks^er^] *s.* fléchisseur, m. || **flexure** [flèksh^er^] *s.* flexion; courbure, f.; fléchissement, m.
flicker [flik^er^] *s.* vacillement; battement [wing], m.; lueur [interest], f.; *v.* vaciller; clignoter; battre [wing]; trembler; papilloter.
flier [fla^i^^er^] *s.* avion; aviateur, m.
flight [fla^i^t] *s.* vol; essor, m.; volée; fuite; *Am.* unité de trois à six avions, f.; *flight of stairs*, escalier; *to put to flight*, mettre en fuite; **soaring flight**, vol à voile.
flimsy [flimzi] *adj.* fragile; sans valeur; sans force.
flinch [flintsh] *v.* fléchir; défaillir; broncher.
fling [fling] *v.** jeter, lancer; désarçonner; *s.* coup; trait; sarcasme, m.; joyeuse vie, f.; *to fling out*, tuer; *to fling at*, viser.
flint [flint] *s.* silex, m.; pierre à briquet, à fusil, f.
flip [flip] *s.* chiquenaude, f.; *v.* vole-

ter; caresser ou épousseter d'une chiquenaude.
flippancy [flipensi] *s.* désinvolture; pétulance, f. || **flippant** [flipent] *adj.* étourdi; désinvolte.
flirt [flërt] *s.* flirteur, m.; flirteuse, f.; *v.* flirter. || **flirtation** [flërtéishen] *s.* flirt, m.
flit [flit] *v.* voltiger, voleter.
float [floout] *s.* flotteur (mech.); ballonnet (aviat.); radeau, train de bois, m.; *v.* flotter; surnager; renflouer (naut.); faire la planche [swimming]; lancer (comm.). || **floating** [-ing] *adj.* flottant; *s.* lancement, m.; **floating capital,** fonds de roulement.
flock [flâk] *s.* troupeau, m.; troupe, f.; *to flock together,* s'attrouper.
floe [floou] *s.* banquise, f.
flog [flâg] *v.* fouetter, flageller. || **flogging** [-ing] *s.* flagellation, f.
flood [flœd] *s.* flot; flux; déluge, m.; inondation; marée [sea]; crue [river], f.; *v.* inonder; submerger; **floodgate,** vanne; **floodlight,** phare, projecteur; *to floodlight,* illuminer par projecteurs.
floor [floour] *s.* plancher; parquet; étage; sol, m.; aire; varangue (naut.), f.; **first floor,** *Br.* premier étage; *Am.* rez-de-chaussée; *v.* planchéier, parqueter; jeter à terre; *to take the floor,* prendre la parole.
florid [flaurid] *adj.* fleuri; haut en couleur.
florist [floourist] *s.* fleuriste, m.
floss [flaus] *s.* bourre de soie, f.
flotilla [flooutile] *s.* flotille, f.
flotsam [flautsem] *s.* épave, f.
flounce [flaouns] *s.* volant, m.
flounder [flaounder] *v.* se débattre; *to flounder about,* patauger.
flounder [flaounder] *s.* carrelet, m.
flour [flaour] *s.* farine, f.; **floury,** enfariné.
flourish [flërish] *s.* floriture [music]; fanfare [trumpet]; arabesque, f.; parafe [pen]; moulinet [sword], m.; *v.* fleurir; faire des floritures; brandir [sword]; prospérer.
flout [flaout] *v.* se moquer de; *s.* raillerie, moquerie, f.
flow [floou] *s.* écoulement; flux; courant; flot [music]; passage [air], m.; *v.* couler; s'écouler; monter; passer [air]; affluer; *to be flowing with riches,* nager dans l'opulence.
flower [flaouer] *s.* fleur, f.; *v.* fleurir; **flower bed,** parterre; **flower leaf,** pétale; **flower-pot,** pot à fleurs; **flower show,** exposition de fleurs. || **flowered** [-d] *adj.* fleuri; épanoui; à fleurs. || **flowery** [-i] *adj.* à fleurs; fleuri [style].
flowing [floouing] *adj.* coulant; fluide, facile [style].
flown [floun] *p. p. of* **to fly.**
flu [flou] *s.* grippe, f.
fluctuate [flœktshouéit] *v.* fluctuer; ballotter; osciller. || **fluctuation** [flœktshouéishen] *s.* fluctuation, f.
flue [flou] *s.* tuyau de cheminée; tuyau d'échappement, m.
fluency [flouensi] *s.* facilité [speech], f. || **fluent** [flouent] *adj.* coulant; disert; *to speak fluently,* parler couramment.
fluff [flœf] *s.* duvet, m.; **fluffy,** duveteux; moelleux.
fluid [flouid] *adj., s.* fluide; liquide, m.; **de-icing fluid,** liquide antigivre; **fire-extinguishing fluid,** liquide extincteur.
fluke [flouk] *s.* patte d'ancre, f.; coup de chance, m.
flung [flœng] *prep., p. p. of* **to fling.**
flunk [flœngk] *s.* échec [examen], m.; *v.* échouer; être recalé.
flunky [flœngki] *s.* laquais; larbin, m.
fluorescence [flouerès'ns] *s.* fluorescence, f.
flurry [flëri] *s.* agitation; commotion, f.; coup de vent, m.; *v.* agiter; troubler, émouvoir.
flush [flœsh] *s.* flux, m.; rougeur; enchymose (med.), f.; *adj.* éclatant; frais; fraiche; riche (*with,* de); à fleur (*with,* de); *v.* faire rougir; s'empourprer; exalter; laver à grande eau; **flushed,** empourpré, rouge.
fluster [flœster] *v.* agiter; *s.* agitation, f.; *to become flustered,* se troubler, se démonter.
flute [flout] *s.* flûte; cannelure, f.; *v.* jouer de la flûte; canneler.
flutter [flœter] *s.* battement d'ailes; voltigement, m.; agitation; palpitation (med.), f.; *v.* voltiger; flotter au vent; palpiter [heart]; frémir; osciller (mech.).
flux [flœks] *s.* flux; décapant, m.; *v.* purger; décaper.
fly [flai] *s.* mouche, f.; **fly-paper,** papier tue-mouches.
fly [flai] *s.* volée [baseball]; braguette, f.; couvre-bouton, m.; *v.**

voler [bird, airplane]; fuir, s'enfuir; battre [flag]; *to fly at,* s'élancer sur; *to fly open,* s'ouvrir brusquement; *to fly away,* s'envoler; *to fly off the handle,* sortir de ses gonds, lâcher les pédales. || **flying** [-ing] *s.* vol, m.; aviation, f.; **blind flying**, vol sans visibilité; **glider flying**, vol par planeur; **flying boat**, hydravion.

foal [foᵒᵘl] *s.* poulain, m.; pouliche, f.; *v.* pouliner.

foam [foᵒᵘm] *s.* écume, mousse, f.; *v.* écumer; mousser; moutonner.

focal [foᵒᵘk'l] *adj.* focal. || **focus** [foᵒᵘkᵉs] *s.* foyer, m.; *v.* mettre au point (phot.); concentrer; faire converger.

fodder [fâdᵉʳ] *s.* fourrage, m.

foe [foᵒᵘ] *s.* ennemi, m.

fog [fâg] *s.* brouillard, m.; brume, f.; voile (phot.), m.; *v.* assombrir; embrumer; embrouiller; voiler; **pea-soup fog**, purée de pois; **fog-horn**, sirène; **foggy**, brumeux.

foil [foⁱl] *s.* feuille [metal], f.; tain [mirror]; repoussoir, m.

foil [foⁱl] *s.* fleuret, m.

foil [foⁱl] *v.* déjouer; dépister.

fold [foᵒᵘld] *s.* pli; repli, m.; *v.* plisser; plier; envelopper; croiser [arms]. || **folder** [-ᵉʳ] *s.* plieur; plioir; dépliant; dossier, m.; chemise (comm.), f. || **folding** [-ing] *adj.* pliant; **folding bed**, lit pliant; **folding machine**, plieuse; **folding screen**, paravent; **folding stool**, pliant.

fold [foᵒᵘld] *s.* bergerie, f.; parc à moutons, m.; *v.* parquer [sheep].

foliage [foᵒᵘlidj] *s.* feuillage, m.

folio [foᵒᵘlioᵒᵘ] *s.* folio [page]; in-folio, m.; *v.* paginer.

folk [foᵒᵘk] *s.* gens; peuple, m.; *pl.* parents, amis, m.; *adj.* du peuple, populaire; **folklore**, folklore.

follow [fâloᵒᵘ] *v.* suivre; poursuivre; s'ensuivre; exercer [profession]. || **follower** [-ᵉʳ] *s.* suivant; compagnon; partisan; imitateur; satellite, m. || **following** [-ing] *s.* suite, f.; *adj.* suivant.

folly [fâli] *s.* sottise, bêtise, absurdité, f.

foment [foᵒᵘmènt] *v.* fomenter.

fond [fând] *adj.* affectueux, aimant; *to be fond of,* aimer. || **fondle** [-'l] *v.* caresser. || **fondly** [-li] *adv.* affectueusement. || **fondness** [-nis] *s.* affection, f.; attrait, m.

fonts [fânts] *s.* fonts baptismaux, m.; source, origine, f.

food [foud] *s.* aliment, m.; nourriture, f.; **Food Minister**, ministre du Ravitaillement; **food rations**, rations de vivres; **foodstuff**, produits comestibles.

fool [foul] *s.* sot, imbécile; fou, bouffon, m.; *to play the fool,* faire l'idiot; *v.* faire l'imbécile; duper; *to fool away time,* perdre son temps en niaiseries. || **foolish** [-ish] *adj.* sot, sotte; imbécile; insensé. || **foolishly** [-ishli] *adv.* sottement. || **foolishness** [-ishnis] *s.* sottise, bêtise, imbécillité, f.

foot [fout] *s.* pied [man]; bas [page]; fond [sail], m.; patte [animal]; base [pillar]; jambe [compasses] f.; *v.* aller à pied; fouler [ground]; faire le total de [numbers]; **footbindings**, attaches de skis; **footbridge**, passerelle; **footnote**, note en bas de page; **footprint**, empreinte de pas; **footrace**, course à pied; **footsoldier**, fantassin; **footstool**, tabouret; **footwarmer**, bouillotte, chaufferette. || **football** [-baul] *s.* football, m. || **footing** [-ing] *s.* marche; position ferme, f.; point d'appui, m. || **footlights** [-laⁱts] *s. pl.* rampe (theat.), f. || **footpath** [-path] *s.* bas-côté [road]; trottoir; sentier pour piétons, m. || **footstep** [-stèp] *s.* pas, m.

fop [fâp] *s.* dandy, gommeux, m.

for [faur] *prep.* pour; de; par; pendant; depuis; *conj.* car; *as for me,* quant à moi; *for the whole day,* pendant tout le jour; *to send for someone,* envoyer chercher quelqu'un; *he has been here for two months,* il est ici depuis deux mois; *to wait for,* attendre.

forage [fauridj] *s.* fourrage, m.; *v.* fourrager; aller au fourrage; **forager**, *s.* fourrageur, m.

foray [fauréⁱ] *s.* incursion, f.; *v.* faire une incursion; piller.

forbade [fᵉʳbab] *pret. of* **to forbid.**

forbear [faurbéⁱr] *s.* ancêtre, m.

forbear [faurbèr] *v.** cesser; s'abstenir de; supporter.

forbid [fᵉʳbid] *v.** interdire; empêcher de. || **forbidden** [-'n] *adj.* interdit, prohibé; *p. p. of* **to forbid.** || **forbidding** [-ing] *adj.* rébarbatif, repoussant.

forbore [faurboᵒᵘr] *pret. of* **to**

forbear. || **forborn** [faurboºᵘrn] *p. p. of* **to forbear.**
force [foºᵘrs] *s.* force; vigueur; violence; contrainte; troupe, f.; corps (mil.), m.; *v.* forcer; contraindre; **armed force,** force armée; **covering forces,** troupes de couverture; **landing force,** troupe de débarquement; *to force a smile,* sourire d'une manière forcée; *to force back,* faire reculer. || **forceful** [-fᵉl] *adj.* vigoureux; énergique; violent. || **forcible** [-ᵉb'l] *adj.* fort; énergique; violent; forcé.
forceps [faurseps] *s.* forceps, m.; **dental forceps,** davier.
ford [foºᵘrd] *s.* gué, m.; *v.* guéer.
fore [foºᵘr] *adj.* antérieur; de l'avant.
forearm [foºᵘrârm] *s.* avant-bras, m.
forebode [foºᵘrboºᵘd] *v.* pressentir; présager, annoncer.
forecast [foºᵘrkast] *s.* pronostic, m.; prévision, f.; [foºᵘrkast] *v.* pronostiquer; prédire; *prep., p. p. of* **to forecast; weather forecast,** prévision météorologique.
forefather [foºᵘrfâzhᵉʳ] *s.* ancêtre, aïeul, m.
forefinger [foºᵘrfinggᵉʳ] *s.* index, m.
forefoot [foºᵘrfout] *s.* patte de devant, f.
forego [foºᵘrgoºᵘ], *see* **forgo.** || **foregone** [foºᵘrgaun] *p. p. of* **to forego;** *adj.* préconçu.
foreground [foºᵘrgraºᵘnd] *s.* premier plan, m.
forehead [faurid] *s.* front, m.
foreign [faurin] *adj.* étranger; extérieur; **foreign office,** ministère des Affaires étrangères; **foreign service,** service diplomatique; **foreign trade,** commerce extérieur. || **foreigner** [-ᵉʳ] *s.* étranger, m.
forelock [foºᵘrlâk] *s.* mèche sur le front [hair], f.
foreman [foºᵘrmᵉn] *s.* contremaître; chef d'équipe; chef de bande, m.
foremast [foºᵘrmast] *s.* mât de misaine, m.
foremost [foºᵘrmoºᵘst] *adj.* premier; principal; de tête.
forenoon [foºᵘrnoun] *s.* matinée, f.
forerunner [foºᵘrrœnᵉʳ] *s.* précurseur, m.
foresaw [foºᵘrsau] *pret. of* **to foresee.** || **foresee** [foºᵘrsî] *v.* prévoir. || **foreseen** [foºᵘrsîn] *p. p. of* **to foresee.**
foresight [foºᵘrsaⁱt] *s.* prévision; prévoyance; mire [gun]; visée directe [survey], f.
forest [faurist] *s.* forêt, f.; *v.* boiser; **forester,** forestier; **forestry,** sylviculture.
forestall [foºᵘrstaul] *v.* anticiper; devancer.
foretell [foºᵘrtèl] *v.* prédire. || **foretold** [foºᵘrtoºᵘld] *pret., p. p. of* **to foretell.**
forever [fᵉrèvᵉʳ] *adv.* pour jamais.
forewarn [foºᵘrwaurn] *v.* prévenir, avertir.
foreword [foºᵘrwërd] *s.* avant-propos, m.
forfeit [faurfit] *s.* amende; pénalité; déchéance, f.; *v.* être déchu de, perdre; forfaire à. || **forfeiture** [faurfitshᵉʳ] *s.* perte; confiscation; déchéance; forfaiture, f.
forgave [fᵉrgéⁱv] *pret. of* **to forgive.**
forge [faurdj] *s.* forge f.; *v.* forger; contrefaire; falsifier. || **forgery** [-ᵉri] *s.* falsification; contrefaçon, f.; faux, m.
forget [fᵉrgèt] *v.** oublier; *to forget oneself,* s'oublier, se laisser aller. || **forgetful** [-fᵉl] *adj.* oublieux; distrait; négligent. || **forgetfulness** [-fᵉlnis] *s.* oubli, m.; inattention; négligence, f. || **forget-me-not** [-minât] *s.* myosotis, m.
forgive [fᵉrgiv] *v.** pardonner; absoudre; faire grâce. || **forgiven** [-ᵉn] *p. p. of* **to forgive.** || **forgiveness** [-nis] *s.* pardon, m.; grâce, f. || **forgiving** [-ing] *adj.* clément; sans rancune.
forgo [faurgoºᵘ] *v.* renoncer à; se passer de.
forgot [fᵉrgât] *pret., p. p. of* **to forget.** || **forgotten** [fᵉrgât'n] *p. p. of* **to forget.**
fork [faurk] *s.* fourche; fourchette; bifurcation [road], f.; *v.* prendre à la fourche; fourcher; bifurquer; **tuning fork,** diapason [music]; **forked,** fourchu, bifurqué.
forlorn [fᵉrlaurn] *adj.* abandonné; désespéré.
form [faurm] *s.* forme; formule; formalité; classe (educ.), f.; formulaire; banc, m.; *v.* former; façonner; arranger; se former. || **formal** [-'l] *adj.* régulier; conventionnel; cérémonieux; de pure forme. || **formality** [faurmalᵉti] *s.* formalité; cérémonie, f. || **formally** [-'li]

adv. dans les formes; cérémonieusement; solennellement. || **formation** [faurméishen] *s.* formation; structure, f.; ordre; dispositif, m.
former [faurmer] *adj.* premier; antérieur; précédent; ancien. || **formerly** [-li] *adv.* autrefois; jadis; auparavant.
formidable [faurmideb'l] *adj.* formidable.
formula [faurmyele] *s.* formule, f. || **formulate** [-léit] *v.* formuler.
forsake [fersélk] *v.** abandonner, délaisser. || **forsaken** [ferséiken] *adj.* abandonner; *p. p. of* **to forsake.** || **forsook** [fersouk] *pret. of* **to forsake.**
forswear [faurswèr] *v.* abjurer; se parjurer; nier avec serment.
fort [foourt] *s.* fort, m.
forth [foourth] *adv.* en avant; (au) dehors; au loin; *to go forth,* sortir; *and so forth,* et cætera; et ainsi de suite. || **forthcoming** [-kœming] *adj.* prochain; sur le point de paraitre [book]; à venir. || **forthwith** [-with] *adv.* sur-le-champ; immédiatement.
fortieth [faurtiith] *adj.* quarantième.
fortification [faurtefekéishen] *s.* fortification, f.; **coastal fortifications,** fortifications côtières. || **fortify** [faurtefai] *v.* fortifier.
fortitude [faurtetyoud] *s.* force d'âme, f.
fortnight [faurtnait] *s.* quinzaine, f.; quinze jours, m.
fortress [faurtris] *s.* forteresse; place forte, f.; **flying fortress,** forteresse volante (aviat.).
fortuitous [faurtyouetes] *adj.* fortuit, inopiné.
fortunate [faurtshenit] *adj.* fortuné. || **fortunately** [-li] *adv.* heureusement, par bonheur. || **fortune** [faurtshen] *s.* fortune, f.; destin, m.; **fortuneteller,** diseuse de bonne aventure.
forty [faurti] *adj.* quarante.
forward [faurwerd] *adj.* avancé; précoce; prompt; empressé; hardi; effronté; *adv.* en avant; *s.* avant [football], m.; *v.* avancer; hâter; expédier; acheminer; faire suivre [letter]; promouvoir [plan].
fossil [fâs'l] *adj., s.* fossile.
foster [fauster] *v.* nourrir; élever; encourager [art]; *adj.* adoptif; putatif; nourricier; **foster-father,** père nourricier.
fought [faut] *pret., p. p. of* **to fight.**
foul [faoul] *adj.* immonde; souillé; odieux; infâme; bourbeux [water]; malsain [air]; malhonnête [behavior]; mauvais [weather]; grossier [language]; **foul word,** gros mot; *s.* coup irrégulier [boxing], m.; faute [sport]; collision (naut.), f.; *v.* salir; souiller; (s')encrasser [gun]; entrer en collision (naut.); violer la règle [sport].
found [faound] *pret., p. p. of* **to find.**
found [faound] *v.* fonder; instituer. || **foundation** [faoundéishen] *s.* fondement, m.; fondation; base; dotation, f. || **founder** [faounder] *s.* fondateur; bienfaiteur, m.
founder [faounder] *s.* fondeur (metall.), m. || **foundry** [faoundri] *s.* fonderie, f.
founder [faounder] *v.* broncher [horse]; sombrer [ship]; échouer.
foundling [faoundling] *s.* enfant trouvé, m.
fountain [faount'n] *s.* fontaine; source, f.; **fountain pen,** stylo.
four [foour] *adj.* quatre; *on all fours,* à quatre pattes; **fourfooted,** quadrupède; **fourscore,** quatre-vingts. || **fourteen** [foourtîn] *adj.* quatorze. || **fourteenth** [foourtînth] *adj.* quatorzième. || **fourth** [foourth] *adj.* quatrième; quatre [kings, title]; *s.* quart, m.
fowl [faoul] *s.* volaille; poule, f.; oiseau, m.
fox [fâks] *s.* renard, m.; **fox-glove,** digitale; **fox-tail,** queue de renard; **foxy,** rusé, astucieux.
fraction [frakshen] *s.* fraction, f.; fragment, m.; **representative fraction,** échelle cartographique. || **fracture** [fraktsher] *s.* fracture (med.); rupture, f.; *v.* fracturer (med.); rompre.
fragile [fradjel] *adj.* fragile.
fragment [fragment] *s.* fragment, m.
fragrance [fréigrens] *s.* parfum, m. || **fragrant** [fréigrent] *adj.* parfumé, embaumé.
frail [fréil] *adj.* fragile; frêle. || **frailty** [-ti] *s.* fragilité; faiblesse, f.
frame [fréim] *s.* charpente; membrure [ship], f. châssis [window]; chambranle [door]; cadre [picture]; bâti; couple (naut.; aviat.);

métier [embroidery], m.; *v.* former; construire; charpenter; encadrer [picture]; inventer; **framework,** charpente; ossature; *to frame someone,* conspirer contre quelqu'un.
franc [fràngk] *s.* franc, m.
France [fràns] *s.* France, f.
franchise [fràntshaᶦz] *s.* franchise; immunité, f.; droit constitutionnel, m.
frank [fràngk] *adj.* franc, sincère; *s.* franchise postale, f.; *v.* envoyer en franchise postale.
frankfurter [frangkfᵉrtᵉr] *s.* saucisse fumée, f.
frantic [fràntik] *adj.* frénétique; forcené.
fraternal [frᵉtë̈rn'l] *adj.* fraternel. || **fraternity** [frᵉtë̈rnᵉti] *s.* fraternité, f.
fraud [fraud] *s.* fraude; tromperie, f. || **fraudulent** [-jᵉlᵉnt] *adj.* frauduleux; **fraudulent conversion,** détournement de fonds.
fray [fréᶦ] *s.* bagarre; mêlée, f.
fray [fréᶦ] *v.* (s')érailler; *s.* éraillure, f.
freak [frik] *s.* caprice, m.; phénomène, m.
freckle [frèk'l] *s.* tache de rousseur, f.; **freckled,** tavelé.
free [frî] *adj.* libre; exempt; aisé; gratuit; généreux; *v.* délivrer; débarrasser; affranchir; dégager (techn.); exempter [taxes]; *adv.* gratis; franco; *free and easy,* sans gêne; *to make free with,* prendre des libertés avec; **delivered free,** franco à domicile; **free goods,** marchandises en franchise; **freemason,** franc-maçon; **free port,** franco de port; **free thinker,** librepenseur; **free-wheel,** roue libre. || **freedom** [-dᵉm] *s.* liberté; exemption, f.; sans-gêne, m.
freeze [frîz] *v.** geler; glacer; figer; (se) congeler. || **freezing** [-ing] *adj.* glacial; transi; **freezing point,** point de congélation; **freezing up,** givrage.
freight [fréᶦt] *s.* fret; chargement, m.; cargaison, f.; *pl.* prix du fret; *v.* fréter; affréter; **freight train,** train de marchandises.
French [frèntsh] *adj., s.* français. || **Frenchman** [-mᵉn] *s.* Français, m. || **Frenchwoman** [-woumᵉn] *s.* Française, f.
frenzy [frènzi] *s.* frénésie, f.
frequency [frîkwᵉnsi] *s.* fréquence, f. || **frequent** [frîkwᵉnt] *adj.* fréquent; [frikwènt] *v.* fréquenter; **frequently,** fréquemment.
fresh [frèsh] *adj.* frais, fraîche; nouveau, nouvelle; novice; *Am.* impertinent; sans gêne; **fresh water,** eau douce. || **freshen** [-ᵉn] *v.* rafraîchir; raviver; fraîchir. || **freshly** [-li] *adv.* fraîchement; nouvellement. || **freshman** [-mᵉn] *s.* novice; « bizuth », m.; || **freshness** [-nis] *s.* fraîcheur; nouveauté, f.
fret [frèt] *v.* frotter; user; (s')irriter; (se) ronger; *s.* irritation; éraillure; érosion; agitation; préoccupation, f.
fret [frèt] *s.* entrelacs, m.; grecque, f.; *v.* orner.
friar [fraᶦᵉr] *s.* frère, moine, m.
friction [frikshᵉn] *s.* frottement, m.; friction, f.
Friday [fraᶦdi] *s.* vendredi, m.; **Good Friday,** vendredi saint.
fried [fraᶦd] *p. p. of* **to fry.**
friend [frènd] *s.* ami, amie. || **friendliness** [-linis] *s.* amitié, affabilité, f. || **friendly** [-li] *adj.* amical, affable; **friendly society,** amicale. || **friendship** [-ship] *s.* amitié, f.
frigate [frigit] *s.* frégate, f.
fright [fraᶦt] *s.* effroi, m.; frayeur; horreur, f. || **frighten** [-'n] *v.* épouvanter; terrifier. || **frightful** [-fᵉl] *adj.* effroyable; terrifiant.
frigid [fridjid] *adj.* froid; glacial.
fringe [frìndj] *s.* frange; bordure, f.; *v.* franger.
frippery [fripᵉri] *s.* friperie; camelote, f.; *pl.* colifichets, m.
frisk [frisk] *s.* gambade, f.; *v.* gambader, folâtrer; palper, fouiller (slang). || **frisky** [-i] *adj.* folâtre; fougueux [horse].
fritter [fritᵉr] *s.* beignet, m.; *v.* *to fritter away,* gaspiller, éparpiller [time].
frivolity [frivâlᵉti] *s.* frivolité, f. || **frivolous** [frivᵉlᵉs] *adj.* frivole; sans valeur.
frizzle [friz'l] *v.* friser; griller; *s.* frisure; friture, f.
fro [froᵒᵘ], *see* **to and fro.**
frock [frâk] *s.* robe; blouse, f.; froc, m.; **frock-coat,** redingote.
frog [frâg] *s.* grenouille; fourchette (techn.), f.; chat dans la gorge, m.

frolic [frâlik] s. ébats, m.; v. folâtrer, gambader.
from [frâm, frœm] *prep.* de; à; avec; contre; par; d'après; dès; *the train from London,* le train de Londres; *to borrow from,* emprunter à; *from that point of view,* à ce point de vue; *made from butter,* fait avec du beurre; *to shelter from,* abriter contre; *from spite,* par dépit; *from what you say,* d'après ce que vous dites; *from the beginning,* dès le commencement.
front [frœnt] s. front (anat.; mil.); devant; plastron [shirt], m.; face; façade [house], f.; v. faire face à; donner sur; affronter; braver; *to come to the front,* arriver au premier rang; *in front of,* en face de. || **frontage** [-idj] s. façade; largeur du front (mil.), f. || **frontier** [frœntier] s. frontière, f.
frost [fraust] s. gelée, f.; gel, m.; v. glacer; givrer; **glazed frost,** verglas; **frostbitten foot,** pied gelé; **hoar frost,** givre, gelée blanche. || **frosty** [-i] *adj.* glacé; glacial; givré.
froth [frauth] s. écume; mousse; futilités [speech], f.; v. écumer; mousser; *to froth at the mouth,* écumer de rage.
frown [fraoun] s. froncement de sourcils; regard furieux, m.; v. froncer le sourcil; *to frown at,* regarder d'un mauvais œil.
froze [froouz] *pret. of* **to freeze.** || **frozen** [-'n] *p. p. of* **to freeze.**
fructify [frœktefai] v. fructifier.
frugal [froug'l] *adj.* frugal; sobre; économe.
fruit [frout] s. fruit, m.; v. porter des fruits; **dried fruit,** fruits secs; **stewed fruit,** fruits en compote; **fruit tree,** arbre fruitier. || **fruitful** [-fel] *adj.* fécond; fructueux; productif. || **fruitless** [-lis] *adj.* stérile; infructueux; improductif.
frustrate [frœstréit] v. frustrer; faire échouer.
fry [frai] s. friture, f.; fretin, m.; v. frire; faire frire; *Am.* **French fries,** pommes de terre frites; **frying-pan,** poêle à frire; **small fry,** menu fretin.
fuchsia [fyoushe] s. fuchsia, m.
fudge [fœdj] s. bonbon au chocolat fourré de noisette, m.
fuel [fyouel] s. combustible; carburant, m.; essence, f.; v. alimenter en combustible; **alcohol-blended fuel,** carburant à base d'alcool; **coal-oil fuel,** mazout; **fuel pump,** pompe à essence; **fuel station,** poste à essence; **wood fuel,** bois de chauffage.
fugitive [fyoudjetiv] *adj., s.* fugitif.
fulfil(l) [foulfil] v. accomplir; combler [wish]; exaucer [prayer]. || **fulfil(l)ment** [-ment] s. accomplissement, m.
full [foul] *adj.* plein; entier; rempli; repu; complet; *adv.* complètement, totalement, pleinement, tout à fait; *I am full,* je suis rassasié; *in full,* complètement; *two full hours,* deux bonnes heures; **full dress,** grande tenue; **full session,** assemblée plénière; **full stop,** un point; **full text,** texte intégral; **full weight,** poids juste. || **fullness** [-nis] s. plénitude, f.
fuller [fouler] s. foulon, m.
fumble [fœmbl] v. tâtonner; fouiller.
fume [fyoum] v. fumer; rager; s. fumée, vapeur, émanation, f.
fumigate [fyoumegéit] v. fumiger; désinfecter par fumigation.
fun [fœn] s. amusement, m.; plaisanterie, f.; v. plaisanter; *for fun,* pour rire; *to make fun of,* se moquer de; *to have fun,* s'amuser beaucoup.
function [fœngkshen] s. fonction; charge; cérémonie officielle, f.; v. fonctionner; opérer. || **functionary** [-èri] s. fonctionnaire, m.
fund [fœnd] s. fonds, m.; caisse, f.; v. consolider [debts]; **fund-holder,** rentier; **sinking-fund,** caisse d'amortissement. || **fundamental** [fœndemènt'l] *adj.* fondamental; s. fondement, m.
funeral [fyounerel] s. funérailles, f.; *adj.* funèbre. || **funereal** [fyounirìel] *adj.* triste et solennel.
funnel [fœn'l] s. entonnoir; tuyau [air], m.; cheminée (naut.), f.
funny [fœni] *adj.* amusant; comique; ridicule; *the funnies,* la page comique [magazine].
fur [fër] s. fourrure, f.; tartre, m.; v. fourrer; s'entartrer; **fur trade,** pelleterie; **furrier,** fourreur.
furious [fyouries] *adj.* furieux.
furl [fërl] v. ferler; ployer; replier.
furlough [fërloou] s. permission (mil.), f.
furnace [fërnis] s. four; foyer;

fourneau, m.; fournaise, f.; **blast furnace**, haut fourneau.
furnish [fërnish] *v.* fournir; produire; équiper; meubler [room]. || **furniture** [fërnitsher] *s.* meubles; ameublement, m.
furrow [fëroou] *s.* sillon, m.; ride, f.; *v.* sillonner; canneler; rider.
further [fërzher] *adj.* ultérieur; plus éloigné; additionnel; autre; *adv.* plus loin; plus tard, ultérieurement; *v.* promouvoir. || **furthermore** [-moour] *adv.* de plus. || **furthest** [fërzhist] *adj.* le plus éloigné; *adv.* au plus tard, au plus loin.
furtive [fërtiv] *adj.* furtif.
fury [fyouri] *s.* furie, f.
fuse [fyouz] *v.* fondre; liquéfier; étoupiller [charge]; *see* **fuze**.
fuselage [fyouz'lidj] *s.* fuselage, m.
fusible [fyouzeb'l] *adj. s.* fusible.
fusion [fyoujen] *s.* fusion; fonte, f.; fusionnement; fondage (metall.), m.
fuss [fœs] *s.* vacarme; embarras, m.; dispute, f.; *v.* tatillonner; faire des histoires; **fussy**, faiseur d'embarras, tatillon.
futile [fyout'l] *adj.* futile; frivole.
future [fyoutsher] *adj.* futur; *s.* avenir, m.
fuze [fyouz] *s.* fusée; mèche; amorce, f.; **electric fuze**, plomb, fusible; *see* **fuse**.
fuzz [fœz] *s.* duvet, m.; peluche, f. || **fuzzy** [-i] *adj.* duveteux; flou (phot.); incertain; *to be fuzzy about*, ne pas se rappeler clairement.

G

gab [gab] *v.* bavarder; *s.* faconde; loquacité, f.; *gift of the gab*, bagout.
gabardine [gaberdin] *s.* gabardine, f.
gabble [gab'l] *v.* babiller; *s.* babil, bavardage, m.
gable [géib'l] *s.* pignon, m.
gad [gad] *v.* *to gad about*, vagabonder; courir la pretantaine.
gadfly [gadflai] *s.* taon, m.
gadget [gadjit] *s.* truc, machin; dispositif, m.
gag [gag] *v.* bâillonner; réduire au silence; *s.* bâillon; gag, m.; plaisanterie, f.
gage, *see* **gauge**.
gaiety [géieti] *s.* gaieté, f. || **gaily** [géili] *adv.* gaiement, allègrement.
gain [géin] *s.* gain; profit, m.; *v.* gagner; avancer (clock).
gait [géit] *s.* démarche; allure, f.; pas (mil.), m.
gale [géil] *s.* coup de vent; grain; éclat [laughter], m.
gall [gaul] *s.* fiel, m.; bile; *Am.* impudence, f.; **gall bladder**, vésicule biliaire.
gall [gaul] *s.* écorchure; irritation, f.; *v.* écorcher; fâcher.
gallant [galent] *adj.* vaillant, noble; [gelant] *adj.* galant, courtois; *s.* galant, amoureux, m. || **gallantry** [galentri] *s.* vaillance; élégance; galanterie, f.
gallery [galeri] *s.* galerie, f.; balcon, m.
galley [gali] *s.* galère; cuisine (naut.), f.; **galley proof**, (épreuve en) placard (typogr.); **galley slave**, galérien.
gallon [galen] *s.* gallon, m.
gallop [galep] *s.* galop, m.; *v.* galoper; faire galoper.
gallows [galoouz] *s.* potence, f.; gibet, m.
galoshes [gelâshiz] *s.* galoche, f.; caoutchouc [shoe], m.
galvanize [galvenaiz] *v.* galvaniser; stimuler.
gamble [gàmb'l] *v.* jouer; risquer; *to gamble away*, perdre au jeu; *s.* spéculation de hasard, f.; **gambling-house**, maison de jeu.
gambol [gàmbel] *v.* gambader; *s.* gambade, cabriole, f.
game [géim] *s.* jeu, amusement; gibier, m.; intrigue, f.; *adj.* courageux, résolu, crâne; *Am.* boiteux (fam.); **game-bird**, gibier à plumes; **game-preserves**, chasses gardées; *small game*, menu gibier; *to play a game*, faire une partie.
gander [gànder] *s.* jars, m.
gang [gàng] *s.* bande; équipe, f.
gangrene [gànggrin] *s.* gangrène, f.; *v.* gangrener.

gangster [gàngst^er] *s.* bandit, gangster, m.
gangway [gàngwé^i] *s.* passerelle (naut.); coupée (naut.), f; passage, couloir, m.
gap [gap] *s.* brèche; trouée; ouverture; lacune, f.; interstice; col de montagne, m.; *v.* ébrécher; échancrer.
gape [gé^ip] *s.* bâillement, m.; *v.* bâiller; bayer aux corneilles.
garage [g^eráj] *s.* garage, m.
garb [gârb] *s.* vêtement, m.; apparence, allure, f.; *v.* vêtir, habiller.
garbage [gârbidj] *s.* rebuts, m.; ordures, f.; **garbage can,** poubelle.
garden [gârd'n] *s.* jardin, m.; *v.* jardiner; **gardener,** jardinier; **gardening,** jardinage.
gargle [gârg'l] *s.* gargarisme, m.; *v.* se gargariser.
garland [gârl^end] *s.* guirlande, f.
garlic [gârlik] *s.* ail, m. (*pl.* aulx).
garment [gârm^ent] *s.* habit, m.
garner [gârn^er] *v.* stocker, engranger, amasser.
garnish [gârnish] *v.* garnir; *s.* garniture, f.
garret [garit] *s.* mansarde, f.
garrison [gar^es'n] *s.* garnison, f.; *v.* être en garnison.
garrulous [gar^el^es] *adj.* bavard; volubile.
garter [gârt^er] *s.* jarretière, f.; *v.* attacher avec une jarretière; *Br.* décorer de l'Ordre de la jarretière.
gas [gas] *s.* gaz, m.; *Am.* essence, f.; *v.* gazer, asphyxier; **mustard gas,** ypérite; **poison gas,** gaz toxique; **tear gas,** gaz lacrymogène; **gas-burner,** bec de gaz; **gas meter,** compteur à gaz. || **gaseous** [-^i^es] *adj.* gazeux.
gash [gash] *s.* balafre, f.; *v.* balafrer; entailler.
gasoline [gaslin] *s. Am.* essence, f.
gasp [gasp] *s.* halètement, m.; *v.* haleter.
gate [gé^it] *s.* porte; grille, f.; **gateway,** passage, portail.
gather [gazh^er] *v.* assembler; amasser; recueillir; prendre [speed]; cueillir [fruit]; froncer; percevoir [taxes]; rassembler [strength]; *s.* froncis, m. || **gathering** [-ring] *s.* assemblée; réunion; récolte; cueillette; fronces; perception [taxes], f. ; rassemblement ; attroupement, m.
gaudy [gaudi] *adj.* voyant, fastueux, criard.
gauge [géidj] *s.* jauge; mesure, f.; calibre, gabarit; indicateur, m.; *v.* jauger; estimer; mesurer; calibrer; étalonner.
gaunt [gaunt] *adj.* efflanqué; dégingandé; cave [eye].
gauntlet [gauntlit] *s.* gantelet, m.; *to throw down the gauntlet,* défier, provoquer.
gauze [gauz] *s.* gaze, f.
gave [gé^iv] *pret. of* **to give.**
gawky [gauki] *adj.* maladroit, lourdaud, gauche.
gay [gé^i] *adj.* gai, allègre; pimpant.
gaze [gé^iz] *v.* fixer [eye]; contempler; *s.* regard fixe ou attentif, m.
gazette [g^ezé^it] *s.* gazette, f.; journal officiel, m.; *v.* mettre à l'officiel.
gear [gi^er] *s.* accoutrement; attirail; outillage; rouage (mech.); dispositif; appareil; harnachement, m.; transmission, commande (mech.), f.; démultiplier; (s')engrener (*with,* avec); *to throw into gear,* embrayer; *to throw out of gear,* débrayer; **gear-box,** boîte de vitesses; **gear-case,** carter; **gear-shift,** changement de vitesse; dérailleur.
geese [gis] *pl. of* **goose.**
gelatin [djèl^et'n] *s.* gélatine, f.
gem [djèm] *s.* pierre précieuse, f.; fleuron, m.; *v.* gemmer.
gender [djènd^er] *s.* genre (gramm.).
general [djèn^er^el] *adj.* général; commun; universel; public; *s.* général, m.; **general headquarters,** grand quartier général. || **generality** [djèn^eral^eti] *s.* généralité, f. || **generalize** [djèn^er^ela^iz] *v.* généraliser (*from,* à partir de).
generate [djèn^eré^it] *v.* engendrer; produire. || **generation** [djèneré^ish^en] *s.* génération; production, f. || **generator** [djèn^eré^iter] *s.* génératrice; dynamo, f.
generosity [djèn^erau s^eti] *s.* générosité; libéralité, f. || **generous** [djèn^er^es] *adj.* généreux; abondant; magnanime.
genial [djini^el] *adj.* affable; sympathique; cordial.
genius [djiny^es] *s.* génie, talent, m.
genteel [djèntîl] *adj.* distingué; élégant; courtois.
gentian [djènsh^en] *s.* gentiane, f.
gentile [djènta^il] *adj., s.* gentil.

gentle [djènt'l] *adj.* aimable; bien né; honorable; doux. || **gentleman** [-mᵉn] (*pl.* **gentlemen** [-mᵉn]) *s.* galant homme, gentilhomme; *he is a gentleman,* c'est un Monsieur. || **gentleness** [-nis] *s.* douceur; amabilité, f. || **gently** [-li] *adv.* doucement; poliment; calmement.
gentry [djèntri] *s.* haute bourgeoisie; élite, f.
genuine [djènyouin] *adj.* sincère; authentique, véritable.
geographical [djiᵉgrafik'l] *adj.* géographique. || **geography** [djiâgrᵉfi] *s.* géographie, f.
geology [djiâlᵉdji] *s.* géologie, f.
geometric [djiᵉmètrik] *adj.* géométrique. || **geometry** [djiâmᵉtri] *s.* géométrie, f.
geranium [djᵉréⁱniᵉm] *s.* géranium, m.
germ [djërm] *s.* germe; microbe, m.; origine, f.
German [djërmᵉn] *adj., s.* allemand. || **Germany** [-i] *s.* Allemagne, f.
germicide [djërmᵉsaⁱd] *s.* microbicide, antiseptique, m.
germinate [djërmᵉnéⁱt] *v.* germer.
gerund [djèrᵉnd] *s.* gérondif; substantif verbal (gramm.), m.
gesticulate [djèstikyᵉléⁱt] *v.* gesticuler. || **gesture** [djèstshᵉr] *s.* geste; signe, m.; *v.* gesticuler; *a mere gesture,* une pure formalité.
get [gèt] *v.** obtenir; acquérir; se procurer; devenir; *to get in,* entrer; *to get over,* franchir; *to get a cold,* prendre froid; *to get angry,* se mettre en colère; *to get ill,* tomber malade; *to get at,* atteindre; *to get married,* se marier; *to get ready,* (se) préparer; *to get rid of,* se débarrasser de; *to get up,* monter, organiser, se lever.
gewgaw [gyougau] *s.* babiole, f.
ghastly [gastli] *adj.* horrible; macabre; livide.
ghost [goᵒᵘst] *s.* spectre, fantôme, revenant; nègre [writer], m.; âme; ombre [notion], f.; *the Holy Ghost,* le Saint-Esprit; **ghostly,** spectral; fantomatique; spirituel.
giant [djaⁱᵉnt] *s.* géant, m.
gibberish [djibᵉrish] *s.* baragouin, m.
giblets [djiblits] *s.* abatis, m.
giddy [gidi] *adj.* étourdi; vertigineux; volage.
gift [gift] *s.* don, cadeau; talent, m.; donation, f.; **gifted,** doué.
gigantic [djaⁱgantik] *adj.* gigantesque.
giggle [gig'l] *s.* ricanement, m.; *v.* ricaner.
gild [gild] *v.* dorer. || **gilding** [-ing] *s.* dorure, f.
gill [gil] *s.* ouïes [fish], f. pl.
gillyflower [djiliflaᵒᵘᵉr] *s.* giroflée, f.
gilt [gilt] *adj.* doré; *s.* dorure, f.; **gilt-edged,** doré sur tranches.
gimlet [gimlit] *s.* vrille [tool], f.
gin [djin] *s.* gin, genièvre, m.
ginger [djindjᵉr] *s.* gingembre, m.; **ginger-bread,** pain d'épices.
gingerly [djindjᵉrli] *adv.* délicatement; avec précaution.
gipsy, *see* **gypsy.**
giraffe [djᵉraf] *s.* girafe, f.
gird [gërd] *v.* ceindre; attacher; entourer; *to gird oneself for,* se préparer pour, à. || **girdle** [-'l] *s.* ceinture; gaine; enceinte; limite, f.; *v.* ceinturer, entourer.
girl [gërl] *s.* (jeune) fille, f. || **girlhood** [-houd] *s.* jeunesse, enfance d'une femme, f. || **girlish** [-ish] *adj.* puéril; de fillette, de jeune fille.
girt [gërt] *pret., p. p. of* **to gird.**
girth [gërth] *s.* sangle; circonférence, f.; tour de taille, m.
gist [djist] *s.* substance, f.; fond, essentiel, m.
give [giv] *v.** donner; livrer; céder; accorder; remettre; rendre [verdict]; pousser [cry]; *s.* élasticité, f.; *to give in,* céder; se rendre; *to give out,* divulguer; *to give off,* émettre; *to give up,* renoncer; *to give way,* fléchir, céder du terrain. || **given** [-ᵉn] *p. p. of* **to give;** *adj.* donné; offert; adonné (*to,* à); *given time,* heure déterminée; *given that,* étant donné que; *given the circumstances,* vu les circonstances. || **giver** [-ᵉr] *s.* donateur, m.
glacial [gléⁱshᵉl] *adj.* glacial. || **glacier** [gléⁱshᵉr] *s.* glacier, m.
glad [glad] *adj.* content; heureux. || **gladden** [-'n] *v.* (se) réjouir (*at,* de).
glade [gléⁱd] *s.* clairière; éclaircie, f.
gladiolus [gladioᵒᵘlᵉs] *s.* glaïeul; iris, m.
gladly [gladli] *adv.* joyeusement; de bon cœur. || **gladness** [gladnis] *s.* joie, f.; contentement, m.
glamo(u)r [glamᵉr] *s.* charme, m.;

grâce, f. || **glamo(u)rous** [-r^e^s] *adj.* fascinant, ravissant.
glance [glàns] *s.* coup d'œil, regard, m.; œillade, f.; *v.* jeter un regard; lancer; dévier; briller par éclat.
gland [glànd] *s.* glande, f.; manchon (mech.), m.
glare [glè^e^r] *s.* lueur, f.; éclat; regard farouche, m.; *v.* briller; jeter un regard étincelant; *to glare at,* foudroyer du regard.
glass [glas] *s.* verre, m.; vitre; lentille [optics], f.; **field glass,** jumelles; **magnifying glass,** loupe; **shatterproof glass,** verre incassable, « Sécurit »; **glass-blower,** verrier; **glass-case,** vitrine, **glassware,** verrerie. || **glasses** [-iz] *s. pl.* lorgnon, m.; lunettes, f.; **snow glasses,** lunettes d'alpiniste; **smoked glasses,** verres fumés. || **glassy** [-i] *adj.* vitreux.
glaze [glé^i^z] *s.* lustre, vernis, m.; *v.* vernir; lustrer; glacer [pastry]; vitrer. || **glazier** [glé^i^j^e^r] *s.* vitrier, m.
gleam [glîm] *s.* rayon, m.; lueur, f.; *v.* scintiller, luire.
glean [glîn] *v.* glaner.
glee [glî] *s.* allégresse; chanson à reprises, f.; **glee club,** orphéon; **gleeman,** ménestrel.
glib [glib] *adj.* délié; facile [excuse]; bien pendue [tongue].
glide [gla^i^d] *s.* glissement; vol plané m.; *v.* glisser; s'insinuer; planer. || **glider** [-^e^r] *s.* planeur, m.
glimmer [glim^e^r] *v.* luire faiblement; *s.* lueur, f.; vacillement, m.
glimpse [glìmps] *s.* coup d'œil; aperçu, m.; *v.* jeter un coup d'œil; entrevoir.
glint [glìnt] *s.* lueur, f.; rayon, m.
glisten [glis'n] *v.* reluire, miroiter.
glitter [glit^e^r] *v.* briller, scintiller; *s.* scintillement, m.
gloat [glo^ou^t] *v. to gloat over,* couver d'un mauvais regard; dévorer des yeux.
globe [glo^ou^b] *s.* globe, m.; terre, f.
globule [glâbyoul] *s.* globule, m.
gloom [gloum] *s.* obscurité, ténèbres; tristesse, f. || **gloomy** [-i] *adj.* sombre; ténébreux; triste.
glorification [glo^ou^r^e^f^e^ké^i^sh^e^n] *s.* glorification, f. || **glorify** [glo^ou^r^e^fa^i^] *v.* glorifier. || **glorious** [glo^ou^ri^e^s] *adj.* glorieux; splendide; resplendissant; illustre. || **glory** [glo^ou^ri] *s.* gloire; célébrité; splendeur, f.; *v.* (se) glorifier.
gloss [glaus] *s.* lustre, luisant, apprêt, m.; *v.* lustrer; polir; **glossy,** lustré, luisant.
gloss [glaus] *s.* glose, f.; *v.* gloser. || **glossary** [glâs^e^ri] *s.* glossaire, m.
glottis [glâtis] *s.* glotte, f.
glove [glœv] *s.* gant, m.; *v.* ganter; **driving gloves,** gants de chauffeur; **rubber gloves,** gants en caoutchouc.
glow [glo^ou^] *s.* incandescence; ardeur, f.; rougeoiement, m.; *v.* rougir, s'embraser; irradier. || **glowing** [-ing] *adj.* incandescent, ardent; rouge [embers]. || **glowworm** [-wë^r^m] *s.* ver luisant, m.
glucose [glouko^ou^s] *s.* glucose, m.
glue [glou] *s.* colle; glue, f.; *v.* coller, engluer.
glum [gloum] *adj.* triste, renfrogné.
glut [glœt] *s.* encombrement; excès, m.; pléthore, f.; *v.* gorger; rassasier; inonder [market].
glutton [glœt'n] *s.* glouton, m. || **gluttonous** [-^e^s] *adj.* glouton, goulu. || **gluttony** [-i] *s.* gloutonnerie; goinfrerie, f.
glycerin [glisrin] *s.* glycérine, f.
gnarled [nârld] *adj.* noueux [wood].
gnash [nash] *v.* grincer [teeth].
gnat [nat] *s.* moustique; moucheron, m.
gnaw [nau] *v.* ronger.
go [go^ou^] *v.** aller; s'en aller; devenir; fonctionner; s'écouler [time]; *s.* affaire; mode, façon, f.; mouvement, m.; *to go between,* s'entremettre; *to go for,* aller chercher; *to go without,* se passer de; *to let go,* lâcher; *to go about,* circuler; se mettre à; s'en prendre à; *to go after,* briguer; *to go on,* continuer; *to go by,* passer; *to go off,* partir; *no go!* rien à faire!
goad [go^ou^d] *s.* aiguillon, m.; *v.* aiguillonner, stimuler.
goal [go^ou^l] *s.* but; objectif, m.; **goalkeeper,** gardien de but, goal.
goat [go^ou^t] *s.* chèvre, f.; bouc émissaire, m.; **male goat,** bouc; **goatherd,** chevrier. || **goatee** [go^ou^tî] *s.* bouc [beard], m.
gobble [gâb'l] *v.* gober; glouglouter; *to gobble up,* engloutir; s'empiffrer. || **gobbler** [-^e^r] *s.* dindon; glouton, m.
go-between [go^ou^b^e^twîn] *s.* intermédiaire, entremetteur, m.
goblet [gâblit] *s.* gobelet, m.

goblin [gâblin] *s.* lutin, m.
God [gâd] *s.* Dieu, m.; *pl.* dieux. || **godchild** [-tshaild] *s.* filleul, filleule. || **goddess** [-is] *s.* déesse, f. || **godfather** [-fâzher] *s.* parrain, m. || **godhead** [-hèd] *s.* divinité, f. || **godless** [-lis] *adj.* athée. || **godlike** [-laik] *adj.* divin. || **godly** [-li] *adj.* pieux, dévot; divin. || **godmother** [-mœzher] *s.* marraine, f. || **godsend** [-sènd] *s.* aubaine providentielle, f. || **godson** [-sœn] *s.* filleul, m.
goggle [gâg'l] *v.* rouler de gros yeux; *s. pl.* lunettes protectrices, f.; **flying goggles,** lunettes d'aviateur.
going [goouing] *pr. p. of* **to go;** *adj.* allant, en vie; *s.* allure; marche; conduite, f.; *comings and goings,* allées et venues.
goiter [goiter] *s.* goitre (med.), m.
gold [goould] *s.* or, m.; **dead gold,** or mat; **gold standard,** étalon or. || **golden** [-en] *adj.* d'or; doré; précieux; prospère; **golden mean,** juste milieu. || **goldfinch** [-fintsh] *s.* chardonneret, m. || **goldfish** [-fish] *s.* poisson rouge, m. || **goldsmith** [-smith] *s.* orfèvre, m.
golf [gâlf] *s.* golf, m.
gondola [gândele] *s.* gondole; nacelle, f.; **gondola car,** wagon plateforme.
gone [gaun] *p. p. of* **to go;** *adj.* parti; disparu; passé; *gone west,* mort; **goner,** homme fichu.
gong [gaung] *s.* gong, m.
good [goud] *adj.* bon; avantageux; satisfaisant; vertueux; valide; *s.* bien; profit, m.; *pl.* biens, m.; marchandises, f.; *adv.* bien, bon; **good-by,** adieu, au revoir; **good day,** bonjour; **good evening,** bonsoir; **good night,** bonne nuit; **good-looking,** de bonne mine, beau; *be so good as to,* veuillez avoir la bonté de; *to make good,* exécuter [contract], compenser [loss]; *what's the good of?,* à quoi bon?; *to have a good time,* passer un bon moment. || **goodness** [-nis] *s.* bonté; probité; bienveillance, f. || **goody** [-i] *s.* friandise, sucrerie, f.
goose [gous] (*pl.* **geese** [gîs]) *s.* oie, f.; sot, m.; *pl.* carreau [tailor's iron], m.; **goose step,** pas de l'oie. || **gooseberry** [-bèri] *s.* groseille à maquereau, f. || **gooseflesh** [-flèsh] *s.* chair de poule, f. || **gooseherd** [-hërd] *s.* gardeuse d'oie, f.
gore [goour] *s.* sang coagulé, m. || **gory** [-i] *adj.* sanglant, ensanglanté.
gore [goour] *s.* panneau (aviat.); fuseau [parachute], m.; langue, pointe de terre, f.
gore [goour] *v.* percer; donner un coup de corne à.
gorge [gaurdj] *adj., s.* gorge, f.; couloir; repas, m.; *v.* gorger; s'empiffrer.
gorgeous [gaurdjes] *adj.* magnifique, fastueux.
gorilla [gerile] *s.* gorille, m.
gosling [gâzling] *s.* oison, m.
gospel [gausp'l] *s.* évangile, m.
gossip [gâsip] *s.* commère, f.; bavard; commérage, potin, m.; *v.* bavarder; **gossip-writer,** échotier.
got [gât] *pret., p. p. of* **to get.**
Gothic [gâthik] *adj.* gothique; *s.* gotique [language]; gothique [style].
gotten [gât'n] *p. p. of* **to get.**
gouge [gaoudj] *s.* gouge, f.; *v.* faire un trou dans; *Am.* duper, rouler.
gourd [goourd] *s.* gourde, f.
gout [gaout] *s.* goutte (med.), f.
govern [gœvern] *v.* gouverner; diriger. || **governess** [-is] *s.* gouvernante, institutrice, f. || **government** [-ment] *s.* gouvernement; conseil municipal; conseil d'administration, m.; **government funds,** fonds d'Etat. || **governmental** [gœvernmènt'l] *adj.* gouvernemental. || **governor** [gœverner] *s.* gouverneur; gouvernant; patron; régulateur (mech.), m.
gown [gaoun] *s.* robe; toge, f.; **dressing gown,** peignoir; **night-gown,** chemise de nuit.
grab [grab] *v.* empoigner, saisir; *s.* prise, f.; grappin, m.; **grabbler,** accapareur.
grace [gréis] *s.* grâce; faveur, f.; pardon, m.; *to say grace,* dire les grâces. || **graceful** [-fel] *adj.* gracieux; élégant. || **gracefulness** [-felnis] *s.* grâce, élégance, f. || **gracious** [gréishes] *adj.* gracieux; courtois.
gradation [gréidéishen] *s.* gradation, f.; degré, échelon, m. || **grade** [gréid] *s.* grade; degré; rang, m.; rampe; *Am.* pente (railw.); inclinaison, f.; *v.* classer; graduer; qualifier; **grade crossing,** passage à

niveau. || **gradual** [gradjou^el] *adj.* graduel; progressif. || **gradually** [-i] *adv.* peu à peu, progressivement. || **graduate** [gradjouit] *adj.* gradué, diplômé; [gradjoué^it] *v.* graduer; prendre ses diplômes. || **graduation** [gradjoué^ish^en] *s.* graduation; gradation; licence, f.

graft [graft] *s.* greffe; concussion, f.; *v.* greffer; tripoter. || **grafter** [-^er] *s.* concussionnaire, m.

grain [gré^in] *s.* céréales, f.; grain [corn, weight, wood, marble]; brin, m.; *against the grain,* à rebours, à rebrousse-poil.

gram [gram] *s.* gramme, m.

grammar [gram^er] *s.* grammaire, f.; **grammar school,** *Am.* école primaire; *Br.* lycée. || **grammatical** [gr^ematik'l] *adj.* grammatical.

granary [gran^eri] *s.* grenier, m.

grand [grànd] *adj.* grand; grandiose. || **grandchild** [-tshaild] (*pl.* **grandchildren** [-tshildr^en]) *s.* petit-enfant, m. || **granddaughter** [-daut^er] *s.* petite-fille, f. || **grandeur** [-j^er] *s.* grandeur, majesté, f. || **grandfather** [-fâzh^er] *s.* grand-père, m. || **grandiose** [-io^ous] *adj.* grandiose. || **grandma** [-mâ] *s.* grand-maman, mémé, f. || **grandmother** [-mœzh^er] *s.* grand-mère, f. || **grandness** [-nis] *s.* grandeur, magnificence, f. || **grandpa** [-pâ] *s.* grand-papa, pépé, m. || **grandparent** [-pèr^ent] *s.* grand-parent, aïeul, m. || **grandson** [-sœn] *s.* petit-fils, m.

grange [gré^indj] *s.* ferme, f.

granite [granit] *s.* granit, m.

granny [grani] *s.* bonne-maman, f.

grant [grànt] *v.* accorder; octroyer; allouer; transférer; *s.* concession; allocation; cession, f.; octroi, m.; **grantee,** concessionnaire.

granulate [grany^elé^it] *v.* granuler. || **granulation** [grany^elé^ish^en] *s.* granulation, f.; grenaillement, m. || **granule** [granyoul] *s.* granule, f.

grape [gré^ip] *s.* grain de raisin; *pl.* raisin, m. || **grapefruit** [-frout] *s.* pamplemousse, m.

graph [graf] *s.* graphique; diagramme, m.; courbe, f.; *v.* tracer un graphique; faire un diagramme. || **graphic** [-ik] *adj.* graphique.

graphite [grafa^it] *s.* graphite, m.; mine de plomb; plombagine, f.

grapnel [grapn^el] *s.* grappin, m.

grapple [grap'l] *v.* *to grapple with,* accrocher; agripper; prendre au corps; aborder [subject].

grasp [grasp] *v.* empoigner; serrer; saisir; étreindre; comprendre; *s.* étreinte; prise; poigne; poignée [arms]; compréhension, f.; *within one's grasp,* à portée de la main; *to have a good grasp of a subject,* bien connaître une question; **grasping,** avare; avide.

grass [gras] *s.* herbe, f.; gazon, m. || **grasshopper** [grashâp^er] *s.* sauterelle, f. || **grassplot** [-plât] *s.* pelouse, f. || **grassy** [-i] *adj.* herbeux, herbu.

grate [gré^it] *s.* grille, f.; *v.* griller [window].

grate [gré^it] *v.* râper; frotter; grincer [teeth]; irriter; froisser; être désagréable (*on,* à).

grateful [gré^itf^el] *adj.* reconnaissant (*for,* de; *to,* à).

grater [gré^it^er] *s.* râpe, f.

gratification [grat^ef^eké^ish^en] *s.* gratification, f.; plaisir, m. || **gratify** [grat^efa^i] *v.* satisfaire; obliger, faire plaisir à; contenter.

grating [gré^iting] *s.* grincement [sound], m.; *adj.* grinçant, discordant, désagréable.

gratitude [grat^etyoud] *s.* gratitude, f.

gratuitous [gr^etyou^et^es] *adj.* gratuit; arbitraire. || **gratuity** [gr^etyou^eti] *s.* pourboire, m.; gratification, f.

grave [gré^iv] *adj.* grave; important; solennel.

grave [gré^iv] *s.* tombe; fosse, f.; tombeau, m.; **gravedigger,** fossoyeur; **gravestone,** pierre tombale; **graveyard,** cimetière.

gravel [grav'l] *s.* gravier, m.; gravelle, f.; *v.* graveler.

graven [gré^iv^en] *adj.* gravé.

gravity [grav^eti] *s.* gravité; importance; pesanteur, f.

gravy [gré^ivi] *s.* sauce, f.; jus, m.

gray [gré^i] *adj., s.* gris; **graybeard,** vieillard. || **grayish** [-ish] *adj.* grisâtre. || **grayness** [-nis] *s.* teinte grise; pénombre, f.

graze [gré^iz] *v.* brouter; faire paître; pâturer; effleurer; raser (mil.); écorcher [skin]; *s.* action de paître; éraflure, f.; effleurement; écrêtement, m.

grease [grîs] *s.* graisse, f.; *v.* graisser; lubrifier; **greasy,** gras; graisseux; huileux.

great [gréᶦt] *adj.* grand; éminent; excellent; magnifique; *a great deal,* beaucoup. || **greatly** [-li] *adv.* grandement, beaucoup, considérablement; avec grandeur. || **greatness** [-nis] *s.* grandeur, f.
Grecian [grishᵉn] *adj., s.* grec, grecque. || **Greece** [grîs] *s.* Grèce, f.
greed [grîd] *s.* avidité; convoitise; gloutonnerie, f. || **greediness** [-inis] *s.* voracité, avidité, f. || **greedy** [-i] *adj.* avide; cupide; glouton, vorace.
Greek [grîk] *adj., s.* grec, grecque.
green [grîn] *adj.* vert; inexpérimenté; naïf; novice; *to grow green,* verdoyer; *s.* vert; gazon, m.; verdure; pelouse, f.; *pl.* légumes verts, m.; **green-grocer,** fruitier; **greenish,** verdâtre. || **greenhouse** [-haᵒᵘs] *s.* serre, f. || **greenness** [-nis] *s.* vert, m.; verdure; verdeur; inexpérience, f.
greet [grît] *v.* saluer. || **greeting** [-ing] *s.* salutation, f.; salut, m.
grenade [grinéᶦd] *s.* grenade (mil.), f. || **grenadier** [grᵉnᵉdiᵉʳ] *s.* grenadier, m.
grew [grou] *pret. of* **to grow.**
grey, *see* **gray.**
greyhound [gréᶦhaᵒᵘnd] *s.* lévrier, m.
grid [grid] *s.* quadrillage [survey]; gril; grillage, m.
griddle [grid'l] *s.* gril, m.
gridiron [gridaᶦᵉʳn] *s.* gril; *Am.* terrain de football, m.
grief [grîf] *s.* chagrin, m.; peine, f.; *to come to grief,* finir mal; **grief-stricken,** accablé de chagrin. || **grievance** [grîvᵉns] *s.* grief, tort, m.; offense, f. || **grieve** [grîv] *v.* chagriner, peiner; regretter; s'affliger. || **grievous** [grîvᵉs] *adj.* douloureux; attristant; grave.
grill [gril] *s.* gril, m.; *men's grill,* restaurant pour hommes; *v.* griller; interroger (jur.); cuisiner [police].
grim [grim] *adj.* farouche; sinistre; menaçant; sardonique [smile]; rébarbatif.
grimace [griméᶦs] *s.* grimace, f. *v.* grimacer.
grime [graᶦm] *s.* crasse, saleté, f.; *v.* salir, noircir; **grimy,** sale, barbouillé.
grin [grin] *s.* sourire moqueur, grimaçant, malin; ricanement, m.; *v.* sourire.
grind [graᶦnd] *v.* moudre; broyer; aiguiser [knife]; bûcher (lesson]; jouer [hand organ]; grincer [teeth]; *s.* broyage; grincement; boulot, travail acharné; *Am.* bûcheur, m.; routine, f.; **grindstone,** meule. || **grinder** [-ᵉʳ] *s.* meule, f.; broyeur; moulin [coffee], m.
grip [grip] *s.* prise; étreinte; poigne; poignée; *Am.* valise; grippe (med.), f.; *Am.* sac de voyage, m.; *to come to grips,* en venir aux mains.
gripe [graᶦp] *s.* colique (med.); *Am.* plainte, f.; *v.* se plaindre.
grippe [grip] *s.* grippe (med.), f.
grisly [grizli] *adj.* terrifiant; macabre, horrible.
gristle [gris'l] *s.* cartilage, m.
grit [grit] *s.* gruau; gravier; grès; courage, m.; endurance, f.; *v.* grincer; **gritty,** caillouteux.
grizzly [grizli] *adj.* grisâtre; *s.* ours gris d'Amérique, m.
groan [graun] *s.* gémissement, m.; *v.* gémir; murmurer.
grocer [groᵒᵘsᵉʳ] *s.* épicier, m. || **grocery** [-ri] *s.* épicerie, f.; *pl.* denrées comestibles, f.
grog [graug] *s.* grog, m. || **groggy** [-i] *adj.* ivre; chancelant; hébété.
groin [groᶦn] *s.* aine (med.); arête (arch.), f.
groom [groum] *s.* palefrenier; groom; marié, m.; *v.* panser [horse]; **wellgroomed,** bien nourri, bien habillé.
groove [grouv] *s.* rainure; cannelure; rayure; coulisse, f.; *v.* évider; strier; faire une rainure dans.
grope [groᵒᵘp] *v.* tâtonner; *to grope for,* chercher à tâtons.
gross [groᵒᵘs] *adj.* gros, grosse; rude; grossier; brut [weight]; épais [ignorance]; *s.* grosse [measure], f.
grotesque [groᵒᵘtèsk] *adj., s.* grotesque.
grotto [grautoᵒᵘ] *s.* grotte, f.
grouch [graᵒᵘtsh] *s.* mauvaise humeur, f.; ronchon, m.; *v.* ronchonner. || **grouchy** [-i] *adj.* grognon; acariâtre.
ground [graᵒᵘnd] *s.* terrain; sol; fond; fondement, motif; chef d'accusation; point de vue, m.; terre; masse (electr.); cause; base, f.; *v.* mettre à terre; fonder; enseigner les principes de; atterrir (aviat.); masser (electr.), *to gain*

ground, gagner du terrain; *to stand one's ground,* tenir bon; *to break ground,* creuser une tranchée; *to be well grounded in,* avoir une connaissance solide de; **ground floor,** rez-de-chaussée; **groundnut,** arachide; **coffee-grounds,** marc de café.

ground [graound] *pret., p. p. of* **to grind.**

group [group] *s.* groupe; m.; escouade, f.; *v.* grouper; **blood group,** groupe sanguin.

grouse [graous] *s.* coq de bruyère, grouse, m.; *v.* ronchonner.

grove [groouv] *s.* bosquet, m.

grovel [grâv'l] *v.* se vautrer; ramper; flagorner.

grow [groou] *v.** pousser, croître; grandir; devenir; avancer; augmenter; faire pousser; *to grow old,* se faire vieux; *to grow better,* s'améliorer.

growl [graoul] *s.* grognement, m.; *v.* grogner.

grown [grooun] *p. p. of* **to grow;** *adj.* développé, cultivé; **full-grown,** adulte; **grown-ups,** grandes personnes. || **growth** [groouth] *s.* croissance; crue; excroissance (med.), f.; accroissement; produit, m.

grub [grœb] *v.* creuser, défricher; trimer; *s.* asticot, m.; larve; mangeaille, boustifaille (pop.), f.

grudge [grœdj] *s.* rancune; haine, f.; *v.* donner à contrecœur; *to bear a grudge against,* garder une dent contre.

gruff [grœf] *adj.* bourru, brusque.

grumble [grœmb'l] *s.* murmure, grognement, m.; *v.* grogner, murmurer; **grumbler,** grognon, m.

grumpy [grœmpi] *adj.* maussade, grognon.

grunt [grœnt] *s.* grognement [hog], m.; *v.* grogner.

guarantee [garenti] *s.* garantie; caution, f.; garant, m.; *v.* garantir; se porter garant. || **guarantor** [garenter] *s.* garant; répondant, m.

guard [gârd] *s.* garde, protection, f.; garde, m.; *v.* garder; protéger; défendre; **guardhouse,** corps de garde; **guardrail,** garde-fou, main-courante; *on guard,* de garde, sur le qui-vive. || **guardian** [gârdien] *s.* gardien; administrateur; tuteur, m. || **guardianship** [-ship] *s.* garde; tutelle, f.

gudgeon [gœdjen] *s.* goujon; tourillon (mech.), m.

guerilla [gerile] *s.* guérilla; guerre de partisans, f.; partisan, m.

guess [gès] *s.* conjecture, supposition, f.; *v.* deviner; conjecturer; penser; *at a guess,* au jugé.

guest [gèst] *s.* convive; hôte; visiteur; invité, m.; **guest room,** chambre d'amis.

guffaw [gefau] *s.* gros rire bruyant, m.

guidance [gaid'ns] *s.* conduite; direction, f. || **guide** [gaid] *s.* guide; conducteur, m.; *v.* guider; conduire; gouverner; **guidebook,** guide; **guidepost,** poteau indicateur.

guild [gild] *s.* corporation, association, f.

guile [gail] *s.* astuce; ruse, f.

guilt [gilt] *s.* culpabilité; faute, f.; crime, m. || **guiltless** [-lis] *adj.* innocent. || **guilty** [-i] *adj.* coupable.

guinea-fowl [ginifaoul] *s.* pintade, f.

guinea-pig [ginipig] *s.* cobaye, m.

guise [gaiz] *s.* façon; guise; mode, f.; aspect; déguisement, m.

guitar [gitâr] *s.* guitare, f.

gulch [gœltsh] *s.* ravin, m.

gulf [gœlf] *s.* golfe; gouffre, m.

gull [gœl] *s.* mouette, f.; goéland, m.

gull [gœl] *s.* dupe, f.; *v.* duper.

gullet [gœlit] *s.* gosier, m.

gullible [gœleb'l] *s.* jobard, m.

gully [gœli] *s.* ravin, m.; ravine, f.

gulp [gœlp] *s.* gorgée; goulée, f.; *v.* avaler; gober; *at a gulp,* d'un trait, d'une bouchée.

gum [gœm] *s.* gomme; gencive [teeth], f.; **gum arabic,** gomme arabique; **gum tree,** gommier; *v.* gommer.

gun [gœn] *s.* fusil; canon, m.; arme à feu, f.; *v.* mettre les gaz; **assault gun,** canon de 75; **automatic gun,** fusil automatique; **camera gun,** mitrailleuse photographique; **machine gun,** mitrailleuse; **submachine gun,** mitraillette; **gunboat,** canonnière; **gun carriage,** affût de canon; **gunfire,** canonnade; **gunshot,** coup de canon. || **gunner** [-er] *s.* pointeur; mitrailleur; artilleur, m.

gurgle [gë̌rg'l] *s.* glouglou; gargouillement, m.; *v.* gargouiller.

gush [gœsh] *s.* jaillissement, m.;

effusion, f.; v. jaillir; couler à flots; se répandre en effusions.
gusset [gœsit] s. gousset, m.
gust [gœst] s. rafale, f.; **gusty**, de grand vent.
gut [gœt] s. boyau; intestin, m.; tripe, f.; v. vider, déboyauter; *to have guts*, avoir du cran.
gutter [gœt^er] s. gouttière, rigole, f.; ruisseau [street], m.
guttural [gœt^er^el] *adj.* guttural.
guy [ga^i] s. hauban; étai, m.
guy [ga^i] s. type, individu; épouvantail, m.
guzzle [gœz'l] v. ingurgiter; boire avidement.
gymnasium [djimné^izi^em] s. gymnase, m. || **gymnastics** [djimnastiks] s. gymnastique, f.
gyrate [dja^iré^it] v. tournoyer. || **gyration** [dja^iré^ish^en] s. giration, f. || **gyroplane** [dja^ir^eplèn] s. hélicoptère, m.
gypsy [djipsi] s. gitan, m.; gitane, f.

H

haberdasher [hab^erdash^er] s. mercier; chemisier, m. || **haberdashery** [-ri] s. mercerie, f.
habit [habit] s. habitude, coutume, f.; habillement; costume, m.; **drug habit**, toxicomanie.
habitual [h^ebitshou^el] *adj.* habituel. || **habituate** [h^ebitshoué^it] v. habituer; accoutumer.
hack [hak] s. fiacre; cheval de louage; mercenaire, m.; rosse, f.; **hack-writer**, nègre.
hack [hak] s. pioche; entaille, coche, f.; v. hachurer, ébrécher; toussoter.
hackneyed [haknid] *adj.* rebattu; commun, banal.
had [had] *pret., p. p. of* **to have.**
haft [haft] s. manche d'outil ou d'arme blanche, m.
hag [hag] s. sorcière, f.
haggard [hag^erd] *adj.* hagard; farouche; livide.
haggle [hag'l] v. marchander; disputer.
hail [hé^il] s. salut; appel, m.; v. saluer; héler; *Hail Mary*, Ave Maria.
hail [hé^il] s. grêle, f.; grésil, m.; v. grêler; **hailstone**, grêlon.
hair [hè^er] s. cheveu; poil, m.; chevelure, f.; crin; filament, m.; **hairbrush**, brosse à cheveux; **haircut**, coupe de cheveux; **hair net**, filet à cheveux. || **hairdo** [hè^erdou] s. coiffure, f. || **hairdresser** [hè^erdrès^er] s. coiffeur, m. || **hairless** [hè^erlis] *adj.* chauve; sans poil. || **hairpin** [hè^erpin] s. épingle à cheveux, f. || **hairy** [hè^eri] *adj.* chevelu; poilu; hirsute.
hale [hé^il] *adj.* robuste; sain; en bon état.
half [haf] (*pl.* **halves** [havz]) s. moitié; demie, f.; *adj.* demi; **half-breed**, métis; **half brother**, demi-frère; **half-hearted**, peu généreux, peu enthousiaste; **half-hour**, demi-heure; **half-open**, entrebaillé; **half-sister**, demi-sœur; **halfway**, à mi-chemin; *one hour and a half*, une heure et demie; *too short by half*, moitié trop court.
halibut [hal^eb^et] s. flétan, m.
hall [haul] s. salle, f.; hall; vestibule: édifice public, m.; **town hall**, hôtel de ville; **hallmark**, estampille. garantie des bijoux.
hallo, *see* **hello.**
hallow [halo^ou] v. sanctifier; consacrer; s. saint, m.; **All-Hallows**, Toussaint; **Hallowe'en**, vigile de la Toussaint.
hallucination [h^elous'né^ish^en] s. hallucination, f.
halo [hé^ilo^ou] s. halo, m.; auréole, f.
halt [hault] s. halte; station, f.; arrêt, m.; v. faire halte; arrêter.
halt [hault] s. boitement, m.; v. boiter; *adj.* boiteux; **halting**, claudicant, éclopé.
halter [haulter^er] s. licou, m.; hart, f.
halve [hav] v. partager en deux. || **halves** [-z] *pl. of* **half.**
ham [ham] s. jambon; jarret, m.
hamlet [hamlit] s. hameau, m.
hammer [ham^er] s. marteau; percuteur; chien de fusil, m.; v. marteler; forger; enfoncer; **drop hammer**, marteau-pilon; **sledge hammer**, marteau de forgeron; **hammerless**, sans chien [gun].

hammock [hamᵉk] *s.* hamac, m.

hamper [hàmpᵉʳ] *s.* panier, m.; manne, f.

hamper [hàmpᵉʳ] *v.* gêner, entraver.

hand [hànd] *s.* main; écriture; signature; part; aiguille [watch], f.; ouvrier; jeu [cards]; côté [side], m.; *v.* passer, donner; *to hand in,* remettre; *to hand on,* transmettre; *at hand,* sous la main; *hands up,* haut les mains; *on the one hand,* d'une part; *on the right hand side,* à droite; *to hand about,* faire passer; **handbag,** sac à main; **handsel,** étrenne, denier à Dieu. || **handball** [-baul] *s.* balle, pelote, f. || **handbill** [-bil] *s.* prospectus, m. || **handcuff** [-kœf] *v.* mettre les menottes; *s. pl.* menottes, f. || **handful** [-fᵉl] *s.* poignée, f. || **handicap** [-ikap] *s.* handicap, obstacle, m.; *v.* handicaper. || **handiwork** [-wërk] *s.* ouvrage manuel, m. || **handkerchief** [hàngkᵉʳtshif] *s.* mouchoir, m. || **handle** [hànd'l] *s.* manche; bouton [door]; bras [wheelbarrow], m.; poignée [sword]; brimbale [pump]; queue [pan]; anse [basket]; manivelle; manette (mech.), f.; *v.* manier; traiter; palper; manipuler; faire commerce de. || **handmade** [hàndméⁱd] *adj.* fait à la main. || **handrail** [-réⁱl] *s.* rampe, f.; garde-fou, m. || **handshake** [-shéⁱk] *s.* poignée de main, f. || **handwheel** [-hwil] *s.* volant, m. || **handwriting** [-wraⁱting] *s.* écriture, f. || **handy** [-i] *adj.* proche, sous la main; adroit; commode; maniable.

hang [hàng] *v.** pendre, suspendre; accrocher; tapisser; baisser [head]; être pendu, suspendu; *s.* chute, inclinaison; tendance, f.; *to hang back,* hésiter; *to hang on,* tenir bon; *to hang over,* surplomber.

hangar [hàngᵉʳ] *s.* hangar, m.

hanger [hàngᵉʳ] *s.* crochet; croc; portemanteau; bourreau; coutelas, || **hanging** [hànging] *s.* pendaison, m.; **paper-hanger,** tapissier. tenture; tapisserie; pose de papiers; suspension, f.; montage, m.; *adj.* pendant. || **hangman** [hàngmᵉn] *s.* bourreau, m.

hank [hàngk] *s.* écheveau, m.

hanker [hàngkᵉʳ] *v.* désirer, aspirer (*for,* à).

haphazard [haphazᵉʳd] *adv.* au hasard, à l'aventure; *adj.* accidentel, fortuit.

hapless [haplis] *adj.* infortuné; malchanceux. || **haply** [-li] *adv.* par hasard.

happen [hapᵉn] *v.* arriver; advenir; survenir; *to happen upon,* trouver par hasard; *if you happen to go,* s'il vous arrive d'y aller. || **happening** [-ing] *s.* événement, m.

happily [hap'li] *adv.* heureusement. || **happiness** [hapinis] *s.* bonheur, m.; félicité, f. || **happy** [hapi] *adj.* heureux; fortuné; **happy-go-lucky,** sans souci.

harangue [hᵉràng] *s.* harangue, f.; *v.* haranguer.

harass [harᵉs] *v.* harasser; harceler (mil.); épuiser.

harbo(u)r [hârbᵉʳ] *s.* port; havre; asile; refuge; abri, m.; *v.* héberger; abriter. || **harbo(u)rage** [-ridj] *s.* hospitalité, f.; refuge, m.

hard [hârd] *adj.* dur; difficile; pénible; rude; ferme; ardu; *adv.* durement; fermement; péniblement; violemment; **hard drink,** boisson alcoolique; **hard labo(u)r,** travaux forcés; **hard luck,** mauvais sort; **hard-working,** laborieux; *hard of hearing,* dur d'oreille; *hard up,* gêné; *hard by,* tout près. || **harden** [-'n] *v.* durcir; endurcir; indurer; scléroser (med.); tremper [steel]; se raidir. || **hardening** [-'ning] *s.* durcissement; endurcissement, m.; sclérose (med.); trempe [metal], f. || **hardly** [-li] *adv.* difficilement; avec peine; à peine; guère. || **hardness** [-nis] *s.* dureté; fermeté; solidité; rigueur; difficulté, f. || **hardship** [-ship] *s.* fatigue; épreuve; privation; souffrance, f. || **hardtack** [-tak] *s. Am.* biscuit de mer, m. || **hardware** [-wèᵉʳ] *s.* quincaillerie, f.; **hardwareman,** quincailler.

hardy [hârdi] *adj.* robuste; hardi, audacieux.

hare [hèᵉʳ] *s.* lièvre, m.; **harebell,** campanule; **hare-brained,** écervelé; **harelip,** bec-de-lièvre.

harlot [hârlᵉt] *s.* prostituée, f.

harm [hârm] *s.* tort, dommage; mal, m.; *v.* faire du mal à; faire tort à. || **harmful** [-fᵉl] *adj.* malfaisant; nuisible; préjudiciable. || **harmless** [-lis] *adj.* innocent; inoffensif. || **harmlessness** [-lisnis] *s.* innocence; innocuité, f.

harmonic [hârmânik] *adj.*, *s.* harmonique. || **harmonious** [hârmoºuniºs] *adj.* harmonieux. || **harmonize** [hârmºnaⁱz] *v.* (s')harmoniser; concorder. || **harmony** [hârmºni] *s.* harmonie, f.
harness [hârnis] *s.* harnais; harnachement, m.; *v.* harnacher; **parachute harness**, ceinture de parachute; *to get back into harness*, reprendre le collier; **harness maker**, sellier.
harp [hârp] *s.* harpe, f.; *v.* jouer de la harpe; *to harp on one string*, rabâcher toujours la même chose.
harpoon [hârpoun] *s.* harpon; obus de baleinier, m.; *v.* harponner.
harrow [haroºu] *s.* herse, f.; *v.* herser; tourmenter. || **harrowing** [-ing] *adj.* déchirant; horripilant.
harry [hari] *v.* harceler; molester; ravager.
harsh [hârsh] *adj.* âpre; rude; rigoureux; discordant [sound]. || **harshness** [-nis] *s.* rudesse; âpreté; rigueur; dureté, f.
harvest [hârvist] *s.* récolte; moisson, f.; *v.* moissonner; récolter.
hash [hash] *s.* hachis, m.; *v.* hacher.
haste [héⁱst] *s.* hâte; précipitation, f.; *to make haste*, se dépêcher. || **hasten** [héⁱs'n] *v.* (se) hâter; accélérer. || **hastily** [héⁱstli] *adv.* à la hâte. || **hasty** [héⁱsti] *adv.* hâtif; improvisé; ébauché; inconsidéré; violent; précipité.
hat [hat] *s.* chapeau, m.; **hatmaker**, chapelier; **hat-peg**, patère.
hatch [hatsh] *s.* éclosion; couvée, f.; *v.* éclore; couver; machiner.
hatch [hatsh] *s.* porte coupée; écoutille (naut.), f.
hatchet [hatshit] *s.* hachette, f.
hate [héⁱt] *s.* haine; aversion, f.; *v.* haïr, détester. || **hateful** [-fºl] *adj.* haïssable, exécrable; détestable. || **hatred** [-rid] *s.* haine, f.
haughtily [haut'li] *adv.* avec hauteur. || **haughtiness** [hautinis] *s.* hauteur, arrogance, f. || **haughty** [hauti] *adj.* hautain; altier; arrogant.
haul [haul] *v.* haler; remorquer; traîner; transporter; *s.* traction; aubaine, f.; transport, m.
haunch [hauntsh] *s.* hanche, f.; train de derrière; quartier de venaison, m.
haunt [haunt] *v.* hanter; fréquenter; *s.* rendez-vous; repaire, m.; **haunted house**, maison hantée.
have [hav] *v.** avoir; posséder; prendre; tenir; contenir; *to have a suit made*, faire faire un complet; *I have come*, je suis venu; *I had better*, je ferais mieux; *you have been had*, on vous a eu; *have him down*, faites-le descendre; *to have it over*, en finir.
haven [héⁱvºn] *s.* havre; port; refuge, asile, m.
havoc [havºk] *s.* ravage; dégât, m.
hawk [hauk] *s.* faucon, m.; *v.* chasser au faucon.
hawk [hauk] *v.* colporter; **hawker**, colporteur.
hawthorn [hauthaurn] *s.* aubépine, f.
hawser [hauzºr] *s.* haussière; amarre, f.; câble de remorque, m.
hay [héⁱ] *s.* foin, m.; herbe sèche, f.; **haycock**, meulon de foin; **hayloft**, fenil; **haymaking**, fenaison; **haystack**, meule de foin.
hazard [hazºrd] *s.* hasard; risque; obstacle; danger, m.; *v.* hasarder, risquer. || **hazardous** [-ºs] *adj.* hasardeux; périlleux.
haze [héⁱz] *s.* brume, f.; **hazy**, brumeux; confus.
hazel [héⁱz'l] *s.* noisetier, m.; *adj.* couleur de noisette; **hazel nut**, noisette.
he [hi] *pers. pron.* il; lui; *he who*, celui qui; *it is he*, c'est lui; *there he is*, le voilà.
head [hèd] *s.* tête, f.; bon sens; bout [table]; chevet [bed]; fond [cask]; titre; chapitre, m.; proue (naut.); source, f.; *v.* conduire; diriger; *adj.* principal, premier; de tête; *heads or tails*, pile ou face; *Am. to be out of one's head*, avoir perdu la tête; *to keep one's head*, conserver son sang-froid; *to head off*, barrer la route à; **headache**, mal de tête; **headdress**, coiffure; **headland**, promontoire, cap (geogr.); **headline**, manchette [newspaper]; **head-office**, bureau central; **head-on**, de front; **headwork**, travail intellectuel. || **heading** [-ing] *s.* en-tête, f.; titre, m. || **headlamp** [-lamp] *s.* phare; projecteur, m. || **headlight** [-laⁱt] *s.* fanal (railw.); phare, m. || **headlong** [-laung] *adv.* précipitamment, témérairement. || **headphone** [-foºun] *s.* casque téléphonique, m. || **head-**

quarters [-kwaurt^er z] s. quartier général; poste de commande, m. || **headrope** [-ro^ou p] s. longe, f. || **headstrong** [-straung] *adj.* têtu; obstiné. || **headway** [-wé^i] s. progrès, m.; avance, f.; *to make headway,* progresser. || **heady** [-i] *adj.* capiteux; impétueux.

heal [hîl] *v.* guérir; cicatriser. || **healing** [-ing] *s.* guérison, f. || **health** [hèlth] *s.* santé, f. || **healthful** [-f^el] *adj.* salubre; sain. || **healthy** [-i] *adj.* sain; en bonne santé; hygiénique.

heap [hîp] *s.* tas; monceau, m.; *v.* amasser; entasser.

hear [hi^er] *v.** entendre; écouter; apprendre; entendre parler (*of*, de); *to hear from,* recevoir des nouvelles de. || **heard** [hë^rd] *pret., p. p. of* **to hear.** || **hearer** [hîr^er] *s.* auditeur, m. || **hearing** [hîring] *s.* audition; audience; ouïe; chose entendue, f.; *to get a hearing,* obtenir audience. || **hearsay** [hîrsé^i] *s.* on-dit, m.; rumeur, f.

hearse [hë^rs] *s.* corbillard, m.

heart [hârt] *s.* cœur; courage; centre; *pl.* cœur [cards], m.; *to one's heart's content,* à cœur joie; *to take to heart,* prendre à cœur. || **heartache** [-é^ik] *s.* chagrin, m.; angoisse, f.; douleur au cœur, f. || **heartbeat** [-bît] *s.* battement de cœur, m. || **heartbroken** [-bro^ou k^en] *adj.* au cœur brisé; navré. || **hearten** [-'n] *v.* encourager. || **heartfelt** [-fèlt] *adj.* cordial, sincère.

hearth [hârth] *s.* foyer; âtre, m.

heartily [hârt'li] *adv.* cordialement; de bon cœur. || **heartless** [-lis] *adj.* sans cœur; insensible; dur. || **heart-rending** [-rènding] *adj.* navrant, déchirant. || **hearty** [-i] *adj.* sincère, cordial; sain; nutritif [food]; substantiel [meal]; sonore [laugh]; *s.* gars de la Marine, m.

heat [hît] *s.* chaleur; colère; surexcitation; période d'activité intense; épreuve éliminatoire [race], f.; *v.* chauffer; réchauffer; s'échauffer; **heat-resistant,** ignifuge. || **heater** [-^er] *s.* réchaud; radiateur, m.

heathen [hîth^en] *adj., s.* païen.

heating [hîting] *s.* chauffage, m.; **central heating plant,** installation de chauffage central.

heave [hîv] *v.* lever; pousser [sigh]; hisser; palpiter [heart]; (se) soulever; virer (naut.); avoir des nausées; *s.* soulèvement; effort, m.

heaven [hèv^en] *s.* ciel, m.; **heavenly** céleste.

heavily [hèv'li] *adv.* pesamment; tristement; fortement. || **heaviness** [hèvinis] *s.* pesanteur; lourdeur; tristesse, f.; accablement, m. || **heavy** [hèvi] *adj.* pesant; lourd; massif [metal]; accablant; abattu [heart]; mauvais [road]; sévère [blame]; **heavy-handed,** maladroit.

hectic [hèktik] *adj.* fébrile; inquiet.

hedge [hèdj] *s.* haie, f.; *v.* entourer d'une haie; user de subterfuges; **hedge-hopping,** rase-mottes; **natural hedge,** haie vive.

hedgehog [hèdjhaug] *s.* hérisson, m.

heed [hîd] *v.* faire attention; prendre garde; *s.* attention, f.; **heedful,** vigilant; **heedless,** étourdi.

heel [hîl] *s.* talon, m.; quignon (bread); *Am.* salaud, m.; *v.* mettre des talons à; *down at the heel,* éculé [shoe]; dans la dèche; *to heel over,* donner de la bande (naut.).

heifer [hèf^er] *s.* génisse, f.

height [ha^it] *s.* hauteur; élévation; altitude, f. || **heighten** [ha^it'n] *v.* augmenter; accroître; intensifier; rehausser, relever.

heinous [hé^in^es] *adj.* atroce; odieux; infâme.

heir [è^er] *s.* héritier, m.; **heirloom,** bijou de famille. || **heiress** [è^eris] *s.* héritière, f.

held [hèld] *pret., p. p. of* **to hold.**

helicopter [hèlikâpt^er] *s.* hélicoptère, m.

helix [hîliks] *s.* spirale; hélice, f.

hell [hèl] *s.* enfer, m.; **hellish,** infernal, diabolique.

hello [hèlo^ou] *interj.* holà; allô.

helm [hèlm] *s.* gouvernail, m.; **helmsman,** timonier.

helmet [hèlmit] *s.* casque, m.

help [hèlp] *s.* aide; secours; personnel assistant, m.; assistance, f.; *v.* aider; secourir; *he cannot help it,* il n'y peut rien; *I cannot help laughing,* je ne peux m'empêcher de rire; *help yourself,* servez-vous [food]. || **helper** [-^er] *s.* aide; assistant, m. || **helpful** [-f^el] *adj.* utile; serviable. || **helping** [-ing] *s.* portion [food]; aide, f. || **helpless** [-lis] *adj.* impuissant;

désemparé; faible; perplexe; inextricable [situation]. || **helplessness** [-lisnis] *s.* faiblesse; impuissance; invalidité; incapacité, f.

hem [hèm] *s.* ourlet; bord, m.; *v.* ourler, border; *to hem in,* cerner.

hem [hèm] *v.* toussoter; faire hum; *interj.* hem! hum!; *to hem and haw,* ânonner.

hemiplegia [hèmiplîdji] *s.* hémiplégie, f.

hemisphere [hèm^{e}sfi^{er}] *s.* hémisphère, m.

hemlock [hèmlâk] *s.* ciguë, f.

hemoptysis [hèmauptisis] *s.* hémoptysie, f.

hemorrhage [hèm^{e}ridj] *s.* hémorragie, f.

hemp [hèmp] *s.* chanvre, m.

hemstitch [hèmstitsh] *s.* point d'ourlet; ourlet à jour, m.; *v.* ourler à jour.

hen [hèn] *s.* poule; femelle d'oiseau, f.; **hen-coop,** cage à poules; **henhouse,** poulailler; **henpecked husband,** mari que sa femme mène par le bout du nez; **henroost,** juchoir.

hence [hèns] *adv.* d'ici, de là; par suite; en conséquence. || **henceforth** [-fo^{ou}rth] *adv.* dorénavant; désormais.

hepatic [hipatik] *adj.* hépatique.

her [hë^{r}] *pron.* elle; la; lui; *adj.* son, sa, ses; à elle, d'elle; *I saw her,* je la vis; *I speak to her,* je lui parle; *she loves her father* elle aime son père; *she lost her senses,* elle a perdu connaissance; *she has cut her finger,* elle s'est coupé le doigt.

herald [hèr^{e}ld] *s.* héraut; messager; précurseur, m.; *v.* proclamer; introduire, annoncer.

heraldry [hèr^{e}ldri] *s.* science héraldique; armoiries, f.

herb [ë^{r}b] *s.* herbe, f.

herd [hë^{r}d] *s.* troupeau, m.; foule, cohue, f.; *the common herd,* le « vulgum pecus »; *v.* réunir; s'attrouper. || **herdsman** [-zm^{e}n] *s.* bouvier, berger.

here [hi^{er}] *adv.* ici; *here and there,* çà et là; *here's to you,* à votre santé; *here we are,* nous voici arrivés. || **hereabout(s)** [-^{e}ba^{ou}t(s)] *adv.* près d'ici, dans ces parages. || **hereafter** [hi^{er}aft^{er}] *adv.* ci-après, ci-dessous; désormais; à l'avenir; *s.* la vie future, f. || **hereby** [hi^{er}ba^{i}] *adv.* par là, par ce moyen; près d'ici, par la présente (comm.).

hereditary [h^{e}rèd^{e}tèri] *adj.* héréditaire; transmissible. || **heredity** [h^{e}rèd^{e}ti] *s.* hérédité, f.

herein [hi^{er}in] *adv.* en ceci, sur ce point; ci-inclus.

heresy [hèr^{e}si] *s.* hérésie, f. || **heretic** [hèr^{e}tik] *adj., s.* hérétique

heretofore [hi^{er}t^{e}fo^{ou}r] *adv.* auparavant, jusqu'ici. || **hereupon** [hi^{er}^{e}pân] *adv.* là-dessus. || **herewith** [hi^{er}with] *adv.* ci-joint; avec ceci; inclus.

heritage [hèr^{e}tidj] *s.* héritage, m.

hermit [hë^{r}mit] *s.* ermite, m.

hernia [hë^{r}ni^{e}] *s.* hernie, f.

hero [hiro^{ou}] *s.* héros, m. || **heroic** [hiro^{ou}ik] *adj.* héroïque. || **heroine** [hèro^{ou}in] héroïne, f. || **heroism** [hèro^{ou}iz^{e}m] *s.* héroïsme, m.

heron [hèr^{e}n] *s.* héron, m.

herring [hèring] *s.* hareng, m.; **red herring,** hareng saur.

hers [hë^{r}z] *poss. pron.* le sien, la sienne, les siens, les siennes, à elle; *s.* ses parents à elle; les siens; *are these books hers?,* ces livres sont-ils à elle?; *it is no business of hers,* cela ne la regarde pas. || **herself** [h^{e}rsèlf] *pron.* elle-même; soi-même; *she cut herself,* elle s'est coupée; *she saw herself in the mirror;* elle se vit dans le miroir; *she was sitting by herself,* elle était assise seule.

hesitate [hèz^{e}té^{i}t] *v.* hésiter; balbutier. || **hesitating** [-ing] *adj* hésitant; indécis; irrésolu. || **hesitatingly** [-ingli] *adv.* avec hésitation. || **hesitation** [hèz^{e}té^{i}sh^{e}n] *s.* hésitation; indécision, f.

hew [hyou] *v.** tailler, couper; abattre [tree]. || **hewn** [hyoun] *p. p. of* **to hew; rough-hewn,** taillé à coups de serpe.

hexagon [hèks^{e}gân] *s.* hexagone, m.

hey [hé^{i}] *interj.* hé! hein!

heyday [hé^{i}dé^{i}] *s.* beaux jours, m.; période florissante, f.

hibernate [ha^{i}b^{e}rné^{i}t] *v.* hiberner: hiverner.

hiccup [hik^{e}p], **hiccough** [hikœp] *s.* hoquet, m.; *v.* avoir le hoquet; hoqueter.

hickory [hik^{e}ri] *s.* hickory; noyer d'Amérique, m.

hid [hid] *pret., p. p. of* **to hide.** || **hidden** [hid'n] *p. p. of* **to hide;**

adj. caché; secret; mystérieux. || **hide** [ha^{i}d] *v.** (se) cacher; enfouir; masquer; couvrir; *to hide from,* se cacher de; *to play hide and seek,* jouer à cache-cache; **hiding-place,** cachette.
hide [ha^{i}d] *s.* peau, f.; cuir, m.; *v.* rosser; **hidebound,** à l'esprit étroit.
hideous [hidi^{e}s] *adj.* hideux.
high [ha^{i}] *adj.* haut; élevé; hautain, fier; faisandé [game]; lointain [antiquity]; puissant [explosive]; violent [wind]; *Am.* ivre (fam.); *adv.* haut, hautement; grandement; fortement; *it is high time that,* il est grand temps que; *to play high,* jouer gros jeu; **high altar,** maître autel; **high-born,** de haute extraction; **high-handed,** despotique; **high-heeled,** à hauts talons; **high-priced,** coûteux; **high-road,** grand-route; **high-sounding,** sonore, ronflant. || **highland** [-l^{e}nd] *s.* terre haute, f.; *the Highlands,* les Montagnes d'Ecosse. || **highly** [-li] *adv.* beaucoup; très; supérieurement; hautement; *highly paid,* très bien payé. || **highness** [-nis] *s.* hauteur; élévation; Altesse [title], f. || **highway** [-wé^{i}] grand-route; voie publique; chaussée, f.; **express highway,** autoroute; **highwayman,** voleur de grand chemin.
hike [ha^{i}k] *s.* marche; excursion à pied, f.; *v.* faire un trajet à pied; trimer (slang).
hill [hil] *s.* colline; butte; montée, f.; monticule; coteau; m.; *up hill and down dale,* par monts et par vaux; **hillock,** mamelon; **hillside,** flanc de coteau; **hilltop,** éminence, cime; **hilly,** accidenté, montagneux.
hilt [hilt] *s.* poignée [sword], f.
him [him] *pron.* le; lui; celui; *I see him,* je le vois; *I speak to him,* je lui parle; *to him who speaks,* à celui qui parle. || **himself** [himsèlf] *pron.* lui-même; soi-même; se; *he finds himself,* il se trouve.
hind [ha^{i}nd], **hinder** [ha^{i}nd^{er}] *adj.* postérieur; de derrière; **hindmost,** dernier, ultime.
hind [ha^{i}nd] *s.* biche, f.
hinder [hind^{er}] *v.* empêcher; gêner; retarder. || **hindrance** [-r^{e}ns] *s.* empêchement; obstacle (*to,* à), m.
hinge [hìndj] *s.* gond, m.; charnière, f.; principe essentiel, m.; *v.* tourner sur des gonds, sur une charnière; *to be off one's hinges,* être hors de ses gonds; *to hinge on,* dépendre de.
hint [hìnt] *s.* suggestion; allusion, f.; *v.* insinuer; faire allusion; suggérer; *to take the hint,* comprendre à demi-mot.
hip [hip] *s.* hanche, f.; *hip-joint disease,* coxalgie; **hipbone,** os iliaque.
hippodrome [hip^{e}dro^{ou}m] *s.* hippodrome, m.
hippopotamus [hip^{e}pât^{e}m^{e}s] *s.* hippopotame, m.
hire [ha^{ier}] *s.* louage; gages, m.; location, f.; *v.* louer; engager; soudoyer; **hireling,** mercenaire.
his [hiz] *poss. pron.* son, sa, ses; le sien, la sienne, les siens, les siennes, à lui; *it is his,* c'est le sien, c'est à lui; *he has broken his leg,* il s'est cassé la jambe.
hiss [his] *s.* sifflement; sifflet, m.; *v.* siffler.
historian [histo^{ou}ri^{e}n] *s.* historien, m. || **historic(al)** [histaurik'l] *adj.* historique. || **history** [histri] *s.* histoire, f.
hit [hit] *v.** frapper; heurter; toucher [target]; atteindre [mark]; convenir (*with,* à); *s.* coup; choc, m.; trouvaille; touche; réussite, f.; *to hit the mark,* toucher juste; *to hit upon,* tomber sur; *to hit back,* rendre coup pour coup; **direct hit,** coup au but; **great hit,** succès fou.
hitch [hitsh] *s.* accroc; obstacle; nœud, m.; anicroche, f.; *v.* (s')accrocher; amarrer; empêtrer; sautiller, boiter; **hitch hiking,** autostop.
hither [hizh^{er}] *adv.* ici; **hitherto,** jusqu'ici.
hive [ha^{i}v] *s.* ruche, f.
hives [ha^{i}vz] *s. pl. Am.* éruption, f.; urticaire (med.), m.
hoar [ho^{ou}r] *adj.* bland, chenu; **hoar-frost,** gelée blanche.
hoard [ho^{ou}rd] *s.* tas; trésor, magot, m.; *v.* accumuler; thésauriser.
hoarse [ho^{ou}rs] *adj.* enroué, rauque. || **hoarseness** [-nis] *s.* enrouement, m.
hoax [ho^{ou}ks] *s.* mystification; attrape, f.; *v.* mystifier.
hob [hâb] *s.* plaque; matrice (mech.), f.; clou [shoe], m.
hobble [hâb'l] *v.* clopiner; entraver; *s.* clopinement, m.; entrave, difficulté, f.

hobby [hâbi] *s.* dada, m.; marotte, f.
hobo [ho^{ou}bo^{ou}] *s.* vagabond; clochard, m.
hock [hâk] *s.* jarret, m.; *v.* couper le jarret [horse].
hockey [hâki] *s.* hockey, m.
hocus-pocus [ho^{ou}k^{e}s-po^{ou}k^{e}s] *s.* tour de passe-passe, m.
hod [hâd] *s.* auge, augette, f.; oiseau [tool], m.
hoe [ho^{ou}] *s.* houe, binette, f.; *v.* sarcler.
hodgepodge [hâdjpâdj] *s.* méli-mélo, salmigondis, m.
hog [hâg] *s.* cochon, porc; dos de chat (aviat.); goret (naut.), m.; *v.* manger gloutonnement; **hoggish**, sale, glouton; **hogherd**, porcher; **hog-pen**, étable à cochons; **hogshead**, barrique.
hoist [ho^{i}st] *s.* grue, f.; *v.* hisser; arborer [flag].
hold [ho^{ou}ld] *v.** tenir; contenir; détenir, retenir; se maintenir; durer; endurer; être d'avis; demeurer; *s.* prise; garde; place forte; cale (naut.), f.; appui, soutien, m.; *to hold down*, empêcher de monter; *to hold fast*, tenir bon; *to hold off*, tenir à distance; *to hold good*, demeurer valable; *to hold out*, tenir jusqu'au bout; *to hold with*, être du parti de; *to hold on*, s'accrocher; *to catch hold of*, s'emparer de; *to let go one's hold*, lâcher prise. || **holder** [-^{er}] *s.* teneur; détenteur; support; tenancier; porteur (comm.); titulaire, m.; **penholder**, porte-plume. || **holding** [-ing] *s.* possession; terre affermée, f. || **holdup** [-œp] *s.* attaque à main armée, f.; embarras, m.
hole [ho^{ou}l] *s.* trou; creux, m.; cavité, f.; *v.* trouer; **air hole**, trou d'air; *to be in a hole*, être dans le pétrin.
holiday [hâl^{e}dé^{i}] *s.* jour de fête; jour férié; congé, m.; vacances, f.
holiness [ho^{ou}linis] *s.* sainteté, f.
Holland [hâl^{e}nd] *s.* Hollande, f.
hollow [hâlo^{ou}] *adj.* creux; vide; trompeur; *s.* creux; vallon, m.; *v.* creuser; excaver.
holly [hâli] *s.* houx, m.
hollyhock [hâlihâk] *s.* rose trémière.
holster [ho^{ou}lst^{er}] *s.* étui [revolver], m.; sacoche, f.
holy [ho^{ou}li] *adj.* saint; sacré; bénit [water].
home [ho^{ou}m] *s.* logis; pays; foyer, m.; demeure; habitation; patrie; f.; *at home*, chez soi; *to come home*, rentrer chez soi; *make yourself at home*, faites comme chez vous; *to hit home*, frapper juste; **homeland**, terre natale; **homeless**, sans maison; apatride; **homelike**, commode; **homely**, familier; domestique; *Am.* laid, moche; **home-made bread**, pain de ménage; **home office**, bureau central; **homesick**, nostalgique; **homesickness**, mal du pays; **homespun**, étoffe de fabrication domestique; **homestead**, château, propriété; **homeward**, vers la maison; vers le pays, **homeward voyage**, voyage de retour.
homicide [hâm^{e}sa^{i}d] *s.* homicide; assassin, meurtrier, m.
homing [ho^{ou}ming] *s.* vol de rentrée (aviat.), m.; **homing mechanism**, radiogoniomètre; **homing pigeon**, pigeon voyageur.
homogeneous [ho^{ou}m^{e}djini^{e}s] *adj.* homogène.
hone [ho^{ou}n] *s.* pierre à rasoir; pierre à aiguiser, f.; *v.* repasser [razor]; affiler; affuter.
honest [ânist] *adj.* honnête; probe; sincère; loyal et marchand [goods]. || **honestly** [-li] *adv.* honnêtement; loyalement; sans fraude. || **honesty** [-i] *s.* honnêteté; loyauté; probité, f.
honey [hâni] *s.* miel, m.; *v.* sucrer; flatter; *honey!*, chéri(e)! || **honeycomb** [-ko^{ou}m] *s.* rayon de miel; filtre à alvéoles, m.; **honeycombed**, criblé; gaufré. || **honeyed** [-id] *adj.* mielleux; doux. || **honeymoon** [-moun] *s.* lune de miel, f.; *v.* passer sa lune de miel. || **honeysuckle** [-sœk'l] *s.* chèvrefeuille, m.
honk [haungk] *s.* coup de klaxon, m.; *v.* klaxonner.
hono(u)r [ân^{er}], *s.* honneur, m.; *v.* honorer. || **hono(u)rable** [ân^{e}r^{e}b'l] *adj.* honorable. || **honorary** [ân^{e}r^{e}ri] *adj.* honoraire; d'honneur; bénévole; honorifique.
hood [houd] *s.* coiffe; capote, f.; capot [auto]; chapeau (mech.), m.; *v.* encapuchonner; **hoodwink**, bander les yeux; jeter de la poudre aux yeux.
hoof [houf] *s.* sabot [horse], m.; **hoofed**, ongulé.
hook [houk] *s.* croc; crochet; crampon; hameçon, m.; agrafe, f.; *v.*

accrocher; agrafer; attraper [fish]; *by hook and by crook*, par tous les moyens; *to hook it*, décamper; *on his own hook*, pour son propre compte. || **hooky** [-i] *adj.* crochu; *Am. to play hooky*, faire l'école buissonnière.

hoop [houp] *s.* cerceau; cercle; arceau [croquet], m.; jante [wheel]; crinoline; frette (techn.), f.; *v.* cercler; fretter.

hoot [hout] *v.* huer; hululer; *s.* huée, f.; hululement, m.; **hooting**, huée.

hop [hâp] *s.* saut, sautillement, m.; *v.* sauter à cloche-pied.

hop [hâp] *s.* houblon, m.

hope [hooup] *s.* espérance, f.; espoir, m.; *v.* espérer; *to hope for*, s'attendre à; **hopeful**, optimiste, prometteur; **hopeless**, sans espoir, irrémédiable, incurable; **hopelessness**, désespérance.

horde [hoourd] *s.* horde, f.; *v.* vivre en horde.

horizon [heraizen] *s.* horizon, m. || **horizontal** [haurezânt'l] *adj.* horizontal.

horn [haurn] *s.* corne, f.; klaxon; cor [music], m.; *v.* corner; klaxonner, avertir [car].

hornet [haurnit] *s.* frelon, m.

horrible [haureb'l] *adj.* horrible; **horribly**, horriblement.

horrid [haurid] *adj.* horrible; hideux; affreux.

horrify [haurefai] *v.* horrifier; épouvanter. || **horror** [haurer] *s.* horreur, f.

horse [haurs] *s.* cheval; chevalet, m.; cavalerie, f.; *adj.* de cheval; à chevaux; hippique; **blooded horse**, pur sang; **pack horse**, cheval de bât; **saddle-horse**, cheval de selle; **horse-flesh**, viande de cheval; **horse-fly**, taon; **horse-hair**, crin; **horse race**, course de chevaux; **horse sense**, gros bon sens; **horse shoe**, fer à cheval; **horse-show**, concours hippique; **horse-whip**, cravache, fouet. || **horseman** [-men] *s.* cavalier; écuyer, m.; **horsemanship**, équitation. || **horsepower** [-paouer] *s.* cheval-vapeur, m.; puissance en chevaux, f. || **horseradish** [-radish] *s.* raifort, m.

hose [hoouz] *s.* bas [stockings]; tuyau, m.; canalisation, f.; *men's hose*, chaussettes d'homme. || **hosiery** [hooujri] *s.* bonneterie, f.

hospitable [hâspiteb'l] *adj.* hospitalier. || **hospital** [hâspit'l] *s.* hôpital, m.; infirmerie, f.; **surgical hospital**, ambulance militaire; **hospital train**, train sanitaire. || **hospitality** [hâspitaleti] *s.* hospitalité, f. || **hospitalize** [hâspitlaiz] *v.* hospitaliser.

host [hooust] *s.* armée; multitude, f.

host [hooust] *s.* hôte, m.

host [hooust] *s.* hostie, f.; **sacred host**, hostie consacrée.

hostage [hâstidj] *s.* otage; gage, m.

hostess [hôstis] *s.* hôtesse, f.

hostile [hâst'l] *adj.* hostile; ennemi. || **hostility** [hastileti] *s.* hostilité, inimitié, f.

hot [hât] *adj.* chaud; brûlant; ardent; coléreux; épicé; *it is hot*, il fait très chaud; **white hot**, chauffé à blanc; **hotbed**, couche (hort.); foyer (fig.); **hothouse**, serre chaude; **hot-plate**, réchaud.

hotel [hooutèl] *s.* hôtel, m.; **hotel-keeper**, hôtelier.

hotly [hâtli] *adv.* chaudement; ardemment; violemment; avec véhémence.

hound [haound] *s.* chien courant, m.; *v.* chasser; poursuivre; pister; *pack of hounds*, meute.

hour [aour] *s.* heure, f.; **office hours**, heures de présence, heures de bureau; **hour hand**, aiguille des heures. || **hourly** [-li] *adv.* d'heure en heure; fréquemment; *adj.* horaire; fréquent.

house [haous] *s.* maison; demeure; habitation; salle (theat.); assemblée politique, f.; [haouz] *v.* loger; héberger; donner l'hospitalité à; garer [auto]; **country house**, maison de campagne; **housebreaking**, cambriolage; *Br. the House of Commons*, la Chambre des communes; *Am. the House of Representatives*, la Chambre des représentants. || **household** [haoushoould] *s.* maisonnée, famille, f.; *adj.* domestique; de ménage. || **housekeeper** [haouskiper] *s.* femme de charge; gouvernante; ménagère, f. || **housekeeping** [-kiping] *s.* ménage, m. || **housetop** [-tâp] *s.* toit, m. || **housewife** [-waif] *s.* maîtresse de maison; ménagère; [hœzif] trousse de couture, f. || **housework** [-wërk] *s.* travaux domestiques, m.

hove [hoouv] *pret., p. p. of* **to heave.**

hovel [hœv'l] *s.* cabane, f.; taudis, m.
hover [hœv^{er}] *v.* planer; se balancer; voltiger; rôder (*around*, autour).
how [ha^{ou}] *adv.* comment; comme; à quel degré; **how much** (sing.), **how many** (plur.), combien?; *how far is it?*, à quelle distance est-ce?; *how old are you?*, quel âge avez-vous?; *how long have you been in France?*, depuis quand êtes-vous en France?; any **how**, n'importe comment, quoi qu'il en soit; **anyhow**, de toute façon. || **however** [ha^{ou}èv^{er}] *adv.*, *conj.* de toute façon; cependant; néanmoins; du reste; quelque ... que; si ... que; *however difficult it may be*, quelque difficile que ce soit; *however much*, si fort que.
howitzer [ha^{ou}its^{er}] *s.* obusier, m.
howl [ha^{ou}l] *s.* hurlement [dog, wolf], m.; *v.* hurler; se lamenter.
hub [hœb] *s.* moyeu, m.
hubbub [hœbœb] *s.* tintamarre; boucan, m.
huckster [hœkst^{er}] *s.* revendeur, m.
huddle [hœd'l] *s.* confusion, f.; pêle-mêle, m.; *v.* brouiller; jeter en vrac; fourrer; *to huddle together*, se serrer les uns contre les autres.
hue [hyou] *s.* teinte, nuance, f.
huff [hœf] *s.* accès de colère, m.; *v.* s'emporter; malmener; *to feel (be)huffed*, prendre la mouche.
hug [hœg] *v.* étreindre; serrer; *to hug the wind*, pincer le vent (naut.); *s.* étreinte, f.; embrassement, m.
huge [hyoudj] *adj.* énorme; immense.
hull [hœl] *s.* coque, carène (naut.; aviat.); cosse, gousse, balle, f.; *v.* écosser, décortiquer.
hum [hœm] *v.* bourdonner; fredonner; murmurer; *s.* bourdonnement; fredon, m.; *interj.* hum!
human [hyoum^{e}n] *adj.*, *s.* humain. || **humane** [hyouméin] *adj.* humain, humanitaire. || **humanitarian** [hyouman^{e}tèri^{e}n] *adj.* humanitaire; *s.* philantrope, m. || **humanity** [hyouman^{e}ti] *s.* humanité, f.
humble [hœmb'l] *adj.* humble; modeste; *v.* humilier; abaisser; *to humble oneself*, s'humilier; **humbly**, humblement. || **humbleness** [-nis] *s.* humilité; modestie, f.
humid [hyoumid] *adj.* humide. || **humidity** [hyoumid^{e}ti] *s.* humidité, f.
humiliate [hyoumiliéit] *v.* humilier. || **humiliation** [hyoumiliéish^{e}n] *s.* humiliation, f. || **humility** [hyoumil^{e}ti] *s.* humilité, f.
hummingbird [hœmingbë^{r}d] *s.* oiseau-mouche, m.
hummock [hœm^{e}k] *s.* monticule, m.
humo(u)r [hyoum^{er}] *s.* humeur; disposition, f.; caprice; humour, m.; *out of humo(u)r*, de mauvaise humeur; *v.* complaire à; flatter; se prêter à; suivre l'humeur de. || **humo(u)rous** [-r^{e}s] *adj.* humoristique; fantasque; comique.
hump [hœmp] *s.* bosse, f.; dos d'âne [road]; dos de chat (aviat.), m.; *v.* courber; arquer; cambrer.
hunch [hœntsh] *s.* bosse, f.; gros morceau; chanteau [bread]; *Am.* pressentiment, m.; *v.* arrondir, voûter. || **hunchback** [-bak] *s.* bossu, m.
hundred [hœndr^{e}d] *adj.* cent; *s.* centaine, f. || **hundredth** [-th] *adj.* centième.
hung [hœng] *pret.*, *p. p. of* **to hang**.
Hungarian [hœnggèri^{e}n] *adj.*, *s.* hongrois. || **Hungary** [hœng^{e}ri] *s.* Hongrie, f.
hunger [hœngg^{er}] *s.* faim, f.; *v.* avoir faim; désirer ardemment. || **hungrily** [-grili] *adv.* avidement; voracement. || **hungry** [-gri] *adj.* affamé; *to be hungry*, avoir faim.
hunk [hœngk] *s.* gros morceau; quignon [bread], m.
hunt [hœnt] *s.* chasse; poursuite; meute, f.; *v.* chasser; poursuivre; chercher; *to hunt down*, traquer. || **hunter** [-^{er}] *s.* chasseur; cheval de chasse, m. || **huntsman** [-sm^{e}n] *s.* chasseur, m.
hurdle [hë^{r}d'l] *s.* claie; clôture, f.; obstacle, m.; *v.* clôturer; sauter un obstacle.
hurl [hë^{r}l] *v.* jeter, lancer.
hurly-burly [hë^{r}libë^{r}li] *s.* tumulte, tohu-bohu, m.
hurrah [h^{e}rau] *interj.* hourra; *v.* pousser des vivas.
hurricane [hërikéin] *s.* ouragan, m.
hurried [hërid] *adj.* précipité; hâtif; **hurriedly**, précipitamment. || **hurry** [hëri] *s.* hâte, précipitation, f.; *v.* presser; (se) hâter; *to be in a hurry*, être pressé; *there is no hurry*, ça ne presse pas.
hurt [hë^{r}t] *v.** faire mal à; nuire à; offenser; endommager; *s.* mal; préjudice; dommage, m.; blessure, f.;

my tooth hurts me, j'ai mal à une dent; *pret., p. p. of* to **hurt.** || **hurter** [-^{e}r] *s.* heurtoir, m.

husband [hœzb^{e}nd] *s.* mari; époux, m.; *v.* économiser; marier. || **husbandry** [-ri] *s.* économie; agriculture, f.

hush [hœsh] *v.* se taire; faire taire; *s.* silence, m.; *interj.* chut!; *to hush up a scandal,* étouffer un scandale; **hush-money,** argent obtenu par chantage.

husk [hœsk] *s.* cosse; gousse; écale; pelure; peau, f.; brou [nut], m.; *v.* éplucher [corn]; monder [barley]; écosser; écaler.

husky [hœski] *adj.* enroué; robuste, solide.

hustle [hœs'l] *v.* bousculer; presser; précipiter; *Am.* se presser; travailler dur; *s.* activité; hâte; presse; énergie; vigueur, f.

hut [hœt] *s.* hutte; cabane, f.; baraquement, m.; *forester's hut,* maison forestière.

hutch [hœtsh] *s.* huche, f.; clapier, m.

hyacinth [ha^{i}^{e}sinth] *s.* jacinthe, f.

hydrant [ha^{i}dr^{e}nt] *s.* bouche à incendie, f.

hydraulic [ha^{i}draulik] *adj.* hydraulique.

hydrogen [ha^{i}dr^{e}dj^{e}n] *s.* hydrogène, m.

hydroplane [haidr^{e}plé^{i}n] *s.* hydravion, m.

hygiene [ha^{i}djin] *s.* hygiène, f.

hymn [him] *s.* hymne, f.

hyphen [ha^{i}f^{e}n] *s.* trait d'union, m.

hypocrisy [hipâkr^{e}si] *s.* hypocrisie, f. || **hypocrite** [hipâkrit] *s.* hypocrite, m.

hypothesis [ha^{i}pâth^{e}sis] *s.* hypothèse, f.

hypothecate [ha^{i}pâth^{e}ké^{i}t] *v.* hypothéquer.

hysteria [histiri^{e}] *s.* hystérie, f. || **hysterics** [histèriks] *s.* crise de nerfs, f. || **hysterical** [histèrik'l] *adj.* hystérique; nerveux.

I

I [a^{i}] *pron.* je; moi.

ice [a^{i}s] *s.* glace; crème glacée, f.; *v.* glacer, frapper [wine]; congeler; **ice bag,** vessie à glace; **iceberg,** iceberg; **ice box,** glacière; **ice-cream,** glace; **icefloe,** banquise; **ice-pail,** seau à glace; **ice-pick,** piolet. || **icicle** [a^{i}sik'l] *s.* glaçon, m. || **icy** [a^{i}si] *adj.* glacé; congelé; glacial.

idea [a^{i}di^{e}] *s.* idée, f.

ideal [a^{i}di^{e}l] *adj., s.* idéal. || **idealism** [a^{i}di^{e}liz^{e}m] *s.* idéalisme, m. || **idealist** [a^{i}di^{e}list] *s.* idéaliste, m. || **idealistic** [aidi^{e}listik] *adj.* idéaliste.

identical [a^{i}dèntik'l] *adj.* identique. || **identification** [a^{i}dènt^{e}f^{e}ké^{i}sh^{e}n] *s.* identification; identité, f. || **identify** [a^{i}dènt^{e}fa^{i}] *v.* identifier. || **identity** [a^{i}dènt^{e}ti] *s.* identité, f.

idiom [idi^{e}m] *s.* idiome; idiotisme, m.

idiot [idi^{e}t] *s.* idiot, m. || **idiotic** [idiâtik] *adj.* idiot.

idle [a^{i}d'l] *adj.* oisif; désœuvré; futile; paresseux; *s.* ralenti, m.; *v.* paresser; flâner; tourner au ralenti, à vide (mech.). || **idleness** [-nis] *s.* oisiveté; paresse; futilité, f.; désœuvrement, m. || **idler** [-^{e}r] *s.* fainéant; flâneur; oisif, m.; roue folle (mech.), f.

idol [a^{i}d'l] *s.* idole, f. || **idolatry** [a^{i}dâl^{e}tri] *s.* idolâtrie, f. || **idolize** [a^{i}d'la^{i}z] *v.* idolâtrer.

idyl [a^{i}d'l] *s.* idylle, f.

if [if] *conj.* si; *as if,* comme si; *if not,* sinon.

ignite [igna^{i}t] *v.* allumer; mettre le feu à; prendre feu. || **igniter** [-^{e}r] *s.* allumeur; moyen d'allumage, m. || **ignition** [ignish^{e}n] *s.* allumage, m.; ignition, f.; **ignition plug,** bougie.

ignoble [igno^{ou}b'l] *adj.* ignoble; abject; vil, bas.

ignorance [ign^{e}r^{e}ns] *s.* ignorance, f. || **ignorant** [ign^{e}r^{e}nt] *adj.* ignorant. || **ignore** [igno^{ou}r] *v.* ne pas admettre; prétendre ignorer; dédaigner; ne pas tenir compte de; ordonner un non-lieu (jur.).

ill [il] *adj.* malade; mauvais; impropre; *adv.* mal; *s.* mal; malheur, m.; **ill-advised,** malavisé; **illbred,** mal élevé; **ill-clad,** mal vêtu; **ill-humo(u)red,** mal luné; **ill-mannered,** sans gêne, discourtois.

illegal [ilig'l] *adj.* illégal; illicite.
illegible [ilèdjeb'l] *adj.* illisible.
illegitimate [ilidjitemit] *adj.* illégitime; bâtard; naturel [son].
illicit [ilisit] *adj.* illicite.
illiterate [iliterit] *adj., s.* illettré; analphabète.
illness [ilnis] *s.* maladie, f.
illogical [ilâdjik'l] *adj.* illogique.
illuminate [iloumenéit] *v.* illuminer; éclaircir; enluminer; colorier. || **illumination** [iloumenéishen] *s.* illumination; enluminure, f.; éclairage, m.
illusion [iloujen] *s.* illusion, f. || **illusive** [ilousiv] *adj.* illusoire; fallacieux. || **illusory** [ilouseri] *adj.* illusoire.
illustrate [ilestréit] *v.* illustrer; démontrer; embellir. || **illustration** [ilestréishen] *s.* illustration; gravure; explication, f. || **illustrator** [ilestréiter] *s.* illustrateur, m. || **illustrious** [ilœstries] *adj.* illustre, glorieux; brillant.
image [imidj] *s.* image; ressemblance, f.; symbole, m. || **imagery** [-ri] *s.* images; imaginations, f. pl. || **imaginary** [imadjenèri] *adj.* imaginaire. || **imagination** [imadjenéishen] *s.* imagination, f. || **imaginative** [imadjenéitiv] *adj.* imaginatif. || **imagine** [imadjin] *v.* (s')imaginer; supposer.
imbibe [imbaib] *v.* absorber; s'imbiber; se pénétrer de.
imbricate [imbrikéit] *v.* imbriquer.
imbue [imbyou] *v.* imprégner; pénétrer (*with*, de).
imitate [imetéit] *v.* imiter. || **imitation** [imetéishen] *s.* imitation; copie, f. || **imitator** [imetéiter] *s.* imitateur, m.
immaculate [imakyelit] *adj.* immaculé, sans tache.
immanent [imenent] *adj.* immanent.
immaterial [imetiriel] *adj.* immatériel; spirituel; sans importance; *it is immaterial to me,* cela m'est égal, cela m'est indifférent.
immature [imetour] *adj.* prématuré; pas mûr.
immediate [imidiit] *adj.* immédiat; proche; direct; **immediately,** immédiatement; directement.
immense [imèns] *adj.* immense. || **immensity** [-eti] *s.* immensité, f.
immerse [imërs] *v.* immerger. || **immersion** [imërshen] *s.* immersion, f.
immigrant [imegrent] *adj., s.* immigrant; immigré. || **immigrate** [imegréit] *v.* immigrer. || **immigration** [imegréishen] *s.* immigration, f.
imminent [imenent] *adj.* imminent.
immobile [imooub'l] *adj.* immobile. || **immobility** [imooubileti] *s.* immobilité, f. || **immobilization** [imooub'lezéishen] *s.* immobilisation, f. || **immobilize** [imooub'laiz] *v.* immobiliser.
immodest [imaudist] *adj.* immodeste, indécent.
immoral [imaurel] *adj.* immoral; licencieux. || **immorality** [imeraleti] *s.* immoralité, f.
immortal [imaurt'l] *adj., s.* immortel. || **immortality** [imaurtaleti] *s.* immortalité, f.
immovable [imouveb'l] *adj.* immobile; inébranlable; insensible; inamovible; immeuble (jur.).
immune [imyoun] *adj.* exempt; dispensé. || **immunity** [-eti] *s.* immunité; dispense, f.
immunize [imyenaiz] *v.* immuniser.
imp [imp] *s.* lutin, m.
impact [impakt] *s.* choc; impact, m.; collision, f.; [impakt] *v.* serrer; presser; *impacted,* encastré.
impair [impèr] *v.* endommager; altérer; diminuer; s'affaiblir; se détériorer. || **impairment** [-ment] *s.* diminution; détérioration, f.
impart [impârt] *v.* faire participer à; faire part de; annoncer [news].
impartial [impârshel] *adj.* impartial. || **impartiality** [impârshaleti] *s.* impartialité, f.
impassable [impaseb'l] *adj.* infranchissable; impraticable.
impassible [impaseb'l] *adj.* impassible.
impassioned [impashend] *adj.* passionné; véhément.
impassive [impasiv] *adj.* impassible, insensible.
impatience [impéishens] *s.* impatience, f. || **impatient** [-ent] *adj.* impatient.
impeach [impîtsh] *v.* accuser; blâmer; contester.
impede [impîd] *v.* empêcher; entraver; retarder. || **impediment** [impèdement] *s.* empêchement; obstacle; embarras, m.
impel [impèl] *v.* pousser; forcer; obliger; activer.

impend [impènd] *v.* être imminent; menacer.
imperative [impèr^etiv] *adj.* impératif; impérieux; urgent; *s.* impératif, m.
imperceptible [imp^ersèpt^eb'l] *adj.* imperceptible.
imperfect [impërfikt] *adj.* imparfait; incomplet; *s.* imparfait, m.
imperial [impiri^el] *adj.* impérial.
imperil [impèr^el] *v.* mettre en danger.
imperious [impiri^es] *adj.* impérieux.
impermeable [impërmi^eb'l] *adj.* imperméable; étanche.
impersonal [impërsn'l] *adj.* impersonnel. || **impersonate** [impërs'néit] *v.* personnifier; jouer le rôle de.
impertinent [impërt'n^ent] *adj.* impertinent; inopportun. || **impertinence** [-t'n^ens] *s.* impertinence; inconvenance, f.
imperturbable [imp^ertërb^eb'l] *adj.* imperturbable.
impervious [impërvi^es] *adj.* impénétrable; insensible; étanche.
impetuous [impètshou^es] *adj.* impétueux. || **impetus** [imp^et^es] *s.* impulsion, f.; entrain, m.
impious [impi^es] *adj.* impie.
implacable [impléik^eb'l] *adj.* implacable.
implant [implànt] *v.* implanter.
implement [impl^em^ent] *s.* outil; ustensile; *pl.* attirail, m.
implicate [impliké^it] *v.* impliquer; envelopper, entortiller.
implore [implo^our] *v.* implorer.
imply [impla^i] *v.* impliquer; sous-entendre; insinuer.
impolite [imp^ela^it] *adj.* impoli.
imponderable [impând^er^eb'l] *adj.* impondérable.
import [impo^ourt] *s.* importation (comm.); importance; signification, f.; [impo^ourt] *v.* importer; signifier. || **importance** [impaurt'ns] *s.* importance, f. || **important** [-t'nt] *adj.* important. || **importer** [-^er] importateur, m.
importunate [impaurtsh^enit] *adj.* importun; [-né^it] *v.* importuner.
impose [impo^ouz] *v.* imposer; en imposer (*upon*, à); *to impose upon*, duper, abuser de; **imposing**, imposant, impressionnant. || **imposition** [imp^ezish^en] *s.* imposition; charge; imposture, f.; abus de confiance, m.
impossibility [impâs^ebil^eti] *s.* impossibilité, f. || **impossible** [impâs^eb'l] *adj.* impossible.
impostor [impâst^er] *s.* imposteur, m. || **imposture** [impastsh^er] *s.* imposture, f.
impotence [imp^et^ens] *s.* impotence, f. || **impotent** [imp^et^ent] *adj.* impotent.
impoverish [impâv^erish] *v.* appauvrir, s'appauvrir.
impregnate [imprègné^it] *v.* imprégner; féconder.
impress [imprès] *s.* empreinte; impression, f.; [imprès] *v.* imprimer; impressionner; empreindre; racoler (mil.). || **impression** [imprèsh^en] *s.* impression; conviction, f. || **impressive** [imprèsiv] *adj.* impressionnant. || **impressment** [imprèsm^ent] *s.* enrôlement forcé, m.; presse (mil.), f.
imprint [imprint] *s.* empreinte; marque de l'éditeur, f.; [imprint] *v.* imprimer; estampiller; appliquer une empreinte.
imprison [impriz'n] *v.* emprisonner. || **imprisonment** [impriz'nm^ent] *s.* emprisonnement, m.; incarcération, f.
improbable [imprâb^eb'l] *adj.* improbable; **improbably**, sans probabilité.
improper [imprâp^er] *adj.* impropre; malséant; inconvenant.
improve [improuv] *v.* améliorer; embellir; faire valoir [land]; (se) perfectionner. || **improvement** [-m^ent] *s.* progrès; perfectionnement, m.; amélioration; culture, f.
improvise [impr^eva^iz] *v.* improviser.
imprudent [improud'nt] *adj.* imprudent; **imprudently**, imprudemment.
impudence [impy^ed^ens] *s.* impudence, f. || **impudent** [-d^ent] *adj.* impudent; insolent.
impulse [impœls] *s.* impulsion; poussée, f.; instinct, m.; *on impulse*, impulsivement. || **impulsion** [impœlsh^en] *s.* impulsion, f.
impunity [impyoun^eti] *s.* impunité, f.
impure [impyour] *adj.* impur; impudique; souillé. || **impurity** [-^eti] *s.* impureté, f.
impute [impyout] *v.* imputer (*to*, à); attribuer (*to*, à).
in [in] *prep.* dans, en; à; de; *adv.*

dedans; *Am.* in-pupil, pensionnaire; *in time*, à temps; *in the morning*, le matin; *to succeed in*, réussir à; *in this way*, de cette manière; *dressed in white*, vêtu de blanc; *one in ten*, un sur dix; *is he in ?*, est-il chez lui, est-il rentré?; *the train is in*, le train est arrivé.

Inability [in^ebil^eti] *s.* incapacité, f.

Inaccessible [in^eksès^eb'l] *adj.* inaccessible.

Inaccurate [inaky^erit] *adj.* inexact.

Inactive [inaktiv] *adj.* inactif; inerte. || **Inactivity** [inaktiv^eti] *s.* inactivité; inertie, f.

Inadequate [inad^ekwit] *adj.* inadéquat; insuffisant; inadapté.

Inadvertent [in^edvë^rt'nt] *adj.* étourdi; involontaire; **inadvertently**, par inadvertance, par mégarde.

Inanimate [inan^emit] *adj.* inanimé.

Inasmuch [in^ezmœtsh] *conj.* dans la mesure où; tant, vu (*as*, que).

Inattentive [in^etèntiv] *adj.* inattentif; distrait.

Inaugurate [inaugy^eréⁱt] *v.* inaugurer; ouvrir.

Inborn [inbaurn] *adj.* inné.

Incandescent [ink^endès'nt] *adj.* incandescent.

Incapable [inkéⁱp^eb'l] *adj.* incapable; inapte. || **Incapacitate** [ink^epas^etéⁱt] *v.* rendre incapable; mettre hors d'état.

Incendiary [insèndi^eri] *adj.*, *s.* incendiaire.

Incense [insèns] *s.* encens, m.; [insèns] *v.* encenser.

Incense [insèns] *v.* irriter; courroucer; exciter.

Incentive [insèntiv] *s.* stimulant, m.

Incessant [insès'nt] *adj.* incessant.

Inch [intsh] *s.* pouce [2^{cm},54], m.; *v.* avancer pas à pas; *to be within an inch of*, être à deux doigts de.

Incident [ins^ed^ent] *s.* incident, m. || **Incidental** [-'l] *adj.* fortuit; accidentel; accessoire; **incidental expenses**, faux frais.

Incinerate [insin^eréⁱt] *v.* incinérer.

Incision [insij^en] *s.* incision, f.

Incite [insaⁱt] *v.* inciter.

Inclination [inkl^enéⁱsh^en] *s.* inclination; inclinaison, f. || **Incline** [inklaⁱn] *s.* inclinaison; pente; oblique, f.; [inklaⁱn] *v.* (s')incliner; pencher; obliquer.

Include [inkloud] *v.* renfermer; inclure; *the tip is included*, le service est compris. || **Inclusive** [inklousiv] *adj.* y compris; inclus.

Incoherent [inko^{ou}hir^ent] *adj.* incohérent; hétéroclite.

Income [inkœm] *s.* revenu, m.; rente, f.; **income tax**, impôt sur le revenu.

Incomparable [inkâmp^er^eb'l] *adj.* incomparable.

Incompatible [ink^empat^eb'l] *adj.* incompatible.

Incompetent [inkâmp^et^ent] *adj.* incompétent; inhabile (jur.).

Incomplete [ink^emplit] *adj.* incomplet, inachevé.

Incomprehensible [ink^emprihèns^eb'l] *adj.* incompréhensible.

Inconsiderate [ink^ensid^erit] *adj.* inconsidéré; irréfléchi.

Inconsistent [ink^ensist^ent] *adj.* inconsistant; inconséquent; incongru.

Inconspicuous [ink^enspikyou^es] *adj.* inapparent; peu en vue; banal.

Inconstant [inkânst^ent] *adj.* inconstant; versatile.

Inconvenience [ink^enviny^ens] *s.* inconvénient; dérangement, m.; incommodité, f.; *v.* incommoder; déranger. || **Inconvenient** [-^ent] *adj.* incommode; gênant.

Incorporate [inkaurp^erit] *adj.* incorporé; associé; [-réⁱt] *v.* (s')incorporer; former une société (comm.); incarner.

Incorrect [ink^erèkt] *adj.* incorrect; inexact.

Increase [inkris] *s.* augmentation, f.; accroissement; gain, m.; [inkris] *v.* augmenter; grandir; accroître. || **Increasingly** [-ingli] *adv.* de plus en plus.

Incredible [inkrèd^eb'l] *adj.* incroyable, inadmissible.

Incredulity [inkr^edoul^eti] *s.* incrédulité, f. || **Incredulous** [inkrèdj^el^es] *adj.* incrédule.

Incriminate [inkrim^enéⁱt] *v.* incriminer.

Incubate [inky^ebéⁱt] *v.* couver (med.); **incubator**, couveuse.

Inculcate [inkœlkéⁱt] *v.* inculquer.

Incur [inkë^r] *v.* encourir; s'exposer à; contracter [debts].

Incurable [inkyour^eb'l] *adj.*, *s.* incurable.

Incursion [inkë^rsh^en] *s.* incursion, f.

Indebted [indètid] *adj.* endetté; redevable (*for*, de).

Indecent [ind*i*s'nt] *adj.* indécent; grossier.
Indeed [indîd] *adv.* en effet; en vérité réellement, vraiment.
Indefinable [indifaⁱn^eb'l] *adj.* indéfinissable
Indefinite [indèfinit] *adj.* indéfini.
Indelible [indèl^eb'l] *adj.* indélébile.
Indelicate [indèl^ekéⁱt] *adj.* indélicat; grossier.
Indemnify [indèmn^efaⁱ] *v.* indemniser. || **Indemnity** [indèmn^eti] *s.* indemnité, f.; dédommagement, m.
Indent [indènt] *v.* denteler; échancrer; commande (comm.); *Am.* aller à la ligne; passer un contrat; *s.* commande (comm.), f.; bon; ordre de réquisition (mil.), m.
Independence [indipènd^ens] *s.* indépendance, f. || **Independent** [-d^ent] *adj.* indépendant.
Indescribable [indiskraⁱb^eb'l] *adj.* indescriptible.
Index [indèks] *s* indice, signe; index; exposant (math.), m.; *v.* répertorier; faire l'index.
India [*i*ndi^e] *s.* Inde, f. || **Indian** [-n] *adj.*, *s.* indien; hindou; **Indian ink**, encre de Chine.
Indicate [*i*nd^ekéⁱt] *v.* indiquer; montrer; marquer. || **Indication** [ind^ekéⁱsh^en] *s.* indication; marque, f.; renseignement. m. || **Indicative** [indik^etiv] *adj.*, *s.* indicatif. || **Indicator** [ind^ekéⁱt^{er}] *s.* indicateur; signalisateur, m.
Indict [indaⁱt] *v.* inculper. || **Indictment** [-m^ent] *s.* inculpation, f.
Indifference [indifr^ens] *s* indifférence apathie, f. || **Indifferent** [-r^ent] *adj.* indifférent; apathique.
Indigenous [indidj^en^es] *adj.* indigène.
Indigent [ind^edj^ent] *adj.* indigent.
Indigestion [ind^edjèstsh^en] *s.* indigestion f.
Indignant [indign^ent] *adj.* indigné. || **Indignation** [indignéⁱsh^en] *s.* indignation, f. || **Indignity** [indign^eti] *s* indignité, f.
Indirect [ind^erèkt] *adj.* indirect; oblique.
Indiscreet [indiskrît] *adj.* indiscret. || **Indiscretion** [indiskréⁱsh^en] *s.* indiscrétion, f.
Indispensable [indispèns^eb'l] *adj.* indispensable.
Indispose [indispo^{ou}z] *v.* indisposer. || **Indisposition** [indisp^ezish^en] *s.* indisposition, f.
Indistinct [indistinkt] *adj.* indistinct; **indistinctness**, vague, manque de netteté.
Individual [ind^evidjou^el] *adj.* individuel; *s.* individu, m. || **Individuality** [ind^evidjoual^eti] *s.* individualité, f.
Indivisible [ind^eviz^eb'l] *adj.* indivisible.
Indoctrinate [indâktrinéⁱt] *v.* endoctriner.
Indolent [ind^el^ent] *adj.* indolent; apathique; nonchalant.
Indomitable [indâmit^eb'l] *adj.* indomptable, intraitable.
Indoor [indo^{ou}r] *adj.* intérieur, domestique. || **Indoors** [-z] *adv.* à l'intérieur; à la maison.
Indorse [indaurs] *v.* endosser; adopter; confirmer; garantir. || **Indorsement** [-m^ent] *s.* endossement [check]; endos, m.; souscription; adhésion; garantie, f. || **Indorser** [-^{er}] *s.* endosseur, m.
Induce [indyous] *v.* induire; persuader; amorcer (mech.). || **Inducement** [-m^ent] *s.* attrait; motif, mobile, m.
Induct [indœkt] *v.* introduire; installer; initier. || **Induction** [indœksh^en] *s.* installation; initiation (mil.); induction (electr.), f.
Indulge [indœldj] *v.* céder à; être indulgent (*to*, pour); s'adonner (*in*, à). || **Indulgence** [-^ens] *s.* indulgence; complaisance, f.; plaisir, m. || **Indulgent** [-^ent] *adj.* indulgent.
Industrial [indœstri^el] *adj.* industriel. || **Industrialist** [-ist] *s.* industriel, m. || **Industrious** [indœstri^es] *adj.* industrieux; laborieux. || **Industry** [indœstri] *s.* industrie; diligence; activité, f.
Inebriate [inîbriit] *s.* ivrogne, m.; [inîbriéⁱt] *v.* enivrer.
Ineffective [in^efèktiv] *adj.* inefficace. || **Inefficiency** [in^efish^ensi] *s.* inefficacité; incompétence, f.
Inequality [inikwâl^eti] *s.* inégalité, f.
Inert [inë^rt] *adj.* inerte. || **Inertia** [inë^rsh^e] *s.* inertie, f.
Inestimable [inèstim^eb'l] *adj.* inestimable, inappréciable.
Inevitable [inèvit^eb'l] *adj.* inévitable ; inéluctable ; fatal.
Inexhaustible [inigzaust^eb'l] *adj.* inépuisable.
Inexpensive [inikspènsiv] *adj.* économique; bon marché.

Inexperience [inikspiriens] *s.* inexpérience, f. || **Inexperienced** [-t] *adj.* inexpérimenté.
Inexplicable [inèksplikeb'l] *adj.* inexplicable.
Inexpressible [inikspr̀èseb'l] *adj.* inexprimable, indicible.
Infallible [infaleb'l] *adj.* infaillible.
Infamous [infemes] *adj.* infâme, ignoble; infâmant.
Infancy [infensi] *s.* bas âge, m. || **Infant** [infent] *s.* petit enfant; bébé; mineur (jur.). || **Infantile** [-tail] *adj.* infantile.
Infantry [infentri] *s.* infanterie, f.
Infect [infèkt] *v.* infecter; contaminer; corrompre. || **Infection** [infèkshen] *s.* infection; contamination, f. || **Infectious** [-shes] *adj.* infectieux; contagieux.
Infer [infër] *v.* déduire, inférer. || **Inference** [infèrens] *s.* déduction, f.
Inferior [infirier] *adj., s.* inférieur. || **Inferiority** [infiriaureti] *s.* infériorité, f.
Infernal [infërn'l] *adj.* infernal.
Infest [infèst] *v.* infester.
Infinite [infenit] *adj., s.* infini.
Infinitive [infinetiv] *adj., s.* infinitif.
Infinity [infineti] *s.* infinité, f.
Infirm [infërm] *adj.* infirme; faible. || **Infirmary** [-eri] *s.* infirmerie, f. || **Infirmity** [-eti] *s.* infirmité, f.
Inflame [infléim] *v.* enflammer; incendier; irriter; échauffer. || **Inflammation** [infleméishen] *s.* inflammation, f.
Inflate [infléit] *v.* gonfler; enfler. || **Inflation** [infléishen] *s.* inflation, f.; gonflement, m.
Inflection [inflèkshen] *s.* inflexion, f.
Inflict [inflikt] *v.* infliger.
Inflow [inflo^ou] *s.* affluence; rentrée [money], f.; afflux, m.
Influence [inflouens] *s.* influence, f.; *v.* influencer; influer. || **Influential** [inflouènshel] *adj.* influent.
Influenza [inflouènze] *s.* grippe, f.
Influx [inflœks] *s.* affluence; invasion, f.; *see* **Inflow**.
Infold [info^ould] *v.* envelopper; embrasser.
Inform [infaurm] *v.* informer; aviser; renseigner; *to inform against*, dénoncer; **informer**, indicateur [police]. || **Informal** [-'l] *adj.* sans cérémonie. || **Information** [infermé^ishen] *s.* **information**; nouvelles; dénonciation, f.; renseignement, m.
Infringe [infrindj] *v.* enfreindre; transgresser; empiéter.
Infuriate [infyouriéit] *v.* exaspérer.
Infuse [infyouz] *v.* infuser; inculquer; remplir (*with*, de).
Ingenious [indjinyes] *adj.* ingénieux. || **Ingenuity** [indjenoueti] *s.* ingéniosité; habileté, f.
Ingenuous [indjènyoues] *adj.* ingénu, naïf, candide.
Ingest [indjèst] *v.* ingérer.
Ingot [inggot] *s.* lingot, m.
Ingratitude [ingratetyoud] *s.* ingratitude, f.
Ingredient [ingridient] *s.* ingrédient, m.
Inhabit [inhabit] *v.* habiter. || **Inhabitant** [-ent] *s.* habitant, m.
Inhale [inhéil] *v.* inhaler; respirer.
Inherent [inhirent] *adj.* inhérent; inné.
Inherit [inhèrit] *v.* hériter. || **Inheritance** [-tens] *s.* héritage, m.
Inhibit [inhibit] *v.* prohiber; interdire; réprimer, refréner. || **Inhibition** [inibishen] *s.* interdiction; inhibition, f.
Inhospitable [inhâspiteb'l] *adj.* inhospitalier.
Inhuman [inhyoumen] *adj.* inhumain.
Inimitable [inimeteb'l] *adj.* inimitable.
Iniquity [inikweti] *s.* iniquité, injustice, f.
Initial [inishel] *adj.* initial; *s.* initiale, f.; *v.* parafer; marquer d'initiales.
Initiate [inishiéit] *v.* initier; instituer; commencer. || **Initiative** [-iv] *s.* initiative, f.
Inject [indjèkt] *v.* injecter. || **Injection** [indjèkshen] *s.* injection, piqûre, f.
Injunction [indjœkshen] *s.* injonction, f.; commandement (jur.), m.
Injure [indjër] *v.* nuire à; léser; blesser; faire mal à; endommager; avarier [goods]. || **Injurious** [indjouries] *adj.* nuisible, préjudiciable. || **Injury** [indjeri] *s.* préjudice; tort; dégât, m.; blessure; avarie, f.
Injustice [indjœstis] *s.* injustice, f.
Ink [ingk] *s.* encre, f.; *v.* encrer; **inkstand, inkwell**, encrier. || **Inkling** [-ling] *s.* indication; idée; notion, f.

in-law [*in*lau] *s.* parent par mariage, m.
Inlay [inlé^i] *v.* incruster; marqueter; [*in*lé^i] *s.* incrustation; marqueterie, f.
Inmate [*in*mé^{i}t] *s.* habitant; pensionnaire; *Am.* prisonnier, m.
Inmost [*in*mo^{ou}st] *adj.* le plus profond, secret, intime.
Inn [in] *s.* auberge, f.
Innate [iné^{i}t] *adj.* inné.
Inner [*in*^{er}] *adj.* intérieur; intime; interne; **Innermost,** *see* **Inmost.**
Inning [*in*ing] *s.* rentrée, f.
Innkeeper [*in*kip^{er}] *s.* aubergiste; hôtelier, m.
Innocence [*in*^{e}s'ns] *s.* innocence, f. || **Innocent** [*in*^{e}s'nt] *adj.* innocent (*of,* de); simple niais.
Innocuous [inâkyou^{e}s] *adj.* inoffensif; **innocuousness,** innocuité.
Innovation [in^{e}vé^{i}sh^{e}n] *s.* innovation, f.
Innuendo [inyouèndo^{ou}] *s.* insinuation malveillante, f.
Innumerable [inyo*u*m^{e}r^{e}b'l] *adj.* innombrable.
Inoculate [inâky^{e}lé^{i}t] *v.* inoculer. || **Inoculation** [inâky^{e}lé^{i}sh^{e}n] *s.* inoculation; vaccination, f.
Inoffensive [in^{e}fènsiv] *adj.* inoffensif, anodin.
Inopportune [inâp^{e}rtyo*u*n] *adj.* inopportun, fâcheux.
Inquire [inkwa^{i}r] *v.* demander; s'enquérir (*about,* de). || **Inquiry** [-i] *s.* question; investigation; enquête, f.; interrogatoire, m. || **Inquisition** [inkw^{e}zish^{e}n] *s.* inquisition; enquête, f. || **Inquisitive** [inkwis^{e}tiv] *adj.* curieux; investigateur.
Inroad [*in*ro^{ou}d] *s.* incursion, f.; empiètement, m.
Insane [insé^{i}n] *adj.* fou; insensé. || **Insanity** [insan^{e}ti] *s.* démence, f.
Insatiable [insé^{i}shi^{e}b'l] *adj.* insatiable.
Inscribe [inskra^{i}b] *v.* inscrire. || **Inscription** [inskripsh^{e}n] *s.* inscription, f.
Insect [*in*sèkt] *s.* insecte, m. || **Insecticide** [insèkt^{e}sa^{i}d] *s.* insecticide, m.
Insecure [insikyo*u*r] *adj.* incertain; dangereux.
Insensible [insèns^{e}b'l] *adj.* insensible; sans connaissance.
Insensitive [insèns^{e}tiv] *adj.* insensible.
Inseparable [insèp^{e}r^{e}b'l] *adj.* inséparable.
Insert [*in*së^{r}t] *s.* insertion, f.; [insë^{r}t] *v.* insérer; intercaler. || **Insertion** [insë^{r}sh^{e}n] *s.* insertion, f.; intercalage; ajout, m.
Inside [*in*sa^{i}d] *s.* intérieur, m.; *adj.* intérieur; interne; *adv.* dedans, à l'intérieur; [insa^{i}d] *prep.* en dedans de.
Insight [*in*sa^{i}t] *s.* perspicacité; intuition, f.; discernement, m.
Insignia [insigni^e] *s. pl.* insignes; emblèmes, m.; *Am.* collar insignia, écussons.
Insignificant [insignif^{e}k^{e}nt] *adj.* insigniflant.
Insinuate [insinyoué^{i}t] *v.* insinuer; sous-entendre.
Insipid [insipid] *adj.* insipide.
Insist [insist] *v.* insister; persister. || **Insistence** [-^{e}ns] *s.* insistance, f. || **Insistent** [-^{e}nt] *adj.* persistant; obstiné.
Insolation [inso^{ou}lé^{i}sh^{e}n] *s.* insolation, f.; coup de soleil, m.
Insolence [*in*s^{e}l^{e}ns] *s.* insolence, f. || **Insolent** [-l^{e}nt] *adj.* insolent.
Insolvent [insâlv^{e}nt] *adj.* insolvable.
Inspect [inspèkt] *v.* inspecter; vérifier. || **Inspection** [inspèksh^{e}n] *s.* inspection, f.; contrôle, m. || **Inspector** [inspèkt^{er}] *s.* inspecteur; contrôleur, m.
Inspiration [insp^{e}ré^{i}sh^{e}n] *s.* inspiration; impulsion; aspiration, f. || **Inspire** [inspa^{i}r] *v.* inspirer; animer; suggérer.
Instable [insté^{i}b'l] *adj.* instable; inconstant.
Install [instaul] *v.* installer. || **Installation** [inst^{e}lé^{i}sh^{e}n] *s.* installation, f. || **Instal(l)ment** [instaulm^{e}nt] *s.* acompte, m.; livraison (en partie); portion, f.; **instalment plan,** facilités de paiement.
Instance [*in*st^{e}ns] *s.* occasion, circonstance; instance, f.; exemple, m.; *for instance,* par exemple.
Instant [*in*st^{e}nt] *s.* instant; moment, m.; *adj.* urgent; immédiat; *the 1st instant,* le premier courant. || **Instantaneous** [inst^{e}nté^{i}ni^{e}s] *adj.* instantané.
Instead [instèd] *adv.* au lieu; à la place (*of,* de).
Instep [*in*stèp] *s.* cou-de-pied, m.
Instigate [*in*st^{e}gé^{i}t] *v.* pousser;

provoquer. || **instigation** [inst^e-gé^{i}sh^{e}n] *s.* instigation, f.
instill [inst*i*l] *v.* instiller; inspirer.
instinct [*i*nst*i*ngkt] *s.* instinct, m.; **instinctive**, instinctif.
institute [*i*nst^{e}tyout] *s.* institut, m.; institution, f.; *v.* instituer.
instruct [instrœkt] *v.* instruire; enseigner. || **instruction** [-sh^{e}n] *s.* instruction, f.; enseignement, m.; *pl.* instructions, f.; ordres, m. || **instructive** [-tiv] *adj.* instructif. || **instructor** [-t^{er}] *s.* instructeur, m.
instrument [*i*nstr^{e}m^{e}nt] *s.* instrument; appareil, m. **instrument board**, tableau de bord.
insubordination [ins^{e}baurd'né^{i}sh^{e}n] *s.* insubordination; indiscipline, f.
insufferable [insœfr^{e}b'l] *adj.* intolérable.
insufficient [ins^{e}f*i*sh^{e}nt] *adj.* insuffisant; incapable.
insulate [*i*ns^{e}lé^{i}t] *v.* isoler; **insulator**, isolant; isolateur.
insult [*i*nsœlt] *s.* insulte, f.; [insœlt] *v.* insulter.
insurance [insh*ou*r^{e}ns] *s.* assurance, f. || **insure** [insh*ou*r] *v.* assurer; garantir.
insurgent [insë^{r}dj^{e}nt] *adj.*, *s.* insurgé; rebelle.
insurmountable [ins^{er}m*a*^{ou}nt^{e}b'l] *adj.* insurmontable; infranchissable.
insurrection [ins^{e}ré^{i}ksh^{e}n] *s.* insurrection, f.
intact [int*a*kt] *adj.* intact; indemne.
integer [*i*nt^{e}dj^{er}] *s.* nombre entier, m. || **integral** [*i*nt^{e}gr^{e}l] *adj.* intégral; *s.* intégrale, f. || **integrity** [intègr^{e}ti] *s.* intégrité; droiture, f.
intellectual [int'lèktshou^{e}l] *adj.*, *s.* intellectuel. || **intelligence** [intèl-^{e}dj^{e}ns] *s.* intelligence; police secrète, f.; service de renseignements, m. || **intelligent** [-j^{e}nt] *adj.* intelligent.
intemperance [intèmp^{e}r^{e}ns] *s.* intempérance, f.
intend [intènd] *v.* avoir l'intention (*to*, de); destiner (*for*, à).
intense [intèns] *adj.* intense; acharné. || **intensity** [-^{e}ti] *s.* intensité; force, f. || **intensive** [-iv] *adj.* intensif.
intent [intènt] *s.* intention, f.; but, m.; *adj.* appliqué; déterminé; acharné (*on*, à); *to all intents and purposes*, sous tous les rapports; en réalité. || **intention** [intènsh^{e}n] *s.* intention, f.; but, m.; **intentional**, intentionnel.
inter [intë^r] *v.* enterrer.
intercede [int^{er}sîd] *v.* intercéder.
intercept [int^{er}sèpt] *v.* intercepter.
intercession [int^{e}rsèsh^{e}n] *s.* intercession, f.
interchange [*i*nt^{er}tshé^{i}ndj] *s.* échange, m.; [intertshé^{i}ndj] *v.* échanger; permuter.
intercourse [*i*nt^{er}ko^{ou}rs] *s.* fréquentation; relations, f.; rapports, m.
interest [*i*nt^{e}rist] *s.* intérêt; bénéfice, m.; influence, f.; *v.* intéresser; **interesting**, intéressant.
interfere [int^{er}fi^{er}] *v.* intervenir; s'entremettre; *to interfere with*, contrarier, gêner. || **interference** [-r^{e}ns] *s.* intervention; interférence, f.; obstacle; brouillage [radio], m.
interior [int*i*ri^{er}] *adj.*, *s.* intérieur.
interjection [int^{er}djèksh^{e}n] *s.* intercalation; interjection, f.
interlace [int^{er}lé^{i}s] *v.* entrelacer.
interlock [int^{er}lâk] *v.* (s')entrelacer; (s')engrener.
intermediate [int^{er}m*i*diit] *adj.* intermédiaire.
interminable [intë^{r}min^{e}b'l] *adj.* interminable.
intermingle [int^{er}m*i*ngg'l] *v.* entremêler; se mêler.
intermission [int^{er}m*i*sh^{e}n] *s.* interruption, f.; intermède; *Am.* entracte, m. || **intermittent** [-mit'nt] *adj.* intermittent.
intern [*i*ntë^{r}n] *s.* interne, m.; [intë^{r}n] *v.* interner; incarcérer. || **internal** [intë^{r}n'l] *adj.* interne.
international [int^{er}n*a*sh^{e}n'l] *adj.* international.
internecine [int^{er}n*i*sin] *adj.* meurtrier; ravageur; **internecine war**, guerre d'extermination.
interpolate [intë^{r}p^{e}lé^{i}t] *v.* interpoler; intercaler.
interpose [int^{er}po^{ou}z] *v.* (s') interposer.
interpret [intë^{r}prit] *v.* interpréter. || **interpretation** [int^{er}prité^{i}sh^{e}n] *s.* interprétation, f. || **interpreter** [intë^{r}prit^{er}] *s.* interprète, m.
interrogate [intèr^{e}gé^{i}t] *v.* interroger. || **interrogation** [intèr^{e}gé^i-sh^{e}n] *s.* interrogation, f.; interrogatoire, m. || **interrogative** (int^e-râg^{e}tiv] *adj.* interrogatif; *s.* in-

terrogateur, m. || **interrogatory** [interâgetoouri] *s.* interrogatoire, m.
interrupt [interœpt] *v.* interrompre. || **interruption** [-shen] *s.* interruption, f. || **interrupter** [-ter] *s.* interrupteur; rupteur (electr.), m.
intersect [intersèkt] *v.* (s')entrecouper. || **intersection** [intersèkshen] *s.* intersection, f.; croisement [street], m.
intersperse [interspërs] *v.* parsemer; entremêler.
intertwine [intertwain] *v.* entrelacer, s'entrelacer.
interval [interv'l] *s.* intervalle, m.
intervene [intervin] *v.* intervenir; survenir; s'écouler [time].
interview [intervyou] *s.* entrevue; interview, f.; *v.* interviewer.
intestine [intèstin] *s.* intestin; boyau, m.; *adj.* intérieur; intestine war, guerre intestine.
intimacy [intemesi] *s.* intimité, f. || **intimate** [intemit] *adj.*, *s.* intime; [intemélt] *v.* insinuer. || **intimation** [intemélshen] *s.* conseil, m.; insinuation, f.
intimidate [intimedélt] *v.* intimider.
into [intou, inte] *prep.* dans, en.
intolerable [intâlereb'l] *adj.* intolérable. || **intolerance** [-rens] *s.* intolérance, f. || **intolerant** [-rent] *adj.* intolérant.
intonation [intoounéishen] *s.* intonation, f.
intoxicants [intâksekents] *s. pl.* boissons alcooliques, f. || **intoxicate** [-kéit] *v.* enivrer; intoxiquer (med.); intoxicated, ivre. || **intoxication** [intâksekéishen] *s.* ivresse; intoxication (med.), f.
intravenous [intrevines] *adj.* intraveineux.
intrench [intréintsh] *v.* (se) retrancher.
intrepid [intrèpid] *adj.* intrépide.
intricate [intrekit] *adj.* embrouillé; compliqué.
intrigue [intrig] *s.* intrigue, f.; *v.* intriguer; tramer; intriguer, intrigant, m.
introduce [intredyous] *v.* introduire; présenter. || **introduction** [intredœkshen] *s.* introduction; présentation, f.
intrude [introud] *v.* pénétrer; se faufiler; s'infiltrer; intruder, intrus. || **intrusion** [introujen] *s.* intrusion, f. || **intrusive** [introusiv] *adj.* intrus.
intuition [intouishen] *s.* intuition, f.
inundate [inœndéit] *v.* inonder.
inured [inyourd] *adj.* endurci.
invade [invéid] *v.* envahir. || **invader** [-er] *s.* envahisseur, m.
invalid [invelid] *adj.*, *s.* invalide, infirme; malade; *v.* réformer (mil.).
invalid [invalid] *adj.* non valable; invalide (jur.). || **invalidate** [-éit] *v.* invalider.
invaluable [invalyeb'l] *adj.* inappréciable; inestimable.
invariable [invèrieb'l] *adj.* invariable.
invasion [invéijen] *s.* invasion, f.
invent [invènt] *v.* inventer; imaginer. || **invention** [-shen] *s.* invention, f. || **inventive** [-tiv] *adj.* inventif. || **inventor** [-ter] *s.* inventeur, m. || **inventory** [invèntouri] *s.* inventaire, m.; *v.* inventorier.
inverse [invërs] *adj.* inverse. || **invert** [invërt] *v.* intervertir.
invest [invèst] *v.* investir; cerner (mil.); placer (comm.); vêtir [dress]; revêtir [honor].
investigate [invèstegéit] *v.* rechercher; faire une enquête. || **investigator** [-er] *adj.*, *s.* investigateur, investigatrice.
investment [invèstment] *s.* investissement (mil.); placement (comm.), m. || **investor** [-ter] *s.* actionnaire; bailleur de fonds, m.
invigorate [invigeréit] *v.* fortifier.
invincible [invinseb'l] *adj.* invincible.
invisible [invizeb'l] *adj.* invisible.
invitation [invetéishen] *s.* invitation, f. || **invite** [invait] *v.* inviter. || **inviting** [-ing] *adj.* attrayant; appétissant.
invoice [invois] *s.* facture; expédition de marchandises facturées, f.; *v.* facturer.
invoke [invoouk] *v.* invoquer.
involuntary [invâlentèri] *adj.* involontaire; irréfléchi.
involve [invâlv] *v.* impliquer; entraîner [consequence]; envelopper; entortiller (*in*, dans).
inward(s) [inwerd(z)] *adj.* intérieur; interne; *adv.* à l'intérieur.

Iodine [a^{i}^{e}da^{i}n] *s.* iode, f.
Ipecac [ipikak] *s.* ipéca, m.
Irascible [a^{i}ras^{e}b'l] *adj.* irascible.
Iraq [irâk] *s.* Irak, m.; **Iraqi,** Irakien.
Ireland [a^{i}rl^{e}nd] *s.* Irlande, f.
Iridescent [ir^{e}dès'nt] *adj.* irisé.
Iris [a^{i}ris] *s.* iris [eye, flower], m.
Irish [a^{i}rish] *adj., s.* irlandais.
Irksome [ë^{r}ks^{e}m] *adj.* ennuyeux.
Iron [a^{i}e^{r}n] *s.* fer, m.; *adj.* en fer, de fer; *v.* ferrer; charger de chaînes; mettre aux fers; repasser [garment]; **scrap iron,** ferraille; **wrought iron,** fer forgé; **ironmaster,** métallurgiste; **iron ore,** minerai de fer; **ironwork,** ferrure; **ironworks,** forge, hauts fourneaux.
Ironical [a^{i}rânik'l] *adj.* ironique.
Ironing [a^{i}r^{e}ning] *s.* repassage, m.
Irony [a^{i}r^{e}ni] *s.* ironie, f.
Irregular [irègy^{e}le^{r}] *adj.* irrégulier. || **Irregularity** [irègy^{e}lar^{e}ti] *s.* irrégularité; dissymétrie, f.; vice de forme (jur.), m.
Irrelevant [irèl^{e}v^{e}nt] *adj.* inopportun; inapplicable; hors de propos.
Irreligious [irilidj^{e}s] *adj.* irréligieux; impie.
Irremediable [irimîdi^{e}b'l] *adj.* irrémédiable.
Irreparable [irèp^{e}r^{e}b'l] *adj.* irréparable.
Irreplaceable [iriplé^{i}s^{e}b'l] *adj.* irremplaçable.
Irreproachable [iripro^{ou}tsh^{e}b'l] *adj.* irréprochable.
Irresolute [irèz^{e}lout] *adj.* irrésolu.
Irresponsible [irispâns^{e}b'l] *adj.* irresponsable.
Irretrievable [iritrîv^{e}b'l] *adj.* irréparable; irrecouvrable.
Irreversible [irivë^{r}s^{e}b'l] *adj.* irrévocable.
Irrigate [irigé^{i}t] *v.* irriguer. || **Irrigation** [irigé^{i}sh^{e}n] *s.* irrigation, f.; arrosage, m.
Irritable [ir^{e}t^{e}b'l] *adj.* irritable. || **Irritant** [-t^{e}nt] *adj., s.* irritant. || **Irritate** [-té^{i}t] *v.* irriter. || **Irritating** [-té^{i}ting] *adj.* irritant. || **Irritation** [irité^{i}sh^{e}n] *s.* irritation, f.
Island [a^{i}l^{e}nd] *s.* île, f.; **islander,** insulaire.
Isle [a^{i}l] *s.* île, f.
Isolate [a^{i}s'lé^{i}t] *v.* isoler. || **Isolation** [a^{i}s'lé^{i}sh^{e}n] *s.* isolement, m.
Issue [ishou] *s.* issue; émission [money]; question (jur.); sortie (mil.); publication; progéniture, f.; événement; numéro [newspaper]: écoulement [liquid], m.; *v.* expédier; sortir; publier [books]; émettre (Stock Exchange); lancer (jur.); faire paraître [order]; déboucher (mil.); provenir; **issue par,** prix d'émission.
Isthmus [ism^{e}s] *s.* isthme, m.
It [it] *pron.* il, elle; le, la, lui; ce; *is it you ?,* est-ce vous?; *it is said,* on dit; *don't think of it,* n'y pensez pas; *to brave it,* avoir du cran.
Italian [italy^{e}n] *adj., s.* italien.
Italic [italik] *adj.* italique.
Itch [itsh] *s.* démangeaison; gale, f.; *v.* démanger; *to be itching to,* avoir grande envie de; **itchy,** galleux.
Item [a^{i}t^{e}m] *s.* article; écho, entrefilet [newspaper]; détail; item, m.; **usable items,** articles de consommation courante.
Itinerary [a^{i}tinèr^{e}ri] *s.* itinéraire, m.
Its [its] *poss. adj.* son, sa, ses. || **Itself** [itsèlf] *pers. pron.* lui-même, elle-même, se; *by itself,* tout seul; *in itself,* en soi.
Ivory [a^{i}vri] *s.* ivoire, m.
Ivy [a^{i}vi] *s.* lierre, m.

J

Jab [djab] *v.* piquer; *s.* coup de canif, de coude; coup sec [boxing], m.
Jack [djak] *s.* valet [cards]; cric [auto]; pavillon de beaupré (naut.); vérin (techn.); chevalet [saw-horse]; tire-bottes; tournebroche; brochet [fish], m;. *v.* mettre sur cric; *jack of all trades,* factotum; *to jack up,* hausser brusquement [price]; **jack-in-the-box,** diable-surprise; **jackass,** âne, sot, imbécile.
Jacket [djakit] *s.* tunique (mil.); veste; vareuse; enveloppe (mech.); jaquette [book], f.
Jackal [djakaul] *s.* chacal, m.
Jade [djé^{i}d] *s.* rosse; coquine, f.; *v.* harasser; s'éreinter.

Jagged [djagid] *adj.* dentelé; ébréché, découpé.
Jail [djé^{i}l] *s.* prison, f.; *v.* emprisonner; **jailer**, geôlier.
Jam [djam] *s.* confiture, f.
Jam [djam] *s.* embouteillage [traffic]; enrayage [weapon]; brouillage [radio], m.; *v.* coincer; obstruer; se bloquer; *to jam up*, tasser; *to jam on the brakes*, caler les freins; *to be in a jam*, être dans le pétrin.
Janitor [djan^{e}t^{er}] *s.* concierge, portier, m.
January [djànyou^{e}ri] *s.* janvier, m.
Japanese [djap^{e}nîz] *adj.*, *s.* japonais.
Jar [djâr] *s.* discordance; querelle, f.; *v.* grincer; vibrer; secouer; ébranler; se quereller.
Jar [djâr] *s.* jarre, f.; pot, bocal, m.
Jargon [djârg^{e}n] *s.* jargon, m.
Jasmine [djazmìn] *s.* jasmin, m.
Jasper [djasp^{er}] *s.* jaspe, m.
Jaundice [djaundis] *s.* jaunisse, f.
Jaunt [djaunt] *s.* excursion, f.; *v.* faire un tour.
Jaw [djau] *s.* mâchoire; gueule, f.; laïus, m.; *v.* bavarder; caqueter; engueuler (slang); **jawbone**, maxillaire.
Jay [djé^{i}] *s.* geai, m.
Jealous [djèl^{e}s] *adj.* jaloux; **jealousy**, jalousie.
Jeer [dji^{er}] *s.* raillerie, f.; *v.* railler; se moquer (*at*, de).
Jeep [djip] *s.* jeep, f.
Jelly [djèli] *s.* gelée, f.; *v.* mettre en marmelade; **jellyfish**, méduse.
Jerk [djë^{r}k] *s.* saccade; secousse; f.; réflexe (med.), m.; *v.* secouer; tirer brusquement.
Jerk [djë^{r}k] *v.* boucaner.
Jersey [djë^{r}zi] *s.* jersey, maillot, m.
Jest [djèst] *s.* plaisanterie, f.; *v.* plaisanter; **jester**, bouffon, railleur, plaisantin.
Jet [djèt] *s.* jet, m.; *v.* jeter, lancer; **jet plane**, avion à réaction.
Jet [djèt] *s.* jais, m.; *adj.* de jais.
Jetsam [djèts^{e}m] *s.* épave; marchandise jetée à la mer (jur.), f.
Jettison [djèt^{e}s'n] *v.* délester; jeter à la mer.
Jew [djou] *s.* Juif; Israélite, m.
Jewel [djou^{e}l] *s.* joyau; bijou, m. ‖ **Jeweler** [-l^{er}] *s.* bijoutier, m. ‖ **Jewelry** [-ri] *s.* bijouterie, f.
Jewish [djouish] *adj.* juif.

Jiffy [djifi] *s.* instant, m.; *in a jiffy*, en un clin d'œil.
Jig [djig] *s.* gigue, f.; appareil de montage, m.; *v.* danser la gigue; **jig-saw**, scie mécanique.
Jiggle [djig'l] *v.* sautiller; gigoter.
Jilt [djilt] *v.* repousser un amoureux, lâcher (fam.); *s.* inconstante, lâcheuse, f.
Jingle [djingg'l] *s.* tintement, cliquetis; grelot, m.; *v.* tinter.
Job [djâb] *s.* travail; emploi, m.; place; besogne, f.; *Br.* **cushy job**, *Am.* **soft job**, filon, « fromage » (slang); *v.* donner à l'entreprise; spéculer; traiter en sous-main; **job lot**, articles dépareillés d'occasion.
Jockey [djâki] *s.* jockey, m.; *v.* maquignonner, intriguer.
Join [djo^{i}n] *v.* joindre; unir; s'associer; rejoindre.
Joint [djo^{i}nt] *s.* joint; raccord; assemblage; gond, m.; articulation; jointure; jonction; pièce de viande; charnière, f.; *adj.* solidaire; joint; concerté; combiné; *v.* joindre; rapporter; découper [meat]; (s')ajuster; *out of joint*, disjoint; **joint tenants**, copropriétaires; **rail joint**, éclisse.
Joist [djo^{i}st] *s.* solive, f.; madrier, m.
Joke [djo^{ou}k] *s.* plaisanterie, f.; bon mot, m.; *v.* plaisanter. ‖ **Joker** [-^{er}] *s.* plaisant; farceur; joker [cards], m. ‖ **Jokingly** [-ingli] *adv.* en plaisantant, pour rire.
Jolly [djâli] *adj.* jovial, enjoué.
Jolt [djo^{ou}lt] *s.* choc; cahot, m.; *v.* secouer, cahoter.
Jostle [djâs'l] *v.* coudoyer, bousculer; *s.* cohue, bousculade, f.
Jot [djât] *s.* iota; brin, m.
Jot [djât] *v.* noter, pointer.
Journal [djë^{r}n'l] *s.* journal [newspaper, diary, daybook, register]; tourillon (mech.), m. ‖ **Journalism** [-iz^{e}m] *s.* journalisme, m. ‖ **Journalist** [-ist] *s.* journaliste, m.
Journey [djë^{r}ni] *s.* voyage; trajet; parcours, m.; *v.* voyager; *to take a journey*, faire un voyage.
Journeyman [djë^{r}nim^{e}n] *s.* ouvrier, journalier, m.
Joy [djo^{i}] *s.* joie, f.; **joyful**, **joyous**, joyeux; **joyless**, triste.
Jubilant [djoub'l^{e}nt] *adj.* joyeux,

triomphant. || **Jubilee** [djoub'li] *s.* jubilé, m.
Judge [djœdj] *s.* juge; arbitre, m.; *v.* juger; décider; apprécier [distances]. || **Judgment** [-mᵉnt] *s.* jugement; arrêt, m.; opinion, f.
Judicial [djoudishᵉl] *adj.* judiciaire; juridique. || **Judicious** [djoudishᵉs] *adj.* judicieux.
Jug [djœg] *s.* broc; *Am.* « violon » (fam.), m.
Juggle [djœg'l] *v.* jongler; escamoter; *s.* jonglerie, f.; tour de passe-passe, m.; **juggler**, jongleur, prestidigitateur.
Juice [djous] *s.* jus; suc, m. || **Juiciness** [-inis] *s.* succulence, f. || **Juicy** [-i] *adj.* juteux; succulent; osé [story].
July [djoulaⁱ] *s.* juillet, m.
Jumble [djœmb'l] *v.* jeter pêle-mêle; (s')embrouiller; *s.* embrouillamini, m.; **jumble-sale**, déballage.
Jump [djœmp] *s.* saut, m.; *v.* sauter; bondir; se précipiter; omettre; *to jump at the chance*, sauter sur l'occasion; *to jump over* laisser de côté, passer; **parachute jump**, saut en parachute. || **Jumper** [-ᵉʳ] *s.* sauteur; jumper, m.
Junction [djœngkshᵉn] *s.* jonction; bifurcation [road], f.; nœud [rail], m. || **Juncture** [-tshᵉʳ] *s.* jointure; conjoncture, f.
June [djoun] *s.* juin, m.
Jungle [djœngg'l] *s.* jungle, f.
Junior [djounyᵉʳ] *adj.* cadet; plus jeune; *s.* cadet; *Am.* élève de troisième année (univ.), m.
Junk [djœngk] *s.* vieux cordages; rebut, m.; *v.* mettre au rebut.
Junk [djœngk] *s.* jonque, f.
Jurisdiction [djourisdikshᵉn] *s.* juridiction; compétence, f.
Jurisprudence [djourisproud'ns] *s.* jurisprudence, f.
Juror [djourᵉʳ] *s.* juré, m. || **Jury** [djouri] *s.* jury, m.
Just [djœst] *adj.* juste; équitable; impartial; exact; *adv.* exactement; justement; seulement; *I have just seen him*, je viens de le voir; *just as*, à l'instant où; tout comme; *just out*, vient de paraître; *just before*, immédiatement avant; *he had just finished*, c'est à peine s'il a fini. || **Justice** [-is] *s.* justice, f.; juge, magistrat, m. || **Justification** [djœstᵉfᵉkéⁱshᵉn] *s.* justification, f. || **Justify** [djœstᵉfaⁱ] *v.* justifier; autoriser.
Jut [djœt] *v.* faire saillie.
Jute [djout] *s.* jute, m.
Juvenile [djouvᵉn'l] *adj.* juvénile.
Juxtaposition [djœkstᵉpᵉzishᵉn] *s.* juxtaposition, f.

K

kangaroo [kàngᵉrou] *s.* kangourou, m.
kapok [kéⁱpek] *s.* kapok, m.
keel [kîl] *s.* quille, f.; *v.* faire chavirer; *to keel over*, chavirer.
keelson [kèls'n] *s.* carlingue, f.
keen [kîn] *adj.* affilé; aigu; perçant [noise]; vif [cold]; pénétrant [mind]; perspicace. || **keenness** [-nis] *s.* acuité; perspicacité; finesse; ardeur, f.
keep [kîp] *v.** garder; tenir; retenir; maintenir; entretenir; célébrer [feast]; protéger; nourrir; *s.* entretien [food]; donjon, m.; *to keep at it*, travailler sans relâche; *to keep from*, s'abstenir de; empêcher de; *to keep in*, rester chez soi; *to keep up*, soutenir; *to keep going*, continuer à aller. || **keeper** [-ᵉʳ] *s.* gardien; garde; surveillant, m || **keeping** [-ing] *s.* surveillance; garde; conservation, f.; entretien; maintien, m.; *in keeping with*, en harmonie avec. || **keepsake** [-séⁱk] *s.* souvenir, m.
keg [kèg] *s.* baril, m.
kennel [kèn'l] *s.* chenil, m.
kept [kèpt] *pret., p. p. of* **to keep.**
kerchief [kë̈ʳtshif] *s.* fichu, foulard, carré, m.
kernel [kë̈ʳn'l] *s.* grain; noyau; pépin, m.
kerosene [kèrᵉsin] *s.* pétrole, m.
kettle [kèt'l] *s.* marmite; gamelle; bouilloire, f.; **kettle-drum**, timbale [music].
key [kî] *s.* clé; clavette; touche [piano]; fiche (electr.), f.; *v.* caler; harmoniser; **master key**, passe-

partout; **keyboard**, clavier; **keyhole**, trou de la serrure; **keyman**, cheville ouvrière; **keynote**, note tonique [music]; **keystone**, clef de voûte, base; **keyed-up**, surexcité, nerveux; *key of F*, clé de fa; *under lock and key*, sous clé.

khaki [kâki] *s.* kaki, m.

kick [kik] *s.* coup de pied; recul [gun], m.; ruade [horse], f.; *v.* donner des coups de pied; reculer [gun]; ruer [horse]; regimber; *to kick about*, gigoter; *to kick the bucket*, passer l'arme à gauche, « claquer » (pop.).

kid [kid] *s.* chevreau [flesh, fur, skin]; *Am.* gosse, gamin, m.; *adj.* en chevreau; *v. Am.* se moquer de; chevreter, mettre bas [goats].

kidnap [kidnap] *v.* enlever; kidnapper; **kidnapper**, ravisseur, kidnappeur; **kidnapping**, rapt.

kidney [kidni] *s.* rognon; rein, m.

kill [kil] *v.* tuer; détruire. || **killer** [-^{er}] *s.* meurtrier, tueur, m.

kiln [kiln] *s.* four; séchoir, m.; étuve, f.

kilogram [kil^{e}gram] *s.* kilogramme, m.

kilometer [kil^{e}mit^{er}] *s.* kilomètre.

kilowatt [kil^{e}wât] *s.* kilowatt, m.

kimono [k^{e}mo^{ou}n^{e}] *s.* kimono, m.

kin [kin] *s.* parenté, f.; parent; allié, m.

kind [ka^{i}nd] *s.* genre, m.; espèce, f.; *adj.* bon, aimable; affable; bienveillant; *kindest regards*, bien vifs compliments; *to pay in kind*, payer en nature.

kindergarten [kind^{er}gârt'n] *s.* jardin d'enfants, m.

kindle [kind'l] *v.* (s')allumer; enflammer; inciter.

kindly [ka^{i}ndli] *adj.* bon, bienveillant; aimable; *adv.* aimablement; gracieusement. || **kindness** [ka^{i}ndnis] *s.* bonté; amabilité; bienveillance, f.

kindred [kindrid] *adj.* apparenté; en relations; *s.* parenté, f.

king [king] *s.* roi, m.; dame [draughts], f. || **kingdom** [-d^{e}m] *s.* royaume, m. || **kingly** [-li] *adj.* royal; *adv.* royalement.

kinky [kingki] *adj.* noué; crépu.

kinship [kinship] *s.* parenté, f. || **kinsman** [kinzm^{e}n] *s.* parent, m.

kiss [kis] *s.* baiser, m.; embrassade, f.; *v.* embrasser; *to kiss the hand*, baiser la main.

kit [kit] *s.* équipement; sac; nécessaire, m.; musette (mil.); trousse, f.; **medicine kit**, trousse de médecin; **mess kit**, cantine (mil.).

kitchen [kitshin] *s.* cuisine, f.; **kitchen garden**, jardin potager; **kitchen maid**, fille de cuisine; **kitchen-wares**, ustensiles de cuisine.

kite [ka^{i}t] *s.* cerf-volant; milan [bird], m.; **kite balloon**, ballon captif.

kitten [kit'n] *s.* petit chat, m.

knack [nak] *s.* adresse; habileté, f.; talent, m.; *to have a knack for*, avoir la bosse de.

knapsack [napsak] *s.* havresac, m.

knave [né^{i}v] *s.* coquin; valet [cards], m.

knead [nîd] *v.* pétrir.

knee [nî] *s.* genou; coude (techn.), m.; **kneecap**, rotule.

kneel [nîl] *v.** s'agenouiller.

knell [nèl] *s.* glas, m.; *v.* sonner le glas.

knelt [nèlt] *pret., p. p. of* **to kneel**.

knew [nyou] *pret. of* **to know**.

knickknack [niknak] *s.* babiole, f.; bibelot, m.

knife [na^{i}f] *s.* couteau, m.; *v.* donner un coup de couteau; poignarder; **clasp knife**, couteau de poche; **paper-knife**, coupe-papier; **pocket knife**, canif; **knife grinder**, rémouleur.

knight [na^{i}t] *s.* chevalier; cavalier [chess], m.; *v.* armer chevalier; **knighthood**, chevalerie.

knit [nit] *v.** tricoter; joindre; nouer; froncer [brows]; *pret., p. p. of* **to knit**. || **knitting** [-ing] *s.* tricotage; tricot, m.

knives [na^{i}vz] *pl. of* **knife**.

knob [nâb] *s.* bosse [swelling], f.; bouton [door], m.

knock [nâk] *v.* cogner; frapper; *Am.* dénigrer; *s.* coup; cognement (mech.), m.; *to knock down*, abattre, renverser; *to knock out*, mettre hors de combat; *to knock off*, cesser le travail; *to knock up*, éreinter; **knocker**, marteau [door].

knoll [no^{ou}l] *s.* monticule, tertre, m.

knot [nât] *s.* nœud; petit groupe, m.; *v.* lier; (se) nouer; **sword knot**, dragonne. || **knotty** [-i] *adj.* noueux; embrouillé; peu clair.

know [no^{ou}] *v.** connaître; savoir; reconnaître; *to know how to swim*, savoir nager; *to know about*, être

informé de; *to know of*, avoir connaissance de; *he ought to know better*, il devrait être plus raisonnable; *let me know*, faites-moi savoir; **know-how**, technique, manière de s'y prendre. || **knowingly** [ingli] *adv.* sciemment; à bon escient; habilement. || **knowledge** [nâlidj] *s.* connaissance, science, f.; savoir, m.; *not to my knowledge*, pas que je sache. || **known** [nooun] *p. p. of* **to know**.
knuckle [nœk'l] *s.* jointure, articulation, f.; nœud [finger], m.; *knuckle of veal*, jarret de veau.
kohlrabi [koo ulrâbi] *s.* chou-rave, m.

L

label [lé ib'l] *s.* étiquette; marque, f.; écriteau, m.; *v.* étiqueter; enregistrer.
labo(u)r [lé iber] *s.* travail; labeur, m.; main-d'œuvre, f.; *v.* travailler; s'appliquer (à); **hard labo(u)r**, travaux forcés; *to labo(u)r under*, être victime de, lutter contre; *Br.* **labo(u)r exchange**, bureau de placement; *Br.* **Labour Party**, parti travailliste; *Am. Department of Labor*, ministère du Travail.
laboratory [labretoouri] *s.* laboratoire, m.
labo(u)rer [lé iberer] *s.* travailleur; homme de peine; ouvrier. m. || **labo(u)rious** [leboouries] *adj.* laborieux.
labyrinth [laberinth] *s.* labyrinthe, m.
lace [lé is] *s.* galon; ruban; lacet, m.; dentelle, f.; *v.* galonner; orner de dentelle; (se) lacer.
lacerate [laseré it] *v.* lacérer.
lack [lak] *s.* manque; défaut, m.; pénurie, f.; *v.* manquer; avoir besoin; *he lacks courage*, le courage lui manque.
lacquer [laker] *s.* laque, f.; *v.* laquer.
lad [lad] *s.* garçon; jeune homme, m.
ladder [lader] *s.* échelle, f.
laden [lé id'n] *adj.* chargé.
ladies [lé idiz] *s. pl. of* **lady**.
ladle [lé id'l] *s.* louche, f.
lady [lé idi] *s.* dame; madame, f.; **young lady**, jeune femme, demoiselle; **lady-bird**, coccinelle; **Lady day**, Annonciation.
lag [lag] *s.* retard; ralentissement; décalage, m.; *v.* rester en arrière; (se) traîner.
lagoon [legoun] *s.* lagune, f.
laic [lé iik] *adj.* laïque.
laid [lé id] *pret., p. p. of* **to lay**; *laid up*, malade, alité; **laid paper**, papier vergé.
lain [lé in] *p. p. of* **to lie**.
lair [lèer] *s.* tanière, f.; antre, m.
lake [lé ik] *s.* lac, m.
lamb [làm] *s.* agneau, m.
lame [lé im] *adj.* boiteux; estropié; défectueux; *v.* estropier; **lame duck**, failli; *Am.* battu aux élections.
lament [lemènt] *s.* lamentation, f.; *v.* se lamenter; déplorer. || **lamentable** [lamenteb'l] *adj.* lamentable.
laminate [lamené it] *v.* laminer; feuilleter.
lamp [làmp] *s.* lampe; lanterne, f.; **kerosene lamp**, lampe à pétrole; **lamp-post**, réverbère; **lamp shade**, abat-jour; **pocket lamp**, lampe de poche; **trouble lamp**, baladeuse (electr.).
lampoon [làmpoun] *s.* libelle, m.
lance [làns] *s.* lance, f.; *v.* percer d'un coup de lance; percer [abscess].
lancet [lànsit] *s.* lancette (med.), f.
land [lànd] *s.* terre, f.; terrain; pays; domaine, m.; *v.* débarquer; aborder (naut.); atterrir (aviat.); poser à terre; obtenir [situation]; **fallow land**, terre en friche. || **landholder** [-hoouldèr] *s.* propriétaire foncier, m. || **landing** [-ing] *s.* débarquement; atterrissage; débarcadère; palier, m.; **emergency landing**, atterrissage forcé. || **landlady** [-lé idi] *s.* propriétaire; logeuse; hôtelière, f. || **landlord** [-laurd] *s.* propriétaire; logeur; hôtelier, m. || **landmark** [-mârk] *s.* borne; limite, f.; point de repère; point saillant, m. || **landowner** [-oouner] *s.* propriétaire foncier, m. || **landscape** [-ské ip] *s.* paysage, panorama, m. || **landslide** [-sla id] *s.* éboulement, m.
lane [lé in] *s.* ruelle, f.; chemin, m.;

route (naut.), f.; *Am.* **pedestrian lane**, passage clouté.
language [lànggwidj] *s.* langue, f.; langage, m.
languid [lànggwid] *adj.* languide, languissant. || **languish** [-gwish] *v.* languir. || **languor** [-g^er] *s.* langueur, f.
lank [làngk] *adj.* efflanqué.
lantern [lànt^ern] *s.* lanterne, f.; phare, m.
lap [lap] *s.* giron; pan [garment], m.
lap [lap] *v.* laper; *s.* gorgée; étape [journey], f.
lap [lap] *s.* recouvrement (mech.), m.; *v.* envelopper; s'étendre; recouvrir; roder (mech.).
lapel [l^epèl] *s.* revers d'habit, m.
lapse [laps] *s.* cours; laps; manquement, m.; chute de température (aviat.); erreur, f.; *v.* s'écouler [time]; tomber; périmer (jur.); faillir.
larboard [lârb^erd] *s.* bâbord, m.
larceny [lârs'ni] *s.* larcin, m.
lard [lârd] *s.* saindoux, m.; *v.* larder; **larder**, garde-manger.
large [lârdj] *adj.* grand; gros; vaste. || **largely** [-li] *adv.* abondamment; amplement; beaucoup.
lark [lârk] *s.* alouette, f.
larva [lârv^e] *s.* larve, f.
larynx [laringks] *s.* larynx, m.
lascivious [l^esivi^es] *adj.* lascif.
lash [lash] *s.* coup de fouet; cil [eye], m.; mèche [whip], f.; *v.* cingler; fouetter.
lash [lash] *v.* attacher; amarrer (naut.); jouer (mech.).
lass [las] *s.* fille, f.
lassitude [las^etyoud] *s.* lassitude, f.
last [last] *adj.* dernier; ultime; passé; *v.* durer; *last night*, hier soir; *at last*, enfin, à la fin; **lastly**, enfin, en dernier lieu. || **lasting** [-ing] *adj.* durable; permanent.
latch [latsh] *s.* loquet; verrou, m.; *Am. to latch on to*, s'emparer de.
late [léit] *adj.* tard; en retard; ancien; défunt; avancé [hour]; *adv.* tard; *to be late*, être en retard; *of late, lately*, récemment; dernièrement; *until lately*, jusqu'à ces derniers temps.
latent *adj.* latent; secret; caché.
later [léit^er] *comp. of* **late**.
lateral [lat^er^el] *adj.* latéral.
latest [léitist] *sup. of* **late**; *latest news*, dernières nouvelles; *at latest*, au plus tard.
lath [lath] *s.* latte, f.
lathe [léizh] *s.* tour (techn.), m.
lather [lazh^er] *s.* mousse; écume, f.; *v.* mousser, écumer; savonner.
Latin [lat'n] *adj., s.* latin.
latitude [lat^etyoud] *s.* latitude; liberté, f.
latter [lat^er] *adj.* dernier; récent; moderne.
lattice [latis] *s.* treillis, m.
laud [laud] *s.* louange, f.; *v.* louer.
laugh [laf] *s.* rire, m.; risée, f.; *v.* rire; *to laugh at*, se moquer de; *to burst out laughing*, éclater de rire; *to laugh up one's sleeve*, rire sous cape; *to laugh on the wrong side of one's mouth*, rire jaune; *it is no laughing matter*, il n'y a pas de quoi rire; **laughable**, risible, dérisoire. || **laughter** [-t^er] *s.* rire, m.
launch [launtsh] *s.* chaloupe, f.; *v.* mettre à l'eau; lancer (naut.; comm.); déclencher (mil.).
launder [laund^er] *v.* blanchir, laver; **laundress**, blanchisseuse; **laundry**, blanchissage; buanderie.
laurel [laur^el] *s.* laurier, m.; gloire, f.
lava [lâv^e] *s.* lave, f.
lavatory [lav^eto^ouri] *s.* lavoir; *Br.* cabinet; *Am.* lavabos publics, m.
lavender [lav^end^er] *s.* lavande, f.
lavish [lavish] *adj.* prodigue; copieux, abondant; *v.* gaspiller, dilapider, prodiguer.
law [lau] *s.* loi, f.; droit, m.; **commercial law**, droit commercial; **law court**, tribunal; **law department**, service de contentieux; **law student**, étudiant en droit. || **lawful** [-f^el] *adj.* légal; légitime; licite. || **lawless** [-lis] *adj.* illégal; effréné; déréglé. || **lawmaker** [-méik^er] *s.* législateur, m.
lawn [laun] *s.* pelouse, f.; **lawn mower**, tondeuse.
lawn [laun] *s.* linon, m.
lawsuit [lausout] *s.* procès; litige, m. || **lawyer** [lauy^er] *s.* homme de loi; avocat; jurisconsulte; avoué, m.
lax [laks] *adj.* lâche; distendu; négligent; relâché. || **laxative** [-^etiv] *s.* laxatif, m. || **laxity** [-^eti] *s.* relâchement, m.; mollesse, f.; **moral laxity**, légèreté de mœurs.
lay [léi] *pret. of* **to lie**.
lay [léi] *v.** poser; mettre; coucher; étendre; pondre [eggs]; abattre

[dust]; tendre [snare]; rejeter [blame]; *to lay aside,* mettre de côté; *to lay bare,* mettre à nu, révéler; *to lay down arms,* déposer les armes; *to lay a gun,* pointer un canon; *to lay off,* congédier; *to lay out,* disposer; placer [money]; *to lay waste,* dévaster. || **layer** [-^{er}] *s.* couche; assise; marcotte [shoot]; pondeuse [hen], f.; pointeur [gunner], m.

layman [lé^{i}m^{e}n] *s.* laïc, m.

lazily [lé^{i}zili] *adv.* paresseusement. || **laziness** [lé^{i}zinis] *s.* paresse, f. || **lazy** [lé^{i}zi] *adj.* paresseux; indolent, mou.

lead [lèd] *s.* plomb, m.; mine de plomb; sonde, f.; *v.* plomber; **leaden,** de plomb, plombé.

lead [lîd] *v.** conduire; mener; diriger [orchestra]; introduire; dominer; avoir la main [cards]; *s.* conduite; direction; préséance, f.; commandement, m.; *Am.* **lead article,** leader, article de fond [newspaper]; **leading lady,** vedette; **leading part,** premier rôle; *to lead astray,* égarer; dissiper; *to lead the way,* montrer le chemin.

leader [lîd^{er}] *s.* chef; conducteur; meneur; dirigeant; *Br.* article de fond [newspaper], m.; || **leadership** [-ship] *s.* direction; autorité, f.; commandement, m. || **leading** [lîding] *adj.* principal; de tête; en chef.

leaf [lîf] *s.* feuille, f.; feuillet [book]; battant [door], m; rallonge [table], f.; *v.* se couvrir de feuilles; **leafless,** dénudé, effeuillé; **leafy,** feuillu, touffu. || **leaflet** [-lit] *s.* feuillet; dépliant; imprimé; prospectus, tract, m.

league [lîg] *s.* ligue; union, f.; *v.* (se) liguer.

league [lîg] *s.* lieue, f.

leak [lîk] *s.* fuite; voie d'eau, f.; *v.* fuir; faire eau (naut.).

lean [lîn] *v.** s'incliner; se pencher; s'appuyer; *s.* pente, inclinaison, f.

lean [lîn] *adj.* maigre; émacié.

leant [lènt] = **leaned,** *see* **lean.**

leap [lîp] *v.** sauter; bondir; s'élancer; franchir; *s.* saut; bond, m.; **leap year,** année bissextile. || **leapt** [lèpt] *pret., p. p. of* **to leap.**

learn [lë^{r}n] *v.** apprendre; étudier. || **learned** [-id] *adj.* érudit, instruit, lettré. || **learner** [-^{er}] *s.* élève; débutant; apprenti, m. || **learning** [-ing] *s.* savoir, m.; science; érudition, f. || **learnt** [-t] *pret., p. p. of* **to learn.**

lease [lîs] *v.* louer; affermer; *s.* bail, m.; ferme, f.

leash [lîsh] *s.* laisse, f.; *v.* attacher; mener en laisse.

least [lîst] *adj.* le moindre; le plus petit; *adv.* le moins; *at least,* au moins; du moins; **least ways,** du moins.

leather [lèzh^{er}] *s.* cuir, m.; peau, f.; **leather-dresser,** mégissier.

leave [lîv] *v.** laisser; s'en aller; partir; quitter; abandonner; *s.* permission; liberté, f.; congé, m.; **sick leave,** congé de convalescence; *to leave about,* laisser traîner; *to leave off,* renoncer; *to leave out,* omettre.

leaven [lèv^{e}n] *s.* levain, m.; *v.* lever.

leaves [lîvz] *pl. of* **leaf.**

lectern [lèkt^{e}^{r}n] *s.* lutrin, pupitre, m.

lecture [lèktsh^{er}] *s.* conférence; réprimande, f.; *v.* faire des conférences; sermonner. || **lecturer** [-r^{er}] *s.* conférencier; maître de conférences (univ.), m.

led [lèd] *pret., p. p. of* **to lead.**

ledge [lèdj] *s.* rebord, m.; saillie, f.

ledger [lèdj^{er}] *s.* grand-livre, m.

leech [lîtsh] *s.* sangsue, f.

leek [lîk] *s.* poireau, m.

leer [li^{er}] *s.* œillade, f.; regard de côté, m.; *v.* regarder de coin.

left [lèft] *pret., p. p. of* **to leave;** *I have two books left,* il me reste deux livres.

left [lèft] *adj.* gauche; *s.* main gauche, f.; **left-handed,** gaucher; *on the left,* à gauche.

leg [lèg] *s.* jambe; patte; tige [boots]; cuisse [hens]; branche [compasses], f.; pied [furniture]; gigot [mutton], m.; *on one leg,* à cloche-pied; **one-legged,** unijambiste.

legacy [lèg^{e}si] *s.* legs, m.

legal [lîg'l] *adj.* légal; licite. || **legalize** [-a^{i}z] *v.* légaliser; autoriser.

legate [lègit] *s.* légat, délégué, m. || **legatee** [lèg^{e}tî] *s.* légataire, m. || **legation** [ligé^{i}sh^{e}n] *s.* légation, f.

legend [lèdj^{e}nd] *s.* légende; inscription, f.; **legendary,** légendaire.

legging [lèging] *s.* guêtre; molletière, f.

legible [lèdjᵉb'l] *adj.* lisible.
legion [lidjᵉn] *s.* légion, f.
legislate [lèdjisléⁱt] *v.* légiférer. || **legislation** [lèdjisléⁱshᵉn] *s.* législation, f. || **legislator** [lèdjisléⁱtᵉʳ] *s.* législateur, m. || **legislature** [lèdjisléⁱtshᵉʳ] *s.* législature, f.
legitimate [lidjitᵉmit] *adj.* légitime.
leisure [lijᵉʳ] *s.* loisir, m.; **leisurely**, à loisir.
lemon [lèmᵉn] *s.* citron, m. || **lemonade** [lèmᵉnéⁱd] *s.* limonade, f.; citron pressé, m.
lend [lènd] *v.** prêter; **lender**, prêteur.
length [lèngkth] *s.* longueur; étendue; durée; distance; quantité (gramm.), f.; *the whole length*, jusqu'au bout; **lengthwise**, en longueur; **lengthy**, long, prolixe. || **lengthen** [-ᵉn] *v.* allonger; prolonger; (s')étendre.
lenient [liniᵉnt] *adj.* indulgent; adoucissant; lénitif.
lens [lènz] *s.* lentille, f.; objectif (phot.); verre; ménisque, m.
lent [lènt] *pret., p. p. of* **to lend.**
Lent [lènt] *s.* carême, m.
leopard [lèpᵉʳd] *s.* léopard, m.
less [lès] *adj.* moindre; *adv.* moins.
lessee [lèsi] *s.* locataire; preneur, m.
lessen [lès'n] *v.* diminuer; amoindrir; atténuer. || **lesser** [lèsᵉʳ] *adj.* plus petit, moindre, inférieur.
lesson [lès'n] *s.* leçon, f.
lest [lèst] *conj.* de peur que.
let [lèt] *v.** laisser; permettre; louer; *impers. aux. : let him come*, qu'il vienne; *house to let*, maison à louer; *to let know*, faire savoir; *to be let off with*, en être quitte pour; *to let out*, laisser échapper; libérer; *to let alone*, laisser tranquille; *pret., p. p. of* **to let.**
lethargy [lèthᵉʳdji] *s.* léthargie, f.
letter [lètᵉʳ] *s.* lettre, f.; caractère, m.; **capital letter**, majuscule; **letter box**, boîte aux lettres; **letter-carrier**, facteur; **letter-head**, en-tête.
lettuce [lètis] *s.* laitue, f.
letup [lètœp] *s.* détente, f.
level [lèv'l] *adj.* horizontal; de niveau; *s.* niveau, m.; *v.* niveler; équilibrer; plafonner (aviat.); pointer [arm]; *adv.* de niveau; à ras; *Am. on the level*, honnête, droit; **level-headed**, bien équilibré.
lever [lèvᵉʳ] *s.* levier, m.; manette, f.; **control lever**, levier de commande; *to lever up*, soulever avec un levier.
levy [lèvi] *s.* levée; réquisition; imposition, f.; embargo, m.; *v.* lever; percevoir; imposer; mettre l'embargo.
lewd [loud] *adj.* lascif; impudique.
liability [laⁱᵉbilᵉti] *s.* responsabilité, f.; engagement, m. || **liable** [laⁱᵉb'l] *adj.* responsable; passible (*to*, de); soumis, sujet (*to*, à).
liar [laⁱᵉʳ] *s.* menteur, m.
liaison [liéⁱzaun] *s.* liaison (mil.), f.
libel [laⁱb'l] *s.* libelle, m.; diffamation, f.; *v.* diffamer.
liberal [libèrᵉl] *adj., s.* libéral. || **liberality** [libᵉralᵉti] *s.* libéralité, f. || **liberate** [libᵉréⁱt] *v.* libérer. || **liberation** [libᵉréⁱshᵉn] *s.* libération, f. || **liberator** [libᵉréⁱtᵉʳ] *s.* libérateur, m. || **libertine** [libᵉʳtin] *adj., s.* libertin. || **liberty** [libᵉʳti] *s.* liberté, f.
librarian [laⁱbrèriᵉn] *s.* bibliothécaire, m. || **library** [laibrèri] *s.* bibliothèque, f.
lice [laⁱs] *pl. of* **louse.**
license [laⁱs'ns] *s.* permission; licence; patente, f.; brevet; permis, m.; *v.* autoriser; breveter; patenter; **operator's license, driving license**, permis de conduire. || **licentious** [laⁱsènshᵉs] *adj.* licencieux, dissolu.
lichen [laⁱkin] *s.* lichen, m.
lick [lik] *v.* lécher; laper; rosser; *not to do a lick of work*, ne pas faire un brin de travail; **licking**, raclée.
lid [lid] *s.* couvercle, m.; **eye-lid**, paupière.
lie [laⁱ] *s.* mensonge, m.; *v.* mentir; *to give the lie to*, donner un démenti à.
lie [laⁱ] *s. Br.* position; configuration, f.; gisement (geol.), m.; *v.** être couché; reposer; être situé; stationner; *to lie low*, se tapir, se taire; *to lie about*, traîner.
lieutenant [loutènᵉnt] *s.* lieutenant, m.
life [laⁱf] *s.* vie; vivacité; durée (techn.), f.; **life-belt**, ceinture de sauvetage; **life insurance**, assurance sur la vie; **lifeless**, sans vie, inanimé; **lifelike**, vivant, naturel; **lifelong**, perpétuel, de toute la vie; **life pension**, pension alimentaire.

lift [lift] *v.* lever; soulever; *Am.* voler (slang); *s.* haussement; *Br.* ascenseur, m.; poussée; force ascensionnelle; levée balancine (naut.); portance (aviat.), f.
ligament [ligᵉmᵉnt] *s.* ligament, m.
light [laⁱt] *s.* lumière; clarté; lueur, f.; phare; jour; éclairage, m.; *v.* allumer; éclairer; *to come to light,* se révéler; *give me a light,* donnez-moi du feu; *to put out the light,* éteindre la lumière; **beacon light,** balisage (aviat.); **driving lights,** éclairage-code [auto]; **night light,** veilleuse; **northern lights,** aurore boréale.
light [laⁱt] *adj.* léger; **light-headed,** frivole; **light-hearted,** allègre; *v.* descendre, retomber.
lighten [laⁱt'n] *v.* éclairer; illuminer; éclaircir.
lighten [laⁱt'n] *v.* alléger, soulager.
lighter [laⁱtᵉʳ] *s.* allumeur; briquet; chaland (naut.), m. || **lighthouse** [laⁱthaᵒᵘs] *s.* phare, m. || **lighting** [laⁱting] *s.* éclairage; allumage, m.; illumination, f.
lightly [laⁱtli] *adv.* légèrement; superficiellement; étourdiment. || **lightness** [laⁱtnis] *s.* légèreté; frivolité; inconstance, f.
lightness [laⁱtnis] *s.* clarté, lumière, f. || **lightning** [-ning] *s.* éclair, m.; foudre, f.; **lightning conductor, lightning rod,** paratonnerre; **lightning war,** guerre-éclair.
likable [laⁱkᵉb'l] *adj.* agréable; aimable; sympathique. || **like** [laⁱk] *v.* aimer; trouver à son goût; vouloir bien; *do whatever you like,* faites ce que vous voulez.
like [laⁱk] *adj.* ressemblant; tel; pareil; semblable; *prep.* comme; *what is he like?,* à quoi ressemble-t-il ?; *something like,* à peu près, plus ou moins; *to look like,* ressembler. || **likely** [-li] *adj.* plausible, probable; *adv.* probablement. || **liken** [-ᵉn] *v.* comparer. || **likeness** [-nis] *s.* apparence; ressemblance, f.; air; portrait, m. || **likewise** [-waⁱz] *adv.* de même; pareillement.
liking [laⁱking] *s.* goût; penchant; gré, m.; sympathie, inclination, f.
lilac [laⁱlᵉk] *adj., s.* lilas.
lily [lili] *s.* lis, m.; *lily of the valley,* muguet.
limb [lim] *s.* membre, m.; grosse branche, f.
limber [limbᵉʳ] *adj.* souple; *v.* assouplir.
limber [limbᵉʳ] *s.* caisson; avant-train (mil.), m.
lime [laⁱm] *s.* chaux; glu, f.; *v.* chauler.
lime [laⁱm] *s.* citron, m.; lime, f.
limelight [laⁱmlaⁱt] *s.* lumière oxhydrique; gloire; célébrité, f.
limit [limit] *s.* limite; frontière; tolérance (techn.), f.; *v.* limiter, borner. || **limitation** [limitéⁱshᵉn] *s.* limitation; restriction, f.
limp [limp] *s.* claudication, f.; *v.* boiter, clocher.
limp [limp] *adj.* flasque; flexible; amorphe.
limpid [limpid] *adj.* limpide.
linden [lindᵉn] *s.* tilleul, m.
line [laⁱn] *s.* ligne; corde; lignée; voie, f.; contour; cordeau; trait; vers [poetry]; *Am.* métier, m.; *v.* aligner; border; sillonner; doubler; **plumb line,** fil à plomb; *to line up,* s'aligner, faire queue; *to fall in line with,* se conformer à.
line [laⁱn] *v.* doubler [clothes]; revêtir [masonry].
lineage [linidj] *s.* lignée, f.
linear [liniᵉʳ] *adj.* linéaire. || **lined** [laⁱnd] *adj.* rayé.
linen [linin] *s.* toile de lin, f.; linge, m.
liner [laⁱnᵉʳ] *s.* transatlantique, m.; **air liner,** avion de transport.
linger [linggᵉʳ] *v.* s'attarder; traîner; se prolonger.
lingerie [lànjᵉri] *s.* lingerie, f.
lining [laⁱning] *s.* doublure, f.; doublage; revêtement, m.
link [lingk] *s.* anneau; maillon; chaînon, m.; articulation, f.; *v.* lier; unir; enchaîner; (s')articuler; se raccorder.
linnet [linit] *s.* linotte, f.
linoleum [linoᵒᵘliᵉm] *s.* linoléum, m.
linseed [linsid] *s.* graine de lin, f.; **linseed oil,** huile de lin.
lint [lint] *s.* charpie, f.
lintel [lint'l] *s.* linteau, m.
lion [laⁱᵉn] *s.* lion, m.; **lioness,** lionne.
lip [lip] *s.* lèvre, f.; **lipstick,** rouge à lèvres.
liquefy [likwᵉfaⁱ] *v.* liquéfier; fluidifier. || **liquid** [likwid] *adj., s* liquide. || **liquidate** [-éⁱt] *v.* liquider; amortir; solder [accounts]. || **liquidation** [likwidéⁱshᵉn] *s.* liquidation, f.; solde des comptes,

m. || **liquor** [likᵉʳ] *s.* liqueur, f.; spiritueux; liquide, m.
lisp [lisp] *v.* zézayer; *s.* zézaiement, m.
list [list] *s.* liste; bande (naut.), f.; registre; tableau, m.; *v.* inscrire; **army list,** annuaire de l'armée; **wine list,** carte des vins; **list price,** tarif, prix du catalogue.
list [list] *s.* lisière [cloth], f.
listen [lis'n] *v.* écouter; prêter attention; *to listen in,* écouter à la radio; **listener,** auditeur.
listless [listlis] *adj.* insouciant; inattentif; indolent. || **listlessness** [-nis] *s.* indifférence; insouciance; nonchalance, f.
lit [lit] *pret., p. p. of* **to light.**
literal [litᵉrᵉl] *adj.* littéral; mot à mot. || **literary** [litᵉrèri] *adj.* littéraire. || **literature** [litᵉrᵉtshour] *s.* littérature, f.
litigation [litᵉgéⁱshᵉn] *s.* litige; procès, m.
litter [litᵉʳ] *s.* litière; civière; portée [animals], f.; brancard; désordre, m.; *v.* faire une litière; mettre en désordre; salir; joncher; mettre bas [animals]; **litter bearer,** brancardier.
little [lit'l] *adj.* petit; mesquin; *adv.* peu; *a little,* un peu; *for a little,* pendant quelque temps; *little by little,* peu à peu; *ever so little,* tant soit peu.
live [liv] *v.* vivre; habiter; [laⁱv] *adj.* vif, vivant; actif; palpitant [question]; ardent [coal]; sous tension (electr.); *to live down,* faire oublier; **live rail,** rail conducteur. || **livelihood** [laⁱvlihoud] *s.* subsistance, f.; moyen d'existence, m. || **liveliness** [-linis] *s.* vivacité, f. || **lively** [-li] *adj.* vif; animé; gai; *adv.* vivement; avec gaieté. || **liver** [livᵉʳ] *s.* viveur, m.; **good liver,** bon vivant.
liver [livᵉʳ] *s.* foie, m.
livery [livᵉri] *s.* livrée; pension pour chevaux, f.
lives [laⁱvz] *pl. of* **life.**
livestock [laⁱvstâk] *s.* bétail, m.
livid [livid] *adj.* livide.
living [living] *adj.* vivant; vif; *s.* vie, subsistance, f.; **living wage,** minimum vital; *the living,* les vivants; *to earn a living,* gagner sa vie; *good living,* bonne chère.
lizard [lizᵉrd] *s.* lézard, m.
load [loᵒᵘd] *s.* charge, f.; fardeau; chargement, m.; *v.* charger; plomber [stick]; accabler (fig.); piper [dice]; **dead load,** poids mort; **loader,** chargeur.
loaf [loᵒᵘf] *s.* miche de pain, f.; **sugar loaf,** pain de sucre.
loaf [loᵒᵘf] *v.* flâner; **loafer,** fainéant, flâneur.
loam [loᵒᵘm] *s.* glaise, f.
loan [loᵒᵘn] *s.* prêt; emprunt, m.; *v.* prêter; **loan shark,** usurier; **loan society,** société de crédit.
loath [loᵒᵘth] *adj.* qui répugne à; *nothing loath,* volontiers; *to be loath to,* faire à contre-cœur. || **loathe** [loᵒᵘzh] *v.* abhorrer; répugner à. || **loathsome** [loᵒᵘzhsᵉm] *adj.* dégoûtant; odieux.
loaves [loᵒᵘvz] *pl. of* **loaf.**
lobby [lâbi] *s.* couloir, vestibule, m.; *v.* « faire les couloirs » (polit.).
lobe [loᵒᵘb] *s.* lobe, m.
lobster [lâbstᵉʳ] *s.* homard, m.; **rock-lobster,** langouste.
local [loᵒᵘk'l] *adj.* local. || **locality** [loᵒᵘkalᵉti] *s.* localité, f.; endroit, quartier, m. || **localize** [loᵒᵘklaⁱz] *v.* localiser. || **locate** [loᵒᵘkéⁱt] *v.* situer; établir; repérer; poser. || **location** [loᵒᵘkéⁱshᵉn] *s.* emplacement; site; repérage, m.; situation, f.
lock [lâk] *s.* mèche [hair], f.
lock [lâk] *s.* serrure; fermeture; écluse [river]; platine [firearm], f.; blocage (mech.); verrou, m.; *v.* fermer à clef; verrouiller; bloquer; *to double-lock,* fermer à double tour; **safety lock,** verrou de sûreté. || **locker** [-ᵉʳ] *s.* coffre, m. || **locket** [-it] *s.* médaillon, m. || **locksmith** [-smith] *s.* serrurier, m.
locomotive [loᵒᵘkᵉmoᵒᵘtiv] *s.* locomotive, f.
locust [loᵒᵘkœst] *s.* sauterelle, f.; caroubier, m.
lodestone [loᵒᵘdstoᵒᵘn] *s.* aimant naturel, m.
lodge [lâdj] *s.* loge; maisonnette, f.; *v.* loger; abriter; présenter [complaint]. || **lodger** [-ᵉʳ] *s.* locataire, m. || **lodging** [-ing] *s.* logement; abri; **furnished lodging,** garni; **lodging-house,** hôtel meublé.
loft [lauft] *s.* grenier; réduit, m.; soupente, f.; **choir loft,** tribune du chœur. || **lofty** [-i] *adj.* élevé; noble; altier; pompeux.

log [laug] *s.* bûche; bille; souche, f.; *v.* couper; tronçonner.

log [laug] *s.* loch (naut.), m.; journal de bord (naut.), m.; *v.* porter au journal de bord; filer des nœuds (naut.); **air log**, carnet de route (aviat.).

logic [lâdjik] *s.* logique, f. ‖ **logical** [-'l] *adj.* logique.

loin [lo^{i}n] *s.* rein, m.; lombe; longe, f.

loiter [lo^{i}t^{er}] *v.* flâner; rôder.

loll [lâl] *v.* se prélasser; pendre, tirer [tongue].

lone [lo^{ou}n] *adj.* seul; solitaire. ‖ **loneliness** [-linis] *s.* isolement, m. ‖ **lonely** [-li] *adj.* isolé; désemparé. ‖ **lonesome** [-s^{e}m] *adj.* solitaire; nostalgique; esseulé; désert.

long [laung] *adj.* long; allongé; prolongé; *adv.* longtemps; *a long time*, longtemps; *in the long run*, à la longue; *long ago*, autrefois; *to be long in coming*, tarder à venir; **long-suffering**, résigné, tolérant; **long-winded**, prolixe.

long [laung] *v.* aspirer; désirer; soupirer; *I long to know*, il me tarde de savoir; *to long for peace*, aspirer à la paix.

longer [laung^{er}] *comp. adj. of* **long**.

longevity [lândjèv^{e}ti] *s.* longévité, f.

longing [launging] *s.* aspiration, f.; grand désir, m.; *adj.* désireux; nostalgique.

longitude [lândj^{e}tyoud] *s.* longitude, f.

longshoreman [laungsho^{ou}rm^{e}n] *s.* débardeur, m.

look [louk] *v.* regarder; sembler, paraître; donner [to face]; *s.* regard; air, m.; apparence, f.; *it looks well on you*, cela vous va bien; *to look about*, ouvrir l'œil; *to look after*, surveiller; s'occuper de; *to look away*, détourner les yeux; *to look back*, regarder en arrière; *to look for*, chercher; espérer; *to look into*, examiner, regarder dans; *to look on*, être spectateur; *to look out*, prendre garde; *to look over*, parcourir du regard; *to look to*, veiller à; *he looks ill*, il a l'air malade; **looker-on**, spectateur; **looking-glass**, miroir; **lookout**, vigie; surveillance.

loom [loum] *s.* métier à tisser, m.

loom [loum] *v.* apparaître; se distinguer au loin; s'estomper; **looming**, mirage.

loop [loup] *s.* boucle; bride; maille; ganse [rope], f.; looping (aviat.), m.; *v.* boucler; faire un looping (aviat.).

loophole [loupho^{ou}l] *s.* meurtrière, f.; échappatoire, f.

loose [lous] *adj.* lâche; délié; détendu; relâché [morals]; ample [garments]; dévissé (mech.); libre (mech.); *v.* lâcher; détacher; déchaîner; défaire; larguer (naut.); **loose cash**, menue monnaie; *to get loose*, se détacher; *to give loose to*, donner libre cours à; *to work loose*, prendre du jeu. ‖ **loosen** [-'n] *v.* lâcher; desserrer; dénouer; dévisser. ‖ **looseness** [-nis] *s.* relâchement; jeu (mech.); dérèglement, m.; ampleur, f.

loot [lout] *s.* pillage; butin, m.; *v.* piller.

lop [lâp] *v.* élaguer.

loquacious [lo^{ou}kwé^{i}sh^{e}s] *adj.* loquace, disert.

lord [laurd] *s.* seigneur; maître; lord, m.; *v.* dominer; *Lord's Prayer*, Pater; *Our Lord*, Notre Seigneur. ‖ **lordly** [-li] *adj.* seigneurial; noble; despotique; hautain; *adv.* avec noblesse; avec hauteur; impérieusement. ‖ **lordship** [-ship] *s.* seigneurie, f.

lore [lo^{ou}r] *s.* savoir, m.

lorry [lauri] *s. Br.* camion, m.

lose [louz] *v.** perdre; égarer; retarder [clock]; *to lose sight of*, perdre de vue; *to lose one's temper*, perdre patience, perdre son sang-froid. ‖ **loss** [laus] *s.* perte; déperdition, f.; sinistre (naut.), m.; *to be at a loss*, être perplexe; *to sell at a loss*, vendre à perte. ‖ **lost** [-t] *pret., p. p. of* **to lose**; *adj.* perdu; égaré; sinistré (naut.); plongé [thoughts]; gaspillé [time]; *lost and found*, objets trouvés.

lot [lât] *s.* lot; sort; tirage; paquet (fin.), m.; *to draw lots*, tirer au sort; *a lot of, lots of*, beaucoup de, un tas de.

lotion [lo^{ou}sh^{e}n] *s.* lotion, f.

lottery [lât^{e}ri] *s.* loterie, f.

loud [la^{ou}d] *adj.* fort; haut; sonore; bruyant; éclatant [color]; tapageur; **loud-mouth**, braillard; **loudly**, bruyamment.

lounge [laoundj] *s.* flânerie; chaise-longue, f.; divan; promenoir; foyer; salon de repos, m.; *v.* flâner; se prélasser.
louse [laous] *s.* pou, m.; **lousy,** pouilleux, vil, « moche » (fam.).
lout [laout] *s.* rustre; lourdaud, m.
lovable [lœveb'l] *adj.* aimable. || **love** [lœv] *s.* amour, m.; affection; amitié, f.; zéro [tennis], m.; *v.* aimer; *love at first sight,* coup de foudre; *to make love to,* faire la cour à; *to be in love,* être amoureux; *to fall in love with,* s'éprendre de. || **loveliness** [-linis] *s.* charme, m.; grâce; amabilité, f. || **lovely** [-li] *adj.* aimable; charmant; beau. || **lover** [-er] *s.* amoureux; amant; amateur, ami, m.; **music lover,** mélomane. || **loving** [-ing] *adj.* aimant; tendre; affectueux. || **lovingly** [-ingli] *adv.* tendrement; aimablement; affectueusement; amoureusement.
low [loou] *adj.* bas; faible; vil; débile, déficient; **low comedy,** farce; **low gear,** première vitesse; **lowland,** plaine; **low mass,** messe basse; *adv.* bas; à bas prix; bassement; *in low spirits,* abattu, déprimé.
low [loou] *s.* beuglement, m.; *v.* beugler.
lower [loouer] *adj.* plus bas; inférieur; d'en bas; *v.* baisser; abaisser; diminuer; humilier; rabattre. || **lowliness** [loóulinis] *s.* humilité, f. || **lowly** [loouli] *adj.* humble, modeste; peu élevé; *adv.* humblement. || **lowness** [loounis] *s.* infériorité ; bassesse ; humilité ; gravité [sound], f.; faible altitude, f.; abattement, m.
loyal [loiel] *adj.* loyal; fidèle. || **loyalty** [-ti] *s.* loyauté, f.
lubricant [loubrikent] *adj., s.* lubrifiant. || **lubricate** [-kéit] *v.* lubrifier; graisser.
lucid [lousid] *adj.* lucide; limpide.
luck [lœk] *s.* hasard; bonheur, m.; chance; fortune, f.; **ill-luck,** mauvaise fortune. || **luckily** [-'li] *adv.* heureusement; par bonheur. || **lucky** [-i] *adj.* heureux; chanceux; fortuné; favorable.
lucrative [loukretiv] *adj.* lucratif.
ludicrous [loudikres] *adj.* risible, comique.
luff [lœf] *s.* lof, m.; *v.* lofer (naut.).
lug [lœg] *v.* tirer; traîner; entraîner.
luggage [lœgidj] *s.* bagage, m.
lukewarm [loukwaurm] *adj.* tiède; tempéré.
lull [lœl] *v.* se calmer; bercer; endormir; *s.* accalmie; embellie (naut.), f.
lullaby [lœlebai] *s.* berceuse, f.
lumber [lœmber] *s.* *Am.* bois de charpente; objets de rebut, m.; *v.* entasser; encombrer; se mouvoir pesamment; *Am.* exploiter le bois; **lumberman,** bûcheron.
luminous [loumenes] *adj.* lumineux.
lump [lœmp] *s.* motte; masse, f.; bloc; morceau, m.; *v.* mettre en tas; prendre en bloc; **lump-sugar,** sucre en morceaux.
lunatic [lounetik] *adj., s.* aliéné; fou.
lunch [lœntsh] *s.* déjeuner; lunch, m.; *v.* déjeuner; **luncheon,** lunch.
lung [lœng] *s.* poumon; mou, m.
lunge [lœndj] *s.* coup porté, m.; botte [fencing], f.; *v.* porter une botte [fencing]; allonger un coup (*at,* à).
lurch [lërtsh] *s.* embardée, f.; *v.* faire une embardée; tituber; *to leave in the lurch,* planter là.
lure [lour] *s.* leurre; appât; attrait, m.; *v.* leurrer; amorcer; attirer.
lurid [lourid] *adj.* mélodramatique; exagéré; livide.
lurk [lërk] *v.* se tapir; être aux aguets.
luscious [lœshes] *adj.* succulent, exquis, délicieux.
lust [lœst] *s.* convoitise; luxure; concupiscence, f.; *v.* convoiter.
luster [lœster] *s.* lustre; éclat, m. || **lustrous** [-tres] *adj.* brillant.
lusty [lœsti] *adj.* fort, vigoureux.
lute [lout] *s.* luth, m.
luxuriant [lœgjourient] *adj.* luxuriant; abondant; exubérant.
luxurious [lœgjouries] *adj.* luxueux, somptueux. || **luxury** [lœksheri] *s.* luxe, m.; volupté, f.
lye [lai] *s.* lessive, f.
lying [laiing] *s.* lieu pour se coucher; *lying down,* action de se coucher; *adj.* couché.
lying [laiing] *adj.* menteur; *s.* mensonge, m.
lymph [limf] *s.* lymphe, f.
lynch [lintsh] *v.* lyncher.
lynx [lingks] *s.* lynx, m.
lyre [lair] *s.* lyre, f. || **lyric** [lirik] *adj.* lyrique; *s.* poème lyrique; **lyrical,** lyrique. || **lyricism** [liresizem] *s.* lyrisme, m.

M

macadam [mekadem] *s.* macadam, m.
macaroni [makerouni] *s.* macaroni, m.
macaroon [makeroun] *s.* macaron, m.
machine [meshîn] *s.* machine, f.; appareil, instrument, dispositif, m.; *v.* usiner; façonner; **mincing-machine,** hâche-viande; **sewing-machine,** machine à coudre. || **machinery** [-eri] *s.* mécanisme, m.; mécanique, f. || **machinist** [-ist] *s.* machiniste; mécanicien, m.
mackerel [makerel] *s.* maquereau, m.; *adj.* moutonné [sky].
mad [mad] *adj.* fou; furieux; enragé [dog]; **madly,** follement, furieusement.
madam [madem] *s.* madame, f.
madcap [madkap] *adj.* écervelé; téméraire. || **madden** [mad'n] *v.* devenir fou; rendre furieux.
made [méid] *pret., p. p. of* **to make;** *self-made man,* fils de ses œuvres; **made-up,** factice; maquillé.
madman [madmen] *s.* fou, m. || **madness** [madnis] *s.* folie, démence; rage, f.
magazine [magezîn] *s.* magasin, dépôt, m.; soute, f.
magazine [magezîn] *s.* revue, magazine, f.
magic [madjik] *s.* magie, f.; *adj.* magique. || **magician** [medjishen] *s.* magicien, prestidigitateur, m.
magistrate [madjistréit] *s.* magistrat, m.
magnanimous [magnanemes] *adj.* magnanime.
magnet [magnit] *s.* aimant, m. || **magnetic** [magnètik] *adj.* magnétique; aimanté; attirant.
magnificence [magnifes'ns] *s.* magnificence, f. || **magnificent** [-s'nt] *adj.* magnifique.
magnify [magnefai] *v.* grandir; agrandir; grossir; amplifier; **magnifying glass,** loupe. || **magnitude** [magnetyoud] *s.* grandeur, importance, f.
magpie [magpai] *s.* pie, f.
mahogany [mehâgeni] *s.* acajou, m.
maid [méid] *s.* fille; vierge; servante, bonne; *maid of hono(u)r,* demoiselle d'honneur. || **maiden** [-'n] *s.* jeune fille, f.; *adj.* virginal; inaugural.
mail [méil] *s.* courrier, m.; poste; correspondance, f.; *v.* expédier; mettre à la poste; **air mail,** poste aérienne; **mailbox,** boîte aux lettres; *Am.* **mailman,** facteur.
mail [méil] *s.* cotte de maille, f.
maim [méim] *v.* mutiler; tronquer.
main [méin] *adj.* principal; essentiel; gros; *s.* océan, m.; canalisation principale, f.; *in the main,* en général; **mainly,** principalement; **mainland,** continent.
maintain [méintéin] *v.* maintenir; conserver; entretenir; prétendre; soutenir. || **maintenance** [méintenens] *s.* soutien; entretien; maintien; service de dépannage et de ravitaillement; moyens d'existence, m.; **separate maintenance,** séparation de biens.
maize [méiz] *s.* maïs, m.
majestic [medjèstik] *adj.* majestueux. || **majesty** [madjisti] *s.* majesté, f.
major [méidjer] *s.* major; commandant, m.; *adj.* plus grand; majeur; **major key,** ton majeur [music]. || **majority** [medjâreti] *s.* majorité, f.
make [méik] *v.** faire; fabriquer; façonner; rendre; atteindre; former; prononcer; forcer; *s.* façon; forme; fabrication; marque, f.; modèle [car], m.; *to make away with,* se défaire de, gaspiller; *to make fast,* amarrer (naut.); *to make for,* se diriger vers; *to make land,* atterrir, aborder; *to make it,* réussir; *to make off,* filer; *to make over,* transférer, refaire; *to make out,* établir; discerner; dresser; *to make over to,* céder à; *to make up for,* compenser, réparer; *to make up,* se maquiller; inventer; se réconcilier; **make-believe,** feinte; **makeshift,** pis-aller, expédient; **make-up,** arrangement, maquillage. || **maker** [-er] *s.* auteur; faiseur; fabricant; créateur, m.

maladjusted [mal^{e}djœstid] *adj.* mal ajusté; mal réglé.
malady [mal^{e}di] *s.* maladie, f.
malaria [m^{e}lèri^{e}] *s.* malaria, f.; paludisme, m.
malcontent [malk^{e}ntènt] *adj.* mécontent.
male [mé^{i}l] *adj.* mâle; masculin; *s.* mâle, m.
malice [malis] *s.* malice; méchanceté; malveillance; rancune, f. || **malicious** [m^{e}lish^{e}s] *adj.* méchant; malveillant.
malign [m^{e}la^{i}n] *adj.* méchant; pernicieux; *v.* calomnier; diffamer. || **malignant** [m^{e}lign^{e}nt] *adj.* méchant; venimeux.
malinger [m^{e}lingg^{er}] *v.* simuler la maladie, tirer au flanc.
mallet [malit] *s.* maillet, m.; mailloche, f.
malnutrition [malnyoutrish^{e}n] *s.* sous-alimentation, f.
malpractice [malpraktis] *s.* méfait, m.; incurie, f.
malt [mault] *s.* malt, m.
maltreat [maltrit] *v.* maltraiter.
mammal [mam'l] *s.* mammifère, m.
mammoth [mam^{e}th] *s.* mammouth, m.; *adj.* énorme, gigantesque.
mammy [mami] *s.* maman; nounou, f.
man [màn] (*pl.* **men** [mèn]) *s.* homme; pion [draughts]; soldat; employé, m.; pièce [chess], f.; *v.* armer; équiper; *man and wife,* mari et femme; *to a man,* tous, unanimement; **man-of-war** navire de guerre; **manpower,** main-d'œuvre; **single man,** célibataire.
manage [manidj] *v.* diriger; gérer; administrer; (s')arranger; manier; maîtriser; trouver moyen; *I shall manage it,* je m'en tirerai. || **manageable** [-^{e}b'l] *adj.* maniable; docile. || **management** [-m^{e}nt] *s.* administration; gestion; gérance, f.; maniement, m. || **manager** [-^{er}] *s.* administrateur; gérant; régisseur; impresario; manager, m.; **advertising manager,** chef de publicité.
mandate [màndé^{i}t] *s.* mandat; ordre, m.; *v.* mandater.
mane [mé^{i}n] *s.* crinière, f.
maneuver [m^{e}nouv^{er}] *s.* manœuvre, tactique, f.; *v.* manœuvrer.
manful [mànf^{e}l] *adj.* viril; vaillant.
mange [mé^{i}ndj] *s.* gale, f.
manger [mé^{i}ndj^{er}] *s.* mangeoire; crèche, f.
mangle [màngg'l] *v.* déchiqueter; déchirer; mutiler.
mangle [màngg'l] *s.* calandre, f.; *v.* calandrer.
mangy [mé^{i}ndji] *adj.* galeux.
manhandle [mànhànd'l] *v.* malmener.
manhole [mànho^{ou}l] *s.* trou d'homme, m.; bouche d'égout, m.
manhood [mànhoud] *s.* virilité, f.
mania [mé^{i}ni^{e}] *s.* folie; manie, f.
manicure [manikyour] *s.* manucure, f.
manifest [màn^{e}fèst] *adj.* manifeste; évident; notoire; *s.* manifeste, m.; déclaration d'expédition (naut.) f.; *v.* manifester; témoigner; déclarer || **manifestation** [man^{e}fèsté^{i}sh^{e}n] *s.* manifestation, f. || **manifesto** [manifèsto^{ou}] *s.* manifeste, m.; proclamation, f.
manifold [màn^{e}fo^{ou}ld] *adj.* multiple; divers; nombreux; *s.* tuyauterie; tubulure; polycopie, f.; **manifold writer,** machine à polycopier.
manikin [màn^{e}kin] *s.* mannequin, m.; petit bout d'homme, m.
manioc [maniâk] *s.* manioc, m.
manipulate [m^{e}nipy^{e}lé^{i}t] *v.* manipuler; manier. || **manipulation** [m^{e}nipy^{e}lé^{i}sh^{e}n] *s.* manipulation, f.
mankind [mànka^{i}nd] *s.* humanité, f.; genre humain, m. || **manly** [mànli] *adj.* viril; *adv.* virilement.
manner [man^{er}] *s.* manière; mœurs; coutume; méthode, f.; *after the manner of,* à la manière de; *he has no manners,* il n'a pas de savoir-vivre; *all manners of,* toutes sortes de; *the manner how,* la façon dont.
mannish [manish] *adj.* hommasse.
manœuvre, *see* **maneuver.**
manometer [m^{e}nâm^{e}t^{er}] *s.* manomètre, m.
manor [man^{er}] *s.* manoir, m.
mansion [mànsh^{e}n] *s.* château; hôtel; palais, m.
manslaughter [mànslaut^{er}] *s.* homicide involontaire, m.
mantel [mànt'l], **mantelpiece** [-pîs] *s.* manteau de cheminée, m.
mantle [mànt'l] *s.* manteau; manchon [gas], m.; *v.* couvrir; s'épandre; cacher, voiler.
manual [manyou^{e}l] *adj.* manuel; *s.* manuel; clavier, m.

manufactory [manyᵉfaktᵉri] *s. Br.* usine, fabrique, f.
manufacture [manyᵉfaktshᵉʳ] *s.* manufacture; industrie, f.; produit manufacturé, m.; *v.* manufacturer; fabriquer. || **manufacturer** [-rᵉʳ] *s.* fabricant; industriel, m. || **manufacturing** [-ring] *s.* fabrication, f.; *adj.* industriel; manufacturier.
manure [mᵉnyour] *s.* fumier; engrais, m.; *v.* fumer.
manuscript [manyᵉskript] *adj., s.* manuscrit.
many [mèni] *adj.* beaucoup de; maint; bien des; *pron.* beaucoup; *how many?*, combien?; *as many as*, autant que; *not so many*, pas tant; *so many*, tant; *too many*, trop; *a great many*, un grand nombre.
map [map] *s.* carte (topogr.), f.; *v.* faire une carte; **astronomical map**, carte du ciel; **large-scale map**, carte à grande échelle; **road map**, carte routière; *map of the world*, mappemonde.
maple [méⁱp'l] *s.* érable, m.
mar [mâr] *v.* endommager; défigurer, gâter.
marble [mârb'l] *s.* marbre, m.; bille, f.; *adj.* de marbre; *v.* marbrer; *to play marbles*, jouer aux billes.
march [mârtsh] *s.* marche; avance, f.; progrès, m.; *v.* marcher; avancer; être en marche; *to march past*, défiler; **day march**, étape journalière.
march [mârtsh] *s.* marche; frontière, f.
March [mârtsh] *s.* mars [month], m.
mare [mèᵉʳ] *s.* jument, f.
margin [mârdjin] *s.* marge, f.; bord, m.; *v.* marginer; annoter en marge; **marginal**, marginal.
marigold [marᵉgoᵒᵘld] *s.* souci, m.
marine [mᵉrîn] *adj.* marin; maritime; *s.* soldat de l'infanterie de marine, m.; **marines**, fusiliers marins. || **mariner** [marᵉnᵉʳ] *s.* marinier; marin, m. || **maritime** [marᵉtaⁱm] *adj.* maritime.
mark [mârk] *s.* marque; empreinte; cible, f.; signe; but; jalon; repère, m.; note [school], f.; *v.* marquer; repérer; **question mark**, point d'interrogation; **marksman**, tireur d'élite; *to hit the mark*, atteindre le but; *to make one's mark*, se distinguer; *to mark out*, délimiter; *to mark up*, hausser [price]; *mark my words*, écoutez-moi bien.
|| **marker** [-ᵉʳ] *s.* pointeur; indicateur; repère; avertisseur, m.
market [mârkit] *s.* marché, m.; *v.* faire son marché; faire un marché; **black market**, marché noir; **market price**, prix courant.
marmalade [mârm'léⁱd] *s.* marmelade; confiture d'orange, de citron, f.
maroon [mᵉroun] *adj., s.* marron.
maroon [mᵉroun] *s.* nègre marron; homme abandonné dans une île déserte, m.
marquis [mârkwis] *s.* marquis, m.
marriage [maridj] *s.* mariage, m. || **married** [marid] *adj.* marié; conjugal.
marrow [maroᵒᵘ] *s.* moelle, f.
marry [mari] *v.* (se) marier; épouser; s'allier (*with*, à).
marsh [mârsh] *s.* marais; marécage, m.
marshal [mârshᵉl] *s.* maréchal; *Am.* prévôt [police]. m.; *v.* disposer; régler une cérémonie; **marshalling station**, gare de triage.
marshmallow [mârshmaloᵒᵘ] *s.* guimauve, f.
marshy [mârshi] *adj.* marécageux.
mart [mârt] *s.* marché [place], m.; salle de vente, f.
martial [mârshᵉl] *adj.* martial.
martin [mârtin] *s.* martinet [bird], m.
martingal [mârt'ngéⁱl] *s.* martingale, f.
martyr [mârtᵉʳ] *s.* martyr, m.; *v.* martyriser. || **martyrdom** [-dᵉm] *s.* martyre, m.
marvel [mârv'l] *s.* merveille, f.; *v.* s'émerveiller; **marvel(l)ous**, merveilleux.
mascot [maskᵉt] *s.* mascotte, f.
masculine [maskyᵉlin] *adj.* masculin; viril; mâle.
mash [mash] *v.* triturer; brasser [beer]; réduire en pâtée, en bouillie; **mashed potatoes**, purée de pommes de terre.
mask [mask] *s.* masque; loup, m.; mascarade, f.; *v.* (se) masquer; cacher; (se) déguiser.
mason [méⁱs'n] *s.* maçon, m.; *v.* maçonner; construire. || **masonry** [-ri] *s.* maçonnerie; franc-maçonnerie, f.
masquerade [maskᵉréⁱd] *s.* mascarade, f.; *v.* faire partie d'une mascarade.
mass [mas] *s.* messe, f.

mass [mas] *s.* masse; foule; multitude; majorité, f.; *v.* (se) masser; entasser; s'accumuler; **mass meeting,** rassemblement populaire; **mass production,** production en série.

massacre [maseker] *s.* massacre, m.; *v.* massacrer.

massage [mesâj] *s.* massage, m.; *v.* masser.

massive [masiv] *adj.* massif.

mast [mast] *s.* mât, m.; **radio mast,** mât de T.S.F.; **topgallant mast,** mât de perroquet.

master [master] *s.* maître; patron; jeune garçon, m.; *v.* maîtriser; dompter; connaître à fond [language]; *Master of Arts,* licencié ès lettres; **master key,** passe-partout; **masterpiece,** chef-d'œuvre; **masterly,** magistral; **masterful,** autoritaire, magistral, expert. || **mastery** [-ri] *s.* maîtrise; supériorité, f.; empire, m.

mastiff [mastif] *s.* mâtin, m.

mat [mat] *s.* natte, f.; paillasson; napperon; dessous de plat, d'assiette, m.; *v.* natter; enchevêtrer; tresser.

mat [mat] *adj.* mat, terne.

match [matsh] *s.* allumette; mèche, f.

match [matsh] *s.* égal, pair; assortiment; mariage; match, m.; *v.* assortir; appareiller; accoupler; tenir tête à; rivaliser; *he has no match,* il est sans égal; *she is a good match,* c'est un bon parti; *and a hat to match,* et un chapeau à l'avenant; *these colo(u)rs do not match,* ces couleurs ne s'assortissent pas; **matchless,** sans rival, inégalable.

mate [méit] *s.* camarade; conjoint; officier (naut.), m.; **first mate,** second (naut.); **second mate,** lieutenant (naut.); *v.* unir, marier; épouser; s'accoupler.

mate [méit] *s.* mat [chess], m.; *v.* mater; subjuguer; faire échec et mat.

material [metiriel] *adj.* matériel; essentiel; important; *s.* matière, f.; tissu; matériel, m.; **raw material,** matière première; *Am.* **materialman,** fournisseur.

maternal [metërn'l] *adj.* maternel. || **maternity** [metërneti] *s.* maternité, f.

mathematical [mathematik'l] *adj.* mathématique. || **mathematician** [mathemetishen] *s.* mathématicien, m. || **mathematics** [mathematiks] *s.* mathématiques, f.

matriculate [metrikyeléit] *v.* immatriculer. || **matriculation** [metrikyeléishen] *s.* immatriculation, f.

matrimony [matremoouni] *s.* mariage, m.; vie conjugale, f.

matrix [méitriks] *s.* matrice; gangue, f.; moule, m.

matron [méitren] *s.* matrone; infirmière major; directrice d'hospice ou d'hôpital, f.

matter [mater] *s.* matière; affaire; chose, f.; sujet; fait; pus (med.), m.; *v.* importer; *it is of no matter,* cela n'a pas d'importance; *it does not matter,* peu importe; *no matter how,* de n'importe quelle manière; *as a matter of fact,* à vrai dire; *a matter-of-fact man,* un homme positif; *a matter of law,* une question de droit; *a matter of course,* une chose qui va de soi; **printed matters,** imprimés; *what's the matter with you?,* qu'avez-vous?

mattress [matris] *s.* matelas, m.; **spring mattress,** sommier.

mature [metyour] *adj.* mûr; *v.* mûrir; venir à échéance (comm.). || **maturity** [metyoureti] *s.* maturité; date d'échéance (comm.), f.

maul [maul] *v.* marteler; maltraiter; meurtrir.

maxim [maksim] *s.* maxime, f.

maximum [maksemem] *adj., s.* maximum, m.

may [méi] *defect. v.* pouvoir; avoir le droit, l'autorisation, la possibilité de; *may I sit down?,* puis-je m'asseoir?; *may you live happily!* puissiez-vous vivre heureux!; *it may rain,* il se peut qu'il pleuve; **maybe,** peut-être.

May [méi] *s.* mai, m.; **May Day,** premier mai; **May-beetle,** hanneton; **May-bush,** aubépine; **maypole,** mai.

mayor [méier] *s.* maire, m.

maze [méiz] *s.* labyrinthe, dédale, m.; perplexité, f.

me [mi, mi] *pers. pron.* moi; me.

meadow [mèdoou] *s.* pré, m.; prairie, f.

meager [miger] *adj.* maigre; insuffisant, pauvre.

meal [mil] *s.* repas, m.; **meal-time,** heure du repas.

meal [mil] *s.* farine, f.

mean [mîn] *adj.* médiocre; mesquin; vil; avare; **mean trick,** vilain tour.

mean [mîn] *adj.* moyen; *s.* milieu; moyen; procédé, m.; moyenne (math.), f.; *pl.* ressources, f.; moyens, m.; *by no means,* nullement; *by means of,* au moyen de; **private means,** fortune personnelle; *come by all means,* venez sans faute; **golden mean,** juste milieu.

mean [mîn] *v.** signifier; avoir l'intention de; *I didn't mean it,* je ne l'ai pas fait exprès; *to mean well,* avoir de bonnes intentions; *what do you mean?,* que voulez-vous dire? || **meaning** [-ing] *s.* intention; signification, f.; sens, m.; *adj.* intentionné; **meaningless,** dénué de sens.

meanness [mînnis] *s.* mesquinerie; médiocrité; abjection, f.

meant [mènt] *pret., p.p. of* **to mean.**

meantime [mînta^{i}m], **meanwhile** [-hwa^{i}l] *adv.* en attendant; sur ces entrefaites; d'ici là; *s.* intérim; intervalle, m.

measles [mîz'lz] *s.* rougeole, f.

measurable [mèjr^{e}b'l] *adj.* mesurable. || **measure** [mèj^{er}] *s.* mesure; quantité; disposition; proposition [law]; démarche, f.; *v.* mesurer; *to measure,* sur mesures; *to bring forward a measure,* déposer un projet de loi. || **measured** [-^{e}d] *adj.* mesuré; modéré; circonspect. || **measurement** [-m^{e}nt] *s.* mesurage; arpentage; jaugeage, m.; dimension, f.

meat [mît] *s.* viande; nourriture, f.; aliment, m.; **meat ball,** boulette; **meat-chopper,** hache-viande.

mechanic [m^{e}kanik] *adj.* mécanique. || **mechanics** [-s] *s.* mécanique, f.; mécanicien, m. || **mechanism** [mèk^{e}niz^{e}m] *s.* mécanisme, m. || **mechanize** [mèk^{e}na^{i}z] *v.* mécaniser.

medal [mèd'l] *s.* médaille; décoration, f.; **life-saving medal,** médaille de sauvetage.

meddle [mèd'l] *v.* se mêler (*with,* de); s'immiscer (*with,* dans); **meddler,** intrigant; **meddlesome,** indiscret, importun, intrigant.

median [mîdi^{e}n] *adj.* médian; moyen.

mediate [mîdié^{i}t] *v.* s'entremettre; servir d'arbitre. || **mediation** [mîdié^{i}sh^{e}n] *s.* intervention; médiation, f. || **mediator** [mîdié^{i}t^{er}] *s.* médiateur; intercesseur, m.

medical [mèdik'l] *adj.* médical; **medical equipment,** matériel sanitaire. || **medicine** [mèd^{e}s'n] *s.* médecine, f.; médicament, remède, m.; **medicine man,** sorcier.

medieval [midiîv'l] *adj.* médiéval.

mediocre [mîdio^{ou}k^{er}] *adj.* médiocre. || **mediocrity** [mîdiâkr^{e}ti] *s.* médiocrité, f.

meditate [mèd^{e}té^{i}t] *v.* méditer; projeter. || **meditation** [mèd^{e}té^{i}sh^{e}n] *s.* méditation, f.

medium [mîdi^{e}m] *s.* moyen; milieu; intermédiaire; médium, m.; *adj.* moyen; **advertising medium,** organe de publicité; **circulating medium,** monnaie en circulation.

medley [mèdli] *s.* mélange; potpourri, m.

meek [mîk] *adj.* doux; docile. || **meekness** [-nis] *s.* docilité; soumission; douceur, f.

meet [mît] *v.** rencontrer; aller à la rencontre de; faire connaissance avec; faire face à; satisfaire [requirements]; se réunir; se rencontrer (*with,* avec); faire honneur à [debts]; répondre à [views]. || **meeting** [-ing] *s.* assemblée; réunion; rencontre, f.; meeting, m.

megaphone [mèg^{e}fo^{ou}n] *s.* mégaphone; porte-voix, m.

melancholy [mèl^{e}nkâli] *s.* mélancolie, f.; *adj.* mélancolique.

mellow [mèlo^{ou}] *adj.* moelleux; fondant; fondu [color]; mûr [fruit]; *v.* mûrir; adoucir; devenir moelleux; ameublir.

melodious [m^{e}lo^{ou}di^{e}s] *adj.* mélodieux. || **melody** [mèl^{e}di] *s.* mélodie, f.

melon [mèl^{e}n] *s.* melon, m.

melt [mèlt] *v.* fondre; couler; se dissoudre; s'attendrir (fig.).

member [mèmb^{er}] *s.* membre; député [Parliament]; associé; sociétaire, m. || **membership** [-ship] *s.* sociétariat; ensemble des membres, m.; qualité de membre; adhésion, f.

membrane [mèmbré^{i}n] *s.* membrane, f.

memento [mimènto^{ou}] *s.* mémento; souvenir, m.

memoir [mèmwâr] *s.* mémoire, m.; mémoires, f. pl. || **memorable** [mèm^{e}r^{e}b'l] *adj.* mémorable. || **memorandum** [mèm^{e}rand^{e}m] *s.* mémorandum; mémoire; bordereau (comm.), m.; **memorandum book,** carnet, agenda; **memorandum pad,** bloc-notes. || **memorial** [meмoouriel] *s.* mémorial, monument, m.; plaque commémorative, f.; *adj.* commémoratif. || **memorize** [mèmeraiz] *v.* apprendre par cœur. || **memory** [mèmeri] *s.* mémoire, f.

men [mèn] *pl. of* **man.**

menace [mènis] *s.* menace, f.; *v.* menacer.

mend [mènd] *v.* raccommoder; réparer; améliorer; *to mend one's ways,* changer de conduite; *s.* amélioration, f.; *to be on the mend,* être en voie de guérison.

menial [mîniel] *adj.* domestique; servile; *s.* subalterne; valet, m.

meninges [menindjiz] *s.* méninges, f.

mensuration [mènsheréishen] *s.* mensuration, f.; mesurage, m.

mental [mènt'l] *adj.* mental. || **mentality** [mèntaleti] *s.* mentalité, f.

mention [mènshen] *s.* mention, f.; *v.* citer; mentionner; *don't mention it,* il n'y a pas de quoi.

menu [mènyou] *s.* menu, m.

mercantile [mërkentil] *adj.* mercantile; commercial; marchand; **mercantile agency,** agence commerciale.

mercenary [mërs'nèri] *s.* mercenaire, m.

mercerize [mërseraiz] *v.* merceriser.

merchandise [mërtshendaiz] *s.* marchandise, f.; *v.* faire du commerce. || **merchant** [mërtshent] *s.* négociant; commerçant; marchand, m.; *adj.* marchand; **merchantman,** navire marchand.

merciful [mërsifel] *adj.* miséricordieux. || **merciless** [-lis] *adj.* impitoyable; sans merci.

mercury [mërkyeri] *s.* mercure, m.

mercy [mërsi] *s.* miséricorde; pitié, f.; **mercy stroke,** coup de grâce; *to be at the mercy of,* être à la merci de.

mere [mier] *adj.* simple; seul; *a mere formality,* une pure formalité; *the mere sight of him,* sa seule vue; **merely,** purement, simplement.

merge [mërdj] *v.* fusionner; (se) fondre; s'amalgamer.

meridian [meridien] *adj., s.* méridien.

merit [mèrit] *s.* mérite, m.; *v.* mériter. || **meritorious** [mèretoouries] *adj.* méritoire; méritant.

merrily [mèreli] *adv.* joyeusement. || **merriment** [-ment] *s.* gaieté, f. || **merry** [mèri] *adj.* gai, joyeux; plaisant; *to make merry,* se réjouir, se divertir; **merry-go-round,** carrousel, manège de chevaux de bois; **merrymaker,** noceur; **merrymaking,** réjouissance, bombance.

mesh [mèsh] *s.* maille, f.; filet; engrenage, m.; *v.* s'engager; s'engrener.

mess [mès] *s.* plat; mess; ordinaire, m.; ration; popote, f.; *v.* manger au mess.

mess [mès] *s.* gâchis; désordre, m.; *v.* gâcher; salir; *to make a mess,* faire du gâchis; *to be in a mess,* être dans le pétrin.

message [mèsidj] *s.* message; télégramme, m.; communication, f.; **telephone message,** message téléphonique. || **messenger** [mès'ndjer] *s.* messager, m.

met [mèt] *pret., p. p. of* **to meet.**

metal [mèt'l] *s.* métal, m.; *adj.* métallique; en métal; **coarse metal,** métal brut; **sheet metal,** tôle. || **metallic** [metalik] *adj.* métallique. || **metallurgy** [mèt'lerdji] *s.* métallurgie, f.

metamorphosis [mètemaurfesis] *s.* métamorphose, f.

metaphor [mètefer] *s.* métaphore, f.

meteor [mîtier] *s.* météore, m. || **meteorological** [mîtierelâdjik'l] *adj.* météorologique. || **meteorology** [mîtierâledji] *s.* météorologie, f.

meter, metre [mîter] *s.* mètre; compteur; jaugeur [gasoline], m.

method [mèthed] *s.* méthode, technique, f.; procédé, m. || **methodical** [methâdik'l] *adj.* méthodique.

metric [mètrik] *adj.* métrique.

metropolis [metrâp'lis] *s.* métropole; capitale, f. || **metropolitan** [mètrepâlet'n] *adj., s.* métropolitain.

mettle [mèt'l] *s.* courage, enthousiasme, m.; fougue, f.

mew [myou] *s.* mouette, f.

mew [myou] *s.* miaulement, m.; *v.* miauler.

mew [myou] *v.* muer, changer de.

mew [myou] *s.* mue, cage; *pl.* étable, f.; *v.* encager; enfermer.
Mexican [mèksikᵉn] *adj., s.* mexicain.
mezzanine [mèzᵉnin] *s.* entresol, m.
mica [maⁱkᵉ] *s.* mica, m.
mice [maⁱs] *pl. of* **mouse.**
microbe [maⁱkroᵒᵘb] *s.* microbe, m.
microphone [maⁱkrᵉfoᵒᵘn] *s.* microphone, m.
microscope [maⁱkrᵉskoᵒᵘp] *s.* microscope, m. || **microscopic** [maⁱkrᵉskâpik] *adj.* microscopique.
mid [mid] *adj.* mi, moyen; intermédiaire; *s.* milieu, m.; *in mid air,* au milieu des airs. || **midday** [-déⁱ] *s.* midi, m. || **middle** [-'l] *adj.* moyen; intermédiaire; *s.* milieu; centre, m.; **middle size,** taille moyenne; *in the middle of,* au milieu de; **middleman,** intermédiaire. || **middy** [-i] *s.* aspirant de marine, m.
midge [midj] *s.* moustique, m.
midget [midjit] *s.* nain, m.
midnight [midnaⁱt] *s.* minuit, m.; *adj.* de minuit.
midshipman [midshipmᵉn] *s.* aspirant de marine, m. || **midships** [-s] *adv.* par le travers (naut.).
midst [midst] *s.* milieu, centre, m.; *adv.* au milieu; *prep.* au milieu de; *in our midst,* au milieu de nous. || **midstream** [midstrim] *s.* mi-courant, m. || **midsummer** [midsœmᵉʳ] *s.* plein été; solstice d'été, m.; **midsummer day,** jour de la Saint-Jean. || **midway** [-wéⁱ] *adj. adv.* à mi-chemin; *s.* milieu du chemin; moyen terme, m.
midwife [midwaⁱf] *s.* sage-femme, f.
mien [min] *s.* mine, allure, f.
might [maⁱt] *pret. of* **may;** s. force; puissance, f.; pouvoir, m. || **mighty** [-i] *adj.* puissant, fort, vigoureux; *adv.* fort, extrêmement.
migrate [maⁱgréⁱt] *v.* émigrer.
mike [maⁱk], *see* **microphone.**
mild [maⁱld] *adj.* doux; paisible; affable; bénin. || **mildness** [-nis] *s.* douceur; modération; affabilité, f.
mildew [mildyou] *s.* mildiou, m.
mile [maⁱl] *s.* mille, m.; **milestone,** borne kilométrique ou milliaire.
militant [milᵉtᵉnt] *s.* militant, m.
militarism [milᵉtᵉriz'm] *s.* militarisme, m. || **military** [milᵉtèri] *s. adj.* militaire.
milk [milk] *s.* lait, m.; *v.* traire; **milk diet,** régime lacté; **milkmaid,** laitière; **milkman,** laitier; **milky,** laiteux, lacté [way].
mill [mil] *s.* moulin; laminoir (mech.), *m.;* usine, f.; *v.* moudre, broyer; fraiser; fabriquer; **coffee mill,** moulin à café; **paper mill,** fabrique de papier; **saw mill,** scierie; **sugar mill,** sucrerie; **textile mill,** usine de textiles; **water mill,** moulin à eau. || **miller** [-ᵉʳ] *s.* meunier; minotier, m.; fraiseuse, f.
milliner [milᵉnᵉʳ] *s.* modiste, f.; *Am.* chapelier, m. || **millinery** [-ri] *s.* modes, f. pl.; *Am.* chapeaux; magasin, articles de modes, m.
million [milyᵉn] *s.* million, m. || **millionnaire** [milyᵉnèr] *s.* millionnaire, m. || **millionth** [milyᵉnth] *adj., s.* millionième.
millstone [milstoᵒᵘn] *s.* meule de moulin, f.
mimic [mimik] *adj.* imitatif; *s.* mime, m.; imitation, f.; *v.* mimer, singer; **mimicry,** mimique.
mimosa [mimoᵒᵘsᵉ] *s.* mimosa, m.
mince [mins] *v.* hacher menu; émincer; minauder; *not to mince words,* ne pas mâcher ses mots; **mincemeat,** hachis, émincé.
mind [maⁱnd] *s.* esprit; penchant; avis, m.; intelligence; mémoire; opinion; conscience; intention, f.; *v.* faire attention; remarquer; observer; surveiller; obéir; *to bear in mind,* tenir compte de; *to have in mind,* avoir en vue; *to have a mind to,* avoir envie de; *to make up one's mind,* se décider; *to speak one's mind,* dire ce qu'on pense; *I don't mind,* cela m'est égal; *never mind,* peu importe; *mind your own business,* occupez-vous de vos affaires. || **mindful** [-fᵉl] *adj.* attentif; soucieux de. || **mindless** [-lis] *adj.* inanimé; insouciant; indifférent (*of,* à).
mine [maⁱn] *pron.* le mien; la mienne; à moi.
mine [maⁱn] *s.* mine, f.; *v.* miner; exploiter; extraire; saper; **minesweeper,** dragueur de mines. || **miner** [-ᵉʳ] *s.* mineur, m.
mineral [minᵉrᵉl] *adj., s.* minéral.
mingle [mìng'l] *v.* (se) mêler; mélanger; entremêler.
miniature [minitshᵉʳ] *s.* miniature, f.; *adj.* réduit; en miniature.
minimize [minᵉmaⁱz] *v.* minimiser.

|| **minimum** [minᵉmᵉm] *adj.*, *s.* minimum.
mining [maⁱning] *s.* industrie minière; exploitation des mines, f.; *adj.* minier.
minister [ministᵉʳ] *s.* ministre; prêtre; pasteur; ecclésiastique, m.; *v.* servir; entretenir; officier. || **ministry** [-tri] *s.* ministère, m.
mink [mìngk] *s.* vison, m.
minnow [minoᵒᵘ] *s.* vairon, m.
minor [maⁱnᵉʳ] *s.* mineur, m.; mineure, f.; *adj.* mineur, moindre; secondaire; **minor key**, ton mineur [music]. || **minority** [mᵉnaurᵉti] *s.* minorité, f.
minstrel [mìnstrᵉl] *s.* musicien; ménestrel; acteur comique, m.
mint [mìnt] *s.* menthe, f.
mint [mìnt] *s.* hôtel de la Monnaie, m.; *v.* monnayer, frapper; fabriquer, forger.
minuet [minyouèt] *s.* menuet, m.
minus [maⁱnᵉs] *adj.* négatif; en moins; *s.* moins (math.), m.
minute [minit] *s.* minute, f.; *pl.* procès-verbaux, comptes rendus, m.; *v.* minuter; *to minute down*, prendre note, inscrire.
minute [mᵉnyout] *adj.* menu; minuscule; de peu d'importance; minutieux; détaillé.
miracle [mirᵉk'l] *s.* miracle, m. || **miraculous** [mᵉrakyᵉlᵉs] *adj.* miraculeux.
mirage [mᵉrâj] *s.* mirage, m.
mire [maⁱr] *s.* boue; vase, fange, f.; bourbier, m.; *v.* (s')embourber.
mirror [mirᵉʳ] *s.* miroir, m.; glace, f.; *v.* refléter; miroiter.
mirth [mëʳth] *v.* joie, gaieté, f.; **mirthful**, joyeux, gai.
miry [maⁱri] *adj.* fangeux, bourbeux, boueux.
misappropriate [misᵉproᵒᵘpriéⁱt] *v.* détourner; faire un mauvais emploi de.
misbehave [misbihéⁱv] *v.* se conduire mal.
miscarriage [miskaridj] *s.* échec; accident, m.; inconduite; fausse couche, f.; *miscarriage of justice*, erreur judiciaire. || **miscarry** [miskari] *v.* échouer; avorter; se perdre [letter].
miscellaneous [mis'léⁱniᵉs] *adj.* divers; varié.
mischief [mistshif] *s.* mal; tort; dommage, m.; méchanceté; frasque, f. || **mischievous** [-tshivᵉs] *adj.* malicieux; méchant; nuisible; espiègle.
misconduct [miskândœkt] *s.* mauvaise conduite; mauvaise administration, f.; [miskᵉndœkt] *v.* diriger mal; gérer mal; *to misconduct oneself*, se mal conduire.
misdeed [misdîd] *s.* méfait, m.
misdemeanor [misdiminᵉʳ] *s.* délit, m.; inconduite, f.
miser [maⁱzᵉʳ] *s.* avare, m.
miserable [mizrᵉb'l] *adj.* misérable; pitoyable.
miserly [maⁱzᵉʳli] *adj.* avare; mesquin; chiche.
misery [mizri] *s.* misère; indigence, f.; tourment, m.
misfortune [misfaurtshᵉn] *s.* malheur, m.; adversité, f.
misgiving [misgiving] *s.* appréhension, f.; soupçon; pressentiment, m.
misfire [misfaⁱr] *s.* raté, m.; *v.* rater; avoir des ratés.
mishap [mis'hap] *s.* malheur; accident; contretemps, m.
misinform [misinfaurm] *v.* renseigner mal.
mislaid [misléⁱd] *pret.*, *p. p. of* **to mislay**. || **mislay** [misléⁱ] *v.* égarer, perdre.
mislead [mislîd] *v.* fourvoyer; égarer. || **misled** [mislèd] *pret.*, *p. p.* of **to mislead.**
misplace [mispléⁱs] *v.* mal placer, mal classer; déplacer.
misprint [misprint] *s.* faute d'impression, f.
misrepresent [misrèprizènt] *v.* représenter mal; déformer; dénaturer; calomnier.
miss [mis] *v.* manquer; omettre; souffrir de l'absence, du manque de; *s.* manque; raté, m.; perte; faute; erreur; déficience, f.; *to miss one's way*, se tromper de route; *he just missed falling*, il a failli tomber; *I miss you*, vous me manquez.
miss [mis] *s.* mademoiselle, f.
missile [mis'l] *s.* projectile, m.; *adj.* de jet; qu'on peut lancer.
missing [mising] *adj.* absent; manquant; disparu (milit.).
mission [mishᵉn] *s.* mission, f. || **missionary** [-èri] *adj.*, *s.* missionnaire.
misspell [misspèl] *v.* mal orthographier; mal épeler.
mist [mist] *s.* brume; bruine; buée,

f.; brouillard, m.; v. bruiner; envelopper d'un brouillard.
mistake [m^e^stéᶦk] s. erreur; faute; méprise; gaffe, f.; mécompte (comm.), m.; v.* se tromper; se méprendre; *to make a mistake*, se tromper, commettre une bévue. || **mistaken** [-^e^n] p. p. of **to mistake**; adj. erroné; fait par erreur.
mister [mist^er^] s. monsieur, m.
mistook [mistouk] pret. of **to mistake.**
mistreat [mistrît] v. maltraiter.
mistress [mistris] s. madame; maîtresse; patronne, f.; **school mistress**, institutrice.
mistrust [mistrœst] s. méfiance, f.; v. se méfier de. || **mistrustful** [-f^e^l] adj. méfiant; soupçonneux.
misty [misti] adj. brumeux; vague, indécis.
misunderstand [misœnd^er^stànd] v. mal comprendre; se méprendre; mal interpréter. || **misunderstanding** [-ing] s. mésintelligence; mauvaise interprétation; équivoque, f.; malentendu, m. || **misunderstood** [misœnd^er^stoud] pret., p. p. of **to misunderstand.**
misuse [misyous] s. abus; mauvais usage; mauvais traitements, m.; malversation, f.; [misyouz] v. mésuser; abuser; maltraiter; détourner; employer mal à propos.
mite [maᶦt] s. mite; obole, f.; denier, m.
miter [maᶦt^er^] s. mitre; dignité épiscopale, f.
mitigate [mit^e^géᶦt] v. mitiger; atténuer; modérer; apaiser.
mitten [mit'n] s. mitaine; moufle, f.
mix [miks] v. (se) mêler; (se) mélanger; s'associer; s. mélange, gâchis, m. || **mixture** [mikstsh^er^] s. mélange; amalgame, m.; mixture, f.
mizzen [miz'n] s. artimon, m.
moan [mo^ou^n] s. gémissement, m.; plainte, f.; v. gémir; se lamenter.
moat [mo^ou^t] s. fossé, m.; douve, f.
mob [mâb] s. foule; populace, cohue, f.; attroupement; rassemblement, m.; v. se ruer en foule sur; s'attrouper.
mobile [mo^ou^b'l] adj. mobile.
mobilization [mo^ou^b'l^e^zéᶦsh^e^n] s. mobilisation, f. || **mobilize** [mo^ou^b'laᶦz] v. mobiliser.
moccasin [mâk^e^s'n] s. mocassin, m.
mock [mâk] v. se moquer; singer; rire de; s. moquerie, f.; adj. faux; imité; fictif; **mock-up**, maquette. || **mockery** [-ri] s. moquerie; dérision; parodie, f.; simulacre, m.
mode [mo^ou^d] s. mode; façon; méthode, f.; système; mode [music], m.
model [mâd'l] s. modèle; patron; mannequin, m.; copie, f.; adj. modèle; v. modeler.
moderate [mâd^e^rit] adj. modéré; modique; médiocre; [-réᶦt] v. modérer; (se) calmer. || **moderation** [mâd^e^réᶦsh^e^n] s. modération; retenue; tempérance, f.
modern [mâd^er^n] adj. moderne. || **modernize** [-aᶦz] v. moderniser.
modest [mâdᶦst] adj. modeste. || **modesty** [-i] s. modestie; pudeur, f.
modification [mâd^e^f^e^kéᶦsh^e^n] s. modification, f. || **modify** [mâd^e^faᶦ] v. modifier.
modiste [mo^ou^dist] s. couturière, f.
modulate [mâdy^e^léᶦt] s. moduler. || **modulus** [mâdy^e^l^e^s] s. module, coefficient, m.
Mohammedan [mo^ou^ham^e^d^e^n] adj. s. mahométan.
moil [moᶦl] v. trimer.
moist [moᶦst] adj. humide; moite. || **moisten** [moᶦs'n] v. humecter; humidifier. || **moisture** [moᶦstsh^er^] s. humidité, f.
molar [mo^ou^l^er^] adj., s. molaire.
molasses [m^e^lasiz] s. mélasse, f.
mo(u)ld [mo^ou^ld] s. moisi, m.; v. moisir; **mo(u)ldy**, moisi.
mo(u)ld [mo^ou^ld] s. terre, f.; terreau, m. || **mo(u)lder** [-^er^] v. s'émietter; s'effriter.
mo(u)ld [mo^ou^ld] s. moule, m.; v. mouler; modeler; **mo(u)lding**, moulage, moulure.
mole [mo^ou^l] s. môle, m.
mole [mo^ou^l] s. tache, f.; grain de beauté, m.
mole [mo^ou^l] s. taupe, f.
molecule [mâl^e^kyoul] s. molécule, f.
molest [m^e^lèst] v. molester; tourmenter.
mollify [mâl^e^faᶦ] v. amollir; pacifier; adoucir, calmer.
molten [mo^ou^lt'n] adj. fondu.
moment [mo^ou^m^e^nt] s. moment, instant, m.; importance, f. || **momentary** [-èri] adj. momentané; imminent. || **momentous** [mo^ou^mènt^e^s] adj. important, considérable.

|| **momentum** [moouméntem] *s.* force d'impulsion, f.
monarch [mânerk] *s.* monarque, m. || **monarchy** [-i] *s.* monarchie, f.
monastery [mânestèri] *s.* monastère, m.
Monday [mœndi] *s.* lundi, m.
monetary [mœnetèri] *adj.* monétaire. || **money** [mœni] *s.* argent, m.; monnaie; espèces, f.; **money dealer**, changeur; **money order**, mandat-poste; **money-making**, lucratif; **counterfeit money**, fausse monnaie.
mongrel [mœnggrel] *adj.*, *s.* bâtard [dog].
monk [mœngk] *s.* moine, m.
monkey [mœngki] *s.* singe, m.; guenon, f.; *v.* singer; se mêler à; **monkeyshine**, tour, farce; **monkey wrench**, clé anglaise.
monogram [mânegram] *s.* monogramme, m.
monologue [mân'laug] *s.* monologue, m.
monopolize [menâp'laiz] *v.* monopoliser, accaparer. || **monopoly** [-li] *s.* monopole; accaparement, m.
monosyllable [mânesileb'l] *s.* monosyllabe, m.
monotonous [menât'nes] *adj.* monotone || **monotony** [-ni] *s.* monotonie, f.
monsoon [mânsoun] *s.* mousson, f.
monster [mânster] *s.* monstre, m.; *adj.* énorme. || **monstrosity** [mânstrâseti] *s.* monstruosité, f. || **monstrous** [mânstres] *adj.* monstrueux.
month [mœnth] *s.* mois, m. || **monthly** [-li] *adj.* mensuel; *adv.* mensuellement; *s.* publication mensuelle, f.
monument [mânyement] *s.* monument, m. || **monumental** [mânyemènt'l] *adj.* monumental, colossal, grandiose.
moo [mou] *s.* mugissement, m.; *v.* mugir; meugler.
mood [moud] *s.* humeur, f.; état d'esprit, m.; *to be in a good mood*, être de bonne humeur; *to be in the mood to*, être d'humeur à, disposé à.
mood [moud] *s.* mode (gramm.), m.
moody [moudi] *adj.* maussade; capricieux; quinteux.
moon [moun] *s.* lune, f.; **moonlight**, clair de lune; **moonstruck**, lunatique, fou.
moor [mouer] *v.* amarrer; mouiller.
moor [mouer] *s.* lande, f.; terrain inculte, m.
Moor [mouer] *s.* Maure, m.; **Moorish**, mauresque.
mop [mâp] *s.* balai; faubert (naut.), m.; *Am.* tignasse, f.; *v.* éponger, balayer; **dish mop**, lavette.
mope [mooup] *v.* faire grise mine.
moral [maurel] *adj.* moral; *s.* morale; moralité, f.; *pl.* mœurs, f. || **morale** [meral] *s.* moral, m. || **moralist** [maurelist] *s.* moraliste, m. || **morality** [meraleti] *s.* moralité, f. || **moralize** [maurelaiz] *v.* moraliser.
morbid [maurbid] *adj.* morbide; maladif; malsain.
more [moour] *adj.* plus de; *adv.* plus; davantage; *some more*, encore un peu; *the more... the more*, plus... plus; *once more*, encore une fois; *never more*, jamais plus; *more and more*, de plus en plus; *more or less*, plus ou moins; *all the more*, à plus forte raison, d'autant plus. || **moreover** [-oouver] *adv.* de plus; en outre; d'ailleurs.
morning [maurning] *s.* matin, m.; *adj.* du matin.
Moroccan [merâken] *adj.*, *s.* marocain. || **Morocco** [merâkoou] *s.* Maroc, m.
morrow [mauroou] *s.* lendemain, m.
morsel [maurs'l] *s.* morceau; brin, m.; bouchée, f.
mortal [maurt'l] *adj.*, *s.* mortel. || **mortality** [maurtaleti] *s.* mortalité, f.
mortar [maurter] *s.* mortier, m.; **knee-mortar**, lance-grenades.
mortgage [maurgidj] *s.* hypothèque, f., *v.* hypothéquer.
mortify [maurtefai] *v.* mortifier.
mortise [maurtis] *s.* mortaise, f.; *v.* mortaiser.
mosaic [moouzéiik] *s.* mosaïque, f.
mosquito [meskitoou] *s.* moustique, m.; **mosquito net**, moustiquaire.
moss [maus] *s.* mousse, f.; tourbe, f.; **mossy**, moussu.
most [mooust] *adj.* le plus, la plus, les plus; *adv.* on ne peut plus; *most people*, la plupart des gens; *most likely*, très probablement; *at most*, au plus; *most of all*, surtout; *to make the most of*, tirer le meilleur parti de. || **mostly** [-li] *adv.* pour la plupart; le plus souvent; surtout; *s.* la plupart de.

moth [mauth] *s.* phalène, m.; mite; teigne, f.; **moth ball,** boule de naphtaline; **moth-eaten,** mité.
mother [mœzh^er] *s.* mère, f.; *adj.* de mère, maternel; *v.* servir de mère à; **mother tongue,** langue maternelle; **motherhood,** maternité; **mother-in-law,** belle-mère; **motherly,** maternel; **mother-of-pearl,** nacre.
motif [mo^ou^tif] *s.* motif, thèse (music), m.
motion [mo^ou^sh^e^n] *s.* mouvement; déplacement, m.; motion, f.; *v.* faire signe de; *to second a motion,* appuyer une proposition; **motionless,** immobile; **motion picture,** cinéma; film cinématographique.
motive [mo^ou^tiv] *s.* motif, m.; *adj.* moteur, motrice; **motive power,** force motrice.
motley [mâtli] *adj.* bigarré, multicolore; varié, hétérogène; *s.* bigarrure, f.
motor [mo^ou^tér] *s.* moteur, m.; auto, f.; *v.* faire de l'auto. || **motorboat** [-bo^ou^t] *s.* canot automobile, m. || **motorcar** [-kâr] *s.* automobile, f. || **motorcoach** [-ko^ou^tsh] *s.* autobus, m. || **motorcycle** [-sa^i^k'l] *s.* motocyclette, f. || **motorist** [-rist] *s.* automobiliste, m. || **motorize** [-ra^i^z] *v.* motoriser. || **motorman** [-m^e^n] *s.* wattman; machiniste, m.
mottled [mât'ld] *adj.* marbré.
motto [mâto^ou^] *s.* devise, f.
mould, *see* **mold.**
mound [ma^ou^nd] *s.* tertre, monticule, m.
mount [ma^ou^nt] *s.* mont, m.
mount [ma^ou^nt] *s.* monture, f.; *v.* chevaucher; gravir; monter, installer; sertir; encadrer.
mountain [ma^ou^nt'n] *s.* montagne, f.; *adj.* de montagne; **mountain lion,** puma; **mountaineer,** alpiniste; montagnard; **mountainous,** montagneux.
mounting [ma^ou^nting] *s.* affût; support, m.
mourn [mo^ou^rn] *v.* lamenter; pleurer; regretter; porter le deuil (*for,* de); **mournful,** funèbre, lugubre, triste. || **mourning** [-ing] *s.* deuil, m.; affliction, f.; *adj.* de deuil.
mouse [ma^ou^s] *s.* souris, f.; **mousetrap,** souricière.
moustache, *see* **mustache.**
mouth [ma^ou^th] *s.* bouche; gueule; embouchure, f.; orifice; goulot, m.; *with open mouth,* bouche bée. || **mouthful** [-f^e^l] *s.* bouchée, f. || **mouthpiece** [-pîs] *s.* embouchure [objet], f.; porte-parole (fig.), m.
movable [mouv^e^b'l] *adj.* mobile; mobilier; *s. pl.* (biens) meubles, m. || **move** [mouv] *v.* mouvoir; remuer; transporter; déménager [furniture]; proposer [motion]; émouvoir; *s.* mouvement; coup [chess], m.; *to move away,* s'éloigner; *to move back* (faire) reculer; *to move forward,* avancer; *to move in,* emménager; *it is your move,* c'est à vous de jouer [game]. || **movement** [-m^e^nt] *s.* mouvement; déplacement; mécanisme, m.; manœuvre; opération, f. || **movie** [-i] *s.* cinéma, film, m. || **moving** [-ing] *adj.* mouvant; émouvant; touchant.
mow [mo^ou^] *v.** faucher. || **mower** [-^er^] *s.* faucheur, m.; faucheuse [machine]; tondeuse, f. || **mown** [-n] *adj., p. p.* fauché.
much [mœtsh] *adj.* beaucoup de; *adv.* beaucoup; *as much as,* autant que; *much as,* pour autant que; *how much?,* combien?; *so much,* tant; *ever so much,* tellement; *too much,* trop; *very much,* beaucoup; *to think much of,* faire grand cas de; *so much the better,* tant mieux; *not much of a book,* un livre sans grande valeur.
muck [mœk] *s.* fumier, m.; fange, f.; *v.* fumer; souiller; salir.
mucous [myouk^e^s] *adj.* muqueux; **mucous membrane,** muqueuse.
mud [mœd] *s.* boue, fange, f.; **mudguard,** garde-boue. || **muddle** [-'l] *v.* barboter, patauger; troubler; salir; embrouiller; gaspiller; *s.* gâchis, trouble, désordre, m.; confusion, f. || **muddy** [-i] *adj.* boueux; confus; *v.* couvrir de boue; troubler; rendre confus.
muff [mœf] *s.* manchon, m.
muff [mœf] *v.* bousiller, saboter; gâcher.
muffin [mœfin] *s.* brioche; galette, f.
muffle [mœf'l] *v.* emmitoufler; assourdir [sound]. || **muffler** [-^er^] *s.* cache-nez; amortisseur de son, m.
mufti [mœfti] *s.* costume civil, m.
mug [mœg] *s.* pot, gobelet, m.

mulatto [m^e^lato^ou^] *s.* mulâtre, m.; mulâtresse, f.
mulberry [mœlbèri] *s.* mûre, f.
mulct [mœlkt] *s.* amende, f.; *v.* frapper d'une amende.
mule [myoul] *s.* mulet, m.; mule, f. || **muleteer** [myoul^e^tîr] *s.* muletier, m.
mull [mœl] *v.* réfléchir (*over*, à); chauffer et épicer une boisson.
multiple [mœlt^e^p'l] *adj.*, *s.* multiple. || **multiplication** [mœlt^e^pl^e^kéⁱsh^e^n] *s.* multiplication, f. || **multiply** [mœlt^e^plaⁱ] *v.* (se) multiplier. || **multitude** [mœlt^e^tyoud] *s.* multitude, f.
mum [mœm] *adj.* muet, silencieux; *interj.* chut!; *to keep mum*, se taire.
mumble [mœmb'l] *v.* marmonner; *s.* grognement, murmure, m.; *to talk in a mumble*, marmotter entre ses dents.
mummy [mœmi] *s.* momie, f.
mumps [mœmps] *s.* oreillons, m.
munch [mœntsh] *v.* croquer, mâcher.
municipal [myounis^e^p'l] *adj.* municipal. || **municipality** [myounis^e^pal^e^ti] *s.* municipalité, f.
munition [myounish^e^n] *s.* munition, f.; **munition plant**, arsenal.
mural [myour^e^l] *adj.*, *s.* mural.
murder [më^r^d^er^] *s.* meurtre, m.; *v.* assassiner; écorcher [language]. || **murderer** [-r^er^] *s.* meurtrier, assassin, m. || **murderous** [-r^e^s] *adj.* meurtrier.
murky [më^r^ki] *adj.* sombre, obscur; **murky past**, passé obscur.
murmur [më^r^m^er^] *s.* murmure, m.; *v.* murmurer.
muscle [mœs'l] *s.* muscle, m. || **muscular** [mœsky^e^l^er^] *adj.* musculaire; musculeux.
muse [myouz] *v.* rêver, méditer; *s.* méditation, rêverie; Muse, f.
museum [myouzi^e^m] *s.* musée, m.
mush [mœsh] *s.* bouillie de farine de maïs, f.
mushroom [mœshroum] *s.* champignon, m.; *v.* foisonner; pousser vite; s'aplatir, s'écraser.
music [myouzik] *s.* musique, f.; **music stand**, pupitre; **music stool**, tabouret de piano; **musical**, musical. || **musician** [myouzish^e^n] *s.* musicien, m.
muskrat [mœskrat] *s.* rat musqué, m.
muslin [mœzlin] *s.* mousseline, f.
muss [mœs] *s.* désordre, m.; confusion, f.; *v.* déranger; froisser.
mussel [mœs'l] *s.* moule, f.
Mussulman [mœs'lm^e^n] (*pl.* **Mussulmans** [-z], **Mussulmen** [-m^e^n]) *adj.*, *s.* musulman.
must [mœst] *s.* moût, m.
must [mœst] *defect. v.* devoir, falloir; *I must say*, il faut que je dise, je ne peux pas m'empêcher de dire.
mustache [mœstash] *s.* moustache, f.
mustard [mœst^er^d] *s.* moutarde, f.; **mustard gas**, ypérite; **mustard plaster**, sinapisme.
muster [mœst^er^] *s.* appel; rassemblement, m.; revue, f.; *v.* faire l'appel de; passer en revue; rassembler.
musty [mœsti] *adj.* moisi.
mute [myout] *adj.* muet; *s.* muet, m.; muette (gramm.), f.; sourdine [music], f.; *v.* amortir, assourdir. || **muteness** [-nis] *s.* mutisme, m.
mutilate [myout'léⁱt] *v.* mutiler; tronquer. || **mutilation** [myout'léⁱsh^e^n] *s.* mutilation, f.
mutiny [myout'ni] *s.* mutinerie, f.; *v.* se mutiner; se révolter.
mutter [mœt^er^] *v.* marmotter; grommeler; gronder [thunder]; *s.* marmottement, m.
mutton [mœt'n] *s.* mouton [flesh], m.; **mutton chop**, côtelette de mouton; *leg of mutton*, gigot.
mutual [myoutshou^e^l] *adj.* mutuel; réciproque; commun [friend].
muzzle [mœz'l] museau [animal], m.; muselière; bouche, gueule [firearm], f.; *v.* museler.
my [maⁱ] *adj.* mon, ma, mes.
myopia [maⁱo^ou^pi^e^] *s.* myopie, f.
myriad [miriad] *s.* myriade, f.
myrtle [më^r^t'l] *s.* myrte, m.
myself [maⁱsèlf] *pron.* moi-même; moi; me; *I have hurt myself*, je me suis blessé.
mysterious [mistiri^e^s] *adj.* mystérieux; **mysteriously**, mystérieusement. || **mystery** [mistri] *s.* mystère, m.
mystic [mistik] *adj.*, *s.* mystique; **mystical**, mystique. || **mysticism** [mist^e^siz^e^m] *s.* mysticisme, m.
myth [mith] *s.* mythe, m.; **mythical**, mythique. || **mythology** [mithâl^e^dji] *s.* mythologie, f.

N

nab [nab] *v.* saisir; happer; appréhender, arrêter.
nag [nag] *s.* bidet, petit cheval, m.
nag [nag] *v.* gronder, grogner; importuner; critiquer.
nail [né¹l] *s.* clou; ongle, m.; *v.* clouer; **nail file,** lime à ongles; *to hit the nail on the head,* mettre le doigt dessus, tomber juste; **nailmaker,** cloutier; **nail polish,** vernis à ongle.
naive [naiv] *adj.* naïf, ingénu.
naked [né¹kid] *adj.* nu. || **nakedness** [-nis] *s.* nudité, f.
name [né¹m] *s.* nom; renom, m.; réputation, f.; *v.* nommer; appeler; fixer; mentionner; désigner; *what is your name?,* comment vous appelez-vous?; *Christian name,* nom de baptême; *to know by name,* connaître de nom; **assumed name,** pseudonyme; **nickname,** sobriquet, surnom; **nameless,** sans nom, anonyme, inconnu; **namely,** à savoir, nommément. || **namesake** [-sé¹k] *s.* homonyme, m.
nap [nap] *s.* duvet, poil, m.
nap [nap] *s.* somme [sleep], m.; sieste, f.; *v.* sommeiller; faire la sieste.
nape [né¹p] *s.* nuque, f.
naphtha [napthᵉ] *s.* naphte, m.
napkin [napkin] *s.* serviette, f.
narcissus [nârsisᵉs] *s.* narcisse, m.
narcosis [nârkoᵒᵘsis] *s.* narcose, f.
narcotic [nârkâtik] *adj., s.* narcotique.
narrate [naré¹t] *v.* raconter, narrer. || **narration** [naré¹shᵉn] *s.* narration, f. || **narrative** [narᵉtiv] *adj.* narratif; *s.* récit; exposé, m.; relation, f.
narrow [naroᵒᵘ] *adj.* étroit; rétréci; borné; intolérant; *s. pl.* détroit; défilé, m.; *v.* (se) rétrécir; **narrow circumstances,** gêne. || **narrowness** [-nis] *s.* étroitesse, f.; rétrécissement, m.
nasal [né¹z'l] *adj.* nasal.
nastiness [nastinis] *s.* saleté, malpropreté; grossièreté, f.
nasturtium [nastërshᵉm] *s.* capucine, f.
nasty [nasti] *adj.* sale; grossier; obscène; odieux; *a nasty customer,* un mauvais coucheur; *a nasty trick,* un sale tour; *to smell nasty,* sentir mauvais.
nation [né¹shᵉn] *s.* nation, f. || **national** [-'l] *adj.* national. || **nationality** [nashᵉnalᵉti] *s.* nationalité, f. || **nationalize** [nashᵉn'la¹z] *v.* nationaliser.
native [né¹tiv] *adj.* natif; originaire; natal; *s.* indigène, naturel, m. || **nativity** [né¹tivᵉti] *s.* naissance; nativité, f.
natty [nati] *adj.* pimpant, coquet.
natural [natshᵉrᵉl] *adj.* naturel; normal; simple; réel; bécarre [music]. || **naturalism** [-izᵉm] *s.* naturalisme, m. || **naturalist** [-ist] *s.* naturaliste, m. || **naturalization** [natshrᵉlᵉzé¹shᵉn] *s.* naturalisation, f. || **naturalize** [natshᵉrᵉla¹z] *v.* naturaliser. || **naturally** [-li] *adv.* naturellement. || **naturalness** [-lnis] *s.* naturel, m. || **nature** [né¹tshᵉʳ] *s.* nature, f.; naturel; caractère, m.; simplicité, f.
naught [naut] *s.* rien, zéro; *to come to naught,* n'aboutir à rien, échouer. || **naughty** [-i] *adj.* malicieux, polisson, indocile; mauvais, pervers.
nausea [naujᵉ] *s.* nausée, f. || **nauseate** [-jié¹t] *v.* avoir des nausées; dégoûter. || **nauseous** [-jᵉs] *adj.* nauséabond; écœurant.
naval [né¹v'l] *adj.* naval; *Am.* **naval academy,** école navale; **naval officer,** officier de marine.
nave [né¹v] *s.* nef [church], f.
nave [né¹v] *s.* moyeu, m.
navel [né¹v'l] *s.* nombril, ombilic, m.
navigable [navᵉgᵉb'l] *adj.* navigable. || **navigate** [-gé¹t] *v.* naviguer; gouverner; piloter. || **navigation** [navᵉgé¹shᵉn] *s.* navigation, f.; **radio navigation,** radiogoniométrie. || **navigator** [navᵉgé¹tᵉʳ] *s.* navigateur, m. || **navy** [né¹vi] *s.* marine; flotte, f.; **navy blue,** bleu marine.
nay [né¹] *adv.* non; *interj.* vraiment! voyons!; *s.* vote négatif, m.

near [ni^{er}] *adv.* près; *prep.* près de; *adj.* proche; rapproché; voisin; intime; *v.* approcher de; *near at hand,* sous la main; *to be near to laughter,* être sur le point de rire; *a near translation,* une traduction près du texte; *to come near,* s'approcher; **near-by,** proche, près; **near-sighted,** myope; **near silk,** rayonne. || **nearly** [-li] *adv.* de près; presque; à peu près; *he nearly killed me,* il a failli me tuer. || **nearness** [-nis] *s.* proximité; imminence [danger]; intimité, f.

neat [nît] *adj.* propre; net; pur [drink]; habile. || **neatly** [-li] *adv.* nettement, proprement, coquettement; habilement. || **neatness** [-nis] *s.* propreté, netteté, élégance; habileté, f.

necessarily [nès^{e}sèr^{e}li] *adv.* nécessairement. || **necessary** [nès^{e}sèri] *adj.* nécessaire. || **necessaries** [-z] *s. pl.* nécessaire; équipement individuel, m. || **necessitate** [n^{e}sès^{e}téit] *v.* nécessiter. || **necessity** [n^{e}sès^{e}ti] *s.* nécessité; indigence, f.; besoin, m.

neck [nèk] *s.* cou; col; goulot, m.; encolure, f.; *neck of land,* isthme; *neck and neck,* côte à côte; **low necked,** décolleté; **stiff neck,** torticolis; **neck beef,** collet de bœuf; **necklace,** collier; **necktie,** cravate; **neckerchief,** foulard.

need [nîd] *s.* besoin, m.; nécessité; indigence; circonstance critique, f.; *v.* avoir besoin de; nécessiter; *I need a pen,* il me faut un stylo; *for need of,* faute de; *if need be,* en cas de besoin. || **needful** [-f^{e}l] *adj.* nécessaire; **needfully,** nécessairement.

needle [nîd'l] *s.* aiguille, f.

needless [nîdlis] *adj.* inutile.

needlework [nîd'lwërk] *s.* travaux d'aiguille, m.; couture, f.

needy [nîdi] *adj.* nécessiteux, besogneux.

nefarious [nifèri^{e}s] *adj.* abominable.

negation [nigéish^{e}n] *s.* négation, f. || **negative** [nèg^{e}tiv] *adj.* négatif; *s.* (cliché) négatif, m.; *v.* repousser, rejeter.

neglect [niglèkt] *s.* négligence, f.; oubli, m.; *v.* négliger; omettre (*to,* de). || **neglectful** [-f^{e}l] *adj.* négligent; insouciant; oublieux. || **negligence** [nègl^{e}dj^{e}ns] *s.* négligence, f. || **negligent** [nègl^{e}dj^{e}nt] *adj.* négligent; oublieux. || **negligible** [nègl^{e}dj^{e}b'l] *adj.* négligeable.

negotiate [nigo^{ou}shiéit] *v.* négocier; traiter; surmonter [difficulty]. || **negotiation** [nigo^{ou}shiéish^{e}n] *s.* négociation, f.; pourparlers, m. pl. || **negotiator** [nigo^{ou}shiéit^{er}] *s.* négociateur, m.

negress [nîgris] *s.* négresse, f. || **negro** [nîgro^{ou}] *s., adj.* nègre, Noir, m.

neigh [néi] *s.* hennissement, m.; *v.* hennir.

neighbo(u)r [néib^{er}] *adj.* voisin, proche; *s.* voisin; prochain, m.; *v.* avoisiner. || **neighbo(u)rhood** [-houd] *s.* voisinage; alentours, m.; *in our neighbo(u)rhood,* dans notre quartier. || **neighbo(u)ring** [-ring] *adj.* voisin, contigu.

neither [nîzh^{er}] *pron.* aucun, ni l'un ni l'autre; *adv.* ni, ni... non plus; *neither of the two,* aucun des deux; *neither... nor,* ni... ni.

nephew [nèfyou] *s.* neveu, m.

nerve [nërv] *s.* nerf; courage, m.; nervure, f.; *pl.* nervosité, f.; *Am.* audace, sans-gêne; *v.* donner du nerf, du courage; **optical nerve,** nerf optique. || **nervous** [-^{e}s] *adj.* nerveux; inquiet, timide. || **nervousness** [-^{e}snis] *s.* nervosité; agitation; inquiétude, f.; trac, m.

nest [nèst] *s.* nid, m.; nichée, f.; *v.* nicher; **nest-egg,** nichet. || **nestle** [-nès'l] *v.* nicher; se blottir; cajoler.

net [nèt] *s.* filet; rets; réseau, m.; *v.* prendre au filet; tendre des filets; faire du filet; **road net,** réseau routier; **trawl-net,** chalut.

net [nèt] *adj.* net; pur; *v.* gagner net; **net profit,** bénéfice net.

nethermost [nèzh^{er}mo^{ou}st] *adj.* le plus bas.

nettle [nèt'l] *s.* ortie, f.; *v.* piquer, irriter.

network [nètwërk] *s.* réseau, m.; **radio network,** réseau radiophonique.

neuralgia [nyouraldj^{e}] *s.* névralgie, f.

neuter [nyout^{er}] *adj.* neutre (gramm.). || **neutral** [nyoutr^{e}l] *adj.* neutre [country]. || **neutrality** [nyoutral^{e}ti] *s.* neutralité, f. || **neutralize** [nyoutr^{e}laiz] *v.* neutraliser.

never [nèv^er] *adv.* jamais; **never mind**, peu importe, cela ne fait rien; **never more**, jamais plus; **never-ending**, incessant, interminable. || **nevertheless** [nèverzh^elès] *adv., conj.* néanmoins; cependant; nonobstant.
new [nyou] *adj.* neuf; nouveau; récent; frais; *adv.* nouvellement, récemment; à nouveau; **new-born baby**, nouveau-né; **newcomer**, nouveau venu; **newfangled**, très moderne; **Newfoundland**, Terre-Neuve; **brand-new**, flambant neuf. || **newly** [-li] *adv.* nouvellement; récemment; **newly wed**, nouveau marié. || **newness** [-nis] *s.* nouveauté, f. || **news** [-z] *s.* nouvelles, f.; *newscast*, les informations; *newsreel*, les actualités; *a piece of news*, une nouvelle; **news boy**, vendeur de journaux; **news stand**, kiosque à journaux. || **newsmonger** [-mœngg^er] *s.* cancanier, m. || **newspaper** [-pé^ip^er] *s.* journal, m.
next [nèkst] *adj.* le plus proche; contigu; suivant, prochain; *adv.* ensuite; *next to*, à côté de; *the next two days*, les deux jours suivants; *the morning after next*, après-demain matin; *next to nothing*, pour ainsi dire rien.
nib [nib] *s.* pointe, f.; bec [pen], m.
nibble [nib'l] *v.* mordiller; grignoter; chicaner; *s.* grignotement, m.
nice [na^is] *adj.* agréable; sympathique; aimable; charmant; gentil; délicat; difficile. || **nicely** [-li] *adv.* bien; agréablement; délicatement; minutieusement. || **nicety** [-ti] *s.* délicatesse; exactitude; minutie; friandise, f.
niche [nitsh] *s.* niche, f.
nick [nik] *s.* encoche; entaille, f.; *v.* encocher, entailler; ébrécher.
nick [nik] *s.* moment précis, m.; *in the nick of time*, à point; *v.* tomber à pic.
nickel [nik'l] *s.* nickel, m.
nickname [nikné^im] *s.* surnom, sobriquet, m.; *v.* surnommer.
niece [nîs] *s.* nièce, f.
niggard [nig^erd] *adj., s.* ladre. || **niggardly** [-li] *adj.* avare; *adv.* avec avarice; chichement.
night [na^it] *s.* nuit, f.; soir, m.; *adj.* du soir, nocturne; **last night**, hier soir; **to-night**, ce soir; **night bird**, oiseau de nuit; **nightfall**, tombée de la nuit; **nightgown**, chemise de nuit; **night watchman**, veilleur de nuit. || **nightingale** [-'ngé^il] *s.* rossignol, m. || **nightly** [-li] *adj.* nocturne; *adv.* de nuit. || **nightmare** [-mè^er] *s.* cauchemar, m.
nimble [nimb'l] *adj.* agile, leste; léger; vif.
nine [na^in] *adj., s.* neuf; **ninepins**, quilles. || **nineteen** [-tîn] *adj.* dix-neuf. || **nineteenth** [-tînth] *adj.* dix-neuvième. || **ninetieth** [na^intiith] *adj.* quatre-vingt-dixième. || **ninety** [na^inti] *adj.* quatre-vingt-dix.
ninny [nini] *adj.* niais, sot.
ninth [na^inth] *adj.* neuvième.
nip [nip] *v.* pincer; couper; mordre; *s.* pincement, m.; morsure, f.; doigt [drink], m.; **frost-nipped**, brûlé par le froid.
nippers [nip^ers] *s.* pinces; tenailles, f.
nipple [nip'l] *s.* bout de sein, mamelon, m.
nitrate [na^itré^it] *s.* nitrate, m.
nitrogen [na^itr^edj^en] *s.* azote, m.
no [no^ou] *adv.* non; pas; *adj.* aucun; pas de; ne... pas de; *no doubt*, sans doute; *no more*, pas davantage; *no longer*, pas plus longtemps; *no smoking*, défense de fumer; *no one*, nul, personne; *of no use*, inutile.
nobility [no^oubil^eti] *s.* noblesse, f. || **noble** [no^oub'l] *s. adj.* noble. || **nobleman** [-m^en] *s.* noble, aristocrate, m. || **nobleness** [-nis] *s.* noblesse, f. || **nobly** [-i] *adv.* noblement.
nobody [no^oubâdi] *pron.* personne, nul, aucun.
nod [nâd] *v.* faire signe de la tête; opiner; hocher la tête; sommeiller; dodeliner; *s.* signe de tête, hochement, m.
noise [no^iz] *s.* bruit; tapage, m.; *v.* publier, répandre; *to make a noise*, faire du bruit; *it is being noised about that*, le bruit court que; **noiseless**, silencieux, sans bruit; **noiselessly**, silencieusement; **noisily**, bruyamment; **noisy**, bruyant, tapageur.
nominal [nâm^en'l] *adj.* nominal. || **nominate** [nâm^ené^it] *v.* nommer; désigner. || **nomination** [nâm^enéishen] *s.* nomination; désignation, f. || **nominative** [nâm^ené^itiv] *adj.* nominatif.
nonage [nânidj] *s.* minorité, f.

none [nœn] *pron.* aucun; nul; *adj.* ne... aucun; *none of that,* pas de ça; *none the less,* pas moins.
nonentity [nânènt^e^ti] *s.* néant; bon à rien, m.; futilité; nullité, f.
nonsense [nânsèns] *s.* absurdité, sottise, baliverne, f.
noodle [noud'l] *s.* nigaud, m.; tête (fam.), f.
noodle [noud'l] *s.* nouilles, f. pl.
nook [nouk] *s.* coin, recoin, m.
noon [noun] *s.* midi, m. || **noonday** [-déi] *s.* milieu de la journée; midi, m.
noose [nous] *s.* nœud coulant; lacet, m.; *v.* prendre au lacet; nouer.
nor [naur, ner] *conj.* ni; *neither... nor,* ni... ni; *nor he either,* ni lui non plus.
norm [naurm] *s.* norme, f. || **normal** [-'l] *adj.* normal; *s.* normale, f.
north [naurth] *s.* nord, m.; **north star,** étoile polaire; **north pole,** pôle nord; **north wind,** aquilon. || **northeast** [-îst] *adj., s.* nord-est; *adv.* direction nord-est. || **northern** [naurzhern] *adj.* du nord, septentrional; **northern lights,** aurore boréale. || **northerner** [-er] *s.* nordique, habitant du Nord, m. || **northward** [naurthwerd] *adv.* vers le nord. || **northwest** [-wèst] *adj., s.* nord-ouest. || **northwestern** [-wèstern] *adj.* du nord-ouest.
Norwegian [naurwîdjen] *adj., s.* norvégien.
nose [noouz] *s.* nez; museau; bec (techn.), m.; **nose dive,** piqué (aviat.); *to nose down,* piquer du nez (aviat.); *to nose around,* fouiner; **nosy,** fouinard.
nostalgia [nâstaldjie] *s.* nostalgie, f.; cafard, m.
nostril [nâstrel] *s.* narine, f.; naseau, m.
not [nât] *adv.* ne... pas; non; pas; point; *not at all,* pas du tout; *if not,* sinon; *not but that,* non pas que.
notable [noouteb'l] *adj.* notable; considérable; remarquable.
notary [noouteri] *s.* notaire, m.
notation [nooutéishen] *s.* notation, f.
notch [nâtsh] *s.* entaille; coche; dent [wheel]; brèche, f.; cran, m.; *v.* entailler; denteler; créneler; cocher.
note [noout] *s.* note; lettre; remarque; annotation; marque, facture, f.; bulletin; billet; ton (mus.), m.; *v.* noter; remarquer; indiquer; **banknote,** billet de banque; **promissory note,** billet à ordre; *to take note of,* prendre note de, acte de; **notebook,** carnet, calepin; **note paper,** papier à lettres; **noteworthy,** notable. || **noted** [-id] *adj.* remarquable, distingué, renommé.
nothing [nœthing] *s.* rien, m.; *to do nothing but,* ne faire que; *to come to nothing,* n'aboutir à rien.
notice [noоutis] *s.* notice; notification; affiche; observation; mention, f.; avis; avertissement; congé, m.; *v.* prêter attention à; remarquer; observer ; mentionner ; prendre connaissance de; *to come into notice,* se faire connaître; *to give notice,* informer; donner congé; *at a day's notice,* du jour au lendemain; *to attract notice,* se faire remarquer; *without notice,* sans avertissement. || **noticeable** [-eb'l] *adj.* remarquable; perceptible. || **notify** [noоutefai] *v.* notifier; aviser; informer; faire savoir.
notion [noоushen] *s.* notion; idée; opinion; fantaisie, f.; *pl. Am.* colifichets, articles de fantaisie, m. pl.; *Am.* **notions shop,** mercerie.
notoriety [noouteraieti] *s.* notoriété, f. || **notorious** [nooutoouries] *adj.* notoire; insigne.
notwithstanding [nâtwithstànding] *prep.* nonobstant; malgré; *conj.* bien que; en dépit de; quoique; *adv.* cependant, néanmoins.
nought, *see* **naught.**
noun [naoun] *s.* nom, substantif, m.
nourish [nërish] *v.* nourrir; alimenter; fomenter; entretenir. || **nourishing** [-ing] *adj.* nourrissant, nutritif. || **nourishment** [-ment] *s.* nourriture; alimentation; nutrition, f.
novel [nâv'l] *s.* roman, m.; *adj.* nouveau; récent; original. || **novelette** [-'t] *s.* nouvelle, f. || **novelist** [-ist] *s.* romancier, m. || **novelty** [-ti] *s.* nouveauté; innovation, f.
November [noouvèmber] *s.* novembre, m.
novice [nâvis] *s.* novice, m. || **noviciate** [noouvishiit] *s.* noviciat, m.
now [naou] *adv.* maintenant; actuellement; or; *now... now,* tantôt... tantôt; *right now,* tout de suite; *between now and then,* d'ici là; *till now,* jusqu'ici; *he left just*

now, il vient de partir; **nowadays,** de nos jours.
nowhere [noouhwèer] *adv.* nulle part.
nowise [noouwaiz] *adv.* nullement.
noxious [nâkshes] *adj.* nuisible; nocif; malsain; malfaisant.
nozzle [nâz'l] *s.* nez, bec (techn.); embout (mech.); gicleur, m.
nucleus [nyouklies] *s.* nucleus; noyau, m.
nude [nyoud] *adj., s.* nu.
nudge [nœdj] *s.* coup de coude, m.; *v.* pousser du coude.
nudity [nyoudeti] *s.* nudité, f.
nugatory [nyougetoouri] *adj.* frivole, futile.
nuisance [nyous'ns] *s.* désagrément; ennui; fléau; dommage (jur.), m.; contravention (jur.), f.
null [nœl] *adj.* nul, nulle; *nul and void*, nul et non avenu. || **nullify** [-efai] *v.* annuler. || **nullity** [-eti] *s.* nullité, f.
numb [nœm] *adj.* engourdi; *v.* engourdir. || **numbness** [-nis] *s.* engourdissement, m.
number [nœmber] *s.* nombre; chiffre; numéro; *v.* numéroter; compter; *six in number*, au nombre de six; **numberless,** innombrable. || **numbering** [-ring] *s.* calcul; numérotage, m.
numeral [nyoumrel] *s.* chiffre; nom de nombre, m.; *adj.* numéral. || **numerical** [nyoumèrik'l] *adj.* numérique. || **numerous** [nyoumres] *adj.* nombreux.
numskull [nœmskœl] *s.* imbécile, crétin, m.
nun [nœn] *s.* nonne, religieuse, f.
nuncio [nœnshioou] *s.* nonce, m.
nuptial [nœpshel] *adj.* nuptial; *s. pl.* noce, f.
nurse [nërs] *s.* garde-malade; infirmière; bonne d'enfant; nourrice, f.; *v.* soigner; allaiter; dorloter; se bercer de [illusion]; **male nurse,** infirmier. || **nursery** [-ri] *s.* nursery; pépinière, f. || **nursling** [-ling] *s.* nourrisson, m.
nurture [nërtsher] *s.* nourriture; alimentation; éducation, f.; *v.* nourrir; élever.
nut [nœt] *s.* noix; noisette, f.; écrou; *Am.* toqué (fam.), m.; **chestnut,** châtaigne; **doughnut,** beignet; **nutcracker,** casse-noisettes; **nutmeg,** muscade; **nut-oil,** huile de noix; **nutshell,** coquille de noix; *in a nutshell*, en un mot; **union-nut,** écrou-raccord.
nutriment [nyoutrement] *s.* nourriture, m. || **nutrition** [nyoutrishen] *s.* nutrition, f. || **nutritious** [-trishes] *adj.* nourrissant. || **nutritive** [nyoutritiv] *adj.* nutritif.
nuzzle [nœz'l] frotter; fouiner; fouiller avec le groin; cajoler.
nymph [nimf] *s.* nymphe, f.

O

oak [oouk] *s.* chêne, rouvre, m.; **holm oak,** yeuse; **oakling,** jeune chêne.
oakum [ooukem] *s.* étoupe; filasse, f.
oar [ooür] *s.* rame, f.; aviron, m.; *v.* ramer; **oarsman,** rameur; **oarlock,** porte-rame.
oasis [oouéisis] *s.* oasis, f.
oats [oouts] *s.* avoine, f.; **oatmeal,** farine d'avoine.
oath [oouth] *s.* serment; juron, m.; *to administer oath*, faire prêter serment.
obedience [ebidiens] *s.* obéissance; soumission, f. || **obedient** [-dient] *adj.* obéissant.
obelisk [âb'lisk] *s.* obélisque, f.
obesity [ooubiseti] *s.* obésité, f.
obey [ebéi] *v.* obéir (à).
object [âbdjikt] *s.* objet; but; complément (gramm.), m.; chose, f.; [ebdjèkt] *v.* objecter; désapprouver. || **objection** [-shen] *s.* objection; opposition; aversion, f.; inconvénient, m. || **objective** [-tiv] *adj.* objectif; *s.* objectif; but, m. || **objectivity** [-tiviti] *s.* objectivité, f. || **objector** [ebdjèkter] *s.* objecteur; protestataire, m.
obligate [âblegéit] *v.* obliger. || **obligation** [âblegéishen] *s.* obligation, f.; devoir; engagement, m. || **obligatory** [ebligetoouri] *adj.* obligatoire. || **oblige** [eblaidj] *v.* obliger; forcer; rendre service; *much obliged!*, merci beaucoup! || **obliging** [-ing] *adj.* obligeant, serviable.

oblique [^{e}blîk] *adj.* oblique; en biais; de côté.
obliterate [^{e}blit^{e}ré^{i}t] *v.* rayer; oblitérer. || **obliteration** [^{e}blit^{e}ré^{i}sh^{e}n] *s.* rature; oblitération, f.
oblivion [^{e}bliv$^{}$i^{e}n] *s.* oubli, m. || **oblivious** [-vi^{e}s] *adj.* oublieux; ignorant (*of*, de).
obnoxious [^{e}bnâksh^{e}s] *adj.* odieux; détestable; offensant.
obscene [^{e}bsîn] *adj.* obscène. || **obscenity** [^{e}bsèn^{e}ti] *s.* obscénité; grossièreté, f.
obscuration [âbskyouré^{i}sh^{e}n] *s.* obscurcissement, m. || **obscure** [^{e}bsky*our*] *adj.* obscur; sombre; caché; *v.* obscurcir. || **obscurity** [-^{e}ti] *s.* obscurité, f.
obsequies [âbsikwiz] *s.* obsèques, funérailles, f. || **obsequious** [^{e}bsîkwi^{e}s] *adj.* obséquieux.
observable [^{e}bzë^{r}v^{e}b'l] *adj.* observable. || **observance** [-v^{e}ns] *s.* observance; pratique; conformité, f. || **observant** [-v^{e}nt] *adj.* attentif; observateur; fidèle. || **observation** [^{e}bzë^{r}vé^{i}sh^{e}n] *s.* observation; surveillance; remarque, f. || **observatory** [^{e}bzë^{r}v^{e}to^{ou}ri] *s.* observatoire, m. || **observe** [^{e}bzë^{r}v] *v.* observer; noter; apercevoir; célébrer [feast]. || **observer** [-^{er}] *s.* observateur, m.; observatrice, f.
obsession [^{e}bsèsh^{e}n] *s.* obsession, f.
obsolete [âbs^{e}lît] *adj.* vieilli; inusité; hors d'usage.
obstacle [âbst^{e}k'l] *s.* obstacle; empêchement, m.; difficulté, f.
obstinacy [âbst^{e}n^{e}si] *s.* obstination, f. || **obstinate** [âbst^{e}nit] *adj.* obstiné, opiniâtre.
obstruct [^{e}bstrœkt] *v.* obstruer; barrer; encombrer; empêcher. || **obstruction** [^{e}bstrœksh^{e}n] *s.* obstruction, f.; obstacle; encombrement; empêchement, m.
obtain [^{e}bté^{i}n] *v.* obtenir; réussir; gagner; se procurer; être le cas (*with*, pour); **obtainable**, disponible; trouvable.
obtrusive [^{e}btr*ou*siv] *adj.* importun.
obtuse [^{e}bt*ou*s] *adj.* obtus; émoussé; stupide.
obviate [âbvié^{i}t] *v.* obvier à.
obvious [âbvi^{e}s] *adj.* évident, manifeste; visible, palpable.
occasion [^{e}ké^{i}j^{e}n] *s.* occasion; cause, raison, f.; besoin; sujet, m.; *v.* occasionner; déterminer; provoquer. || **occasional** [-'l] *adj.* occasionnel; fortuit; peu fréquent; intermittent. || **occasionally** [-'li] *adv.* à l'occasion; de temps en temps; parfois.
occidental [âks^{e}dènt'l] *adj.*, *s.* occidental.
occult [^{e}kœlt] *adj.* occulte.
occupant [âky^{e}p^{e}nt] *s.* occupant, m. || **occupation** [âky^{e}pé^{i}sh^{e}n] *s.* occupation; profession, f. || **occupy** [âky^{e}pa^{i}] *v.* occuper; employer; habiter; posséder.
occur [^{e}kë^{r}] *v.* arriver; survenir; avoir lieu. || **occurrence** [-^{e}ns] *s.* occurrence, f.; fait, événement, m.
ocean [o^{ou}sh^{e}n] *s.* océan, m.
October [âkto^{ou}b^{er}] *s.* octobre, m.
oculist [âky^{e}list] *s.* oculiste, m.
odd [âd] *adj.* dépareillé; étrange; drôle; original; impair [number]; irrégulier, divers; *s. pl.* inégalité, disparité, chances, f.; **twenty odd**, vingt et quelques; *odd moments*, moments perdus; *the odds are that*, il y a gros à parier que; *to be at odds with*, être brouillé avec. || **oddity** [âd^{e}ti] *s.* bizarrerie, f.
ode [o^{ou}d] *s.* ode, f.
odious [o^{ou}di^{e}s] *adj.* odieux.
odo(u)r [o^{ou}d^{er}] *s.* odeur, f.; **odorous**, odorant, parfumé.
of [âv, ^{e}v] *prep.* de; du; de la; des; à; sur; en; parmi; *what do you do of an evening?*, que faites-vous le soir?; *of necessity*, nécessairement; *to have the advantage of*, avoir l'avantage sur; *Am. a quarter of three*, trois heures moins le quart.
off [auf] *adv.* au loin; à distance; *adj.* enlevé; parti; *interj.* oust!; hors d'ici!; *hats off!*, chapeaux bas!; *off with!*, enlevez, ôtez!; *off and on*, de temps à autre; *I'm off*, je me sauve; *two miles off*, à deux milles de là; *to be well off*, être à l'aise; *a day off*, un jour de congé; **offcenter**, décalé, décentré; **offshore**, au large, de terre.
offend [^{e}fènd] *v.* offenser; froisser; enfreindre. || **offender** [-^{er}] *s.* délinquant; malfaiteur; coupable, m.; **joint offender**, complice. || **offense** [^{e}fèns] *s.* offense; infraction; contravention; offensive (mil.), f.; délit, m.; *to take offense*, s'offenser; **continuing offense**, récidive. || **offensive** [-iv] *adj.* offensant, choquant; offensif; *s.* offensive, f.

offer [aufer] *v.* (s')offrir; (se) présenter; *s.* offre; proposition, f. || **offering** [-ring] *s.* offrande, f. || **offertory** [aufertoouri] *s.* offertoire, m.
offhand [aufhànd] *adv.* au premier abord; sur-le-champ; *adj.* improvisé; dégagé; cavalier.
office [aufis] *s.* fonction; charge, f.; bureau; office; emploi; service, m.; *to take office,* entrer en fonctions; prendre le pouvoir; **booking office,** guichet des billets; **doctor's office,** cabinet médical; **lawyer's office,** étude d'avocat; **main office,** siège social (comm.). || **officer** [aufeser] *s.* officier; fonctionnaire; employé, m.; **sanitation officer,** officier de santé; *v.* commander; encadrer d'officiers. || **official** [efishel] *adj.* officiel; titulaire; *s.* fonctionnaire; employé, m. || **officiate** [efishiéit] *v.* officier. || **officious** [-shes] *adj.* officieux; importun.
offing [aufing] *s.* large, m.; *in the offing,* en perspective.
offset [aufsèt] *v.* compenser; [aufsèt] *s.* compensation (comm.); offset (impr.) ; rejeton, m.
offspring [aufspring] *s.* progéniture; conséquence, f.; descendant; résultat; produit (fig.), m.
oft, often [auft, aufen] *adv.* souvent; fréquemment; *how often?,* combien de fois?
ogle [ooug'l] *s.* œillade, f.; *v.* lorgner.
ogre [oouger] *s.* ogre, m.
oil [oil] *s.* huile, f.; pétrole brut, m.; *v.* huiler; graisser; lubrifier; oindre; **fuel oil,** mazout; **linseed oil,** huile de lin; **oil-cloth,** toile cirée; **oil-painting,** peinture à l'huile; *oil of turpentine,* essence de térébenthine. || **oily** [-i] *adj.* huileux; graisseux; onctueux; oléagineux.
ointment [ointment] *s.* onguent, m.; pommade, f.
old [oould] *adj.* vieux, vieil, vieille; âgé; *old man,* vieillard; *of old,* jadis; *how old are you ?,* quel âge avez-vous?; *to grow old,* vieillir; **old-fashioned,** démodé; **old-time,** d'autrefois; **old-timer,** vieux routier. || **oldness** [-nis] *s.* vieillesse; vétusté, f.
oleander [oouliander] *s.* laurier-rose, m.
olive [âliv] *s., adj.* olive; **olive oil,** huile d'olive; **olive drab,** drap gris olive réglementaire pour uniforme; **olive-tree,** olivier.
omelet [âmlit] *s.* omelette, f.
omen [ooumin] *s.* signe, présage, augure, m.; **ominous,** sinistre, menaçant.
omission [ooumishen] *s.* omission; négligence, f.; oubli; manquement, m. || **omit** [ooumit] *v.* omettre; oublier; négliger.
omnipotent [âmnipetent] *adj.* omnipotent, tout-puissant.
on [ân] *prep.* sur; à; en; de; contre; avec; pour; dès; *adv.* dessus; *on horseback,* à cheval; *on leave,* en congé; *on this account,* pour cette raison; *on her opening the door,* dès qu'elle ouvrit la porte; *and so on,* ainsi de suite; *the light is on,* la lumière est allumée.
once [wœns] *adv.* une fois; jadis; *at once,* tout de suite, à la fois; *all at once,* tout d'un coup; *when once,* une fois que; *once in a while,* une fois en passant; *Am. to give the once over,* jeter un coup d'œil scrutateur.
one [wœn] *adj., pron.* un, une; *one day,* un certain jour; *someone,* quelqu'un; *anyone,* n'importe qui; *everyone,* tout le monde; *one and all,* tous sans exception; *one by one,* un à un; *one another,* l'un l'autre; *the one who,* celui qui; *this one,* celui-ci; **one-armed,** manchot; **one-eyed,** borgne; **one-price,** à prix unique; **one-way,** à sens unique. || **oneself** [wœnsèlf] *pron.* soi, soi-même; *by oneself,* seul.
onion [œnyen] *s.* oignon, m.
onlooker [ânlouker] *s.* spectateur, assistant; participant, m.
only [oounli] *adj.* seul, unique; *adv.* seulement, uniquement; *she is only five,* elle n'a que cinq ans; *he only laughs,* il ne fait que rire; *only yesterday,* hier encore.
onset [ânsèt] *s.* assaut, m.; attaque; impulsion, f.; *at the onset,* au premier abord.
onslaught [ânslaut] *s.* attaque furieuse, f.
onward [ânwerd] *adv.* en avant.
onyx [âniks] *s.* onyx, m.
ooze [ouz] *s.* vase, boue, f.; suintement, m.; *v.* suinter; transpirer [news].
opal [ooup'l] *s.* opale, f.
opaque [ooupéik] *adj.* opaque.

open [oᵒᵘpᵉn] *v.* (s')ouvrir; exposer; révéler; *adj.* ouvert; découvert; exposé; franc; **wide open,** grand ouvert; *an open truth,* une vérité évidente; *open market,* marché public; *to open up,* ouvrir, dévoiler; *the door opens into the garden,* la porte donne sur le jardin; **half-open,** entrouvert; **open secret,** secret de Polichinelle; **open-handed,** libéral, généreux; **open-minded,** libéral, réceptif; **open-mouthed,** bouche bée; *in the open,* en rase campagne; *to lay oneself open to,* s'exposer à. || **opening** [-ing] *s.* ouverture; embouchure; inauguration; percée, f.; débouché; orifice; déclenchement; vernissage; début, m.; *adj.* naissant; débutant; premier; **opening statement,** discours d'ouverture. || **openly** [-li] *adv.* ouvertement; publiquement; carrément.

opera [âpᵉrᵉ] *s.* opéra, m.; **opera-glass,** jumelle; **comic opera,** opéra-comique.

operate [âpᵉréⁱt] *v.* opérer; spéculer; manœuvrer; commander (mech.). || **operation** [âpᵉréⁱshᵉn] *s.* opération; exécution, f.; fonctionnement, m.; *to be in operation,* fonctionner; *in full operation,* en pleine activité. || **operative** [âpᵉréⁱtiv] *adj.* actif; efficace; opératoire; *s.* ouvrier, m. || **operator** [âpᵉréⁱtᵉʳ] *s.* opérateur, m.

operetta [âpᵉrètᵉ] *s.* opérette, f.

opinion [ᵉpinyᵉn] *s.* opinion, f.; avis, m.; décision motivée (jur.), f.; **opinionated,** opiniâtre.

opium [oᵒᵘpiᵉm] *s.* opium, m.

opponent [ᵉpoᵒᵘnᵉnt] *s.* adversaire; opposant, antagoniste, m.

opportune [âpᵉʳtyoᵘn] *adj.* opportun; à propos. || **opportunity** [-ᵉti] *s.* occasion, f. || **opportuneness** [-nis] *s.* opportunité, f.

oppose [ᵉpoᵒᵘz] *v.* (s')opposer; combattre; arrêter, empêcher. || **opposing** [-ing] *adj.* opposé, contraire. || **opposite** [âpᵉzit] *adj.* opposé; contraire; vis-à-vis; de front; *s.* contraire, adversaire, m.; *opposite to,* en face de. || **opposition** [âpᵉzishᵉn] *s.* opposition; résistance; concurrence; hostilité, f.; parti adverse, m.

oppress [ᵉprès] *v.* opprimer; oppresser. || **oppression** [ᵉprèshᵉn] *s.* oppression, f. || **oppressive** [ᵉprèsiv] *adj.* opprimant; accablant, étouffant, angoissant; tyrannique. || **oppressor** [ᵉprèsᵉʳ] *s.* oppresseur, m.

opprobrious [ᵉproᵒᵘbriᵉs] *adj.* infamant, injurieux.

optics [âptiks] *s. pl.* optique. || **optical** [âptik'l] *adj.* optique. || **optician** [âptishᵉn] *s.* opticien, m.

optimism [âptᵉmizᵉm] *s.* optimisme, m. || **optimist** [-mist] *s.* optimiste, m. || **optimistic** [âptᵉmistik] *adj.* optimiste.

option [âpshᵉn] *s.* option; alternative, f.; choix, m. || **optional** [-'l] *adj.* facultatif.

opulence [âpyᵉlᵉns] *s.* opulence; abondance, f. || **opulent** [-lᵉnt] *adj.* opulent; riche; abondant.

or [aur, ᵉr] *conj.* ou, ou bien; soit; *or else,* ou bien; autrement; sinon.

oracle [aurᵉk'l] *s.* oracle, m.

oral [oᵒᵘrᵉl] *adj.* oral.

orange [aurindj] *s.* orange, f.; **orange blossom,** fleur d'oranger; **orange-tree,** oranger; *adj.* orangé [color]; **orangeade,** orangeade.

oration [oᵒᵘréⁱshᵉn] *s.* discours, m.; harangue, f. || **orator** [aurᵉtᵉʳ] *s.* orateur, m. || **oratory** [aurᵉtoᵒᵘri] *s.* éloquence, f.; oratoire, m.

orb [aurb] *s.* globe; cercle, m.; orbe, f. || **orbit** [aurbit] *s.* orbite, orbe, f.

orchard [aurtshᵉrd] *s.* verger, m.

orchestra [aurkistrᵉ] *s.* orchestre, m. || **orchestrate** [-tréⁱt] *v.* orchestrer.

orchid [aurkid] *s.* orchidée, f.

ordain [aurdéⁱn] *v.* ordonner; décréter.

ordeal [aurdîl] *s.* épreuve, f., jugement de Dieu, m.

order [aurdᵉʳ] *s.* ordre; mandat (fin.), m.; consigne; ordonnance; commande; décoration, f.; *v.* ordonner; commander; diriger; régler; arranger; *to break an order,* manquer à la consigne; *citation in orders,* citation à l'ordre du jour; **counter-order,** contrordre; **executive order,** décret-loi; **full marching order,** tenue de campagne; **holy orders,** ordres sacrés; *made to order,* fait sur commande, fait sur mesures [suit]; *in order that,* afin que; *to be out of order,* être détraqué, en panne. || **orderly** [-li] *adj.* ordonné; discipliné; *s.* ordonnance (mil.), f.; planton, m.; infirmier, m. || **ordinance** [aurd'nᵉns] *s.*

ordonnance (jur.), f.; décret, m. || **ordinarily** [-'nèreli] *adv.* ordinairement. || **ordinary** [-'nèri] *adj.* ordinaire, commun, habituel. || **ordnance** [-nens] *s.* artillerie, f.; matériel de guerre, m.
ore [oour] *s.* minerai, m.
organ [aurgen] *s.* orgue; organe, m.; **hand organ,** orgue de Barbarie. || **organic** [aurganik] *adj.* organique; fondamental. || **organism** [aurgenizem] *s.* organiste, m. || **organist** [-nist] *s.* organiste, m. || **organization** [aurgenezéishen] *s.* organisation, f.; agencement, aménagement; organisme, m. || **organize** [aurgenaiz] *v.* organiser. || **organizer** [-er] *s.* organisateur, m.
orgy [aurdji] *s.* orgie, f.
orient [oouriènt] *s.* orient, m.; *v.* orienter. || **oriental** [oouriènt'l] *adj., s.* oriental. || **orientate** [oourièntéit] *v.* orienter. || **orientation** [oourièntéishen] *s.* orientation, f.
orifice [aurefis] *s.* orifice, m.; ouverture, f.
origin [auredjin] *s.* origine; provenance, f. || **original** [eridjen'l] *adj., s.* original. || **originality** [eridjenaleti] *s.* originalité, f. || **originally** [eridjen'li] *adv.* primitivement; originalement. || **originate** [eridjenéit] *v.* faire naître; produire; inventer; provenir; dériver.
ornament [aurnement] *s.* ornement, m.; parure, f.; [aurnemènt] *v.* ornementer, décorer. || **ornamental** [aurnemènt'l] *adj.* ornemental, décoratif. || **ornate** [aurnéit] *adj.* paré, ornementé; fleuri [style].
orphan [aurfen] *adj., s.* orphelin, m.; *v.* rendre orphelin; **orphan-asylum,** orphelinat.
orthography [aurthâgrefi] *s.* orthographe, f.
oscillate [âs'léit] *v.* osciller; balancer; s'affoler [compass]. || **oscillation** [âs'léishen] *s.* oscillation, f.
ossify [âsefai] *v.* ossifier.
ostensible [âstènseb'l] *adj.* ostensible. || **ostentation** [âstentéishen] *s.* ostentation, f. || **ostentatious** [-shes] *adj.* ostentatoire; vaniteux.
ostrich [austritsh] *s.* autruche, f.
other [œzher] *adj., pron.* autre; *s.* autrui; *every other day,* tous les deux jours; *the two others,* les deux autres; *other than,* autre que. || **otherwise** [-waiz] *adv.* autrement; par ailleurs; à part cela; sous d'autres rapports; sinon.
otter [âter] *s.* loutre, f.
ought [aut] *defect. v.* devoir; *he ought to say,* il devrait dire.
ounce [aouns] *s.* once, f.
our [aour] *adj.* notre, nos. || **ours** [-z] *pron.* le nôtre, la nôtre, les nôtres. || **ourselves** [-sèlvz] *pron.* nous-mêmes; nous.
oust [aoust] *v.* expulser, chasser.
out [aout] *adv.* hors; dehors; *adj.* découvert; disparu; exposé; éteint; *prep.* hors de; *out of fear,* par crainte; *out of money,* sans argent; *out of print,* épuisé [book]; *out with it!,* expliquez-vous!; *to speak out,* parler clairement; *out of breath,* à bout de souffle; *out and out,* absolu, avéré; *the week is out,* la semaine est achevée; *the secret is out,* le secret est divulgué; *he is out,* il est sorti; *he is out five dollars,* cela lui a coûté cinq dollars, il a fait une erreur de cinq dollars.
outbreak [aoutbréik] *s.* éruption, f.; soulèvement, tumulte, m.
outburst [aoutbërst] *s.* explosion; éruption, f.
outcast [aoutkast] *adj.* exclus; *s.* proscrit, paria, m.
outcome [aoutkœm] *s.* résultat; dénouement, m.
outcry [aoutkrai] *s.* clameur, f.
outdoor [aoutdoour] *adj.* extérieur; externe; de plein air [game]. || **outdoors** [-z] *adv.* en plein air; au dehors.
outer [aouter] *adj.* extérieur; externe; du dehors; **outermost,** extrême.
outfit [aoutfit] *s.* équipement; attirail; outillage; trousseau, m.; *v.* équiper.
outing [aouting] *s.* excursion, sortie, promenade, f.
outlaw [aoutlau] *s.* bandit; proscrit; fugitif, m.; *v.* proscrire.
outlay [aoutléi] *s.* débours, m.; dépense, f.; [aoutléi] *v.* dépenser, débourser.
outlet [aoutlèt] *s.* sortie; issue, f.; débouché, m.
outline [aoutlain] *s.* contour; sommaire; tracé, m.; esquisse, f.; *v.* esquisser, ébaucher; tracer.
outlive [aoutliv] *v.* survivre à.
outlook [aoutlouk] *s.* perspective, f.

outlying [aoutlaing] *adj.* détaché, isolé; écarté.
outmaneuver [aoutmenouver] *v.* déjouer; tromper; rouler (fam.).
outnumber [aoutnœmber] *v.* surpasser en nombre.
outpost [aoutpooust] *s.* avant-poste, m.
output [aoutpout] *s.* rendement, m.; production, puissance, f.
outrage [aoutréidj] *s.* outrage, m.; *v.* outrager. || **outrageous** [aoutréidjes] *adj.* outrageux; outrageant; atroce.
outran [aoutran] *pret. of* **to outrun.** || **outrun** [aoutrœn] *v.* gagner de vitesse; dépasser à la course.
outset [aoutsèt] *s.* début, commencement, m.; ouverture, f.; *from the outset,* dès le premier abord.
outshine [aoutshain] *v.* éclipser en éclat. || **outshone** [aoutshooun] *pret., p. p. of* **to outshine.**
outside [aoutsaid] *adj.* extérieur; externe; *adv.* dehors, à l'extérieur; *prep.* à l'extérieur de, au dehors de; *s.* extérieur, m. || **outsider** [-er] *s.* étranger; profane; outsider [sport], m.
outskirts [aoutskërts] *s. pl.* lisière, f.
outspoken [aoutspoouken] *adj.* franc, direct; explicite.
outstanding [aoutstanding] *adj.* notable; saillant; non payé (comm.).
outstretched [aoutstrètsht] *adj.* étendu.
outward(s) [aoutwerd(z)] *adj.* extérieur; externe; apparent; superficiel; *adv.* au dehors; extérieurement; vers le dehors.
outweigh [aoutwéi] *v.* excéder en poids, en valeur.
oval [oouv'l] *adj., s.* ovale, m.
ovation [oouvéishen] *s.* ovation, f.
oven [œven] *s.* four, m.
over [oouver] *prep.* sur; plus de; au-dessus de; *adv.* par-dessus; en plus; *adj.* de dessus; de l'autre côté; *s.* excès, m.; *all over the country,* dans tout le pays; *my life is over,* ma vie est finie; *over there,* là-bas; **overalls,** salopette; **overboard,** par-dessus bord; **overcoat,** pardessus; capote; **overdone,** trop cuit; surfait; **overdose,** trop forte dose; **overdue,** échu, en souffrance; **overindulgence,** indulgence excessive.
overcame [oouverkéim] *pret. of* **to overcome.**
overcast [oouverkast] *adj.* couvert, nuageux; trop élevé [sum]; [oouverkast] *v.* assombrir; couvrir de nuages.
overcharge [oouvertshârdj] *v.* faire payer trop cher, écorcher, saler.
overcome [oouverkœm] *v.* surmonter; vaincre; conquérir; dominer; accabler.
overdo [oouverdou] *v.* exagérer; charger; faire trop cuire; se surmener.
overdraw [oouverdrau] *v.* mettre à découvert (comm.); tirer un chèque sans provisions.
overexcite [oouveriksait] *v.* surexciter.
overflow [oouverfloou] *s.* inondation, f.; trop-plein, débordement, m.; [oouverfloou] *v.* inonder, déborder.
overgrown [oouvergroonn] *adj.* énorme; trop grand; dense [leafs]; dégingandé [boy].
overhang [oouverhang] *v.* surplomber; faire saillie.
overhead [oouverhèd] *s. pl.* frais généraux (comm.), m.; *adj.* au-dessus, en haut; élevé; [-hèd] adv. en haut, au-dessus de la tête.
overhear [oouverhîer] *v.* surprendre, entendre par hasard. || **overheard** [oouverhërd] *pret., p. p. of* **to overhear.**
overheat [oouverhît] *v.* surchauffer.
overhung [oouverhœng] *pret., p. p. of* **to overhang.**
overland [oouverland] *adj., adv.* par terre.
overlap [oouverlap] *s.* recouvrement; empiètement, m.; [oouverlap] *v.* recouvrer; empiéter; chevaucher; dépasser.
overload [oouverlooud] *v.* surcharger; [oouverlooud] *s.* surcharge, f.
overlook [oouverlouk] *v.* oublier, laisser passer; fermer les yeux sur; parcourir des yeux; donner sur; surveiller.
overmuch [oouvermœtsh] *adj.* trop de; *adv.* trop.
overnight [oouvernait] *adv.* (pendant) la nuit; *adj.* de nuit; de la veille au soir.
overpower [oouverpaouer] *v.* subjuguer; maîtriser; vaincre; accabler.
overran [oouverran] *pret. of* **to overrun.** || **overrun** [oouverrœn] *v.**

parcourir; se répandre; envahir; inonder.
overseas [oouversiz] *adv., adj.* d'outre-mer, de l'autre côté de la mer.
oversee [oouversi] *v.* surveiller. || **overseer** [oouversier] *s.* surveillant, inspecteur, m. || **oversight** [oouversait] *s.* négligence, inadvertance, f.; oubli, m.
overstep [oouverstèp] *v.* dépasser, franchir.
overtake [oouvertéik] *v.* rattraper, rejoindre; doubler [auto]. || **overtaken** [oouvertéiken] *p. p. of* to **overtake.**
overthrew [oouverthrou] *pret. of* to **overthrow.** || **overthrow** [oouverthrou] *s.* renversement, m.; ruine, f.; *v.* renverser, culbuter; mettre en déroute. || **overthrown,** *p. p. of* to **overthrow.**
overtime [oouvertaim] *s.* heures supplémentaires, f. pl.
overtook [oouvertouk] *pret. of* to **overtake.**
overture [oouvertsher] *s.* ouverture; proposition, f.; prélude, m.
overturn [oouvertërn] *v.* renverser; verser, capoter [auto]; chavirer (naut.); bouleverser.
overweight [oouverwéit] *s.* excédent de poids, de bagages, m.
overwhelm [oouverhwèlm] *v.* écraser, opprimer; surcharger; submerger. || **overwhelming** [-ing] *adj.* accablant, écrasant; submergeant; irrésistible.
overwork [oouverwërk] *v.* (se) surmener; *s.* surmenage, m.
owe [oou] *v.* devoir; être redevable; *to be owing to,* être dû à; *owing to,* à cause de; grâce à.
owl [aoul] *s.* chouette, f.; hibou, m.; **screech-owl,** chat-huant.
own [ooun] *adj.* propre, à soi; *v.* posséder; avoir en propre; avoir la propriété de; *a house of his own,* une maison à lui; *to hold one's own,* tenir bon.
own [ooun] *v.* reconnaître; convenir de, avouer.
owner [oouner] *s.* propriétaire; possesseur, m. || **ownership** [-ship] *s.* propriété; possession, f.
ox [âks] (*pl.* **oxen** [-n]) *s.* bœuf, m.; **ox-fly,** taon.
oxford [âksferd] *s.* richelieu [shoes], m.
oxydize [âksedaiz] *v.* oxyder.
oxygen [âksedjen] *s.* oxygène, m.
oyster [oister] *s.* huître, f.; **oyster-bed,** banc d'huîtres; **oyster-plant,** salsifis.

P

pace [péis] *s.* pas, m.; allure, f.; *v.* marcher au pas; arpenter; suivre; *to mend one's pace,* presser le pas.
pacific [pesifik] *adj. s.* pacifique. || **pacification** [pasefekéishen] *s.* pacification, f.; apaisement, m. || **pacify** [pasefai] *v.* pacifier; calmer.
pack [pak] *s.* paquet; ballot; paquetage; sac, m.; troupe, bande, meute, f.; jeu [cards], m.; *v.* emballer, empaqueter; remplir; bâter; **pack-animal,** bête de somme; **pack saddle,** bât; *to pack off,* plier bagages; *to send packing,* envoyer promener. || **package** [-idj] *s.* paquet, colis, m. || **packer** [-er] *s.* emballeur, m. || **packet** [-it] *s.* paquet, m. || **packing** [-ing] *s.* emballage, empaquetage; bourrage (mech.), m.
pact [pakt] *s.* pacte; accord; contrat, m.; convention, f.
pad [pad] *s.* tampon; bourrelet; coussinet; bloc [paper]; plastron [fencing], m.; *v.* rembourrer, ouater, matelasser; **writing-pad,** sous-main. || **padding** [-ing] *s.* rembourrage; remplissage, m.
paddle [pad'l] *s.* pagaie; palette, f.; *v.* pagayer, ramer; patauger; *Am.* fesser (fam.); **paddle wheel,** roue à aubes.
paddock [padek] *s.* paddock, pesage; enclos, m.
padlock [padlâk] *s.* cadenas, m.; *v.* cadenasser.
pagan [péigen] *adj., s.* païen, m. || **paganism** [-izem] *s.* paganisme, f.
page [péidj] *s.* page, f.; *v.* paginer.
page [péidj] *s.* chasseur [boy], m.; *v. Am.* envoyer chercher par un chasseur.
pageant [padjent] *s.* parade; mani-

festation; représentation en plein air; revue, f.; spectacle, m.
paid [péid] *pret., p. p. of* **to pay.**
pail [péil] *s.* seau, m.
pain [péin] *s.* douleur; peine; souffrance, f.; *v.* faire souffrir; affliger; *on pain of,* sous peine de; *to have a pain in,* avoir mal à; *to take pains,* se donner du mal. || **painful** [-fel] *adj.* pénible, douloureux; laborieux. || **painless** [-lis] *adj.* indolore. || **painstaking** [-ztéiking] *adj.* laborieux, appliqué; *s.* effort, m.
paint [péint] *s.* couleur; peinture, f.; *v.* peindre; **paintbrush,** pinceau; **wet paint,** attention à la peinture. || **painter** [-er] *s.* peintre, m. || **painting** [-ing] *s.* peinture, f.
pair [pèer] *s.* paire, f.; couple, m.; *v.* (s')apparier; (s')accoupler; assortir; marier.
pajamas [pedjamez] *s. pl. Am.* pyjama, m.
pal [pal] *s.* copain, m.
palace [palis] *s.* palais, m.
palate [palit] *s.* palais (anat.); goût, m.; **palatable,** savoureux.
pale [péil] *adj.* pâle, blême; *v.* pâlir. || **paleness** [-nis] *s.* pâleur, f.
palette [palit] *s.* palette, f.
palisade [paleséid] *s.* palissade; falaise de rochers escarpés, f.
pall [paul] *s.* vêtement de cérémonie; poêle mortuaire, m.; *v.* recouvrir, revêtir.
pall [paul] *v.* s'affadir; s'éventer; s'affaiblir; décourager.
pallid [palid] *adj.* pâle, blême. || **pallor** [paler] *s.* pâleur, f.
palm [pâm] *s.* palme, f.; palmier, m.; **Palm Sunday,** dimanche des Rameaux.
palm [pâm] *s.* paume [hand], f.; *v.* empaumer, tromper; *to palm something off on someone,* faire avaler quelque chose à quelqu'un.
palpable [palpeb'l] *adj.* palpable; tangible.
palpitate [palpetéit] *v.* palpiter. || **palpitation** [palpetéishen] *s.* palpitation, f.
paltry [paultri] *adj.* mesquin; insignifiant; chétif.
palsy [paulzi] *s.* paralysie, f.
pamper [pamper] *v.* choyer, gâter.
pamphlet [pamflit] *s.* brochure, plaquette, f.; pamphlet; dépliant, m.
pan [pàn] *s.* casserole; cuvette, f.; bassinet (mech.); carter, m.; *a flash in the pan,* un raté; *to pan out well,* donner de bons résultats; **frying-pan,** poêle.
pancake [pànkéik] *s.* crêpe, f.; *v.* atterrir ou descendre à plat (aviat.).
pander [pànder] *s.* entremetteur, m.; *v.* s'entremettre.
pane [péin] *s.* carreau, panneau, m.; vitre, f.
panel [pan'l] *s.* panneau, lambris, m.; *v.* diviser en panneaux; lambrisser; **code panels,** panneaux de signalisation; **jury panel,** liste des jurés, jury.
pang [pàng] *s.* angoisse, douleur aiguë, f.
panic [panik] *adj., s.* panique, f.
pansy [pànzi] *s.* pensée [flower], f.
pant [pànt] *v.* haleter, panteler; *to pant for,* aspirer à.
panther [pànther] *s.* panthère, f.
panting [pànting] *s.* palpitation, f.; essoufflement, m.; *adj.* pantelant; palpitant.
pantry [pàntri] *s.* office, garde-manger, m.
pants [pànts] *s. Am.* pantalon; *Br.* caleçon, m.
papa [pâpe] *s.* papa, m.
papal [péip'l] *adj.* papal.
paper [péiper] *s.* papier; document; article; journal, m.; *v.* garnir de papier; tapisser; **paper-currency,** papier monnaie; **paper-hangings,** papiers peints; **paper-knife,** coupe-papier; **paper-mill,** papeterie; **paper-weight,** presse-papiers; *on paper,* par écrit.
par [pâr] *s.* pair (fin.), m.; égalité, f.; **par value,** valeur au pair; *on a par with,* à égalité avec; *to feel below par,* ne pas être dans son assiette.
parable [pareb'l] *s.* parabole, f.
parabola [perabele] *s.* parabole (geom.), f.
parachute [pareshout] *s.* parachute, m.; *v.* sauter, descendre en parachute; parachuter; **parachute jump,** saut en parachute. || **parachutist** [-ist] *s.* parachutiste, m.
parade [peréid] *s.* parade; prise d'armes; procession, f.; défilé; cortège, m.; *v.* parader; faire parade de; défiler; se promener de long en large.
paradise [paredais] *s.* paradis, m.
paradox [paredâks] *s.* paradoxe, m.

paraffin [parefin] *s.* paraffine, f.
paragraph [paregraf] *s.* paragraphe, m.; *v.* diviser en paragraphes.
parallel [parelèl] *adj., s.* parallèle; *v.* comparer à.
paralysis [peralesis] *s.* paralysie, f.
paramount [paremaount] *adj.* souverain; dominant; suprême.
parapet [parepit] *s.* parapet, m.
parasite [paresait] *s.* parasite, m.
parasol [paresaul] *s.* parasol, m.; ombrelle, f.
parcel [pârs'l] *s.* paquet; colis; lot, m.; parcelle; partie; portion, f.; *v.* morceler; diviser en portions; répartir; **parcel post,** service des colis postaux.
parch [pârtsh] *v.* brûler; (se) dessécher; se griller.
parchment [pârtshment] *s.* parchemin, m.
pardon [pârd'n] *s.* pardon, m.; grâce, f.; pardonner, gracier.
pare [pèer] *v.* peler [fruit]; tailler [nails]; ébarber [paper]; rogner, réduire [expenditures].
parent [pèrent] *s.* père, m.; mère, f.; *pl.* parents, m. pl. || **parentage** [-idj] *s.* extraction; origine; naissance; famille, f.
parenthesis [perènthesis] *s.* parenthèse, f.
parish [parish] *s.* paroisse; commune, f. || **parishioner** [perishener] *s.* paroissien; habitant de la commune, m.
park [pârk] *s.* parc, m.; *v.* parquer; enclore; garer; stationner; **no parking,** défense de stationner; **free parking,** stationnement libre et gratuit.
parley [pârli] *s.* négociation, f.; pourparler, m.; *v.* négocier; parlementer, discuter.
parliament [pârlement] *s.* parlement, m. || **parliamentary** [pârlemènteri] *adj.* parlementaire.
parlo(u)r [pârler] *s.* (petit) salon; *Am.* **beauty parlor,** salon de coiffure; *Am.* **parlor car,** wagon-salon.
parochial [peroukiel] *adj.* paroissial; communal.
parody [paredi] *s.* parodie, f.; *v.* parodier.
parole [peroul] *s.* parole, f.; mot d'ordre, m.; *v.* libérer sur parole.
paroxysm [pareksizem]. *s.* paroxysme; accès, m.; crise, f.
parrot [paret] *s.* perroquet, m.; *v.* répéter, rabâcher.
parry [pari] *v.* parer [fencing]; esquiver; *s.* parade, f.
parsley [pârsli] *s.* persil, m.
parsnip [pârsnep] *s.* panais, m.
parson [pârs'n] *s.* curé; pasteur, m.
part [pârt] *s.* part; partie; pièce; raie [hair]; région, f.; élément, organe; rôle (theat.); parti, m.; *pl.* dons, talents, m. pl.; *v.* partager, diviser; (se) séparer (*with,* de); **part-owner,** copropriétaire; **spare parts,** pièces détachées; *to act a part,* jouer un rôle; *for the most part,* pour la plupart; *to part company,* se séparer; *to part with money,* se démunir d'argent; *part... part,* moitié...moitié. || **partake** [pertéik] *v.* participer; partager; *to partake of* (*a meal*), goûter, manger. || **partaken** [pertéiken] *p. p. of* **to partake.**
partial [pârshel] *adj.* partiel; partial; aimant. || **partially** [-li] *adv.* partialement; partiellement. || **partiality** [pârshaleti] *s.* partialité; prédilection, f.
participant [pertisepent] *adj., s.* participant. || **participate** [pertisepéit] *v.* participer. || **participation** [pertisepéishen] *s.* participation, f. || **participle** [pârtesep'l] *s.* participe, m.
particle [pârtik'l] *s.* particule; parcelle, f.
particular [pertikyeler] *adj.* particulier; spécial; exigeant; méticuleux; difficile; pointilleux; *s. pl.* détails, m.; circonstance; particularité, f. || **particularly** [-li] *adv.* particulièrement; surtout; spécialement.
parting [pârting] *s.* séparation; raie [hair], f.; départ, m.; *adj.* du départ.
partisan [pârtez'n] *adj., s.* partisan, m.
partition [pertishen] *s.* répartition; cloison, f.; morcellement; partage, m.; *v.* partager; diviser; cloisonner; répartir.
partly [pârtli] *adv.* partiellement, en partie.
partner [pârtner] *s.* associé; partenaire; collègue; cavalier, danseur, m. || **partnership** [-ship] *s.* association; société (comm.), f.
partook [pertouk] *pret. of* **to partake.**
partridge [pârtridj] *s.* perdrix, f.
party [pârti] *s.* parti; groupe; déta-

chement (mil.); individu, tiers, m.; réception, partie de plaisir; partie (jur.), f.; **firing party**, peloton d'exécution; **hunting party**, partie de chassse; **political party**, parti politique; **working party**, équipe d'ouvriers; **party wall**, mur mitoyen.

pass [pas] *s.* passer, dépasser; doubler [auto]; s'écouler; voter [law]; adopter [bill]; approuver [account]; recevoir [candidate]; être reçu à [exam]; *s.* passage, laissez-passer; permis; billet de faveur (theat.); col (geogr.), m.; gorge (geogr.); passe; difficulté, crise; carte de circulation; botte [fencing], f.; *to pass round*, faire circuler; *to pass over*, sauter; survoler; passer sous silence; *to pass off*, se passer (*as*, pour); *to pass out*, sortir; s'évanouir. || **passable** [-ebʼl] *adj.* passable; praticable; franchissable; carrossable. || **passage** [-idj] *s.* passage; couloir; trajet, m.; traversée; adoption [bill], f. || **passenger** [-'ndjer] *s.* passager; voyageur, m. || **passer-by** [-erbai] *s.* passant, m.

passion [pashen] *s.* passion, f.; emportement, m.; *to fly into a passion*, se mettre en colère; **Passion week**, semaine sainte. || **passionate** [-it] *adj.* passionné; emporté.

passive [pasiv] *adj.*, *s.* passif.

passport [paspoourt] *s.* passeport, m.

password [paswërd] *s.* mot de passe, m.; consigne, f.

past [past] *adj.* passé; écoulé; fini; *s.* passé, m.; *prep.* après; au-delà de; plus loin que; *ten past six*, six heures dix; *he is past sixty*, il a dépassé la soixantaine, **past-master**, qui est passé maître, qui excelle dans; *the past president*, l'ex-président; *past tense*, temps passé (gramm.); *to go past*, passer; **past bearing**, intolérable; **past hope**, désespéré.

paste [péist] *s.* pâte; colle, f.; strass, m.; *v.* coller à la colle de pâte.

pasteboard [péistboourd] *s.* carton.

pasteurize [pasteraiz] *v.* pasteuriser.

pastille [pastîl] *s.* pastille, f.

pastime [pastaim] *s.* passe-temps.

pastor [paster] *s.* pasteur; ecclésiastique, m. || **pastoral** [-rel] *adj.* pastoral; *s.* pastorale, f.

pastry [péistri] *s.* pâtisserie, f.; **pastry cook**, pâtissier; **pastry shop**, pâtisserie.

pasture [pastsher] *s.* pâturage, m.; *v.* pâturer; (faire) paître.

pat [pat] *adj.* à point, opportun; *adv.* à propos, juste; *s.* petite tape, f.; *v.* tapoter.

pat [pat] *s.* coquille [butter], f.

patch [patsh] *s.* pièce; plaque, tache; mouche [cosmetics]; petite portion, f.; emplâtre, écusson, m.; *v.* rapiécer; arranger; *Am. tire-repair patch*, rustine.

pate [péit] *s.* tête, caboche, f.; **bald pate**, chauve (fam.).

patent [pat'nt] *adj.* patent, évident; *s.* patente, f.; brevet d'invention, m.; *v.* patenter; breveter; **patent leather**, cuir verni; **patent medicine**, spécialité pharmaceutique.

paternal [petërn'l] *adj.* paternel. || **paternity** [petërneti] *s.* paternité, f.

path [path] *s.* sentier, chemin; circuit (electr.), m.; trajectoire; piste, f.

pathetic [pethètik] *adj.* pathétique; lamentable.

pathology [pathâledji] *s.* pathologie, f.

pathos [péithâs] *s.* pathétique, m.; émotion, f.

pathway [pathwéi] *s.* sentier, m.; voie (fig.), f.

patience [péishens] *s.* patience, f. || **patient** [-shent] *adj.*, *s.* patient.

patriarch [péitriârk] *s.* patriarche.

patrimony [patremoouni] *s.* patrimoine, m.

patriot [péitriet] *s.* patriote, m. || **patriotic** [péitriâtik] *adj.* patriotique. || **patriotism** [péitrietizem] *s.* patriotisme, m.

patrol [petrooul] *s.* patrouille; ronde, f.; *v.* patrouiller.

patron [péitren] *s.* patron; protecteur; client, m. || **patronage** [-idj] *s.* patronage, m.; protection, f. || **patroness** [-is] *s.* patronne; protectrice, f. || **patronize** [-aiz] *v.* patronner, protéger; traiter avec condescendance.

patter [pater] *v.* tapoter; trottiner.

patter [pater] *v.* marmotter, murmurer; *s.* bavardage; boniment, m.

pattern [patern] *s.* modèle; dessin; patron; exemple; échantillon, m.; *v.* modeler; suivre l'exemple de, copier.

paunch [pauntsh] *s.* panse, f.

pause [pauz] *s.* pause, f.; silence; point d'orgue, m.; *v.* faire une pause.

pave [pé^{i}v] *v.* paver; *to pave the way for,* préparer les voies pour, aplanir les difficultés de; *to pave with bricks,* carreler. || **pavement** [-m^{e}nt] *s.* pavé; dallage; trottoir, m.; **cobble pavement,** pavé en cailloutis; **wood-block pavement,** pavé en bois.

pavilion [p^{e}vîly^{e}n] *s.* pavillon, m.

paw [pau] *s.* patte, f.; *v.* piaffer; caresser [dog].

pawl [paul] *s.* linguet, cliquet (mech.), m.

pawn [paun] *s.* gage; pion [chess]; nantissement, m.; *v.* mettre en gage; **pawnbroker,** prêteur sur gage; **pawnshop,** mont-de-piété.

pay [pé^{i}] *v.** payer; acquitter [bill]; rétribuer; rendre; rapporter; faire [visit, compliment]; *s.* paye; solde, f.; appointement, salaire, gages, m.; *to pay attention,* faire attention; *to pay back,* restituer; *to pay down,* payer comptant; *to pay one's respects,* présenter ses respects; *it does not pay,* ça ne rapporte rien; *to pay out,* débourser; **pay card,** feuille de paye; **travel pay,** frais de déplacement; **paymaster,** trésorier, payeur; **payroll,** état de paiements. || **payable** [-^{e}b'l] *adj.* payable; dû. || **payment** [-m^{e}nt] *s.* paiement; versement, m.; *payment in full,* paiement global.

pea [pî] *s.* pois, m.; **green peas,** petits pois; **sweet peas,** pois de senteur; **chick-peas,** pois chiches; **pea-shooter,** sarbacane; **pea-pod,** cosse de pois.

peace [pîs] *s.* paix; tranquillité, f. || **peaceful** [-f^{e}l] *adj.* paisible; tranquille; pacifique.

peach [pîtsh] *s.* pêche [fruit], f.; **peach-tree,** pêcher.

peacock [pîkâk] *s.* paon, m.; *to act as a peacock,* faire la roue; **peahen,** paonne.

peak [pîk] *s.* pic; sommet, m.; cime; pointe [beard]; visière [cap], f.

peal [pîl] *s.* carillon; bruit retentissant; fracas [thunder]; éclat [laughter], m.; *v.* résonner; carillonner; (faire) retentir.

peanut [pînœt] *s.* cacahuète; arachide, f.

pear [pè$^{e r}$] *s.* poire, f.; **pear-tree,** poirier.

pearl [pë^{r}l] *s.* perle, f.; **pearl necklace,** collier de perles; **mother-of-pearl,** nacre; **pearl oyster,** huître perlière; **pearly,** perlé, nacré; perlier.

peasant [pèz'nt] *adj., s.* paysan.

pebble [pèb'l] *s.* caillou; galet, m.

peck [pèk] *v.* becqueter; picoter; picorer; *s.* coup de bec, m.

peck [pèk] *s.* picotin; tas, m.; grande quantité, f.

peculiar [pikyoul y$^{e r}$] *adj.* particulier; propre; singulier; bizarre. || **peculiarity** [pikyouliar^{e}ti] *s.* particularité; individualité; singularité; bizarrerie, f.

pedagogue [pèd^{e}gâg] *s.* pédagogue.

pedal [pèd'l] *s.* pédale, f.; *v.* pédaler.

pedant [pèd'nt] *s.* pédant, m. || **pedantic** [pidantik] *adj.* pédantesque; *s.* pédant, m.

peddle [pèd'l] *v.* colporter. || **peddler** [-$^{e r}$] *s.* colporteur, m.

pedestal [pèdist'l] *s.* piédestal, m.

pedestrian [p^{e}dèstri^{e}n] *s.* piéton, m.; *adj.* pédestre.

pedigree [pèd^{e}grî] *s.* pedigree; certificat d'origine, m.; généalogie, f.

peek [pîk] *v.* épier.

peel [pîl] *s.* pelure, peau. f.; zeste, m.; *v.* peler, éplucher, décortiquer; **orange-peel,** écorce d'orange.

peep [pîp] *v.* jeter un coup d'œil; regarder furtivement; pointer [day]; *s.* coup d'œil; point du jour, m.

peer [pi$^{e r}$] *s.* pair, noble, égal, m.; **peerless,** incomparable.

peer [pi$^{e r}$] *v.* regarder avec attention, scruter; pointer.

peeve [pîv] *v.* irriter; agacer; **peevish,** maussade, acariâtre.

peg [pèg] *s.* cheville; patère, f.; fausset [cask], m.; *v.* cheviller; *to take down a peg,* rabattre le caquet à.

pellet [pèlit] *s.* boulette [paper], f.

pell-mell [pèl-mèl] *adj.* pêle-mêle; confus; *adv.* sans précaution, impétueusement.

pelt [pèlt] *s.* peau, f.

pelt [pèlt] *v.* assaillir; *to pelt with stones,* lapider; **pelting rain,** pluie battante.

pen [pèn] *s.* plume, f.; *v.* écrire; **penholder,** porte - plume; **pen-**

name, pseudonyme; **fountain pen,** stylo; **ball-point pen,** pointe-bille.
pen [pèn] *s.* enclos; parc [sheep]; poulailler, m.; soue [pig]; *Am.* prison, f.; *v.* parquer.
penal [pîn'l] *adj.* pénal. ‖ **penalty** [-ti] *s.* pénalité; sanction, f.; **death penalty,** peine de mort. ‖ **penance** [pènens] *s.* pénitence, f.
pencil [pèns'l] *s.* crayon; pinceau, m.; *v.* marquer au crayon; **pencil sharpener,** taille - crayon; **automatic pencil,** porte-mine.
pendant [pèndent] *s.* pendant, m.; pendeloque; suspension [lamp]; pantoire (naut.), f.; *adj.* pendant; penché. ‖ **pending** [pènding] *adj.* pendant; en cours; *prep.* pendant, durant; en attendant.
pendulum [pèndyelem] *s.* pendule; balancier, m.
penetrate [pènetréit] *v.* pénétrer. ‖ **penetrating** [-ing] *adj.* pénétrant. ‖ **penetration** [pènetréishen] *s.* pénétration, f.
peninsula [peninsele] *s.* péninsule, f.
penitent [pènetent] *adj.* repentant; *s.* pénitent, m. ‖ **penitentiary** [pènetènsheri] *adj.* pénitentiaire; *s.* pénitencier, m.
penknife [pènnaif] *s.* canif, m.
penmanship [pènmenship] *s.* calligraphie, f.
pennant [pènent] *s.* banderole; flamme (naut.), f.; fanion (mil.), m.
penniless [pènilis] *adj.* sans le sou. ‖ **penny** [pèni] *s.* sou, m.
pension [pènshen] *s.* pension, retraite, f.; *v.* pensionner; mettre à la retraite.
pensive [pènsiv] *adj.* pensif.
pent [pènt] *adj.* enfermé, enclos; *pent-up emotions,* sentiments réprimés.
penury [pènyeri] *s.* pénurie, disette, f.
people [pîp'l] *s.* peuple; gens, m.; *v.* peupler.
pepper [pèper] *s.* poivre, m.; *v.* poivrer; *to pepper with bullets,* cribler de balles; **pepper-shaker,** poivrière; **red, green peppers,** piments rouges, verts; **peppermint,** menthe poivrée.
per [per] *prep.* pour; *per cent,* pour cent; *per year,* par an.
percale [perkéil] *s.* percale, f.
perceive [persîv] *v.* (s')apercevoir; percevoir.
percentage [persèntidj] *s.* pourcentage, m.
perceptible [persèpteb'l] *adj.* perceptible. ‖ **perception** [persèpshen] *s.* perception, f.; discernement, m.
perch [përtsh] *s.* perche [fish], f.
perch [përtsh] *s.* perche [rod], f.; perchoir, m.
perchance [pertshans] *adv.* par hasard.
percolate [përkeléit] *v.* filtrer.
percuss [perkœs] *v.* percuter.
perdition [perdishen] *s.* perdition, f.
perennial [perèniel] *adj.* durable; vivace (bot.); perpétuel.
perfect [përfikt] *adj.* parfait; achevé; accompli; *s.* parfait (gramm.); [perfèkt]; *v.* perfectionner; parfaire; améliorer; **pluperfect,** plus-que-parfait. ‖ **perfection** [perfèkshen], *s.* perfection, f.
perfidious [perfidies] *adj.* perfide. ‖ **perfidy** [përfedi] *s.* perfidie, f.
perforate [përferéit] *v.* perforer; trouer; cribler.
perform [perfaurm] *v.* représenter (theat.); accomplir; remplir [task]. ‖ **performance** [-ens] *s.* accomplissement; fonctionnement; rendement, m.; représentation (theat.); performance, f.
perfume [përfyoum] *s.* parfum, m.; [perfyoum] *v.* parfumer. ‖ **perfumery** [perfyoumeri] *s.* parfumerie, f.
perhaps [perhaps] *adv.* peut-être.
peril [pèrel] *s.* péril, m.; *v.* exposer au danger; **perilous,** périlleux; dangereux.
perimeter [perimeter] *s.* périmètre, m.
period [piried] *s.* période; durée, f.; délai, cycle, m.; *Am.* point (gramm.); **running-in period,** période de rodage. ‖ **periodic** [piriâdik] *adj.* périodique. ‖ **periodical** [-'l] *s.* périodique, m.; revue, f.; *adj.* périodique.
perish [pèrish] *v.* périr; mourir; se gâter; **perishable,** périssable.
perjure [përdjer] *v.* se parjurer. ‖ **perjury** [-ri] *s.* parjure, m.
permanence [përmenens] *s.* permanence; stabilité, f. ‖ **permanent** [-nent] *adj.* permanent; durable; stable.
permeate [përmiéit] *v.* pénétrer; imprégner; s'insinuer.

permissible [permiseb'l] *adj.* permis; admissible. || **permission** [-shen] *s.* permission; autorisation, f.; permis, m. || **permit** [pëʳmit] *s.* permis; congé; laissez-passer, m.; autorisation, f.; [permit] *v.* permettre, autoriser; *permit of residence,* permis de séjour.
pernicious [pernishes] *adj.* pernicieux.
perpendicular [pëʳpendikyeler] *adj.,* *s.* perpendiculaire.
perpetrate [pëʳpetréit] *v.* perpétrer; commettre.
perpetual [perpètshouel] *adj.* perpétuel. || **perpetuate** [-shouéit] *v.* perpétuer.
perplex [perplèks] *v.* confondre, embarrasser; embrouiller. || **perplexed** [-t] *adj.* perplexe, embarrassé; embrouillé, confus. || **perplexity** [-eti] *s.* perplexité; confusion, f.; enchevêtrement, m.
persecute [pëʳsikyout] *v.* persécuter. || **persecution** [pëʳsikyoushen] *s.* persécution, f.
perseverance [pëʳsevirens] *s.* persévérance, f. || **persevere** [pëʳsevier] *v.* persévérer; persister (*in,* à, dans).
persist [perzist] *v.* persister (*in,* à, dans); affirmer; s'obstiner. || **persistence** [-ens] *s.* persistance, f. || **persistent** [-ent] *adj.* persistant.
person [pëʳs'n] *s.* personne, f.; individu, type, m. || **personage** [-idj] *s.* personnage, m. || **personal** [-'l] *adj.* personnel; en personne. || **personality** [pëʳs'naleti] *s.* personnalité, f.; personnage, m. || **personnel** [pëʳs'nèl] *s.* personnel, m.
perspective [perspèktiv] *s.* perspective, f.
perspiration [pëʳsperéishen] *s.* transpiration; sueur, f. || **perspire** [pëʳspair] *v.* transpirer.
persuade [perswéid] *v.* persuader; déterminer. || **persuasion** [perswéijen] *s.* persuasion; croyance, f. || **persuasive** [-siv] *adj.* persuasif, convaincant.
pert [pëʳt] *adj.* effronté, insolent.
pertain [pertéin] *v.* appartenir.
pertinent [pëʳt'nent] *adj.* pertinent; opportun.
perturb [pertëʳb] *v.* perturber, troubler. || **perturbation** [pëʳterbéishen] *s.* perturbation, f.
peruse [perouz] *v.* examiner, lire avec attention, consulter.
pervade [pervéid] *v.* traverser, se répandre, pénétrer.
perverse [pervëʳs] *adj.* pervers; entêté; revêche. || **pervert** [-vëʳt] *v.* pervertir; fausser; détourner de; [pëʳvëʳt] *s.* pervers, vicieux, m.
pessimism [pèsemizem] *s.* pessimisme, m. || **pessimist** [-mist] *s.* pessimiste, m. || **pessimistic** [-mistik] *adj.* pessimiste.
pest [pèst] *s.* peste, f.; fléau, m.
pester [pèster] *v.* importuner.
pestilence [pèst'lens] *s.* pestilence, peste, f.
pet [pèt] *s.* animal favori; enfant gâté; objet préféré, m;. *v.* caresser, choyer, gâter; **pet name,** nom d'amitié, diminutif.
petal [pèt'l] *s.* pétale, m.
petition [petishen] *s.* pétition; requête, f.; *v.* pétitionner; présenter une requête.
petrol [pètrel] *s. Br.* essence, f.
petroleum [petroouliem] *s.* pétrole, m.
petticoat [pètikoout] *s.* jupon, combinaison, f.
petty [pèti] *adj.* insignifiant; mesquin; menu (jur.); **petty cash,** menue monnaie; **petty officer,** officier marinier, quartier-maître.
pew [pyou] *s.* banc d'église, m.
phantom [fantem] *s.* fantôme, m.
pharmacist [fârmesist] *s.* pharmacien, m. || **pharmacy** [-si] *s.* pharmacie, f.
phase [féiz] *s.* phase, f.; *out o. phase,* décalé [motor].
phenomenon [fenâmenân] (*pl.* **phenomena** [fenâmene]) *s.* phénomène, m.
phial [fail] *s.* fiole, f.; flacon, m.
philosopher [felâsefer] *s.* philosophe, m. || **philosophical** [filesâfik'l] *adj.* philosophique. || **philosophy** [felâsefi] *s.* philosophie, f.
phlegmatic [flègmatik] *adj.* flegmatique.
phone [fooun] *s.* téléphone, m.; *v.* téléphoner.
phonetics [foounètiks] *s.* phonétique, f.
phonograph [foounegraf] *s.* phonographe, m.
phosphate [fâsféit] *s.* phosphate, m.
phosphorus [fâsferes] *s.* phosphore, m.
photo [fooutoou] *s.* photo, f., **photo-**

electric, photo-électrique; **photograph**, photographie; prise de vue; photographier; **photographer**, photographe; **photography**, photographie; **photogravure**, photogravure; **photoprint**, photocopie.
phrase [fré¹z] *s.* phrase; locution; expression, f.; *v.* exprimer, formuler.
physic [fizik] *s.* médecine; purge, f.; médicament, m.; *v.* (pop.) médiciner; purger; droguer. ‖ **physical** [-'l] *adj.* physique. ‖ **physician** [fezishen] *s.* médecin, m. ‖ **physicist** [fizesist] *s.* physicien, m. ‖ **physics** [fiziks] *s.* physique, f.
physiological [fizielâdjik'l] *adj.* physiologique. ‖ **physiology** [fizielâdji] *s.* physiologie, f.
physique [fizik] *s.* physique, m.
piano [pianoou] *s.* piano, m.; **piano stool**, tabouret de piano; **grand piano**, piano à queue; **baby-grand-piano**, demi-queue; **upright-piano**, piano droit.
piccolo [pikeloou] *s.* octavin, piccolo [music], m.
pick [pik] *s.* pic, m.; pioche, f.; choix, m.; *v.* percer, trouer; becqueter; crocheter [lock]; plumer [fowl]; curer [teeth]; ronger [bone]; cueillir; choisir; extraire; piocher (techn.); *to pick flaws*, critiquer; *to pick up*, ramasser; gagner; (se) reprendre; **pickaxe**, pioche; **pickpocket**, voleur à la tire; **tooth-pick**, cure-dents.
picket [pikit] *s.* piquet; picu; jalon; piquet militaire, m.; *v.* entourer de piquets; former un piquet (mil.); monter la garde; **outlying picket**, poste avancé.
pickle [pik'l] *s.* marinade; saumure, f.; *pl.* conserves au vinaigre; *v.* mariner; conserver dans du vinaigre; décaper (techn.); **pickled cucumbers**, cornichons; **pickle-fish**, poisson mariné; *to be in a pickle*, être dans de beaux draps.
picnic [piknik] *s.* pique-nique, m.; *v.* pique-niquer.
picture [piktsher] *s.* tableau; portrait, m.; peinture; gravure; image cinématographique, f.; *v.* peindre, représenter; décrire; (s')imaginer; **picture gallery**, musée de peinture; **picturesque**, pittoresque; **motion picture**, film.
pie [pa¹] *s.* pâté, m.; tourte; tarte; tartelette, f.
piece [pis] *s.* pièce, f.; morceau, fragment, m.; *piece of advice*, conseil; *piece of land*, parcelle de terrain; *piece of news*, nouvelle; *to piece on to*, ajouter à; *to piece together*, réunir les morceaux de, se faire une idée d'ensemble de; **piecemeal**, fragmentaire.
pier [pier] *s.* jetée; pile de pont, f.; appontement; pilastre, pilier, m.
pierce [piers] *v.* percer; pénétrer; *to pierce through*, transpercer.
piety [pa¹eti] *s.* piété, f.
pig [pig] *s.* porc, cochon, pourceau, m.; **pig-headed**, cabochard; **pig iron**, fonte brute, gueuse; **pigskin**, peau de porc.
pigeon [pidjen] *s.* pigeon, m.; **pigeonhole**, boulin; case; **pigeon house**, colombier.
pigment [pigment] *s.* pigment, m.; couleur, f.
pike [pa¹k] *s.* pique; pointe, f.; pic, m.
pike [pa¹k] *s.* brochet, m.
pile [pa¹l] *s.* pieu, pilot, m.; *v.* piloter, soutenir avec des pilots; **pile-work**, pilotis.
pile [pa¹l] *s.* pile (electr.), f.; tas, monceau; faisceau (mil.), m.; *v.* empiler; entasser; accumuler; *to pile arms*, former les faisceaux.
pilfer [pilfer] *v.* chiper, chaparder.
pilgrim [pilgrim] *s.* pèlerin, m. ‖ **pilgrimage** [-idj] *s.* pèlerinage, m.
pill [pil] *s.* pilule; *Am.* personne désagréable (fam.), f.
pillage [pilidj] *v.* piller; *s.* pillage, m.
pillar [piler] *s.* pilier, m.; colonne, f.; **from pillar to post**, de-ci de-là; **pillar-box**, borne-boîte [letters].
pillow [pilo ou] *s.* oreiller; coussin, m.; **pillowcase**, taie d'oreiller.
pilot [pa¹let] *s.* pilote; guide, m.; *v.* piloter, guider, conduire; **pilot balloon**, ballon d'essai; **robot pilot**, pilote automatique.
pimple [pimp'l] *s.* bouton (med.), m.
pin [pin] *s.* épingle; cheville; clavette; goupille, f.; boulon, m.; *v.* épingler; clouer, goupiller; *to pin down*, engager formellement, lier; *to pin up*, trousser, retrousser; **pin-up**, jolie fille, pin-up; **breast pin**, broche; **rolling-pin**, rouleau à pâtisserie; **pin money**, argent de poche; **pinworm**, oxyure.

pincers [pinserz] s. pinces; pincettes, f.
pinch [pintsh] v. pincer; serrer; être serré, gêné; s. pincée; prise [tobacco]; gêne, f.; pincement, m.; **pinch-bar**, levier; **pinch-penny**, grippe-sou.
pine [paɪn] s. pin, m.; **pineapple**, ananas; **pine cone**, pomme de pin.
pine [paɪn] v. languir; déplorer; *to pine for*, soupirer après; *to pine away*, dépérir.
pink [pingk] s. œillet, m.; *in the pink of condition*, en parfaite santé; *adj.* rose.
pinnacle [pinek'l] s. faîte; pinacle, m.; tourelle, f.
pint [paɪnt] s. pinte, f.
pioneer [paɪenier] s. pionnier; précurseur, m.; v. explorer; promouvoir; faire office de pionnier.
pious [paɪes] *adj.* pieux.
pipe [paɪp] s. pipe [smoking]; canule (med.), f.; tuyau; tube; conduit; pipeau; sifflet, m.; v. canaliser, capter; siffler; jouer du pipeau, du fifre; *to pipe down*, baisser la voix; **pipe-line**, pipeline; *pipe down!*, la barbe!; **pipe organ**, grand orgue; **pipe-stem**, tuyau de pipe. || **piper** [-er] s. flûtiste; joueur de cornemuse. || **piping** [-ing] s. tubulure, f.; tuyautage, m.; son ou jeu du fifre, m.; *adj.* flûté; **piping hot**, bouillant.
pippin [pipin] s. pomme de reinette, f.
pique [pîk] s. pique, brouillerie, f.; ressentiment, m.; v. vexer; irriter; *to pique oneself on*, se piquer de.
pirate [paɪret] s. pirate; plagiaire, m.; v. pirater; plagier.
pistol [pist'l] s. pistolet, m.
piston [pist'n] s. piston, m.; **piston rod, ring**, tige, segment de piston.
pit [pit] s. trou; puits [mining], m.; fosse, f.; **pitfall**, trappe.
pitch [pitsh] s. poix, f.; bitume, m.; v. bitumer; **stone pitch**, poix sèche.
pitch [pitsh] s. degré, niveau, point; diapason [music]; tangage (naut.); pas [screw], m.; pente, f.; v. dresser [tent]; fixer; jeter, lancer; tanguer (naut.); donner le ton [music]; *to pitch in*, se mettre à la besogne; *to pitch into*, attaquer.
pitcher [pitsher] s. cruche, f.; pichet, lanceur [baseball], m.
pitchfork [pitshfaurk] s. fourche, f.
piteous [pities] *adj.* piteux; pitoyable; compatissant; lamentable.
pith [pith] s. moelle; substance; quintessence, f.; essentiel, m.
pitiful [pitifel] *adj.* compatissant; pitoyable; lamentable. || **pitiless** [-lis] *adj.* impitoyable. || **pity** [piti] s. pitié; compassion, f.; dommage, m.; v. plaindre; avoir pitié; *what a pity!*, quel dommage!
placard [plakârd] s. placard; écriteau, m.; affiche, pancarte, f.; v. placarder, afficher.
place [pléɪs] s. place; situation; demeure; localité, f.; lieu; endroit; poste; établissement, m.; v. placer; mettre; *place of worship*, église, temple; *in place of*, au lieu de; *to take place*, avoir lieu; **hiding place**, cachette; **market place**, place du marché.
placid [plasid] *adj.* placide.
plague [pléɪg] s. peste, bête noire, f.; fléau, m.; v. tourmenter; harceler; frapper de la peste.
plaid [plad] s. plaid, m.; tissu écossais, m.
plain [pléɪn] *adj.* uni, plat; égal; commun; facile; évident; franc; s. plaine, f.; *adv.* franchement; simplement; clairement; **plain cooking**, cuisine bourgeoise; **plain-spoken**, sincère, carré; *in plain clothes*, en civil; *she is plain*, elle est sans attraits.
plaintiff [pléɪntif] s. plaignant; demandeur (jur.), m. || **plaintive** [-tiv] *adj.* plaintif, plaintive.
plan [plàn] s. plan; projet; dessein; système, procédé, m;. v. projeter; tracer; dessiner; décider.
plane [pléɪn] s. rabot, m.; v. raboter.
plane [pléɪn] s. platane, m.
plane [pléɪn] s. surface plane, f.; plan; avion, m.; v. aplanir; planer (aviat.); **plane detector**, détecteur d'avions.
planet [planit] s. planète, f.
plank [plàngk] s. planche, f.; bordage (naut.); madrier; *Am.* programme électoral, m.; v. planchéier; border (naut.); déposer de force [money]; servir [on a board].
plant [plànt] s. plante, f.; plant; matériel, outillage, m.; usine; machinerie, f.; v. planter; ensemencer; implanter; fonder, introduire; **electric-light plant**, génératrice électrique; **printing plant**, imprimerie. || **plantation** [plàntéɪshen]

s. plantation, f. || **planter** [plànt^er] *s.* planteur, m.
plaque [plak] *s.* plaque, f.
plasma [plazm^e] *s.* plasma, m.
plaster [plast^er] *s.* emplâtre; plâtre; mortier, m.; *v.* plâtrer; mettre un emplâtre; **court plaster,** sparadrap; **mustard plaster,** sinapisme.
plastic [plastik] *adj., s.* plastique.
plat [plat] *s.* parcelle de terrain; carte d'une ville, f.; *v.* tracer un plan.
plate [pléit] *s.* assiette; vaisselle; planche (typogr.); plaque [metal], f.; *v.* plaquer; blinder; argenter; étamer; **dental plate,** dentier.
plateau [plato^ou] *s.* plateau (geogr.), m.
plateful [pléitfoul] *s.* assiettée, f.
platform [platfaurm] *s.* plateforme; estrade, f.; quai; programme politique, m.; **arrival platform,** quai d'arrivée (railw.), débarcadère (naut.).
platinum [plat'n^em] *s.* platine, m.
platitude [plat^etyoud] *s.* platitude; banalité, f.
platter [plat^er] *s.* gamelle, écuelle, f.
play [pléi] *s.* jeu; fonctionnement, m.; pièce de théâtre, f.; *v.* jouer; avoir du jeu (mech.); représenter (theat.); *to play high,* jouer gros jeu; *to play cards,* jouer aux cartes; *to play the piano,* jouer du piano; *to play the fool,* faire l'imbécile; *play on words,* calembour, jeu de mots. || **player** [-^er] *s.* joueur; musicien; acteur, m.; **player piano,** piano mécanique; **piano player,** pianiste. || **playful** [-f^el] *adj.* enjoué, folâtre. || **playground** [-gra^ound] *s.* terrain de jeux. || **plaything** [-thing] *s.* jouet, m. || **playwright** [-rait] *s.* auteur dramatique, dramaturge, m.
plea [plî] *s.* défense; excuse; allégation, f.; argument, m.; *on the plea of,* sous prétexte de.
plead [plîd] *v.* plaider; alléguer; se défendre; arguer.
pleasant [plèz'nt] *adj.* agréable; plaisant; gracieux; sympathique. || **pleasantry** [-ri] *s.* plaisanterie, f. || **please** [plîz] *v.* plaire à; contenter; faire plaisir à; *(if you) please,* s'il vous plaît; *to be pleased with,* être satisfait de; *please be seated,* veuillez vous asseoir; *to do as one pleases,* faire à sa guise; *if you will be pleased to,* si vous voulíez prendre la peine de. || **pleasing** [-ing] *adj.* agréable, charmant. || **pleasure** [plèj^er] *s.* plaisir; gré, m.; volonté, f.; *at your pleasure,* à votre gré; **pleasure trip,** voyage d'agrément.
pleat [plît] *s.* plissé, m.; *v.* plisser.
plebiscite [plèb^esait] *s.* plébiscite, m.
pledge [plèdj] *s.* gage; engagement; vœu; nantissement, m.; promesse; garantie, f.; *v.* (s')engager; promettre; mettre en gage; *to take the pledge,* faire vœu de tempérance.
plenipotentiary [plèn^ep^etènsh^eri] *s.* plénipotentiaire, m.
plentiful [plèntif^el] *adj.* abondant, copieux. || **plenty** [plènti] *s.* abondance; plénitude; profusion, f.
pliable [pla^ie^eb'l] *adj.* flexible; souple. || **pliant** [pla^ient] *adj.* docile, pliant.
pliers [pla^ierz] *s.* pinces, f.
plight [plait] *s.* état, m.; condition; situation difficile, f.
plod [plâd] *v.* marcher péniblement; trimer, piocher.
plot [plât] *s.* complot; coin de terre; plan, m.; intrigue; conspiration, f.; *v.* comploter; machiner; relever le plan; *to plot a curve,* tracer une courbe. || **plotter** [-^er] *s.* conspirateur; conjuré; traceur de route, m.
plough, plow [pla^ou] *s.* charrue, f.; *v.* labourer; sillonner (naut.); **plough-share,** soc.
pluck [plœk] *v.* arracher; cueillir; plumer [fowl]; coller [exam]; pincer de la guitare; *s.* courage; cran, m.; *to pluck one's eyebrows,* s'épiler les sourcils; *to pluck up,* reprendre courage. || **plucky** [-i] *adj.* courageux; *to be plucky,* avoir du cran.
plug [plœg] *s.* tampon; bouchon; robinet; plombage [tooth]; fausset; gibus [hat], m.; prise de courant (electr.), f.; *v.* boucher; **drain plug,** bouchon de vidange; *plug of tobacco,* carotte de tabac; *to plug up,* obstruer; *to plug in,* brancher (electr.).
plum [plœm] *s.* prune, f.; **dried plum,** pruneau; **plum-tree,** prunier; **sugar plum,** dragée.
plumage [ploumidj] *s.* plumage, m.
plumb [plœm] *s.* plomb, m.; *v.* plomber; *adv.* d'aplomb; *out of plumb,* oblique, déplombé; *adj.* perpendiculaire, vertical; *Am.* juste; **plumb**

bob, fil à plomb; **plumb crazy**, tout à fait toqué. || **plumber** [-er] *s.* plombier, m. || **plumbing** [-ing] *s.* plomberie, f.; sondage; plombage, m.

plume [ploum] *s.* panache; plumet, m.; plume, f.; *v.* empanacher; garnir d'une aigrette; plumer [fowl]; lisser ses plumes [bird]; se vanter (*on*, de), faire la roue.

plump [plœmp] *adj.* dodu, potelé; *v.* engraisser; gonfler.

plump [plœmp] *v.* tomber lourdement; *adv.* subitement; tout droit; en plein.

plunder [plœnder] *s.* butin; pillage, m.; *v.* piller; dépouiller; saccager.

plunge [plœndj] *v.* (se) plonger; s'enfoncer; *s.* plongeon, m.; **plunging**, embarras financier.

plural [plourel] *s.* pluriel, m.; *adj.* pluriel; plural.

plus [plœs] *s.* plus (math.; print.), m.; **plus sign**, signe de l'addition.

plush [plœsh] *s.* peluche, f.

ply [plai] *v.* manier avec vigueur; exercer [trade]; presser, solliciter; plier; courber; louvoyer (naut.); faire le service (naut.); *to ply the needle*, tirer l'aiguille; *to ply the oars*, faire force de rames; **plywood**, contreplaqué.

pneumatic [nyoumatik] *adj.* pneumatique.

pneumonia [nyoumoounye] *s.* pneumonie, f.

poach [pooutsh] *v.* pocher.

poach [pooutsh] *v.* braconner. || **poacher** [-er] *s.* braconnier, m.

pocket [pâkit] *s.* poche; cavité, f.; blouse [billiards]; *v.* empocher; avaler [insult]; **air pocket**, trou d'air (aviat.); **magazine pocket**, cartouchière.

pocketbook [pâkitbouk] *s.* portefeuille; porte-billets; carnet, livre de poche, m.

pocketknife [pâkitnaif] *s.* couteau de poche; canif, m.

pod [pâd] *s.* cosse, f.

poem [poouim] *s.* poème, m.; poésie, f. || **poet** [poouit] *s.* poète, m. || **poetess** [-is] *s.* poétesse, f. || **poetic** [poouètik] *adj.* poétique; *s. pl.* art poétique, m. || **poetical** [-'l] poétique. || **poetry** [poouitri] *s.* poésie, f.

point [point] *s.* point; essentiel, m.; pointe; extrémité; aiguille [steeple]; question, f.; *v.* pointer; signaler; montrer; ponctuer; viser; aiguiser; *it is not the point*, ce n'est pas la question; *to come to the point*, en venir au fait; **datum point, reference point**, point de repère; **dead point**, point mort [auto]; **starting point**, point de départ; **point-blank**, à bout portant; **pointsman**, aiguilleur (railw.). || **pointed** [-id] *adj.* pointu; piquant; mordant; ogival (arch.). || **pointer** [-er] *s.* pointeur; index; chien d'arrêt, m.

poise [poiz] *s.* poids; aplomb, m.; *v.* balancer, tenir en équilibre.

poison [poiz'n] *s.* poison; toxique, m.; *v.* empoisonner; intoxiquer. || **poisonous** [-es] *adj.* empoisonné; toxique; vénéneux; venimeux.

poke [poouk] *v.* tisonner; fourrer, pousser; *s.* coup de coude, coup de poing, m.; *to poke fun at someone*, se moquer de; *to poke about*, fouiller, fourgonner.

polar [pooulər] *adj.* polaire. || **pole** [pooul] *s.* pôle (geogr.), m.

pole [pooul] *s.* mât; poteau; timon, m.; gaule; poutre, f.; **telegraph pole**, poteau télégraphique.

police [pelis] *s.* police, f.; *v.* faire la police; maintenir l'ordre; surveiller; **police department**, préfecture de police; **police headquarters**, commissariat de police; **police station**, poste de police. || **policeman** [-men] *s.* agent de police; gardien de la paix, m.

policy [pâlesi] *s.* politique; ligne de conduite; diplomatie, f.

policy [pâlesi] *s.* police d'assurance, f.

Polish [pooulish] *adj.* polonais.

polish [pâlish] *s.* poli; vernis, m.; *v.* polir; vernir; cirer; astiquer.

polite [pelait] *adj.* courtois, poli. || **politeness** [-nis] *s.* politesse, f.

politic [pâletik] *adj.* politique; prudent; rusé. || **political** [pelitik'l] *adj.* politique. || **politician** [pâletishen] *s.* politicien, m. || **politics** [pâletiks] *s.* politique, f.

poll [pooul] *s.* vote; scrutin, m.; tête; urne électorale, f.; *v.* (faire) voter; tenir le scrutin; obtenir les votes.

pollen [pâlen] *s.* pollen, m.

pollute [pelout] *v.* polluer, contaminer, souiller.

polo [pooulooou] *s.* polo, m.

pomade [pooumééid] *s.* pommade, f.

pomegranate [pœmgranit] *s.* grenade, f.
pommel [pœm'l] *s.* pommeau, m.
pomp [pœmp] *s.* pompe; ostentation, f.; faste, m. || **pompous** [-es] *adj.* pompeux; fastueux.
pond [pând] *s.* étang, m.; mare, f.; **fishpond**, vivier.
ponder [pânder] *v.* peser; considérer; méditer (*over*, sur). || **ponderous** [-res] *adj.* pesant.
pontoon [pântoun] *s.* flotteur d'hydravion; ponton; bac, m.
pony [poouni] *s.* poney, m.
poodle [poud'l] *s.* caniche, m.
pool [poul] *s.* étang; bassin, m.; **swimming-pool**, piscine.
pool [poul] *s.* pool, fonds commun, m.; poule [sport], f.; *v.* faire un pool.
poop [poup] *s.* poupe (naut.), f.
poor [pouer] *adj.* pauvre; piètre; indigent; *the poor*, les pauvres; **poorly**, pauvrement, tristement, mal; **poorhouse**, hospice.
pop [pâp] *s.* explosion, détonation, f.; saut [cork], m.; *v.* exploser, détoner; sauter [cork]; tirer [gun]; poser à brûle-pourpoint [question]; *to pop in*, entrer à l'improviste; *to pop corn*, faire griller et exploser des épis de maïs; *to pop one's head out*, sortir brusquement la tête; **soda pop**, boisson gazeuse; **popeyed**, aux yeux exorbités.
pope [pooup] *s.* pape; pope, m.
poplar [pâpler] *s.* peuplier, m.
poppy [pâpi] *s.* pavot; coquelicot.
populace [pâpyelis] *s.* populace, f. || **popular** [pâpyeler] *adj.* populaire. || **popularity** [pâpyelareti] *s.* popularité, f. || **populate** [pâpyeléit] *v.* peupler. || **population** [pâpyeléishen] *s.* population, f. || **populous** [pâpyeles] *adj.* populeux.
porcelain [poourslin] *s.* porcelaine, f.
porch [poourtsh] *s.* porche, m.
porcupine [paurkyepain] *s.* porc-épic, m.
pore [poour] *s.* pore, m.
pork [paurk] *s.* viande de porc, f.
porous [pooures] *adj.* poreux, perméable.
porridge [pauridj] *s.* bouillie, f.; porridge, m.
porpoise [paurpes] *s.* marsouin, m.
port [poourt] *s.* port, havre, m.; **free port**, port franc; **sea port**, port de mer; *port of call*, escale.
port [poourt] *s.* sabord (naut.); bâbord (naut.), m.; **porthole**, hublot.
port [poourt] *s.* porto [wine], m.
portable [poourteb'l] *adj.* portatif.
portal [poourt'l] *s.* portail, m.
portcullis [poourtkœlis] *s.* sarrasine, herse, f.
portent [poourtènt] *s.* mauvais présage, m.; **portentous**, de mauvais augure; prodigieux.
porter [poourter] *s.* portier, concierge, m.
porter [poourter] *s.* portefaix; commissionnaire, m.
portfolio [poourtfooulioou] *s.* portefeuille, m.; serviette, f.
portion [poourshen] *s.* portion, part; dot, f.; *v.* partager; répartir; doter.
portrait [poourtréit] *s.* portrait, m. || **portray** [poourtréi] *v.* peindre; décrire. || **portrayal** [-el] *s.* peinture, description, représentation, f.
Portuguese [poourtshegiz] *adj.*, *s.* portugais.
pose [poouz] *s.* pose; attitude; affectation, f.; *v.* poser; disposer; prendre la pose; affecter une attitude; *to pose as*, se faire passer pour.
position [pezishen] *s.* position, place; situation; attitude, f.; rang; état, m.; *in a position to*, à même de; || **positive** [pâzetiv] *adj.* positif; affirmatif; certain; catégorique, formel.
possess [pezès] *v.* posséder. || **possession** [pezèshen] *s.* possession, f. || **possessor** [pezèser] *s.* possesseur, m.
possibility [pâsebileti] *s.* possibilité, f. || **possible** [pâseb'l] *adj.* possible. || **possibly** [-li] *adv.* peut-être; possiblement.
post [pooust] *s.* poteau; pieu; pilier, m.; colonne [bed], f.; *v.* afficher, placarder.
post [pooust] *s.* poste, emploi, m.; poste, f.; *v.* poster, placer; mettre à la poste; **army post**, garnison; **postcard**, carte postale; **post office**, bureau de poste; **post-paid**, affranchi, port payé; *post marked at*, timbré de; *by return of post*, par retour du courrier. || **postage** [-idj] *s.* affranchissement; port, m.; **postage stamp**, timbre-poste. || **postal** [-'l] *adj.* postal; **postal money order**, mandat-poste.

poster [pooustewr] *s.* afficheur, m.; affiche, f.
posterior [pâstirier] *adj.* postérieur. || **posterity** [pâstèreti] *s.* postérité, f.
posthumous [poousthyoumes] *adj.* posthume.
postman [pooustmen] *s.* facteur, m. || **postmaster** [-master] *s.* receveur des postes, m.
postpone [pooustpooun] *v.* remettre; différer. || **postponement** [-ment] *s.* ajournement, m.
postscript [poousskript] *s.* postscriptum, m.
postulate [pâstshelé1t] *v.* postuler.
posture [pâstsher] *s.* posture, attitude; condition; situation, f.; *v.* adopter une posture.
posy [poouzi] *s.* fleur, f.
pot [pât] *s.* pot, vase, m.; marmite; mitre [chimmey], f.; **pot-bellied,** ventru, pansu.
potassium [petasiem] *s.* potassium.
potash [pâtash] *s.* potasse, f.
potato [petéitoou] *s.* pomme de terre, f.; **sweet potato,** patate.
potency [poout'nsi] *s.* puissance; capacité; efficacité, f. || **potent** [-t'nt] *adj.* puissant, fort; efficace. || **potential** [petènshel] *adj., s.* potentiel.
potion [pooushen] *s.* potion, f.; breuvage, m.
pottage [pâtidj] *s.* potage, m.
potter [pâter] *s.* potier, m. || **pottery** [-ri] *s.* poterie, f.
pouch [paoutsh] *s.* poche; blague [tobacco]; musette, f.; sac, m.; **mail pouch,** sac du courrier; **cartridge pouch,** cartouchière.
poultice [pooultis] *s.* cataplasme, m.
poultry [pooultri] *s.* volaille, f.; **poultry yard,** basse-cour.
pounce [paouns] *v.* saisir; foncer; fondre (*on,* sur).
pound [paound] *s.* livre, f.
pound [paound] *v.* broyer; piler; concasser.
pour [poour] *v.* verser, répandre; se déverser; pleuvoir à verse.
pout [paout] *v.* faire la moue; bouder; *s.* moue, f.
poverty [pâverti] *s.* pauvreté; misère; pénurie, f.
powder [paouder] *s.* poudre, f.; *v.* pulvériser; poudrer; **powder magazine,** poudrerie; **powder-puff,** houppe à poudre; **powder train,** traînée de poudre; *to powder one's face,* se poudrer; *Am. to take a powder,* prendre la poudre d'escampette.
power [paouer] *s.* pouvoir, m.; puissance; force; autorité, f.; **man power,** effectifs (mil.); **power breakdown,** panne (electr.); **water power,** énergie hydraulique; **high-powered,** de haute puissance; **powerful,** puissant; **powerless,** impuissant; *exceeding one's power,* abus de pouvoir; *Am. balance of power,* équilibre européen; *six horse-power,* six chevaux(-vapeur).
practicable [praktikeb'l] *adj.* praticable; carrossable; faisable.
practical [praktik'l] *adj.* pratique; réel, positif; *a practical joke,* un mauvais tour, une farce. || **practice** [praktis] *s.* pratique; habitude; clientèle, f.; exercice, art, m.; *v.* pratiquer; exercer; étudier; **practiced,** expert, versé (*in,* dans).
prairie [prèri] *s.* savane, prairie, f.
praise [préiz] *s.* louange, f.; éloge, m.; *v.* louer; **praiseworthy,** louable.
prance [prèns] *v.* caracoler; se cabrer.
prank [prèngk] *s.* escapade, espièglerie, f.; *to play pranks,* faire des niches.
prate [préit] *v.* bavarder, babiller; *s.* babillage, m.
prattle [prat'l] *v.* bavarder, jaser; *s.* bavardage, babil, m.
pray [préi] *v.* prier; *pray, take a chair,* asseyez-vous, je vous prie. || **prayer** [prèer] *s.* prière; supplication, f.; *Prayer Book,* rituel.
preach [pritsh] *v.* prêcher. || **preacher** [-er] *s.* prédicateur, m. || **preaching** [-ing] *s.* prédication, f.; sermon, m.
preamble [priàmb'l] *s.* préambule, m.
prearranged [prieréindjd] *adj.* arrangé d'avance.
precarious [prikèries] *adj.* précaire.
precaution [prikaushen] *s.* précaution, f.
precede [prisid] *v.* précéder; devancer. || **precedence** [-'ns] *s.* préséance; priorité, f. || **precedent** [prèsedent] *s.* précédent, m. || **preceding** [prisiding] *adj.* précédent.
precept [prisèpt] *s.* précepte, m.
precinct [prisingkt] *s.* enceinte; limite, f.; *pl.* pourtour, m.
precious [prèshes] *adj.* précieux.
precipice [prèsepis] *s.* précipice, m.

|| **precipitate** [prisipetéit] *v.* hâter; (se) précipiter; *adj., s.* précipité. || **precipitation** [prisipetéishen] *s.* précipitation, f. || **precipitous** [prisipetes] *adj.* escarpé, à pic.

precise [prisais] *adj.* précis, exact. || **precision** [prisijen] *s.* précision, exactitude, f.

preclude [prikloud] *v.* exclure; empêcher (de).

precocious [prikoushes] *adj.* précoce.

predecessor [prèdisèser] *s.* prédécesseur, m.

predestine [pridèstin] *v.* prédestiner.

predicament [pridikement] *s.* catégorie; classe; situation, f.

predicate [prèdikit] *adj., s.* attribut.

predict [pridikt] *v.* prédire. || **prediction** [pridikshen] *s.* prédiction, prévision, f.

predilection [prid'lèkshen] *s.* prédilection, préférence, f.

predispose [pridispouz] *v.* prédisposer.

predominance [pridâmenens] *s.* prédominance, f. || **predominant** [-nent] *adj.* prédominant. || **predominate** [-néit] *v.* prédominer, prévaloir.

preface [prèfis] *s.* préface, f.; *v.* préfacer.

prefer [prifer] *v.* préférer; intenter; présenter [claim]; déposer [charge]; promouvoir. || **preferable** [prèfreb'l] *adj.* préférable. || **preferably** [-i] *adv.* de préférence. || **preference** [prèfrens] *s.* préférence, f.

prefix [prifiks] *s.* préfixe, m.; [prifiks] *v.* préfixer.

pregnancy [prègnensi] *s.* grossesse, f. || **pregnant** [-nent] *adj.* enceinte; gros (fig.).

prejudice [prèdjedis] *s.* préjugé; parti pris; préjudice (jur.), m.; prévention, f.; *v.* inspirer des préventions; causer du préjudice à (jur.); *to have a prejudice against*, être prévenu contre.

prelate [prèlit] *s.* prélat, m.

preliminary [prilimenèri] *adj., s.* préliminaire.

prelude [prèlyoud] *s.* prélude, m.; *v.* préluder.

premature [primetyour] *adj.* prématuré; avant terme.

premeditated [primèdetéitid] *adj.* prémédité.

premier [primier] *s.* premier ministre, m.; *adj.* premier, principal.

premise [prèmis] *s.* prémisse, f.; *pl.* locaux; immeubles, m.; *on the premises*, sur place.

premium [primiem] *s.* prime; récompense, f.; **prime bond**, obligation à lots; *to be at a premium*, faire prime.

premonition [primenishen] *s.* prémonition, f.; pressentiment; indice, m.

preoccupy [priâkyepai] *v.* préoccuper; prévenir.

prepaid [pripéid] *adj.* affranchi; franco.

preparation [prèperéishen] *s.* préparation, f.; préparatif, m. || **preparatory** [priparetoouri] *adj.* préparatoire. || **prepare** [pripèer] *v.* (se) préparer; apprêter. || **preparedness** [-ridnis] *s.* état de préparation; équipement, m.

preposition [prèpezishen] *s.* préposition, f.

preposterous [pripâstres] *adj.* absurde, déraisonnable.

prerequisite [prirèkwezit] *adj.* requis; *s.* nécessité préalable, f.

prerogative [prirâgetiv] *s.* prérogative, f.

presage [prèsidj] *s.* présage, m.; [priséidj] *v.* présager.

prescribe [priskraib] *v.* prescrire; légiférer. || **prescription** [priskripshen] *s.* prescription; ordonnance, f.

presence [prèz'ns] *s.* présence, f.; *presence of mind*, présence d'esprit. || **present** [prèz'nt] *adj.* présent; prompt; actuel; *s.* présent, m.; heure actuelle, f.; *for the present*, pour le moment; **present participle**, participe présent. || **present** [prizènt] *v.* (se) présenter; s'offrir; faire cadeau; *s.* présent, cadeau, m. || **presentation** [prèzn'téishen] *s.* présentation, f.; cadeau, m.; **presentation copy**, hommage de l'auteur [book].

presentiment [prizèntement] *s.* pressentiment, m.

presently [prèz'ntli] *adv.* tout à l'heure; sous peu.

preservation [prèzervéishen] *s.* préservation; conservation, f. || **preserve** [prizërv] *v.* préserver; protéger; conserver; faire des conserves; *s.* conserves; confiture; chasse réservée, f.

preside [priza^i^d] *v.* présider. || **presidency** [prèz^e^d^e^nsi] *s.* présidence, f. || **president** [prèz^e^d^e^nt] *s.* président, m. || **presidential** [prèz^e^dènsh^e^l] *adj.* présidentiel.

press [près] *v.* presser; étreindre; satiner [paper]; repasser [clothes]; repousser; inciter; insister; *to press one's point,* insister sur ses arguments; *to press down upon,* peser sur, accabler; *to be hard pressed,* être aux abois; *s.* presse; foule; pression; urgence, f.; **printing press,** machine à imprimer. || **pressing** [-ing] *adj.* pressant; urgent; *s.* repassage, m. || **pressure** [prèsh^er^] *s.* pression; poussée (mech.); urgence, f.; **blood pressure,** tension artérielle; **atmospheric pressure,** pression atmosphérique; **pressure gauge,** manomètre; *under the pressure of,* poussé par.

prestige [prèstidj] *s.* prestige, m.

presumable [prizoum^e^b'l] *adj.* présumable; probable. || **presume** [prizoum] *v.* présumer; supposer; *to presume on,* abuser de. || **presumption** [prizœmpsh^e^n] *s.* présomption; prétention; supposition, f. || **presumptuous** [-ptshou^e^s] *adj.* présomptueux; prétentieux.

presuppose [prîs^e^po^ou^z] *v.* présupposer.

pretend [pritènd] *v.* prétendre; prétexter; faire semblant. || **pretense** [-tèns] *s.* prétexte: faux-semblant, m.; excuse; feinte, f.; *under pretense of,* sous prétexte de. || **pretension** [pritènsh^e^n] *s.* prétention; ostentation, f.

pretext [pritèkst] *s.* prétexte, m.

prettily [pritili] *adv.* joliment. || **prettiness** [pritinis] *s.* charme, m.; gentillesse, joliesse, f. || **pretty** [priti] *adj.* joli; gentil; *adv.* assez; à peu près; passablement; **pretty nearly,** à peu de chose près; **pretty well,** presque, assez bien.

prevail [privé^i^l] *v.* prévaloir; dominer; l'emporter sur; *to prevail upon oneself,* se résoudre. || **prevailing** [-ing] *adj.* dominant; courant; répandu. || **prevalent** [-^e^nt], *see* **prevailing.**

prevent [privènt] *v.* prévenir; empêcher; détourner. || **prevention** [privènsh^e^n] *s.* empêchement, m.; précautions; mesure préventive, f. || **preventive** [-tiv] *adj.* préventif. || **preview** [prîvyou] *s.* projection en avant-première [cinema], f.

previous [privi^e^s] *adj.* antérieur; précédent; préalable.

prey [pré^i^] *s.* proie, f.; *v.* faire sa proie (*on,* de); *it preys upon my mind,* cela me mine.

price [pra^i^s] *s.* prix; coût, m.; *v.* tarifer; coter; *at a reduced price,* au rabais; **priceless,** inestimable; **price list,** prix courant, catalogue.

prick [prik] *v.* piquer; aiguillonner; pointer; *s.* pointe; piqûre, f.; piquant; remords, m.; *to prick up one's ears,* dresser les oreilles. || **prickly** [-li] *adj.* épineux; piquant.

pride [pra^i^d] *s.* orgueil, m.; fierté, f.; *v.* s'enorgueillir (*on, upon,* de).

priest [prîst] *s.* prêtre, m. || **priesthood** [-houd] *s.* prêtrise, f.; sacerdoce, m.

prim [prim] *adj.* affecté; coquet; tiré à quatre épingles.

primarily [pra^i^mèr^e^li] *adv.* primitivement; à l'origine; surtout. || **primary** [pra^i^mèri] *adj.* primaire; élémentaire; premier; primordial; primitif; **primary school,** école primaire; **primary tense,** temps primitif (gramm.). || **prime** [pra^i^m] *adj.* premier, principal; excellent; *s.* origine; première heure, f.; commencement, printemps; nombre premier, m.; *v.* amorcer; instruire, styler; **Prime Minister,** premier ministre; *to be in one's prime,* être dans la fleur de l'âge. || **primer** [prim^er^] *s.* traité élémentaire, m.

primer [pra^i^m^er^] *s.* amorce, f.

primeval [pra^i^mîv'l] *adj.* primitif.

primness [primnis] *s.* afféterie, préciosité, f.

primp [primp] *v.* se parer; s'attifer.

primrose [primro^ou^z] *s.* primevère, f.

prince [prins] *s.* prince, m. || **princely** [-li] *adj.* princier; somptueux. || **princess** [-is] *s.* princesse, f.

principal [prins^e^p'l] *adj.* principal; premier; *s.* principal; proviseur; mandant; commettant, m.

principle [prins^e^p'l] *s.* principe; fondement, m.; base, f.

print [print] *s.* impression; empreinte; épreuve (phot.); estampe, gravure; cotonnade imprimée, in-

dienne, f.; *v.* imprimer; **printed matter,** imprimés; *out of print,* épuisé. || **printer** [-ᵉʳ] *s.* imprimeur, m. || **printing** [-ing] *s.* impression, imprimerie, f.
prior [praⁱᵉʳ] *adj.* antérieur; préalable; *s.* prieur, m.; *prior to,* antérieur à. || **priority** [praⁱ*au*rᵉti] *s.* priorité; antériorité, f.
prism [pr*i*zᵉm] *s.* prisme, m.
prison [pr*i*z'n] *s.* prison, f.; *v.* emprisonner. || **prisoner** [-ᵉʳ] *s.* prisonnier; captif.
privacy [praⁱvᵉsi] *s.* retraite; solitude; intimité, f. || **private** [praⁱvit] *adj.* privé; personnel, particulier; confidentiel; *s.* soldat, m.; **private citizen,** un particulier; *Am.* **buck private,** simple soldat; **private means,** fortune personnelle; *in private,* en particulier.
privation [praⁱvéⁱshᵉn] *s.* privation, f.
privilege [pr*i*vlidj] *s.* privilège, m.; **privileged,** privilégié.
prize [praⁱz] *s.* prix, lot, m.; récompense; prise (naut.); capture, f.; **prize book,** livre de prix; **prize-packet,** pochette-surprise; **prize-list,** palmarès.
prize [praⁱz] *v.* priser; estimer; évaluer; tenir à.
probability [prâbᵉb*i*lᵉti] *s.* probabilité, f. || **probable** [prâbᵉb'l] *adj.* probable; **probably,** probablement.
probation [proᵒᵘbéⁱshᵉn] *s.* probation; épreuve, f.; stage; noviciat, m.; **Probation Act,** loi de sursis; *on probation,* à l'essai.
probe [proᵒᵘb] *v.* sonder; approfondir; *s.* sonde (med.); enquête; investigation, f.
problem [prâblᵉm] *s.* problème, m.
procedure [prᵉs*i*djᵉʳ] *s.* procédure; méthode, f.; procédé; fonctionnement, m. || **proceed** [prᵉs*i*d] *v.* procéder; avancer; continuer; aller, se rendre; *to proceed against,* intenter un procès à; *to proceed with,* continuer; *to proceed from,* provenir de. || **proceeding** [-ing] *s.* procédé, m.; marche à suivre, f.; relèvement (naut.), m.; *pl.* procédure; délibérations; poursuites; démarches, f. || **proceeds** [proᵒᵘs*i*dz] *s. pl.* produit; montant, m.
process [prâsès] *s.* procédé; processus; procès, m.; marche; méthode; opération, f.; *v.* soumettre à un procédé; *due process of law,* procédure légale.
procession [prᵉsèshᵉn] *s.* procession, f.; cortège, m.
proclaim [proᵒᵘkléⁱm] *v.* proclamer; annoncer. || **proclamation** [prâklᵉméⁱshᵉn] *s.* proclamation; déclaration, f.
procure [proᵒᵘky*our*] *v.* (se) procurer; faire obtenir. || **procurement** [-mᵉnt] *s.* obtention, acquisition, f.; *Am.* approvisionnement, m
prod [prâd] *v.* piquer; aiguillonner.
prodigal [prâdig'l] *adj., s.* prodigue.
prodigious [prᵉdidjᵉs] *adj.* prodigieux. || **prodigy** [prâdᵉdji] *s.* prodige, m.
produce [prâdyous] *s.* produit; rendement, m.; [prᵉdy*ous*] *v.* produire; exhiber; fabriquer. || **producer** [-ᵉʳ] *s.* producteur; impresario, m. || **product** [pradᵉkt] *s.* produit, m.; denrée, f.; **farm product,** produit agricole. || **production** [prᵉdœkshᵉn] *s.* production; fabrication; représentation (theat.); œuvre [book], f. || **productive** [-tiv] *adj.* productif.
profanation [prâfᵉnéⁱshᵉn] *s.* profanation, f. || **profane** [prᵉféⁱn] *adj.* profane; *v.* profaner.
profess [prᵉfès] *v.* professer, prétendre. || **profession** [prᵉfèshᵉn] *s.* profession, f.; métier; état; emploi, m. || **professional** [-'l] *adj., s.* professionnel. || **professor** [-ᵉʳ] *s.* professeur, m.
proffer [prâfᵉʳ] *s.* offre, f.; *v.* offrir, proposer.
proficiency [prᵉf*i*shᵉnsi] *s.* compétence; capacité, f.; talent; progrès, m. || **proficient** [-shᵉnt] *adj.* compétent; habile; calé.
profile [proᵒᵘfaⁱl] *s.* profil; contour, m.; silhouette, f.; *v.* profiler.
profit [prâfit] *s.* profit; bénéfice; avantage; rapport, m.; *v.* profiter; bénéficier; mettre à profit. || **profitable** [-ᵉb'l] *adj.* profitable; avantageux; lucratif. || **profiteer** [prâfᵉt*i*r] *s.* profiteur; mercanti, m.; *v.* exploiter.
profound [prᵉf*a*ᵒᵘnd] *adj.* profond.
profuse [prᵉfy*ous*] *adj.* profus; prodigue; abondant.
progeny [prâdjᵉni] *s.* progéniture; descendance; postérité, f.
program(me) [proᵒᵘgram] *s.* programme; plan, m.

progress [prâgrès] *s.* progrès; cours [events]; voyage; avancement, m.; [pregrès] *v.* progresser; avancer; faire des progrès. || **progressive** [pregrèsiv] *adj.* progressif; *s.* progressiste, m. || **progression** [-shen] *s.* progression, f.

prohibit [proouhibit] *v.* prohiber; interdire. || **prohibition** [prooue-bishen] *s.* prohibition; interdiction, f. || **prohibitive** [proouhibi-tiv] *adj.* prohibitif.

project [prâdjèkt] *s.* projet; dessein, m.; intention, f.; [predjèkt] *v.* projeter; lancer; faire saillie; s'avancer.

projectile [predjèkt'l] *s.* projectile, m. || **projection** [-djèkshen] *s.* projection; saillie, f.; **film projection,** projection cinématographique.

proletarian [prooulètèrien] *adj., s.* prolétaire. || **proletariat** [-riet] *s.* prolétariat, m.

prologue [proouIaug] *s.* prologue, m.

prolong [prelaung] *v.* prolonger. || **prolongation** [proulaunggéi-shen] *s.* prolongation, f.; prolongement, m.

promenade [prâmenéid] *s.* promenade, f.; *v.* se promener.

prominent [prâmenent] *adj.* proéminent; éminent; saillant.

promiscuous [premiskyoues] *adj.* confus; pêle-mêle; débauché.

promise [prâmis] *s.* promesse, f.; *v.* promettre. || **promising** [-ing] *adj.* prometteur; d'avenir. || **promissory** [prâmesoouri] *adj.* à ordre; **promissory note,** billet à ordre.

promontory [prâmentoouri] *s.* promontoire, m.

promote [premooout] *v.* faire avancer; promouvoir; encourager; contribuer à. || **promoter** [-er] *s.* promoteur, m. || **promotion** [pre-mooushen] *s.* promotion, f.; avancement, m.

prompt [prâmpt] *adj.* prompt; rapide; empressé; immédiat; ponctuel; *v.* inciter; suggérer; souffler (theat.). || **promptly** [-li] *adv.* promptement; immédiatement; ponctuellement. || **promptness** [-nis] *s.* promptitude; ponctualité, f.; empressement, m.

promulgate [premœlgéit] *v.* promulguer. || **promulgation** [proou-mœlgéishen] *s.* promulgation, f.

prone [proоun] *adj.* incliné; en pente; enclin (*to,* à); couché à plat ventre.

prong [praung] *s.* dent de fourche, de fourchette, f.; pointe, f.

pronoun [proounaoun] *s.* pronom, m.

pronounce [prenaouns] *v.* prononcer; déclarer. || **pronounced** [-t] *adj.* prononcé; marqué. || **pronunciation** [prenœnsiéishen] *s.* prononciation, f.

proof [prouf] *s.* preuve; justification; épreuve (phot.), f.; *adj.* à l'épreuve de; résistant; étanche; imperméable; **proof-sheet,** épreuve (typogr.); **waterproof,** imperméable.

prop [prâp] *s.* étai; tuteur; support; soutien, m.; *v.* étayer; soutenir.

propaganda [prâpegande] *s.* propagande, f.

propagate [prâpegéit] *v.* (se) propager. || **propagation** [prâpegéi-shen] *s.* propagation, f.

propel [prepèl] *v.* propulser. || **propeller** [-er] *s.* propulseur, m.; hélice, f.; **club propeller,** moulinet [motor].

proper [prâper] *adj.* propre; convenable, exact; à propos; régulier; juste; **proper noun,** nom propre. || **properly** [-li] *adv.* régulièrement; convenablement; en propre. || **property** [prâperti] *s.* propriété; possession; qualité, f.; biens; matériel, m.; **literary property,** propriété littéraire.

prophecy [prâfesi] *s.* prophétie, f. || **prophesy** [prâfesai] *v.* prophétiser; pronostiquer. || **prophet** [prâfit] *s.* prophète, m. || **prophetic** [prefètik] *adj.* prophétique.

propicious [prepishes] *adj.* propice.

proportion [prepooursheh] *s.* proportion, f.; *v.* proportionner; *out of proportion,* disproportionné; hors de proportion (*to,* avec).

proposal [prepoouz'l] *s.* proposition; demande en mariage; déclaration d'amour, f.; projet, m. || **propose** [prepoouz] *s* proposer, offrir; demander en mariage. || **proposition** [prâpezishen] *s.* proposition; offre; affaire, f.

proprietor [prepraieter] *s.* propriétaire, m. || **propriety** [-ti] *s.* propriété; opportunité; bienséance; exactitude, f.

prorate [proouréit] *v.* taxer proportionnellement.

prorogation [pro^{ou}r^{e}*gé*^{i}sh^{e}n] *s.* prorogation, f.
prosaic [pro^{ou}*zé*^{i}ik] *adj.* prosaïque. || **prose** [pro^{ou}z] *s.* prose, f.; **prose writer**, prosateur.
prosecute [prâsikyout] *v.* poursuivre; traduire en justice; revendiquer [right]; intenter une action. || **prosecution** [prâsiky*ou*sh^{e}n] *s.* poursuites judiciaires; accusation; continuation [studies], f.; *witness for the prosecution,* témoin à charge. || **prosecutor** [prâsikyout^{er}] *s.* procureur; plaignant, m.
prospect [prâspèkt] *s.* perspective; vue; espérances, f.; avenir; panorama, m.; *v.* prospecter, explorer. || **prospective** [pr^{e}spèktiv] *adj.* en perspective; présumé; prévoyant; *s.* perspective, f. || **prospector** [pr^{e}spèkt^{er}] *s.* prospecteur; chercheur d'or, m.
prosper [prâsp^{er}] *v.* réussir; (faire) prospérer. || **prosperity** [prâspèr^{e}ti] *s.* prospérité, f. || **prosperous** [prâsp^{e}r^{e}s] *adj.* prospère, florissant.
prostitute [prâst^{e}tyout] *s.* prostituée, f.; *v.* prostituer.
prostrate [prâstré^{i}t] *adj.* prosterné; prostré; [prâstré^{i}t] *v.* abattre; prosterner. || **prostration** [-tré^{i}sh^{e}n] *s.* prostration; prosternation, f.
protect [pr^{e}tèkt] *v.* protéger; défendre. || **protection** [-sh^{e}n] *s.* protection; défense; sauvegarde, f. || **protective** [-tiv] *adj.* protecteur; **protective means,** moyens de protection; **protective tariff,** tarif protecteur. || **protector** [-t^{er}] *s.* protecteur, m. || **protectorate** [-trit] *s.* protectorat, m.
protégé [pro^{ou}t^{e}jé^{i}] *s.* protégé, m.
protein [pro^{ou}tiin] *s.* protéine, f.
protest [pro^{ou}tèst] *s.* protestation, f.; protêt, m.; [pr^{e}tèst] *v.* protester; faire protester (comm.); || **protestant** [prâtist^{e}nt] *adj., s.* protestant, m. || **protestation** [prât^{e}sté^{i}sh^{e}n] *s.* protestation, f.
protoplasm [pro^{ou}t^{e}plaz^{e}m] *s.* protoplasme, m.
protract [pro^{ou}trakt] *v.* prolonger; traîner en longueur.
protrude [pro^{ou}tr*ou*d] *v.* (faire) sortir; faire saillie.
protuberance [pro^{ou}ty*ou*b^{e}r^{e}ns] *s.* protubérance, f.

proud [pra^{ou}d] *adj.* orgueilleux; fier; arrogant; fougueux [horse].
prove [prouv] *v.* prouver; démontrer; vérifier; éprouver; homologuer; se montrer.
proverb [prâvë^{r}b] *s.* proverbe, m.; maxime, f.
provide [pr^{e}va^{i}d] *v.* pourvoir; fournir; munir (*with,* de); stipuler [article], pourvoir (*for,* à); *to be well provided for,* être à l'abri du besoin. || **provided** [-id] *conj.* pourvu que, à condition (*that,* que).
providence [prâv^{e}d^{e}ns] *s.* providence; prévoyance, f. || **providential** [prâv^{e}dènsh^{e}l] *adj.* providentiel.
provider [pr^{e}va^{i}d^{er}] *s.* pourvoyeur; fournisseur, m.
province [prâvins] *s.* province; juridiction, f.; ressort, m.; *it is not within my province,* ce n'est pas de mon rayon. || **provincial** [pr^{e}vinsh^{e}l] *adj., s.* provincial.
provision [pr^{e}vij^{e}n] *s.* stipulation; mesure; clause; somme d'argent; provisions, f.; acte de pourvoir aux besoins de quelqu'un, m.; *v.* s'approvisionner.
proviso [pr^{e}va^{i}zo^{ou}] *s.* clause conditionnelle, f.
provoke [pr^{e}vo^{ou}k] *v.* provoquer; irriter; fâcher; susciter.
provost [prâv^{e}st] *s.* prévôt, m.
prow [pra^{ou}] *s.* proue, f.
prowess [pra^{ou}is] *s.* prouesse, f.
prowl [pra^{ou}l] *v.* rôder.
proximity [prâksim^{e}ti] *s.* proximité, f.; voisinage, m.
proxy [prâksi] *s.* procuration, f.; mandataire, m.; *by proxy,* par procuration.
prude [proud] *s.* prude, f.
prudence [pr*ou*d'ns] *s.* prudence, f. || **prudent** [-d'nt] *adj.* prudent.
prudery [pr*ou*d^{e}ri] *s.* pruderie, f. || **prudish** [-dish] *adj.* prude.
prune [proun] *s.* pruneau, m.
prune [proun] *v.* élaguer; émonder.
pry [pra^{i}] *v.* fouiller; fureter; se mêler de; fourrer le nez dans.
pry [pra^{i}] *s.* levier, m.; *v.* soulever avec un levier.
psalm [sâm] *s.* psaume, m.
pseudonym [sy*ou*d'nim] *s.* pseudonyme, m.
psychiatrist [sa^{i}ka^{i}trist] *s.* psychiatre, m. || **psychiatry** [-tri] *s.* psychiatrie, f.

psychological [saikelâdjik'l] *adj.* psychologique. || **psychologist** [-djist] *s.* psychologue, m. || **psychology** [-dji] *s.* psychologie, f.
public [pœblik] *adj.* public; *s.* public; peuple, m., **public authorities,** pouvoirs publics; **public officers,** fonctionnaires; **public spirited,** dévoué au bien public. || **publication** [pœbliké'shen] *s.* publication; promulgation, f. || **publicity** [pœbliseti] *s.* publicité; réclame, f. || **publicize** [-saiz] *v.* faire de la publicité. || **publish** [pœblish] *v.* publier; éditer. || **publisher** [-er] *s.* éditeur, m.
pucker [pœker] *v.* plisser, froncer, rider; se froncer.
pudding [pouding] *s.* boudin; pudding, m.; saucisse, f.
puddle [pœd'l] *s.* flaque; mare, f.; *v.* patauger.
puff [pœf] *s.* souffle, m.; bouffée; houppe; vantardise, réclame, louange exagérée, f.; *v.* souffler; tirer des bouffées; gonfler; prôner; **puff-box,** boîte à houppe; **puff-paste,** pâte feuilletée; *puffed up with pride,* bouffi d'orgueil.
pug [pœg] *s.* singe; renard; carlin, m.; **pug-nose,** nez camus.
pull [poul] *v.* tirer; arracher; faire aller à la rame; *s.* traction; secousse; promenade en bateau, f.; coup de collier; tirage; avantage, m.; *to pull about,* tirailler; *to pull away,* arracher; *to pull down,* abattre, démolir; *to pull through,* se tirer d'affaire; *to pull to pieces,* mettre en pièces; *to pull oneself together,* se ressaisir; *to pull someone's leg,* faire marcher quelqu'un.
pullet [poulit] *s.* poulette, f.
pulley [pouli] *s.* poulie, f.
pulp [pœlp] *s.* pulpe; pâte [paper], f.
pulpit [poulpit] *s.* chaire, f.
pulsate [pœlsé't] *v.* battre, palpiter (med.). || **pulsation** [pœlsé'shen] *s.* pulsation, f. || **pulse** [pœls] *s.* pouls, m.
pulverize [pœlveraiz] *v.* pulvériser.
pumice [pœmis] *s.* ponce, f.; *v.* poncer; **pumice stone,** pierre ponce.
pump [pœmp] *s.* pompe, f.; *v.* pomper; gonfler [pneu]; débiter (mech.); **gasoline pump,** pompe à essence; **hand pump,** pompe à main; **tire pump,** pompe à pneus; *to pump someone,* tirer les vers du nez à quelqu'un.
pumpkin [pœmpkin] *s.* citrouille; courge, f.; potiron, m.
pun [pœn] *s.* calembour; jeu de mots, m.; *v.* faire des jeux de mots.
punch [pœntsh] *s.* poinçon; perçoir; découpoir (techn.); emporte-pièce, m.; *v.* percer; perforer.
punch [pœntsh] *s.* punch, m.; vitalité, énergie, f.; *v.* battre, frapper.
punch [pœntsh] *s.* punch [drink], m.
punctual [pœngktshouel] *adj.* ponctuel; exact. || **punctuality** [pœngktshoualeti] s. ponctualité, *v.* ponctuer. || **punctuation** [pœngktshoué'shen] *s.* ponctuation, f. || **puncture** [pœngktsher] *v.* piquer, faire une piqûre; crever [tire]; *s.* ponction; piqûre; perforation, crevaison [tire], f.
punish [pœnish] *v.* punir, châtier. || **punishment** [-ment] *s.* punition; sanction; peine, f.; châtiment, m.; **capital punishment,** peine capitale; *mitigation of punishment,* réduction de peine.
puny [pyouni] *adj.* chétif; débile.
pup [pœp], **puppy** [-pi] *s.* chiot; morveux, m.
pupil [pyoup'l] *s.* élève, m.
pupil [pyoup'l] *s.* pupille; prunelle [eye], f.
puppet [pœpit] *s.* marionnette; poupée, f.
purchase [për'tshes] *s.* achat, m.; acquisition; emplette, f.; *v.* acheter, acquérir.
pure [pyouer] *adj.* pur.
purée [pyouré'] *s.* purée, f.
purgative [për'getiv] *adj., s.* purgatif. || **purgatory** [-toouri] *s.* purgatoire, m. || **purge** [për'dj] *s.* purge; purgation; épuration, f.; *v.* purger; purifier; nettoyer; épurer.
purify [pyourefai] *v.* purifier; dépurer. || **purity** [pyoureti] *s.* pureté; propreté, f.
purple [për'p'l] *adj., s.* pourpre; violet; rouge violacé.
purport [për'poourt] *s.* teneur; portée, f.; [perpoourt] *v.* signifier; impliquer.
purpose [për'pes] *s.* but; objet, m.; intention, f.; *v.* se proposer; *with the purpose of,* dans l'intention de; *for no purpose,* sans but, inutilement, en vain; *on purpose,* à dessein; **purposely,** exprès.

purr [pë^r] *s.* ronron, m.; *v.* ronronner; faire ronron.
purse [pë^rs] *s.* bourse; ressources, f.; porte-monnaie, m.; *to purse one's lips,* pincer les lèvres.
pursue [p^ersou] *v.* poursuivre; exercer [profession]. || **pursuit** [-t] *s.* poursuite; occupation; recherches, f.; **pursuit plane,** avion de chasse.
pus [pœs] *s.* pus (med.), m.
push [poush] *v.* pousser; presser; inciter; *to push aside,* écarter; *to push down,* renverser; *to push a reform through,* faire aboutir une réforme; *to push off,* se mettre en route; **push button,** bouton électrique; sonnette; **pushcart,** voiture à bras; **pusher,** propulseur; arriviste, m.
pussy [pousi] *s.* minet, chat, m.
put [pout] *v.** mettre; poser; placer; *to be put out,* être déconcerté, contrarié; *to put back,* retarder; *to put down,* noter; *to put on a dress,* mettre une robe; *to put off,* renvoyer, ajourner; ôter, déposer; *to put on airs,* se donner des airs; *to put out* [fire], éteindre [le feu]; *to put up with,* supporter, tolérer; *a put-up job,* une affaire montée; *pret., p. p. of* **to put.**
putrefy [pyoutr^efa^i] *v.* pourrir; (se) putréfier.
putrid [pyoutrid] *adj.* putride, putréfié; moche (pop.).
puttee [pœti] *s.* bande-molletière, f.
putter [pœt^er] *v.* toucher à tout; bricoler.
putter [pout^er] *s.* metteur; instigateur, m.
putty [pœti] *s.* mastic, m.; *v.* mastiquer.
puzzle [pœz'l] *s.* énigme, f.; jeu de patience, m.; *v.* intriguer; embarrasser; embrouiller; **crossword puzzle,** mots croisés; *to puzzle out,* déchiffrer, découvrir; *to puzzle over,* creuser, tenter de résoudre; *to be puzzled,* être perplexe.
pylon [pa^ilân] *s.* pylône, m.
pyramid [pir^emid] *s.* pyramide, *f.*

Q

quack [kwak] *s.* charlatan; médicastre; couin-couin; couac, m.; *adj.* charlatanesque; *v.* crier comme un canard; faire des couacs; agir en charlatan.
quadrant [kwâdr^ent] *s.* quart; quart de cercle; quadrant, m.
quadrilateral [kwâdr^elat^er^el] *s.* quadrilatère, m.
quagmire [kwagma^i^er] *s.* fondrière, f.; marécage, m.
quail [kwé^il] *s.* caille, f.
quaint [kwé^int] *adj.* curieux; original; ingénieux, pittoresque.
quake [kwé^ik] *v.* trembler; frémir; *s.* tremblement, m. || **Quaker** [-^er] *s.* Quaker.
qualification [kwâl^ef^eké^ish^en] *s.* qualification; aptitude; compétence, f. || **qualify** [kwâl^efa^i] *v.* (se) qualifier; rendre, être capable; être reçu; obtenir les titres (*for,* pour). || **qualitative** [kwâl^eté^itiv] *adj.* qualitatif. || **quality** [kwâl^eti] *s.* qualité, f.
qualm [kwâm] *s.* nausée, f.; scrupule; remords, m.
quantitative [kwânt^eté^itiv] *adj.* quantitatif. || **quantity** [kwânt^eti] *s.* quantité; abondance; somme, f.; **unknown quantity,** inconnue (math.).
quarantine [kwaur^entin] *s.* quarantaine, f.; *v.* mettre en quarantaine.
quarrel [kwaur^el] *s.* querelle; brouille; *v.* se quereller; se disputer; se brouiller. || **quarrelsome** [-s^em] *adj.* querelleur; irascible; grincheux.
quarry [kwauri] *s.* carrière [pit], f.; *v.* exploiter une carrière; **slate quarry,** ardoisière; **quarrystone,** moellon.
quart [kwaurt] *s.* quarte, f.
quarter [kwaurt^er] *s.* quart; quartier (mil.; topogr.); terme [rent]; trimestre, m.; *Am.* pièce de 25 cents, f.; *v.* diviser en quatre; écarteler; cantonner (mil.). || **quartered** [-d] *adj.* divisé en quatre; cantonné; caserné; logé. || **quarterly** [-li] *adv.* par trimestre; *adj.* trimestriel. || **quartet** [kwaurtèt] *s.* quatuor, m.
quartz [kwaurts] *s.* quartz; cristal de roche, m.

quaver [kwéiver] *s.* tremblement; trémolo; trille, m.; *v.* trembler; trembloter; faire des trilles.
quay [kî] *s.* quai; appontement, m.
queasy [kwîzi] *adj.* nauséeux.
queen [kwîn] *s.* reine; dame [cards], f.
queer [kwier] *adj.* bizarre, étrange; excentrique; *v.* railler, tourner en ridicule; *to feel queer,* se sentir mal à l'aise.
quell [kwèl] *v.* réprimer; calmer; étouffer [rebellion].
quench [kwèntsh] *v.* éteindre [fire]; étancher [thirst]; étouffer [revolt]; *to quench one's thirst,* se désaltérer.
querulous [kwèreles] *adj.* plaintif, gémissant; irritable, nerveux.
query [kwieri] *s.* question; interrogation, f.; *v.* questionner; révoquer en doute; contester.
quest [kwèst] *s.* enquête, f.; *in quest of,* en quête de.
question [kwèstshen] *s.* question; demande; interpellation, f.; problème, m.; *v.* interroger, questionner; douter; se demander; *to ask a question,* poser une question; **leading question,** question tendancieuse (jur.); **question mark,** point d'interrogation. || **questionable** [-eb'l] *adj.* douteux; contestable. || **questioner** [-er] *s.* interrogateur, m. || **questioning** [-ing] *s.* interrogatoire, m.; *adj.* interrogateur. || **questionnaire** [kwèstshenèr] *s.* questionnaire, m.
queue [kyou] *s.* queue; file, f.
quibble [kwib'l] *v.* argutie, chicane, f.; *v.* ergoter.
quick [kwik] *adj.* prompt; rapide; preste; fin; *adv.* vite; *s.* vif, vivant, m.; **quick edge,** haie vive; **quick fire,** tir rapide; **quicklime,** chaux vive; **quicksand,** sable mouvant; **quicksilver,** mercure; **quickstep,** pas accéléré (mil.); **quick wit,** esprit vif; *to cut to the quick,* tailler dans le vif. || **quicken** [-en] *v.* vivifier; (s')animer; accélérer; stimuler. || **quickly** [-li] *adv.* vite; rapidement; bientôt; tôt. || **quickness** [-nis] *s.* rapidité; promptitude; vitesse; vivacité; acuité, f.
quid [kwid] *s.* chique, f.; (fam.). livre, f.
quiescence [kwaiès'ns] *s.* calme, repos, m.
quiet [kwaiet] *adj.* tranquille; calme; paisible; serein; *s.* tranquillité; quiétude; accalmie, f.; *v.* calmer; apaiser; tranquilliser; faire taire, faire tenir tranquille; *on the quiet,* en douce; *to be quiet,* se taire, rester tranquille; **quietly,** tranquillement, en silence. || **quietness** [-nis] *s.* tranquillité, f.; calme; silence; repos; recueillement, m.
quietus [kwaiîtes] *s.* quitus, m.; quittance; mort, f.
quill [kwil] *s.* plume [bird], f.; piquant de porc-épic, m.
quilt [kwilt] *s.* couvre-pieds, m.; couverture piquée, f.; *v.* rembourrer, piquer.
quince [kwins] *s.* coing, m.; **quince-tree,** cognassier.
quinine [kwainain] *s.* quinine, f.
quinsy [kwinsi] *s.* esquinancie, angine, f.
quintet [kwintèt] *s.* quintette, m.
quintuplet [kwinteplit] *s.* quintuplet, m.
quip [kwip] *s.* raillerie; repartie; argutie; pointe, f.; sarcasme; bon mot, m.; *v.* railler.
quit [kwit] *v.* quitter; laisser; abandonner; démissionner; acquitter; *adj.* quitte, libéré; *pret., p. p. of* **to quit;** *notice to quit,* congé.
quite [kwait] *adv.* tout à fait; entièrement; parfaitement; bien; *in quite another tone,* sur un tout autre ton; *she is quite a beauty,* c'est une vraie beauté.
quitter [kwiter] *s. Am.* défaitiste, déserteur, lâcheur; javart (vet.).
quiver [kwiver] *v.* trembler; frissonner; vibrer, palpiter; *s.* tremblement, frisson, m.
quixotic [kwiksâtik] *adj.* exalté, donquichottesque.
quiz [kwiz] *s.* examen; interrogatoire; questionnaire, m.; raillerie, f.; *v. Am.* interroger à un examen; railler, persifler; lorgner; **quizzing-glass,** lorgnon.
quorum [kwooure m] *s.* quorum, m.
quota [kwooute] *s.* quote-part; cotisation, f.; contingent, m.; **quota system,** contingentement.
quotation [kwooutéishen] *s.* citation; cote; cotation, f.; cours, m.; **quotation mark,** guillemet. || **quote** [kwoout] *v.* citer; coter [price]; mettre des guillemets; *in quotes,* entre guillemets.
quotient [kwooushen] *s.* quotient, m.

R

rabbi [raba¹] *s.* rabbin, m.
rabbit [rabit] *s.* lapin, m.
rabble [rab'l] *s.* racaille; canaille; populace, f.
rabid [rabid] *adj.* furieux; féroce; enragé. || **rabies** [ré¹biz] *s.* rage, f.
raccoon [rakoun] *s.* raton laveur, m.
race [ré¹s] *s.* course; carrière, f.; cours, courant; affolement [motor], m.; *v.* courir, s'emballer; s'affoler (techn.); **hurdle race,** course de haies; **tide race,** raz; **race track,** champ de courses, piste. || **racer** [-ᵉʳ] *s.* coureur; cheval, bateau, avion de course, m.
race [ré¹s] *s.* race, lignée, f.; **racial,** racial; **racism,** racisme.
rack [rak] *s.* chevalet [torture]; râtelier [arms]; casier [bottles]; filet, porte-bagages [train], m.; crémaillère, f.; *v.* torturer, distendre; extorquer; **bomb rack,** lance-bombes; **hat rack,** porte-chapeau; **towel rack,** porte-serviettes; *to rack one's brain,* se creuser la tête.
rack [rak] *s.* ruine, f.; *to go to rack and ruin,* s'en aller à vau-l'eau.
racket [rakit] *s.* vacarme, tapage, m.; métier louche, racket, m.; *v.* faire du boucan; faire la sarabande.
racket [rakit] *s.* raquette [tennis], f.
racketeer [rakitiᵉʳ] *s.* tapageur; noceur; escroc; gangster, m.; *v.* escroquer; extorquer; combiner.
radiance [ré¹diᵉns] *s.* rayonnement, m. || **radiant** [-diᵉnt] *adj.* rayonnant; radieux; irradiant. || **radiate** [-dié¹t] *v.* irradier; rayonner. || **radiation** [ré¹dié¹shᵉn] *s.* radiation, f.; rayonnement, m. || **radiator** [ré¹dié¹tᵉʳ] *s.* radiateur, m.; *to drain a radiator,* vidanger un radiateur.
radical [radik'l] *adj., s.* radical; fondamental; foncier.
radio [ré¹dioᵒᵘ] *s.* radio; T. S. F., f.; *v.* émettre; radiodiffuser; radiotélégraphier; **radioactivity,** radioactivité; **radiobroadcast,** radiodiffusion; **radiology,** radiologie; **radio set,** poste de T. S. F.
radish [radish] *s.* radis, m.
radium [ré¹diᵉm] *s.* radium, m.
radius [ré¹diᵉs] *s.* rayon [circle, sphere], m.
raffle [raf'l] *s.* loterie, f.; *v.* mettre en loterie.
raft [raft] *s.* radeau, m.; **air raft,** radeau pneumatique.
raft [raft] *s. Am.* tas, amas, m.
rafter [raftᵉʳ] *s.* chevron, m.; *under the rafters,* sous les combles.
rag [rag] *s.* haillon; chiffon, m.; guenille, f.; **rag doll,** poupée en chiffon; **ragman,** chiffonnier.
ragamuffin [ragᵉmœfin] *s.* gueux, vagabond, m.
rage [ré¹dj] *s.* rage, fureur, f.; *v.* être déchaîné; divaguer, dérailler; enrager (*with,* de); *to be all the rage,* faire fureur, être du dernier cri, être du dernier chic.
ragged [ragid] *adj.* déguenillé; déchiqueté; en haillons; rocailleux.
raid [ré¹d] *s.* raid; coup de main, m.; incursion; razzia; descente de police, f.; *v.* conduire un raid; faire un coup de force; razzier; **air raid,** raid aérien, attaque aérienne; **police raid,** rafle.
rail [ré¹l] *s.* barre; rampe [staircase]; balustrade; barrière, f.; barreau; rail; étrésillon, m.; **by rail,** par fer; **rail car,** autorail; *to go off the rails,* dérailler. || **railing** [-ing] *s.* palissade, grille, balustrade, f. || **railroad** [-roᵒᵘd] *s. Am.* voie ferrée, f.; chemin de fer, m.; **railroad station,** gare. || **railway** [-wé¹] *s.* chemin de fer, m.; *Am.* **railway crossing,** passage à niveau; **railway system,** réseau de chemin de fer.
rain [ré¹n] *s.* pluie, f.; *v.* pleuvoir; **rain water,** eau de pluie; *to rain down,* faire pleuvoir. || **rainbow** [-boᵒᵘ] *s.* arc-en-ciel, m. || **raincoat** [-koᵒᵘt] *s.* imperméable, m. || **raindrop** [-drâp] *s.* goutte d'eau, f. || **rainfall** [-faul] *s.* averse; pluviosité, f. || **raingauge** [-gé¹dj] *s.* pluviomètre, m. || **rainy** [-i] *adj.* pluvieux; humide.
raise [ré¹z] *v.* lever; élever; soulever [question]; hausser; pousser [cry]; évoquer [spirit]; ressusciter

[dead]; se procurer [money]; émettre [loan]; augmenter; produire; *to raise a laugh*, faire rire; *s.* augmentation, hausse [price], f.
raisin [réiz'n] *s.* raisin sec, m.
rake [réik] *s.* rateau; dégagement (techn.); roué, m.; ratissoire, f.; *v.* ratisser, râcler; **rake-off**, « gratte » (pop.).
rake [réik] *s.* inclinaison [mast], f.; *v.* être en pente.
rally [rali] *s.* ralliement [mast], f.; rallier; reprendre ses forces.
ram [ràm] *s.* bélier; éperon (naut.); coulisseau, m.; *v.* heurter; tamponner; enfoncer; bourrer; éperonner.
ramble [ràmb'l *v.* randonnée; promenade; divagation, f.; *v.* errer; rôder; se promener; divaguer.
rampart [ràmpârt] *s.* rampart, m.
ran [ràn] *pret. of* **to run.**
ranch [ràntsh] *s.* ranch, m.
rancid [rànsid] *adj.* rance.
ranco(u)r [ràngk^{er}] *s.* rancune, f.; ressentiment, m.
random [rànd^{e}m] *adj.* fortuit; à tort et à travers; *s.* hasard; *at random* au hasard.
rang [ràng] *pret. of* **to ring.**
range [réindj] *s.* rangée; chaîne [mountains]; étendue; portée; distance; direction, f.; domaine, champ d'activité; champ de tir; alignement; fourneau de cuisine, m.; *v.* (se) ranger; parcourir, s'étendre; aligner; s'échelonner; **adjusted range**, tir ajusté. **gas-range**, fourneau à gaz; **long range**, longue portée; *within range of*, à portée de; *range of vision*, champ visuel.
rank [ràngk] *s.* rang; ordre; grade, m.; classe, f.; *v.* (se) ranger; classer; disposer; *Am.* avoir un rang supérieur à; *Br.* occuper un rang; *rank and file*, les hommes de troupe; *to rank with*, être à égalité de rang, de grade, avec; être au niveau de; *promoted from the ranks*, sorti du rang.
rank [ràngk] *adj.* fort [odor]; complet, absolu, éclatant.
ransack [rànsak] *v.* saccager; piller; fouiller.
ransom [ràns^{e}m] *s.* rançon, f.; *v.* rançonner; racheter.
rant [rànt] *v.* déclamer; divaguer; *s.* divagation; rodomontade, f.
rap [rap] *s.* tape, f.; *v.* frapper; heurter; donner des petits coups secs; *to rap out*, débiter vite.
rap [rap] *s.* fausse pièce de monnaie [halfpenny], f.; *not to care a rap*, s'en soucier comme d'une guigne, s'en moquer.
rapacious [r^{e}péish^{e}s] *adj.* rapace.
rape [réip] *s.* viol; rapt, m.; *v.* violer; enlever.
rapid [rapid] *adj.* rapide; accéléré; prompt; *s. pl.* rapides, m. || **rapidity** [r^{e}pid^{e}ti] *s.* rapidité, vélocité, f.
rapt [rapt] *adj.* ravi, extasié, transporté. || **rapture** [raptsh^{er}] *s.* ravissement; transport, enthousiasme, m.; extase, f.
rare [rè^{er}] *adj. Am.* à demi cru, mal cuit, saignant.
rare [rè^{er}] *adj.* rare; précieux; extraordinaire; excellent. || **rarely** [-li] *adv.* rarement; parfaitement, admirablement.
rarity [rèr^{e}ti] *s.* rareté; curiosité, f.
rascal [rask'l] *s.* gredin, polisson, m.
rash [rash] *s.* éruption (med.), f.
rash [rash] *adj.* téméraire; irréfléchi; impétueux; imprudent. || **rashness** [-nis] *s.* impétuosité; témérité; imprudence, f.
rasp [rasp] *s.* râpe, f.; *v.* râper.
raspberry [razbèri] *s.* framboise, f.; **raspberry bush**, framboisier.
raspy [raspi] *adj.* rugueux, râpeux, âpre.
rat [rat] *s.* rat; lâcheur; jaune [workman]; renégat, m.; *v.* dératiser; trahir; tourner casaque.
rate [réit] *s.* taux; pourcentage; prix; cours [exchange]; régime, débit; impôt, m.; catégorie; cadence; vitesse, f.; *v.* évaluer; taxer; tarifer; imposer; coter; étalonner; classer; *at any rate*, de toute façon; *at the rate of*, à raison de ; *he rates high*, on le tient en haute estime; **first rate**, de premier ordre; épatant (fam.).
rather [razh^{er}] *adv.* plutôt; assez, passablement; de préférence; *rather than*, plutôt que; *I had rather stay*, j'aimerais mieux rester.
ratify [rat^{e}fai] *s.* ratifier; homologuer.
rating [rating] *s.* estimation; évaluation; répartition [taxes]; capacité, puissance, valeur, f.; rang; classement, m.
ratio [réishou] *s.* rapport, m.; pro-

portion, f.; *in indirect ratio*, en raison inverse.
ration [réishen] *s.* ration, f.; *v.* rationner; ravitailler.
rational [rashen'l] *adj.* rationnel; raisonnable; raisonné; logique.
rationing [réishening] *s.* rationnement, m.
rattle [rat'l] *s.* cliquetis; bruit de ferraille, m.; crécelle, f.; *v.* cliqueter; *to rattle off*, débiter rapidement; **deathrattle**, râle; **rattlesnake**, serpent à sonnettes, crotale.
raucous [raukes] *adj.* rauque; éraillé.
ravage [ravidj] *s.* ravage; pillage, m.; ruine, f.; *v.* ravager; piller.
rave [réiv] *v.* délirer; divaguer; déraisonner; s'extasier (*over*, sur).
raven [réiven] *s.* corbeau, m.; *adj.* noir luisant.
ravenous [ravenes] *adj.* vorace, dévorant.
ravine [revîn] *s.* ravin, m.; ravine, f.
ravish [ravish] *v.* ravir; enlever; violer; enchanter, transporter.
raw [rau] *adj.* cru; brut; aigre [weather]; grège [silk]; vif [air]; inexpérimenté; novice; **rawhide**, cuir vert; **raw material**, matière première; **raw sugar**, cassonade; **raw wound**, plaie à vif.
ray [réi] *s.* rayon, m.; radiation, f.
rayon [réiân] *s.* rayonne, soie artificielle, f.
raze [réiz] *v.* raser; effacer; rayer. || **razor** [-er] *s.* rasoir, m.; **razor blade**, lame de rasoir.
reach [rîtsh] *v.* atteindre; rejoindre; (s') étendre; *s.* portée, étendue, f.; *to reach for*, s'efforcer d'atteindre; *to reach into*, mettre la main dans; *beyond the reach of*, hors d'atteinte de; *within the reach of*, à portée de; *reach me my hat*, passez-moi mon chapeau.
react [riakt] *v.* réagir; jouer de nouveau. || **reaction** [riakshen] *s.* réaction; résistance, f.; processus, m. || **reactionary** [-èri] *adj.*, *s.* réactionnaire; conservateur.
read [rîd] *v.** (se) lire; *to read up*, étudier; *to read out*, lire tout haut; *to read over*, parcourir; **readable**, lisible; [rèd] *pret.*, *p. p. of* **to read**. || **reader** [-er] *s.* lecteur, lectrice.
readily [rèd'li] *adv.* promptement; volontiers, de bon cœur. || **readiness** [rèdinis] *s.* promptitude; facilité; vivacité; bonne volonté, f.; empressement, m.
reading [rîding] *s.* lecture; indication; cote, f.; relevé, m.; **reading-room**, cabinet de lecture.
readjust [riedjœst] *v.* rajuster; réorganiser. || **readjustment** [-ment] *s.* rajustement, m.; réorganisation, f.
ready [rèdi] *adj.* prêt; vif; disposé; comptant [money]; **ready-made**, tout fait.
real [riel] *adj.* réel; véritable; matériel; **real estate**, propriété immobilière. || **realism** [-izem] *s.* réalisme, m. || **realist** [-ist] *s.* réaliste, m. || **realistic** [-istik] *adj.* réaliste. || **reality** [rialti] *s.* réalité, f. || **realization** [rielezéishen] *s.* réalisation, f.; conception nette, f. || **realize** [rielaiz] *v.* réaliser; effectuer; comprendre, saisir; se rendre compte de. || **really** [rieli] *adv.* réellement; véritablement; vraiment, en vérité.
realm [rèlm] *s.* royaume; domaine.
reap [rîp] *v.* moissonner; recueillir. || **reaper** [-er] *s.* moissonneur, m.
reappear [riepier] *v.* reparaître.
rear [rier] *adj.* arrière; d'arrière; *s.* arrière; derrière, m.; file, queue, f.; **rear admiral**, contre-amiral; **rear guard**, arrière-garde.
rear [rier] *v.* lever, soulever; élever; redresser; se cabrer [horse].
reason [rîz'n] *s.* raison; cause, f.; motif, m; *v.* raisonner; *by reason of*, à cause de; *to stand to reason*, être raisonnable; *to reason upon*, argumenter sur. || **reasonable** [-eb'l] *adj.* raisonnable; juste; rationnel; modéré; justifié [doubt]. || **reasonably** [-ebli] *adv.* raisonnablement; modérément; passablement. || **reasoning** [-ing] *s.* raisonnement, m.
reassure [rieshour] *v.* rassurer; réassurer.
rebate [ribéit] *s.* escompte; rabais, m.; remise, f.; *v.* diminuer; rabattre; escompter.
rebel [rèb'l] *adj.*, *s.* rebelle; [ribèl] *v.* se révolter; se rebeller. || **rebellion** [-yen] *s.* rébellion, f. || **rebellious** [-yes] *adj.* rebelle, mutin, révolté.
rebirth [ribërth] *s.* renaissance; réincarnation, f.
rebound [ribaound] *v.* (faire) re-

bondir; [ribaᵒᵘnd] s. rebondissement, ricochet, m.
rebuff [ribœf] s. rebuffade, f.; échec, m.; v. repousser; rebuter.
rebuild [ribild] v. reconstruire; réédifier. || **rebuilt** [-bilt] *pret., p. p. of* **to rebuild.**
rebuke [ribyouk] s. reproche, blâme, m.; v. réprimander.
recall [rikaul] s. rappel, m.; rétractation; annulation, f.; [rikaul] v. (se) rappeler; se souvenir de; retirer, annuler.
recede [risid] v. se retirer; s'éloigner; renoncer (*from*, à).
receipt [risit] s. quittance; facture; réception [letter], f.; récépissé reçu, m.; *pl.* recette; rentrées, f.; v. donner un reçu; acquitter.
receive [risiv] v. recevoir; accepter. || **receiver** [-ᵉʳ] s. destinataire [letter]; receveur; récepteur, réceptionnaire; *Am.* recéleur, m.; **telephone receiver,** écouteur
recent [ris'nt] *adj.* récent, nouveau, de fraîche date.
receptacle [risèptᵉk'l] s. réceptacle; récipient, m.
reception [risèpshᵉn] s. réception, f.; accueil, m.
recess [risès] s. repli; coin solitaire; évidement; renfoncement; creux, m.; alcôve; niche; gorge; cavité; vacances; récréation, f.; v. enfoncer; encastrer; évider; prendre des vacances; suspendre les séances; recession, récession.
recipe [rèsᵉpi] s. recette; ordonnance, f.
recipient [risipiᵉnt] s. récipient; destinataire, bénéficiaire, m.; *adj.* réceptif; qui reçoit.
reciprocal [risiprᵉk'l] *adj.* réciproque, mutuel; inverse. || **reciprocate** [risiprᵉkéⁱt] v. échanger; payer de retour; répondre à. || **reciprocity** [rèsᵉprâsᵉti] s. réciprocité, f.
recital [risaⁱt'l] s. récit; exposé; récital [music], m. || **recitation** [rèsᵉtéⁱshᵉn] s. récitation, f. || **recite** [risaⁱt] v. réciter; raconter; relater, exposer.
reckless [rèklis] *adj.* téméraire; imprudent; insouciant. || **recklessness** [-nis] s. insouciance; témérité, f.
reckon [rèkᵉn] v. compter (*on*, sur); calculer; *Am.* supputer, croire.
|| **reckoning** [-ing] s. compte; calcul, m.
reclaim [rikléⁱm] v. réclamer; récupérer; réformer; défricher.
recline [riklaⁱn] v. incliner; reposer; (s')appuyer; s'étendre.
recluse [riklous] *adj.* reclus.
recognition [rèkᵉgnishᵉn] s. reconnaissance; identification, f. || **recognize** [rèkᵉgnaⁱz] v. reconnaître.
recoil [rᵉkoⁱl] v. reculer; hésiter; rebondir; s. recul [gun]; contrecoup, m.
recollect [rèkᵉlèkt] v. se souvenir, se rappeler. || **recollection** [rèkᵉlèkshᵉn] s. souvenir, m.; mémoire, f.
recommend [rèkᵉmènd] v. recommander; conseiller. || **recommendation** [rékᵉmèndéⁱshᵉn] s. recommandation, f.
recompense [rèkᵉmpèns] s. récompense, f.; dédommagement, m.; v. récompenser; dédommager.
reconcile [rèkᵉnsaⁱl] v. réconcilier; faire accepter; arranger; *to reconcile oneself to,* se résigner à. || **reconciliation** [rèkᵉnsiliéⁱshᵉn] s. réconciliation; conciliation; résignation, f.
reconnaissance [rikânᵉsᵉns] s. reconnaissance (mil.), f. || **reconnoiter** [rikᵉnoⁱtᵉʳ] v. *Am.* reconnaître, explorer (mil.).
reconsider [rikᵉnsidᵉʳ] v. reconsidérer; réviser (jur.).
reconstruct [rikᵉnstrœkt] v. reconstruire; réédifier. || **reconstruction** [rikᵉnstrœkshᵉn] s. reconstruction, f.
record [rèkᵉʳd] s. attestation; note; mention, f.; procès-verbal; dossier; registre; disque [gramophone]; record [sport]; casier judiciaire, m.; *adj.* notable, marquant; [rikaurd] v. enregistrer; consigner; attester; graver, imprimer (fig.); faire un disque; record-player, pick-up; **public records,** archives nationales; **service record,** état de service; *to break the speed record,* battre le record de vitesse; *off-the-record,* à titre confidentiel. || **recorder** [-ᵉʳ] s. enregistreur; indicateur; greffier (jur.), m.
recount [rikaᵒᵘnt] s. recomptage, état, m.; [rikaᵒᵘnt] v. raconter; énumérer; recompter.

recoup [rik*ou*p] *v.* dédommager; indemniser; récupérer; défalquer (jur.).
recourse [rîko^ou^rs] *s.* recours, m.
recover [rikœv^er^] *v.* recouvrer; récupérer; guérir.
recover [rîkœv^er^] *v.* recouvrir.
recovery [rikœvri] *s.* recouvrement, rétablissement (med.); redressement, m.; reprise (comm.); récupération [industry], f.
recreation [rèkri*é*^i^sh^e^n] *s.* récréation; distraction, f.; divertissement, m.
recruit [rikr*ou*t] *v.* recruter; *s.* recrue, f.; **recruiting,** recrutement.
rectangle [rèktàngg'l] *s.* rectangle, m.
rectify [rèkt^e^fa^i^] *v.* rectifier.
rector [rèkt^er^] *s.* recteur, m.
rectum [rèkt^e^m] *s.* rectum, m.
recuperate [rikyoup^e^ré^i^t] *v.* récupérer, recouvrer; *Am.* se rétablir (med.). || **recuperator** [-^er^] *s.* récupérateur; régénérateur, m.
recur [rikë^r^] *v.* revenir; se reproduire, se renouveler. || **recurrence** [-^e^ns] *s.* retour, m.; récidive, f.
red [rèd] *adj., s.* rouge; roux; **redbreast,** rouge-gorge; **reddish,** rougeâtre, **red-haired,** roux; **red-hot,** chauffé au rouge. || **redden** [-'n] *v.* rougir.
redeem [ridîm] *v.* racheter, sauver; compenser; exécuter [promise]; rembourser, défricher [land]. || **redeemer** [-^er^] *s.* libérateur, sauveur, Rédempteur, m. || **redemption** [ridèmpsh^e^n] *s.* rédemption; délivrance, f.; remboursement; paiement; rachat; amortissement, m.
redness [rèdnis] *s.* rougeur; inflammation, f.
redouble [ridœb'l] *v.* redoubler.
redoubt [rida^ou^t] *s.* redoute, f.
redress [rîdrès] *s.* redressement; remède, m.; réparation, réforme; revanche, f.; [ridrès] *v.* redresser; réparer; remédier.
reduce [ridy*ou*s] *v.* réduire; diminuer; amoindrir; maigrir; rétrograder; subjuguer. || **reduction** [ridœksh^e^n] *s.* réduction; diminution, f.
redwood [rèdwoud] *s.* séquoia, m.
reed [rîd] *s.* roseau; chalumeau; peigne [weaving], m.; anche, f.
reef [rîf] *s.* récif; écueil; atoll; ris (naut.), m.; *v.* prendre les ris dans.
reek [rîk] *v.* fumée; vapeur; mauvaise odeur, f.; *v.* fumer; enfumer; puer; *to reek of,* empester.
reel [rîl] *s.* bobine; titubation, f.; rouleau; dévidoir; moulinet, m.; *v.* bobiner, dévider; tournoyer; avoir le vertige; (faire) tituber; *to reel off,* débiter, dégoiser.
re-elect [ri^e^lèkt] *v.* réélire.
re-enter [riènt^er^] *v.* rentrer.
re-establish [ri^e^st*a*blish] *v.* rétablir; réinstaller; restaurer.
refer [rifë^r^] *v.* renvoyer; référer; transmettre; s'adresser; s'en remettre (*to,* à); *referring to,* comme suite à. || **referee** [rèf^e^rî] *s.* arbitre, m.; *v.* arbitrer. || **reference** [rèfr^e^ns] *s.* référence; mention; recommandation; allusion, f.; rapport; répondant; renvoi, m.
refill [rîf*i*l] *v.* remplir; réapprovisionner; [rîfil] *s.* mine de rechange [pencil], cartouche [fountain pen], f.
refine [rifa^i^n] *v.* raffiner; renchérir (*upon,* sur); polir [manners]; affiner [metal]; s'épurer. || **refined** [-d] *adj.* raffiné; délicat; distingué; cultivé. || **refinement** [-m^e^nt] *s.* raffinage; raffinement; affinage, m.; épuration, f. || **refinery** [-^e^ri] *s.* raffinerie, f.
reflect [riflèkt] *v.* réfléchir; refléter; méditer. || **reflection** [riflèksh^e^n] *s.* réflexion; critique, f.; reflet, m.; *on reflexion,* réflexion faite. || **reflector** [riflèkt^er^] *s.* réflecteur, m.
reflex [rîflèks] *adj., s.* réflexe.
reflexive [riflèksiv] *adj., s.* réfléchi.
reform [rif*au*rm] *s.* réforme, f.; *v.* réformer. || **reformation** [rèf^er^mé^i^sh^e^n] *s.* réforme, f.; amendement, m.
refraction [rifr*a*ksh^e^n] *s.* réfraction, f.
refractory [rifr*a*kt^e^ri] *adj.* réfractaire; récalcitrant; indiscipliné.
refrain [rifré^i^n] *v.* s'abstenir, se garder; s'empêcher (*from,* de); refréner, contenir.
refresh [rifrèsh] *v.* rafraîchir; délasser; rénover; restaurer. || **refreshing** [-ing] *adj.* rafraîchissant; délassant; réparateur. || **refreshment** [-m^e^nt] *s.* rafraîchissement; casse-croûte, m.
refrigeration [rifridj^e^ré^i^sh^e^n] *s.*

réfrigération, f.; refroidissement, m. || **refrigerator** [rifridjeréiter] s. réfrigérateur, m.; glacière, f. || **refrigerate** [-réit] v. réfrigérer; frigorifier; frapper [wine].
refuge [rèfyoudj] s. refuge; asile, m. || **refugee** [rèfyoudjî] s. réfugié, m.
refund [rîfœnd] s. remboursement, m.; [rifœnd] v. rembourser, restituer; [rîfœnd] v. consolider.
refusal [rifyouz'l] s. refus; déni, m. (jur.). || **refuse** [rifyouz] v. refuser; repousser; rejeter; se refuser (*to*, à).
refuse [rèfyous] s. détritus; déchets, m.; ordures, f. pl.
refute [rifyout] v. réfuter.
regain [rigéin] v. regagner; récupérer.
regal [rîg'l] *adj.* royal.
regale [rigéil] v. (se) régaler; *to regale oneself on*, savourer.
regalia [rigéilie] s. régale; décoration, f.; insigne, m.
regard [rigârd] v. regarder; faire attention à; considérer; concerner; estimer, juger; s. égard; respect, m.; considération, estime, f.; *pl.* compliments, m.; *as regards*, quant à; *with regard to*, relativement à; *best regards*, meilleurs souvenirs; **regardless**, négligent, inattentif. || **regarding** [-ing] *prep.* concernant, relativement à.
regent [rîdjent] s. régent, m.
regime [rijîm] s. régime, m.
regiment [rèdjement] s. régiment.
region [rîdjen] s. région, f.
register [rèdjister] s. registre; compteur; repérage (mil.), m.; v. enregistrer; inscrire; repérer (mil.); recommander [mail]; déposer [trademark]; immatriculer. || **registrar** [-trâr] s. greffier; secrétaire (univ.); archiviste, m. || **registration** [rèdjistréishen] s. inscription; immatriculation; recommandation [post], f.; enregistrement; repérage (mil.), m.
regret [rigrèt] s. regret, m.; v. regretter; *to send regrets*, envoyer ses excuses; **regrettable**, regrettable; fâcheux.
regular [règyeler] *adj.* régulier; courant [price]; méthodique; permanent [army]; *a regular fool*, un vrai sot. || **regularity** [règyelareti] s. régularité; assiduité, f. || **regulate** [règyeléit] v. régler; réglementer; ajuster; déterminer. || **regulation** [règyeléishen] s. règlement; réglage, m.; réglementation, f.
rehearsal [rihërs'l] s. répétition (theat.), f.; énumération, f. || **rehearse** [-hërs] v. répéter.
reign [réin] s. règne, m.; v. régner.
reimburse [riimbërs] v. rembourser. || **reimbursement** [-ment] s. remboursement, m.
rein [réin] s. rêne, guide, f.; v. guider, conduire; refréner; **bridoon rein**, bride; *to give free rein to*, lâcher la bride à.
reindeer [réindier] s. renne, m.
reinforce [riinfaurs] v. renforcer. || **reinforcement** [-ment] s. renfort, m.
reiterate [riitéréit] v. réitérer.
reject [ridjèkt] v. rejeter; repousser; refuser.
rejoice [ridjois] v. (se) réjouir; égayer. || **rejoicing** [-ing] s. réjouissance; allégresse, f.
rejoin [ridjoin] v. rejoindre; réunir; [ridjoin] v. répliquer.
rejuvenate [ridjouvenéit] v. rajeunir; rénover.
relapse [rilaps] s. rechute, f.; v. retomber; rechuter; récidiver (jur.).
relate [rilèit] v. relater; raconter; (se) rapporter (*to*, à); || **related** [-id] *adj.* apparenté; allié; ayant rapport à; en relation avec. || **relation** [riléishen] s. rapport; récit, m.; parenté, f.; *pl.* parents, m.; *with relation to*, par rapport à. || **relationship** [-ship] s. parenté, f. || **relative** [rèletiv] *adj.* relatif; s. parent, m. *relative to*, relativement à.
relax [rilaks] v. relâcher; (se) détendre; faire de la relaxation. || **relaxation** [rilakséishen] s. relâchement; délassement, m.; détente; relaxation, f.
relay [riléi] s. relais, m.; relève, f.; [riléi] v. relayer; transmettre par relais.
release [rilîs] v. relâcher; délivrer; libérer [prisoner]; rendre public [news]; décharger (*from*, de); dégager; s. élargissement; déclenchement (techn.), m.; libération, délivrance, f.; *release on bail*, mise en liberté sous caution.
relegate [rèlegéit] v. reléguer (*to*, dans).
relent [rilènt] v. se laisser fléchir;

revenir sur une décision; **relentless**, implacable, inflexible.
relevant [rèl^e^v^e^nt] *adj.* pertinent, à propos; applicable (*to*, à).
reliability [rila^i^*e*bil*e*ti] *s.* sûreté; solidité; crédibilité, f. || **reliable** [rila^i^*e*b'l] *adj.* sûr, digne de confiance. || **reliance** [rila^i^*e*ns] *s.* confiance, f.; **self-reliance,** confiance en soi.
relic [rèlik] *s.* relique, f.
relief [rilîf] *s.* soulagement; secours; allégement; relief, m.; réparation; relève (mil.), f.; **relief association,** société de secours. || **relieve** [rilîv] *v.* soulager; secourir; délivrer; dégager; redresser (jur.); relever (mil.); mettre en relief.
religion [rilidj*e*n] *s.* religion, f. || **religious** [-dj*e*s] *adj.* religieux.
relinquish [rilingkwish] *v.* abandonner; abdiquer.
relish [rèlish] *s.* saveur, f.; *v.* savourer, goûter.
reluctance [rilœkt*e*ns] *s.* répugnance; aversion, f. || **reluctant** [-t*e*nt] *adj.* peu disposé; qui agit à contrecœur; réfractaire; **reluctantly,** à contrecœur, à regret.
rely [rila^i^] *v.* se fier; s'appuyer, compter (*on*, sur).
remain [rimé^i^n] *v.* rester; demeurer. || **remainder** [-d*e*r] *s.* reste; restant; reliquat, m.; **remainder sale,** solde. || **remains** [-z] *s. pl.* restes, vestiges, m.
remake [rimé^i^k] *v.* refaire.
remark [rimârk] *s.* remarque; observation; note, f.; *v.* remarquer; noter; observer. || **remarkable** [-*e*b'l] *adj.* remarquable, notable.
remedy [rèm*e*di] *s.* remède; recours (jur.), m.; *v.* remédier à; soigner.
remember [rimèmb*e*r] *v.* se rappeler; se souvenir de. || **remembrance** [-br*e*ns] *s.* souvenir, m.; mémoire, f.; *pl.* souvenirs, compliments.
remind [rima^i^nd] *v.* rappeler; remémorer. || **reminder** [-*e*r] *s.* aide-mémoire; memento; avis, rappel, m.
reminiscence [rèm*e*nis'ns] *s.* réminiscence, f.; souvenir, m.
remiss [rimis] *adj.* négligent; relâché; insouciant. || **remission** [rimish*e*n] *s.* rémission; remise (jur.), f.; relâchement, m.
remit [rimit] *v.* remettre; livrer; relâcher; pardonner. || **remittance** [-'ns] *s.* remise, f.; versement, envoi de fonds, m.
remnant [rèmn*e*nt] *s.* reste; résidu, m.; *pl.* soldes, m.
remodel [rimâd'l] *v.* réorganiser; refondre; remodeler; remanier.
remorse [rimaurs] *s.* remords, m.; **remorseless,** impitoyable.
remote [rimo^ou^t] *adj.* éloigné; reculé; écarté; **remote control,** commande à distance.
removal [rimouv'l] *s.* déménagement; déplacement; enlèvement, m.; révocation; suppression; levée; élimination, f. || **remove** [rimouv] *v.* enlever; transférer; éliminer; révoquer; assassiner; déménager; (se) déplacer. || **removed** [-d] *adj.* éloigné; différent.
renaissance [rèn*e*zâns], **renascence** [rinas'ns] *s.* renaissance, f.
rend [rènd] *v.** déchirer; fendre; arracher.
render [rènd*e*r] *v.* rendre; remettre; interpréter [music]; traduire.
renew [rinyou] *v.* rénover; renouveler; rajeunir; prolonger. || **renewal** [-*e*l] *s.* renouvellement, m.
renounce [rina^ou^ns] *v.* renoncer à.
renovate [rèn*e*vé^i^t] *v.* rénover.
renown [rina^ou^n] *s.* renom, m.; **renowned,** renommé, réputé.
rent [rènt] *s.* loyer; fermage, m.; redevance, f.; *v.* louer; affermer.
rent [rènt] *s.* déchirure; crevasse, fissure; rupture, f.; *pret., p. p. of* **to rend.**
rental [rènt'l] *s.* loyer, m.
reopen [rio^ou^p*e*n] *v.* rouvrir; recommencer. || **reopening** [-ing] *s.* réouverture; reprise, f.
repair [ripè*e*r] *v.* réparer; radouber (naut.); restaurer; raccommoder; *s.* réparation, f.; raccommodage; radoub, m.; *under repair,* en réparation; *out of repair,* en mauvais état; *beyond repair,* irréparable; *in good repair,* en bon état.
reparation [rèp*e*ré^i^sh*e*n] *s.* réparation, f.; dédommagement, m.
repay [ripé^i^] *v.* rembourser; payer; récompenser, dédommager. || **repayment** [-m*e*nt] *s.* restitution, f.; remboursement; dédommagement.
repeal [ripîl] *v.* abroger; annuler; *s.* abrogation, annulation, f.
repeat [ripît] *v.* répéter; réitérer;

s. répétition, f.; repeater, récidiviste.
repel [ripèl] *v.* repousser; rejeter; rebuter; *that idea repels me,* cette idée me répugne.
repent [ripènt] *v.* se repentir de; regretter. || **repentance** [-ᵉns] *s.* repentir, m. || **repentant** [-ᵉnt] *adj.* repentant.
repetition [rèpitishᵉn] *s.* répétition; récidive; reprise, f.
replace [riplé¹s] *v.* remplacer; replacer; déplacer. || **replaceable** [-ᵉb'l] *adj.* remplaçable. || **replacement** [-mᵉnt] *s.* remplacement, m.; substitution, f.
replenish [riplènish] *v.* remplir; recompléter; refaire le plein. || **replenishment** [-mᵉnt] *s.* remplissage, m.
replete [riplît] *adj.* rempli; repu.
replica [rèplikᵉ] *s.* réplique, reproduction, f.
reply [ripla¹] *v.* répondre; répliquer; *s.* réponse; réplique, f.
report [ripoᵒᵘrt] *v.* rapporter; rendre compte; relater; signaler; dénoncer; *s.* rapport; compte rendu; procès-verbal; exposé; bulletin, m.; nouvelle, rumeur; détonation (gun), f.; *to report oneself,* se présenter; **news report,** reportage. || **reporter** [-ᵉʳ] *s.* reporter, m.
repose [ripoᵒᵘz] *v.* (se) reposer; *s.* repos, m.
represent [rèprizènt] *v.* représenter. || **representation** [rèprizènté¹shᵉn] *s.* représentation, f. || **representative** [rèprizèntᵉtiv] *adj.* représentatif; typique; *s.* représentant, m.
repress [riprès] *v.* refréner; contenir. || **repression** [ripré¹shᵉn] *s.* répression, f.
reprimand [rèprᵉmand] *v.* réprimander; *s.* réprimande, f.
reprisals [ripra¹z'ls] *s. pl.* représailles, f.
reproach [riproᵒᵘtsh] *v.* reprocher; blâmer; *s.* reproche, blâme, m.
reproduce [riprᵉdyous] *v.* reproduire. || **reproduction** [riprᵉdœkshᵉn] *s.* reproduction, réplique, f.
reproof [riprouf] *s.* reproche, m. || **reprove** [riprouv] *v.* réprimander, blâmer.
reptile [rèpt'l] *s.* reptile, m.
republic [ripœblik] *s.* république, f.; republican, républicain.
repudiate [ripyoudié¹t] *v.* répudier.
repugnance [ripœgnᵉns] *s.* répugnance; aversion, f. || **repugnant** [-nᵉnt] *adj.* répugnant; repoussant; antipathique.
repulse [ripœls] *v.* repousser; rejeter; refouler; *s.* échec; refus, m.; rebuffade, f.; *to sustain a repulse,* essuyer un échec. || **repulsive** [-iv] *adj.* repoussant.
reputable [rèpyᵉtᵉb'l] *adj.* honorable. || **reputation** [rèpyᵉté¹shᵉn] *s.* réputation; renommée, f. || **repute** [ripyout] *v.* réputer; considérer; estimer; *s.* réputation, f.
request [rikwèst] *s.* requête; demande; pétition, f.; *v.* demander; solliciter; prier; inviter à; *at the request of,* sur les instances de; **request stop,** arrêt facultatif; « faire signe au machiniste ». || **require** [rikwa¹ᵉr] *v.* exiger, requérir; avoir besoin de. || **requirement** [-mᵉnt] *s.* exigence; condition requise; nécessité, f.; besoin, m. || **requisite** [rèkwᵉzit] *adj.* requis; indispensable; *s.* requis, m.; condition requise, f. || **requisition** [rèkwᵉzishᵉn] *s.* réquisition; requête, f.; *v.* réquisitionner.
rescue [rèskyou] *s.* délivrance; rescousse, f.; secours; sauvetage, m.; *v.* sauver; secourir; délivrer; **rescue service,** service de sauvetage.
research [risëʳtsh] *s.* recherche; investigation, f.; [risëʳtsh] *v.* rechercher; enquêter.
resemblance [rizèmblᵉns] *s.* ressemblance, f. || **resemble** [-b'l] *v.* ressembler à.
resent [rizènt] *v.* se fâcher de, tenir rigueur à. || **resentful** [-fᵉl] *adj.* rancunier; irascible; vindicatif. || **resentment** [-mᵉnt] *s.* ressentiment, m.
reservation [rèzᵉʳvé¹shᵉn] *s.* réserve; restriction; arrière-pensée; réservation (jur.), f.; *Am.* terrain réservé, m.; **mental reservation,** restriction mentale. || **reserve** [rizëʳv] *v.* réserver, louer; *s.* réserve; discrétion; restriction, f. || **reservist** [-ist] *s.* réserviste, m. || **reservoir** [rèzëʳvaur] *s.* réservoir, m.
reside [riza¹d] *v.* résider; habiter. || **residence** [rèzᵉdᵉns] *s.* résidence; habitation, f. || **resident** [-dᵉnt] *s., adj.* résidant.
residue [rèzᵉdyou] *s.* résidu; reliquat, reste, m.

resign [riza[i]n] *v.* résigner, renoncer à; démissionner; *to resign oneself,* se résigner. || **resignation** [rèzignéishen] *s.* démission; résignation, f.; *to tender one's resignation,* donner sa démission.

resin [rèz'n] *s.* résine, f.

resist [rizist] *v.* résister à; s'opposer à; combattre. || **resistance** [-ens] *s.* résistance; opposition, f.; **electric resistance,** résistance électrique. || **resistant** [-ent] *adj.* résistant.

resolute [rèzelout] *adj.* résolu; déterminé. || **resolution** [rèzeloushen] *s.* résolution; détermination; solution; délibération, f. || **resolve** [rizâlv] *v.* (se) résoudre; (se) décider; déterminer; dissoudre, fondre; dissiper. || **resolvent** [-ent] *s.* résolvant; résolutif, m.

resonance [rèz'nens] *s.* résonance, f. || **resonant** [-nent] *adj.* résonnant, sonore.

resort [rizaurt] *v.* recourir à; fréquenter; *s.* recours; rendez-vous; ressort (jur.), m.; ressource, f.; *as a last resort,* en dernier ressort; **summer resort,** villégiature d'été.

resound [rizaound] *v.* résonner; retentir; répercuter.

resource [risours] *s.* ressource, f.; resourceful, avisé, débrouillard.

respect [rispèkt] *s.* respect; égard, m.; estime, considération, f.; *pl.* hommages, m.; *with respect to,* relativement à; *in all respects,* à tous égards. || **respectable** [-eb'l] *adj.* respectable. || **respectful** [-fel] *adj.* respectueux. || **respecting** [-ing] *prep.* relativement à, touchant à, quant à. || **respective** [-iv] *adj.* respectif; relatif.

respiration [rèsperéishen] *s.* respiration, f.

respite [rèspit] *s.* répit; sursis (jur.); délai, m.; trève, f.

resplendent [risplèndent] *adj.* resplendissant, éblouissant.

respond [rispând] *v.* répondre; payer de retour; convenir (*to,* à). || **response** [rispâns] *s.* réponse; réaction, f.; répons, m.

responsibility [rispânsebìleti] *s.* responsabilité, f. || **responsible** [rispânseb'l] *adj.* responsable; solidaire (jur.); digne de confiance; lourd de responsabilité.

rest [rèst] *s.* repos; calme; appui, support, m.; pause [music], f.; *v.* (se) reposer; s'appuyer (*on,* sur); *to rest with,* incomber à.

rest [rèst] *v.* rester; *s.* reste; restant, m.; *to rest there,* en rester là.

restaurant [rèsterent] *s.* restaurant, m.

restful [rèstfel] *adj.* reposant; paisible, calme, tranquille.

restitution [rèsteyoushen] *s.* restitution, f.

restless [rèstlis] *adj.* agité; inquiet; turbulent; infatigable. || **restlessness** [-nis] *s.* agitation; inquiétude; turbulence; insomnie, f.

restoration [rèsteréishen] *s.* restauration; réintégration; restitution; reconstitution, f.; rétablissement, m. || **restorative** [ristoureiv] *s.* reconstituant; fortifiant, m. || **restore** [ristour] *v.* restaurer; rénover; réparer; restituer; reconstituer; rétablir; réintégrer; *to restore to oneself,* ranimer, faire revenir à soi.

restrain [ristréin] *v.* restreindre; retenir; contenir; réprimer; entraver, limiter. || **restraint** [ristréint] *s,* restriction; circonspection; contrainte f.; empêchement, m.

restrict [ristrikt] *v.* restreindre, réduire; limiter. || **restriction** [trikshen] *s.* restriction, limitation, f.

result [rizœlt] *v.* résulter (*from,* de); aboutir (*in,* à); *s.* résultat, m.

resume [rizoum] *v.* reprendre; réassumer; se remettre à; récapituler.

résumé [rèzouméi] *s.* résumé, m.

resuscitate [risœsetéit] *v.* ressusciter; raviver.

retail [ritéil] *s.* détail, m.; vente au détail, f.; *v.* détailler, débiter; **retail merchant,** retailer, détaillant.

retain [ritéin] *v.* retenir; garder; conserver.

retaliate [ritaliéit] *v.* rendre coup pour coup; contre-attaquer; user de représailles. || **retaliation** [ritaliéishen] *s.* représailles; contre-attaque; revanche, f.; talion, m.

retard [ritârd] *v.* retarder; différer; *s.* retard, délai, m.

retinue [rètnyou] *s.* suite, escorte, f.

retire [rita[i]r] *v.* (se) retirer; se replier; prendre sa retraite. || **retirement** [-ment] *s.* retraite, f.; repli; retrait, m.

retort [ritaurt] *v.* riposter; rétorquer; s. riposte, réplique, f.

retouch [ritœtsh] *s.* retouche, f.; *v.* retoucher.

retrace [ritré¹s] *v.* retenir sur; remonter à la source de; *to retrace one's steps,* rebrousser chemin.
retract [ritrakt] *v.* (se) rétracter; revenir sur.
retreat [ritrît] *s.* retraite, f.; refuge, asile, m.; *v.* se retirer; rétrocéder; battre en retraite.
retrench [ritrèntsh] *v.* (se) retrancher; économiser. || **retrenchment** [-mᵉnt] *s.* retranchement, m.
retrieve [ritrîv] *v.* réparer; recouvrer, regagner; récupérer.
retroactive [rètroᵒᵘaktiv] *adj.* rétro-actif.
retrogression [rètrᵉgrèshᵉn] *s.* recul, m.; rétrogression, f.
return [ritëʳn] *v.* retourner; revenir; répliquer; rapporter; renvoyer; rendre; rembourser; restituer; *s.* retour; renvoi; relevé; compte rendu, m.; rentrée; ristourne; restitution; compensation; revanche; réciprocité; réponse, f.; *pl.* profit, rendement, m.; **return address,** adresse de l'expéditeur; **return profit,** rendement; **return ticket,** billet d'aller et retour; **election returns,** compte rendu des élections.
reunion [riyounyᵉn] *s.* réunion; assemblée, f. || **reunite** [riyouna¹t] *v.* (se) réunir; réconcilier.
reveal [rivîl] *v.* révéler; dévoiler.
revel [rèv'l] *s.* orgie, fête, f.; *v.* faire la fête; faire bombance; se délecter (*in,* à).
revelation [rèv'lé¹shᵉn] *s.* révélation; Apocalypse, f.
revelry [rèv'lri] *s.* orgie; réjouissance, f.; divertissement, m.
revenge [rivèndj] *s.* revanche; vengeance, f.; *v.* (se) venger (*for something,* de quelque chose, *on somebody,* de quelqu'un); *to take revenge for,* se venger de; **revengeful,** vindicatif; vengeur, vengeresse.
revenue [rèvᵉnyou] *s.* revenu; trésor public; fisc, m.; recette budgétaire; administration des impôts, f.
revere [riviᵉʳ] *v.* révérer, vénérer. || **reverence** [rèvrᵉns] *s.* vénération, f.; respect, m. || **reverend** [-rᵉnd] *adj.* révérend, vénérable. || **reverent** [-rᵉnt] *adj.* respectueux, révérencieux.
reverie, revery [rèvᵉri] *s.* rêverie, musardise, f.
reversal [rivëʳs'l] *s.* revirement; renversement, m.
reverse [rivëʳs] *adj.* contraire; opposé; *s.* revers; verso [leaf]; contraire, m.; marche arrière [auto], f.; *v.* renverser; inverser; intervertir; révoquer [decision]; faire marche arrière. || **reversement** [-mᵉnt] *s.* renversement, m. || **reversible** [-ᵉb'l] *adj.* réversible. || **reversion** [rivëʳjᵉn] *s.* réversion, f. || **revert** [rivëʳt] *v.* revenir, retourner (*to,* à).
review [rivyou] *v.* revoir; reviser; rendre compte, critiquer [book]; passer en revue (mil.); *s.* revue; revision; critique [book], f.; compte rendu; examen; contrôle, m.; *board of review,* conseil de revision.
revile [riva¹l] *v.* insulter, injurier.
revise [riva¹z] *v.* reviser; revoir; relire; corriger, modifier. || **revision** [rivijᵉn] *s.* revision, f.
revival [riva¹v'l] *s.* renaissance; remise en vigueur; reprise [play], f.; renouveau; réveil, m. || **revive** [riva¹v] *v.* (se) ranimer; réveiller; revigorer; faire revivre.
revocation [rèvᵉké¹shᵉn] *s.* révocation; abrogation, f. || **revoke** [rivoᵒᵘk] *v.* révoquer; abroger; retirer; rétracter.
revolt [rivoᵒᵘlt] *s.* révolte; rébellion, f.; soulèvement, m.; *v.* (se) révolter; s'indigner. || **revolution** [rèvᵉloushᵉn] *s.* révolution; rotation, f.; circuit, tour, m. || **revolutionary** [-èri] *adj., s.* révolutionnaire. **revolutionist** [-ist] *s.* révolutionnaire, m.
revolve [rivâlv] *v.* tourner, girer; retourner; pivoter; *to revolve in one's mind,* retourner dans son esprit, réfléchir à.
revolver [rivâlvᵉʳ] *s.* revolver, m.
reward [riwaurd] *s.* récompense; gratification, f.; dédommagement, m.; *v.* récompenser.
rewrite [rira¹t] *v.* récrire.
rhetoric [rètᵉrik] *s.* rhétorique, f.
rheumatism [roumᵉtizᵉm] *s.* rhumatisme, m.
rhinoceros [ra¹nâsᵉrᵉs] *s.* rhinocéros, m.
rhubarb [roubârb] *s.* rhubarbe, f.
rhyme [ra¹m] *s.* rime, f.; *v.* rimer.
rhythm [rizhᵉm] *s.* rythme, m. || **rhythmical** [rizhmik'l] *adj.* rythmique, cadencé.

rib [rib] *s.* côte; nervure; baleine [umbrella]; éclisse [violin]; armature, f.
ribbon [ribᵉn] *s.* ruban, m.; bande, f.
rice [raⁱs] *s.* riz, m.; **rice-field**, rizière; **rice paper**, papier de Chine.
rich [ritsh] *adj.* riche; succulent; fertile, fécond; généreux [wine]; épicé; luxuriant [vegetation]; gras [food]; vif [color]. || **riches** [-iz] *s.* richesse; fortune, f. || **richness** [-nis] *s.* richesse; fécondité; opulence; abondance; chaleur [color]; fertilité, f.
rickety [rikiti] *adj.* rachitique; délabré; boiteux [chair].
rid [rid] *v.* libérer; délivrer, débarrasser; *to get rid of*, se débarrasser de; *pret., p. p. of* **to rid**.
ridden [rid'n] *p. p. of* **to ride**.
riddle [rid'l] *s.* énigme; devinette, f.; *v.* expliquer, interpréter; embarrasser.
riddle [rid'l] *s.* crible, tamis, m.; *v.* cribler (*with*, de).
ride [raⁱd] *v.** chevaucher; aller en voiture; rouler; *s.* promenade; randonnée; course, f.; voyage; parcours, m.; *to ride a bicycle*, aller à bicyclette; *to ride horseback*, monter à cheval; *to ride at anchor*, être à l'ancre. || **rider** [-ᵉʳ] *s.* cavalier; codicille, m.; annexe (jur.), f.
ridge [ridj] *s.* crête; arête; échine; croupe, f.; faîte; billon, m.
ridicule [ridikyoul] *s.* ridicule, m.; moquerie, f.; *v.* ridiculiser. || **ridiculous** [ridikyᵉlᵉs] *adj.* ridicule.
rifle [raⁱf'l] *s.* fusil, m.; carabine, f.; *v.* fusiller; rayer; **anti-tank rifle**, fusil antichar; **automatic rifle**, fusil mitrailleur; **rifleman**, fusilier.
rifle [raⁱf'l] *v.* rafler, piller; détrousser, dévaliser.
rig [rig] *v.* gréer, équiper; accoutrer; échafauder; *s.* gréement; équipement; accoutrement; échafaudage, m. || **rigging** [-ing] *s.* agrès; gréement (naut.); montage (mech.), m.
right [raⁱt] *adj.* droit; exact; juste; vrai; direct; régulier; *adv.* droit; directement; comme il faut; tout à fait; *s.* droit, m.; équité; droite, f.; *v.* rectifier; corriger; faire justice à; (se) redresser; **right away**, tout de suite; *he is right*, il a raison; *keep to the right*, tenez votre droite; *to set right*, mettre en ordre, régler; *all right*, très bien, ça va; *right now*, immédiatement; *by right of*, en raison de; *is that the right street?*, est-ce bien la rue? || **righteous** [-ᵉs] *adj.* juste; droit. || **righteousness** [-ᵉsnis] *s.* droiture; rectitude; équité, f. || **rightful** [-fᵉl] *adj.* juste; légitime. || **right-hand** [-hànd] *adj.* de droite; à main droite; **right-hand man**, bras droit, alter ego. || **rightly** [-li] *adv.* à juste titre; avec raison; correctement.
rigid [ridjid] *adj.* rigide, raide. || **rigidity** [ridjidᵉti] *s.* rigidité; raideur; rigueur, f.
rigo(u)r [rigᵉʳ] *s.* rigueur; rigidité, f.; **rigo(u)rous**, rigoureux.
rim [rim] *s.* bord, m.; arête, f.; **wheel rim**, jante.
rime [raⁱm] *s.* givre, m.; gelée blanche, f.
rind [raⁱnd] *s.* écorce [tree]; pelure [fruit]; couenne; croûte [cheese], f.
ring [ring] *s.* anneau; cercle, m.; bague; boucle [ear]; couronne (geom.); arène, piste, f.; ring [box], m.; *v.* entourer, encercler; cerner; anneler; mettre une bague, un anneau à.
ring [ring] *v.** sonner, tinter; résonner; faire sonner; *s.* son métallique; son de clochette; coup de sonnette, m.; *to ring up on the phone*, appeler au téléphone; *to ring for the maid*, sonner la bonne.
ringlet [ringlit] *s.* anneau, m.; boucle [hair], f.
rink [ringk] *s.* patinoire, f.
rinse [rins] *v.* rincer; *s.* rinçage, m.
riot [raⁱᵉt] *s.* émeute; sédition, f.; tumulte, m.; *v.* faire une émeute; faire du vacarme; *riot of colo(u)rs*, débauche de couleurs.
rip [rip] *v.* fendre; déchirer; éventrer; *s.* fente; déchirure, f.; *to rip off*, arracher.
ripe [raⁱp] *adj.* mûr; parfait; à point. || **ripen** [-ᵉn] *v.* mûrir; faire mûrir. || **ripeness** [-nis] *s.* maturité, f.
ripple [rip'l] *s.* ride; ondulation, f.; murmure [water]; rire perlé, m.; *v.* se rider; onduler; murmurer.
rise [raⁱz] *v.** se lever; s'élever; monter; renchérir; augmenter; naître, prendre sa source; grandir; faire des progrès; *s.* ascen-

sion; montée; crue; hausse; élévation; augmentation; croissance, f.; lever; avancement, m.; *to rise up in rebellion,* se soulever. || **risen** [riz'n] *p. p. of* **to rise.**
risk [risk] *s.* risque; danger; hasard, m.; *v.* risquer; aventurer; hasarder; *to risk defeat,* s'exposer à l'échec. || **risky** [-i] *adj.* risqué; hasardeux; hardi, audacieux.
rite [raᶦt] *s.* rite, m.; cérémonie, f. || **ritual** [ritshouᵉl] *adj., s.* rituel.
rival [raᶦv'l] *s.* rival; concurrent; compétiteur, m.; *v.* rivaliser avec; *adj.* adverse, opposé. || **rivalry** [-ri] *s.* rivalité, concurrence, f.
river [rivᵉʳ] *s.* fleuve, m.; rivière, f.
rivet [rivit] *s.* rivet, m.; *v.* riveter, river; **riveting,** rivure, rivetage; **riveting-machine,** riveuse.
rivulet [rivyᵉlit] *s.* ruisselet, m.
road [roᵒᵘd] *s.* route; voie; chaussée; rade (naut.), f.; **branch road,** embranchement; **convex road,** route bombée; **high road,** grand-route; **military road,** route stratégique; **unimproved road,** route en mauvais état; **winding road,** route en lacets; **roadside,** bas-côté de la route; **roadway,** chaussée, voie carrossable.
roam [roᵒᵘm] *v.* errer; rôder.
roar [roᵒᵘr] *v.* rugir; mugir [sea]; gronder [thunder]; éclater [laughter]; *s.* rugissement; mugissement; grondement; éclat, m.
roast [roᵒᵘst] *v.* rôtir; torréfier; griller; *s.* rôti, m.; **roast beef,** rosbif; **roaster,** rôtissoire.
rob [râb] *v.* voler; dérober; cambrioler; *to rob someone of something,* voler quelque chose à quelqu'un. || **robber** [-ᵉʳ] *s.* voleur; brigand, m.; **sea-robber,** pirate. || **robbery** [-ri] *s.* vol; cambriolage, m.
robe [roᵒᵘb] *s.* robe, toge, f.; *Am.* **automobile robe,** couverture de voiture.
robin [râbin] *s.* rouge-gorge, m.
robust [roᵒᵘbœst] *adj.* robuste; solide; vigoureux.
rock [râk] *s.* roc, rocher; *Am.* moellon, m.; roche, f.; **rock salt,** sel gemme.
rock [râk] *v.* (faire) balancer, bercer; se balancer; chanceler; *to rock to sleep,* bercer. || **rocker** [-ᵉʳ] *s.* culbuteur, m.; bascule, f.
rocket [râkit] *s.* fusée, f.
rocking [râking] *s.* balancement; bercement, m.; **rocking-chair,** chaise à bascule.
rocky [râki] *adj.* rocailleux; rocheux.
rocky [râki] *adj.* instable, branlant, chancelant.
rod [râd] *s.* baguette; tringle [curtain]; tige; canne [fishing]; bielle [piston]; verge, f.; **tie-rod,** barre d'accouplement (mech.); **divining-rod,** baguette divinatoire.
rode [roᵒᵘd] *pret. of* **to ride.**
rogue [roᵒᵘg] *s.* fripon; espiègle; vagabond; drôle, gredin; rustre, m. || **roguish** [roᵒᵘgish] *adj.* malhonnête; coquin; espiègle.
rôle [roᵒᵘl] *s.* rôle, m.
roll [roᵒᵘl] *v.* rouler; passer au rouleau; laminer [metal]; cylindrer; faire le tonneau (aviat.); *s.* rôle; liste; rouleau; roulement; roulis (naut.); petit pain, m.; *to call the roll,* faire l'appel. || **roller** [-ᵉʳ] *s.* rouleau; cylindre; laminoir; galet, tambour (mech.), m.; **roller coaster,** montagnes russes; **roller skate,** patin à roulettes.
Roman [roᵒᵘmᵉn] *adj., s.* romain; **Roman nose,** nez aquilin.
romance [roᵒᵘmàns] *s.* roman, m.; romance, f.; *adj.* roman; *v.* faire un récit romancé; être romanesque. || **romanesque** [roᵒᵘmᵉnèsk] *adj.* romanesque; roman [style]. || **romantic** [roᵒᵘmàntik] *adj.* romantique; romanesque. || **romanticism** [-tᵉsizᵉm] *s.* romantisme, m. || **romanticist** [-tᵉsist] *s.* romantique, m.
romp [râmp] *v.* jouer bruyamment; être turbulent; gambader; *s.* petite fille garçonnière, f.
roof [rouf] *s.* toit; palais [mouth]; comble [house], m.; voûte, f.; *v.* couvrir; mettre un toit; abriter; **flat roof,** terrasse.
room [roum] *s.* salle; pièce; chambre; place, f.; lieu; espace, m.; *v.* loger; habiter en garni; *there is no room for,* il n'y a pas lieu de; il n'y a pas de place pour; **dressing room,** cabinet de toilette; **roommate,** compagnon de chambre; « cothurne ». || **roomer** [-ᵉʳ] *s.* locataire, m. || **roominess** [-inis] *s.* grande étendue, grande dimension, f. || **roomy** [-i] *adj.* spacieux; vaste.
roost [roust] *s.* perchoir, m.; *v.* se

percher [bird, fowl]. || **rooster** [-^{er}] *s.* coq, m.
root [rout] *s.* racine; base; origine; souche, f.; fondement; principe, m.; *v.* s'enraciner; prendre racine; *to root out,* déraciner, extirper, dénicher.
rope [ro^{ou}p] *s.* corde, f.; cordage; câble, m.; *v.* corder; encorder; lier; prendre au lasso; *to be at the end of one's rope,* être au bout de son rouleau; *to know the ropes,* connaître son affaire.
rosary [ro^{ou}z^{e}ri] *s.* rosaire, m.
rose [ro^{ou}z] *pret. of* **to rise.**
rose [ro^{ou}z] *s.* rose; rosace; pomme d'arrosoir, f.; **Brazilian rosewood,** palissandre; **rosebud,** bouton de rose; **rose bush,** rosier; **rosette,** rosette; **rosewood,** bois de rose.
rostrum [râstr^{e}m] *s.* tribune, f.
rosy [ro^{ou}zi] *adj.* rose, rosé.
rot [rât] *v.* pourrir; se gâter; se carier [tooth]; *s.* pourriture; putréfaction; carie; clavelée, f.
rotary [ro^{ou}t^{e}ri] *adj.* rotatif; tournant; rotatoire. || **rotate** [ro^{ou}té^{i}t] *v.* tourner; girer; pivoter. || **rotation** [ro^{ou}té^{i}sh^{e}n] *s.* rotation; révolution, f.; roulement; tour, m.; *in rotation,* par roulement; *rotation of crops,* assolement.
rote [ro^{ou}t] *s.* routine, f.; *by rote,* par cœur, machinalement.
rotten [rât'n] *adj.* corrompu; pourri; putréfié; gâté.
rouge [rouj] *s.* rouge, fard, m.; *v.* farder, mettre du rouge à.
rough [rœf] *adj.* rude; brut; non poli [glass]; âpre; orageux [weather]; raboteux; hérissé; accidenté; **rough draft,** ébauche; brouillon; **rough estimate,** calcul approximatif; *to rough it,* faire du camping, vivre primitivement. || **roughen** [-^{e}n] *v.* endurcir; devenir rude. || **roughly** [-li] *adv.* rudement; grossièrement; en gros; à peu près; âprement. || **roughness** [-nis] *s.* rudesse; rugosité; grossièreté; aspérité; âpreté; rigueur [weather], f.
round [ra^{ou}nd] *adj.* rond; circulaire; *s.* rond; cercle; round [boxing]; tour, m.; sphère; tournée; ronde; cartouche, f.; *v.* arrondir; contourner; entourer; faire une ronde; *adv.* tout autour; autour de; à la ronde; du premier au dernier; d'un bout à l'autre; *prep.* autour de; par; de l'autre côté de; *round of applause,* salve d'applaudissements; *round of pleasures,* succession de plaisirs; *to pay for the round,* payer la tournée; *to go the rounds,* circuler, faire le tour; *to round off,* arrondir; *to round,* compléter; *to hand round,* faire passer; **roundabout,** détourné [way]; sens giratoire; **roundup,** conclusion, rassemblement, rodéo; **roundshouldered,** voûté; **round-trip ticket,** billet circulaire.
rouse [ra^{ou}z] *v.* réveiller; exciter; soulever; ranimer; provoquer.
rout [ra^{ou}t] *v.* cohue; foule; réunion; déroute (mil.), f.; *v.* mettre en déroute; *to rout out,* chasser de.
route [rout] *s.* route; voie, f.; itinéraire, m.; *v.* acheminer, diriger.
routine [routîn] *s.* routine, f.; cours habituel des événements; service courant, m.; *adj.* routinier, courant, habituel.
rove [ro^{ou}v] *v.* rôder; errer, vagabonder; divaguer; **rover,** vagabond, errant.
row [ra^{ou}] *s.* tapage; vacarme; boucan, m.; dispute, f.; *v.* se quereller; **rowdy,** tapageur, batailleur, voyou.
row [ro^{ou}] *s.* rang, m.; rangée, ligne, file; colonne [figures], f.
row [ro^{ou}] *v.* ramer; canoter; nager (naut.); *s.* promenade en bateau; **rowboat,** bateau à rames, canot, barque. || **rower** [-^{er}] *s.* rameur, m.
royal [ro^{i}^{e}l] *adj.* royal. || **royalist** [-ist] *s.* royaliste, m. || **royalty** [-ti] *s.* royauté; redevance, f.; droit d'auteur ou d'inventeur, m.
rub [rœb] *v.* frotter; frictionner; astiquer; *s.* frottement; astiquage, m.; friction; difficulté, f.; *there is the rub,* voilà le hic; *to rub out,* effacer; *to rub someone the wrong way,* prendre quelqu'un à rebrousse-poil; *to rub up,* fourbir; **rub-down,** friction. || **rubber** [-^{er}] *s.* frotteur; frottoir; caoutchouc, m.; gomme, f.; rob [bridge], m.; **hard rubber,** ébonite.
rubbish [rœbish] *s.* détritus; débris; résidus; déblais, m.; décombres; ordures; camelote; absurdités, f.
rubble [rœb'l] *s.* blocaille, f.; moellon, m.
ruby [roubi] *s.* rubis, m.

rudder [rœder] *s.* gouvernail, m.; rudder tiller, barre du gouvernail.
ruddy [rœdi] *adj.* vermeil, rouge.
rude [roud] *adj.* grossier; rude; impoli; rébarbatif; rigoureux. || **rudeness** [-nis] *s.* rudesse; grossièreté; impolitesse; rigueur [weather], f.
rudiment [roudement] *s.* rudiment; élément, m. || **rudimentary** [roudementeri] *adj.* rudimentaire.
rueful [roufel] *adj.* pitoyable; navrant; triste, morne.
ruffian [rœfien] *s.* bandit, ruffian, m.
ruffle [rœf'l] *v.* froisser; froncer; ébouriffer [hair]; chiffonner; troubler; irriter; *s.* fronce, ruche; agitation, irritation; ride [water].
rug [rœg] *s.* tapis, m.; couverture, f.
rugged [rœgid] *adj.* rude, âpre; rugueux; raboteux; dentelé [hills]; tempêtueux; *Am.* fort, robuste; peu commode.
ruin [rouin] *s.* ruine; perte; destruction, f.; *v.* ruiner; démolir; détruire. || **ruinous** [-es] *adj.* ruineux; désastreux; coûteux.
rule [roul] *s.* règle; autorité, f.; règlement; ordre; pouvoir, m.; *v.* régler; réglementer; gouverner; juger (jur.); conseiller, persuader; *rule of three,* règle de trois; *as a rule,* en général, ordinairement; *to be ruled by,* être sous la domination de; se laisser guider par. || **ruler** [-er] *s.* règle, f.; règleur; chef, gouvernant. || **ruling** [-ing] *s.* décision; sentence (jur.); réglure, f.; *adj.* gouvernant, dirigeant; principal, prédominant.
rum [rœm] *s.* rhum, m.
rumble [rœmb'l] *s.* grondement; roulement; grouillement; coffre [auto], m.; *v.* gronder; rouler [thunder]; résonner.
ruminate [roumenéit] *v.* ruminer; méditer (*on,* sur).
rummage [rœmidj] *v.* fouiller; remuer; bouleverser; *s.* remue-ménage; bouleversement, m.; fouilles, recherches, f.; **rummage sale,** vente de charité.
rumo(u)r [roumer] *s.* rumeur; opinion, f.; on-dit, m.; *v.* faire courir le bruit.
rump [rœmp] *s.* croupe, f.; postérieur, derrière; croupion, m.; culotte [meat], f.
rumple [rœmp'l] *v.* chiffonner; friper; *s.* ride, f.
rumpus [rœmpes] *s.* désordre; tumulte, m.
run [rœn] *v.** courir; fuir, perdre; fonctionner; diriger [business]; couler [water]; passer [time]; se répandre [rumor]; être candidat, se présenter (*for,* à); se démailler [stockings]; *s.* course; suite; série; maille [stockings], f.; *to run away,* s'enfuir; *to run across,* rencontrer par hasard; traverser en courant; *to run ashore,* s'échouer; *to run into debts,* s'endetter; *to run into,* tamponner; *to run down,* écraser [auto]; *in the long run,* à la longue; *to run through a book,* parcourir un livre; *run of performances,* série de représentations; *to run for something,* courir chercher quelque chose; *to get run in,* se faire coffrer; *to have the run of,* avoir le libre usage de; **runaway,** fugitif, fuyard, déserteur; **rundown,** épuisé; déchargé [accumulator]; *pret., p. p. of* **to run.**
rung [rœng] *s.* tige, barre, f.; bâton; échelon, m.
rung [rœng] *p. p. of* **to ring.**
runner [rœner] *s.* coureur; courrier; agent de transmission; patin de traîneau, m. || **running** [rœning] *s.* course; marche; suppuration, f.; cours; fonctionnement; écoulement, m.; *adj.* courant; consécutif; continu; **running board,** marchepied; **running fire,** feu roulant; **running in,** en rodage; **running water,** eau courante.
runt [rœnt] *s.* nain, nabot; être ou animal rabougri, m.
runway [rœnwéi] *s.* piste (aviat.), f.
rupture [rœptsher] *s.* rupture; hernie; brouille, f.; *v.* (se) rompre; donner une hernie à.
rural [rourel] *adj.* rural; champêtre; rustique.
ruse [rouz] *s.* ruse de guerre, f.; stratagème, m.
rush [rœsh] *v.* s'élancer; se précipiter; se ruer; prendre d'assaut; s'empresser; bousculer; *s.* élan; bond; rush, m.; ruée; affluence, foule, masse; presse, f.; **rush hours,** heures d'affluence; *to make a rush at, for,* se précipiter sur.
rush [rœsh] *s.* jonc, m.; **rush-bottomed,** à fond de jonc, paillé.

Russian [rœshᵉn] *adj.*, *s.* russe. || **Russia** [rœshᵉ] *s.* Russie, f.
russet [rœsit] *adj.* roux, mordoré.
rust [rœst] *s.* rouille, f.; *v.* (se) rouiller; s'oxyder; **rustproof,** inoxydable.
rustic [rœstik] *adj.* rustique; *s.* paysan, m.
rustle [rœst'l] *v.* bruire; froufrouter; *s.* bruissement; frou-frou, m.
rusty [rœsti] *adj.* rouillé; oxydé; entartré.
rut [rœt] *s.* ornière, f.; *v.* sillonner; *to be in a rut,* être pris par la routine.
ruthless [routhlis] *adj.* impitoyable; implacable; cruel. || **ruthlessness** [-nis] *s.* cruauté; brutalité, f.
rye [raⁱ] *s.* seigle, m.; **rye bread,** pain de seigle.

S

saber, sabre [séⁱbᵉʳ] *s.* sabre, m.
sable [séⁱb'l] *s.* zibeline, f.; *adj.* noir.
sabotage [sabᵉtâj] *s.* sabotage, m.; *v.* saboter.
sack [sak] *s.* sac; pillage, m.; *v.* piller; ensacher; saquer, renvoyer.
sacrament [sakrᵉmᵉnt] *s.* sacrement, m.
sacred [séⁱkrid] *adj.* sacré. || **sacredness** [-nis] *s.* sainteté; inviolabilité, f.; caractère sacré, m.
sacrifice [sakrᵉfaⁱs] *s.* sacrifice, m.; *v.* sacrifier; *to sell at a sacrifice,* vendre au rabais.
sacrilege [sakrᵉlidj] *s.* sacrilège, m. || **sacrilegious** [sakrilidjᵉs] *adj.* sacrilège.
sad [sad] *adj.* triste; mélancolique; cruel [loss]; sombre [color]. || **sadden** [-'n] *v.* (s') attrister.
saddle [sad'l] *s.* selle; sellette, f.; *v.* seller; bâter; charger; **flat saddle,** selle anglaise; **pack saddle,** bât; **saddle-bag,** sacoche; *to saddle someone with responsibilities,* accabler quelqu'un de responsabilités. || **saddler** [sadlᵉʳ] *s.* sellier, m.
sadistic [sadistik] *adj.* sadique.
sadness [sadnis] *s.* tristesse, f.
safe [séⁱf] *adj.* sauf; sûr; hors de danger, intact; *s.* coffre-fort, m.; **safe and sound,** sain et sauf; **safe conduct,** sauf-conduit; **safely,** en sûreté, sans encombre; *safe from,* à l'abri de. || **safeguard** [-gârd] *s.* sauvegarde; escorte, f.; *v.* sauvegarder, protéger. || **safety** [-ti] *s.* sécurité; protection; sauvegarde, f.; cran de sûreté, m.; *in safety,* en lieu sûr; **safety-device,** mécanisme de sécurité; **safety pin,** épingle de sûreté; **safety razor,** rasoir mécanique; **safety valve,** soupape de sûreté.
saffron [safrᵉn] *s.* safran, m.; *adj.* safrané.
sag [sag] *v.* ployer; fléchir; s'affaisser; *s.* fléchissement; affaissement, m.; courbure [shoulders], f.
sagacious [sᵉgéⁱshᵉs] *adj.* sagace; subtil; avisé. || **sagacity** [sᵉgasᵉti] *s.* sagacité; perspicacité, f.
sage [séⁱdj] *adj.* sage; avisé; modéré; instruit; *s.* sage, m.
sage [séⁱdj] *s.* sauge, f.
said [séⁱd] *pret.*, *p. p. of* **to say.**
sail [séⁱl] *s.* voile; aile [mill]; promenade en barque à la voile, f.; *v.* faire voile, voguer; *under full sail,* toute voile dehors; *to take in sail,* carguer la voile (naut.); *to set sail,* prendre la mer; **sailboat,** voilier; **sailplane,** planeur de vol à voile (aviat.); **foresail,** misaine. || **sailing** [-ing] *s.* navigation, f.; départ, m. || **sailor** [-ᵉʳ] *s.* marin; matelot, m.; *to be a good sailor,* avoir le pied marin; **deep-sea sailor,** navire long courrier.
saint [séⁱnt] *s.* saint; *All Saints' Day,* la Toussaint; *Saint Vitus's dance,* danse de Saint-Guy; *v.* canoniser; faire le saint. || **saintly** [-li] *adj.* saint; pieux; *adv.* saintement. || **saintliness** [-linis] *s.* sainteté, f.
sake [séⁱk] *s.* cause, f.; but, égard, amour, intérêt, m.; *for the sake of,* à cause de; *do it for my sake,* faites-le pour moi; *for God's sake,* pour l'amour de Dieu; *for the sake of appearances,* pour sauver les apparences.
salad [salᵉd] *s.* salade, f.; **salad bowl,** saladier.
salamander [salᵉmàndᵉʳ] *s.* salamandre, f.

salary [sal^{e}ri] *s.* salaire; appointements, m.; *v.* salarier; appointer.

sale [sé^{i}l] *s.* vente, f.; débit; solde, m.; *private sale,* vente à l'amiable; *for sale,* à vendre; *on sale,* en vente; **wholesale,** vente en gros. || **salesman** [-zm^{e}n] *s.* vendeur; marchand, m.; *Am.* **traveling salesman,** voyageur de commerce, commis voyageur. || **saleswoman** [-zwoum^{e}n] *s.* vendeuse, f.

salient [sé^{i}li^{e}nt] *adj.* saillant; remarquable; proéminent.

saline [sé^{i}la^{i}n] *adj.* salin; salé; *s.* saline f.

saliva [s^{e}la^{i}v^{e}] *s.* salive, f.

sally [sali] *s.* sortie; saillie; boutade, f.; *v.* saillir; faire une sortie.

sallow [salo^{ou}] *adj* blême jaune.

salmon [sam^{e}n] *s.* saumon m.; **salmon-trout,** truite saumonée.

saloon [s^{e}loun] *s.* salon; bar; *Am.* bistro; **saloon-car,** wagon-salon.

salsify [sals^{e}fi] *s.* salsifis, m.

salt [sault] *s.* sel, m.; *adj.* salé; *v.* saler; **salt cellar,** salière; **salt mine,** mine de sel; **salt provisions,** salaisons; **old salt,** loup de mer; **smelling salts,** sels volatils.

saltpeter [saultpit^{er}] *s.* salpêtre, m.

salty [saulti] *adj.* salé; saumâtre.

salubrity [s^{e}loubr^{e}ti] *s.* salubrité, f.

salutary [saly^{e}tèri] *adj.* salutaire.

salutation [saly^{e}té^{i}sh^{e}n] *s.* salutation, f.; salut, m. || **salute** [s^{e}lout] *s.* salut, m.; salve, f.; *v.* saluer.

salvation [salvé^{i}sh^{e}n] *s.* salut, m.; salvation, f.; **Salvation Army,** Armée du Salut.

salvage [salvidj] *s.* sauvetage; objet récupéré, m.; récupération, f.

salve [sav] *s.* onguent; baume, m.; pommade, f.; *v.* oindre; appliquer un onguent à; adoucir.

salvo [salvo^{ou}] *s.* salve (mil.), f.

same [sé^{i}m] *adj.* même; semblable; *it is all the same to me,* cela m'est égal; *it is all the same,* c'est tout comme; *the same to you,* pareillement; *to do the same,* en faire autant.

sample [sàmp'l] *s.* échantillon; exemple, m.; *v.* échantillonner.

sanatorium [san^{e}to^{ou}ri^{e}m] *s.* sanatorium, m.

sanctification [sàngkt^{e}f^{e}ké^{i}sh^{e}n] *s.* sanctification, f. || **sanctify** [sàngkt^{e}fa^{i}] *v.* sanctifier.

sanction [sàngksh^{e}n] *s.* sanction; approbation, f.; *v.* sanctionner; ratifier; autoriser.

sanctity [sàngkt^{e}ti] *s.* sainteté, f.

sanctuary [sàngktshouèri] *s.* sanctuaire, m.

sand [sànd] *s.* sable, m.; *pl.* grève, f.; *v.* sabler; ensabler; **sandbank,** banc de sable; *Am.* **sand glass,** sablier; **sandpaper,** papier de verre; **sandstone,** grès.

sandwich [sàndwitsh] *s.* sandwich, m.; *v.* intercaler.

sandy [sàndi] *adj.* sableux; sablonneux; blond roux [hair].

sane [sé^{i}n] *adj.* sain; sensé; raisonnable.

sang [sàng] *pret. of* **to sing.**

sanguinary [sànggwinèri] *adj.* sanguinaire.

sanitarium [san^{e}târ^{i}^{e}m] *s.* sanatorium, m. || **sanitary** [san^{e}tèri] *adj.* sanitaire; hygiénique. || **sanitation** [san^{e}té^{i}sh^{e}n] *s.* hygiène; salubrité, f.; assainissement, m. || **sanity** [san^{e}ti] *s.* santé; raison, f.; équilibre mental, m.

sank [sàngk] *pret. of* **to sink.**

sap [sap] *s.* sève, f.; aubier, m.

sap [sap] *s.* sape, f.; *Am.* crétin, m.; *v.* saper.

sapling [sapling] *s.* arbrisseau, m.

sapper [sap^{er}] *s.* sapeur, m.

sapphire [safa^{i}r] *s.* saphir, m.

sarcastic [s^{e}rkastik] *adj.* sarcastique.

sardine [sârdîn] *s.* sardine, f.

sardonic [sardânik] *adj.* sardonique.

sarsaparilla [sârsp^{e}ril^{e}] *s.* salsepareille, f.

sash [sash] *s.* ceinture; écharpe, f.; *v.* ceinturer; orner d'une écharpe.

sash [sash] *s.* châssis de fenêtre, m.; **sash window,** fenêtre à guillotine.

satchel [satsh^{e}l] *s.* cartable, m.; gibecière; sacoche, f.

sate [sé^{i}t] *v.* rassasier; assouvir, satisfaire.

sateen [satîn] *s.* satinette, f.

satellite [satla^{i}t] *s.* satellite, m.

satiate [sé^{i}shié^{i}t] *v.* rassasier; assouvir. || **satiety** [s^{e}ta^{i}^{e}ti] *s.* satiété, f.

satire [sata^{i}r] *s.* satire, f. || **satirical** [s^{e}tirik'l] *adj.* satirique. || **satirize** [sat^{e}ra^{i}z] *v.* satiriser.

satisfaction [satisfaksh^{e}n] *s.* satisfaction, f.; contentement, m. || **satisfactory** [satisfaktri] *adj.* satisfaisant; satisfactoire (theol.).

|| **satisfy** [satisfa¹] *v.* satisfaire; contenter; donner satisfaction; *to satisfy oneself that,* s'assurer que.
saturate [satshᵉré¹t] *v.* saturer; imprégner; imbiber.
Saturday [satᵉʳdi] *s.* samedi, m.
sauce [saus] *s.* sauce; *Br.* impertinence, f.; assaisonnement, m.; *v.* assaisonner; être insolent avec. || **saucepan** [sauspàn] *s.* casserole, f. || **saucer** [sausᵉʳ] *s.* soucoupe, f. || **sauciness** [sausinis] *s.* effronterie; insolence, f. || **saucy** [sausi] *adj.* impertinent; effronté.
sauerkraut [saᵒᵘᵉʳkraᵒᵘt] *s.* choucroute, f.
saunter [sauntᵉʳ] *v.* flâner; musarder.
sausage [sausidj] *s.* saucisse, f.; saucisson, m.; **sausage balloon,** saucisse (aviat.).
savage [savidj] *adj.* sauvage; farouche; brutal; désert, inculte; *s.* sauvage, m., f. || **savagery** [-ri] *s.* sauvagerie; brutalité; fureur, f.
save [sé¹v] *v.* sauver; épargner; économiser; ménager; *prep.* sauf; excepté; *to save from,* préserver de, sauver de; *save for,* à l'exception de; *save that,* si ce n'est que. || **saver** [-ᵉʳ] *s.* sauveur, libérateur, m.; personne économe, f.; économiseur (mech.), m. || **saving** [-ing] *s.* sauvetage, m.; économie, f.; *adj.* économe; **savings bank,** caisse d'épargne; *prep.* sauf; à l'exception de. || **savio(u)r** [sé¹vyᵉʳ] *s.* sauveur, m.
savo(u)r [sé¹vᵉʳ] *s.* saveur, f.; goût; parfum, m.; *v.* savourer; avoir goût (*of,* de); *it savo(u)rs of treason,* cela sent la trahison; **savo(u)ry,** savoureux; délicieux.
saw [sau] *pret. of* **to see.**
saw [sau] *s.* scie, f.; *v.** scier; **fret saw,** scie à découper; **hand saw,** égoïne; **lumberman's saw,** scie passe-partout; **power saw,** scie mécanique; **sawdust,** sciure de bois; **sawmill,** scierie. || **sawn** [-n] *p. p. of* **to saw.**
saxophone [saksᵉfoᵒᵘn] *s.* saxophone, m.
say [sé¹] *v.** dire; réciter; raconter; s'exprimer; *as they say,* comme on dit; *that is to say,* c'est-à-dire; *say what I would,* j'avais beau dire; *to say nothing of,* sans parler de; *the final say,* le dernier mot; *to have one's say,* donner son avis. || **saying** [-ing] *s.* dicton; adage, m.; *as the saying goes,* comme dit le proverbe.
scab [skab] *s.* croûte (med.); gale; escarre, f.; *Am.* « jaune » [blackleg]; *v.* faire croûte; se cicatriser.
scabbard [skabᵉʳd] *s.* fourreau; étui, m.; gaine, f.
scabby [skabi] *adj.* galeux; couvert de croûtes; teigneux. || **scabies** [ské¹biiz] *s.* gale, f.
scabrous [ské¹brᵉs] *adj.* rugueux, raboteux; scabreux, risqué.
scaffold [skaf'ld] *s.* échafaud, m.; **scaffolding,** échafaudage, m.
scald [skauld] *s.* brûlure, f.; *v.* échauder; brûler; ébouillanter.
scale [ské¹l] *s.* échelle; proportion, f.; *v.* escalader; *on a limited scale,* sur une petite échelle; scale model, maquette; **wage scale,** barème des salaires.
scale [ské¹l] *s.* plateau de balance, m.; balance, f.; *v.* peser; *to turn the scale,* faire pencher la balance; **platform scale,** bascule. || **scaly** [-i] *adj.* écailleux; *scaly with rust,* rouillé.
scale [ské¹l] *s.* écale; écaille, f.; *v.* écaler; écailler; écosser.
scallion [skalyᵉn] *s.* ciboule, f.
scallop [skaulᵉp] *s.* coquillage; mollusque; feston, m.; *v.* festonner; faire cuire en coquilles; faire gratiner.
scalp [skalp] *s.* cuir chevelu; péricrâne, m.; *v.* scalper; écorcher; *Am.* vendre au-dessus du prix; **scalpel,** scalpel, m.
scamp [skàmp] *s.* chenapan; vagabond, m.
scamper [skàmpᵉʳ] *v.* courir allègrement; *to scamper away,* décamper; *s.* fuite rapide, f.
scan [skàn] *v.* scander; scruter.
scandal [skànd'l] *s.* calomnie; honte; médisance; diffamation, f.; scandale, m. || **scandalous** [-ᵉs] *adj.* scandaleux; honteux, diffamatoire. || **scandalize** [-a¹z] *v.* scandaliser; médire; *to be scandalized at,* se scandaliser de.
scant [skànt] *adj.* rare; épars; insuffisant; exigu; *v.* limiter; réduire; rogner. || **scantiness** [-inis] *s.* rareté; insuffisance, f. || **scanty** [-i] *adj.* rare; insuffisant, maigre.
scapegoat [ské¹pgoᵒᵘt] *s.* bouc émissaire; « lampiste », m.

scapegrace [skéˡpgréˡs] *s.* vaurien; récidiviste, m.
scar [skâr] *s.* cicatrice; balafre; f.; *v.* cicatriser; balafrer; couturer.
scarab [skarᵉb] *s.* scarabée, m.
scarce [skèᵉʳs] *adj.* rare; peu commun; mal pourvu; pauvre (*of*, de); **scarcely**, à peine; ne... guère; *scarcely anything*, presque rien.
scare [skèᵉʳ] *s.* panique, f.; *v.* effrayer; épouvanter; effarer; **scarecrow**, épouvantail; **scary**, peureux, alarmé.
scarf [skâʳf] *s.* écharpe; cravate, f.; fichu, m.
scarf [skâʳf] *s.* assemblage (mech.).
scarify [skarᵉfaˡ] *v.* scarifier.
scarlet [skârlit] *adj.*, *s.* écarlate.
scathe [skéˡzh] *s.* dommage, m.; *v.* endommager; détruire; **scathing**, acerbe, mordant; **scatheless**, indemne.
scatter [skatᵉʳ] *v.* répandre; éparpiller; (se) disperser; **scatter-brained**, étourdi.
scavenger [skavindjᵉʳ] *s.* boueur, balayeur, m.
scenario [sinârioᵒᵘ] *s.* scénario, m. || **scene** [sîn] *s.* scène, vue, f.; décor, m. || **scenery** [-ri] *s.* scène; vue; perspective; mise en scène, f.; décors, m. pl.
scent [sènt] *s.* senteur, f.; parfum; flair; odorat, m.; *v.* parfumer; flairer; *my dog has a keen scent*, mon chien a du nez; *to be on the scent*, être sur la piste; *to get scent of*, avoir vent de; **scentless**, inodore.
sceptic [skèptik] *adj.* sceptique. || **scepticism** [skèptᵉsizᵉm] *s.* scepticisme, m.
scepter [sèptᵉʳ] *s.* sceptre, m.
schedule [skèdyoul] *s.* horaire; tarif [price]; bilan (comm.); plan [work]; bordereau, m.; annexe, f.; *v.* établir un horaire, un plan, un programme; **training schedule**, programme d'études.
scheme [skîm] *s.* plan; projet; schéma, m.; *v.* projeter; arranger; ourdir; **colo(u)r scheme**, combinaison de couleurs; **metrical scheme**, système de versification. || **schemer** [-ᵉʳ] *s.* intrigant; faiseur de projets, m. || **scheming** [-ing] *adj.* intrigant; spéculateur; *s.* machination, intrigue, f.
schism [sizᵉm] *s.* schisme, m.
schist [shist] *s.* schiste, m.
scholar [skâlᵉʳ] *s.* écolier; élève; savant; érudit, m.; *a Greek scholar*, un helléniste. || **scholarly** [-li] *adj.* érudit; savant. || **scholarship** [-ship] *s.* instruction; érudition; science; bourse (univ.), f.
scholastic [skoᵒᵘlastik] *adj.* scolaire; scolastique.
school [skoul] *s.* école, f.; banc [fish], m.; *v.* instruire; enseigner; faire la leçon à; discipliner; *adj.* d'école, scolaire; **boarding school**, pensionnat: **trade school**, école professionnelle; **school book**, livre de classe; **schoolboy**, écolier, lycéen; **schoolhouse**, bâtiment scolaire; **schoolmaster**, professeur; **schoolmate**, condisciple; **schoolmistress**, maîtresse d'école, institutrice; **schoolroom**, classe; **schoolteacher**, maître, instituteur; institutrice. || **schooling** [-ing] *s.* enseignement, m.; instruction, f.
schooner [skounᵉʳ] *s.* goélette, f.; *Am.* grand verre à bière, m.
sciatica [saˡatikᵉ] *s.* sciatique, f.
science [saˡᵉns] *s.* science, f. || **scientific** [saˡᵉntifik] *adj.* scientifique. || **scientifically** [-'li] *adv.* scientifiquement. || **scientist** [saˡᵉntist] *s.* savant, homme de science, m.
scion [saˡᵉn] *s.* scion; descendant, m.
scissors [sizᵉʳz] *s. pl.* ciseaux, m.
scoff [skauf] *s.* moquerie; raillerie, f.; *v.* railler; se moquer (*at*, de); **scoffer**, moqueur.
scold [skoᵒᵘld] *v.* gronder; réprimander; *s.* grondeur, m.; mégère; gronderie, f. || **scolding** [-ing] *s.* réprimande; semonce, f.; savon, m.; *adj.* grondeur, criard; plein de reproches.
sconce [skâns] *s.* bobèche; lanterne, applique, f.
scone [skoᵒᵘn] *s.* brioche, f.
scoop [skoup] *s.* épuisette; écope; louche; nouvelle sensationnelle, exclusivité, f.; godet, m.; *v.* écoper; vider; creuser; **scoopful**, grande cuillerée, pleine louche; **scoop-net**, épervier.
scoot [skout] *v.* filer, déguerpir.
scope [skoᵒᵘp] *s.* champ d'action, m.; portée, f.; *within the scope of*, dans les limites de.
scorch [skaurtsh] *v.* brûler; roussir; *s.* brûlure, f.; **scorching**, brûlant.
score [skoᵒᵘr] *s.* entaille, coche;

marque; dette; cause, raison; partition [music], f.; point; compte; vingt; sujet, m.; v. entailler; marquer; compter; inscrire; orchestrer; marquer des points [game]; *on that score,* à ce sujet; *on the score of,* à propos de, à cause de; *to score a point,* marquer un point; eightscore, cent soixante.

scorn [skaurn] s. dédain; mépris, m.; v. mépriser, dédaigner; **scornful,** méprisant, dédaigneux; **scornfully,** avec dédain.

scorpion [skaurpi^e^n] s. scorpion, m.

scot [skât] s. écot, m.; **scot-free,** gratis; indemne.

Scot [skât] s. Ecossais, m. || **Scotch** [skâtsh] adj., s. écossais; s. whisky, m.

scotch [skâtsh] s. entaille, éraflure, f.; v. érafler; égratigner.

Scotland [skâtl^e^nd] s. Ecosse, f.

scoundrel [ska^ou^ndr^e^l] s. coquin; gredin, m.

scour [ska^ou^r] v. récurer; dégraisser; décaper; écumer [sea].

scour [ska^ou^r] v. parcourir; *to scour the country,* battre la campagne.

scourge [skë^r^dj] s. fouet; fléau; châtiment, m.; v. châtier; fouetter.

scout [ska^ou^t] s. éclaireur, scout, m.; vedette, f.; v. partir en éclaireur; reconnaître (mil.); **air scout,** avion de reconnaissance; **submarine scout,** patrouilleur anti-sous-marin. || **scouting** [-ing] s. exploration; reconnaissance, f.

scowl [ska^ou^l] s. froncement de sourcils; air renfrogné, m.; v. froncer le sourcil; prendre un air renfrogné.

scramble [skràmb'l] v. jouer des pieds et des mains; se bousculer; mettre pêle-mêle; avancer difficilement; s. marche difficile; mêlée; confusion, f.; **scrambled eggs,** œufs brouillés; *to scramble up,* grimper.

scrap [skrap] s. fragment; morceau; chiffon; lambeau, m.; bribe, f.; pl. restes, m.; v. envoyer au rebut; mettre hors de service; **scrap book,** album de textes découpés; **scrap iron,** ferraille.

scrape [skré^i^p] v. gratter; racler; décrotter; s. raclement, m.; situation embarrassante, f.; *to scrape up a hundred pounds,* réussir à rassembler cent livres. || **scraper** [-^er^] s. racloir; grattoir; décrottoir; grippe-sou, m.

scratch [skratsh] v. égratigner; (se) gratter; effacer; abandonner [match]; s. égratignure; rayure, raie, f.; coup de griffe, m.; *to scratch out,* rayer, biffer.

scrawl [skraul] s. griffonnage, m.; pattes de mouches, f.; v. griffonner.

scream [skrîm] s. cri perçant, m.; v. pousser un cri aigu; *he is a scream,* il est « rigolo », « marrant ».

screech [skrîtsh] s. cri aigu, m.; v. crier; **screech owl,** chat-huant.

screen [skrîn] s. écran; rideau; paravent; crible, tamis, m.; v. masquer; protéger; faire une projection de film; **smoke screen,** rideau de fumée; **motion-picture screen,** écran de cinéma; *to screen windows,* mettre un tamis aux fenêtres.

screw [skrou] s. vis; hélice, f.; écrou, m.; v. visser; opprimer; pincer [lips]; sélectionner par examens ou tests; *to screw tight,* visser à fond; **screw-bolt,** boulon; **screw-driver,** tournevis; **screw propeller,** propulseur à hélice; Br. **screw-wrench,** clé anglaise; *to put the screws on,* forcer la main à; *to screw up one's courage,* prendre son courage à deux mains.

scribble [skrib'l] v. griffonner; s. griffonnage, m.

scribe [skra^i^b] v. repérer; pointer (techn.); s. scribe, m.; **scriber,** tire-ligne.

script [skript] s. écriture, main, f.; manuscrit, m. || **scripture** [skriptsh^er^] s. écriture sainte, f.

scroll [skro^ou^l] s. rouleau de parchemin, de papier; ornement en volute, en spirale, m.

scrub [skrœb] v. laver en frottant; s. nettoyage à la brosse; récurage, m.; friction, f.; **scrub oak,** yeuse; **scrub pine,** pin rabougri; Am. **scrub woman,** laveuse, femme de journée.

scruff [skrœf] s. nuque, f.

scruple [skroup'l] s. scrupule, m.; v. avoir des scrupules; hésiter à. || **scrupulous** [-l^e^s] adj. scrupuleux; méticuleux.

scrutinize [skroutina^i^z] v. scruter; dévisager; faire une enquête sévère. || **scrutiny** [-ni] s. examen

rigoureux, m.; enquête minutieuse, f.
scuffle [skœf'l] *s.* mêlée; rixe; échauffourée, f.; *v.* se bousculer, se battre; marcher en traînant les pieds.
scull [skœl] *s.* rame, f.; *v.* ramer, godiller.
scullery [skœl^eri] *s.* arrière-cuisine, f.; **scullery-boy,** plongeur.
sculptor [skœlpt^er] *s.* sculpteur, m. || **sculpture** [-tsh^er] *s.* sculpture, f.; *v.* sculpter; ciseler.
scum [skœm] *s.* écume; scorie; lie (fig.), f.; *v.* écumer; **scummer,** écumeur, écumoire; **scummy,** écumeux.
scurrilous [skë^ril^es] *adj.* grossier; indécent.
scurry [skë^ri] *v.* courir vite; *to scurry away,* détaler.
scurvy [skë^rvi] *s.* scorbut, m.; *adj.* atteint de scorbut; méprisable.
scutcheon [skœtsh^en] *s.* écusson, m.
scuttle [skœt'l] *s.* écoutillon; hublot (naut.), m.; *v.* saborder (naut.).
scuttle [skœt'l] *s.* seau à charbon, m.
scythe [sa^izh] *s.* faux, f.
sea [sî] *s.* mer, f.; *adj.* de mer, marin; *to go to sea,* prendre la mer; *to put to sea,* prendre le large; **high sea,** haute mer; **inland sea,** mer intérieure; **open sea,** pleine mer; **seaboard,** côtes; **seacoast,** littoral; **sea fight,** combat naval; **sea-green,** vert de mer; **sea-gull,** mouette; **sea lion,** otarie; **seaman,** marin; **seashore,** bord de la mer; **seasickness,** mal de mer; **sea wall,** digue; **seawards,** en direction de la mer; **sea weed,** algue marine.
seal [sîl] *s.* sceau; cachet, m.; *v.* sceller; cacheter, plomber; authentifier; approuver; **sealing wax,** cire à cacheter.
seal [sîl] *s.* phoque, m.
seam [sîm] *s.* couture; suture (med.); veine (geol.), f.; *v.* faire une couture; suturer; **soldered seam,** soudure; **seamstress,** couturière, lingère.
seaplane [sîplé^in] *s.* hydravion, m.
sear [si^er] *v.* cautériser; brûler; saisir (culin.); *adj.* séché, flétri, sec; *s.* gachette, f.
search [së^rtsh] *v.* chercher; scruter; fouiller; perquisitionner dans; visiter [customs]; *s.* recherche; perquisition (jur.); visite [customs]; descente [police]; investigation, f.; *to search after,* aller à la recherche de; *to search for,* essayer de découvrir; *to search into,* chercher à pénétrer; **searching,** scrutateur; **searchlight,** projecteur, phare; *Am.* lampe de poche, f.; **search warrant,** mandat de perquisition.
season [sîz'n] *s.* saison; époque, f.; *v.* assaisonner; acclimater; sécher; tempérer; aguerrir; **seasonable,** opportun; **season ticket,** carte d'abonnement; *in good season,* au bon moment; **seasoned troops,** troupes aguerries. || **seasoning** [-ing] *s.* assaisonnement; séchage [wood], m.
seat [sît] *s.* siège, m.; place; assise; assiette [horseman]; résidence, f.; *v.* asseoir; faire asseoir; placer; mettre un fond [trousers]; *to seat oneself,* s'asseoir; *this room seats three hundred,* cette salle contient trois cents places; **folding seat,** pliant; **seating capacity,** nombre de places assises.
secant [sîk^ent] *s.* sécante, f.
secede [sisîd] *v.* se séparer. || **secession** [sisèsh^en] *s.* sécession; scission, f.
seclude [siklou̇d] *v.* séparer; écarter; éloigner; *to seclude oneself from,* se tenir à l'écart de; **secluded,** retiré, écarté; solitaire. || **seclusion** [siklou̇j^en] *s.* éloignement; isolement, m.; retraite, f.
second [sèk^end] *adj.* second, deuxième; secondaire; *s.* second; inférieur, m.; seconde, f.; *v.* seconder; appuyer [motion]; **second-hand,** d'occasion; **second hand of the clock,** grande aiguille d'horloge; **second lieutenant,** sous-lieutenant; **second-rate,** de deuxième qualité; **second-sighted,** doué de seconde vue. || **secondary** [-èri] *adj.* secondaire; accessoire; subordonné. || **secondly** [-li] adv. deuxièmement.
secrecy [sîkr^esi] *s.* discrétion; réserve, f.; secret, m. || **secret** [sîkrit] *adj., s.* secret; **open secret,** secret de Polichinelle; **secretly,** secrètement, dans la clandestinité.
secretary [sèkr^etèri] *s.* secrétaire; ministre, m.; *Secretary of State,* secrétaire d'Etat.
secrete [sikrît] *s.* sécréter (med.); dissimuler; recéler. || **secretion**

[sikrîshᵉn] *s.* sécrétion, f. || **secretive** [-tiv] *adj.* qui sécrète ou favorise la sécrétion; réservé; peu communicatif.
sect [sèkt] *s.* secte, f. || **sectarian** [sèktèrieⁿ] *adj.*, *s.* sectaire. || **section** [sèkshᵉn] *s.* section; coupe (techn.); tranche, f.; *v.* sectionner; diviser en sections. || **sector** [-tᵉʳ] *s.* secteur, m.
secular [sèkyᵉlᵉʳ] *adj.* séculaire; séculier; profane; *s.* laïc, m.; prêtre séculier, m. || **secularize** [-raᵢz] *v.* séculariser.
secure [sikyour] *adj.* sûr; en sûreté; *v.* mettre en sûreté; assurer; s'emparer de; acquérir; retenir; **securely**, sans crainte, en sécurité, comme il faut. || **security** [-ᵉti] *s.* sécurité; sûreté; protection; garantie, f.; nantissement, m.; *pl.* titres, m.; valeurs, f.
sedan [sidan] *s.* chaise à porteur; *Am.* conduite intérieure [car], f.
sedate [sidéᵢt] *adj.* posé, sérieux. || **sedative** [sèdᵉtiv] *adj.* sédatif, calmant.
sedentary [sèd'ntèri] *adj.* sédentaire.
sedge [sèdj] *s.* jonc; glaïeul, m.
sediment [sèdᵉmᵉnt] *s.* sédiment, m.
sedition [sidishᵉn] *s.* sédition, f. || **seditious** [-shᵉs] *adj.* séditieux.
seduce [sidyous] *v.* séduire; détourner. || **seducer** [-ᵉʳ] *s.* séducteur, m. || **seduction** [sidœkshᵉn] *s.* séduction, f. || **seductive** [-tiv] *adj.* séduisant.
see [sî] *v.** voir; apercevoir; veiller à; accompagner; *to see somebody out,* reconduire quelqu'un; *to see about,* s'occuper de; *to see through,* voir ce qui se cache derrière, voir à travers; *to see (a thing) through,* mener à bien; *to see a person through a difficulty,* aider quelqu'un à sortir d'une difficulté; *to see to one's affairs,* veiller à ses affaires.
see [sî] *s.* siège, m.; **Holy See**, saint-siège.
seed [sîd] *s.* graine, f.; grain; pépin; germe; principe, m.; *v.* ensemencer; grener; parsemer (*with*, de); *to run to seed,* monter en graine; **canary seed**, millet; **seed bed**, semis; minable; mal en train; **seedling**, plante provenant d'un semis; **seedless**, sans graine, sans pépin; **seedtime**, semailles; **seedy**, grenu.
seek [sîk] *v.** chercher; rechercher; poursuivre; solliciter; *to seek out,* essayer de découvrir; *to seek for fame,* chercher la gloire; *to go and seek one's fortune,* aller chercher fortune; **seeker**, chercheur.
seem [sîm] *v.* sembler; paraître; *it seemed as though,* on aurait dit que; **seemingly**, apparemment, en apparence. || **seemly** [-li] *adj.* convenable; décent; bienséant.
seen [sîn] *p. p. of* **to see.**
seer [siᵉʳ] *s.* prophète, voyant, devin; visionnaire, m.
seep [sîp] *v.* suinter; filtrer.
seesaw [sîsau] *s.* balançoire, bascule, f.; *v.* basculer; balancer.
seethe [sîzh] *v.* bouillir; bouillonner.
segment [sègmᵉnt] *s.* segment, m.; division, portion, f.
segregate [sègrigéᵢt] *v.* séparer; isoler; [-git] *adj.* séparé, isolé.
seize [sîz] *v.* saisir; prendre; capturer; confisquer; empoigner; coincer (mech.); *to seize upon,* s'emparer de. || **seizure** [sîjᵉʳ] *s.* saisie; prise; capture; mainmise; attaque [illness]; appréhension, f.; grippement (mech.), m.
seldom [sèldᵉm] *adv.* rarement.
select [sᵉlèkt] *v.* choisir; *adj.* choisi. || **selection** [-shᵉn] *s.* sélection, f.; choix, m. || **selective** [-tiv] *adj.* sélectif; sélecteur.
self [sèlf] *pron.* même; *s.* moi; individu, m.; **self-centered**, égocentriste; **self-confident**, sûr de soi; **self-conscious**, conscient, contraint, timide; **self-contained**, autonome, indépendant; **self-control**, sang-froid, empire sur soi-même; **self-defense**, légitime défense; **self-denial**, abnégation; **self-evident**, flagrant; manifeste; **self-government**, autonomie, gouvernement démocratique; **self-interest**, intérêt personnel; **selfish**, égoïste; **selfishness**, égoïsme; **self-love**, amour-propre; **self-reliance**, confiance en soi; **self-respect**, respect de soi-même; **self-starter**, autodémarreur; **self-supporting**, qui vit de son travail; **self-taught**, autodidacte.
sell [sèl] *v.** vendre; *to sell out,* liquider; **seller**, vendeur, vendeuse; **selling**, vente.
selves [sèlvz] *pl. of* **self.**
semblance [sèmblᵉns] *s.* ressemblance; apparence, f.

semicircle [sèmeserk'l] *s.* demi-cercle, m.
semiannual [sèmianyouel] *adj.* semestriel.
semicolon [sèmekooulen] *s.* point et virgule, m.
semimonthly [sèmemânthli] *adj.* bimensuel; semi-mensuel.
seminary [sèmenèri] *s.* séminaire, m.
semiweekly [sèmewîkli] *adj.* bihebdomadaire; semi-hebdomadaire.
senate [sènit] *s.* sénat, m.; **senator,** sénateur.
send [sènd] *v.* envoyer; expédier; lancer; *to send for,* envoyer chercher; *to send away,* renvoyer, expédier; *to send forth,* exhaler, émettre, produire; *to send word of,* faire prévenir de; *to send on,* faire suivre, transmettre; **sender,** expéditeur; envoyeur.
senile [sînaiil] *adj.* sénile. || **senility** [senîleti] *s.* sénilité, f.
senior [sînyer] *adj., s.* aîné; supérieur; *to be someone's senior by three years,* avoir trois ans de plus que quelqu'un. || **seniority** [sînyaureti] *s.* aînesse; ancienneté; doyenneté, f.
sensation [sènséishen] *s.* sensation; impression; émotion, f.; **sensational,** sensationnel; émouvant.
sense [sèns] *s.* sens; sentiment, m.; impression; sensibilité; direction, f.; *v.* percevoir; sentir; **common sense,** sens commun; **good sense,** bon sens; *to be out of one's senses,* avoir perdu la tête; *to make sense,* comprendre, avoir un sens; *sense of duty,* sentiment du devoir. || **senseless** [-lis] *adj.* insensible; inanimé; insensé; stupide. || **sensibility** [sènsebîleti] *s.* sensibilité, f. || **sensible** [sènseb'l] *adj.* sensible; conscient; sensé; **sensibly,** sensiblement; avec bon sens; raisonnablement; perceptiblement. || **sensitive** [sènsetiv] *adj.* sensible; sensitif; susceptible. || **sensitivity** [sènsetîveti] *s.* sensitivité; sensibilité, f. || **sensual** [sènshouel] *adj.* sensuel; voluptueux. || **sensuality** [sènshoualeti] *s.* sensualité, f.
sent [sènt] *pret., p. p. of* **to send.**
sentence [sèntens] *s.* sentence; maxime; phrase, f.; jugement, m.; *v.* condamner; rendre un jugement contre; **death sentence,** condamnation à mort; **reconsideration of sentence,** révision de jugement; **suspended sentence,** sursis; *a well-turned sentence,* une phrase bien tournée; **sententious,** sentencieux.
sentiment [sèntement] *s.* sentiment, m.; opinion, f. || **sentimental** [sèntemènt'l] *adj.* sentimental. || **sentimentality** [sèntementaleti] *s.* sentimentalité, f.; sentimentalisme, m. || **sentimentalize** [sèntemèntelaiz] *v.* faire du sentiment.
sentinel, sentry [sènten'l], [sèntri] *s.* sentinelle, f.; factionnaire; guetteur, m.; **sentry box,** guérite.
separable [sèpereb'l] *adj.* séparable (*from,* de). || **separate** [sèprit] *adj.* séparé; distinct; isolé; à l'écart; **separate interests,** intérêts privés; **separately,** séparément, à part; [-réit] *v.* (se) séparer; désunir; disjoindre. || **separation** [sèperéishen] *s.* séparation; scission, f. || **separatism** [sèperetizem] *s.* séparatisme, m.
September [sèptèmber] *s.* septembre, m.
septic [sèptik] *adj.* septique (med.).
sepulcher [sèp'lker] *s.* sépulcre, m.
sepulture [sèp'ltsher] *s.* sépulture, f.
sequel [sîkwel] *s.* suite; conséquence, f.
sequela [sikwîl] *s.* séquelle, f.
sequence [sîkwens] *s.* suite; série; conséquence, f.; résultat, m.
sequester [sikwèster] *v.* séquestrer; confisquer. || **sequestration** [sikwèstréishen] *s.* séquestration; confiscation, f.; séquestre, m.
serenade [sèrenèd] *s.* sérénade, f.; *v.* donner une sérénade.
serene [serîn] *adj.* serein; paisible; *keep serene,* gardez le sourire. || **serenity** [serèneti] *s.* sérénité, f.
serfdom [sërfdem] *s.* servage, m.
sergeant [sârdjent] *s.* sergent; maréchal des logis, m.; **sergeant-at-arms,** sergent d'armes.
serial [sîriel] *adj.* en série; périodique; consécutif; **serial number,** numéro matricule; **serial novel,** roman feuilleton. || **series** [sîriz] *s.* série; succession, f.
serious [sîries] *adj.* sérieux; grave; **seriously,** sérieusement. || **seriousness** [-nis] *s.* sérieux, m.; gravité, f.
sermon [sërmen] *s.* sermon, m.
serpent [sërpent] *s.* serpent, m.

serrate [sèrit] *adj.* dentelé; en dents de scie.
serum [sirᵉm] *s.* sérum, m.
servant [sä̆ʳvᵉnt] *s.* serviteur; domestique; servant, m.; servante, f.; *Br.* **civil servant,** fonctionnaire. || **serve** [sä̆ʳv] *v.* servir; suffire; faire le service militaire; desservir [transportation]; signifier (jur.); *it serves him right,* c'est bien fait pour lui; *he serves me with wine,* il me fournit de vin; *to serve as,* servir de; *to serve notice on,* notifier, aviser, signifier. || **service** [-is] *s.* service; emploi; entretien des voitures, m.; distribution [gas, electricity], f.; *v.* entretenir, réparer (mech.); desservir; *to service and repair,* dépanner [car]; **detached service,** mission spéciale; **divine service,** office divin; **funeral service,** service funèbre; **mail service,** service des postes; **table service,** service de table; **service-station,** poste d'essence. || **serviceable** [-isᵉb'l] *adj.* utile; utilisable. || **servicing** [-ising] *s.* entretien, m.; réparation, f. || **servile** [-'l] *adj.* servile, obséquieux. || **servitude** [-ityoud] *s.* servitude, f.; asservissement, esclavage, m.
session [sèshᵉn] *s.* session; séance, f.; *Am.* trimestre universitaire, m.
set [sèt] *v.** poser; placer; mettre; désigner; arranger; ajuster; établir [rule]; donner [example]; repasser [knife]; affûter [saw]; sertir [gem]; tendre [trap]; régler [watch]; (se) fixer; se coucher [sun]; se serrer [teeth]; se nouer [fruit]; *s.* ensemble, assortiment; groupe; service [for tea]; équipage; coucher [sun]; jeu, m.; série; garniture; partie [game]; tranche (math.), f.; *adj.* placé, situé; fixe; serré; immuable, arrêté; résolu, obstiné; *to set aside,* affecter; mettre à part; *to set out,* se mettre en route; *to set up,* installer, apprêter; *to set oneself about,* se mettre à; *to set right,* redresser; *to set to music,* mettre en musique; *the smart set,* le monde élégant; *of set purpose,* de propos délibéré; *set of furniture,* ameublement; *set of teeth,* denture; **radio set,** poste de T.S.F.; **tea set,** service à thé; **telephone set,** poste téléphonique; **setback,** échec, recul; **settee,** canapé; **set-up,** dispositif. || **setting** [-ing] *s.* pose; position; monture; composition (typogr.); mise en scène, f.; montage; réglage; affûtage [knife]; coucher [sun], m.
settle [sèt'l] *v.* établir; déterminer; arranger; organiser; régler [account]; résoudre; coloniser; assigner [property]; s'établir; se calmer [sea]; se poser [liquid]; se remettre [weather]; se tasser [building]; se liquider [debts]; *to settle down,* s'installer; *to settle down to,* s'atteler à. || **settlement** [-mᵉnt] *s.* établissement; arrangement; règlement; accord, m.; installation; colonisation; liquidation (comm.); pension, f.; **penal settlement,** colonie pénitentiaire; **settler,** colon; arbitre.
seven [sèv'n] *adj.* sept. || **seventeen** [sèvᵉntin] *adj.* dix-sept. || **seventeenth** [-tinth] *adj.* dix-septième. || **seventh** [sèvᵉnth] *adj.* septième. || **seventieth** [sèvᵉntiith] *adj.* soixante-dixième. || **seventy** [sèvᵉnti] *adj.* soixante-dix.
sever [sèvᵉʳ] *v.* (se) séparer; diviser; trancher; (se) disjoindre.
several [sèvrᵉl] *adj.* divers; plusieurs; quelques; respectif; individuel; séparé; **severally,** séparément; respectivement.
severe [sᵉviᵉʳ] *adj.* sévère; austère; rigoureux; **severely,** sévèrement. || **severity** [sᵉvèrᵉti] *s.* sévérité; dureté; rigueur, f.
sew [soᵒᵘ] *v.* coudre; brocher.
sewer [syouᵉʳ] *s.* égout; collecteur.
sewing [soᵒᵘing] *s.* couture, f.; **sewing machine,** machine à coudre. || **sewn** [soᵒᵘn] *p. p. of* **to sew.**
sex [sèks] *s.* sexe, m.; **sexy,** désirable, capiteuse [woman].
sexton [sèkstᵉn] *s.* sacristain; fossoyeur, m.
sexual [sèkshouᵉl] *adj.* sexuel.
shabby [shabi] *adj.* râpé; fripé; minable; mesquin; miteux.
shack [shak] *s.* hutte, cabane, f.
shackle [shak'l] *v.* enchaîner; entraver; maniller (naut.); accoupler (railw.); *s.* maillon, m.; manille, f.; *pl.* fers, m.; entraves, f.
shad [shad] *s.* alose, f.
shade [shéⁱd] *s.* ombre; visière [cap]; nuance, f.; store [window], m.; *v.* ombrager; ombrer; obscurcir; abriter; nuancer; **shadeless,**

sans ombre; **lamp shade**, abat-jour. || **shadow** [shadoou] *s.* ombre; obscurité; trace, f.; fantôme, m.; *v.* ombrager; obscurcir; ombrer; suivre comme une ombre; **shadowy**, ombreux; indécis; **shady**, ombragé; louche [transaction]; douteux [character].

shaft [shaft] *s.* flèche; hampe [flag], f.; trait; fût [column]; timon [pole]; manche [tool]; arbre (mech.); rayon [light]; brancard [vehicle]; puits [mine], m.; **drive shaft**, arbre de transmission.

shaggy [shagi] *adj.* poilu; hirsute; raboteux, hérissé (*with*, de).

shagreen [shegrin] *s.* chagrin, m.

shake [shéik] *v.** secouer; branler; agiter; bouleverser; trembler; ébranler; chanceler; *s.* secousse; agitation, f.; serrement; tremblement; trille [music]; hochement, m.; *to shake hands with*, serrer la main à; *to shake one's head*, hocher la tête; *to shake off*, se débarrasser de; *to shake with laughter*, se tordre de rire; **shakedown**, lit improvisé. || **shaky** [-i] *adj.* branlant, chancelant. || **shaken** [-'n] *p. p. of* **to shake.**

shall [shal] *defect. aux. I shall go to London*, j'irai à Londres; *shall I open the window?*, voulez-vous que j'ouvre la fenêtre?; *you shall be our umpire*, vous allez être notre arbitre.

shallot [shelât] *s.* échalote, f.

shallow [shaloou] *adj.* peu profond; superficiel; frivole; *s.* haut-fond, bas-fond, m. || **shallowness** [-nis] *s.* manque de profondeur, m.; frivolité, futilité, f.

sham [shàm] *s.* feinte; frime, f.; chiqué, m.; *adj.* feint, truqué; **sham battle**, petite guerre; *v.* feindre; contrefaire.

shamble [shàmb'l] *v.* marcher en traînant les pieds; *s. pl.* décombres, m.; ruines, f.

shame [shéim] *s.* honte; pudeur, f.; *v.* faire honte, faire affront à; déshonorer; *to bring shame upon*, jeter le discrédit sur; **shamefaced**, timide, honteux. || **shameful** [-fel] *adj.* honteux; indécent; déshonorant. || **shameless** [-lis] *adj.* impudent, éhonté. || **shamelessness** [-lisnis] *s.* impudence; impudeur, f.; dévergondage, m.

shampoo [shàmpou] *s.* shampooing, m.; *v.* faire un shampooing.

shamrock [shàmrâk] *s.* trèfle, m.

shank [shàngk] *s.* tibia; canon [horse], m.; partie inférieure de la jambe; tige (mech.); queue [flower], f.

shanty [shànti] *s.* bicoque, masure, cabane, f.

shape [shéip] *s.* forme; tournure; configuration; façon, coupe, f.; contour, galbe, m.; *v.* former; façonner; modeler; *in a bad shape*, mal en point; *to get out of shape*, se déformer; *to shape up well*, prendre bonne tournure; **shapeless**, informe; **shapely**, bien tourné.

share [shèer] *s.* part, portion; action, valeur, f.; titre, m.; *v.* partager; participer (*in*, à; *with*, avec); *in half shares*, de compte à demi. || **shareholder** [-houlder] *s.* actionnaire; sociétaire, m. || **sharecropper** [-krâper] *s. Am.* métayer, m. || **sharer** [-rer] *s.* participant, m.

share [shèer] *s.* soc [plow], m.

shark [shârk] *s.* requin; filou, m.; **loan shark**, usurier.

sharp [shârp] *adj.* aigu; acéré; violent [struggle]; âcre [taste]; mordant; brusque [curve]; saillant; fin [ear]; accusé [features]; perçant; acide; rusé; dièse [music]; *adv.* exactement; attentivement; *at six o'clock sharp*, à six heures précises; **sharper**, chevalier d'industrie. || **sharpen** [-en] *v.* aiguiser; tailler [pencil]; diéser [music]; exciter; **sharpener**, affûteuse. || **sharply** [-li] *adv.* vivement; rudement; nettement; attentivement; *to arrive sharply*, tomber à pic. || **sharpness** [-nis] *s.* acuité; finesse; netteté; rigueur; âpreté; acidité, f.

shatter [shater] *v.* briser; mettre en pièces; délabrer; fracasser; se briser en miettes; se disperser; *s. pl.* morceaux, débris, m.

shave [shéiv] *v.* (se) raser; « tondre », duper; effleurer, frôler; *to have a close shave*, l'échapper belle; **clean-shaven**, rasé de frais; glabre. || **shaven**, *p. p. of* **to shave.** || **shaving** [-ing] *s.* action de (se) raser; planure (techn.), f.; copeau, m.; **shaving brush**, blaireau; **shaving soap**, savon à barbe.

shawl [shaul] *s.* châle; fichu, m.

she [shî] *pron.* elle; *she who,* celle qui; *she is a good woman,* c'est une brave femme; **she-bear,** ourse; **she-goat,** chèvre.
sheaf [shîf] *s.* gerbe, f.; faisceau, m.; *v.* mettre en gerbes.
shear [shi^{er}] *v.** tondre; cisailler; corroyer; *s.* tonte, f.; cisaillement, m.; *pl.* cisailles; cisailleuse (mech.), f.; **shearer,** tondeur; **shearing-machine,** tondeuse.
sheath [shîth] *s.* fourreau; étui; élytre, m.; gaine, f. ‖ **sheathe** [shîzh] *v.* rengainer; recouvrir; revêtir.
sheave [shîv] *s.* réa, m.; poulie, f.
shed [shèd] *s.* hangar; appentis; abri, m.; remise, f.
shed [shèd] *v.** répandre; verser; perdre, laisser fuir; déverser; *to shed leaves,* s'effeuiller.
sheen [shîn] *s.* éclat; lustre, m.
sheep [shîp] *s.* mouton, m.; **black sheep,** brebis galeuse; **sheep dog,** chien de berger; **sheep-fold,** bercail, bergerie; **sheepish,** niais, moutonnier, gauche; **sheepskin,** peau de mouton, basane.
sheer [shi^{er}] *adj.* pur; escarpé; transparent; *by sheer force,* rien que par force.
sheet [shît] *s.* drap, m.; feuille; nappe [water]; tôle [metal]; épreuve (typogr.), f.; **sheet lightning,** éclair de chaleur; **asbestos sheet,** plaque d'amiante.
shelf [shèlf] *s.* rayon; casier; plateau; écueil; récif; bas-fond, m.; planche, f.
shell [shèl] *s.* coquille; cosse; écaille; carapace; enveloppe (mech.), f.; obus, m.; *v.* écosser; écaler; bombarder; **shell hole,** trou d'obus, entonnoir.
shellac [sh^{e}lak] *s.* gomme laque, f.
shellfish [shèlfish] *s.* coquillage, m.
shelter [shèlt^{er}] *s.* abri; refuge, m.; *v.* abriter; protéger; *to take shelter,* s'abriter; **shelter trench,** tranchée abri.
shelve [shèlv] *v.* mettre de côté; garnir de rayons.
shelve [shèlv] *v.* pencher; être en pente.
shepherd [shèp^{e}rd] *s.* berger, m.; *the Good Shepherd,* le bon Pasteur.
sherbet [shë^{r}bit] *s.* sorbet, m.
sheriff [shèrif] *s.* shérif, m.
sherry [shèri] *s.* xérès, m.
shew [sho^{ou}], *see* **show.**
shield [shîld] *s.* bouclier; pare-éclats, m.; *v.* défendre; protéger; blinder; **shield-bearer,** écuyer.
shift [shift] *v.* changer; changer de linge, de vitesse, de place; transférer; dévier; décaler; *s.* changement; relais, m.; équipe; journée de travail, f.; *to shift about,* tourner casaque; **gear shift,** changement de vitesse; **wind shift,** saute de vent; *to shift for oneself,* se débrouiller tout seul. ‖ **shifting** [-ing] *adj.* changeant; mouvant; instable; rusé. ‖ **shiftless** [-lis] *adj.* incapable; empoté.
shilling [shiling] *s.* shilling, m.
shimmer [shim^{er}] *v.* chatoyer.
shin [shin] *s.* tibia; jarret; bas de la jambe; *to shin up a tree,* grimper à un arbre.
shine [sha^{i}n] *v.** briller; luire; cirer [shoes]; *s.* éclat, brillant; lustre, m.; *rain and shine,* la pluie et le beau temps; *to shine on,* éclairer.
shingle [shing'l] *s.* bardeau (techn.), m.; échandole, f.; enseigne, plaque, f.
shingles [shing'lz] *s. pl.* zona, m.
shining [sha^{i}ning] *adj.* brillant; resplendissant; illustre; *s.* éclat; lustre, m. ‖ **shiny** [sha^{i}ni] *adj.* luisant; bien ciré [shoe].
ship [ship] *s.* bateau; vaisseau; navire, m.; *v.* embarquer; expédier par bateau; enrôler comme marin; **merchant ship,** navire marchand; **ship-load,** cargaison, fret; **shipmate,** compagnon d'équipage; **ship-owner,** armateur, fréteur; **shipyard,** chantier de construction navale. ‖ **shipment** [-m^{e}nt] *s.* embarquement; chargement; transport, m.; expédition, f. ‖ **shipper** [-^{er}] *s.* expéditeur, chargeur, m. ‖ **shipping** [-ing] *s.* marine; navigation; expédition, f.; transport maritime; tonnage, m.; **shipping charges,** frais d'embarquement; **shipping company,** compagnie de messageries maritimes, compagnie de navigation. ‖ **shipwreck** [-rèk] *s.* naufrage, m.; *v.* faire naufrage; détruire.
shire [sha^{ier}] *s. Br.* comté, m.
shirk [shë^{r}k] *v.* éviter; esquiver; **shirker,** lâcheur, flanchard.
shirt [shë^{r}t] *s.* chemise d'homme, f.; **shirt-waist,** chemisier.

shiver [shiver] *v.* frissonner; grelotter; *s.* tremblement, frisson, m.
shiver [shiver] *s.* morceau, éclat, m.; *v.* fracasser; briser en miettes; ralinguer (naut.).
shoal [shooul] *s.* banc; bas-fond, m.
shock [shâk] *s.* choc; impact; coup, m.; commotion; secousse, f.; *v.* choquer; heurter; commotionner; offenser; **shock absorber**, amortisseur; **shock troops**, troupes de choc; **return shock**, choc en retour. || **shocking** [-ing] *adj.* choquant; révoltant; scandaleux.
shod [shâd] *pret., p. p. of* **to shoe.**
shoddy [shâdi] *adj.* de camelote.
shoe [shou] *s.* soulier; chaussure; fer [horse]; sabot; patin (mech.), m.; *v.** chausser; ferrer; saboter (mech.); **calked shoe**, fer à glace; **shoeblack**, décrotteur, cireur; **shoe blacking**, cirage noir; **shoehorn**, chausse-pied; **shoelace**, lacet de soulier; **shoemaker**, cordonnier; **shoe polish**, crème à chaussure; **shoe repairs**, cordonnerie; **shoe store**, magasin de chaussures.
shone [shooun] *pret., p. p. of* **to shine.**
shook [shouk] *pret. of* **to shake.**
shoot [shout] *v.** tirer; décocher; décharger; faire feu; toucher; fusiller; chasser au fusil; pousser [plant]; photographier, filmer; filer [star]; *s.* pousse; chute d'eau, f.; coup de fusil; jet, m.; *to shoot a film*, tourner un film; *to shoot by*, passer en trombe; *to shoot forth*, germer, bourgeonner; *to shoot down*, abattre. || **shooting** [-ing] *s.* tir; élancement [pain], m.; pousse; chasse; décharge, f.; **shooting star**, étoile filante. || **shooter** [-er] *s.* tireur, m.
shop [shâp] *s.* magasin; atelier, m.; boutique; officine, f.; *v.* faire des emplettes, courir les magasins; **beauty shop**, institut de beauté; **shopgirl**, employée de magasin; **shop-lifting**, vol à l'étalage; **shop window**, devanture. || **shopkeeper** [-kiper] *s.* boutiquier, marchand, m. || **shopper** [-er] *s.* acheteur, client, m. || **shopping** [-ing] *s.* achat, m.; *to go shopping*, aller faire des courses.
shore [shauer] *s.* côte; plage, f.; rivage; littoral, m.; *off shore*, au large; *on shore*, à terre.
shore [shauer] *s.* étai; étançon, m.; *v.* étayer; accorer (naut.); **shoring**, étaiement.
shorn [shoourn] *p. p. of* **to shear.**
short [shaurt] *adj.* court; bref; passager; brusque; insuffisant; *adv.* court, brièvement, brusquement; *to be short of*, être à court de; **in short**, bref; **short circuit**, court-circuit; **shortcut**, raccourci; **short story**, conte; **short syllable**, syllabe brève; *for short*, pour abréger; *to stop short*, s'arrêter net. || **shortage** [-idj] *s.* manque; déficit, m.; pénurie, f. || **shortcoming** [-kœming] *s.* insuffisance, f.; manquement, m. || **shorten** [-'n] *v.* raccourcir; abréger. || **shortening** [-ning] *s.* abréviation; graisse à pâtisserie, f.; saindoux, m. || **shorthand** [-hand] *s.* sténographie, f.; **shorthand-typist**, sténo-dactylo. || **shortly** [-li] *adv.* sous peu; brièvement; sèchement; vivement. || **shortness** [-nis] *s.* brièveté; courte durée; concision; petitesse; insuffisance, f. || **shorts** [-s] *s. pl.* caleçon; short, m.
shot [shât] *pret., p. p. of* **to shoot;** *s.* coup de feu; boulet; grain de plomb; tireur, m.; piqûre (med.), f.; *adj.* changeant; saillant; *an expert pistol shot*, un bon tireur au pistolet; *like a shot*, comme un trait; **shotgun**, fusil de chasse; *Am.* **big shot**, « grosse légume »; **buck-shot**, chevrotine.
should [shoud] *defect. aux., you should be more attentive*, vous devriez être plus attentif; *I said that I should go*, j'ai dit que j'irais; *if it should rain*, s'il pleuvait; *how should I know?*, comment voulez-vous que je le sache?; *I should have gone*, j'aurais dû aller.
shoulder [shoolder] *s.* épaule, f.; épaulement (mech.), m.; *v.* mettre sur les épaules; pousser de l'épaule; **shoulder belt**, baudrier; **shoulder blade**, omoplate; **shoulder knot**, fourragère; *to turn a cold shoulder to*, battre froid à.
shout [shaout] *v.* crier; s'écrier; *s.* clameur; acclamation, f.
shove [shœv] *v.* pousser, bousculer; *s.* poussée, f.; *to shove off*, pousser au large; *shove off!*, fiche le camp!
shovel [shœv'l] *s.* pelle; pelletée, f.;

v. pelleter; remuer, jeter à la pelle; **intrenching shovel,** pelle-bêche.
show [sho^{ou}] *v.** montrer; indiquer; faire voir; exposer; *s.* apparence; parade; exposition, f.; étalage; spectacle; concours, m.; **advance show,** vernissage; **autoshow,** salon de l'automobile; **showdown,** étalement du jeu [cards]; *show him to his seat,* conduisez-le à sa place; *to show in,* introduire; *to show out,* reconduire; *to show off,* faire étalage; *to go to the show,* aller au spectacle; *to make a show of oneself,* s'exhiber.
shower [sha^{ouer}] *s.* averse; ondée, f.; *v.* faire pleuvoir, arroser; tomber à verse; combler; **April shower,** giboulée. || **shower-bath** *s.* douche, f.
showy [sho^{ou}i] *adj.* voyant; éclatant; tapageur.
shown]sho^{ou}n] *p. p. of* **to show.**
shrank [shràngk] *pret. of* **to shrink.**
shrapnel [shrâpn^{e}l] *s.* shrapnel, m.
shred [shrèd] *s.* lambeau; fragment; filament, m.; *v.* déchiqueter; effilocher; mettre en lambeaux; *to be in shreds,* être en loques; **shreddy,** déchiqueté, en lambeaux.
shrew [shrou] *s.* mégère, f.; **shrewmouse,** musaraigne. || **shrewd** [-d] *adj.* rusé, malin; acéré; perspicace; subtil. || **shrewdly** [-dli] *adv.* avec sagacité. || **shrewdness** [-dnis] *s.* sagacité; perspicacité; finesse, f. || **shrewish** [-ish] *adj.* acariâtre, querelleur, criard.
shriek [shrik] *s.* cri perçant, m.; *v.* pousser des cris aigus.
shrike [shra^{i}k] *s.* pie-grièche, f.
shrill [shril] *adj.* aigu, perçant; *v.* rendre un son aigu.
shrimp [shrimp] *s.* crevette, f.; nain; être insignifiant (fam.), m.
shrine [shra^{i}n] *s.* châsse, f.; sanctuaire, reliquaire, m.
shrink [shringk] *v.** rétrécir; rapetisser; diminuer; se ratatiner; se resserrer; *to shrink back,* reculer. || **shrinkage** [-idj] *s.* rétrécissement, m.; diminution; réduction; contraction, f.
shrivel [shriv'l] *v.* (se) ratatiner; se recroqueviller.
shroud [shra^{ou}d] *s.* linceul; suaire; blindage (mech.), m.; *v.* ensevelir; envelopper, voiler.
Shrovetide [shro^{ou}vta^{i}d] *s.* les jours gras, m.; **Shrove Tuesday,** Mardi gras.
shrub [shrœb] *s.* arbuste; arbrisseau, m.; **shrubbery,** bosquet.
shrug [shrœg] *v.* hausser les épaules; *s.* haussement d'épaules.
shrunk [shrœngk], **shrunken** [-^{e}n] *p. p. of* **to shrink.**
shudder [shœd^{er}] *s.* frisson, m.; vibration, f.; *v.* frissonner; vibrer.
shuffle [shœf'l] *v.* mêler; battre [cards]; traîner [feet]; ruser, biaiser; danser une danse glissée; *s.* confusion; allure traînante, f.; acte de battre les cartes; pas glissé, m.
shun [shœn] *v.* éviter, esquiver.
shunt [shœnt] *v.* (se) garer; changer de voie; manœuvrer (railw.); dériver; *s.* détour, changement, m., dérivation (electr.), aiguille (railw.), f.; **shunter,** aiguilleur.
shut [shœt] *v.** fermer; *to shut out,* empêcher d'entrer; exclure; *to shut off,* couper (electr.); *to shut up,* enfermer; emprisonner; se taire; *pret., p. p. of* **to shut;** *adj.* fermé, clos. || **shutter** [shœt^{er}] *s.* volet; contrevent; obturateur (phot.), m.; persienne, f.
shuttle [shœt'l] *s.* navette, f.; *v.* faire la navette.
shy [sha^{i}] *adj.* timide; ombrageux; *v.* faire un écart [horse]; se jeter de côté; **shyly,** timidement; *to be shy of,* être intimidé par; *to look shy at,* regarder d'un air défiant. || **shyness** [-nis] *s.* timidité; sauvagerie; réserve, f.
sibyl [sibil] *s.* sibylle; devineresse, f.; **sibylline,** sibyllin.
sick [sik] *adj.* malade, souffrant; nauséeux; écœuré; las; nostalgique; *s.* les malades, m.; *to report sick,* se faire porter malade; *to be sick for,* soupirer après; *to be sick of,* être dégoûté de; *to be sick,* avoir mal au cœur (ou) des nausées; **sick-brained,** malade du cerveau; **sick leave,** congé de maladie; **seasick,** qui a le mal de mer. || **sicken** [-^{e}n] *v.* tomber malade; rendre malade; écœurer. || **sickening** [-ning] *adj.* écœurant; navrant; répugnant.
sickle [sik'l] *s.* faucille, f.
sickly [sikli] *adj.* maladif; chétif; malsain. || **sickness** [siknis] *s.* maladie; nausée, f.; **seasickness,**

mal de mer; **air sickness**, mal de l'air.

side [said] *s.* côté; bord; versant [hill]; camp [game]; parti; effet [billiards], m.; *v.* prendre parti (*with*, pour; *against*, contre); *side by side*, côte à côte; *by his side*, à côté de lui; *to sidestep*, esquiver; **sidecar**, sidecar; **side glance**, regard de côté; **side issue**, à-côté, question secondaire; **sideslip**, glissade sur l'aile (aviat.), dérapage [auto]; **wrong side**, envers. || **sideboard** [-boourd] *s.* buffet, m. || **sidetrack** [-trak] *v.* garer; reléguer; dévier; dépister. || **sidewalk** [-wauk] *s.* *Am.* trottoir, m. || **sideways** [-wéiz] *adv.* de côté; latéralement; *adj.* latéral; par le flanc. || **siding** [saiding] *s.* voie de garage; voie secondaire, f. || **sidle** [said'l] *v.* marcher de côté.

siege [sîdj] *s.* siège, m.; *to lay siege to*, assiéger; *to lift the siege*, lever le siège.

sieve [siv] *s.* tamis; crible, m.

sift [sift] *v.* tamiser; passer au crible.

sigh [sai] *s.* soupir, m.; *v.* soupirer; se lamenter.

sight [sait] *s.* vue; vision; inspection; mire; hausse (milit.), f.; spectacle; guidon, m.; *v.* apercevoir; viser; *by sight*, de vue; *within sight*, en vue; **dial sight**, goniomètre; *Am.* **far sighted**, presbyte; **sightless**, aveugle; **sightly**, plaisant; *to catch sight of*, apercevoir; *to lose sight of*, perdre de vue; *a sight of*, un tas de; *to see the sights*, faire le tour des curiosités. || **sightseeing** [-sîing] *s.* tourisme, m.; **sightseeing tour**, circuit touristique; **sightseer**, touriste.

sign [sain] *s.* signe; symbole; indice, m.; trace; enseigne, f.; *v.* signer; faire un signe, un signal; **sign board**, panneau d'affichage; **call sign**, indicatif d'appel [radio]; **street sign**, plaque de rue; **signer**, signataire, endosseur; *to sign up for a job*, signer un contrat de travail.

signal [sign'l] *s.* signal; signe; indicatif; avertisseur; indicateur; insigne; sémaphore, m.; *v.* signaler; donner le signal; faire des signaux; *adj.* signalé; **distress signal**, S.O.S.; **stop signal**, signal d'arrêt; **signal communications**, transmissions; **signalman**, signaleur. || **signal(l)ing** [-ing] *s.* signalisation, f. || **signalize** [signelaiz] *v.* signaler; faire des signaux.

signature [signetsher] *s.* signature; clé [music], f.; **signature tune**, indicatif musical [radio], m.

signet [signet] *s.* sceau, signet, m.

significance [signifekens] *s.* sens, m.; signification; importance, f. || **significant** [-kent] *adj.* significatif. || **signify** [-fai] *v.* signifier; vouloir dire; faire savoir, déclarer. || **signification** [signefikéishen] *s.* signification, f.

silence [sailens] *s.* silence, m.; *v.* faire le silence; faire taire. || **silencer** [-er] *s.* silencieux; amortisseur de bruit, m. || **silent** [sailent] *adj.* silencieux; taciturne; muet; **silent partner**, commanditaire. || **silently** [-li] *adv.* silencieusement, sans bruit.

silex [sailèks] *s.* silice; silex, m.

silhouette [silouèt] *s.* silhouette, f.; *v.* profiler.

silk [silk] *s.* soie, f.; **silken**, de soie; **silkworm**, ver à soie; **silky**, soyeux.

sill [sil] *s.* seuil [door]; rebord [window], m.; longrine; culée, f.

silly [sili] *adj.* sot; niais; absurde; ridicule.

silt [silt] *s.* vase; fange, f.; limon, m.; *v.* colmater avec du limon.

silver [silver] *s.* argent, m.; *v.* argenter; étamer [mirror]; *adj.* argent; gris argent; argenté; **silver fox**, renard argenté; **silver wedding**, noces d'argent. || **silversmith** [-smith] *s.* orfèvre, m. || **silverware** [-wèer] *s.* argenterie, f. || **silvery** [-ri] *adj.* argenté; argentin [sound].

similar [simeler] *s.* similaire; analogue; **similarly**, de la même manière. || **similarity** [simelareti] *s.* similarité; ressemblance; analogie, f. || **similitude** [semiletyoud] *s.* similitude, f.

simmer [simer] *v.* mijoter, cuire à petit feu.

simper [simper] *s.* sourire niais, m.; *v.* minauder.

simple [simp'l] *adj.* simple; naturel; candide; sincère; ingénu; *s.* simple, m.; simple [plant], f.; **simple-minded**, simplet. || **simpleton** [simp'lten] *s.* simplet,

niais, m. || **simplicity** [simplisᵉti] *s.* simplicité; naïveté; candeur, f. || **simplification** [simplᵉfᵉkéᶦshᵉn] *s.* simplification, f. || **simplify** [simplᵉfaᶦ] *v.* simplifier.
simulate [simyᵉléᶦt] *v.* feindre; simuler.
simultaneous [saᶦm'ltéᶦniᵉs] *adj.* simultané.
sin [sin] *s.* péché, m.; faute, f.; *v.* pécher; commettre une faute; **sinful**, coupable; **sinless**, sans péché.
since [sins] *conj.* depuis que; puisque; *prep.* depuis; *six years since*, il y a six ans; *ever since*, depuis (ce moment-là); *since when?*, depuis quand?
sincere [sinsiᵉʳ] *adj.* sincère; franc; de bonne foi. || **sincerity** [sinsèrᵉti] *s.* sincérité, f.
sinecure [sinikyour] *s.* sinécure, f.
sinew [sinyou] *s.* tendon; nerf, m.; énergie, f.; **sinewless**, sans force; amorphe; **sinewy**, tendineux; musculeux; nerveux; musclé.
sing [sing] *v.** chanter; célébrer en vers; *to sing small*, déchanter; *to sing to sleep*, endormir en chantant; *to sing out of tune*, détonner; **singer**, chanteur; cantatrice, chanteuse.
singe [sindj] *v.* roussir; brûler [hair].
single [singg'l] *adj.* seul; unique; simple; célibataire; franc, sincère; *v.* sélectionner; séparer; *to single out*, remarquer, singulariser; *to remain single*, rester célibataire; **single-breasted**, droit [jacket]; **single-handed**, sans aide.
singsong [singsaung] *s.* rengaine, f.; *adj.* monotone, chantant.
singular [singgyᵉlᵉʳ] *adj.* singulier; étrange; insolite; curieux; rare; *s.* singulier, m.
sinister [sinistᵉʳ] *adj.* sinistre; funeste; menaçant.
sink [singk] *v.** couler; sombrer (naut.); décliner; s'enfoncer; s'embourber; rabaisser [value]; se coucher [sun]; amortir [debts]; placer à fonds perdus [money]; *s.* évier; égout; cloaque, m.; *to sink under*, succomber à; **sinking-fund**, caisse d'amortissement. || **sinker** [-ᵉʳ] *s.* plomb de ligne [fishing].
sinner [sinᵉʳ] *s.* pécheur, m.; pécheresse, f.
sinuous [sinyouᵉs] *adj.* sinueux; tortueux; souple.
sinus [saᶦnᵉs] *s.* sinus (med.), m.; sinusitus, sinusite.
sip [sip] *v.* siroter, déguster; *s.* petite gorgée, f.
siphon [saᶦfᵉn] *s.* siphon, m.; *v.* tirer au siphon.
sir [sëʳ] *s.* monsieur, m.
sire [saᶦᵉr] *s.* sire; père; mâle [animal], m.
siren [saᶦrᵉn] *s.* sirène, f.
sirloin [sëʳloᶦn] *s.* aloyau; faux-filet, m.
sirup [sirᵉp] *s.* sirop, m.
sister [sistᵉʳ] *s.* sœur; religieuse, f.; **sister-in-law**, belle-sœur; **sister ship**, navire jumeau.
sit [sit] *v.** s'asseoir; être assis; siéger (jur.); tenir une séance; poser [portrait]; couver [hen]; *to sit down*, s'asseoir; *to sit still*, se tenir tranquille; *to sit up all night*, veiller toute la nuit; *to sit astride*, être assis à califourchon; *to sit well*, aller bien, convenir (*on*, à).
site [saᶦt] *s.* site, emplacement, m.
sitter [sitᵉʳ] *s.* personne assise; couveuse, f.; modèle qui pose, m.; **sitter-up**, personne qui veille tard. || **sitting** [-ing] *s.* séance; session, f.; *adj.* couveuse; assis; **sitting-room**, salon; **sitting up**, veillée.
situated [sitshouéᶦtid] *adj.* situé, sis. || **situation** [sitshouéᶦshᵉn] *s.* situation; position; circonstance, f.; emploi; emplacement, m.
six [siks] *adj.* six. || **sixteen** [-tîn] *adj.* seize. || **sixteenth** [-tînth] *adj.* seizième; *April sixteenth*, le 16 avril. || **sixth** [-th] *adj.* sixième. || **sixthly** [sikstHli] *adv.* sixièmement. || **sixty** [-ti] *adj.* soixante. || **sixtieth** [-tiith] soixantième.
size [saᶦz] *s.* grandeur; dimension; pointure; taille; capacité; étendue, f.; calibre; volume; format, m.; *v.* calibrer; classifier; **full size**, grandeur naturelle; **large size**, grande taille; *to size up*, estimer, se faire une idée de.
sizzle [siz'l] *v.* frire; pétiller.
skate [skéᶦt] *s.* raie, f.
skate [skéᶦt] *s.* patin, m.; *v.* patiner; **ice skate**, patin à glace; **roller skate**, patin à roulettes; **skater**, patineur; **skating**, patinage.
skein [skéᶦn] *s.* écheveau, m.

skeleton [skèl^e^t'n] *s.* squelette, m. ossature; carcasse; charpente, f.; **skeletal**, squelettique.
skeptic, *see* **sceptic**.
sketch [skètsh] *s.* croquis; relevé, m.; esquisse, f.; *v.* esquisser; faire un croquis; **rough sketch**, brouillon; **sketching**, dessin à main levée.
skewer [skyou^er^] *s.* brochette, f.
ski [ski] *s.* ski, m.; *v.* skier.
skid [skid] *s.* sabot-frein; patin (aviat.); traîneau; dérapage, m.; *v.* glisser; patiner; déraper; chasser [wheels]; **skidding**, dérapage.
skiff [skif] *s.* esquif, m.
skill [skil] *s.* habileté; dextérité, f.; art, talent, m. ‖ **skilled** [-d] *adj.* habile; expérimenté; fort (*in*, en).
skillet [skilit] *s.* casserole, f.; *Am.* poêle, m.
skil(l)ful [skilf^e^l] *adj.* adroit, habile; **skilfully**, avec adresse, avec dextérité.
skim [skim] *v.* écumer; écrémer; effleurer; **skim milk**, lait écrémé; **skimmer**, écumoire.
skin [skìn] *s.* peau; pellicule, f.; *v.* peler; écorcher; éplucher; se cicatriser; *drenched to the skin*, trempé jusqu'aux os; *to skin someone out of his money*, « plumer » quelqu'un, lui soutirer de l'argent; **skin-deep**, superficiel; à fleur de peau; **skinflint**, grippe-sou; **skinner**, peaussier, pelletier; **skinny**, décharné, osseux, parcheminé.
skip [skip] *v.* sauter; bondir; omettre, négliger; *Am. to skip rope*, sauter à la corde.
skipper [skip^er^] *s.* capitaine; patron d'un petit navire, m.
skirmish [skë^r^mish] *s.* escarmouche, échauffourée, f.; *v.* escarmoucher; **skirmisher**, tirailleur.
skirt [skë^r^t] *s.* jupe; basque; lisière, f.; quartier de selle, m.; *v.* côtoyer; longer; border; contourner; **skirting-board**, plinthe.
skit [skit] *s.* sketch comique et satirique, m.
skittish [skitish] *adj.* capricieux; frivole; ombrageux [horse].
skulk [skœlk] *v.* se cacher; se défiler, tirer au flanc; rôder.
skull [skœl] *s.* crâne, m.; **skullcap**, calotte.
skunk [skœngk] *s.* sconse; *Am.* putois, m.; mouffette, f.; mufle [man], m.
sky [ska^i^] *s.* ciel, m.; **skylark**, alouette; *to skylark*, faire des farces; **skylight**, lucarne; **sky-line**, ligne d'horizon; **skyrocket**, fusée volante; **skyscraper**, gratte-ciel; **skyward**, vers le ciel; **mackerel sky**, ciel moutonné, cirro-cumulus.
slab [slab] *s.* dalle; plaque; tablette [chocolate]; planche, f.; marbre (typogr.), m.
slack [slak] *adj.* négligent; inactif; flasque; distendu; *s.* flottement; relâchement; jeu, m.; *pl.* pantalon, m.; *business is slack*, les affaires ne vont pas; **slack season**, morte saison; *v.* = **slacken**. ‖ **slacken** [-^e^n] *v.* (se) relâcher; détendre; ralentir; mitiger; diminuer. ‖ **slacker** [-^er^] *s.* tire-au-flanc; flemmard; embusqué (slang).
slag [slag] *s.* scorie, f.
slain [slé^i^n] *p. p. of* **to slay**.
slam [slam] *v.* claquer [door].
slam [slam] *s.* chelem [bridge], m.
slander [slànd^er^] *s.* calomnie; diffamation, f.; *v.* calomnier; diffamer; **slanderer**, calomniateur; **slanderous**, calomnieux; diffamatoire.
slang [slàng] *s.* argot, m.; *adj.* argotique.
slant [slànt] *s.* pente; inclinaison, f.; plan oblique, m.; *adj.* incliné; oblique; *v.* être en pente; (s')incliner; **slanting**, en pente, en biais, oblique.
slap [slap] *s.* gifle; tape, f.; *v.* souffleter, gifler.
slash [slash] *s.* entaille; coupure, f.; *v.* taillader; balafrer.
slat [slat] *s.* lamelle; latte; traverse [bed], f.
slate [slé^i^t] *s.* ardoise, f.; *Am.* liste des candidats d'un parti politique, f.; **slate pencil**, crayon d'ardoise.
slattern [slat^er^n] *s.* souillon, f.
slaughter [slaut^er^] *s.* carnage; massacre, m.; *v.* massacrer, tuer; **slaughter house**, abattoir.
slave [slé^i^v] *s.* esclave, m.; *v.* trimer; **slave dealer**, marchand d'esclaves; **slave-holder**, propriétaire d'esclaves; **slaver**, négrier; **slavery**, esclavage; **slavish**, servile, d'esclave.
slaver [slav^er^] *s.* bave, f.; *v.* baver.
slaw [slau] *s.* chou au vinaigre, m.
slay [slé^i^] *v.** tuer; massacrer; **slayer**, tueur, meurtrier.

sleazy [slé^i^zi] *adj.* mal soigné, mal tenu.
sled [slèd], **sledge** [slèdj] *s.* traineau, m.
sledge [slèdj] *s.* marteau de forgeron, m.
sleek [slîk] *adj.* lisse; luisant; mielleux, doucereux; *v.* polir, lisser.
sleep [slîp] *s.* sommeil, m.; *v.** dormir; sommeiller; *to sleep off a headache,* guérir sa migraine en dormant; *to sleep off,* cuver [wine]; *to go to sleep,* s'endormir; *to sleep out,* découcher; **broken sleep,** sommeil entrecoupé, interrompu. || **sleeper** [-^er^] *s.* dormeur; wagon-lit, m.; traverse (railw.), f. || **sleepiness** [-inis] *s.* assoupissement, sommeil, m.; nonchalance, f. || **sleeping** [-ing] *adj.* endormi, sommeillant; **sleeping bag,** sac de couchage; **sleeping-berth,** couchette; **sleeping car,** wagon-lit; **sleeping pills,** pilules soporifiques; **sleeping-room,** chambre à coucher, dortoir; **sleeping sickness,** encéphalite léthargique. || **sleepless** [-lis] *adj.* sans sommeil, d'insomnie; blanche [night]. || **sleeplessness** [-lisnis] *s.* insomnie, f.; || **sleepy** [-i] *adj.* somnolent; assoupi; soporifique; *to be sleepy,* avoir sommeil.
sleet [slît] *s.* grésil, m.
sleeve [slîv] *s.* manche; chemise; douille (mech.), f.; manchon (mech.), m.; **sleeveless,** sans manche.
sleigh [slé^i^] *s.* traîneau, m.; *v.* aller en traîneau.
sleight [sla^i^t] *s.* adresse, f.; *sleight of hand,* prestidigitation.
slender [slènd^er^] *adj.* mince; svelte; fragile; faible; insuffisant; maigre.
slept [slèpt] *pret., p. p. of* **to sleep.**
sleuth [slouth] *s.* détective, m.
slew [slou] *pret. of* **to slay.**
slice [sla^i^s] *s.* tranche, f.; *v.* couper en tranches; *slice of bread and butter,* tartine de pain et de beurre.
slick [slik] *adj.* gracieux; doucereux; matois, rusé, adroit.
slicker [slik^er^] *s. Am.* imperméable.
slid [slid] *pret., p. p. of* **to slide.**
|| **slidden** [-'n] *p. p. of* **to slide.**
|| **slide** [sla^i^d] *v.** glisser; coulisser; *s.* glissement; coulant; chariot, curseur (mech.), m.; glissade; glissière; glissoire; platine [microscope]; coulisse, f.; **slide rule,** règle à calcul; **slide-trombone,** trombone à coulisse; *to slide in,* entrer furtivement; *to let slide,* ne pas s'occuper de, laisser tomber.
slight [sla^i^t] *adj.* léger; insignifiant; fragile; maigre; rare; *v.* mépriser; dédaigner; manquer d'égards envers; **slightly,** légèrement; fort peu; avec dédain.
slim [slim] *adj.* mince, élancé, délié; rare; faible.
slime [sla^i^m] *s.* boue, vase; bave [snails], f.; limon, m.; **slimy,** visqueux, baveux, limoneux.
sling [sling] *s.* fronde; bretelle [gun]; écharpe (med.), f.; *v.** lancer avec une fronde; porter en bandoulière.
slink [slingk] *v.* s'esquiver; *to slink in,* se faufiler dans; *to slink away,* se débiner.
slip [slip] *v.* (se) glisser; s'échapper; se détacher; diminuer [prices]; patiner (mech.); faire un faux pas; filer [cable]; *s.* glissade; gaffe; erreur; bande [land]; cale de construction (naut.); combinaison [garment]; laisse [leash]; bouture [plant], f.; glissement; bout [paper]; placard (typogr.), m.; *to slip on,* enfiler [dress]; *to slip away,* se dérober; *a slip of the tongue,* un lapsus linguae; *to slip out of joint,* se disloquer; *it slipped my mind,* cela m'est sorti de l'esprit; **slip cover,** housse; **slip knot,** nœud coulant; **deposit slip,** fiche de dépôt. || **slipper** [-^er^] *s.* pantoufle, f.; **rope slipper,** sandale. || **slippery** [-ri] *adj.* glissant; incertain; scabreux; rusé.
slit [slit] *s.* fente, fissure, f.; *v.** (se) fendre; éclater; inciser; *to slit into strips,* déchiqueter; *pret., p. p. of* **to slit.**
slither [slith^er^] *v.* (se) glisser.
sliver [sliv^er^] *s.* éclat de bois, m.
slobber [slâb^er^] *s.* bave, f.; *v.* baver; **slobbering,** baveux.
sloe [slo^ou^] *s.* prunelle, f.
slogan [slo^ou^g^e^n] *s.* slogan, m.; devise, f.
sloop [sloup] *s.* sloop, aviso (naut.).
slop [slâp] *v.* répandre; patauger; laisser tomber des eaux sales; *s. pl.* mare; lavasse; eaux sales, f.; **slop pail,** seau à toilette.
slope [slo^ou^p] *v.* pencher; aller en

pente; *s.* pente, inclinaison; rampe, f.; talus; versant, m.
sloppy [slâpi] *adj.* bourbeux; négligé; flasque.
slot [slât] *s.* fente; rainure; mortaise, f.; *v.* fendre, entailler; **slot machine**, appareil à jetons.
sloth [slauth] *s.* paresse, indolence, f.; paresseux [animal], m.; **slothful**, paresseux, fainéant.
slouch [sla^{ou}tsh] *s.* lourdaud, rustre; *Am.* fainéant; bord rabattu d'un chapeau mou avachi, m.; démarche mal assurée, f.; *v.* marcher lourdement, ne pas se tenir droit.
slough [sla^{ou}] *s.* fondrière; mare, f.; bourbier, m.
slough [slœf] *s.* mue [snake]; escarre (med.), f.
sloven [slœv^{e}n] *s.* négligent; souillon. || **slovenliness** [-linis] *s.* malpropreté; négligence, f. || **slovenly** [-li] *adj.* crasseux; bâclé.
slow [slo^{ou}] *adj.* lent; borné; en retard; terne, sans vie; *v.* ralentir; *to slow down*, diminuer la vitesse; *to be slow to*, tarder à; *ten minutes too slow*, en retard de dix minutes; **slow-acting**, à action lente; **slowly**, lentement, tardivement. || **slowness** [-nis] *s.* lenteur; lourdeur d'esprit, f.; retard; manque d'empressement, m.
sludge [slœdj] *s.* boue; neige fondue, f.; cambouis, m.
slug [slœg] *s.* limace, f. || **sluggard** [slœg^{e}^{r}d] *s.* paresseux, m. || **sluggish** [-ish] *adj.* lambin, traînard; stagnant; terne; **sluggish engine**, moteur qui ne tire pas.
sluice [slous] *s.* écluse, f.; **sluice gate**, vanne.
slum [slœm] *s.* zone des taudis, f.; *v.* visiter les taudis.
slumber [slœmb^{er}] *s.* assoupissement, sommeil, m.; *v.* s'assoupir, sommeiller.
slump [slœmp] *s.* baisse subite; chute [prices], f.; *v.* s'enfoncer brusquement; s'affaisser; s'effondrer [prices].
slung [slœng] *pret., p. p. of* **to sling.**
slunk [slœngk] *pret., p. p. of* **to slink.**
slur [slë^{r}] *s.* tache; flétrissure, f.; affront, m.; *v.* flétrir, salir; calomnier.
slur [slë^{r}] *v.* glisser, faire peu de cas (*over*, de); lier [music]; *s.* liaison [music], f.
slush [slœsh] *s.* neige fondue; boue; graisse à machine, f.; *v.* patauger; éclabousser.
sly [sla^{i}] *adj.* rusé; madré; retors; fourbe; *on the sly*, à la dérobée. || **slyness** [-nis] *s.* ruse, f.
smack [smak] *v.* claquer; faire claquer un baiser; *s.* claquement, m.; claque, f.; baiser bruyant, m.; **smacking**, sonore; *to smack one's lips*, se lécher les babines.
small [smaul] *adj.* petit; peu nombreux, étendu, généreux; sans importance; médiocre; bref; **small letters**, (lettres) minuscules; **small mind**, esprit étroit; **small talk**, commérages; **small voice**, voix fluette; *a small matter*, peu de chose; *to feel small*, se sentir tout petit. || **smallness** [-nis] *s.* petitesse; insignifiance, f. || **smallpox** [-pâks] *s.* petite vérole, f.
smart [smârt] *adj.* vif; éveillé; pimpant; élégant; chic; intelligent; cuisant; *v.* picoter; cuire; **smartly**, avec élégance, vivement, d'une manière cuisante. || **smartness** [-nis] *s.* élégance; finesse; vivacité, f.
smash [smash] *s.* débâcle, f.; coup écrasant, smash [tennis], m.; *v.* fracasser; anéantir; écrabouiller (fam.); *to smash into*, entrer en collision avec; **smash-up**, collision.
smattering [smat^{e}ring] *s.* teinture, connaissance rudimentaire, f.
smear [smi^{er}] *v.* barbouiller; maculer; brouiller [radio]; *s.* tache, f.; barbouillage, m.
smell [smèl] *v.** sentir; flairer; *s.* odeur, f.; parfum; odorat, m.; *to smell out*, découvrir par le flair; *to smell close*, sentir le renfermé; **smelly**, *adj.* odorant.
smelt [smèlt] *pret., p. p. of* **to smell.**
smelt [smèlt] *v.* fondre [metal]; **smelting works**, fonderie; **smelter**, fondeur.
smile [sma^{i}l] *s.* sourire, m.; *v.* sourire. || **smiling** [-ing] *adj.* souriant; agréable; **smilingly**, en souriant, avec le sourire.
smirk [smë^{r}k] *v.* sourire avec affectation; minauder.
smite [sma^{i}t] *v.** frapper; affliger.
smith [smith] *s.* forgeron, m. || **smithy** [-i] *s.* forge, f.

smitten [smit'n] *p. p. of* **to smite**; *adj.* épris, féru, atteint (*with*, de).
smock [smâk] *s.* blouse, f.
smoke [smo^ouk] *s.* fumée, f.; *v.* fumer; enfumer; *I will have a smoke*, je vais en griller une; **smoke black**, noir de fumée; **smokeless**, sans fumée. || **smoker** [-^er] *s.* fumeur, m.; compartiment pour fumeurs, m. || **smokestack** [-stak] *s.* cheminée, f. || **smoking** [-ing] *adj.* de fumeur; fumant; à fumer; *s.* action de fumer, f.; **no smoking**, défense de fumer; **smoking car**, wagon de fumeurs; **smoking room**, fumoir. || **smoky** [-i] *adj.* fumeux; enfumé.
smo(u)lder [smo^ould^er] *v.* couver [fire].
smooth [smouzh] *adj.* uni; lisse; glabre; calme [sea]; coulant [style]; *v.* polir; lisser; aplanir; adoucir; dérider; caresser [animal]; **smooth disposition**, caractère égal; **smooth talker**, beau parleur insinuant et doucereux; **smooth-faced**, imberbe; glabre; **smoothly**, doucement; sans heurt. || **smoothness** [-nis] *s.* surface plane, lisse et unie; tranquillité, harmonie; absence de heurt, f.
smote [smo^out] *pret. of* **to smite**.
smother [smœth^er] *v.* étouffer, suffoquer; supprimer.
smudge [smœdj] *s.* fumée suffocante; tache, f.; *v.* noircir, maculer, tacher, salir.
smug [smœg] *adj.* pimpant, frais; vaniteux, suffisant.
smuggle [smœg'l] *v.* faire de la contrebande; **smuggler**, contrebandier; **smuggling**, contrebande.
smut [smœt] *s.* tache noire; nielle, f.; noir de suie; langage indécent, m.; *v.* noircir; nieller; se barbouiller. || **smutty** [-i] *adj.* barbouillé de noir; niellé; ordurier.
snack [snack] *s.* casse-croûte, m.
snag [snag] *s.* souche; difficulté, f.; *v.* heurter; accrocher; *to snag a stocking*, accrocher un bas.
snail [snéil] *s.* colimaçon, escargot.
snake [snéik] *s.* serpent (prop.; fig.); **coral snake**, vipère aspic; **garter snake**, couleuvre; **rattlesnake**, serpent à sonnettes; **snaky**, sinueux; vipérin; perfide; plein de serpents.
snap [snap] *v.* briser; (se) casser net; claquer; faire claquer [whip]; happer [dog]; *s.* claquement; bruit sec; ordre bref; gâteau sec; bouton pression, m.; période de froid vif; vivacité; photo (pop.); chose facile, f.; *adj.* brusque, instantané; *to snap one's fingers at*, faire la nique à; *to snap off*, casser net; *to snap up*, happer; *to snap at*, essayer de mordre; rembarrer; *to snap shut*, fermer d'un coup sec. || **snappy** [-i] *adj.* hargneux [dog]; acariâtre; *Am.* chic, élégant; preste, vif; **snappy cheese**, fromage piquant. || **snapshot** [-shât] *s.* instantané (phot.), m.; *v.* faire un instantané.
snare [snè^er] *s.* piège; collet, lacet, m.; *v.* prendre au piège.
snarl [snârl] *v.* gronder; montrer les dents; parler d'un ton hargneux.
snarl [snârl] *v.* embrouiller; (s')enchevêtrer; (s')emmêler.
snatch [snatsh] *v.* empoigner; enlever, arracher; *s.* tentative pour saisir; courte période; bribe, f.; morceau; *Am.* enlèvement, m.; *to snatch up*, ramasser vivement.
sneak [snik] *v.* se glisser furtivement; flagorner, ramper; filouter; *s.* sournois, fureteur; chapardeur, m. || **sneakers** [-^erz] *s.* *Am.* espadrilles, chaussures de tennis, f.
sneer [sni^er] *v.* ricaner; persifler; *s.* ricanement; persiflage, m.; *to sneer at*, se moquer de, dénigrer.
sneeze [sniz] *v.* éternuer; *s.* éternuement, m.
sniff [snif] *v.* renifler; *s.* reniflement, m.; *to sniff at*, dédaigner.
sniffle [snif'l], *see* **snuffle**.
snip [snip] *s.* coup de ciseaux; petit morceau, m.; *v.* couper; enlever d'un coup de ciseaux.
snipe [snaip] *s.* bécassine, f.; *v.* canarder; critiquer; **sniper**, canardeur, tireur d'élite.
snitch [snitsh] *v.* chiper; escamoter.
snivel [sniv'l] *s.* morve, f.; *v.* pleurnicher; renifler.
snob [snâb] *s.* snob, m.; **snobbishness**, snobisme, m.
snoop [snoup] *v.* rôder; *s.* curieux, rôdeur, m.
snooze [snouz] *v.* faire un somme; s'assoupir; *s.* somme, m.; sieste, f.
snore [sno^our] *v.* ronfler; *s.* ronflement, m.

snort [snaurt] *v.* renâcler; s'ébrouer; *s.* ébrouement, m.
snout [[snaout] *s.* museau; groin, m.
snow [snoou] *s.* neige, f.; *v.* neiger; **snow ball**, boule de neige; **snow-bound**, bloqué par la neige; **snow-drift**, amas de neige; **snowdrop**, perce-neige; **snowfall**, chute de neige; **snowflake**, flocon de neige; **snewplow**, chasse-neige; **snow-shoe**, raquette; **snowslip**, avalanche; **snowy**, neigeux.
snub [snœb] *s.* rebuffade, f.; *adj.* camus [nose]; *v.* mépriser; rabrouer; encombrer.
snuff [snœf] *v.* moucher [candle]; *s.* lumignon, m.
snuff [snœf] *v.* moucher; humer; sentir; *s.* reniflement; tabac à priser, m.; *a pinch of snuff*, une prise de tabac; **snuff-box**, tabatière.
snuffle [snœf'l] *v.* nasiller; renifler; *s.* nasillement; reniflement, m.
snug [snœg] *adj.* caché; confortable; commode.
so [soou] *adv.* ainsi; aussi; si, tellement; alors; donc; *as... so*, de même que... de même; *and so on, and so forth*, et ainsi de suite; *so be it*, ainsi soit-il; *so lazy that*, si paresseux que; *so as to*, de manière à; *so much the better*, tant mieux; *I think so*, je le crois; *so that*, de sorte que; *five minutes or so*, cinq minutes environ; *so-and-so*, un tel; *is that so?*, vraiment?
soak [soouk] *v.* tremper; imbiber; s'infiltrer (*in*, dans); *Am.* estamper; *s. Am.* ivrogne, m.; *to be soaked through*, être trempé jusqu'aux os; *to soak up*, absorber; boire comme un trou.
soap [soоup] *s.* savon, m.; *v.* savonner; **soft soap**, flatterie; **soap bubble**, bulle de savon; *Am.* **soap opera**, mélo radiodiffusé; **soap-suds**, eau de savon; **soapwort**, saponaire; **soapy**, savonneux.
soar [soour] *s.* essor, m.; *v.* prendre son essor; s'élever; planer; **soaring**, vol plané (aviat.).
sob [sâb] *s.* sanglot, m.; *v.* sangloter.
sober [soouber] *adj.* de sang froid; qui n'a pas bu; modéré; pondéré; *v.* dégriser; calmer; *to sleep oneself sober*, cuver son vin en dormant; *to be sober*, ne pas être ivre; *to sober down*, (se) calmer, s'apaiser. || **soberly** [-li] *adv.* avec sobriété, pondération. || **soberness** [-nis], **sobriety** [sooubraiti] *s.* sobriété; modération, gravité, f.
sociable [sooushеb'l] *adj.* sociable; affable.
social [sooushеl] *adj.* social; mondain; de société; *s.* réunion, soirée, f. || **socialism** [-izеm] *s.* socialisme, m. || **socialist** [-ist] *s.* socialiste, m.
society [sеsaiеti] *s.* société; association; compagnie, f.; *a society woman*, une femme du monde.
sociology [sooushiâlеdji] *s.* sociologie, f.
sock [sâk] *s.* chaussette, f.
sock [sâk] *v.* frapper, corriger.
socket [sâkit] *s.* emboîture; alvéole; orbite; douille; bobèche, f.; manchon (mech.), m.
sod [sâd] *s.* gazon, m.; *v.* couvrir de gazon.
soda [sooudе] *s.* soude, f.; **soda water**, soda; **baking soda**, bicarbonate de soude.
sodium [sooudiеm] *s.* sodium, m.
sofa [sooufе] *s.* canapé, m.
soft [sauft] *adj.* doux; tendre; faible; efféminé; non alcoolique [drink]; malléable [metal]; **soft-boiled egg**, œuf mollet; **soft-hearted**, tendre, compatissant; **soft water**, eau douce. || **soften** [saufеn] *v.* adoucir; assouplir; atténuer; efféminer; (s')amollir; (s')attendrir; baisser [voice]. || **softness** [sauftnis] *s.* douceur; tendresse; mollesse; faiblesse, f.
soil [soil] *s.* saleté; tache, f.; *v.* salir, tacher; fumer [field].
soil [soil] *s.* sol; terrain; pays, m.
sojourn [sooudjërn] *s.* séjour, m.; [sooudjërn] *v.* séjourner.
solace [sâlis] *s.* consolation, f.; soulagement, m.; *v.* consoler; soulager; réconforter.
solar [sooulеr] *adj.* solaire; **solarium**, solarium.
sold [soould] *pret., p. p. of* **to sell**; *Am. to be sold on an idea*, être persuadé, très attaché à une idée.
solder [sâdеr] *s.* soudure, f.; *v.* souder.
soldier [soouldjеr] *s.* soldat, m.; *v.* être soldat; tirer au flanc (slang); **fellow soldier**, frère d'armes; **foot soldier**, fantassin; **private soldier**, simple soldat; **soldierly**, martial, militaire.

sole [so^ou^l] *adj.* seul; unique; exclusif; solely, uniquement, seulement.
sole [so^ou^l] *s.* semelle; plante [foot], f.; *v.* ressemeler.
sole [so^ou^l] *s.* sole, f.
solecism [sâl^e^siz^e^m] *s.* solécisme, m.; infraction à l'étiquette, f.
solemn [sâl^e^m] *adj.* solennel; grave; sérieux. || **solemnity** [s^e^lèmn^e^ti] *s.* solennité; gravité; majesté, f. || **solemnize** [sâl^e^mna^i^z] *v.* solenniser, célébrer.
solicit [s^e^lisit] *v.* solliciter; briguer; tenter. || **solicitation** [s^e^lis^e^té^i^sh^e^n] *s.* sollicitation; tentation; tentative de corruption (jur.), f.; racolage, m. || **solicitor** [s^e^lisit^er^] *s.* solliciteur; avoué (jur.), m. || **solicitous** [s^e^lisit^e^s] *adj.* inquiet; préoccupé de; désireux. || **solicitude** [s^e^lis^e^tyoud] *s.* sollicitude; inquiétude, f.
solid [sâlid] *s.* solide, m.; *adj.* solide; massif [gold]; uni [color]; digne de confiance; sérieux; *to be solid for,* se déclarer énergiquement pour. || **solidarity** [sâl^e^dar^e^ti] *s.* solidarité, f. || **solidify** [s^e^lid^e^fa^i^] *v.* (se) solidifier. || **solidity** [s^e^lid^e^ti] *s.* solidité, f.
soliloquy [s^e^lil^e^kwi] *s.* soliloque; monologue, m.
solitary [sâl^e^tèri] *adj.* solitaire; retiré; isolé; *s.* solitaire, m. || **solitude** [sâl^e^tyoud] *s.* solitude, f.; isolement; lieu isolé, m.
solo [so^ou^lo^ou^] *s.* solo, m.; action exécutée par une seule personne, f.; *adj.* solo; exécuté en solo; soloist, soliste.
solstice [sâlstis] *s.* solstice, m.
soluble [sâly^e^b'l] *adj.* soluble.
solution [s^e^loush^e^n] *s.* solution; mixture, f.
solve [sâlv] *v.* résoudre.
solvent [sâlv^e^nt] *adj.* dissolvant; solvable; *s.* solvant, m.; **solvency,** solvabilité.
somber [sâmb^er^] *adj.* sombre; **somberly,** sombrement.
some [sœm] *adj.* quelque; certain; du, de la, de l', des; *pron.* quelques-uns, quelques-unes; *some milk,* un peu de lait; *of some importance,* d'une certaine importance; *for some five months,* pour cinq mois environ; *some say that,* d'aucuns disent que; *some... some,* les uns... les autres. || **somebody** [-bâdi] *pron., s.* quelqu'un. || **somehow** [-ho^ou^] *adv.* d'une manière ou d'une autre. || **someone** [-wœn] *pron.* quelqu'un.
somersault [sœm^e^rsault] *s.* saut périlleux; capotage, m.; culbute, f.; *v.* faire le saut périlleux, la culbute; capoter.
something [sœmthing] *s.* quelque chose; *adv.* un peu, quelque peu.
sometime [sœmta^i^m] *adv.* autrefois; une fois ou l'autre. || **sometimes** [-s] *adv.* quelquefois; parfois; tantôt.
somewhat [sœmhwât] *adv.* un peu; tant soit peu; *s.* un peu de; un brin.
somewhere [sœmhwèr] *adv.* quelque part; *somewhere before midday,* un peu avant midi.
somnolent [sâmn^e^l^e^nt] *adj.* somnolent.
son [sœn] *s.* fils, m.; **son-in-law,** gendre; **step-son,** beau-fils.
sonata [s^e^nât^e^] *s.* sonate, f.
song [saung] *s.* chanson, f.; chant; cantique, m.; **song bird,** oiseau chanteur; **song-writer,** chansonnier; *to buy something for a song,* acheter quelque chose pour un morceau de pain.
sonnet [sânit] *s.* sonnet, m.
sonorous [s^e^no^ou^r^e^s] *adj.* sonore; timbré [voice]; **sonority,** sonorité.
soon [soun] *adv.* bientôt; sous peu; *as soon as,* aussitôt que; *too soon,* trop tôt; *so soon,* si tôt; *how soon?,* quand?; *soon after,* peu après; *no sooner,* pas plus tôt, à peine.
soot [sout] *s.* suie, f.
soothe [souzh] *v.* apaiser; soulager; flatter; **soothing,** calmant, conciliateur.
soothsayer [southsé^i^er] *s.* devin, m.
sooty [souti] *adj.* de suie; couvert de suie.
sop [sâp] *v.* tremper; imbiber; *s.* trempette, f.; *give him a sop,* donnez-lui un dérivatif, un « os »; *to be sopping wet,* être trempé comme une soupe.
sophism [sâfiz^e^m] *s.* sophisme, m.; **sophist,** sophiste; **sophistic,** sophistique. || **sophisticated** [s^e^fistiké^i^tid] *adj.* blasé; *a sophisticated novel,* un roman pour lecteurs avertis. || **sophistication** [s^e^fistiké^i^sh^e^n] *s.* sophistication; falsification, f.

sophomore [sâf'moour] *s. Am.* étudiant de seconde année, m.
soporific [soouperifik] *adj.* soporifique; *s.* somnifère, m.
soprano [sepranoou] *s.* soprano, m.
sorcerer [saursérer] *s.* sorcier, m.; **sorceress**, sorcière; **sorcery**, sorcellerie.
sordid [saurdid] *adj.* sordide; **sordidly**, d'une manière sordide ou mesquine.
sore [soour] *adj.* douloureux; endolori; fâché; cruel [loss]; dur [trial]; **sore eyes**, mal d'yeux; *to have a sore throat*, avoir mal à la gorge; *to make sore*, irriter, enflammer; *s.* plaie; écorchure, f.; **sorely**, douloureusement, extrêmement; *to be sorely in need of*, avoir un urgent besoin de.
sorrel [saurel] *adj.*, *s.* alezan.
sorrel [saurel] *s.* oseille, f.
sorghum [saurgem] *s.* sorgho, m.
sorrow [sârooU] *s.* chagrin, m.; affliction, f.; *v.* s'affliger; avoir de la peine. || **sorrowful** [-fel] *adj.* triste; affligeant; pénible; peiné. || **sorry** [sauri] *adj.* fâché, chagriné; pitoyable, lamentable; désolé; *I am sorry*, je regrette.
sort [saurt] *s.* espèce; sorte; manière, f.; *v.* assortir; classer; distribuer; s'entendre; *all sorts of*, toute sorte de; *a wine of sorts*, un vin médiocre; *out of sorts*, de mauvaise humeur, mal en train.
sortie [saurti] *s.* sortie (mil.), f.
sot [sât] *s.* ivrogne, m.; **sottish**, abruti par l'alcool; ivre.
sought [saut] *pret.*, *p. p. of* **to seek**.
soul [sooul] *s.* âme, f.; *not a soul*, pas un chat, personne; *a simple soul*, une bonne âme; *All Souls' Day*, le jour des Morts.
sound [saound] *adj.* sain; solide; bien fondé; en bon état; profond [sleep]; robuste [constitution]; légal [title]; *to sleep soundly*, dormir profondément.
sound [saound] *s.* son; bruit, m.; *v.* résonner; faire résonner; exprimer; **sound locator**, appareil de repérage par le son; **soundproof**, insonore.
sound [saound] *v.* sonder; *s.* sonde, f.
soundness [saoundnis] *s.* santé; vigueur; justesse; légitimité, f.
soup [soup] *s.* consommé, potage, m.
sour [saour] *adj.* aigre; acide; acariâtre; tourné [milk]; *v.* (s') aigrir; fermenter; devenir morose.
source [soours] *s.* source; origine, f.; début, m.
sourish [saourish] *adj.* aigrelet; suret. || **sourness** [saournis] *s.* acidité; acrimonie, f.
south [saouth] *s.* sud; midi; *adj.* du sud, méridional; *adv.* vers le sud; **South American**, sud-américain; **south pole**, pôle sud. || **southeast** [-îst] *s.*, *adj.* sud-est; *adv.* vers le sud-est. || **southeastern** [-îstern] *adj.* du sud-est. || **southern** [sœzhern] *adj.* méridional, du sud. || **southerner** [sœzherner] *s.* méridional, m. || **southward** [saouthwerd] *adj.* vers le sud. || **southwest** [saouthwèst] *s.*, *adj.* sud-ouest; *adv.* vers le sud-ouest. || **southwestern** [saouthwèstern] *adj.* du sud-ouest.
souvenir [souvenîr] *s.* objet-souvenir, m.
sovereign [sâvrin] *adj.*, *s.* souverain. || **sovereignty** [sâvrinti] *s.* souveraineté, f.
Soviet [soouviit] *s.* soviet, m.; *adj.* soviétique.
sow [saou] *s.* truie; gueuse [iron], f.
sow [soou] *v.** semer; ensemencer; répandre; **sower**, semeur; **sowing**, semailles; **sowing-machine**, semeuse. || **sown** [-n] *p. p. of* **to sow**.
space [spéis] *s.* espace; intervalle; espacement, m.; étendue, surface, f.; *v.* espacer; échelonner; écarter; **air space**, cubage d'air; **occupied space**, encombrement, place occupée [vehicle]. || **spacious** [spéishes] *adj.* spacieux; ample.
spade [spéid] *s.* bêche, f.; *pl.* pique [cards], m.; *v.* bêcher.
span [spàn] *s.* empan; écartement; pont; moment, m.; envergure [wings]; ouverture (arch.); paire [horses]; travée; portée; largeur, f.; *v.* embrasser; mesurer; traverser; enjamber; *span of life*, longévité.
spangle [spàngg'l] *s.* paillette, f.; *v.* pailleter; **star-spangled**, étoilé.
Spaniard [spanyerd] *s.* Espagnol, m.
spaniel [spanyel] *s.* épagneul, m.
Spanish [spanish] *adj.*, *s.* espagnol; **Spanish American**, hispano-américain.
spank [spàngk] *v.* donner une fessée à; *s.* fessée, f.

spanking [spàngking] *adj.* vif; rapide; **spanking new**, flambant neuf.
spanner [spanᵉʳ] *s.* clé anglaise, f.
spar [spâr] *s.* espar (naut.); poteau; longeron (aviat.), m.
spare [spèᵉʳ] *v.* épargner; ménager; se passer de; *s.* pièce de rechange, f.; *adj.* disponible; de réserve; rare, maigre, frugal; *to spare no expense,* ne pas lésiner sur la dépense; **spare cash**, argent disponible; **spare time**, loisirs; **spare tire**, pneu de secours; **sparing**, économe.
spark [spârk] *s.* étincelle; lueur, f.; *v.* faire des étincelles; **spark advance**, avance à l'allumage [motor]; **spark arrester**, pare-étincelles; **spark coil**, bobine d'induction (electr.); **spark condensor**, condensateur (electr.); *Am.* **spark plug**, bougie [motor]. || **sparkle** [-'l] *s.* étincellement, m.; *v.* étinceler; scintiller; chatoyer; mousser [wine]; **sparkling**, étincelant, effervescent; mousseux [wine].
sparrow [sparoᵒᵘ] *s.* moineau, m.
sparse [spârs] *adj.* épars; clairsemé; rare [hair].
spasm [spazᵉm] *s.* spasme, m.
spat [spat] *pret., p. p. of* **to spit.**
spat [spat] *v. Am.* taper; se quereller; *s.* prise de bec, f.
spats [spats] *s.* guêtres, f.
spatter [spatᵉʳ] *v.* éclabousser; *s.* éclaboussure, f.
spawn [spaun] *s.* frai; fretin, m.; engeance, f.; *v.* frayer, naître [fish].
speak [spîk] *v.** parler; causer; prononcer [word]; exprimer; *so to speak,* pour ainsi dire; *to speak one's mind,* dire ce qu'on pense; *speak to the point,* venez-en au fait; *to speak up,* parler sans réserve. || **speaker** [-ᵉʳ] *s.* orateur; interlocuteur; speaker; président de la Chambre (*Br.* des Communes, *Am.* des Représentants), m.; **loud speaker**, haut-parleur.
spear [spiᵉʳ] *s.* lance, f.; épieu, m.; pousse [grass], f.; *v.* percer de la lance; harponner; poindre; **spearmint**, menthe verte.
special [spèshᵉl] *adj.* spécial; particulier; exprès; *s.* train, autobus spécial, m.; entrée spéciale, f.; **specially**, spécialement; particulièrement; surtout. || **specialist** [-ist] *s.* spécialiste, technicien, m. || **speciality** [-ti] *s.* spécialité, f. || **specialize** [-aiz] *v.* se spécialiser.
species [spîshiz] *s.* espèce, f.; genre, m.; *a species of,* une sorte de.
specific [spisifik] *adj.* spécifique; caractéristique; *s.* remède spécifique, m.; spécialité médicale, f.; **specific gravity**, poids spécifique; **specifically**, spécifiquement; particulièrement; **specification**, caractéristique, condition. || **specify** [spèsᵉfaï] *v.* spécifier; stipuler; désigner; énoncer; préciser.
specimen [spèsᵉmᵉn] *s.* spécimen; échantillon, modèle, m.
specious [spèshᵉs] *adj.* spécieux.
speckle [spèk(l)] *s.* petite tache; moucheture, f.; *v.* tacheter, moucheter.
spectacle [spèktᵉk'l] *s.* spectacle, m.; *pl.* lunettes, f.; **colo(u)red spectacles**, lunettes de soleil; *to make a spectacle of oneself,* se donner en spectacle. || **spectacular** [spèktakyᵉlᵉʳ] *adj.* spectaculaire; ostentatoire; théâtral. || **spectator** [spèktᵉtᵉʳ] *s.* spectateur; témoin, m.
specter [spèktᵉʳ] *s.* spectre, fantôme, m.
spectrum [spèktrᵉm] *s.* spectre solaire, m.
speculate [spèkyᵉléït] *v.* spéculer; réfléchir. || **speculation** [spèkyᵉléïshᵉn] *s.* spéculation; conjecture; réflexion, f. || **speculative** [spèkyᵉléïtiv] *adj.* spéculatif; théorique. || **speculator** [-tᵉʳ] *s.* spéculateur; penseur, m.
sped [spèd] *pret., p. p. of* **to speed.**
speech [spîtsh] *s.* parole; plaidoirie, f.; discours, m.; **speechless**, sans parole; muet; stupéfié.
speed [spîd] *s.* vitesse; allure, f.; succès, m.; *v.** (se) hâter; faire de la vitesse; prospérer; favoriser; *at full speed,* à toute allure; **speedometer, speed counter**, compteur de vitesse; **speed limit**, vitesse limite autorisée; **speedway**, piste, autostrade. || **speedily** [-'li] *adv.* promptement, vite. || **speedy** [-i] *adj.* rapide; expéditif; vite.
spell [spèl] *s.* relais; temps, m.; période, f.; **dry spell**, période de sécheresse; *v. Am.* relayer; *to work by spells,* travailler d'une façon intermittente.

spell [spèl] *s.* sortilège, m.; **spell-bound**, fasciné.
spell [spèl] *v.** épeler; orthographier; signifier; exprimer; **spelling**, orthographe; épellation; **spelling-book**, abécédaire. || **spelt** [-t] *pret., p. p. of* **to spell.**
spend [spènd] *v.** dépenser; consumer ; épuiser ; passer [time] ; **spendthrift**, prodigue. || **spent** [spènt] *pret., p. p. of* **to spend.**
spew [spyou] *v.* vomir.
sphere [sfi^er] *s.* sphère, f.; rayon, domaine, m. || **spherical** [sfèrik'l] *adj.* sphérique.
spice [spa^is] *s.* épice, f.; condiment, m.; *v.* épicer; assaisonner; **spicy**, épicé, aromatisé.
spider [spa^id^er] *s.* araignée; armature (mech.), f.; **spider's web**, toile d'araignée.
spigot [spig^et] *s.* fausset; robinet, m.
spike [spa^ik] *s.* clou; épi; spic, m.; *v.* clouer.
spill [spil] *v.** répandre; renverser; divulguer; *s.* chute de cheval, de voiture, f.; *to have a spill*, ramasser une bûche. || **split** [-t] *pret., p. p. of* **to spill.**
spin [spin] *v.** tourner; tournoyer; descendre en vrille (aviat.); chasser [wheel]; filer [thread]; débiter [story]; *s.* tournoiement, m.; rotation; vrille (aviat.), f.; *to spin out*, faire traîner en longueur; *to spin yarns*, conter des histoires.
spinach [spinitsh] *s.* épinards, m. pl.
spinal [spa^in'l] *adj.* spinal; **spinal column**, épine dorsale; **spinal cord**, cordon médullaire.
spindle [spìndl'] *s.* essieu; axe; arbre (mech.), m.; broche [mill], f.
spine [spa^in] *s.* épine dorsale, f.
spinner [spin^er] *s.* fileur; filateur, m.; machine à filer, f.; capot d'hélice (aviat.), f. || **spinning** [-ing] *s.* filage; tournoiement; repoussage (mech.), m.; **spinning mill**, filature; **spinning-wheel**, rouet.
spinster [spìnst^er] *s.* vieille fille, f.
spiral [spa^ir^el] *s.* spirale, f.; *adj.* en colimaçon [staircase]; *v.* descendre (or) monter en spirale (aviat.).
spire [spa^ir] *s.* spire; pointe; flèche [steeple], f.; brin [grass], m.
spirit [spirit] *s.* esprit; caractère; courage; entrain; *pl.* spiritueux, m.; fougue, f.; *a man of spirit*, un homme de cœur; *in low spirits*, déprimé; *to spirit away*, enlever comme par enchantement; *spirit of wine*, esprit de vin; *spirit of turpentine*, essence de térébenthine; **fighting spirit**, humeur belliqueuse; **methylated spirit**, alcool dénaturé, alcool à brûler; **spirit level**, niveau à bulle d'air. || **spirited** [-id] *adj.* vif, animé. || **spiritual** [-shouèl] *adj.* spirituel; *s.* chant religieux des Noirs du sud des Etats-Unis, m. || **spiritualism** [-shou^eliz^em] *s.* spiritualisme; spiritisme, m. || **spirituality** [spiritshoual^eti] *s.* spiritualité, f. || **spirituous** [spiritshou^es] *adj.* spiritueux.
spit [spit] *v.** cracher; *s.* crachat, m.; salive, f.; *pret., p. p. of* **to spit.**
spit [spit] *s.* broche, f.
spite [spa^it] *s.* dépit, m.; rancune, f.; *v.* dépiter; détester; *in spite of*, malgré; **spiteful**, rancunier, malveillant.
spitting [spiting] *s.* expectoration, f.; **blood spitting**, hémoptysie.
spittle [spit'l] *s.* salive, f.; crachat, m.
splash [splash] *v.* éclabousser; barboter; clapoter; *s.* éclaboussure, f.; clapotement [water]; bariolage [colors]; écrasement [bullet], m.; **splashboard**, pare-boue.
spleen [splîn] *s.* rate; bile; mauvaise humeur; hypocondrie, f.
splendid [splèndid] *adj.* splendide; éclatant; somptueux. || **splendo(u)r** [-d^er] *s.* splendeur, f.; faste, éclat, m.
splice [spla^is] *s.* épissure; ligature; soudure, f.; *v.* épisser; joindre; raccorder; **splice bar**, éclisse.
splint [splìnt] *s.* éclisse; attelle, f.; suros [horse], m.; *v.* éclisser. || **splinter** [-^er] *v.* voler en éclats; (faire) éclater; *s.* éclat, m.; écharde; esquille, f.
split [split] *s.* fente; crevasse; scission, f.; *v.** fendre; morceler; mettre la division; *to split hairs*, couper les cheveux en quatre; *to split one's sides with laughter*, se tordre de rire; *to split the difference*, partager le différend; *to split the atom*, désintégrer l'atome; **split pin**, goupille fendue.
splutter [splœt^er] *v.* bredouiller.
spoil [spo^il] *v.** gâter; gâcher; endommager; dépouiller, spolier; *s.*

butin, m.; dépouilles, f. pl.; **spoil-sport**, rabat-joie.
spoke [spo^ouk] *s.* rayon de roue, m.
spoke [spo^ouk] *pret. of* **to speak.**
spoken [spo^ouk^en] *p. p. of* **to speak.**
spokesman [spo^ouksm^en] *s.* porte-parole, m.
spoliation [spo^ouliéishen] *s.* spoliation, f.; pillage, m.
sponge [spœndj] *s.* éponge, f.; écouvillon; écornifleur, m.; *v.* éponger; écouvillonner; écornifler; *to throw in the sponge,* s'avouer vaincu; **spongecake,** biscuit de Savoie; **sponger,** pêcheur d'éponges; épongeur; écornifleur; **spongy,** spongieux.
sponsor [spâns^er] *s.* parrain, m.; marraine, f.; répondant, m.; *v.* parrainer; patronner; répondre pour.
spontaneity [spânt^enî^eti] *s.* spontanéité, f. || **spontaneous** [spântéi ni^es] *adj.* spontané.
spook [spouk] *s.* revenant, spectre, fantôme, m.
spool [spoul] *s.* bobine; canette, f.; *v.* bobiner.
spoon [spoun] *s.* cuiller, f.; *v.* prendre à la cuiller; **spoonful,** cuillerée; **teaspoon,** cuiller à café.
sport [spo^ourt] *s.* jeu; amusement; sport, m.; *v.* jouer; divertir; faire du sport; *in sport,* pour rire; *to make sport of,* se moquer de; **sport(s) clothes,** vêtement de sport. || **sportsman** [-sm^en] *s.* sportsman; sportif; beau joueur, qui a l'esprit sportif, m.
spot [spât] *s.* tache, souillure, f.; endroit, coin, m.; *v.* tacher; marquer; repérer; détecter; *on the spot,* sur-le-champ, sur le coup; *to pay spot cash,* payer comptant; **spotless,** immaculé, irréprochable; **weak spot,** point faible. || **spotted** [-id] *adj.* tacheté; moucheté; tigré; **spotted fever,** méningite cérébro-spinale; **spotted tie,** cravate à pois.
spouse [spa^ouz] *s.* époux, épouse; conjoint.
spout [spa^out] *v.* jaillir, gicler; déclamer; *s.* jet; dégorgeoir; goulot; bec d'écoulement, m.; trombe, f.; **spouter,** péroreur ; **spout-hole,** évent.
sprain [spréin] *s.* foulure; entorse, f.; fouler.
sprang [spràng] *pret. of* **to spring.**
sprawl [spraul] *v.* s'étaler; se vautrer; *s.* attitude affalée, f.; **sprawling,** les quatre fers en l'air.
spray [spréi] *s.* branche; brindille, f.
spray [spréi] *s.* jet, m.; éclaboussure; poussière d'eau, f.; vaporisateur, pulvérisateur, m.; *v.* vaporiser; pulvériser; arroser; **sea spray,** embrun; **sprayer,** vaporisateur; **tar-sprayer,** goudronneuse.
spread [sprèd] *v.** étendre; dresser [tent]; tendre [sail]; déployer; (se) répandre; (se) propager; (s') étaler; *s.* étendue; envergure; ouverture; diffusion; dispersion, f.; dessus de lit, m.; *to spread butter on,* beurrer; *a well-spread table,* une table bien servie ; *to spread to,* gagner; *pret. p. p. of* **to spread.**
spree [spri] *s.* orgie, noce, f.; *Am. to go on a spree,* aller faire la bombe.
sprig [sprig] *s.* brindille, f.
sprightly [spraitli] *adj.* vif; enjoué.
spring [spring] *s.* bond, saut; ressort; printemps, m.; élasticité; origine; source, f.; *pl.* suspension [auto], f.; *v.** sauter; bondir; s'élancer; pousser [plant]; jaillir [water]; faire sauter [mine]; surgir; se détendre; *adj.* à ressort; printanier; *to spring back,* faire un bond en arrière, faire ressort; *to spring a leak,* faire eau (naut.); *to spring to one's feet,* se lever d'un bond; **springboard,** tremplin; **spring mattress,** sommier élastique; **springtime,** printemps; **spring water,** eau de source; **springy,** souple; élastique; à ressort; agile.
sprinkle [springk'l] *v.* asperger; saupoudrer; répandre; *s.* pincée [salt]; petite pluie de, f.; **sprinkled,** moucheté, jaspé.
sprint [sprint] *v.* sprinter; *s.* sprint, m.; **sprinter,** sprinter.
sprout [spra^out] *v.* pousser; germer; *s.* pousse, f.; **Brussels sprouts,** choux de Bruxelles.
spruce [sprous] *s.* sapin, m.
spruce [sprous] *adj.* élégant; gracieux; *v. to spruce up,* s'habiller coquettement.
sprung [sprœng] *p. p. of* **to spring.**
spun [spœn] *pret., p. p. of* **to spin.**
spur [spë^r] s. éperon; stimulant; contrefort; ergot [cock]; aiguillon; embranchement (railw.), m.; *v.* éperonner; aiguillonner; stimu-

ler; *on the spur of the moment*, impromptu; **spur-gear**, engrenage; **spur-wheel**, roue dentée.

spurious [spyouri^{e}s] *adj.* contrefait, falsifié.

spurn [spë^{r}n] *v.* mépriser; dédaigner; écarter.

spurt [spë^{r}t] *v.* (faire) jaillir; cracher; *s.* jet; effort, coup de collier, m.; explosion [anger], f.

sputter [spœt^{er}] *v.* crachoter; bredouiller; *s.* bredouillement; crachotis, m. || **sputum** [spyout^{e}m] *s.* crachat, m.

spy [spa^{i}] *s.* espion, m.; *v.* espionner; épier; apercevoir; *to spy out*, explorer, reconnaître; **spyglass**, lunette d'approche; **spying**, espionnage.

squabble [skwâb'l] *s.* querelle, f.; *v.* se chamailler; se quereller.

squad [skwâd] *s.* escouade; équipe, f.

squadron [skwâdr^{e}n] *s.* escadron, m.; escadre (naut.); escadrille (aviat.), f.

squalid [skwâlid] *adj.* crasseux, sordide; répugnant; miséreux.

squall [skwaul] *s.* grain, m.; bourrasque, rafale, f.; *v.* souffler en rafale.

squall [skwaul] *s.* braillement, m.; *v.* crier; brailler.

squander [skwând^{er}] *v.* gaspiller; dilapider.

square [skwè^{er}] *s.* carré; carreau [glass]; square [garden]; *Am.* pâté de maisons, m.; équerre; case [chessboard], f.; *adj.* carré; vrai; exact; équitable; net; franc; *v.* carrer (math.; mil.); équarrir; ajuster; cadrer; mesurer; balancer [accounts]; **square-built**, trapu, aux épaules carrées; **square root**, racine carrée; *to square oneself with*, se mettre en règle avec; *to be square with someone*, être quitte avec quelqu'un; *he is on the square*, il est honnête et de bonne foi; **squarely**, carrément; honnêtement; nettement.

squash [skwâsh] *s.* bruit mou, m.; chute lourde, f.; *v.* (s')écraser; **lemon squash**, citron pressé.

squash [skwâsh] *s.* courge, courgette, f.

squat [skwât] *v.* s'accroupir; s'établir sans titre; occuper les lieux abusivement; **squatter**, squatter.

squawk [skwauk] *s.* cri rauque, m.; crier d'une voix rauque; protester.

squeak [skwîk] *v.* pousser un cri aigu; grincer; *s.* cri aigu; grincement, m.

squeal [skwîl] *v.* crier; dénoncer; *s.* cri aigu, m.; **squealer**, dénonciateur, mouchard, m.

squeamish [skwîmish] *adj.* difficile, chipoteur; nauséeux.

squeeze [skwîz] *v.* presser; comprimer; pressurer; pousser; *s.* cohue, f.; *to squeeze out the juice*, exprimer le jus; *to squeeze money*, extorquer de l'argent; *to squeeze through a crowd;* se frayer un chemin dans la foule; **lemon-squeezer**, presse-citron; **squeezing**, pressurage; compression; oppression.

squelch [skwèltsh] *v.* (s') écraser; déconcerter; étouffer [revolt].

squint [skwînt] *v.* loucher; regarder de côté; *s.* strabisme, m.; coup d'œil furtif; **squint-eyed**, bigle.

squire [skwa^{ier}] *s.* écuyer; titre anglais; *Am.* gros propriétaire, m.; *v.* escorter; être le cavalier de.

squirm [skwë^{r}m] *v.* se tortiller.

squirrel [skwë^{re}l] *s.* écureuil, m.

squirt [skwë^{r}t] *v.* faire gicler; jaillir; *s.* seringue, f.; jet, m.

stab [stab] *v.* poignarder; donner un coup de couteau à; *s.* coup de couteau, de poignard, m.

stability [st^{e}bil^{e}ti] *s.* stabilité, f. || **stabilize** [stéib'la^{i}z] *v.* stabiliser. || **stable** [sté^{i}b'l] *adj.* stable; constant; solide.

stable [sté^{i}b'l] *s.* écurie, f.

stack [stak] *s.* meule; pile; souche; cheminée, f.; faisceau [arms], m.; *v.* mettre en meule; empiler; mettre en faisceaux (mil.); **library stacks**, rayons de bibliothèque.

stadium [sté^{i}di^{e}m] *s.* stade, m.

staff [staf] *s.* bâton; mât; soutien, tuteur; état-major; personnel (comm.), m.; gaule; hampe [flag]; mire [levelling]; portée [music], f.; **bishop's staff**, crosse épiscopale; **clerical staff**, personnel de bureau; **editorial staff**, rédaction d'un journal; **general staff**, état-major général; **pilgrim's staff**, bâton de pèlerin; **teaching staff**, corps enseignant.

stag [stag] *s.* cerf; cervidé mâle, m.; coulissier [Stock Exchange], m.; **stag dinner**, **stag party**, dîner, réunion d'hommes.

stage [sté^{i}dj] *s.* estrade; scène

(theat.); étape (fig.); plate-forme; phase (techn.); platine [microscope], f.; tréteau; échafaudage; relais [horses], m.; *v.* mettre à la scène, monter; progresser par étapes; **stage(-coach)**, diligence; **stage door**, entrée des artistes; **stage fright**, trac; **stage hand**, machiniste; **stage manager**, régisseur; **stage player**, comédien; **stage-struck**, entiché de théâtre.

stagger [*stag*^{er}] *v.* chanceler; hésiter; décaler (aviat.); échelonner [working hours]; (faire) tituber; disposer en zigzag; confondre; consterner; *s.* chancellement; étourdissement; décalage (aviat.); échelonnage; *pl.* vertige, vertigo.

stagnant [*stagn*^{e}nt] *adj.* stagnant; inactif, mort.

staid [sté^{i}d] *adj.* sérieux; posé.

stain [sté^{i}n] *s.* tache; souillure; couleur, f.; *v.* tacher, souiller; teindre, colorier; **stained-glass window**, fenêtre aux vitres de couleur, vitrail; **stainless**, immaculé; inoxydable [metal].

stair [stè^{er}] *s.* marche, f.; *pl.* escalier, m.; **staircase, stairway**, escalier.

stake [sté^{i}k] *s.* pieu; poteau; bûcher; jalon; enjeu [gambling], m.; *v.* garnir de pieux; jalonner; parier; hasarder; *Am.* subvenir aux besoins de; tuteurer [plants]; *to be at stake*, être en jeu; *to have much at stake*, avoir pris beaucoup de risques; *to have a stake in*, avoir des intérêts dans; *to stake one's reputation*, jouer sa réputation.

stale [sté^{i}l] *adj.* rassis [bread]; renfermé; éventé [liquor]; vieilli; périmé; défraîchi; rebattu [joke]; *v.* éventer; défraîchir; rendre insipide, déflorer.

stalk [stauk] *s.* tige; queue [flower], f.; pied [shoot]; tuyau [quill]; trognon [cabbage]; manche [whip], m.

stalk [stauk] *v.* marcher dignement; suivre furtivement à la chasse.

stall [staul] *s.* stalle [church]; étable; écurie; boutique; perte de vitesse (aviat.), f.; étalage; étal; blocage (mech.), m.; *v.* mettre à l'étable; caler [motor]; *stalled in the mud*, embourbé.

stallion [*staly*^{e}n] *s.* étalon, m.

stalwart [*stau*lwë^{r}t] *adj.* vigoureux; vaillant; fort, solide.

stamina [*stam*^{e}n^{e}] *s.* résistance, vigueur, force vitale, f.

stammer [*stam*^{er}] *v.* bégayer; bredouiller; *s.* bégaiement, m.; **stammerer**, bègue; **stammering**, bégaiement, balbutiement.

stamp [stàmp] *v.* trépigner; imprimer, marquer, estampiller; contrôler [gold]; poinçonner; timbrer; plomber [customs]; estamper [metal]; emboutir (techn.); *s.* trépignement; poinçon; timbre; cachet, m.; estampille; marque; empreinte, f.; **postage stamp**, timbre-poste; **rubber stamp**, timbre en caoutchouc; **stamp duty**, droit de timbre.

stampede [stàmp*î*d] *s.* débandade; panique, f.; *v.* se débander; fuir en désordre.

stanch [stântsh] *adj.* ferme, sûr.

stand [stànd] *v.** se tenir debout; (se) mettre, (se) placer; être situé; rester; durer; exister; stationner; supporter; *s.* position; station; situation; béquille [motor-cycle]; estrade; résistance (mil.), f.; stand; support; socle; chevalet; banc, pied; affût [telescope], m.; *to let tea stand*, laisser infuser le thé; *to stand by*, appuyer, défendre, être près de; *to stand fast*, tenir bon; *to stand for*, tolérer, supporter; tenir la place de, signifier; *to stand in need*, avoir besoin de; *to stand in the way*, encombrer; *to stand out*, faire saillie, se détacher; tenir ferme; *to stand to*, s'en tenir à; *to stand up for*, soutenir; *to stand one's ground*, se maintenir sur ses positions; *to make a stand*, offrir de la résistance (mil.); *to stand up*, se lever; *Am.* poser un lapin; **music stand**, lutrin; **test stand**, banc d'essai; **umbrella stand**, porte-parapluie; **standpoint**, point de vue; **standstill**, immobilisation.

standard [stànd^{er}d] *s.* étendard; étalon, titre [gold]; degré; programme; standard, m.; norme, f.; *adj.* réglementaire; classique [book]; définitive [edition]; courant; normal; **standard-bearer**, porte-drapeau; **standard price**, prix homologué; **standard time**, heure légale. || **standardization** [stànd^{er}d^{e}*zé*^{i}sh^{e}n] *s.* normalisation; standardisation, f.; étalonnement; titrage, m. || **standardize** [stànd^{er}da^{i}z] *v.* standardiser; normaliser; étalonner.

standing [stànding] *s.* station debout; durée; place, pose, f.; rang, m.; *adj.* debout; stationnant; sur pied; stagnant; permanent [army]; fixe; traditionnel; **standing-room**, place(s) debout.

stank [stàngk] *pret. of* **to stink**.

stanza [stànz^{e}] *s.* stance, strophe, f.

staple [stéip'l] *s.* crampon, m.; gâche; broche [bookbinding], f.; *v.* brocher, fixer, attacher.

staple [stéip'l] *adj.* principal; commercial; indispensable; *s.* produit principal; produit brut, m.; matière première; fibre, soie, f.; *pl.* articles de première nécessité, m.

star [stâr] *s.* étoile; vedette; astérisque, f.; astre, m.; *v.* étoiler; marquer d'un astérisque; être la vedette; **shooting star**, étoile filante; *stars and stripes*, bannière étoilée, drapeau des Etats-Unis; **star fish**, astérie, étoile de mer; **starry**, étoilé, étincelant, constellé.

starboard [stârbo^{ou}rd] *s.* tribord, m.

starch [stârtsh] *s.* amidon; empois, m.; fécule, f.; *v.* amidonner; empeser; **starchy**, amidonné; féculent [foods].

stare [stè^{er}] *v.* regarder fixement; *s.* regard fixe, m.; *to outstare*, faire baisser les yeux. || **staring** [-ring] *adj.* fixe, grand ouvert.

stark [stârk] *adj.* raide, rigide; rigoureux, désolé, désert; absolu, véritable; *stark naked*, nu comme un ver; *adv.* complètement, tout à fait.

start [stârt] *v.* partir; démarrer; commencer; entamer; sursauter; sauter; se détacher; lever [game]; réveiller, exciter; ouvrir [subscription]; *s.* tressaillement; commencement; départ; saut; écart [horse]; démarrage; élan; haut-le-corps, m.; *to start off*, démarrer; *to start out*, se mettre en route; *to start up from one's sleep*, se réveiller en sursaut; *by starts*, par accès, par saccades. || **starter** [-^{er}] *s.* démarreur, m.; **self-starter**, démarreur automatique. || **starting** [-ing] *s.* démarrage; départ; début, m.; mise en marche, f.; **starting point**, point de départ.

startle [stârt'l] *v.* faire frémir; réveiller en sursaut; sursauter. || **startling** [-ling] *adj.* saisissant; sensationnel.

starvation [stârvéish^{e}n] *s.* inanition; famine, f. || **starve** [stârv] *v.* mourir d'inanition; réduire à la famine; **starveling**, meurt-de-faim, famélique.

state [stéit] *s.* état; rang; degré; apparat, m.; condition; situation, f.; *v.* déclarer; spécifier, préciser; affirmer; *in (great) state*, en grande pompe; **buffer state**, Etat tampon; *state of emergency*, état d'exception. || **stately** [-li] *adj.* majestueux, imposant; *adv.* majestueusement, d'un air noble. || **statement** [-m^{e}nt] *s.* déclaration, f.; exposé; rapport; état; bilan; compte rendu, m.; *statement of account*, relevé de compte. || **stateroom** [-roum] *s.* cabine (naut.), f. || **statesman** [-sm^{e}n] *s.* homme d'état; homme politique, m.

static [statik] *adj.* statique; *s.* perturbation atmosphérique [radio]; *pl.* statique, f.

station [stéish^{e}n] *s.* station; gare; position sociale; place de stationnement, f.; poste, m.; *v.* placer; ranger; poster; **broadcasting station**, poste émetteur [radio]; **first aid station**, poste de secours; **police station**, poste de police; **regulating station**, gare régulatrice; **station-master**, chef de gare. || **stationary** [-èri] *adj.* stationnaire, immobile.

stationery [stéish^{e}nèri] *s.* papeterie, f.; papier à lettres, m.

statistics [st^{e}tistiks] *s.* statistique, f.

statuary [statshouèri] *s.* statuaire, f. || **statue** [statshou] *s.* statue, f.

stature [statsh^{er}] *s.* stature; taille, f.

status [stéit^{e}s] *s.* statut; état; rang, m.; condition, f.

statute [statshout] *s.* statut, m.; ordonnance, f.; code, m.

staunch [stauntsh] *v.* étancher; *adj.* étanche.

stave [stéiv] *s.* douve [cask]; portée [music]; strophe, stance, f.; *v.* défoncer; *to stave off*, maintenir à distance.

stay [stéi] *s.* support; soutien; séjour, m.; suspension (jur.), f.; *v.** (s')arrêter; séjourner; demeurer; étayer; différer [execution]; *to stay up all night*, veiller toute la nuit; *to stay away*, s'absenter; *to stay for*, attendre.

stead [stèd] *s.* place, f.; *in his stead*, à sa place. || **steadfast** [-fast] *adj.* constant ; ferme ; stable. || **steadily** [-'li] *adv.* avec fermeté ou constance; résolument; fixement. || **steadiness** [-inis] *s.* fermeté ; stabilité ; assiduité, f. || **steady** [-i] *adj.* ferme; rangé, sérieux; constant; sûr; *v.* fixer; affermir; assujétir; calmer; *to keep steady*, ne pas bouger, ne pas broncher.

steak [stéik] *s.* bifteck, m.; tranche; entrecôte, f.

steal [stîl] *v.** voler; aller à la dérobée; *to steal away*, subtiliser; s'esquiver; *to steal a glance*, jeter un regard furtif. || **stealth** [stèlth] *s.* dérobée, f.; *by stealth*, furtivement; en tapinois; **stealthy**, furtif, secret.

steam [stîm] *s.* vapeur; buée, f.; *adj.* à vapeur; par la vapeur; *v.* fumer; jeter de la vapeur; passer, cuire à la vapeur; s'évaporer; **steam engine**, machine à vapeur. || **steamboat** [-boout], **steamer** [-er], **steamship** [-ship] *s.* bateau à vapeur; steamer, m.; **cargo steamer**, cargo.

steed [stîd] *s.* coursier; cheval de combat, destrier, m.

steel [stîl] *s.* acier; fusil [sharpening]; fer [sword], m.; *v.* aciérer; endurcir; aguerrir (*against*, contre); **stainless steel**, acier inoxydable; **steelworks**, aciérie.

steep [stîp] *adj.* escarpé; à pic; exorbitant [price]; *s.* escarpement, m.; pente rapide, f.

steep [stîp] *v.* tremper; infuser; macérer; saturer.

steeple [stîp'l] *s.* clocher, m.; **steeplechase**, course d'obstacles.

steer [stier] *s.* bouvillon, jeune taureau, m.

steer [stier] *v.* piloter; tenir la barre (naut.); conduire; *to steer the course*, faire route; *the car steers easily*, la voiture se conduit facilement; **steering gear**, gouvernail ; **steering wheel**, volant [auto]; **steersman**, timonier.

stem [stèm] *s.* tige, queue; jambe [glass]; étrave (naut.), f.; tuyau [pipe], m.

stem [stèm] *v.* arrêter; endiguer; refouler; remonter [tide]; s'opposer à; *to stem from*, descendre de, provenir de.

stench [stènsh] *s.* puanteur, f.

stencil [stèns'l] *s.* patron à jour, à calquer; pochoir, stencil, m.

stenographer [stenâgrefer] *s.* sténographe, f. || **stenography** [-fi] *s.* sténographie, f.

step [stèp] *s.* pas, m.; marche [stairs]; démarche; emplanture [mast], f.; échelon; marchepied [vehicle], m.; *pl.* échelle, f.; perron, m.; *v.* marcher; avancer; faire un pas; *to step aside*, s'écarter; *to step out*, allonger le pas; *to take a step*, faire une démarche, prendre un parti; *to take steps*, prendre des mesures; *to step back*, rebrousser chemin; *to step on the gas*, appuyer sur l'accélérateur, mettre les gaz; *to be in step with*, marcher au pas avec, être d'accord avec; **stepladder**, échelle double.

stepchild [stèptshaild] *s.* beau-fils, m.; belle-fille, f. || **stepdaughter** [-dauter] *s.* belle-fille, f. || **stepfather** [-fâzher] *s.* beau-père, m. || **stepmother** [-mœzher] *s.* belle-mère, f. || **stepson** [-sœn] *s.* beau-fils, m.

steppe [stèp] steppe, f.

stereotype [stèrietaip] *s.* cliché; stéréotype, m.

sterile [stèrel] *adj.* stérile; aseptique. || **sterility** [sterileti] *s.* stérilité, f. || **sterilize** [stèrelaiz] *v.* stériliser.

sterling [stërling] *s.* sterling, m.; monnaie de bon aloi, f.; *adj.* qui a cours légal; vrai, authentique; **pound sterling**, livre sterling.

stern [stërn] *adj.* austère; sévère; rigoureux; rébarbatif.

stern [stërn] *s.* arrière, m.; poupe, f.; **sternlight**, feu de poupe; **sternpost**, étambot.

stethoscope [stètheskooup] *s.* stéthoscope, m.

stevedore [stîvedoour] *s.* débardeur; déchargeur, m.

stew [styou] *v.* faire un ragoût; mettre en ragoût ou en civet; fricasser; cuire à l'étouffée; *s.* ragoût; civet, m.; fricassée; étuvée, f.; *to be in a stew*, être dans la panade; être très agité; **stewed fruit**, compote de fruits.

steward [styouwerd] *s.* intendant; régisseur; économe; maître d'hôtel; commis aux vivres; steward,

m.; **stewardess**, femme de chambre.
stick [stik] *s.* baguette; tige; canne, f.; **cleft stick**, piquet fourchu; **control stick**, manche à balai (aviat.).
stick [stik] *v.** piquer; percer; enfoncer; adhérer; (se) coller; s'embourber; s'empêtrer; (se) cramponner; *to stick out*, faire saillie; *stick to it*, tenez bon; *to stick to one's friends*, cramponner ses amis, être collant; *to stick one's hands up*, lever les mains. || **stickiness** [-inis] *s.* adhésivité; viscosité, f. || **sticky** [-i] *adj.* collant; adhésif; visqueux.
stiff [stif] *adj.* raide, rigide; ankylosé; inflexible; obstiné; opiniâtre; guindé; difficile [exam]. || **stiffen** [-ᵊn] *v.* (se) raidir; durcir; se guinder; s'obstiner. || **stiffness** [-nis] *s.* rigidité; raideur; consistance; opiniâtreté; difficulté, f.
stifle [staᶦf'l] *v.* étouffer; suffoquer; amortir; réprimer; éteindre.
stigma [stigmᵊ] *s.* stigmate, m.; marque, f.
still [stil] *adj.* calme; silencieux; tranquille; *s.* calme, silence, m.; *v.* calmer; apaiser; tranquilliser; faire taire; *adv.* toujours; encore; constamment; cependant, néanmoins; *but still*, mais enfin, tout de même; **still born**, mort-né; **still life**, nature morte.
still [stil] *s.* alambic, m.; distillerie, f.; *v.* distiller; faire tomber goutte à goutte.
stillness [stilnis] *s.* calme, silence, m.; tranquillité, f.
stilt [stilt] *s.* échasse, f.; **stilted**, monté sur des échasses, guindé.
stimulant [stimyᵉlᵉnt] *adj., s.* stimulant; tonique. || **stimulate** [-léᶦt] *v.* stimuler; encourager; exciter; aiguillonner. || **stimulation** [stimyᵉléᶦshᵉn] *s.* stimulation; excitation, f.; encouragement, m. || **stimulus** [stimyᵉlᵉs] *s.* stimulant; aiguillon; stimulus (med.), m.
sting [stìng] *s.* aiguillon; dard, m.; pointe; piqûre, f.; *v.** piquer, picoter; cuire; blesser; mortifier; *stung to the quick*, piqué au vif; **stingless**, sans dard, sans épine.
stinginess [stìndjinis] *s.* avarice; mesquinerie, f. || **stingy** [stìndji] *adj.* avare; maigre, rare.
stink [stìngk] *v.* puer, empester; *s.* puanteur, pestilence, f.; **stinking**, puant, fétide; **stinker**, salaud.
stint [stìnt] *v.* limiter; rationner; lésiner sur; *his daily stint*, sa tâche quotidienne; *without stint*, sans limite, sans réserve.
stipend [staᶦpènd] *s.* salaire; traitement; appointements, m.
stipulate [stipyᵉléᶦt] *v.* stipuler; arrêter, préciser. || **stipulation** [stipyᵉléᶦshᵉn] *s.* stipulation, clause, convention, f.
stir [stëʳ] *v.* remuer; agiter; bouger; irriter; attiser; émouvoir; troubler; *s.* mouvement, m.; agitation; activité; émotion, f.; *Am.* prison (slang); *to stir up a revolt*, susciter une révolte; *to stir up to*, pousser à, encourager. || **stirring** [-ing] *adj.* émouvant; stimulant; mouvementé; entraînant; intéressant.
stirrup [stirᵉp] *s.* étrier; collier (mech.); **stirrup-strap**, étrivière.
stitch [stitsh] *s.* point; point de suture, m.; maille, f.; *v.* coudre, piquer; faire des points de suture; brocher [books].
stoat [stoᵒᵘt] *s.* hermine, f.
stock [stâk] *s.* souche; lignée; bûche; monture; giroflée [flower]; ente [grafting]; provisions; actions, rentes, valeurs, f.; approvisionnement; stock [stores]; fonds d'état; tronc [tree]; billot [wood]; *pl.* chantier, tins de cale (naut.); consommé [broth], m.; *v.* approvisionner, monter, stocker; outiller; peupler [game or fish]; *to have on the stocks*, avoir sur le chantier; *to take stock of*, faire l'inventaire de; *to take stock in*, prendre des actions de; *Am.* accorder créance à; *to stock a farm*, monter le cheptel d'une ferme; **live stock**, bétail; **rolling stock**, matériel roulant (railw.); **stockbroker**, agent de change. *Am.* **stock car**, wagon à bestiaux; **Stock Exchange**, Bourse des valeurs; **stockholder**, actionnaire; **stock market**, marché des valeurs; **stockpiling**, stockage; **stock raising**, élevage du bétail; **stockroom**, magasin; **stockyards**, parc à bétail, à matériaux; **stocky**, trapu.
stockade [stâkéᶦd] *s.* palissade; estacade; palanque, f.
stocking [stâking] *s.* bas, m.
stoic [stoᵒᵘik] *adj., s.* stoïque. || **stoi-**

cism [sto^ou^isiz^e^m] *s.* stoïcisme, m.
stoke [sto^ou^k] *v.* chauffer, entretenir un feu; **stokehold,** chaufferie; **stoker,** chauffeur (naut.).
stole [sto^ou^l] *pret. of* **to seal.** || **stolen** [staul^e^n] *p. p. of* **to steal.**
stole [sto^ou^l] *s.* étole, f.
stolid [stâlid] *adj.* lourd, stupide.
stomach [stœm^e^k] *s.* estomac, m.; *v.* digérer; supporter; **stomachache,** douleur d'estomac, mal de ventre.
stone [sto^ou^n] *s.* pierre, f.; noyau [fruit]; calcul (med.), m.; *adj.* de pierre; complètement; *v.* lapider; passer à la pierre (techn.); dénoyauter; **altar stone,** pierre d'autel; **building stone,** moellon; **cut stone,** pierre de taille; **grindstone,** meule; **hail-stone,** grêlon; **stone-deaf,** sourd comme un pot; **stonework,** maçonnerie. || **stony** [-i] *adj.* pierreux; de pierre; endurci, insensible; **stony-broke,** dans la dèche.
stood [stoud] *pret., p. p. of* **to stand.**
stooge [stoudj] *s.* compère (theat.).
stool [stoul] *s.* tabouret; escabeau; petit banc, m.; *to go to stool,* aller à la selle; **camp-stool,** pliant; **stool pigeon,** pigeon appelant; *Am.* mouchard.
stoop [stoup] *v.* (se) pencher; (s')incliner; s'abaisser; humilier; *s.* attitude d'une personne voûtée; inclinaison, f.; **stoop-shouldered,** voûté.
stop [stâp] *v.* arrêter; cesser; empêcher; obstruer; boucher; *Br.* plomber [teeth]; stopper; parer (naut.); *s.* arrêt; obstacle; empêchement; dispositif de blocage; butoir (mech.); jeu [organ], m.; interruption; obstruction; station (railw.); escale (naut.), f.; *to stop at a hotel,* descendre à l'hôtel; *to stop from,* cesser de; *to stop over at,* faire escale à; **stop consonant,** consonne explosive; **stopblock,** butoir; *Am.* **stop-over,** arrêt, escale; **stop-watch,** chronomètre compte-secondes; **full stop,** point [punctuation]. || **stoppage** [-idj] *s.* arrêt; enrayage (mil.); obstacle; *Br.* plombage [teeth], m.; halte; pause; interruption; retenue [pay], f. || **stopper** [-^er^] *s.* bouchon; obturateur, m.
storage [sto^ou^ridj] *s.* emmagasinage; entreposage; frais d'entrepôt, m.; **storage battery,** batterie d'accumulateurs. || **store** [sto^ou^r, stau^er^] *s.* provisions; fourniture; boutique, f.; approvisionnement; entrepôt; magasin, m.; *pl.* vivres; matériel, m.; munitions, f.; *v.* fournir; approvisionner; emmagasiner; mettre en dépôt; **book store,** librairie; **department store,** grand magasin; **fruit store,** fruiterie; **shoe store,** magasin de chaussures; *to hold in store,* garder en réserve; *to store up,* accumuler. || **storehouse** [-ha^ou^s] *s.* magasin; entrepôt; dépôt, m. || **storekeeper** [-kip^er^] *s.* garde-magasin; magasinier; *Am.* boutiquier, m.
stork [staurk] *s.* cigogne, f.
storm [staurm] *s.* tempête, f.; orage; assaut (mil.), m.; *v.* tempêter; faire de l'orage; se déchaîner; monter à l'assaut; prendre d'assaut; **storm troops,** troupes d'assaut; *in a storm of,* dans un accès de. || **stormy** [-i] *adj.* orageux; tempêtueux; turbulent.
story [sto^ou^ri] *s.* histoire, f.; récit; conte; mensonge, f.; **story teller,** conteur; mythomane.
story [sto^ou^ri] *s.* étage, m.; *Am.* **second story,** premier étage; **upper story,** étage supérieur.
stout [sta^ou^t] *s.* stout, m.; bière anglaise, f.; *adj.* fort; corpulent; vigoureux; substantiel; énergique.
stove [sto^ou^v] *s.* poêle; fourneau, m.; étuve, f.; **stovepipe,** tuyau de poêle.
stove [sto^ou^v] *pret., p. p. of* **to stave.**
stow [sto^ou^] *v.* mettre en place; installer; entasser; arrimer (naut.); *to stow away on a ship,* embarquer clandestinement; **stowage,** arrimage (naut.); **stowaway,** passager clandestin.
straddle [strad'l] *v.* enfourcher; être à cheval sur; encadrer (mil.); se tenir à califourchon; biaiser (fig.).
strafe [stré^i^f] *v.* bombarder, mitrailler.
straggle [strag'l] *v.* traîner; rôder; s'écarter; rester en arrière; **straggler,** traînard, rôdeur.
straight [stré^i^t] *adj.* droit; direct; en bon état, en ordre; loyal; *adv.* directement, tout droit; immédiatement; loyalement; *to keep a straight face,* garder son sérieux;

for two hours straight, deux heures de suite; *to keep somebody straight,* maintenir quelqu'un dans le devoir; *keep straight on,* allez tout droit; *straight away,* immédiatement; *straight off,* d'emblée. || **straighten** [-'n] *v.* redresser; ranger. || **straightforward** [-faurwerd] *adj.* direct, droit; sans détours; *adv.* directement; tout droit. || **straightness** [-nis] *s.* rectitude, f. || **straightway** [-wéi] *adv.* aussitôt, sur-le-champ, tout de suite.

strain [stréin] *v.* tendre; fouler (med.); forcer; contraindre; faire un effort; suinter [liquid]; *s.* effort, m.; tension; entorse, foulure; fatigue excessive, f.; *to strain oneself,* se surmener. || **strainer** [-er] *s.* tamis, filtre, m.; passoire, f.

strait [stréit] *adj.* étroit; *s.* détroit, m.; **strait jacket,** camisole de force; *Straits of Dover,* Pas de Calais.

strand [strànd] *v.* (s') échouer (naut.); *s.* plage, grève, f.; *to be stranded,* être abandonné, être en panne.

strand [strànd] *s.* toron [rope], m.; *v.* toronner; *strand of pearls,* collier de perles.

strange [stréindj] *adj.* étrange; bizarre; inhabituel; inconnu. || **strangeness** [-nis] *s.* étrangeté; réserve, froideur, f. || **stranger** [-er] *s.* étranger; inconnu, m.; *you are quite a stranger,* on ne vous voit plus.

strangle [stràngg'l] *v.* étrangler; étouffer. || **strangulate** [strànggyeléit] *v.* étrangler (med.). || **strangulation** [strànggyeléishen] *s.* strangulation, f.; étranglement, m.

strap [strap] *s.* courroie; sangle; lanière; bande; bride; chape (mech.); étrivière, f.; *v.* sangler; ceinturer; **breast strap,** bricole; **chin strap,** jugulaire.

stratagem [stratedjem] *s.* stratagème, m.; ruse, f.

strategic [stretidjik] *adj.* stratégique. || **strategy** [stratedji] *s.* stratégie, f.

stratosphere [stratesfier] *s.* stratosphère, f.

straw [strau] *s.* paille, f.; chalumeau, m.; *adj.* de paille; en paille; *truss of straw,* botte de paille; *it is the last straw,* c'est le bouquet; **straw hat,** chapeau de paille; **straw mattress,** paillasse. || **strawberry** [-bèri] *s.* fraise, f.

stray [stréi] *v.* s'égarer; s'éloigner; *adj.* égaré; fortuit; accidentel; *s.* animal errant; vagabond, m.; dispersion (electr.), f.; **stray bullet,** balle perdue.

streak [strîk] *s.* rayure; raie; bande, f.; *v.* rayer; strier; barioler; *streak of lightning,* éclair.

stream [strîm] *s.* ruisseau; flot; courant; fleuve, m.; rivière, f.; *v.* couler; ruisseler; flotter [flag]; **mountain stream,** torrent; *a stream of cars,* un flot de voitures; *to stream out,* sortir à flots. || **streamer** [-er] *s.* banderole, f. || **streamlined** [-laind] *adj.* fuselé; profilé; aérodynamique; *Am.* abrégé, plus rapide.

street [strît] *s.* rue, f.; **back street,** rue détournée; **main street,** artère principale; **street door,** porte d'entrée. || **streetcar** [-kâr] *s. Am.* tramway, m.

strength [strèngth] *s.* force; intensité, f.; effectif (mil.), m. || **strengthen** [-en] *v.* fortifier; affermir; renforcer, consolider; **strengthener,** fortifiant.

strenuous [strènyoues] *adj.* énergique; vif; acharné; actif.

stress [strès] *s.* force; violence [weather]; tension; pression; insistance; charge (mech.); contrainte, f.; accent tonique; effort, m.; *v.* charger (mech.); insister; accentuer; *to lay the stress on,* mettre l'accent sur.

stretch [strètsh] *v.* tendre; (s')étirer; (s') étendre; (se) déployer; *s.* étendue; extension; portée; élasticité; section [roads], f.; allongement; étirage (mech.), m.; *to stretch one's legs,* se dégourdir les jambes; *at a stretch,* d'un trait. || **stretcher** [-er] *s.* brancard; tendeur [shoes]; traversin [rowboat], m.; civière, f.; **stretcher-bearer,** brancardier.

strew [strou] *v.* semer; joncher; répandre. || **strewn** [-n] *p. p. of* **to strew.**

stricken [striken] *p. p. of* **to strike;** *adj.* frappé, atteint.

strict [strikt] *adj.* strict; précis; exact; rigide; sévère; *in strict confidence,* sous le sceau du secret;

sous toute réserve. || **strictness** [-nis] *s.* rigueur; sévérité; exactitude; précision, f.

stridden [strid'n] *p. p. of* **to stride.**

stride [stra[i]d] *v.** aller à grands pas; enjamber; enfourcher [horse]; *s.* enjambée, f.; grand pas, m.

strife [stra[i]f] *s.* lutte, f.; *at strife with,* en guerre avec.

strike [stra[i]k] *v.** frapper; assener, cogner; sonner [clock]; saisir; tamponner; frotter [match]; conclure [bargain]; baisser [flag]; arrêter [account]; *v.* faire grève; *s.* grève; matrice [printing]; frappe [coins], f.; coup, m.; *to strike off,* rayer, biffer, abattre; *to strike a balance,* établir un bilan; *how does he strike you?,* quelle impression vous fait-il?; **sit-down strike,** grève sur le tas; **slow-down strike,** grève perlée; **strike-breaker,** briseur de grève. || **striker** [-[er]] *s.* gréviste; percuteur [firearm]; brosseur (mil.), m. || **striking** [-ing] *adj.* frappant; remarquable; saisissant; en grève.

string [string] *s.* corde; ficelle; file; enfilade; kyrielle, f.; fil; cordon; lacet [shoes]; ruban; chapelet [onions], m.; *v.** garnir de cordes; tendre; accorder [music]; enfiler [beads]; aligner; mettre, aller à la file; enlever les fils de; *to string together,* faire un chapelet de; *string of boats,* train de bateaux; *string of cars,* file de voiture; *to string up,* pendre; **stringbean,** haricot vert; **fiddle string,** corde de violon.

strip [strip] *v.* dépouiller; déshabiller; (se) mettre à nu; écorcer [tree]; *to strip off,* ôter [dress].

strip [strip] *s.* bande; bandelette; lanière; piste (aviat.), f.; lambeau; ruban, m.; **weather strip,** bourrelet; **stripling,** adolescent.

stripe [stra[i]p] *s.* raie, rayure; bande, f.; chevron; galon, m.; *v.* rayer; **striped,** à rayures, rayé.

strive [stra[i]v] *v.** lutter; s'efforcer; tenter de; se démener; rivaliser (*with,* avec); *to strive to,* s'efforcer de. || **striven** [striven] *p. p. of* **to strive.**

strode [stro[ou]d] *pret. of* **to stride.**

stroke [stro[ou]k] *s.* coup; choc; trait, m.; attaque; apoplexie, f.; *to row a long stroke,* allonger la nage (naut.); *stroke of a bell,* coup de cloche; **sunstroke,** coup de soleil.

stroke [stro[ou]k] *v.* caresser; *s.* caresse, f.

stroll [stro[ou]l] *v.* errer; se promener; *s.* promenade, flânerie, f.; *to stroll the streets,* flâner dans les rues; **stroller,** flâneur, vagabond.

strong [straung] *adj.* fort; solide; vigoureux, énergique; marqué, prononcé; *adv.* fort, fortement; *strong market,* marché ferme; **strong-willed,** décidé, volontaire. || **stronghold** [-ho[ou]ld] *s.* place forte, f.; fort, m. || **strongly** [-li] *adv.* fortement; énergiquement; fermement; vigoureusement; solidement; avec netteté.

strop [strâp] *s.* cuir à rasoir, m.; *v.* repasser, aiguiser.

strove [stro[ou]v] *pret. of* **to strive.**

struck [strœk] *pret., p. p. of* **to strike;** *adj.* frappé (*with,* de).

structural [strœktsh[e]r[e]l] *adj.* structural; morphologique. || **structure** [-sh[er]] *s.* structure, f.; bâtiment, immeuble, m.

struggle [strœg'l] *s.* lutte, f.; effort, m.; *v.* lutter, combattre; se démener; *to struggle on,* avancer péniblement.

strung [strœng] *pret., p. p. of* **to string.**

strut [strœt] *v.* se pavaner; *s.* démarche orgueilleuse, f.; support; étai; pylône, m.

stub [stœb] *s.* souche, f.; tronc; talon [check]; chicot [tooth]; mégot, m.; *v.* déraciner; buter contre; **stub pen,** plume à pointe émoussée.

stubble [stœb'l] *s.* chaume, m.; éteule; barbe rude, f.

stubborn [stœb[e]rn] *adj.* têtu, entêté; opiniâtre; réfractaire; rétif [horse]; acharné [work]. || **stubbornness** [-nis] *s.* entêtement, m.; obstination, f.

stubby [stœbi] *adj.* hérissé, hirsute [beard].

stucco [stœko[ou]] *s.* stuc, m.; *v.* enduire de stuc.

stuck [stœk] *pret., p. p. of* **to stick;** *adj.* **stuck-up,** prétentieux.

stud [stœd] *s.* poteau, montant; support; étai (naut.); contact (electr.); clou [nail]; bouton de chemise; tenon [bayonet], m.; *v.* clouter; parsemer.

stud [stœd] *s.* haras; étalon; chenil d'élevage, m.; **stud-farm,** haras.

student [sty*ou*d^ent] *s.* étudiant; élève, m. || **studied** [stœdid] *adj.* étudié; apprêté; prémédité; versé (*in*, dans). || **studio** [sty*ou*dio^ou] *s.* atelier; studio [radio], m. || **studious** [sty*ou*di^es] *adj.* studieux; appliqué; soigné. || **study** [stœdi] *s.* étude; attention; préoccupation; méditation, f.; cabinet de travail, m.; *v.* étudier; faire ses études; réfléchir, chercher; *to study for an examination*, préparer un examen.
stuff [stœf] *s.* matière; étoffe, f.; tissu, m.; *v.* rembourrer; obstruer; calfater; empailler; farcir; *what stuff!*, quelle sottise; **stuffer**, empailleur. || **stuffing** [-ing] *s.* bourre, étoupe, f.; rembourrage; empaillage. || **stuffy** [-i] *adj.* étouffant; qui sent le renfermé; calfeutré; collet monté.
stumble [stœmb'l] *v.* trébucher; broncher; faire un faux pas; *s.* faux pas, m.; **stumbling-block**, pierre d'achoppement.
stump [stœmp] *s.* tronçon; trognon [cabbage]; chicot [tooth]; moignon [limb]; bout [cigarette], m.; souche [tree]; *Am.* estrade de réunion publique, f; *v.* dessoucher; faire une campagne électorale; marcher lourdement; *to be up a stump*, être embarrassé; *to stump the country*, courir le pays pour une tournée électorale.
stun [stœn] *v.* étourdir; assommer; **stunning**, épatant (fam.).
stung [stœng] *pret., p. p. of* to **sting**.
stunk [stœngk] *pret., p. p. of* to **stink**.
stunt [stœnt] *s.* acrobatie, f.; tour de force, m.; *v.* faire des acrobaties ou des tours.
stunt [stœnt] *v.* rabougrir; arrêter la croissance de.
stupefaction [styoupif*a*ksh^en] *s.* stupéfaction, f. || **stupefy** [sty*ou*p^efa^i] *v.* hébéter; abrutir; stupéfier (med.); frapper de stupeur.
stupendous [styoupènd^es] *adj.* prodigieux, formidable.
stupid [sty*ou*pid] *adj.* stupide; sot; bête. || **stupidity** [styoup*i*d^eti] *s.* stupidité; bêtise, f. || **stupor** [sty*ou*p^er] *s.* stupeur, f.; engourdissement, m.
sturdy [stë^rdi] *adj.* robuste, vigoureux; **sturdy chap**, luron.
sturgeon [stërdj^en] *s.* esturgeon, m.

stutter [stœt^er] *v.* bégayer; bredouiller. || **stutterer** [-r^er] *s.* bègue, m. || **stuttering** [-ring] *s.* bégaiement, m.; *adj.* bégayant.
sty [sta^i] *s.* étable à porcs, porcherie, f.
sty [sta^i] *s.* orgelet (med.), m.
style [sta^il] *s.* style; genre; type; modèle; cachet, chic, m.; manière, mode, f.; *v.* intituler, nommer, désigner; **stylish**, à la mode; chic.
subaltern [s^eb*au*lt^ern] *s.* subalterne; subordonné, m.
subcommittee [sœbk^emiti] *s.* sous-comité, m.; sous-commission, f.
subconscious [sœbkânsh^es] *s.* subconscient, m.
subdivision [sœbd^evij^en] *s.* subdivision, f.; morcellement, m.
subdue [s^ebdy*ou*] *v.* subjuguer; réprimer; maîtriser; adoucir; assourdir; **subdued light**, demi-jour.
subject [sœbdjikt] *s.* sujet; individu, m.; matière; question, f.; *adj.* assujetti; soumis; sujet, porté, subordonné (*to*, à); justiciable (*to*, de); [s^ebdjèkt] *v.* assujettir; soumettre; exposer à; faire subir. || **subjection** [-sh^en] *s.* sujétion; soumission, f. || **subjective** [-tiv] *adj.* subjectif.
subjugate [sœbdj^egé^it] *v.* subjuguer; asservir.
subjunctive [s^ebdjœnktiv] *s.* subjonctif, m.
sublet [sœblèt] *v.* sous-louer.
sublime [s^ebl*a*^im] *adj.* sublime.
submachine gun [sœbm^eshîngœn] *s.* mitraillette, f.
submarine [sœbm^erin] *adj.* sous-marin [sœbm^erin] *s.* sous-marin.
submerge [s^ebmë^rdj] *v.* submerger; inonder; plonger.
submission [s^ebm*i*sh^en] *s.* soumission; résignation, f. || **submissive** [s^ebm*i*siv] *adj.* soumis, résigné. || **submit** [s^ebm*i*t] *v.* (se) soumettre; se résigner (*to*, à).
subordinate [s^eb*au*rd'nit] *adj.* subordonné; secondaire; *s.* subordonné; sous-ordre, m.; [-né^it] *v.* subordonner (*to*, à).
subpoena [s^ebpîn^e] *s.* citation de témoin; assignation, f.; *v.* citer; assigner.
subscribe [s^ebskr*a*^ib] *v.* souscrire; s'abandonner (*for*, à); adhérer (*to*, à). || **subscriber** [-^er] *s.* souscripteur; abonné; signataire; con-

tractant, m. || **subscription** [s^{e}b-skripsh^{e}n] *s.* souscription; cotisation, f.; abonnement, m.
subsequent [sœbsikwènt] *adj.* subséquent; ultérieur; consécutif.
subservient [s^{e}bsë^{r}vi^{e}nt] *adj.* utile; subordonné; servile.
subside [s^{e}bsa^{i}d] *v.* s'apaiser; s'effondrer; tomber, laisser, diminuer.
subsidize [sœbs^{e}da^{i}z] *v.* subventionner; primer. || **subsidy** [sœbs^{e}di] *s.* subvention, f.; subside, m.
subsist [s^{e}bsist] *v.* subsister; exister; vivre.
substance [sœbst^{e}ns] *s.* substance; matière; ressources, f.; fond; essentiel, m. || **substantial** [s^{e}bstànsh^{e}l] *adj.* substantiel; réel; considérable; résistant, solide.
substantive [sœbst^{e}ntiv] *s.* substantif, m.; *adj.* explicite, effectif.
substitute [sœbst^{e}tyout] *v.* substituer; remplacer; subroger (jur.); *s.* substitut; suppléant; remplaçant; succédané, m. || **substitution** [sœbst^{e}tyoush^{e}n] *s.* substitution; suppléance; subrogation (jur.), f.; remplacement, m.
subterranean [sœbt^{e}ré^{i}ni^{e}n] *adj.* souterrain.
subtle [sœt'l] *adj.* subtil; ingénieux; habile; pénétrant. || **subtlety** [-ti] *s.* subtilité, f.
subtract [s^{e}btrakt] *v.* retrancher; soustraire. || **subtraction** [s^{e}btraksh^{e}n] *s.* soustraction; défalcation, f.
suburb [sœbë^{r}b] *s.* faubourg, m.; banlieue, f. || **suburban** [s^{e}bë^{r}b^{e}n] *adj.* suburbain; de banlieue.
subvention [s^{e}bvènsh^{e}n] *s.* subvention, f.
subversive [s^{e}bvë^{r}siv] *adj.* subversif; destructeur.
subway [sœbwé^i] *s. Am.* métropolitain; *Br.* passage souterrain, m.
succeed [s^{e}ksîd] *v.* succéder; remplacer; suivre; réussir (*in*, à). || **success** [s^{e}ksès] *s.* succès, m. || **successful** [-f^{e}l] *adj.* heureux; prospère; réussi. || **succession** [s^{e}ksèsh^{e}n] *s.* succession; suite; série; accession, f. || **successive** [s^{e}ksèsiv] *adj.* consécutif; successif. || **successor** [s^{e}ksès^{e}r] *s.* successeur, m.
succo(u)r [sœk^{e}r] *s.* secours, m.; *v.* secourir; **succo(u)rer**, secouriste.
succulent [sœky^{e}l^{e}nt] *adj.* succulent, délicieux.
succumb [s^{e}kœm] *v.* succomber; céder.
such [sœtsh] *adj.* tel; pareil; semblable; *pron;* tel; *such as*, tel que; *such a friend*, un tel ami; *such patience*, une telle patience; *in such a way that*, de telle sorte que; *on such occasions*, en pareils cas; *such as it is*, tel quel; *such a one*, un tel; *suchlike*, de ce genre.
suck [sœk] *v.* sucer; absorber; têter; *to give suck to*, allaiter; *Am.* sucker, poire, gobeur. || **suckle** [-'l] *v.* allaiter. || **suction** [sœksh^{e}n] *s.* succion; aspiration, f.
sudden [sœd'n] *adj.* soudain; imprévu; prompt; *all of a sudden*, tout à coup; **suddenly**, brusquement, subitement. || **suddenness** [-nis] *s.* soudaineté; promptitude; précipitation, f.
suds [sœdz] *s.* eau de savon, f.; *to be in the suds*, être dans l'ennui.
sue [sou] *v.* traduire en justice; plaider; solliciter; *to sue for damages*, intenter un procès en dommages-intérêts; *to sue for counsel*, solliciter un conseil.
suet [souit] *s.* graisse de bœuf, f.; suif, m.
suffer [sœf^{e}r] *v.* souffrir; supporter; subir; tolérer; essuyer [losses]; **sufferer**, patient, malade. || **suffering** [-ring] *s.* souffrance; douleur, f.; *adj.* souffrant; dolent.
suffice [s^{e}fa^{i}s] *v.* suffire (à). || **sufficiency** [s^{e}fish^{e}nsi] *s.* suffisance; capacité, f. || **sufficient** [s^{e}fish^{e}nt] *adj.* suffisant; compétent. || **sufficiently** [-li] *adv.* suffisamment.
suffocate [sœf^{e}ké^{i}t] *v.* suffoquer; étouffer; asphyxier (med.). || **suffocation** [sœf^{e}ké^{i}sh^{e}n] *s.* suffocation; asphyxie, f.
suffrage [sœfridj] *s.* suffrage, m.
suffuse [s^{e}fyouz] *v.* inonder.
sugar [shoug^{e}r] *s.* sucre, m.; *v.* sucrer; **granulated sugar**, sucre semoule; **lump sugar**, sucre en morceaux; **powdered sugar**, sucre en poudre; **sugar bowl**, sucrier; *lump of sugar*, morceau de sucre.
suggest [s^{e}djèst] *v.* suggérer; proposer. || **suggestion** [-sh^{e}n] *s.* suggestion, f. || **suggestive** [-iv] *adj.* suggestif.
suicide [sou^{e}sa^{i}d] *s.* suicide, m.; *to commit suicide*, se suicider.

suit [sout, syout] s. costume, complet; procès, m.; requête; poursuite (jur.); couleurs [cards], f.; v. adapter; assortir; accommoder; convenir à; plaire à; s'accorder; *that suits me*, ça me va; *to follow suit*, jouer de la même couleur, suivre le mouvement; *to bring suit*, intenter un procès; *suit yourself*, faites à votre gré. || **suitable** [-ᵉb'l] adj. convenable; adapté; apte; **suitably**, convenablement; conformément (*to*, à); || **suitcase** [-kéⁱs] s. valise, mallette, m.
suite [swît] s. suite; escorte; série, f.; *suite of rooms*, appartement; *suite of furniture*, ameublement.
suitor [soutᵉʳ, syoutᵉʳ] s. prétendant, amoureux; solliciteur; plaideur, m.
sulk [sœlk] v. bouder; s. bouderie, f.; **sulky**, boudeur, maussade.
sullen [sœlin] adj. morose; renfrogné; taciturne.
sully [sœli] v. souiller; ternir.
sulphate [sœlféⁱt] s. sulfate, m. || **sulphide** [-faⁱd] s. sulfure, m. || **sulphur** [-fᵉʳ] s. soufre, m.; **sulphuric**, sulfurique; **sulphurous**, sulfureux.
sultan [sœlt'n] s. sultan, m.
sultry [sœltri] adj. étouffant; orageux; suffoquant [heat].
sum [sœm] s. somme, f.; total; calcul; sommaire; summum, m.; *to sum up*, additionner; récapituler; *to work out a sum*, faire un calcul; **sum total**, total. || **summarize** [sœmᵉraⁱz] v. résumer. || **summary** [sœmᵉri] s. sommaire; abrégé; aperçu; relevé, m.; adj. sommaire; bref; résumé; expéditif.
summer [sœmᵉʳ] s. été, m.; adj. estival; v. estiver.
summit [sœmit] s. sommet; faîte; comble, m.
summon [sœmᵉn] v. convoquer; sommer; assigner; poursuivre (jur.). || **summons** [-z] s. pl. sommation; convocation; assignation; citation (jur.), f.
sump [sœmp] s. carter; puisard, m.
sumptuary [sœmptshouèri] adj. somptuaire. || **sumptuous** [-shouᵉs] adj. somptueux, fastueux.
sun [sœn] s. soleil, m.; v. exposer au soleil; (se) chauffer au soleil; **sunbeam**, rayon de soleil; **sunburn**, coup de soleil, hâle; **Sunday**, dimanche; **sundial**, cadran solaire; **sundown**, coucher de soleil; **sunflower**, tournesol; **sunlight**, lumière du soleil; sunlight; **sunproof**, inaltérable au soleil; **sunrise**, lever du soleil; **sunset**, coucher du soleil; **sunshine**, clarté du soleil; **sunspot**, tache solaire; **sunstroke**, insolation. || **sunny** [-i] adj. ensoleillé, rayonnant; radieux; **sunny side**, bon côté.
sundry [sœndri] adj. divers, varié. || **sundries** [-z] s. articles divers; faux frais, m.
super [soupᵉʳ] s. figurant, m.
superabundant [soupᵉʳᵉbœndᵉnt] adj. surabondant.
superannuated [soupᵉʳanyouéⁱtid] adj. démodé.
superb [soupëʳb] adj. superbe; majestueux; somptueux.
supercargo [soupᵉʳkârgoᵒᵘ] s. subrécargue, m.
supercilious [soupᵉʳsiliᵉs] adj. sourcilleux; hautain.
supercharger [soupᵉʳtshârdjᵉʳ] s. supercompresseur, m.
superficial [soupᵉʳfishᵉl] adj. superficiel.
superfluity [soupᵉʳflouᵉti] s. superfluité, f.; superflu, m. || **superfluous** [-flouᵉs] adj. superflu.
superhuman [soupᵉʳhyoumᵉn] adj. surhumain.
superintend [souprintènd] v. diriger; surveiller; || **superintendence** [-ᵉns] s. surveillance; surintendance, f.; contrôle, m. || **superintendent** [-ᵉnt] s. surintendant; chef, m.
superior [sᵉpiriᵉʳ] adj., s. supérieur. || **superiority** [sᵉpiriaurᵉti] s. supériorité, f.
superlative [sᵉpëʳlᵉtiv] adj., s. superlatif.
superman [soupᵉʳman] s. surhomme, m.
supernatural [soupᵉʳnatshrᵉl] adj. surnaturel.
supernumerary [soupᵉʳnyoumᵉrèri] s. surnuméraire; excédent, m.
supersede [soupᵉʳsîd] v. supplanter; remplacer; surseoir à (jur.).
superstition [soupᵉʳstishᵉn] s. superstition, f. || **superstitious** [-shᵉs] adj. superstitieux.
superstructure [soupᵉʳstrœktshᵉʳ] s. superstructure, f.; accastillage (naut.), m.
supervise [soupᵉʳvaⁱz] v. surveiller; diriger. || **supervisor** [-pᵉʳvaizᵉʳ]

surveillant; contrôleur; directeur, m. || **supervision** [soup^{er}*vij*^{e}n] *s.* surveillance ; inspection ; direction, f.; contrôle, m.
supine [*sou*pa^{i}n] *s.* supin, m.; [soupa^{i}n] *adj.* couché sur le dos; en pente; indolent.
supper [sœp^{er}] *s.* souper, m.; *the Lord's Supper,* la Cène.
supplant [s^{e}plant] *v.* supplanter.
supple [sœp'l] *adj.* souple; flexible; docile, soumis.
supplement [sœpl^{e}m^{e}nt] *s.* supplément; appendice, m.; annexe, f.; [-mènt] *v.* suppléer; compléter; **supplementary,** supplémentaire.
suppliant [sœpli^{e}nt] *adj., s.* suppliant.
supplies [s^{e}pl*a*^{i}z] *s.* approvisionnements, m.; fournitures, f.; **food supplies,** vivres; **medical supplies,** matériel sanitaire. || **supply** [s^{e}pl*a*^{i}] *s.* ravitaillement, m.; alimentation; fourniture, f.; *v.* approvisionner ; ravitailler ; *supply base,* centre de ravitaillement ; *supply and demand,* l'offre et la demande.
support [s^{e}po^{ou}rt] *v.* soutenir; appuyer; entretenir; *s.* appui; entretien; support (techn.), m.; adhésion, f.; *to support oneself,* gagner sa vie. || **supporter** [-^{er}] *s.* partisan ; soutien ; supporter ; adhérent, m. ; jarretière, f.
suppose [s^{e}po^{ou}z] *v.* supposer; s'imaginer; prendre pour. || **supposed** [-d] *adj.* supposé; présumé; imaginaire. || **supposition** [sœp^{e}*zish*^{e}n] *s.* supposition; hypothèse, f.
suppository [s^{e}pâz^{e}to^{ou}ri] *s.* suppositoire, m.
suppress [s^{e}près] *v.* supprimer; réprimer [revolt]; étouffer [voice]. || **suppression** [s^{e}prèsh^{e}n] *s.* suppression; répression, f.
supremacy [s^{e}prèm^{e}si] *s.* suprématie, f.; **air supremacy,** maîtrise de l'air. || **supreme** [s^{e}prîm] *adj.* suprême; souverain.
sure [sh*ou*^{er}] *adj.* sûr; assuré; certain; solide, stable; *adv.* sûrement; *sure enough,* en effet, sans doute; *be sure and come,* ne manquez pas de venir. || **surely** [-li] *adv.* assurément; certainement; sans faute. || **surety** [-ti] *s.* sûreté; certitude; caution (jur.), f.; garant (jur.), m.
surf [së^{r}f] *s.* ressac; brisants, m.
surface [së^{r}fis] *s.* surface; superficie, f.; extérieur, dehors, m.; *v.* apprêter; revêtir; aplanir; remonter à la surface (naut.).
surfeit [së^{r}fit] *s.* excès, m.; satiété, f.; *v.* rassasier; écœurer; dégoûter; se gorger.
surge [së^{r}dj] *s.* lame; vague; houle, f.; *v.* être houleux [sea]; se soulever [waters]; monter sur la vague (naut.); surgir.
surgeon [së^{r}dj^{e}n] *s.* chirurgien; médecin (mil.; naut.), m. || **surgery** [-dj^{e}ri] *s.* chirurgie, f. || **surgical** [-djik'l] *adj.* chirurgical.
surly [së^{r}li] *adj.* maussade; renfrogné; hargneux.
surmise [s^{er}m*a*^{i}z] *v.* soupçonner; supposer; *s.* supposition; conjecture, f.
surmount [s^{er}m*a*^{ou}nt] *v.* surmonter; franchir; dépasser, vaincre.
surname [së^{r}né^{i}m] *m.* nom de famille, m.
surpass [s^{er}p*a*s] *v.* surpasser; excéder; franchir; **surpassing,** excellent; éminent.
surplice [së^{r}plis] *s.* surplis, m.
surplus [së^{r}plœs] *s.* surplus; excédent, m.; plus-value, f.; *adj.* excédentaire; **surplus property,** matériel en excédent; **surplus stock,** solde.
surprise [s^{er}pr*a*^{i}z] *s.* surprise, f.; étonnement, m.; *v.* surprendre; prendre en flagrant délit; **surprising,** surprenant.
surrender [s^{e}rènd^{er}] *s.* capitulation; reddition; abdication (jur.); restitution; concession, f.; abandon, m.; *v.* rendre; céder; (se) livrer; capituler; renoncer à; s'abandonner.
surround [s^{e}r*a*^{ou}nd] *v.* entourer; environner; cerner; **surrounding,** environnant. || **surroundings** [-ingz] *s.* alentours; entourage, m.
survey [së^{r}vé^{i}] *s.* examen; arpentage [land], m.; vue; inspection; étude; expertise; levée de plans, f.; [së^{r}*vé*^{i}] *v.* examiner; arpenter; lever le plan de; hydrographier; **official survey,** cadastre. || **surveying** [-ing] *s.* relevé de plans, m.; expertise, f.; **land surveying,** arpentage, géodésie; **naval surveying,** hydrographie. || **surveyor** [s^{er}*vé*^{ier}] *s.* arpenteur géomètre; ingénieur topographe, m.

survival [s^er^va^i^v'l] *s.* survivance; survie, f. || **survive** [s^er^va^i^v] *v.* survivre. || **survivor** [-^er^] *s.* survivant; rescapé, m.
susceptibility [s^e^sèpt^e^bil^e^ti] *s.* susceptibilité, f. || **susceptible** [s^e^sèpt^e^b'l] *adj.* susceptible; sensible (*to*, à); capable; accessible (*of*, à).
suspect [sœspèkt] *s.* suspect, m.; [s^e^spèkt] *v.* soupçonner; suspecter; s'imaginer.
suspend [s^e^spènd] *v.* suspendre; interrompre; surseoir (jur.). || **suspenders** [-^er^z] *s.* bretelles, f. || **suspense** [s^e^spèns] *s.* suspens; doute, m.; indécision, f. || **suspension** [s^e^spènsh^e^n] *s.* suspension; surséance (jur.), f.; **suspension-bridge**, pont suspendu.
suspicion [s^e^spish^e^n] *s.* soupçon; doute, m.; suspicion, f. || **suspicious** [-sh^e^s] *adj.* soupçonneux; suspect.
sustain [s^e^stéin] *v.* soutenir; éprouver [loss]; subir [injury]; *to sustain oneself by*, se donner du courage en. || **sustenance** [sœst^e^n^e^ns] *s.* subsistance, f.; aliments, m.
suture [soutsh^er^] *s.* suture, f.
swab [swâb] *s.* torchon; écouvillon (naut.); tampon d'ouate, m.; *v.* écouvillonner.
swagger [swag^er^] *v.* crâner; fanfaronner; se pavaner.
swain [swé^i^n] *s.* galant, prétendant, m.
swallow [swâlo^ou^] *s.* hirondelle, f.
swallow [swâlo^ou^] *v.* avaler; ingurgiter; endurer; *s.* gorgée, f.
swam [swam] *pret. of* **to swim.**
swamp [swâmp] *s.* marécage; marais, m.; *v.* submerger; faire chavirer; embourber; *swamped with work*, débordé de travail; **swampy**, marécageux.
swan [swân] *s.* cygne, m.
swap [swâp] *v.* troquer; échanger; s. troc, m.
swarm [swaurm] *s.* essaim, m.; nuée, f.; *v.* fourmiller; essaimer.
swarthy [swaurzhi] *adj.* basané.
swash [swâsh] *s.* clapotis, m.; *v.* clapoter; **swashbuckling**, fanfaron.
swat [swât] *v.* écraser; taper; *s.* coup, m.
swathe [swé^i^zh] *s.* maillot, m.; *v.* *Br.* emmailloter.
sway [swé^i^] *v.* osciller; ballotter; se balancer; gouverner; régir; influencer; *s.* balancement; empire, m.; influence; autorité, f.
swear [swè^er^] *v.** jurer; faire prêter serment; *to swear at*, maudire; *to swear in*, assermenter; *to swear to*, attester sous serment; *to swear by*, jurer par; se fier à.
sweat [swèt] *s.* sueur; transpiration, f.; suintement; ressuage, m.; *v.* suer; transpirer; suinter; **sweaty**, suant, pénible. || **sweater** [swèt^er^] *s.* sudorifique; exploiteur; chandail, m.
Swede [swîd] *s.* Suédois. || **Sweden** [swîd'n] *s.* Suède, f. || **Swedish** [swîdish] *adj.* suédois.
sweep [swîp] *v.** balayer; ramoner; draguer; *s.* balayage; balayeur; ramoneur, m.; courbe; étendue, f.; *to sweep by*, glisser, passer rapidement. || **sweeper** [-^er^] *s.* balayeur; ramoneur, m.; **carpet sweeper**, balai mécanique. || **sweeping** [-ing] *s.* balayage; ramonage; dragage, m.; *pl.* balayures, f.; *adj.* rapide; complet [victory].
sweet [swît] *adj.* doux; sucré; parfumé; mélodieux; suave; gentil; délicieux; frais [milk]; sans sel [butter]; *s.* mets sucré; entremets; dessert; bonbon, m.; **sweetbread**, ris de veau; **sweetbrier**, églantier; **sweet pea**, pois de senteur; **sweet potato**, patate; **sweetshop**, confiserie; *to have a sweet tooth*, aimer les douceurs. || **sweeten** [-'n] *v.* sucrer; adoucir; parfumer; assainir. || **sweetness** [-nis] *s.* douceur; gentillesse, f.
swell [swèl] *v.** enfler; gonfler; (se) tuméfier; se pavaner; *s.* houle [sea], f.; gonflement, m.; *adj. Am.* remarquable; épatant; chic; *to have a swelled head*, se donner des airs. || **swelling** [-ing] *s.* enflure; boursouflure; protubérance; crue [river], f.
swept [swèpt] *pret., p. p. of* **to sweep.**
swelter [swèlt^er^] *v.* étouffer de chaleur; être en nage.
swerve [swërv] *v.* faire un écart, une embardée; se dérober [horse]; *s.* écart, m.; embardée; incartade [horse]; dérive, f.
swift [swift] *adj.* rapide; prompt. || **swiftness** [-nis] *s.* rapidité; vélocité; promptitude, f.
swim [swim] *v.** nager; *s.* nage, f.;

to swim across, traverser à la nage; *my head swims,* la tête me tourne; **swim suit,** maillot. || **swimmer** [-^{e}r] *s.* nageur, m.; nageuse, f. || **swimming** [-ing] *s.* natation, nage, f.; **swimming pool,** piscine.
swindle [swìnd'l] *s.* escroquerie, f.; *v.* escroquer; **swindler,** escroc.
swine [swa^{i}n] *s.* porc, cochon, m.; **swineherd,** porcher.
swing [swing] *v.** se balancer; pivoter; être suspendu; brandir; branler; lancer [propeller] (aviat.); *Am.* donner un coup de poing à; *s.* balancement; tour; évitage (naut.); libre cours, libre essor; entrain, m.; oscillation; amplitude; escarpolette, balançoire, f.; *to swing at anchor,* éviter sur l'ancre (naut.); *to swing back,* se rabattre; *to be in full swing,* battre son plein; **swing-bridge,** pont tournant.
swinish [swa^{i}nish] *adj.* grossier, bestial; immonde; de pourceau; **swinishly,** salement.
swipe [swa^{i}p] *v.** cogner; chaparder (pop.); *s.* coup violent, m.
swirl [swë^{r}l] *s.* remous, tourbillon, m.; *v.* (faire) tourbillonner.
swish [swish] *v.* cingler; siffler [whip]; susurrer; *s.* bruit cinglant; susurrement, m.
Swiss [swis] *adj., s.* suisse.
switch [switsh] *s.* badine; aiguille (railw.), f.; commutateur (electr.), m.; *v.* cingler; aiguiller (railw.); *to switch off,* couper le courant (electr.); *to switch on,* mettre le contact (electr.); **switchback,** montagnes russes; **switchboard,** tableau de distribution (electr.), standard (teleph.); *switchboard operator,* standardiste; **switchman,** aiguilleur (railw.).
Switzerland [swits^{e}rl^{e}nd] *s.* Suisse, f.
swivel [swiv'l] *s.* tourniquet, pivot; tourillon, m.; *v.* pivoter; **swivel-seat,** siège tournant.
swob [swâb], *see* **swab.**
swollen [swo^{ou}l^{e}n] *p. p. of* **to swell.**
swoon [swoun] *v.* s'évanouir; *s.* évanouissement, m.; syncope; faiblesse, f.
swoop [swoup] *v.* fondre; foncer (*on,* sur); *s.* attaque, ruée; descente subite, brusque chute sur; *at one swoop,* d'un seul coup.
swop, *see* **swap.**
sword [sau^{r}d] *s.* épée, f.; sabre; glaive, m.; *to draw the sword,* dégainer; *to put to the sword,* passer au fil de l'épée; **sword-belt,** ceinturon; **sword hilt,** poignée de l'épée; **sword-play,** escrime.
swore [swo^{ou}r] *pret. of* **to swear.** || **sworn** [-n] *p. p. of* **to swear.**
swum [swœm] *p. p. of* **to swim.**
swung [swœng] *pret., p. p. of* **to swing.**
sycamore [sìk^{e}mo^{ou}r] *s.* sycomore, m.
syllable [sìl^{e}b'l] *s.* syllabe, f.
syllogism [sìl^{e}djiz^{e}m] *s.* syllogisme, m.
symbol [sìmb^{e}l] *s.* symbole; signe, m.; **symbolic,** symbolique.
symmetrical [simètrik'l] *adj.* symétrique.
sympathetic [simp^{e}thètik] *adj.* sympathique; compatissant. || **sympathize** [sìmp^{e}tha^{i}z] *v.* sympathiser; compatir. || **sympathy** [-thi] *s.* sympathie; compassion; condoléances, f.
symphony [sìmf^{e}ni] *s.* symphonie, f.
symptom [sìmt^{e}m] *s.* symptôme; indice, m. || **symptomatic** [sìmpt^{e}matik] *adj.* symptomatique.
synagogue [sìn^{e}gaug] *s.* synagogue, f.
synchronize [sìngkr^{e}na^{i}z] *v.* synchroniser; être synchronique; **synchronizer,** synchroniseur; **synchronous,** synchronique.
syncope [sìngk^{e}pi] *s.* syncope (med.), f.
syndicate [sìndikit] *s.* syndicat, m.; [-ké^{i}t] *v.* (se) syndiquer; vendre à un organisme de diffusion littéraire; **newspaper syndicate,** syndicat des périodiques, organisme de diffusion du livre.
synonym [sìn^{e}nim] *s.* synonyme, m. || **synonymous** [sinân^{e}m^{e}s] *adj.* synonyme (*with,* de).
syntax [sìntaks] *s.* syntaxe, f.
synthesis [sìnth^{e}sis] *s.* synthèse, f.
Syria [sìri^{e}] *s.* Syrie, f. || **Syrian** [-n] *adj., s.* syrien.
syringe [sìrindj] *s.* seringue, f.
system [sìst^{e}m] *s.* système; réseau (railw.); dispositif, m.; méthode, f.; **communications system,** réseau de transmissions. || **systematic(al)** [sist^{e}matik('l)] *adj.* systématique, méthodique.

T

tab [tab] *s.* écusson, m.; étiquette [baggage], f.; **index tab,** onglet; *Am. to keep tabs on,* ne pas perdre de vue.
table [té^{i}b'l] *s.* table; tablette, f.; tableau; catalogue; plateau (mech.), m.; **billiard table,** billard; **card table,** table de jeu; **extension table,** table à rallonges; **operating table,** table d'opérations; **tablecloth,** nappe; **table land,** plateau (geogr.); **tablespoonful,** cuillerée à bouche; **tableware,** articles de table; **tablewater,** eau de table; *table of contents,* table des matières.
tablet [tablit] *s.* tablette; plaque commémorative; pastille, f.; comprimé (med.); bloc-note, m.
tabloid [tablo^{i}d] *s. Br.* comprimé (med.); *Am.* journal à sensation, m.
tabular [taby^{e}l^{er}] *adj.* plat; tabulaire. ‖ **tabulate** [taby^{e}lé^{i}t] *v.* disposer en tableaux; cataloguer; **tabulator,** tabulateur.
tachometer [t^{e}kâm^{e}t^{er}] *s.* tachymètre; compte-tours, m.
tacit [tasit] *adj.* tacite.
taciturn [tas^{e}të^{r}n] *adj.* taciturne.
tack [tak] *s.* semence de tapissier; bordée (naut.); ligne de conduite, f.; clouer; bâtir, faufiler; louvoyer; unir; annexer.
tackle [tak'l] *s.* attirail; palan; apparaux (naut.), m.; poulie, f.; *v.* accrocher; empoigner; aborder; s'attaquer (*to,* à); **fishing tackle,** articles de pêche.
tact [takt] *s.* tact; toucher, m.; **tactful,** délicat; plein de tact; **tactless,** sans tact, indiscret.
tactical [taktik'l] *adj.* tactique. ‖ **tactics** [taktiks] *s.* tactique, f.
tactile [takt'l] *adj.* tactile; tangible.
tadpole [tadpo^{ou}l] *s.* têtard, m.
taffeta [tafit^{e}] *s.* taffetas, m.
tag [tag] *s.* ferret; tirant [boots], m.; étiquette [baggage], f.; *v.* attacher une fiche (or) une étiquette à; coller; marquer; *to tag after,* suivre comme une ombre.
tag [tag] *s.* chat [game], m.
tail [té^{i}l] *s.* queue; basque; pile [coin], f.; bout, manche [plow]; arrière [cart], m.; *v.* finir; *Am.* suivre, filer; **tailpiece,** cul-de-lampe; **tailspin,** vrille (aviat.).
tailor [té^{i}l^{er}] *s.* tailleur; **ladies' tailor,** tailleur pour dames.
taint [té^{i}nt] *s.* tache, souillure; tare; corruption, f.; *v.* vicier; ternir; (se) gâter; (se) corrompre; **taintless,** pur, sans tache.
take [té^{i}k] *v.** prendre, saisir; porter; ôter; conduire; accepter; amener, emmener; retrancher; considérer; contenir; faire [walk]; emprunter [passage]; suivre [road]; passer [examination]; souscrire [shares]; falloir [time]; *s.* prise; pêche, f.; *to take aim,* viser; *to take away,* emporter; *to take care,* prendre garde; *to take care of,* prendre soin de; *to take a chance,* courir un risque; *to take cover, to take shelter,* s'abriter; *to take effect,* entrer en vigueur; *to take hold of,* s'emparer de; *to take from,* ôter de; *to take heart,* reprendre courage; *to take in,* faire entrer, inclure, mettre dedans; *to take in water,* faire de l'eau; *to take into account,* tenir compte; *to take leave,* prendre congé; *to take notice of,* prêter attention à; *to take off,* enlever, ôter, décoller (aviat.); *to take oneself off,* décamper; *to take on,* embaucher, conduire; *to take out,* (faire) sortir; *to take over,* prendre à sa charge; prendre possession de, prendre la succession de; *to take prisoner,* faire prisonnier; *to take stock,* faire l'inventaire; *to take the sun,* prendre un bain de soleil; *to take trouble,* se donner de la peine; *to take turns,* passer à tour de rôle; *to take unawares,* prendre au dépourvu; **take-off,** décollage (aviat.), caricature. ‖ **taken** [-^{e}n] *p. p. of* **to take.**
talcum [talk^{e}m] *s.* talc, m.
tale [té^{i}l] *s.* conte, récit; dénombrement, compte, m.; *to tell tales,* rapporter, dénoncer; **talebearer,** rapporteur, mauvaise langue.
talent [tal^{e}nt] *s.* talent, m.; **talented,** doué, de talent.

talk [tauk] *v.* parler; causer; s'entretenir; *s.* conversation, f.; entretien; propos; bavardage; on-dit, m.; *to get talked about,* faire parler de soi; *small talk,* banalités; *to talk into,* persuader de; *to talk out of,* dissuader de; *to talk over,* discuter; *matter for talk,* sujet de conversation; *to be the talk of the town,* être la fable du pays; **table talk,** propos de table. || **talkative** [-ᵉtiv] *adj.* bavard. || **talker** [-ᵉʳ] *s.* bavard; fanfaron, m. || **talking** [-ing] *s.* conversation, f.; bavardage, m.; **talking-to,** semonce.
tall [taul] *adj.* grand; haut; *how tall are you?,* quelle taille avez-vous?; **tall tale,** conte à dormir debout.
tallow [taloᵒᵘ] *s.* suif, m.; *v.* suiffer; suager; **tallow candle,** chandelle.
tally [tali] *s.* taille; entaille; marque, étiquette, f.; pointage, m.; *v.* concorder; s'accorder; *Am.* compter, calculer; **tally shop,** magasin où l'on vend à crédit.
tame [téⁱm] *adj.* apprivoisé; domestique; anodin; terne; *v.* apprivoiser; domestiquer; dompter; *to grow tame,* s'apprivoiser.
tam o' shanter [tamᵉshàntᵉʳ] *s.* béret, m.
tamper [tàmpᵉʳ] se mêler (*with,* de); tripoter, falsifier; toucher (*with,* à); essayer de suborner.
tan [tàn] *s.* tan; hâle, m.; *adj.* jaune-brun, hâlé, couleur feu; *v.* tanner; bronzer; rosser (fam.).
tandem [tàndᵉm] *adj.* en flèche; **tandem bicycle,** tandem.
tang [tàng] *s.* goût fort, m.
tangent [tàndjᵉnt] *adj.* tangent; *s.* tangente, f.
tangerine [tàndjᵉrin *s.* mandarine, f.
tangible [tàndjᵉb'l] *adj.* tangible.
Tangiers [tàndjiᵉʳ] *s.* Tanger, m.
tangle [tànng'l] *s.* enchevêtrement; fourré; fouillis, m.; affaire embrouillée, f.; *v.* embrouiller; (s')enchevêtrer.
tank [tàngk] *s.* citerne, f.; réservoir; bidon; tank, char (mil.), m.; **auxiliary tank,** nourrice [motor]; **gasoline tank,** réservoir à essence, container, bac; **tank destroyer,** engin antichar. || **tanker** [-ᵉʳ] *s.* bateau-citerne, m.; **oil-tanker,** pétrolier.
tanner [tanᵉʳ] *s.* tanneur, m. || **tannery** [-ᵉri] *s.* tannerie, f. || **tanning** [-ing] *s.* tannage, m.
tantalize [tànt'laⁱz] *v.* tenter; tourmenter.
tantrum [tàntrᵉm] *s.* accès de colère, de mauvaise humeur, m.
tap [tap] *s.* tape, f.; *v.* taper, tapoter.
tap [tap] *s.* fausset; robinet; taraud, m.; *v.* mettre en perce; tarauder; faire une ponction (med.); capter (telegr.); *on tap,* en perce.
tape [téⁱp] *s.* ruban, lacet, m.; bande, f.; *v.* mettre un ruban à; ficeler; border; maroufler (aviat.); **insulating tape,** chatterton (electr.); **measuring tape,** mètre souple; **paper tape,** bande de papier gommé; **red tape,** paperasserie administrative; **tape-recorder,** magnétophone; **tapeworm,** ténia (med.).
taper [téⁱpᵉʳ] *s.* bougie; cire, f.; cierge; cône (techn.), m.; *v.* effiler; fuseler; **tapered, tapering,** conique; en pointe; effilé.
tapestry [tapistri] *s.* tapisserie, f.; *v.* orner de tapisserie.
tapioca [tapioᵒᵘkᵉ] *s.* tapioca, m.
tappet [tapit] *s.* taquet; butoir, m.
tar [târ] *s.* goudron, m.; *v.* goudronner; bitumer; **tar paper,** carton goudronné; **tarry,** goudronné.
tardy [târdi] *adj.* lent; tardif, traînard.
tare [tèᵉʳ] *s.* tare (comm.), f.; *v.* tarer.
tare [tèᵉʳ] *s.* ivraie, f.
target [-git] *s.* cible, f.; objectif, but, m.
tariff [tarif] *s.* tarif, m.
tarnish [târnish] *v.* (se) ternir; *s.* ternissure, f.
tarpaulin [târpaulin] *s.* prélart, m.; bâche, f.
tarry [tari] *v.* s'attarder; demeurer; *to tarry for someone,* attendre quelqu'un.
tart [târt] *adj.* âcre, âpre; acide; piquant; acariâtre.
tart [târt] *s.* tarte, f.; grue (pop.), f.
tartar [târtᵉʳ] *s.* tartre, m.
task [task] *s.* tâche; besogne; mission (mil.), f.; ouvrage; devoir, m.; *v.* imposer une tâche à; charger.
tassel [tas'l] *s.* gland; tasseau, m.
taste [téⁱst] *s.* goût; penchant, m.; *v.* goûter; sentir; *to taste of,* avoir goût de; **tasteful,** de bon goût; **tasteless,** insipide, fade; sans goût; **tasty,** savoureux.

tatter [tat^{er}] *s.* haillon, lambeau, m.; guenille, f.; **tattered**, déguenillé.

tatting [tating] *s.* frivolité, broderie, f.

tattle [tat'l] *v.* bavarder; *s.* cancan, m.; **tattle-tale**, rapporteur.

tattoo [t^{e}tou] *s.* sonnerie de la retraite (mil.), f.

tattoo [t^{e}tou] *s.* tatouage, m.; *v.* tatouer.

taught [taut] *pret., p. p. of* **to teach.**

taunt [taunt] *s.* insulte, invective, f.; reproche, m.; *v.* insulter; critiquer; blâmer; taquiner.

tavern [tav^{er}n] *s.* taverne, auberge, f.; bar, cabaret, m.; **tavern-haunter**, pilier de bistro; **tavern-keeper**, cabaretier.

tax [taks] *s.* impôt, m.; taxe; contribution, f.; droit, m.; *v.* imposer; taxer; accuser (*with*, de); sermonner, blâmer; mettre à contribution; **direct tax**, contribution directe; **excise tax**, droit de régie; **floor tax**, taxe sur la surface corrigée; **income tax**, impôt sur le revenu; **indirect tax**, contribution indirecte; **non-resident tax**, taxe de séjour; **stamp tax**, droit de timbre; **taxpayer**, contribuable.

taxi [taksi] *s.* taxi, m.; *v.* aller en taxi; rouler au sol (aviat.); **taxicab**, taxi.

tea [tî] *s.* thé, m.; **tea cake**, gâteau pour le thé; **teacup**, tasse à thé; **teakettle**, bouilloire à thé; **tea party**, thé [reception]; **teapot**, théière; **tea time**, heure du thé.

teach [tîtsh] *v.** enseigner; instruire; apprendre. || **teacher** [-^{er}] *s.* professeur; maître; instituteur, m.; institutrice, f. || **teaching** [-ing] *s.* enseignement, m.; *pl.* préceptes, m.; **practice teaching**, stage pédagogique.

teal [tîl] *s.* sarcelle, f.

team [tîm] *s.* attelage [horses], m.; équipe [workmen], f.; *v.* atteler; faire travailler en équipe; *to team up*, former une équipe; **teamster**, charretier; **teamwork**, travail d'équipe; bonne collaboration.

tear [tè^{er}] *s.* accroc; déchirement, m.; déchirure, f.; *v.** (se) déchirer; arracher; se mouvoir très rapidement; *to tear along*, aller bride abattue; *to tear in(to)*, entrer en coup de vent; attaquer; *to tear out*, sortir en trombe; arracher; *to tear upstairs*, monter l'escalier quatre à quatre; *wear and tear*, usure, détérioration.

tear [ti^{er}] *s.* larme, f.; pleur, m.; **tearful**, éploré, en larmes; **tearless**, sans larmes, sec, insensible.

tease [tîz] *v.* taquiner; tracasser; carder [wool]; *s.* taquin, m.; **teasing**, taquinerie, f.

teat [tît] *s.* mamelon; pis, m.; tétine, f.

technical [tèknik'l] *adj.* technique. || **technician** [tèknish^{e}n] *s.* technicien, m. || **technique** [tèknik] *s.* technique, f.

tedious [tîdi^{e}s] *adj.* ennuyeux; fastidieux; fatigant; || **tediousness** [-nis] *s.* ennui, m.; fatigue, f.

teem [tîm] *v.* produire, engendrer; foisonner; regorger (*with*, de); *Am.* pleuvoir à verse.

teens [tînz] *s. pl.* âge de treize à dix-neuf ans; nombre de 13 à 19, m.

teeth [tîth] *pl. of* **tooth.** || **teethe** [tîzh] *v.* faire ses dents.

telegram [tèl^{e}gram] *s.* télégramme, m.; dépêche, f.

telegraph [tèl^{e}graph] *s.* télégraphe, m.; *v.* télégraphier; **telegraph office**, bureau du télégraphe; **telegraph operator**, télégraphiste. || **telegraphy** [t^{e}lègr^{e}fi] *s.* télégraphie, f.; **two-way telegraphy**, duplex; **wireless telegraphy**, T. S. F., radio.

telephone [tèl^{e}fo^{ou}n] *s.* téléphone, m.; *v.* téléphoner; **telephone booth**, cabine téléphonique; **telephone exchange**, central téléphonique; **telephone number**, numéro de téléphone; **telephone operator**, téléphoniste.

telescope [tèl^{e}sko^{ou}p] *s.* télescope, m.; longue-vue, f.; *v.* télescoper. || **telescopic** [-ik] *adj.* coulissant, rentrant; abrégé.

televise [tèlivaiz] *v.* téléviser. || **television** [tèl^{e}vij^{e}n] *s.* télévision, f.; **television set**, téléviseur.

tell [tèl] *v.** dire; raconter; déclarer; montrer; compter; avouer; distinguer (*from*, de); *I am told*, on me dit; *to tell one's beads*, dire son chapelet. || **teller** [-^{er}] *s.* narrateur, conteur; caissier; scrutateur [votes], m. || **telling** [-ing] *adj.* fort, efficace; *s.* narration; divulgation, f. || **telltale** [tèltéil]

s. dénonciateur; compteur (mech.); axiomètre (naut.), m.; *adj.* révélateur.
temerity [t^{e}mèr^{e}ti] *s.* témérité, f.
temper [tèmp^{er}] *s.* tempérament; caractère, m.; humeur; trempe (techn.), f.; *v.* tempérer; détremper, délayer; tremper [metal]; *to lose one's temper,* s'emporter; *to be in a temper,* être en colère. || **temperament** [tèmpr^{e}m^{e}nt] *s.* tempérament, m.; constitution, f.; **temperamental,** capricieux, fantasque.
temperance [tèmpr^{e}ns] *s.* tempérance; modération; retenue; sobriété, f.
temperate [tèmprit] *adj.* modéré; tempéré; sobre; sage. || **temperature** [tèmpr^{e}tsh^{er}] *s.* température, f.; **temperature chart,** feuille de température; *to have a temperature,* avoir de la température.
tempest [tèmpist] *s.* tempête (naut.), f.; orage, m. || **tempestuous** [tèmpèstshou^{e}s] *adj.* tempêtueux; orageux; turbulent.
temple [tèmp'l] *s.* temple, m.
temple [tèmp'l] *s.* tempe, f.
templet [tèmplé^{i}t] *s.* gabarit, m.
temporal [tèmp^{e}r^{e}l] *adj.* temporal.
temporal [tèmp^{e}rel] *adj.* temporel; séculier. || **temporarily** [tèmp^{e}rèr^{e}li] *adv.* temporairement; provisoirement. || **temporary** [tèmp^{e}rèri] *adj.* temporaire; provisoire; intérimaire. || **temporize** [tèmp^{e}ra^{i}z] *v.* temporiser.
tempt [tèmpt] *v.* tenter; inciter, pousser. || **temptation** [tèmpté^{i}sh^{e}n] *s.* tentation, f. || **tempter** [tèmpt^{er}] *s.* tentateur, m. || **tempting** [-ting] *adj.* tentateur; séduisant.
ten [tèn] *adj.* dix; *s.* dix, m.; dizaine, f.
tenable [tèn^{e}b'l] *adj.* soutenable.
tenacious [tiné^{i}sh^{e}s] *adj.* tenace; opiniâtre; attaché (*of,* à). || **tenacity** [tinas^{e}ti] *s.* ténacité; obstination; persévérance, f.
tenant [tèn^{e}nt] *s.* locataire, m.
tench [tèntsh] *s.* tanche, f.
tend [tènd] *v.* tendre à; se diriger vers.
tend [tènd] *v.* garder; soigner; surveiller.
tendency [tènd^{e}nsi] *s.* tendance; inclination; orientation, f.; penchant, m.
tender [tènd^{er}] *adj.* tendre; délicat; sensible; susceptible; attentif (*of,* à); soucieux (*of,* de).
tender [tènd^{er}] *s.* offre; soumission (comm.), f.; *v.* offrir; soumissionner; donner [resignation]; **legal tender (currency),** cours légal, monnaie légale.
tender [tènd^{er}] *s.* tender (techn.); transbordeur (naut.); ravitailleur (aviat.), m.
tenderloin [tènd^{er}lo^{i}n] *s.* filet, m.
tenderness [tènd^{er}nis] *s.* tendresse; sensibilité; délicatesse, f.
tendon [tènd^{e}n] *s.* tendon, m.
tendril [tèndril] *s.* vrille, f.
tenement [tèn^{e}m^{e}nt] *s.* maison de rapport, f.; logement ouvrier, m.
tennis [tènis] *s.* tennis.
tenor [tèn^{er}] *s.* ténor, m.; teneur; portée, f.
tense [tèns] *adj.* tendu; raide.
tense [tèns] *s.* temps (gramm.), m.
tensile [tèns'l] *adj.* extensible; ductile. || **tension** [tènsh^{e}n] *s.* tension, f.
tent [tènt] *s.* tente, f.; *v.* camper; **tent peg,** piquet de tente.
tentative [tènt^{e}tiv] *adj.* expérimental; provisoire.
tenth [tènth] *adj.* dixième; *s.* dixième; dix [dates, titles], m.; dîme, f.
tenuous [tènyou^{e}s] *adj.* ténu; effilé.
tepid [tèpid] *s.* tiède.
term [të^{r}m] *s.* terme; trimestre scolaire; énoncé [problem]; délai, m.; limite; durée; session (jur.), f.; *pl.* conditions, clauses; relations, f.; termes, rapports, m.; *v.* nommer; désigner; *to come to terms,* conclure un arrangement; *on easy terms,* avec facilités de paiement; *the lowest term,* la plus simple expression (math.); *by the terms of,* en vertu de. || **terminal** [-^{e}n'l] *adj.* terminal; ultime; *s.* terminus (railw.), m.; prise de courant (electr.); extrémité, f. || **terminate** [-^{e}né^{i}t] *v.* achever; (se) terminer, aboutir. || **termination** [të^{r}m^{e}né^{i}sh^{e}n] *s.* fin; terminaison; conclusion, f. || **terminus** [të^{r}m^{e}n^{e}s] *s.* terminus, m.; tête de ligne, f.
terrace [tèris] *s.* terrasse, f.; terre-plein, m.; disposer en terrasse.
terrain [tèré^{i}n] *s.* terrain (mil.).

terrestrial [t^eréstri^el] *adj.* terrestre.
terrible [tèr^eb'l] *adj.* terrible; épouvantable. || **terribly** [-bli] *adj.* terriblement; affreusement; épouvantablement.
terrier [tèri^er] *s.* terrier, m.
terrific [t^erifik] *adj.* terrible, effroyable; formidable. || **terrify** [tèr^efa^i] *v.* terrifier; épouvanter; affoler.
territory [tèr^eto^ouri] *s.* territoire.
terror [tèr^er] *s.* terreur; frayeur, f.; effroi, m. || **terrorize** [tèr^era^iz] *v.* terroriser; épouvanter.
terse [tërs] *adj.* élégant; concis.
test [tèst] *s.* épreuve, f.; test; réactif (chem.), m.; *v.* éprouver; expérimenter; contrôler; **blood test,** prise de sang; **test flight,** vol d'essai; **test tube,** éprouvette.
testament [tèst^em^ent] *s.* testament, m. || **testator** [-t^er] *s.* testateur, m. || **testify** [-fai] *v.* témoigner; attester; déclarer; déposer (jur.). || **testimony** [-mo^ouni] *s.* témoignage, m.; déposition, f.
tetanus [tètn^es] *s.* tétanos, m.
tether [tèzh^er] *s.* longe; attache, f.; *v.* mettre à l'attache.
text [tèkst] *s.* texte, m.; **textbook,** manuel.
textile [tèkst'l] *s.* textile; tissu, m.; *adj.* textile.
texture [tèkstsh^er] *s.* texture, contexture, f.; tissu, m.
Thames [tèmz] *s.* Tamise, f.
than [zhàn] *conj.* que; de [numbers]; *more than he knows,* plus qu'il ne sait; *more than once,* plus d'une fois.
thank [thàngk] *v.* remercier (*for,* de); s'en prendre à; *s. pl.* remerciement; merci, m.; **thanksgiving,** actions de grâces; *thank you,* merci; *to have oneself to thank for,* être responsable de, s'en prendre à soi-même. || **thankful** [-f^el] *adj.* reconnaissant || **thankfully** [-f^eli] *adv.* avec gratitude. || **thankfulness** [-f^elnis] *s.* reconnaissance; gratitude, f. || **thankless** [-lis] *adj.* ingrat. || **thanklessness** [-lisnis] *s.* ingratitude, f.
that [zhat] *demonstr. adj.* ce, cet; cette; ça; *pron.* cela, ce; qui; lequel; que; ce que; *conj.* que; *that is,* c'est-à-dire; *that's all,* voilà tout; *all that I know,* tout ce que je sais; *that he may know,* afin qu'il sache; *in that,* en ce que; *that far,* si loin; *that will do,* cela suffit; cela ira.
thatch [thatsh] *s.* chaume, m.; *v.* couvrir en chaume; *thatched roof,* toit de chaume.
thaw [thau] *s.* dégel, m.; *v.* dégeler; fondre.
the [zh^e] ([zhi] before a vowel) *def. art.* le, la, les; *of the, from the,* du, de la, des; *to the,* au, à la, aux; *adv.* d'autant; *the sooner,* d'autant plus tôt; *the less said the better,* moins on en dit, mieux ça vaut.
theater [thi^et^er] *s.* théâtre, m. || **theatrical** [thiatrik'l] *adj.* théâtral; scénique; dramatique.
thee [zhi] *pron.* te, toi.
theft [thèft] *s.* vol; larcin, m.
their [zhè^er] *poss. adj.* leur; leurs. || **theirs** [-z] *poss. pron.* le leur, la leur, les leurs; à eux; à elles.
them [zhèm] *pron.* eux; elles; les; leur; *take them,* prenez-les; *give them a drink,* donnez-leur à boire; *for them,* pour eux; *I see them,* je les vois.
theme [thim] *s.* thème; sujet, m.; composition, f.
themselves [thèmsèlvz] *pron.* eux-mêmes; elles-mêmes; se; eux; elles; *they flatter themselves,* ils se flattent.
then [zhèn] *adv.* alors; puis; ensuite; donc; dans ce cas; *now and then,* de temps en temps; *now... then,* tantôt... tantôt; *even then,* déjà, à cette époque. || **thence** [-s] *adv.* de là; dès lors; par conséquent; pour cette raison; **thenceforth,** dès lors, désormais.
theology [thiâl^edji] *s.* théologie, f.
theorem [thi^er^em] *s.* théorème (math.), m.
theoretical [thi^erètik'l] *adj.* théorique; pur [chemistry]; rationnel [mechanics]. || **theory** [thi^eri] *s.* théorie, f.
therapeutics [thèr^epyoutiks] *s.* thérapeutique, f.
there [zhè^er] *adv.* là; y; voilà; *there is, there are,* il y a; *up there,* là-haut; *down there,* là-bas; *there and then,* sur-le-champ; *there he is,* le voilà. || **thereabouts** [zhèr^eba^outs] *adv.* à peu près; vers; dans les environs. || **thereafter** [zhèraft^er] *adv.* ensuite; par la suite; en conséquence. || **thereby**

[zhèrbaⁱ] *adv.* de cette manière; de ce fait; par ce moyen. || **therefore** [zhèrfoᵒᵘʳ] *adv.* donc; par conséquent; pour cette raison. || **therein** [zhèrin] *adv.* là-dedans; en cela; y; inclus. || **thereof** [zhèrâv] *adv.* de cela; en. || **thereon** [zhèrân] *adv.* là-dessus; y. || **thereupon** [zhèrᵉpân] *adv.* sur ce; là-dessus; en conséquence. || **therewith** [zhèrwith] *adv.* avec cela; ensuite.

thermal [thëʳm'l] *adj.* thermique; thermal. || **thermometer** [thᵉʳmâmᵉtᵉʳ] *s.* thermomètre, m. || **thermostat** [thëʳmᵉstat] *s.* thermostat, m. || **Thermos** *s.* Thermos [bottle], m. (trademark).

these [zhîz] *adj.* ces; *pron.* ceux-ci, celles-ci; *these are yours,* voici les vôtres.

thesis [thîsis] *s.* thèse, f.

thews [thyouz] *s.* nerf; muscle, m.

they [zhéⁱ] *pron.* ils; elles; *they who,* ceux qui, celles qui; *they say,* on dit.

thick [thik] *adj.* épais; dense; inarticulé [voice]; consistant; intime; *s.* gras, m.; *adv.* abondamment; rapidement; péniblement; gras [speech]; **thick-skinned,** à la peau dure, insensible; **thick-witted,** à l'esprit lourd. || **thicken** [-ᵉn] *v.* épaissir; s'obscurcir; se compliquer [plot]. || **thicket** [-it] *s.* bosquet; fourré, hallier, m. || **thickly** [-li] *adv.* d'une façon drue; en foule; abondamment; rapidement. || **thickness** [-nis] *s.* épaisseur; grosseur; densité; consistance; dureté [ear]; difficulté d'élocution, f.

thief [thîf] (*pl.* **thieves** [thîvz]) *s.* voleur, larron, m. || **thieve** [thîv] *v.* voler; dérober.

thigh [thaⁱ] *s.* cuisse, f.; **thighbone,** fémur.

thimble [thimb'l] *s.* dé à coudre, m.; cosse (naut.), f.

thin [thin] *adj.* mince; maigre; fin; clairsemé [hair]; fluide [liquid]; léger [clothing]; raréfié [air]; *v.* amincir; diluer, raréfier; allonger [sauce]; s'amincir; (s')éclaircir.

thine [zhaⁱn] *poss. pron.* le tien; la tienne; les tiens; les tiennes; à toi.

thing [thing] *s.* chose; affaire; créature, f.; objet; *pl.* vêtements, m.; *the very thing,* exactement ce qu'il faut; *how are things?,* comment ça va?; **thingumajig,** truc, machin.

think [thingk] *v.** penser (*of,* à); croire; réfléchir; imaginer; trouver; s'aviser; *I will think it over,* j'y réfléchirai; *I thought better of it,* je me ravisai; *I think ill of,* j'ai mauvaise opinion de; *he thought much of,* il fit grand cas de; *I think so,* je (le) crois; je crois que oui. || **thinker** [-ᵉʳ] *s.* penseur, m. || **thinking** [-ing] *s.* pensée; opinion, f.; avis, m.; *adj.* pensant.

thinly [thinli] *adv.* légèrement [clad]; à peine; en petit nombre; maigrement. || **thinness** [-nis] *s.* minceur; maigreur; légèreté; faiblesse; rareté; raréfaction, f.

third [thëʳd] *adj.* troisième; trois [month, king]; *s.* tiers, m. || **thirdly** [-li] *adv.* troisièmement.

thirst [thëʳst] *s.* soif, f.; *v.* avoir soif; être avide (*for,* de). || **thirsty** [-i] *adj.* altéré; desséché [earth]; *to be thirsty,* avoir soif.

thirteen [thëʳtîn] *adj.* treize. || **thirteenth** [-th] *adj.* treizième; treize [month, king]. || **thirtieth** [thëʳtiith] *adj.* trentième; trente [month, title]. || **thirty** [thëʳti] *adj.* trente; **thirty-first,** trente et unième; trente et un [month].

this [zhis] *demonstr. adj.* ce; cet; cette; ce... ci; cet... ci; cette... ci; *pron.* ceci; *this one,* celui-ci, celle-ci; *this day,* aujourd'hui; *this way,* par ici; de cette façon; *upon this,* là-dessus; *this is London,* ici Londres [radio].

thistle [this'l] *s.* chardon, m.

thither [thizhᵉʳ] *adv.* là, y.

tho, *see* **though.**

thong [thaung] *s.* courroie; lanière; longe, f.

thorn [thaurn] *s.* épine, f.; buisson d'épines, m.; **thorny,** épineux; piquant.

thorough [thëroᵒᵘ] *adj.* entier; complet; parfait; consciencieux. || **thoroughbred** [-brèd] *adj.* pur sang; de sang [horse]. || **thoroughfare** [-fèᵉʳ] *s.* voie de communication, f.; *no thoroughfare,* passage interdit. || **thoroughly** [-li] *adv.* entièrement; tout à fait; parfaitement; à fond.

those [thoᵒᵘz] *demonstr. adj.* ces; *pron.* ceux-là, celles-là; *those who, those which,* ceux qui, celles qui; *those of,* ceux de, celles de.

thou [thaᵒᵘ] *pers. pron.* tu.

though [zhoᵒᵘ] *conj.* quoique; bien

que; encore que; *as though,* comme si; *even though,* même si.

thought [thaut] *s.* pensée, idée; opinion; sollicitude, f.; *pret. of* **to think**; *to give it no thought,* ne pas se préoccuper de. || **thoughtful** [-fel] *adj.* pensif; réfléchi; attentif; soucieux. || **thoughtfulness** [-felnis] *s.* prévenance; sollicitude; méditation, f. || **thoughtless** [-lis] *adj.* irréfléchi; inconsidéré; insouciant; étourdi; inattentif. || **thoughtlessness** [-lisnis] *s.* irréflexion; étourderie; insouciance, f.

thousand [thaouz'nd] *adj.* mille; *s.* millier, m.; *thousands of,* des milliers de. || **thousandth** [-th] *adj.* millième.

thrash [thrash] *v.* rosser; battre le blé; *to thrash around,* se démener; *to thrash out a matter,* étudier une question à fond; **thrashing-floor,** aire ; **thrashing-machine,** batteuse.

thread [thrèd] *s.* fil; filament; filet, filetage (mech.), m.; *v.* enfiler; fileter, tarauder (mech.); *to thread one's way through the crowd,* se faufiler dans la foule. || **threadbare** [-bèer] *adj.* usé jusqu'à la corde; rebattu.

threat [thrèt] *s.* menace, f. || **threaten** [-'n] *v.* menacer; **threatening,** menaçant.

three [thrî] *adj.* trois; *three-cornered hat,* tricorne; **threefold,** triple; **three-phase,** triphasé (electr.).

thresh, *see* **thrash.**

threshold [thrèshoould] *s.* seuil, m.

threw [throu] *pret. of* **to throw.**

thrice [thrais] *adv.* trois fois.

thrift [thrift] *s.* épargne; économie; frugalité, f.; **thrifty,** économe; frugal.

thrill [thril] *v.* percer; faire vibrer; tressaillir, frémir; *s.* émotion vive; surexcitation, f.; frisson, m.; **thrilling,** émouvant, palpitant.

thrive [thraiv] *v.** prospérer; réussir. || **thriven** [thriven] *p. p. of* **to thrive.**

throat [throout] *s.* gorge, f.; gosier; collet (mech.), m.; *a sore throat,* un mal de gorge.

throb [thrâb] *v.* battre, palpiter [heart]; vibrer; *s.* palpitation, pulsation, f.; battement, m.

throe [throou] *s.* agonie, angoisse; douleurs de l'enfantement, f.

throne [throoun] *s.* trône, m.

throng [thraung] *s.* foule; multitude, f.; *v.* s'attrouper; accourir en foule; (se) presser.

throttle [thrât'l] *s.* obturateur, étrangleur (mech.); gosier, m.; *v.* étouffer; étrangler; obstruer; *to open the throttle,* mettre les gaz; *to throttle down,* ralentir; réduire les gaz.

through [throu] *prep.* à travers; par; au moyen de; de part en part de; *adj.* direct; fait, achevé; *adv.* d'un bout à l'autre; **through carriage,** voiture directe; **through ticket,** billet direct; *wet through,* trempé jusqu'aux os; *to fall through,* échouer; *to see it through,* le mener à bonne fin; *let me through,* laissez-moi passer. || **throughout** [-aout] *adv., prep.* partout; d'un bout à l'autre.

throve [throouv] *pret. of* **to thrive.**

throw [throou] *v.** jeter; lancer; renverser; désarçonner; *s.* jet; coup; élan, m.; *to throw away,* rejeter, gaspiller; *to throw in gear,* engrener; *to throw off,* se débarrasser de; *to throw out,* expulser; *to throw up,* jeter en l'air; vomir; rejeter; *to throw out of work,* débaucher, mettre sur le pavé; *to throw in the clutch,* embrayer; *to throw out the clutch,* débrayer. || **thrown** [throoun] *p. p. of* **to throw.**

thrush [thrœsh] *s.* grive, f.

thrush [thrœsh] *s.* aphte (med.), f.

thrust [thrœst] *s.* coup de pointe, m.; estocade; poussée; butée, f.; *v.** pousser; enfoncer; porter une pointe; allonger une botte [fencing]; **propeller thrust,** traction de l'hélice (aviat.); *to thrust on,* faire avancer, inciter; *to thrust in,* fourrer, enfoncer.

thug [thœg] *s.* assassin, étrangleur, bandit, m.

thumb [thœmb] *s.* pouce m.; *v.* manier gauchement; feuilleter; *under the thumb of,* sous la coupe de. || **thumbtack** [-tak] *s. Am.* punaise, f.

thump [thœmp] *v.* bourrer de coups; sonner lourdement [footsteps]; *s.* coup violent, m.; **thumping** (fam.), énorme.

thunder [thœnder] *s.* tonnerre, m.;

foudre, f.; v. tonner; gronder; retentir; fulminer; **thunderbolt,** coup de foudre; **thunderclap,** coup de tonnerre; **thundershower,** pluie d'orage; **thunderstorm,** orage. || **thundering** [-ring] *adj.* tonnant; tonitruant; foudroyant. || **thunderous** [-rᵉs] *adj.* tonnant; redoutable; orageux [weather].

Thursday [thëʳzdi] *s.* jeudi, m.; *on Thursdays,* le jeudi, tous les jeudis.

thus [zhœs] *adv.* ainsi; donc; **thus far,** jusqu'ici.

thwart [thwaurt] *v.* contrarier; contrecarrer; déjouer.

thyme [taⁱm] *s.* thym, m.

thy [zhaⁱ] *poss. adj.* ton; ta; tes.

thyself [zhaⁱsèlf] *pron.* toi-même; te; toi.

tiara [taⁱéⁱrᵉ] *s.* tiare, f.

tibia [tibiᵉ] *s.* tibia, m.

tick [tik] *s.* coutil, m.; toile à matelas, f.

tick [tik] *s.* tique, f.

tick [tik] *s.* tic-tac, m.; marque, f.; *v.* faire tic tac; *to tick off,* marquer, pointer.

tick [tik] *s.* crédit, m.; *on tick,* à crédit.

ticket [tikit] *s.* billet; ticket; bulletin [luggage], m.; étiquette, f.; *v.* étiqueter; donner un billet; **ticket book,** carnet de tickets; **ticket office,** guichet.

tickle [tik'l] *v.* chatouiller; *s.* chatouillement, m.; **ticklish,** chatouilleux; scabreux, périlleux.

tidal [taⁱd'l] *adj.* de marée; **tidal wave,** raz de marée. || **tide** [taⁱd] *s.* marée; saison, f.; courant, m.; *v.* aller avec la marée; *to go with the tide,* suivre le courant; *to tide over,* surmonter; **ebb tide,** marée descendante, jusant; **flood tide,** marée montante; **high tide,** marée haute; **low tide,** marée basse; **tide-gate,** écluse; **tide race,** raz de marée.

tidiness [taⁱdinis] *s.* propreté; netteté, f.

tidings [taⁱdings] *s.* nouvelles, f.

tidy [taⁱdi] *adj.* propre; net; en ordre; *v.* ranger; mettre en ordre; *a tidy sum,* une somme rondelette; *to tidy oneself up,* faire un brin de toilette; **tidily,** proprement.

tie [taⁱ] *v.* attacher; nouer; (se) lier; *s.* lien; nœud; tirant (techn.); assujétissement; ballottage, m.; attache; obligation; cravate [necktie]; traverse (railw.); moise (techn.); partie nulle [sport], f.; *to tie down,* astreindre (*to,* à); **tie-up,** embouteillage [traffic].

tier [tiᵉʳ] *s.* rangée; file, f.

tiger [taⁱgᵉʳ] *s.* tigre, m.

tight [taⁱt] *adj.* serré; raide, tendu; étroit [clothes]; hermétique; étanche; imperméable; ivre; *adv.* hermétiquement; fortement; *it fits tight,* c'est ajusté, collant; **tightwad,** grippe-sou. || **tighten** [-'n] *v.* serrer; resserrer; tendre; bloquer. || **tightness** [-nis] *s.* raideur; étroitesse; étanchéité; imperméabilité; tension; avarice, f.; resserrement, m.

tigress [taⁱgris] *s.* tigresse, f.

tile [taⁱl] *s.* tuile, f.; carreau de cheminée; tuyau de poêle, m.; *v.* couvrir de tuiles; carreler; **tiler,** couvreur.

till [til] *prep.* d'ici à, jusqu'à; *conj.* jusqu'à ce que; *not till,* pas avant.

till [til] *v.* cultiver, labourer. || **tillage** [-ᵉdj] *s.* labourage, m.; agriculture, f.

tilt [tilt] *s.* bâche, f.; tendelet, m.; *v.* bâcher.

tilt [tilt] *s.* inclinaison; pente; bande (naut.), f.; *v.* incliner; donner de la bande; jouter avec; *at full tilt,* à bride abattue.

timber [tìmbᵉʳ] *s.* bois de construction, m.; trempe (fig.), f.; *v.* charpenter.

time [taⁱm] *s.* temps, moment, m.; époque; saison; heure; occasion; fois; mesure [music], f.; *v.* régler; mettre à l'heure; calculer; chronométrer; ajuster; choisir le moment opportun; *at any time,* n'importe quand; *at times,* parfois; *two at a time,* deux à la fois; *to beat time,* battre la mesure; *by this time,* maintenant; *from this time,* dorénavant; *from that time,* dès lors; *in due time,* en temps voulu; *from time to time,* de temps en temps; *on time,* à l'heure; à temps; *in a short time,* sous peu; *next time,* la prochaine fois; *to lose time,* perdre du temps; retarder [clock]; *what time is it?,* quelle heure est-il?; **standard time, civil time,** heure légale; **timekeeper,** surveillant; pointeur; **timepiece,** chronomètre, pendule; **timetable,** horaire, indicateur (railw.). || **timely**

[-li] *adj.* opportun; à propos; à temps. || **timer** [-^{er}] *s.* chronométreur, m.; minuterie, f.
timid [*ti*mid] *adj.* timide, craintif, peureux. || **timidity** [timid^{e}ti] *s.* timidité, f.
timorous [*ti*m^{e}r^{e}s] *adj.* timoré.
tin [tìn] *s.* étain; fer-blanc; récipient en fer-blanc, m.; *v.* étamer; *adj.* d'étain; **tin can**, bidon en fer-blanc; **tin foil**, feuille d'étain; **tin hat**, casque; **tinsmith**, ferblantier, étameur; **tinware**, ferblanterie; **tinworks**, usine d'étain.
tincture [tìngktsh^{er}] *s.* teinture, f.; *v.* teindre; *tincture of iodine*, teinture d'iode.
tinder [tìnd^{er}] *s.* amadou; margotin, m.
tinge [tindj] *s.* teinte; nuance, f.; *v.* nuancer; parfumer.
tingle [tìngg'l] *v.* tinter; vibrer; picoter, fourmiller; *s.* tintement; fourmillement, picotement m.
tinkle [tìngk'l] *v.* tinter; *s.* tintement, m.
tinned [tìnd] *adj.* étamé; conservé en boite.
tinsel [tìns'l] *s.* clinquant; oripeau, m.; *adj.* de clinquant.
tint [tìnt] *s.* teinte; nuance, f.; ton, m.; *v.* teinter.
tiny [*ta*^{i}ni] *adj.* tout petit; menu.
tip [tip] *s.* inclinaison, f.; pourboire; tuyau [horseracing], m.; *v.* donner un pourboire à; donner un tuyau à; basculer; *to tip over*, se renverser; chavirer.
tip [tip] *s.* bout, m.; extrémité; pointe, f.; **wing tip**, bout d'aile.
tipsy [tipsi] *adj.* gris, éméché; *to get tipsy*, se griser.
tiptoe [*ti*pto^{ou}] *s.* pointe du pied, f.; *v.* avancer sur la pointe des pieds.
tirade [*ta*^{i}ré^{i}d] *s.* tirade, f.
tire, tyre [ta^{ier}] *s.* pneu(matique); bandage de roue, m.; *v.* mettre un pneu; **balloon tire**, pneu ballon; **blown-out tire**, pneu éclaté; **flat tire**, pneu crevé; **nonskid tire**, pneu antidérapant; **retreaded tire**, pneu rechapé; **spare tire**, pneu de rechange.
tire [*ta*^{ier}] *v.* (se) lasser; (se) fatiguer; épuiser. || **tired** [-d] *adj.* fatigué; ennuyé; *tired out*, exténué; *to get tired*, se lasser. || **tiredness** [-dnis] *s.* lassitude; fatigue, f. || **tireless** [-lis] *adj.* infatigable. || **tiresome** [-s^{e}m] *adj.* lassant; fatigant; ennuyeux; fastidieux.
tissue [*ti*shou] *s.* tissu, m.; **tissue-paper**, papier pelure; papier de soie.
tithe [ta^{i}zh] *s.* dîme, f.
title [*ta*^{i}t'l] *s.* titre; droit (jur.), m.; *title to property*, titre de propriété; **title page**, page de titre.
titular [*ti*tsh^{e}l^{er}] *adj.* titulaire.
to [tou] *prep.* à; vers; en; de; pour; jusque; jusqu'à; afin de; envers; *owing to*, grâce à; *in order to*, afin de; *to go to England*, aller en Angleterre; *to the last*, jusqu'au dernier; jusqu'au bout; *to all appearances*, selon toute apparence; *a quarter to five*, cinq heures moins le quart; *to and fro*, allée et venue, « navette ».
toad [to^{ou}d] *s.* crapaud, m.
toast [to^{ou}st] *s.* toast, m.; rôtie, f.; *v.* (faire) griller [bread]; porter un toast à.
tobacco [t^{e}bako^{ou}] *s.* tabac, m.; **tobacconist**, débitant de tabac.
toboggan [t^{e}b*â*g^{e}n] *s.* toboggan, m.; luge, f.
today [t^{e}*dé*^{i}] *adv.* aujourd'hui.
toe [to^{ou}] *s.* orteil; bout [stocking], m.; *v.* *to toe in*, marcher les pieds en dedans; *to toe out*, marcher les pieds en dehors; **toenail**, ongle d'orteil.
together [t^{e}gèzh^{er}] *adv.* ensemble; en même temps; à la fois; de suite.
toil [to^{i}l] *v.* travailler, trimer; *s.* labeur, m.; peine, f.
toilet [to^{i}lit] *s.* toilette; ablutions, f.; costume; cabinet, m.; **toilet case**, nécessaire de toilette; **toilet paper**, papier hygiénique; **toilet water**, eau de Cologne.
token [to^{ou}k^{e}n] *s.* marque, f.; signe; gage; témoignage; jeton, m.
told [to^{ou}ld] *pret., p. p. of* **to tell.**
tolerable [tâl^{e}r^{e}b'l] *adj.* tolérable; supportable; passable. || **tolerance** [-r^{e}ns] *s.* tolérance, f. || **tolerant** [-r^{e}nt] *adj.* tolérant; indulgent. || **tolerate** [-ré^{i}t] *v.* tolérer; supporter. || **toleration** [tâl^{e}*ré*^{i}sh^{e}n] *s.* tolérance, f.
toll [to^{ou}l] *s.* octroi; péage; droit de passage, m.; **toll-bridge**, pont payant; **toll gate**, barrière de péage, d'octroi.
toll [to^{ou}l] *s.* tintement [bell], m.; *v.* tinter; sonner.
tomato [t^{e}mé^{i}to^{ou}] *s.* tomate, f.

tomb [toum] *s.* tombe; sépulture, f.; tombeau, m.; **tombstone,** pierre tombale.
tomcat [tâmkat] *s.* matou, m.
tomorrow [t^e^m*au*ro^ou^] *adv.* demain; *day after tomorrow,* après-demain.
tomtit [tâmtit] *s.* mésange, f.
ton [tœn] *s.* tonne, f.; tonneau (naut.), m.
tone [to^ou^n] *s.* ton; accent; son; tonus (med.), m.; *v.* débiter d'un ton monotone; accorder, régler; virer (phot.); tonifier (med.); *to tone in well with,* s'harmoniser avec; *to tone up,* revigorer.
tongs [taungz] *s.* pincettes; pinces; tenailles, f.
tongue [tœng] *s.* langue; languette, f.; ardillon [buckle], m.; *to hold one's tongue,* se taire; **tongue-tied,** bouche cousue; **coated tongue,** langue chargée.
tonic [tânik] *adj., s.* tonique; fortifiant; **tonicity,** tonicité.
tonight [t^e^n*a*^i^t] *adv.* cette nuit; ce soir.
tonnage [tœnidj] *s.* tonnage, m.; jauge, f.
tonsil [tâns'l] *s.* amygdale, f. ‖ **tonsillitis** [tâns'l*a*^i^t^i^s] *s.* amygdalite, f.
tonsure [tânsh^er^] *s.* tonsure, f.; *v.* tonsurer.
too [tou] *adv.* trop; aussi, de même; *too much, too many,* trop, trop de.
took [touk] *pret. of* **to take.**
tool [toul] *s.* outil; instrument, m.; **tool bag,** trousse à outils.
toot [tout] *v.* sonner de la trompette; donner un coup de klaxon; siffler; *s.* coup de klaxon; son du cor; sifflement, m.
tooth [touth] *s.* dent, f.; **false tooth,** fausse dent; **milk tooth,** dent de lait; **wisdom tooth,** dent de sagesse; **toothache,** mal de dents; **toothbrush,** brosse à dents; **toothpaste,** pâte dentifrice; **toothpick,** cure-dents; **toothpowder,** poudre dentifrice.
top [tâp] *s.* sommet; faîte; haut; couvercle; dessus [table]; extrados (aviat.); ciel [furnace]; comble (fig.), m.; toupie; hune (naut.); surface [water]; capote [car]; impériale [bus], f.; *v.* couronner, surmonter; surpasser; dominer; apiquer (naut.); *adj.* premier, de tête; extrême; principal; *at the top of one's voice,* à tue-tête; *from top to toe,* de la tête aux pieds; *on top of,* sur, par-dessus, en plus de; *at top speed,* à toute vitesse; *that tops everything,* c'est le bouquet; *to top off,* parfaire; **topcoat,** pardessus; **topmast,** mât de hune; **topmost,** le plus élevé, le plus haut.
topaz [to^ou^paz] *s.* topaze, f.
toper [to^ou^p^er^] *s.* ivrogne, m.
topic [tâpik] *s.* sujet, m.; matière, f.; **current topic,** actualité.
topography [to^ou^pâgr^e^fi] *s.* topographie, f.
topple [tâp'l] *v.* dégringoler; (faire) culbuter; *to topple over,* renverser, faire choir; s'écrouler.
topsy-turvy [tâpsitë^r^vi] *adj., adv.* la tête en bas; à l'envers; sens dessus dessous; en désordre.
torch [taurtsh] *s.* torche, f.; flambeau; chalumeau (techn.), m.; lampe de poche, f.
tore [to^ou^r] *pret. of* **to tear.**
torment [t*au*rm^e^nt] *s.* tourment, m.; torture, f.; [taurmènt] *v.* tourmenter; torturer; harceler; **tormentor,** bourreau.
tormentor [t*au*rm^e^nt^er^] *s.* abat-son, panneau anti-sonore, m.
torn [to^ou^rn] *p. p. of* **to tear.**
tornado [taurné^i^do^ou^] *s.* tornade, f.; ouragan; cyclone, m.
torpedo [taurpîdo^ou^] *s.* torpille, f; *v.* torpiller; **torpedo boat,** torpilleur; **torpedo-tube,** lance-torpilles.
torpid [t*au*rpid] *adj.* engourdi; inactif.
torrent [t*au*r^e^nt] *s.* torrent; déluge; cours violent, m.
torrid [t*au*rid] *adj.* torride.
torsion [t*au*rsh^e^n] *s.* torsion, f.
tortoise [t*au*rt^e^s] *s.* tortue, f.
tortuous [t*au*rtshou^e^s] *adj.* tortueux; sinueux.
torture [t*au*rtsh^er^] *s.* torture, f.; supplice; tourment, m.; *v.* torturer, supplicier; tourmenter; **torturer,** bourreau, tourmenteur.
toss [taus] *v.* lancer, jeter en l'air; ballotter (naut.); secouer; sauter [cooking]; désarçonner; *s.* secousse; chute de cheval, f.; ballottement, m.; **toss-up,** coup à pile ou face; affaire douteuse; *to toss up,* jouer à pile ou face.
tot [tât] *s.* petit enfant; gosse, m.
total [to^ou^t'l] *adj., s.* total; *v.* totaliser; s'élever à. ‖ **totalitarian** [to^ou^tal^e^tèri^e^n] *adj.* totalitaire.

|| **totality** [to^ou^tal^e^ti] *s.* totalité, f. || **totalizator** [to^ou^t'l^e^zé^i^t^er^] *s.* totalisateur, m. || **totalize** [to^ou^t'la^i^z] *v.* totaliser. || **totally** [to^ou^t'li] *adv.* totalement; entièrement; tout à fait.

totter [tât^er^] *v.* chanceler; vaciller.

touch [tœtsh] *v.* toucher; atteindre; faire escale (naut.); concerner; affecter; *s.* toucher; tact; attouchement; contact; trait, aperçu, m.; touche; allusion; pointe, trace, f.; **touchstone**, pierre de touche, f.; *to get in touch*, se mettre en rapport; *to keep in touch*, garder le contact; *to make a touch*, taper, emprunter de l'argent; *to touch up*, retoucher; *to touch upon*, effleurer; *a touch of powder*, un soupçon de poudre; *a touch of fever*, une pointe de fièvre; **touching**, touchant; émouvant; **touchy**, susceptible, pointilleux.

tough [tœf] *adj.* dur; coriace; résistant; tenace; ardu; *m.* voyou, apache, m. || **toughen** [-'n] *v.* durcir; s'endurcir; (se) raidir. || **toughness** [-nis] *s.* dureté; raideur; résistance; difficulté, f.

tour [tour] *s.* tour; voyage, m.; excursion; tournée, f.; *v.* voyager; visiter. || **tourist** [-ist] *s.* touriste, m. || **tournament** [tœ̈^r^n^e^m^e^nt] *s.* tournoi; concours; championnat, m.; compétition, f.

tow [to^ou^] *v.* touer; remorquer; haler; dépanner; *s.* remorque, f.; touage, m.; **tow boat**, remorqueur; **tow path**, chemin de halage; **towing**, dépannage.

tow [to^ou^] *s.* étoupe; filasse, f.

toward(s) [to^ou^rd(z)] *prep.* vers; envers; à l'égard de; du côté de.

towel [ta^oue^l] *s.* serviette, f.; essuie-mains, m.

tower [ta^ouer^] *s.* tour, f.; pylône, m.; *v.* dominer; planer; s'élever; **conning-tower**, tourelle de commandement (naut.); **towering**, gigantesque; dominant.

town [ta^ou^n] *s.* ville; municipalité, f. || **township** [-ship] *s.* commune.

toxic [tâksik] *adj.*, *s.* toxique. || **toxin** [tâksin] *s.* toxine, f.

toy [to^i^] *s.* jouet; colifichet, m.; *v.* jouer; manier; **toy trade**, bimbeloterie.

trace [tré^i^s] *s.* trace; empreinte, f.; tracé, m.; *v.* calquer; tracer; pister; tracer, calqueur, traçoir.

trace [tré^i^s] *s.* trait [harness], m.

trachea [tré^i^ki^e^] *s.* trachée, f.

track [trak] *s.* piste; voie (railw.); route (naut.; aviat.); orbite (astron.), f.; sillage; chemin, m.; *v.* suivre à la trace; pister; tracer une voie; traquer; haler (naut.); **caterpillar track**, chenille tank; **race track**, piste de course; *to be off the track*, dérailler; *the beaten track*, les sentiers battus; *to track in mud*, faire des marques de pas.

tract [trakt] *s.* étendue; région; nappe [water], f.; tract; opuscule, m.; **digestive tract**, appareil digestif.

tractable [trakt^e^b'l] *adj.* traitable; docile; maniable.

traction [traksh^e^n] *s.* traction; tension; attraction, f. || **tractor** [trakt^er^] *s.* tracteur, m.; **farm tractor**, tracteur agricole.

trade [tré^i^d] *s.* commerce; négoce; métier, m.; *v.* commercer; négocier; trafiquer; troquer; **trademark**, marque de fabrique; **trade name**, raison sociale; **trade school**, école professionnelle; **trade-union**, union ouvrière; **trade wind**, vent alizé. || **trader** [-^er^] *s.* commerçant; négociant; marchand; vaisseau marchand (naut.), m. || **tradesman** [-zm^e^n] *s.* marchand, commerçant; boutiquier; fournisseur; artisan, m. || **trading** [-ing] *s.* commerce; trafic, m.

tradition [tr^e^dish^e^n] *s.* tradition, f.

traffic [trafik] *s.* trafic; négoce, commerce, m.; circulation, f.; *v.* trafiquer; faire du commerce; être en relations (*with*, avec); **traffic flow**, courant de circulation.

tragedy [tradj^e^di] *s.* tragédie, f. || **tragic** [tradjik] *adj.* tragique.

trail [tré^i^l] *s.* trace; piste; traînée; crosse d'affût (mil.), f.; *v.* traîner; suivre à la piste; **trail rope**, prolonge (artill.). || **trailer** [-^er^] *s.* remorque, f.; traînard, m.

train [tré^i^n] *s.* train; convoi; enchaînement [idea], m.; traînée; traîne; escorte, f.; *v.* (s')entraîner; former, instruire; dresser [animals]; pointer (mil.); **express train**, express, rapide; **freight train**, train de marchandises; **local train**, omnibus; **passenger train**, train de voyageurs; *Am.* **subway train**, rame de métro. || **trainer** [-^er^] *s.* entraîneur; dompteur;

avion-école (aviat.), m. || **training** [-ing] *s.* entraînement; dressage; pointage (mil.), m.; instruction, éducation, f.; **basic training,** instruction élémentaire. || **trainman** [-m^{e}n] *s.* cheminot, m.
trait [tré^{i}t] *s.* trait, m.; caractéristique, f.
traitor [tré^{i}t^{er}] *s.* traître, m.
traject [tr^{e}djèkt] *v.* projeter, jeter; *s.* trajet, m. || **trajectory** [-^{e}ri] *s.* trajectoire, f.
tram [tram] *s.* tramway; wagonnet de houillère, m.
tramp [tràmp] *v.* aller à pied; battre la semelle; marcher à pas rythmés; vagabonder; *s.* promenade à pied, marche, f.; piétinement; vagabond, chemineau, m. || **trample** [-'l] *v.* piétiner; fouler aux pieds.
trance [tràns] *s.* extase; transe; catalepsie, f.
tranquil [trànkwil] *adj.* tranquille. || **tranquillity** [trànkwil^{e}ti] *s.* tranquillité, f.
transact [trànsakt] *v.* traiter; négocier avec. || **transaction** [trànsaksh^{e}n] *s.* transaction, affaire, f.; *pl.* compte rendu, procès-verbaux, actes, m.
transalpine [trànsalpin] *adj.* transalpin.
transatlantic [tràns^{e}tlàntik] *adj.* transatlantique.
transcend [trànsènd] *v.* outrepasser; dépasser.
transcribe [trànskra^{i}b] *v.* transcrire. || **transcript** [trànskript] *s.* transcription; copie, f.
transept [trànsèpt] *s.* transept, m.
transfer [trànsfë^{r}] *s.* transfert (jur.); déplacement; billet de correspondance (railw.); **virement** (fin.), m.; mutation; copie, f.; [trànsfë^{r}] *v.* transférer; permuter; transporter; transborder; transmettre; décalquer; virer; changer, correspondre (railw.).
transfigure [trànsfigy^{er}] *v.* transfigurer.
transform [trànsfaurm] *v.* changer; (se) transformer. || **transformation** [trànsf^{er}mé^{i}sh^{e}n] *s.* transformation, f. || **transformer** [trànsfaurm^{er}] *s.* transformateur.
transfusion [trànsfyouj^{e}n] *s.* transfusion, f.
transgress [trànsgrès] *v.* transgresser; pécher; dépasser [bounds]. || **transgression** [trànsgré^{i}sh^{e}n] *s.* transgression; infraction; violation, f. || **transgressor** [trànsgrès^{er}] *s.* transgresseur; délinquant; pécheur, m.
transient [trànsh^{e}nt] *adj.* transitoire; passager; fugitif; momentané. || **transit** [trànsit] *s.* transit; passage; parcours; transport (comm.), m. || **transition** [trànzish^{e}n] *s.* transition, f. || **transitive** [tràns^{e}tiv] *adj.* transitif. || **transitory** [tràns^{e}to^{ou}ri] *adj.* transitoire, éphémère.
translate [trànslé^{i}t] *v.* traduire; transférer; retransmettre (telegr.). || **translation** [trànslé^{i}sh^{e}n] *s.* translation (eccles.); version, traduction, f. || **translator** [trànslé^{i}t^{er}] *s.* traducteur, m.
translucent [trànslous'nt] *adj.* translucide.
transmission [trànsmish^{e}n] *s.* transmission; émission [radio]; boîte de vitesse [auto], f. || **transmit** [trànsmit] *v.* transmettre; émettre [radio]; transporter (electr.). || **transmitter** [-^{er}] *s.* transmetteur; émetteur [radio]; manipulateur (telegr.), m.
transom [tràns^{e}m] *s.* traverse, f.; *Am.* vasistas, m.
transparent [trànspèr^{e}nt] *adj.* transparent; clair; diaphane.
transpire [trànspa^{i}r] *v.* transpirer; s'ébruiter; avoir lieu.
transplant [trànsplànt] *v.* transplanter; greffer (med.).
transport [trànspo^{ou}rt] *s.* transport; enthousiasme; déporté, m.; [trànspo^{ou}rt] *v.* transporter; camionner; déporter; enthousiasmer. || **transportation** [trànsp^{er}té^{i}sh^{e}n] *s.* transport; enthousiasme, m.; déportation, f.; **air, motor, rail, water transportation,** transport par air, par camions, par fer, par eau.
transpose [trànspo^{ou}z] *v.* transposer.
transverse [trànsvë^{r}s] *adj.* transversal; *s.* transverse, m.
trap [trap] *s.* trappe, f.; piège, m.; *v.* attraper; prendre au piège; **trap-door,** trappe; **mouse trap,** souricière; **rattletrap,** guimbarde.
trapeze [trapiz] *s.* trapèze, m.
trappings [trapingz] *s.* parures, f.; ornements; atours, m.
trash [trash] *s.* camelote; fadaise [talk], f.; déchets; rebuts, m. pl.

traumatism [traumetizem] *s.* traumatisme, m.
travel [trav'l] *s.* voyage; trajet (mech.), m.; *v.* voyager; circuler; parcourir; tourner, rouler (mech.); **travel agency,** agence de voyage. ‖ **travel(l)er** [-er] *s.* voyageur; curseur; chariot (mech.), m. ‖ **travel(l)ing** [-ing] *adj.* mobile; ambulant; de voyage; *s.* traveling [cinema], m.
traverse [travërs] *s.* traverse; traversée; entretoise (mech.); transversale (geom.), f.; obstacle, revers, m.; *v.* traverser.
travesty [travisti] *s.* travesti, m.; parodie, f.; *v.* parodier; déguiser.
trawler [trauler] *s.* chalutier, m.
tray [tréi] *s.* plateau, m.; cuvette (phot.); auge, augette, f.
treacherous [trètsheres] *adj.* traître; perfide. ‖ **treachery** [trètsheri] *s.* trahison; perfidie, f.
treacle [trîk'l] *s.* mélasse, f.
tread [trèd] *v.** fouler, écraser; piétiner; appuyer sur; *s.* (bruit de) pas; piétinement; écartement des roues [car], m.; marche; chape [tire]; semelle, f.
treason [trîz'n] *s.* trahison, f.
treasure [trèjer] *s.* trésor, m.; *v.* thésauriser; conserver précieusement. ‖ **treasurer** [-rer] *s.* trésorier, m. ‖ **treasury** [-ri] *s.* trésor public, m.; trésorerie, f.
treat [trît] *v.* traiter; négocier; inviter; *s.* régal, m.; partie de plaisir; tournée [drink], f. ‖ **treatise** [-is] *s.* traité, m. ‖ **treatment** [-ment] *s.* traitement, m.; cure, f. ‖ **treaty** [-i] *s.* traité; pacte, m.
treble [trèb'l] *adj.* triple; *s.* triple, m.; *v.* tripler; **treble clef,** clef de sol; **treble voice,** voix de soprano.
tree [trî] *s.* arbre, m.; **family tree,** arbre généalogique; **treeless,** sans arbre; **treetop,** cime d'un arbre.
trefoil [trîfoil] *s.* trèfle, m.
trellis [trèlis] *s.* treillis, m.; *v.* treillisser.
tremble [trèmb'l] *v.* trembler; trembloter; vibrer; *s.* tremblement, m.
tremendous [trimèndes] *adj.* terrible; épouvantable; extraordinaire; formidable.
tremor [trèmer] *s.* tremblement; frémissement, m.; trépidation, f. ‖ **tremulous** [trèmyoules] *adj.* tremblotant; frémissant.
trench [trèntsh] *s.* tranchée, f.; retranchement; fossé, m.; **trenchboard,** caillebotis; **trench coat,** imperméable; **trench fever,** fièvre récurrente.
trend [trènd] *s.* tendance; direction, f.
trepan [tripàn] *s.* trépan, m.; *v.* trépaner.
trespass [trèspes] *s.* violation; contravention, f.; délit, m.; *v.* enfreindre; violer; empiéter sur; pécher; *no trespassing,* défense d'entrer. ‖ **trespasser** [-er] *s.* transgresseur; délinquant; maraudeur; intrus, m.
tress [très] *s.* tresse, f.
trestle [très'l] *s.* tréteau; support; chevalet, m.
trial [traiel] *s.* épreuve, expérience, tentative, f.; essai; jugement, procès (jur.), m.; *to bring to trial,* mettre en jugement; **speed trial,** essai de vitesse.
triangle [traiàngg'l] *s.* triangle, m. ‖ **triangular** [-gyeler] *adj.* triangulaire.
tribe [traib] *s.* tribu, f.
tribulation [tribyeléishen] *s.* tribulation, f.
tribunal [tribyoun'l] *s.* tribunal, m.
tribune [tribyoun] *s.* tribune, f.; [tribyoun] *s.* « tribune » [newspaper], f.
tributary [tribyetèri] *adj.* tributaire; *s.* affluent, m. ‖ **tribute** [tribyout] *s.* tribut; hommage, m.
trick [trik] *s.* tour; truc; tic, m.; ruse; farce; levée [cards], f.; *v.* duper; escroquer. ‖ **trickery** [-eri] *s.* tromperie; tricherie; supercherie, f. ‖ **tricky** [-i] *adj.* rusé; astucieux; minutieux, compliqué, délicat.
trickle [trik'l] *v.* couler; ruisseler; *s.* ruissellement; filet d'eau; ruisselet, m.
tried [traid] *p. p. of* **to try;** *adj.* éprouvé.
trifle [traif'l] *s.* bagatelle; vétille, f.; *v.* badiner; *to trifle away,* gaspiller; *to trifle with,* se jouer de; **trifling,** insignifiant.
trigger [triger] *s.* détente; gachette, f.; déclic, m.
trill [tril] *s.* trille, m.; *v.* triller; tinter; rouler les r.
trim [trim] *v.* arranger; orner; ajuster; tailler; arrimer (aviat.; naut.); émonder [tree]; dégrossir

[timber]; *s.* ornement; attirail; bon ordre; arrimage, m.; *adj.* ordonné; soigné; coquet. || **trimming** [-ing] *s.* garniture, f.; arrimage; émondage; calibrage (phot.), m.; *pl.* ornements, m.; passementerie, f.
trimonthly [traimœnthli] *adj.* trimestriel.
trinket [tringkit] *s.* colifichet, m.
trio [triou] *s.* trio, m.
trip [trip] *s.* excursion; tournée, f.; tour; trajet, parcours; faux pas; déclenchement (mech.), m.; *v.* trébucher; broncher [horse]; déclencher (mech.); fourcher [tongue]; trotter menu.
triple [trip'l] *adj.* triple; *v.* tripler; **triplicate**, triplé, en triple exemplaire.
tripod [traipâd] *s.* trépied, m.
trite [trait] *adj.* banal; rebattu.
triumph [traiemf] *s.* triomphe, m.; *v.* triompher. || **triumphal** [traiœmf'l] *adj.* triomphal. || **triumphant** [traiœmfent] *adj.* triomphant; triomphateur. || **triumphantly** [-li] *adv.* triomphalement.
trivial [trivyel] *adj.* trivial; insignifiant; banal; frivole.
trod [trâd] *pret., p. p. of* **to tread.** || **trodden** [-'n] *p. p. of* **to tread.**
trolley [trâli] *s.* trolley; chariot; fardier; tramway, m.; **trolley car,** tramway; **trolley line,** ligne de tramways.
trombone [trâmboun] *s.* trombone, m.
troop [troup] *s.* troupe, f.; peloton; escadron, m. || **trooper** [-er] *s.* cavalier [soldier], m. || **troops** [troups] *s.* troupes, f.; **covering troops,** troupes de couverture; **picked troops,** troupes d'élite.
trophy [troufi] *s.* trophée, m.
tropic [trâpik] *s.* tropique, m. || **tropical** [-'l] *adj.* tropical.
trot [trât] *v.* trotter; *s.* trot, m.; **fast trot,** trot allongé.
trouble [trœb'l] *s.* trouble; chagrin; ennui; souci; dérangement, m.; peine; affection (med.), f.; *v.* troubler; agiter; tracasser; affliger; préoccuper; ennuyer; déranger; gêner; *it is not worth the trouble,* cela n'en vaut pas la peine; **engine trouble,** panne de moteur; **trouble shooter,** dépanneur; **troublemaker,** agitateur, agent provocateur. || **troublesome** [-sem] *adj.* ennuyeux; fâcheux; gênant; incommode.
trough [trauf] *s.* auge, f.; pétrin; baquet; creuset (metall.); caniveau; creux des lames, m.; **drinking-trough,** abreuvoir.
trousers [traouzerz] *s.* pantalon, m.
trousseau [trousoou] *s.* trousseau.
trout [traout] *s.* truite, f.
trowel [traouel] *s.* truelle, f.; déplantoir (hort.), m.
truant [trouent] *s.* paresseux, m.; *adj.* paresseux; vagabond.
truce [trous] *s.* trêve, f.; *flag of truce,* drapeau de parlementaire.
truck [trœk] *s.* camion; fourgon; wagon (railw.); chariot, diable, m.; *v.* camionner; **delivery truck,** camionnette; **truck garden,** jardin de maraîcher.
trudge [trœdj] *v.* cheminer péniblement; clopiner; se traîner; *s.* marche pénible, f.
true [trou] *adj.* vrai; exact; loyal, sincère; droit; juste; conforme; fidèle; centré (mech.); légitime; authentique; *to come true,* se réaliser. || **truly** [-li] *adv.* vraiment; réellement; sincèrement; franchement; *yours truly,* sincèrement vôtre.
trump [trœmp] *s.* atout [cards], m.; *v.* jouer atout.
trump [trœmp] *v.* inventer; *to trump up an excuse,* forger une excuse.
trumpet [trœmpit] *s.* trompette, f.; *v.* jouer de la trompette; publier; **trumpeter,** trompettiste; **ear trumpet,** cornet acoustique.
trunk [trœngk] *s.* tronc, m.; trompe [elephant]; malle [luggage]; ligne principale (railw.), f.; *pl.* caleçon court, m.
truss [trœs] *s.* bandage herniaire (med.); cintre (archit.), m.
trust [trœst] *s.* confiance; espérance; responsabilité, charge; garde; confidence, f.; trust; crédit (comm.), m.; *v.* se fier; (se) confier; faire crédit à; espérer. || **trustee** [-î] *s.* dépositaire; administrateur, syndic, m.; *board of trustees,* conseil d'administration. || **trustful** [-fel] *adj.* confiant. || **trustworthy** [-wërzhi] *adj.* digne de confiance, honnête, sûr. || **trusty** [trœsti] *adj.* sûr; fidèle; loyal; *s.* homme de confiance, m.
truth [trouth] *s.* vérité; sincérité,

loyauté, f. || **truthful** [-f^el] *adj.* véridique, vrai; sincère. || **truthfulness** [-f^elnis] *s.* véracité, f.

try [traⁱ] *v.* essayer; entreprendre; mettre à l'épreuve; juger (jur.); *to try someone's patience,* exercer la patience de quelqu'un; *to try on a suit,* essayer un costume. || **trying** [-ing] *adj.* éprouvant; pénible; angoissant; vexant.

tub [tœb] *s.* cuve; baignoire, f.; baquet; tub, m.; *v.* prendre un tub.

tube [tyoub] *s.* tube; conduit; tuyau; *Br.* métro, m.; buse (techn.); lampe [radio], f.; **bronchial tube,** bronche; **inner tube,** chambre à air [tire].

tubercle [tyoubë^rk'l] *s.* tubercule, m. || **tubercular** [tyoubë^rky^el^er] *adj.* tuberculeux. || **tuberculosis** [tyoubë^rky^elo^{ou}sis] *s.* tuberculose, f.

tubing [tyoubing] *s.* tuyautage, m.; tuyauterie, f.

tuck [tœk] *v.* retrousser; *s.* pli, plissé, m.; *to tuck in bed,* border le lit.

Tuesday [tyouzdi] *s.* mardi, m.

tuft [tœft] *s.* touffe; huppe, f.; pompon, m.

tug [tœg] *v.* tirer, tirailler; remorquer; *s.* tiraillement; remorqueur [boat], m.; saccade, f.

tuition [tyouish^en] *s.* instruction; leçons, f.; enseignement; *Am.* droits d'inscriptions.

tulip [tyoul^ep] *s.* tulipe, f.

tulle [tyoul] *s.* tulle, m.

tumble [tœmb'l] *v.* tomber, dégringoler; tourner et retourner; chiffonner; *to tumble to,* deviner; *to tumble over,* faire la culbute; *to tumble for,* se laisser prendre à. || **tumbler** [-^er] *s.* gobelet, grand verre, timbale; équilibriste, acrobate; pigeon culbutant, m.

tumefy [tyoum^efaⁱ] *v.* (se) tuméfier. || **tumo(u)r** [-m^er] *s,* tumeur, f.

tumult [tyoumœlt] *s.* tumulte; vacarme; trouble, m. || **tumultuous** [tyoumœltshou^es] *adj.* tumultueux.

tun [tœn] *s.* tonneau, fût, m.

tuna [toun^e] *s. Am.* thon, m.

tune [tyoun] *s.* air; ton; accord, m.; mélodie, f.; *v.* accorder; régler, syntoniser [radio]; *out of tune,* désaccordé; *in tune,* d'accord; accordé; juste.

tunic [tyounik] *s.* tunique, f.

tuning [tyouning] *s.* accord; accordage, m.; mise au point (mech.); syntonisation [radio]; **tuning knob,** bouton de réglage [radio].

Tunisia [tyounishi^e] *s.* Tunisie, f.

tunnel [tœn'l] *s.* tunnel, m.; *v.* trouer, percer.

turbid [të^rbid] *adj.* trouble; bourbeux; en désordre; embrouillé.

turbine [të^rbaⁱn] *s.* turbine, f.

turbulent [të^rby^el^ent] *adj.* turbulent; tumultueux; tourbillonnant; séditieux.

turf [të^rf] *s.* gazon; terrain de course; turf, m.; tourbe, f.

turgid [të^rdjid] *adj.* enflé, gonflé.

Turk [të^rk] *s.* Turc, m.

turkey [të^rki] *s.* dindon, m.; dinde, f.; *Am.* « four » (theat.).

Turkey [të^rki] *s.* Turquie, f. || **Turkish** [-sh] *adj., s.* turc.

turmoil [të^rmoⁱl] *s.* tumulte; désordre; trouble, m.; agitation, f.

turn [të^rn] *v.* (se) tourner; transformer; virer (aviat.); faire pencher [scale]; traduire; émousser; écœurer; se détourner; se changer, devenir; se diriger; *s.* tour; tournant; contour; virage; changement; penchant, m.; révolution (astron.); tournure; occasion, f.; *to turn back,* se retourner; renvoyer; rebrousser chemin; *to turn down an offer,* repousser une offre; *to turn about,* faire demi-tour; *to turn in,* rendre, restituer; *Am.* se coucher; *to turn off,* fermer, couper [gas]; éteindre (electr.); *to turn on,* ouvrir, allumer (electr.); *to turn out,* expulser; *to turn over,* capoter [auto], se renverser; *to turn to,* avoir recours à; *to turn over and over,* tournoyer; *to turn sour,* aigrir; *turn of mind,* tournure d'esprit; *by turns,* alternativement; *in turn,* à tour de rôle.

turnip [të^rnip] *s.* navet, m.

turnover [të^rno^{ou}v^er] *s.* capotage; chiffre d'affaires [business]; chausson [apple], m.; *adj.* replié, rabattu; reversible; pliant [table]. || **turntable** [të^rntéib'l] *s.* plaque tournante (railw.), f.; plateau [gramophone], m.

turpentine [të^rp^entaⁱn] *s.* térébenthine, f.

turpitude [të^rp^etyoud] *s.* turpitude; vilenie, f.

turquoise [të^rkwoⁱz] *s.* turquoise, f.

turret [të^rit] *s.* tourelle, f.

turtle [tërt'l] *s.* tortue, f.; **turtle-dove**, tourterelle; *to turn turtle*, capoter.
tusk [tœsk] *s.* défense, f.
tutor [toute^r] *s.* précepteur; répétiteur; professeur adjoint; tuteur (jur.), m.; *v.* être le tuteur de; servir de tuteur à; enseigner.
tuxedo [tœksidoᵒᵘ] *s.* smoking, m.
twang [twàng] *s.* nasillement; son métallique, m.; *v.* nasiller; (faire) vibrer; **twangy**, nasal, nasillant.
tweed [twid] *s.* tweed, m.
tweezers [twize^rz] *s.* pince, f.
twelfth [twèlfth] *adj.* douzième; **Twelfth Night**, soir de l'Epiphanie. || **twelve** [twèlv] *adj.* douze; *twelve o'clock*, midi, minuit. || **twentieth** [twèntiith] *adj.* vingtième; vingt [month, title]. || **twenty** [twènti] *adj.* vingt.
twice [twaⁱs] *adv.* deux fois.
twig [twig] *s.* brindille; ramille, f.
twilight [twaⁱlaⁱt] *s.* crépuscule, m.; *adj.* crépusculaire.
twin [twin] *adj.*, *s.* jumeau, m.; jumelle, f.
twine [twaⁱn] *s.* ficelle, f.; enroulement; entrelacement, m.; *v.* (s')enrouler.
twinge [twindj] *s.* élancement, m.; *v.* pincer; élancer.
twinkle [twìngkl] *v.* scintiller; clignoter; *s.* scintillement; clignement, clin, m. || **twinkling** [-ing] *s.* clignement, clin, m.
twirl [twërl] *v.* (faire) tournoyer; girer; *s.* tournoiement, m.
twist [twist] *s.* cordon; cordonnet; toron (naut.), m.; torsion; contorsion, f.; *v.* tordre; entortiller; enlacer; s'entrelacer, (s')enrouler; se tortiller.
twitch [twitsh] *s.* élancement; tic, m.; secousse; convulsion (med.), f.; *v.* se crisper; se contracter; se convulser; tirer vivement, arracher.
twitter [twite^r] *v.* gazouiller; palpiter; *s.* gazouillis; émoi, m.; palpitation, f.
two [tou] *adj.* deux; *by twos*, deux à deux; *two and two*, deux plus deux; **two-edged**, à deux tranchants. || **twofold** [-foᵒᵘld] *adj.* double.
tympan [tìmpᵉn] *s.* tympan, m.
type [taⁱp] *s.* type; individu; caractère (typogr.), m.; *v.* taper à la machine, dactylographier. || **typewrite** [-raⁱt] *v.* dactylographier, taper. || **typewriter** [-raⁱte^r] *s.* machine à écrire, f. || **typewritten** [-rit'n] *adj.* dactylographié.
typhoid [taⁱfoⁱd] *s.* typhoïde, f.
typhoon [taⁱfoun] *s.* typhon, m.
typhus [taⁱfᵉs] *s.* typhus, m.
typical [tipik'l] *adj.* typique.
typist [taⁱpist] *s.* dactylo(graphe).
typography [taⁱpâgrᵉfi] *s.* typographie, f.
tyrannical [tiranik'l] *adj.* tyrannique. || **tyranny** [tirᵉni] *s.* tyrannie, f. || **tyrant** [taⁱrᵉnt] *s.* tyran, m.

U

udder [œde^r] *s.* pis, m.
ugliness [œglinis] *s.* laideur, f. || **ugly** [œgli] *adj.* laid; vilain; mauvais [weather].
ulcer [œlse^r] *s.* ulcère, m.; plaie, f. || **ulcerate** [-réⁱt] *v.* (s')ulcérer. || **ulceration** [œlsᵉréⁱshᵉn] *s.* ulcération, f.
ulterior [œltirie^r] *adj.* ultérieur.
ultimate [œltᵉmit] *adj.* ultime. || **ultimately** [-li] *adv.* finalement; en définitive; définitivement.
umbilicus [œmbilikᵉs] *s.* ombilic.
umbrage [œmbridj] *s.* ombrage, m.
umbrella [œmbrèlᵉ] *s.* parapluie, m.; ombrelle, f.
umpire [œmpaⁱr] *s.* arbitre, m.; *v.* arbitrer.
un- [œn-] *prefix* in-; non-; dé-; mal; sans; peu.
unable [œnéⁱb'l] *adj.* incapable; empêché; impuissant; *to be unable to*, ne pouvoir.
unaccountable [œnᵉkaᵒᵘntᵉb'l] *adj.* inexplicable; incompréhensible; irresponsable; indépendant.
unaccustomed [œnᵉkœstᵉmd] *adj.* inaccoutumé; insolite; peu usuel.
unacknowledged [œnᵉknâlidjd] *adj.* non reconnu; sans réponse [letter].
unaffected [œnᵉfèktid] *adj.* simple, naturel; insensible.

unalloyed [œneloid] *adj.* pur, sans mélange.
unamenable [œneminеb'l] *adj.* réfractaire, indocile.
unanimity [younenimeti] *s.* unanimité, f. || **unanimous** [younanemes] *adj.* unanime.
unapproachable [œneproоutsheb'l] *adj.* inaccessible; incomparable.
unarmed [œnârmd] *adj.* désarmé; sans armes.
unassailable [œneséileb'l] *adj.* inattaquable; irréfutable.
unassuming [œnesouming] *adj.* modeste, simple.
unattractive [œnetraktiv] *adj.* sans attrait; peu séduisant.
unavailable [œnevéileb'l] *adj.* indisponible; pas libre. || **unavailing** [œnevéiling] *adj.* inutile; infructueux.
unavoidable [œnevoideb'l] *adj.* inévitable; inéluctable.
unaware [œnewèer] *adj.* ignorant; non averti; non informé. || **unawares** [-z] *adv.* au dépourvu; à l'improviste; par mégarde.
unbalanced [œnbalenst] *adj.* inéquilibré; déséquilibré (med.); non compensé (mech.).
unbearable [œnbèreb'l] *adj.* intolérable; intenable.
unbecoming [œnbikœming] *adj.* inconvenant; déplacé; peu seyant.
unbelief [œnbelîf] *s.* incrédulité, f. || **unbelievable** [-lîveb'l] *adj.* incroyable. || **unbeliever** [-lîver] *s.* incrédule; mécréant, m. || **unbelieving** [-lîving] *adj.* incrédule.
unbending [œnbènding] *adj.* inflexible; intransigeant.
unbiased [œnbaiest] *adj.* sans préjugés; impartial.
unbosom [œnbouzem] *v.* révéler.
unbounded [œnbaoundid] *adj.* illimité; démesuré; effréné.
unbreakable [œnbréikeb'l] *adj.* incassable. || **unbroken** [œnbroouken] *adj.* intact, non brisé; non violé; ininterrompu; indompté [horse].
unburden [œnbë rd'n] *v.* alléger, soulager.
unbutton [œnbœt'n] *v.* déboutonner.
uncanny [œnkani] *adj.* étrange; surnaturel; mystérieux.
unceasing [œnsîsing] *adj.* incessant, continuel.
uncertain [œnsërt'n] *adj.* incertain; irrésolu; indéterminé; douteux; aléatoire.
unchangeable [œntshéindjeb'l] *adj.* inaltérable; immuable; invariable. || **unchanged** [œntshéindjd] *adj.* inchangé.
uncharted [œntshârtid] *adj.* qui ne figure pas sur la carte.
unclaimed [œnkléimd] *adj.* non réclamé; de rebut [letter].
uncle [œngk'l] *s.* oncle, m.
unclean [œnklîn] *adj.* sale; impur.
uncomfortable [œnkœmferteb'l] *adj.* inconfortable; incommode; gêné; fâcheux; mal à l'aise.
uncommon [œnkâmen] *adj.* peu commun; rare; insolite; *not uncommonly,* assez souvent.
uncompromising [œkâmpremaizing] *adj.* intransigeant.
unconcerned [œnkensërnd] *adj.* indifférent; insouciant.
unconditional [œnkendishen'l] *adj.* absolu; inconditionnel.
uncongenial [œnkendjînyel] *adj.* antipathique; déplaisant; incompatible.
unconquerable [œnkângkereb'l] *adj.* invincible; indomptable; insurmontable. || **unconquered** [œnkângkerd] *adj.* invaincu; indompté.
unconscious [œnkânshes] *adj.* inconscient; évanoui; *s.* inconscient, m. || **unconsciousness** [-nis] *s.* inconscience, f.; évanouissement.
uncontrollable [œnkentrooul̥eb'l] *adj.* incontrôlable; irrésistible; indomptable. || **uncontrolled** [œnkentroould] *adj.* incontrôlé; sans frein; indépendant; irresponsable.
unconventional [œnkenvènshen'l] *adj.* peu conventionnel; original; affranchi, libre.
uncork [œnkaurk] *v.* déboucher.
uncouth [œnkouth] *adj.* étrange; gauche; grossier, malappris.
uncover [œnkœver] *v.* (se) découvrir.
unction [œngkshen] *s.* onction, f. || **unctuous** [-shes] *adj.* onctueux.
uncultivated [œnkœltevéitid] *adj.* inculte. || **uncultured** [œnkœltsherd] *adj.* inculte, sans culture, fruste.
undecided [œndisaidid] *adj.* indécis, irrésolu.
undeceive [œndisîv] *v.* désabuser.

undeniable [œndina^{i}^{e}b'l] *adj.* indéniable; incontestable.
under [œnd^{er}] *prep.* sous; au-dessous de; dans, en moins de; *adv.* dessous; *adj.* inférieur; *under the law,* en vertu de la loi.
underbrush [œnd^{er}brœsh] *s.* taillis; sous-bois, m.; broussailles, f.
undercarriage [œnd^{er}karidj] *s.* train d'atterrissage (aviat.), m.
underclothes [œnd^{er}klo^{ou}z] *s.* sous-vêtements; linge de corps, m.
underestimate [œnd^{er}èst^{e}mé^{i}t] *v.* sous-estimer; déprécier.
underfed [œnd^{er}fèd] *adj.* sous-alimenté.
undergo [œnd^{er}go^{ou}] *v.* subir; supporter.
undergraduate [œnd^{er}gradyouit] *s.* étudiant non diplômé, m.
underground [œnd^{er}gra^{ou}nd] *adj. s.* souterrain; *Br.* métro, m.; Résistance [war], f.; *adv.* en secret.
underhanded [œnd^{er}handid] *adj.* clandestin; sournois.
underline [œnd^{er}la^{i}n] *v.* souligner.
underlying [œnd^{er}la^{i}ing] *adj.* sous-jacent; fondamental.
undermine [œnd^{er}ma^{i}n] *v.* miner.
underneath [œnd^{er}nìth] *prep.* sous; au-dessous de; *adv.* dessous; en dessous; par-dessous.
underpay [œnd^{er}pé^{i}] *v.* exploiter; payer au-dessous du tarif.
undersell [œnd^{er}sèl] *v.* vendre meilleur marché; solder.
undershirt [œnd^{er}shë^{r}t] *s.* chemisette, f.
undersigned [œnd^{er}sa^{i}nd] *adj.* soussigné.
undersized [œnd^{er}sa^{i}zd] *adj.* de taille inférieure à la moyenne; sous-calibré (mech.).
underskirt [œnd^{er}skë^{r}t] *s.* jupon, m.; sous-jupe, f.
understand [œnd^{er}stànd] *v.** entendre; comprendre; sous-entendre; apprendre; être habile à; **understandable,** compréhensible. || **understanding** [-ing] *s.* compréhension; intelligence; harmonie; convention, f.; entendement; accord, m. || **understood** [œnd^{er}stoud] *pret., p. p. of* **to understand.**
understate [œnd^{er}sté^{i}t] *v.* amoindrir.
understructure [œnd^{er}strœktsh^{er}] *s.* infrastructure, f.
understudy [œnd^{er}stœdi] *v.* doubler; *s.* doublure (theat.), f.
undertake [œnd^{er}té^{i}k] *v.* entreprendre; assumer; garantir. || **undertaken** [-^{e}n] *p. p. of* **to undertake.** || **undertaker** [-^{er}] *s.* entrepreneur de pompes funèbres, m. || **undertaking** [-ing] *s.* entreprise, f. || **undertook** [-touk] *pret. of* **to undertake.**
undertow [œnd^{er}to^{ou}] *s.* ressac, m.
underwear [œnd^{er}wè^{er}] *s.* sous-vêtements, m.
underwent [œnd^{er}wènt] *pret. of* **to undergo.**
underworld [œnd^{er}wë^{r}ld] *s.* pègre, f.; enfers, m. pl.
underwrite [œnd^{er}ra^{i}t] *v.* assurer; souscrire.
undeviating [undìvié^{i}ting] *adj.* droit; constant, rigide.
undid [œndid] *pret. of* **to undo.**
undiscriminating [œndiskrim^{e}né^{i}ting] *adj.* sans discernement; peu averti.
undistinguished [œndistinggwisht] *adj.* médiocre, banal.
undisturbed [œndistë^{r}bd] *adj.* serein; impassible; non dérangé; non troublé.
undo [œndou] *v.** défaire; détacher; délier; ruiner, perdre. || **undone** [-dœn] *p. p. of* **to undo;** *adj.* non exécuté; défait; délié; perdu.
undress [œndrès] *v.* (se) déshabiller; [œndrès] *s.* petite tenue, f.
undue [œndyou] *adj.* non dû; non échu; excessif; irrégulier, indu.
undulate [œndy^{e}lé^{i}t] *v.* onduler.
unduly [œndyouli] *adv.* indûment; à l'excès.
undying [œnda^{i}ing] *adj.* immortel.
unearned [œnë^{r}nd] *adj.* immérité.
unearth [œnë^{r}th] *v.* déterrer; exhumer; découvrir.
uneasily [œnìzli] *adv.* malaisément; difficilement; avec gêne ou inquiétude. || **uneasy** [œnìzi] *adj.* mal à l'aise; préoccupé; gêné; pénible, difficile.
uneducated [œnèdj^{e}ké^{i}tid] *adj.* ignorant; sans éducation.
unemployed [œnimplo^{i}d] *adj.* inoccupé; désœuvré; en chômage. || **unemployment** [œnimplo^{i}m^{e}nt] *s.* chômage, m.
unending [œnènding] *adj.* interminable; sempiternel.
unequal [œnìkw^{e}l] *adj.* inégal; non

à la hauteur (*to*, de); insuffisant. || **unequalled** [-d] *adj.* inégalé.
uneven [œniv^{e}n] *adj.* dénivelé; irrégulier; raboteux; impair [number]; accidenté. || **unevenness** [-nis] *s.* inégalité; dénivellation; variabilité [temper], f.; accident du terrain, m.
unexpected [œnikspèktid] *adj.* inattendu; imprévu. || **unexpectedly** [-li] *adv.* à l'improviste.
unfailing [œnfé^{i}ling] *adj.* inépuisable; infaillible; indéfectible.
unfair [œnfè^{er}] *adj.* injuste; déloyal; de mauvaise foi.
unfaithful [œnfé^{i}thf^{e}l] *adj.* infidèle; impie; inexact.
unfasten [œnfas'n] *v.* détacher; délier; desserrer; déboutonner.
unfavo(u)rable [œnfé^{i}vr^{e}b'l] *adj.* défavorable; hostile.
unfeasible [œnfiz^{e}b'l] *adj.* irréalisable, impraticable.
unfeeling [œnfiling] *adj.* insensible; inhumain; impitoyable.
unfinished [œnfinisht] *adj.* inachevé; incomplet; imparfait.
unfit [œnfit] *adj.* inapte; impropre; incapable; inopportun; *v.* rendre impropre à.
unflagging [œnflaging] *adj.* inlassable; soutenu [interest].
unfold [œnfo^{ou}ld] *v.* déplier; déployer; révéler; (se) dérouler.
unforeseen [œnfo^{ou}rsin] *adj.* imprévu, inattendu.
unforgettable [œnf^{er}gèt^{e}b'l] *adj.* inoubliable.
unforgivable [œnf^{er}giv^{e}b'l] *adj.* impardonnable. || **unforgiving** [-ving] *adj.* implacable.
unfortunate [œnfaurtsh^{e}nit] *adj.* infortuné; regrettable, fâcheux.
unfriendly [œnfrèndli] *adj.* peu amical; malveillant; *adv.* avec malveillance, avec inimitié.
unfurl [œnfë^{r}l] *v.* déployer; larguer [sail].
unfurnished [œnfë^{r}nisht] *adj.* non meublé.
ungainly [œngé^{i}nli] *adj.* gauche, dégingandé.
ungrateful [œngré^{i}tf^{e}l] *adj.* ingrat.
unhappy [œnhapi] *adj.* malheureux.
unharmed [œnhârmd] *adj.* indemne.
unhealthy [œnhèlthi] *adj.* malsain; insalubre; maladif.
unheard of [œnhë^{r}dâv] *adj.* inouï; inconnu; ignoré.
unhitch [œnhitsh] *v.* dételer.
unhook [œnhouk] *v.* décrocher; dégrafer.
unhurt [œnhë^{r}t] *adj.* indemne.
uniform [youn^{e}faurm] *s.* uniforme, m.; *v.* mettre en uniforme. || **uniformity** [-^{e}ti] *s.* uniformité, f.
unify [youn^{e}fa^{i}] *v.* unifier.
unimpeachable [œnimpitsh^{e}b'l] *adj.* incontestable.
uninjured [œnindjë^{r}d] *adj.* intact, sain et sauf.
union [youny^{e}n] *s.* union, f.; syndicat, m.; **Union Jack**, pavillon britannique.
unique [younik] *adj.* unique.
unison [youn^{e}z'n] *s.* unisson, f.
unit [younit] *s.* unité, f.; élément; groupe; bloc, m.
unite [youna^{i}t] *v.* (s')unir; réunir; (se) joindre; se mêler. || **unity** [youn^{e}ti] *s.* unité; union; solidarité; concorde, f.
universal [youn^{e}vërs^{e}l]; *adj.* universel. || **universe** [youn^{e}vë^{r}s] *s.* univers, m. || **university** [youn^{e}vë^{r}s^{e}ti] *s.* université, f.
unjust [œndjœst] *adj.* injuste; mal fondé. || **unjustifiable** [-^{e}fa^{i}^{e}b'l] *adj.* injustifiable. || **unjustified** [-^{e}fa^{i}d] *adj.* injustifié.
unkempt [œnkèmpt] *adj.* mal peigné.
unkind [œnka^{i}nd] *adj.* méchant; malveillant; discourtois.
unknown [œnno^{ou}n] *adj.* inconnu.
unknowingly [œnno^{ou}ingli] *adv.* inconsciemment.
unlawful [œnlauf^{e}l] *adj.* illégal; frauduleux.
unleash [œnlish] *v.* lâcher [dogs].
unless [^{e}nlès] *conj.* à moins que; *prep.* excepté, sauf.
unlike [œnla^{i}k] *adj.* différent; dissemblable; *prep.* au contraire de; ne... pas comme. || **unlikely** [-li] *adj.* improbable; invraisemblable.
unlimited [œnlimitid] *adj.* illimité.
unload [œnlo^{ou}d] *v.* décharger.
unlock [œnlâk] *v.* ouvrir; débloquer; révéler.
unlucky [œnlœki] *adj.* malchanceux; malencontreux; néfaste.
unmanageable [œnmanidj^{e}b'l] *adj.* indomptable, intraitable.
unmarried [œnmarid] *adj.* célibataire.
unmask [œnmask] *v.* démasquer.
unmatched [œnmatsht] *adj.* sans égal; incomparable; dépareillé.

unmerciful [œnmë^rsif^el] *adj.* impitoyable; exorbitant.
unmistakable [œnm^esté^ik^eb'l] *adj.* évident, indubitable.
unmoved [œnmouvd] *adj.* immobile; impassible; indifférent.
unnatural [œnnatsh^er^el] *adj.* contre nature; dénaturé; artificiel.
unnerve [œnnë^rv] *v.* faire perdre son courage à; démonter.
unnoticed [œnno^outist] *adj.* inaperçu; négligé; passé sous silence.
unobliging [œn^ebla^idjing] *adj.* peu obligeant; sans courtoisie.
unobserved [œn^ebzë^rvd] *adj.* inaperçu; non remarqué; sans être vu.
unobtainable [œn^ebté^in^eb'l] *adj.* inaccessible; inacquérable.
unobtrusive [œn^ebtrousiv] *adj.* discret, effacé.
unofficial [œn^efish^el] *adj.* non officiel; officieux; non confirmé.
unpack [œnpak] *v.* déballer.
unpaid [œnpé^id] *adj.* impayé; non acquitté; non affranchi [letter].
unpalatable [œnpal^et^eb'l] *adj.* d'un goût désagréable.
unpleasant [œnplèz'nt] *adj.* déplaisant; désagréable; fâcheux. || **unpleasantness** [-nis] *s.* caractère désagréable ; désagrément, m. ; brouille légère, petite querelle, f.
unprecedented [œnprès^edèntid] *adj.* sans précédent; sans exemple.
unprejudiced [œnprèdj^edist] *adj.* sans préjugé; impartial.
unprepared [œnpripèrd] *adj.* inapprêté; improvisé; impromptu.
unprofitable [œnprâft^eb'l] *adj.* improfitable; inutile; peu lucratif.
unpublished [œnpœblisht] *adj.* inédit.
unpunctual [œnpœngktshou^el] *adj.* inexact.
unqualified [œnquâl^efa^id] *adj.* non qualifié (*to*, pour); incompétent; non autorisé; catégorique [statement]; absolu; exprès.
unquenchable [œnkwèntsh^eb'l] *adj.* inextinguible; inassouvissable.
unquestionable [œnkwèstsh^en^eb'l] *adj.* indiscutable; incontestable.
unravel [œnrav'l] *v.* débrouiller, démêler.
unrehearsed [œnrihë^rst] *adj.* inapprêté, non préparé.
unreal [œnrî^el] *adj.* irréel.
unreasonable [œnrîzn^eb'l] *adj.* déraisonnable; irrationnel; excessif.
unrecognizable [œnrèk^egna^iz^eb'l] *adj.* méconnaissable.
unrefined [œnrifa^ind] *adj.* non raffiné; inculte; grossier.
unreliable [œnrila^i^eb'l] *adj.* peu sûr; douteux; instable.
unrelenting [œnrilènting] *adj.* implacable, acharné.
unresponsive [œnrispânsiv] *adj.* froid, difficile à émouvoir; mou.
unrest [œnrèst] *s.* inquiétude; insomnie; agitation, émeute, f.
unroll [œnro^oul] *v.* (se) dérouler; (se) déployer.
unruly [œnrouli] *adj.* indompté; insoumis; indocile.
unsafe [œnsé^if] *adj.* peu sûr; dangereux; hasardeux.
unsal(e)able [œnsé^il^eb'l] *adj.* invendable; **unsal(e)able article**, rossignol.
unsatisfactory [œnsatisfaktri] *adj.* peu satisfaisant; défectueux.
unscathed [œnské^izhd] *adj.* indemne.
unscrew [œnskrou] *v.* dévisser; déboulonner.
unseat [œnsît] *v.* supplanter; renverser; faire perdre son siège à [deputy]; désarçonner.
unseen [œnsîn] *adj.* inaperçu; invisible; occulte.
unselfish [œnsèlfish] *adj.* désintéressé, altruiste, sans égoïsme. || **unselfishness** [-nis] *s.* désintéressement, m.; abnégation, f.
unserviceable [œnsë^rvis^eb'l] *adj.* inutilisable; hors de service.
unsettled [œnsètld] *adj.* non fixé; dérangé; non réglé; variable [weather]; instable; indécis; détraqué [health]; en suspens [question]; inquiet, agité; trouble [liquid].
unshaken [œnshé^ik^en] *adj.* inébranlable.
unshrinkable [œnshringk^eb'l] *adj.* irrétrécissable.
unsightly [œnsa^itli] *adj.* laid; désagréable à voir.
unskilled [œnskild] *adj.* inexpérimenté; non spécialisé. || **unskilful** [œnskilf^el] *adj.* maladroit.
unsound [œnsa^ound] *adj.* malsain; corrompu; dépravé; taré [horse]; dérangé [mind].
unspeakable [œnspîk^eb'l] *adj.* indicible; ineffable; inexprimable.
unstable [œnsté^ib'l] *adj.* instable.
unsteady [œnstèdi] *adj.* peu solide; chancelant; incertain; irrésolu;

inconstant; mal assuré; variable.
unstinted [œnstìntid] *adj.* abondant. || **unstinting** [-ting] *adj.* généreux, prodigue.
unsuccessful [œnsᵉksèsfᵉl] *adj.* raté, manqué; infructueux.
unsuitable [œnsoutᵉb'l] *adj.* inopportun; incongru; impropre.
unsuspected [œnsᵉspèktid] *adj.* insoupçonné. || **unsuspecting** [-ting] *adj.* confiant; sans défiance.
unthinkable [œnthingkᵉb'l] *adj.* inconcevable. || **unthinking** [-king] *adj.* irréfléchi, étourdi.
untidiness [œntaᶦdinis] *s.* malpropreté, f.; désordre, m. || **untidy** [-di] *adj.* malpropre; débraillé.
untie [œntaᶦ] *v.* délier, dénouer.
until [œntil] *prep.* jusqu'à; *conj.* jusqu'à ce que; *until I am,* jusqu'à ce que je sois.
untimely [œntaᶦmli] *adj.* prématuré; inopportun; *adv.* prématurément; inopportunément.
untiring [œntaᶦring] *adj.* inlassable, infatigable; assidu.
unto [œntou], *see* **to.**
untold [œntoᵒᵘld] *adj.* passé sous silence; indicible; incalculable, innombrable; inestimable.
untouched [œntœtsht] *adj.* intact; sain et sauf; non traité; insensible.
untrained [œntréᶦnd] *adj.* non entraîné; inexpérimenté; indiscipliné; non dressé.
untried [œntraᶦd] *adj.* inéprouvé; inexpérimenté; non tenté; non ressenti; non jugé (jur.).
untroubled [œntrœb'ld] *adj.* paisible; sans souci; serein; limpide.
untrue [œntrou] *adj.* inexact; erroné; incorrect; déloyal; mensonger; infidèle (*to,* à). || **untruth** [œntrouth] *s.* mensonge, m.; fausseté; inexactitude; déloyauté; perfidie, f.
unused [œnyouzd] *adj.* désaffecté [building]; inusité; inaccoutumé (*to,* à). || **unusual** [œnyoujouᵉl] *adj.* insolite, inusité; rare.
unvaried [œnvèrid] *adj.* uniforme, sans variété. || **unvarying** [œnvèriing] *adj.* invariable, constant.
unveil [œnvéᶦl] *v.* dévoiler; révéler; inaugurer [statue].
unwarranted [œnwaurᵉntid] *adj.* inautorisé; injustifié; injustifiable; non garanti [quality].
unwary [œnwèri] *adj.* imprudent; irréfléchi.
unwashed [œnwâsht] *adj.* non lavé.
unwelcome [œnwèlkᵉm] *adj.* mal venu; importun; mal accueilli.
unwholesome [œnhoᵒᵘlsᵉm] *adj.* malsain; insalubre.
unwieldy [œnwîldi] *adj.* peu maniable, pesant, encombrant.
unwilling [œnwiling] *adj.* peu disposé; rétif; répugnant (*to,* à); involontaire, à contrecœur; *to be unwilling,* ne pas vouloir, refuser. || **unwillingly** [-li] *adv.* à contrecœur; de mauvaise grâce. || **unwillingness** [-nis] *s.* mauvaise volonté; répugnance (*to,* à), f.
unwind [œnwaᶦnd] *v.* dérouler.
unwise [œnwaᶦz] *adj.* malavisé; peu sage; imprudent.
unworthy [œnwë̆ʳzhi] *adj.* indigne.
unwrap [œnrap] *v.* développer; révéler, découvrir.
unyielding [œnyîlding] *adj.* inébranlable, inflexible.
up [œp] *adv.* en haut; en montant; *prep.* au haut de; *adj., s.* haut; *the ups and downs,* les hauts et les bas, les vicissitudes; *to sweeten up,* sucrer à point; *not yet up,* pas encore levé; *time is up,* il est l'heure; *he is up to something,* il manigance quelque chose; *up to his task,* à la hauteur de sa tâche; *up train,* train montant.
upbraid [œpbréᶦd] *v.* réprimander.
upgrade [œpgréᶦd] *s.* montée, côte, f.; *adj.* montant; *adv.* en côte; *on the upgrade,* en bonne voie d'amélioration.
upheaval [œphîv'l] *s.* soulèvement; bouleversement, m.
upheld [œphèld] *pret., p. p. of* **to uphold.**
uphill [œphil] *adj.* montant, escarpé; ardu.
uphold [œphoᵒᵘld] *v.* soutenir; appuyer.
upholster [œphoᵒᵘlstᵉʳ] *v.* tapisser. || **upholstery** [-ri] *s.* tapisserie, f.
upkeep [œpkîp] *s.* entretien, m.
upland [œplànd] *s.* terrain élevé, m.; région montagneuse, f.
uplift [œplift] *s.* élévation, f.; [œplift] *v.* lever, élever.
upon [ᵉpân] *prep.* sur; *see* **on.**
upper [œpᵉʳ] *adj.* supérieur; d'en haut; de dessus; *s.* dessus de chaussure, m.; tige de bottine, f.; *to get the upper hand of,* l'emporter sur.
upright [œpraᶦt] *adj.* droit; vertical; intègre; debout; *s.* montant de charpente; piano droit, m.; *adv.*

tout droit; verticalement; à pic. || **uprightness** [-nis] *s.* rectitude; droiture; position verticale, f.
uprising [œpraising] *s.* soulèvement, m.; insurrection, f.
uproar [œproour] *s.* tumulte, tapage, m.; **uproarious**, tumultueux.
uproot [œprout] *v.* déraciner.
upset [œpsèt] *v.** renverser; bouleverser; faire chavirer; déjouer [plan]; refouler [metal]; *adj.* renversé; bouleversé; navré; dérangé; chaviré; [œpsèt] *s.* bouleversement, chambardement, m.; action de faire verser ou chavirer, f.
upshot [œpshât] *s.* dénouement, m.
upside [œpsaid] *s.* dessus, m.; *upside down*, la tête en bas.
upstairs [œpstèrz] *adv.* en haut; aux étages supérieurs; *adj.* d'en haut; *to go upstairs*, monter.
upstart [œpstârt] *s.* parvenu, m.
up-to-date [œptedéit] *adj.* moderne; dernier cri; à la page; mis à jour [account].
upward [œpwerd] *adj.* ascendant, montant. || **upwards** [-z] *adv.* vers le haut; au-dessus; *upward(s) of*, plus de.
uranium [youréiniem] *s.* uranium, m.
urban [ërben] *adj.* urbain.
urchin [ërtshin] *s.* hérisson; oursin; gamin, m.
urge [ërdj] *v.* pousser, presser; exhorter; alléguer [reason]; *s.* impulsion, f. || **urgency** [-ensi] *s.* urgence. f. || **urgent** [ërdjent] *adj.* urgent, pressant; immédiat. || **urgently** [-li] *adv.* d'urgence.
urinate [yourenéit] *v.* uriner. || **urine** [yourin] *s.* urine, f.
urn [ërn] *s.* urne, f.; **tea-urn**, samovar.
us [œs] *pron.* nous.
usage [yousidj] *s.* usage; traitement, m.; coutume, f.; **hard usage**, mauvais traitement. || **use** [yous] *s.* usage; emploi; service, m.; utilité; consommation, f.; [youz] *v.* employer; user; consommer; utiliser; traiter; accoutumer; avoir coutume de; *of no use*, inutile; *to make use of*, se servir de; *directions for use*, mode d'emploi; *he used to say*, il disait d'habitude; *to be used to*, être accoutumé à; *to get used*, s'habituer; **used car**, voiture d'occasion; **used up**, épuisé ; entièrement consommé. || **useful** [yousfel] *adj.* utile; pratique. || **usefulness** [-nis] *s.* utilité, f. || **useless** [youslis] *adj.* inutile; vain; bon à rien. || **uselessness** [-nis] *s.* inutilité, f.
usher [œsher] *s.* huissier; appariteur; placeur, m.; *v.* introduire; annoncer; **usherette**, ouvreuse.
usual [youjouel] *adj.* usuel; habituel; courant. || **usually** [-i] *adv.* habituellement; en général.
usurer [youjerer] *s.* usurier, m.
usurp [youzërp] *v.* usurper.
usury [youjeri] *s.* usure, f.
utensil [youtèns'l] *s.* ustensile, m.
utility [youtileti] *s.* utilité, f. || **utilize** [youtlaiz] *v.* utiliser.
utmost [œtmooust] *adj.* dernier; extrême; *s.* extrême; comble; *to do one's utmost*, faire tout son possible; *at the utmost*, tout au plus.
utter [œter] *v.* proférer; prononcer; émettre [coin]; pousser [cry]; *adj.* complet; total; extrême; absolu. || **utterance** [-rens] *s.* prononciation; articulation; expression; émission, f.; propos; langage, m.
uttermost, *see* **utmost**.
uvula [youvyele] *s.* luette, f.

V

vacancy [véikensi] *s.* vacance; lacune; distraction, f.; vide; poste vacant, m. || **vacant** [véikent] *adj.* vacant, libre; vide; distrait. || **vacate** [véikéit] *v.* laisser libre; vider; rendre vacant. || **vacation** [véikéishen] *s.* vacances, f. pl.
vaccinate [vaks'néit] *v.* vacciner; inoculer. || **vaccination** [vaks'néishen] *s.* vaccination, f. || **vaccine** [vaksin] *s.* vaccin, m.
vacillate [vas'léit] *v.* vaciller.
vacuum [vakyouem] *s.* vide; vacuum, m.; *to get a vacuum*, faire le vide; **vacuum cleaner**, aspirateur.
vagabond [vagebând] *adj.*, *s.* vagabond.

vague [véig] *adj.* vague, imprécis.
vain [véin] *adj.* vain; vaniteux; futile; **vainglory**, gloriole.
valentine [valentain] *s.* amoureux, amoureuse; « valentine ».
valet [valit] *s.* valet, m.
valiant [valyent] *adj.* vaillant.
valid [valid] *adj.* valide; valable. || **validity** [velideti] *s.* validité, f.
valise [velis] *s.* valise, f.
valley [vali] *s.* vallée, f.; vallon, m.
valo(u)r [valer] *s.* valeur, vaillance, f. || **valorous** [-res] *adj.* valeureux.
valuable [valyeb'l] *adj.* de valeur; précieux; *s. pl.* objets de valeur, m.
valuation [valyouéishen] *s.* estimation; évaluation, expertise; appréciation, f. || **value** [valyou] *s.* valeur, f.; prix; mérite, m.; évaluer; apprécier; estimer; **food value**, valeur nutritive; **market value**, valeur marchande.
valve [valv] *s.* valve; soupape, f.
van [vàn] *s.* voiture de déménagement; fourgonnette, f.; fourgon (railw.), m.
van [vàn] *s.* van, m.
van [vàn] *s.* avant, m.; **vanguard**, avant-garde.
vane [véin] *s.* girouette; aile [windmill]; aube [turbine]; pinnule (techn.); palette (aviat.), f.
vanilla [venile] *s.* vanille, f.
vanish [vanish] *v.* disparaître; s'évanouir, se dissiper.
vanity [vaneti] *s.* vanité, f.; **vanity case**, poudrier de sac.
vanquish [vànkwish] *v.* vaincre.
vantage [vàntidj] *s.* avantage, m.
vapid [vapid] *adj.* plat; insipide.
vapo(u)r [véiper] *s.* vapeur; buée, f. || **vaporize** [-raiz] *v.* vaporiser; gazéifier; carburer (mech.).
variable [vèrieb'l] *adj.* variable; inconstant. || **variance** [vèriens] *s.* variation; divergence; discorde, f. || **variation** [vèriéishen] *s.* variation; différence, f.; changement, m. || **varied** [vèried] *adj.* varié, divers. || **variety** [veraieti] *s.* variété; diversité; variation, f. || **various** [vèries] *adj.* divers; varié.
variegated [vèrigéitid] *adj.* bigarré.
varnish [vârnish] *s.* vernis, m.; *v.* vernir; vernisser.
vary [vèri] *v.* varier; diversifier.
vase [véis] *s.* vase, m.
vaseline [vas'lin] *s.* vaseline, f.
vast [vast] *adj.* vaste, étendu, immense. || **vastness** [-nis] *s.* vaste étendue; immensité, f.
vat [vat] *s.* cuve, f.; cuveau, m.
vaudeville [vooudevil] *s.* vaudeville, m.
vault [vault] *s.* voûte; cave; chambre forte, f.; *v.* voûter; **family vault**, caveau de famille.
vault [vault] *s.* voltige, f.; *v.* sauter, voltiger; franchir d'un bond; **pole vault**, saut à la perche.
vaunt [vaunt] *s.* jactance, f.; *v.* (se) vanter; faire étalage de.
veal [vîl] *s.* viande de veau, f.
veer [vier] *v.* virer (naut.), obliquer; tourner [wind]; *s.* virage, m.
vegetable [vèdjteb'l] *s.* légume, m.; *adj.* végétal; potager; **dried vegetables**, légumes secs.
vegetate [vèdjetéit] *v.* végéter. || **vegetation** [vèdjetéishen] *s.* végétation, f.
vehemence [viemens] *s.* véhémence, f.; **vehement**, véhément.
vehicle [viik'l] *s.* véhicule; moyen (fig.), m.; voiture, f.; *Am.* **combat vehicle**, engin blindé; **half-track vehicle**, autochenille.
veil [véil] *s.* voile, m.; *v.* voiler; dissimuler; déguiser.
vein [véin] *s.* veine, f.; filon, m.; *v.* veiner; *in a talking vein*, en veine de bavardage; **veined**, veiné, jaspé; veineux.
velocity [velâseti] *s.* vélocité; rapidité; vitesse, f.
velvet [vèlvit] *s.* velours, m.; *adj.* de velours; velouté.
vendor [vènder] *s.* vendeur, m.; venderesse (jur.), f.; **street vendor**, marchand des quatre saisons.
veneer [venier] *s.* placage; revêtement, m.; vernis (fig.), m.; *v.* plaquer.
venerable [vènereb'l] *adj.* vénérable. || **venerate** [-réit] *v.* vénérer. || **veneration** [vèneréishen] *s.* vénération, f.
vengeance [vèndjens] *s.* vengeance, f.; *with a vengeance*, furieusement.
venison [vènez'n] *s.* venaison, f.
venom [vènem] *s.* venin, m. || **venomous** [-es] *adj.* venimeux; vénéneux [plant].
vent [vènt] *s.* orifice; évent, m.; lumière [gun]; fente, f.; *v.* éventer; exhaler; décharger.
ventilate [vènt'léit] *v.* ventiler; aérer; oxygéner [blood]; agiter [question]. || **ventilation** [vènt'-

lé^{i}sh^{e}n] *s.* ventilation; aération, f. || **ventilator** [vènt'lé^{i}t^{er}] *s.* ventilateur; volet d'aération, m.
venture [vèntsh^{er}] *s.* aventure; entreprise, f.; risque, m.; *v.* risquer; hasarder, s'aventurer; se permettre; **business venture**, spéculation; **venturous**, aventureux; osé.
venue [vènyou] *s.* juridiction, f.; lieu du jugement (jur.), m.
veranda [v^{e}rànd^{e}] *s.* véranda, f.
verb [vë^{r}b] *s.* verbe, m. || **verbal** [-'l] *adj.* verbal; oral. || **verbose** [v^{e}rbo^{ou}s] *adj.* verbeux, prolixe.
verdict [vë^{r}dikt] *s.* verdict (jur.), m.
verdure [vë^{r}dj^{er}] *s.* verdure, f.
verge [vë^{r}dj] *s.* bord; confins, m.; limite; margelle, f.; *v.* border, approcher (*to*, de); tendre (*towards*, à, vers); *on the verge of*, sur le point de.
verification [vèrifikéishᵉn] *s.* vérification, f.; contrôle, m. || **verify** [vèr^{e}fa^{i}] *v.* vérifier, contrôler; constater; confirmer; certifier.
verily [vèr^{e}li] *adv.* en vérité; vraiment.
veritable [vèr^{e}t^{e}b'l] *adj.* véritable.
vermin [vë^{r}min] *s.* vermine, f.
vernacular [v^{er}nakyel^{er}] *adj.* vernaculaire; vulgaire [language].
verse [vë^{r}s] *s.* vers; verset, m.; strophe, f.
versed [vë^{r}st] *adj.* versé, expert.
version [vë^{r}j^{e}n] *s.* version, f.
vertebra [vë^{r}t^{e}br^{e}] *s.* vertèbre, f.
vertical [vë^{r}tik'l] *adj.* vertical; *s.* verticale, f.
vertigo [vë^{r}t^{e}go^{ou}] *s.* vertige (med.).
very [vèri] *adv.* très; fort; bien; *adj.* vrai, véritable; *this very day*, aujourd'hui même; *the very best*, tout ce qu'il y a de mieux.
vesicle [vèsik'l] *s.* vésicule; ampoule (med.), f.
vespers [vèsp^{er}z] *s.* vêpres, f.
vessel [vès'l] *s.* vaisseau; navire; récipient, m.; **blood vessel**, vaisseau sanguin.
vest [vèst] *s.* gilet, m.; *v.* vêtir; investir (*with*, de); attribuer.
vestibule [vèst^{e}byoul] *s.* vestibule, m.; antichambre; entrée, f.
vestige [vèstidj] *s.* vestige, m.
vestigial [vèstidji^{e}l] *adj.* rudimentaire.
vestment [vèstm^{e}nt] *s.* vêtement, m.; chasuble [eccles.], f.
vestry [vèstri] *s.* sacristie, f.; conseil paroissial; vestiaire, m.
veteran [vèt^{e}r^{e}n] *s.* vétéran; ancien combattant, m.
veterinarian [vètr^{e}nèri^{e}n] *s.* vétérinaire, m. || **veterinary** [vètr^{e}nèri] *adj.*, *s.* vétérinaire.
veto [vito^{ou}] *s.* veto, m.; opposition, f.; *v.* opposer son veto; s'élever contre.
vex [vèks] *v.* vexer; fâcher; molester; contrarier; incommoder; déranger; importuner. || **vexation** [vèksé^{i}shen] *s.* contrariété; vexation, f.; dépit; désagrément, m.
via [va^{ie}] *prep.* via, par.
viaduct [va^{ie}dœkt] *s.* viaduc, m.
vial [va^{ie}l] *s.* fiole, f.
viands [va^{ie}ndz] *s.* mets, m.; victuailles, f.
viaticum [va^{i}atik^{e}m] *s.* viatique, m.
vibrate [va^{i}bré^{i}t] *v.* vibrer, frémir. || **vibration** [va^{i}bré^{i}sh^{e}n] *s.* vibration, f.
vice [va^{i}s] *s.* vice, m.; tare, f.
vice [va^{i}s] *pref.* vice-, suppléant, m.; **vice-chairman**, vice-président.
vice [va^{i}s] *s.* étau, m.
vicinity [v^{e}sin^{e}ti] *s.* proximité, f.; voisinage; abords, m.
vicious [vish^{e}s] *adj.* vicieux; dépravé; défectueux; ombrageux [horse]; méchant [dog].
vicissitude [v^{e}sis^{e}tyoud] *s.* vicissitude, f.
victim [viktim] *s.* victime; dupe, f.; sinistré, m.
victor [vikt^{er}] *s.* vainqueur, m. || **victorious** [vikto^{ou}ri^{e}s] *adj.* victorieux, vainqueur. || **victory** [viktri] *s.* victoire, f.
victual(s) [vit'l(z)] *s.* vivres, m. pl.; victuailles, f. pl.
vie [va^{i}] *v.* lutter, rivaliser.
view [vyou] *s.* vue; perspective; opinion; intention, f.; aperçu, m.; *v.* regarder; examiner; contempler; **bird's-eye view**, vue à vol d'oiseau; **side view**, vue de profil.
vigil [vidj^{e}l] *s.* veille; veillée; vigile, f. || **vigilance** [-^{e}ns] *s.* vigilance; circonspection, f. || **vigilant** [-^{e}nt] *adj.* vigilant; attentif.
vigo(u)r [vig^{er}] *s.* vigueur; vitalité; force, f.; **vigo(u)rous**, vigoureux, robuste.
vile [va^{i}l] *adj.* vil; abject.
villa [vile] *s.* villa, f.
village [vilidj] *s.* village, m.; bourgade, f.; **villager**, villageois.
villain [vil^{e}n] *s.* coquin; scélérat; traître (theat.); vilain, manant,

m. || **villainous** [-ᵉs] *adj.* vil, bas; scélérat; exécrable. || **villainy** [-i] *s.* vilenie; infamie; scélératesse, f.
vim [vim] *s.* force, vigueur, f.
vindicate [vìndᵉkéˡt] *v.* défendre; disculper; revendiquer.
vindictive [vìndiktiv] *adj.* vindicatif; vengeur.
vine [vaˡn] *s.* vigne; plante grimpante, f.; sarment, cep, m.; **vineyard**, vignoble; vigne.
vinegar [vinigᵉʳ] *s.* vinaigre, m.
vintage [vìntidj] *s.* vendange; vinée, f.
violate [vaˡᵉléˡt] *v.* violer; enfreindre; profaner. || **violation** [vaˡᵉléˡshᵉn] *s.* violation; infraction; contravention, f. || **violence** [vaˡᵉlᵉns] *s.* violence, f.; voies de fait (jur.), f. pl.; *to do violence to*, violenter. || **violent** [vaˡᵉlᵉnt] *adj.* violent.
violet [vaˡᵉlit] *s.* violette, f.; *adj.* violet.
violin [vaˡᵉlìn] *s.* violon, m.; **violinist**, violoniste.
viper [vaˡpᵉʳ] *s.* vipère, f.
virgin [vëʳdjìn] *s.*, *adj.* vierge; **virginal**, virginal. || **virginity** [vëʳdjinᵉti] *s.* virginité, f.
virile [virᵉl] *adj.* viril. || **virility** [vᵉrilᵉti] *s.* virilité, f.
virtual [vëʳtshouᵉl] *adj.* virtuel; de fait; **virtually**, virtuellement.
virtue [vëʳtshou] *s.* vertu, qualité, f.; mérite, m.; **virtuous**, vertueux.
virulence [viryᵉlᵉns] *s.* virulence, f.; **virulent**, virulent. || **virus** [vaˡrᵉs] *s.* virus, m.
visa [vizᵉ] *s.* visa, m. *v.* viser [passport]; donner un visa.
visage [vizidj] *s.* visage, m.
viscera [visᵉrᵉ] *s.* viscères, f. pl.
viscid [visid] *adj.* visqueux.
viscosity [viskâsᵉti] *s.* viscosité, f.
vise [vaˡs] *s.* étau, m.; *see* **vice**.
visibility [vizᵉbìlᵉti] *s.* visibilité, f. || **visible** [vizᵉb'l] *adj.* visible. || **vision** [vijᵉn] *s.* vision; vue, f. || **visionary** [vijᵉnèri] *adj.* visionnaire; chimérique; *s.* visionnaire, m.
visit [vizit] *s.* visite, f.; séjour; arraisonnement (naut.), m.; *v.* visiter; arraisonner (naut.). || **visitation** [vizᵉtéˡshᵉn] *s.* visite, inspection; fouille; tournée; épreuve, f.; Visitation (relig.). || **visitor** [vizitᵉʳ] *s.* visiteur, m.
visor [vaˡzᵉʳ] *s.* visière, f.; paresoleil, m.
vista [vistᵉ] *s.* percée; perspective; échappée [view]; trouée [wood], f.
visual [vijouᵉl] *adj.* visuel; optique. || **visualize** [-aˡz] *v.* évoquer; se représenter; extérioriser.
vital [vaˡt'l] *adj.* vital; essentiel; capital. || **vitality** [vaˡtalᵉti] *s.* vitalité; vigueur, f.
vitamin [vaˡtᵉmìn] *s.* vitamine, f.; **vitamin deficiency**, avitaminose.
vitreous [vitriᵉs] *adj.* vitreux.
vitriol [vitriᵉl] *s.* vitriol, m.; **copper vitriol**, sulfate de cuivre.
vivacious [vaˡvéˡshᵉs] *adj.* vivace; enjoué, allègre. || **vivacity** [vaˡvasᵉti] *s.* vivacité; verve, f.
vivid [vivid] *adj.* vif; animé.
vocabulary [vᵉkabyᵉlèri] *s.* vocabulaire, m.
vocal [voᵒᵘk'l] *adj.* vocal; oral.
vocation [voᵒᵘkéˡshᵉn] *s.* vocation; profession, f.; **vocational**, professionnel.
vogue [voᵒᵘg] *s.* vogue, mode, f.
voice [voˡs] *s.* voix, f.; *v.* exprimer, énoncer; *with one voice*, à l'unanimité; *at the top of his voice*, à tue-tête; **voiced**, sonore [consonant]; **voiceless**, sans voix; muet; sourde [consonant].
void [voˡd] *adj.* vide, vacant; dépourvu; nul (jur.); *v.* annuler; évacuer, vider.
volatile [vâlᵉt'l] *adj.* volatil; volage.
volcanic [vâlkanik] *adj.* volcanique. || **volcano** [vâlkéˡno] *s.* volcan, m.
volley [vâli] *s.* salve; rafale (mil.); bordée (naut.); volée, f.; *v.* tirer une salve; tomber en grêle.
volplane [vâlpléˡn] *v.* planer (aviat.).
volt [voᵒᵘlt] *s.* volt (electr.), m. || **voltage** [-idj] *s.* voltage, m.; **high voltage**, haute tension.
volume [vâlyᵉm] *s.* volume, m. || **voluminous** [vᵉlœminᵉs] *adj.* volumineux.
voluntary [vâlᵉntèri] *adj.* volontaire; spontané; bénévole. || **volunteer** [vâlᵉntiᵉʳ] *s.* volontaire, m.; *adj.* de volontaire; *v.* s'engager, agir comme volontaire.
voluptuous [vᵉlœptshouᵉs] *adj.* voluptueux.
vomit [vâmit] *v.* vomir. || **vomiting** [-ing] *s.* vomissement, m. || **vomitive** [-iv] *s.* vomitif, m.
voracious [voᵒᵘréˡshᵉs] *adj.* vorace.
vote [voᵒᵘt] *s.* vote; scrutin, m.; voix; motion, f.; *v.* voter. || **voter**

[-^{er}] *s.* électeur; votant, m. || **voting** [-ing] *s.* scrutin; (mode de) suffrage, m.
vouch [va^{ou}tsh] *v.* attester; garantir; *to vouch for,* répondre de. || **voucher** [-^{er}] *s.* garant, répondant; récépissé; bon de garantie, m.; pièce justificative; pièce comptable, f. || **vouchsafe** [va^{ou}tsh-sé^{i}f] *v.* accorder; daigner.
vow [va^{ou}] *s.* vœu, m.; *v.* faire un vœu; jurer.
vowel [va^{oue}l] *s.* voyelle, f.
voyage [vo^{i}idj] *s.* traversée; croisière, f.; *v.* naviguer, faire une croisière; **maiden voyage,** première traversée.
vulcanize [vœlk^{e}na^{i}z] *v.* vulcaniser.
vulgar [vœlg^{er}] *adj.* vulgaire; trivial; populaire; commun. || **vulgarity** [vœlgar^{e}ti] *s.* vulgarité, f. || **vulgarize** [vœlg^{e}ra^{i}z] *v.* vulgariser; populariser.
vulnerable [vœln^{e}r^{e}b'l] *adj.* vulnérable.
vulture [vœltsh^{er}] *s.* vautour, m.

W

wad [wâd] *s.* bourre; liasse [banknotes], f.; rembourrage; tampon, m.; *v.* bourrer; ouater.
waddle [wâd'l] *v.* se dandiner; *s.* dandinement, m.
wade [wé^{i}d] *v.* passer à gué; patauger; avancer péniblement (fig.).
wafer [wé^{i}f^{er}] *s.* pain à cacheter, m.; hostie; gaufrette, f.
waffle [wâf'l] *s.* gaufre, f.
waft [waft] *v.* flotter; porter dans les airs; *s.* bouffée d'air, f.; coup d'aile, m.
wag [wag] *v.* branler; remuer, agiter; *s.* oscillation, f.; mouvement, m.; farceur, boute-en-train, m.
wage [wé^{i}dj] *s.* gage, m.; *pl.* salaire, m.; *v.* engager, entreprendre; *to wage war,* faire la guerre.
wager [wé^{i}dj^{er}] *s.* pari, m.; gageure, f.; *v.* parier, gager.
wagon [wag^{e}n] *s.* fourgon; chariot, m.; voiture, f.; *Br.* wagon, m.; **wagonload,** charretée.
waif [wé^{i}f] *s.* épave (jur.), f.; enfant abandonné, m.
wail [wé^{i}l] *v.* gémir; se lamenter; *s.* gémissement, m.; lamentation, f.
waist [wé^{i}st] *s.* taille; ceinture; *Am.* blouse, chemisette, f.; **waistband,** ceinture du pantalon; **waistcoat,** gilet.
wait [wé^{i}t] *v.* attendre; *s.* attente; embuscade, f.; *wait for me,* attendez-moi; *to wait on,* être aux ordres de; *to wait at table,* servir à table; *to lie in wait,* être aux aguets. || **waiter** [-^{er}] *s.* garçon de restaurant; serveur; domestique, m. || **waiting** [-ing] *s.* attente, f.; **no waiting,** stationnement interdit; **waiting-room,** salle d'attente. || **waitress** [-ris] *s.* serveuse; servante, bonne, f.; *waitress!,* mademoiselle!
waive [wé^{i}v] *v.* renoncer à; écarter; abandonner [right].
wake [wé^{i}k] *s.* sillon; sillage (naut.).
wake [wé^{i}k] *v.* éveiller; réveiller; veiller; *s.* veillée mortuaire, f.; *to wake up,* se réveiller. || **wakeful** [-f^{e}l] *adj.* éveillé; vigilant; d'insomnie. || **waken** [-^{e}n] *v.* éveiller; (se) réveiller.
walk [wauk] *v.* marcher; se promener; aller à pied, au pas; mener en laisse [dog]; *s.* marche; promenade, f.; pas; tour; trottoir, m.; *to walk a horse,* conduire un cheval au pas; *walk of life,* carrière; position sociale; **walkover,** victoire facile.
wall [waul] *s.* muraille; paroi, f.; mur; rempart; espalier, m.; *v.* murer; entourer de murs; **partition wall,** cloison; **party wall,** mur mitoyen; **wallpaper,** papier peint. || **walled** [-d] *adj.* muré; clos de murs; *walled in,* emprisonné.
wallet [wâlit] *s.* portefeuille, m.; sacoche, f.
wallflower [waulfla^{ouer}] *s.* giroflée, f.; *to be a wallflower at a dance,* faire tapisserie.
wallop [wâl^{e}p] *v.* rosser; galoper.
wallow [walo^{ou}] *v.* se vautrer.
walnut [wauln^{e}t] *s.* noix, f.; bois de noyer, m.; **walnut tree,** noyer.
waltz [waults] *s.* valse, f.; *v.* valser.
wan [waun] *adj.* blême; livide.
wand [wând] *s.* baguette, f.; bâton.
wander [wând^{er}] *v.* errer; rôder; s'égarer; divaguer; *to wander from,* s'écarter de. || **wanderer**

[-r^er] s. errant; rôdeur; nomade, m.
wane [wé^in] s. déclin; décroît [moon], m.; v. être sur le déclin; décroître; décliner.
want [wânt] v. manquer de; avoir besoin de; désirer, souhaiter; demander; s. besoin; manque, défaut, m.; *for want of*, faute de; *he is wanted*, on le demande.
wanton [wânt^en] *adj.* libre, libertin; licencieux; folâtre; inconsidéré.
war [waur] s. guerre, f.; v. guerroyer; faire la guerre; *war of attrition*, guerre d'usure; **warfare**, conduite de la guerre.
warble [waurb'l] v. gazouiller; s. gazouillis, m. || **warbler** [-bl^er] s. chanteur, m.; fauvette, f.
ward [waurd] s. garde; tutelle; pupille; salle [hospital], f.; quartier [prison], m.; v. se garder; *to ward off*, parer, détourner. || **warden** [-'n] s. gardien, m. || **warder** [-^er] s. gardien de prison, m. || **wardrobe** [-ro^oub] s. garde-robe; armoire, f.; vêtements, m. pl.
ware(s) [wè^er(z)] s. marchandises, f. pl.; produits manufacturés, m. pl.
warehouse [wèrha^ous] s. entrepôt, m.; **warehouseman**, magasinier, entreposeur; **furniture warehouse**, garde-meuble.
warlike [waurla^ik] *adj.* guerrier; belliqueux; martial.
warm [waurm] *adj.* chaud; tiède; chaleureux; v. chauffer; réchauffer; *to be warm*, avoir chaud; *it is warm*, il fait chaud. || **warmth** [-th] s. chaleur; ardeur, f.; zèle.
warn [waurn] v. avertir, prévenir; mettre en garde (*against*, contre). || **warning** [-ing] s. avertissement; avis, m.; *to give warning*, donner l'éveil.
warp [waurp] v. ourdir; voiler [wood]; touer (naut.); colmater [land]; gauchir; dévier; s. chaîne de tissu, f.; gauchissement, m. || **warped** [-t] *adj.* retiré [wood]; faussé [mind].
warrant [waur^ent] s. autorisation; garantie, f.; pouvoir; warrant (comm.); mandat (jur.), m.; v. garantir; autoriser; certifier.
warrior [waurí^er] s. guerrier, m. || **warship** [waurship] s. navire de guerre, m.
wart [waurt] s. verrue, f.
wary [wèri] *adj.* avisé; vigilant.
was [wâz] *pret. of* **to be**.

wash [wâsh] v. (se) laver; blanchir; lotionner; s. blanchissage, m.; lessive; lotion; lavure, f.; lavis; remous (naut.), m.; **washable**, lavable; **washbowl**, cuvette; **washcloth**, lavette; **washed up**, lessivé; **wash-out**, fiasco; **washroom**, cabinet de toilette; **washstand**, lavabo; **washtub**, baquet à lessive, cuvier. || **washer** [-^er] s. machine à laver; rondelle (mech.), f. || **washing** [-ing] s. lavage, m.; **washing-machine**, machine à laver.
wasp [wâsp] s. guêpe, f.
waste [wé^ist] s. perte; usure, f.; déchets; gaspillage; dégâts (jur.); terrain inculte, m.; v. dévaster, gâcher; gaspiller; *to waste away*, dépérir; **wasteful**, prodigue, dissipateur; **wasteland**, terrain vague; **waste-paper basket**, corbeille à papier.
watch [wâtsh] s. garde; surveillance; veille; montre, f.; quart (naut.), m.; v. veiller; surveiller; faire attention; *by my watch*, à ma montre; *on the watch*, aux aguets; **watchdog**, chien de garde; **watchful**, vigilant; **watchman**, veilleur; **watchtower**, tour de guet; **watchword**, mot de passe.
water [waut^er] s. eau, f.; v. arroser [plants]; baptiser [wine]; abreuver [animals]; **watercolo(u)r**, aquarelle; **water power**, force hydraulique; **water sports**, jeux nautiques; **watering place**, abreuvoir; station thermale. || **waterfall** [-faul] s. cascade; cataracte; chute d'eau, f. || **waterproof** [-prouf] *adj.*, s. imperméable. || **waterspout** [-spa^out] s. gouttière; trombe d'eau, f. || **watertight** [-ta^it] *adj.* étanche; imperméable. || **waterway** [-wé^i] s. voie d'eau; voie navigable, f.; canal, m. || **watery** [-ri] *adj.* aqueux; humide.
wave [wé^iv] v. onduler; (s')agiter; flotter; s. vague; lame; onde; ondulation [hair], f.; signe de la main, m.; *Am.* femme servant dans la Marine, f.; **cold wave**, vague de froid; **long waves**, grandes ondes [radio]; **permanent wave**, indéfrisable, permanente; **wave length**, longueur d'onde; *to wave good-by*, faire un signe d'adieu. || **waver** [-^er] v. osciller; hésiter. || **wavy** [-i] *adj.* ondoyant; ondulé.

wax [waks] *s.* cire, f.; *v.* cirer; **wax-candle**, bougie.
wax [waks] *v.* croître; devenir.
way [wéi] *s.* chemin; sens; moyen, m.; voie; direction; distance; manière, f.; *way in*, entrée; *way out*, sortie; *way through*, passage; *by the way*, en passant; *in no way*, en aucune façon; *half-way*, à mi-chemin; *to give way*, céder; *to make way for*, faire place à; *which way*, de quel côté, par où; *to feel one's way*, tâter le terrain; *to lose one's way*, s'égarer; **way-bill**, feuille de route, lettre de voiture; **wayside**, bord de la route. || **waylay** [wéiléi] *v.* dresser une embuscade à. || **wayward** [wéiwᵉrd] *adj.* volontaire, rebelle.
we [wi] *pron.* nous.
weak [wik] *adj.* faible; débile; pauvre [fuel]; **weak-minded**, faible d'esprit. || **weaken** [-ᵉn] *v.* affaiblir; (s')amollir; s'appauvrir; se débiliter. || **weakly** [-li] *adv.* faiblement; *adj.* faible. || **weakness** [-nis] *s.* faiblesse; débilité, f.; faible, m.
wealth [wèlth] *s.* richesse; prospérité, opulence, f. || **wealthy** [-i] *adj.* riche; opulent.
wean [win] *v.* sevrer. || **weaning** [-ing] *s.* sevrage, m.
weapon [wèpᵉn] *s.* arme, f.
wear [wèᵉr] *v.** porter; user; lasser, épuiser; faire usage; *s.* usage, m.; usure; détérioration, f.; *to wear well*, faire bon usage; **worn out**, épuisé, complètement usé.
wearily [wirili] *adv.* péniblement. || **weariness** [wirinis] *s.* fatigue; lassitude, f.; ennui; dégoût, m. || **wearisome** [wirisᵉm] *adj.* fatigant, ennuyeux. || **weary** [wiri] *adj.* las; ennuyé; fatigué.
weasel [wiz'l] *s.* belette, f.
weather [wèzhᵉr] *s.* temps (meteor.), m.; *v.* résister; doubler [cape]; **changeable weather**, temps variable; **weather bureau**, office météorologique ; **weathercock**, girouette; **weather conditions**, conditions atmosphériques.
weave [wiv] *v.** tisser; tresser; ourdir; *to weave together*, entrelacer; *to weave into*, entremêler à; **weaver**, tisserand.
web [wèb] *s.* tissu, m.; trame; pièce d'étoffe; toile; membrane; palmure; taie (med.), f.; *spider's web*, toile d'araignée; **web-footed**, palmipède. || **webbing** [-ing] *s.* sangles; toile à sangle, f.
wed [wèd] *v.* épouser; (se) marier; *pret., p. p. of* **to wed**. || **wedded** [-id] *adj.* marié; conjugal; féru de. || **wedding** [-ing] *s.* mariage, m.; noce, f.; **silver wedding**, noces d'argent.
wedge [wèdj] *s.* coin, m.; cale, f.; *v.* coincer; caler; *to wedge into*, enfoncer, pénétrer comme un coin.
Wednesday [wènzdi] *s.* mercredi, m.
wee [wi] *adj.* tout petit, minuscule.
weed [wid] *s.* mauvaise herbe; herbe folle, f.; *v.* sarcler; désherber; *to weed out*, arracher, extirper; **weedy**, envahi par les herbes, en friche; malingre (pop.).
week [wik] *s.* semaine, f.; **weekday**, jour ouvrable; jour de semaine; *a week from today*, d'aujourd'hui en huit. || **weekly** [-li] *adj.* hebdomadaire; *adv.* tous les huit jours.
weep [wip] *v.** pleurer. || **weeping** [-ing] *adj.* pleureur; *s.* pleurs, m.
weevil [wiv'l] *s.* charançon, m.
weigh [wéi] *v.* peser; avoir du poids; soupeser, estimer, évaluer; *to weigh anchor*, lever l'ancre; *to weigh down*, accabler. || **weight** [-t] *s.* poids, m.; pesanteur; lourdeur; gravité, importance, f.; *v.* charger d'un poids; surcharger; **balance weight**, contrepoids; **gross weight**, poids brut; **net weight**, poids net. || **weighty** [-ti] *adj.* pesant, lourd; grave, important.
welcome [wèlkᵉm] *s.* bienvenue, f.; *adj.* bienvenu; *v.* souhaiter la bienvenue à; faire bon accueil à.
weld [wèld] *s.* soudure, f.; *v.* souder.
welfare [wèlfèᵉr] *s.* bien-être, m.; prospérité, f.
well [wèl] *s.* source, fontaine, f.; puits; réservoir, m.; *v.* jaillir, sourdre; **artesian well**, puits artésien; **oil well**, puits de pétrole.
well [wèl] *adv.* bien; *adj.* bien portant; en bon état; heureux; avantageux; *I am well*, je vais bien; *to get well*, se rétablir; *as well as*, aussi bien que; **well-being**, bien-être; **well-bred**, bien élevé; **well-meaning**, bien intentionné; **well-nigh**, presque; **well-to-do**, aisé.
welt [wèlt] *s.* bordure; trépointe, f.
went [wènt] *pret. of* **to go**.

wept [wèpt] *pret., p. p. of* **to weep.**
were [wër, wèer] *pret. of* **to be.**
werewolf [wirwoulf] *s.* loup-garou, m.
west [wèst] *s.* ouest; occident, m.; *adj.* occidental; de l'ouest; *adv.* à l'ouest. || **western** [-ern] *adj.* occidental; de l'ouest. || **westerner** [-erner] *s.* habitant de l'ouest. m. || **westward** [-werd] *adj.* à l'ouest; vers l'ouest. || **westwards** [-werdz] *adv.* à l'ouest, vers l'ouest.
wet [wèt] *adj.* humide; mouillé; pluvieux; *v.* mouiller; humecter; arroser; imbiber; **wet blanket,** trouble-fête, rabat-joie; *pret., p. p. of* **to wet.** || **wetness** [-nis] *f.* humidité, f.
whack [wak] *s.* coup bien appliqué, m.; *v.* frapper, cogner.
whale [hwèl] *s.* baleine, f.; *v.* pêcher la baleine.
wharf [hwaurf] *s.* quai; appontement; embarcadère; entrepôt, m.
what [hwât] *pron.* ce qui, ce que; quoi; que; qu'est-ce que; *adj.* quel, quelle; quels, quelles; *what do you charge for?,* combien prenez-vous pour? || **whatever** [hwâtèver] *pron.* tout ce qui, tout ce que; quoi (que ce soit) que; *adv.* quoi que ce soit; *adj.* quel que soit... qui; quelque... que ce soit; quelconque. || **whatsoever** [-soouèver], *see* **whatever.**
wheat [hwit] *s.* froment; blé, m.
wheel [hwil] *s.* roue, f.; volant; cercle, m.; *v.* rouler; tourner; faire rouler; pédaler; *to wheel the baby,* promener le bébé dans sa voiture; **wheel chair,** fauteuil roulant; **big wheel,** grosse légume; **front wheel,** roue avant; **rear wheel,** roue arrière; **spare wheel,** roue de rechange. || **wheelbarrow** [-barouu] *s.* brouette, f. || **wheelhouse** [-haous] *s.* timonerie, f. || **wheelwright** [-rait] *s.* charron, m.
wheezy [hwizi] *adj.* asthmatique; poussif.
when [hwèn] *adv., conj.* quand, lorsque; et alors que; où. || **whence** [-s] *adv.* d'où. || **whenever** [-èver] *adv.* toutes les fois que.
where [hwèer] *adv.* où; **anywhere,** n'importe où; **elsewhere,** ailleurs; **nowhere,** nulle part. || **whereabouts** [-ebaouts] *s.* lieu où l'on se trouve, m. || **whereas** [hwèeras] *conj.* tandis que; vu que; puisque; attendu que; au lieu que. || **whereby** [-bai] *adv.* par lequel; par où; par quoi. || **wherefore** [hwèerfoour] *adv.* pourquoi; c'est pourquoi. || **wherein** [hwèerin] *adj.* en quoi, dans lequel; où [time]. || **whereof** [-âv] *adv.* dont, duquel, de quoi. || **whereupon** [-epân] *adv.* sur quoi; sur ce; là-dessus; après quoi. || **wherever** [-èver] *adv.* n'importe où; partout où; en quelque lieu que ce soit. || **wherewithal** [hwèerwizhel] *s.* moyens, m.
whet [hwèt] *v.* aiguiser, affûter; *s.* stimulant, m.
whether [hwèzher] *conj.* si que; soit que; si; *whether... or,* si... ou.
which [hwitsh] *pron.* qui; que; lequel, laquelle, lesquels, lesquelles; ce qui, ce que; *adj.* quel, quelle, quels, quelles. || **whichever** [-èver] *pron., adj.* n'importe lequel; quelque... que.
whiff [hwif] *s.* bouffée, f.; *v.* lancer des bouffées.
while [hwail] *s.* temps, moment, m.; *conj.* pendant que, tandis que; en même temps que; *in a little while,* sous peu; *it is not worth while,* cela n'en vaut pas la peine; *to while away the time,* tuer le temps.
whilst [hwailst] *conj., see* **while.**
whim [hwim] *s.* caprice, m.; lubie, f.
whimper [hwìmper] *v.* pleurnicher; *s.* pleurnicherie, f.
whimsical [hwìmzik'l] *adj.* fantasque, capricieux.
whine [hwain] *v.* geindre, gémir; *s.* pleurnicherie, f.; gémissement, m. || **whiner** [-er] *s.* pleurnicheur.
whip [hwip] *v.* fouetter, fustiger; battre [eggs]; *s.* cravache, f.; fouet; fouettement, m.; *to whip off,* décamper; **whipstock,** manche de fouet. || **whipping** [-ing] *s.* fustigation, flagellation; raclée, f.; surjet [sewing], m.
whir [whër] *v.* ronfler; *s.* ronflement, m.
whirl [hwërl] *v.* faire tourner; tournoyer; pirouetter; *s.* tournoiement; tourbillon, m.; *my head whirls,* la tête me tourne; **whirlpool,** tourbillon d'eau; **whirlwind,** tourbillon; cyclone.
whisk [hwisk] *v.* épousseter; battre [eggs]; se mouvoir rapidement; *s.* mouvement rapide; fouet à

œufs, m.; vergette, f.; *to whisk something out of sight,* escamoter quelque chose; **whiskbroom,** balayette.
whisker [hwisk^er] *s.* moustache [cat, man], f.; *pl.* favoris, m. pl.
whisk(e)y [hwiski] *s.* whisky, m.
whisper [hwisp^er] *v.* chuchoter; murmurer; parler bas; *s.* chuchotement; murmure, m.
whistle [hwis'l] *v.* siffler; siffloter; *s.* (coup de) sifflet; sifflement, m.
whit [hwit] *s.* brin, détail, rien.
white [hwa^it] *adj.* blanc; pur; loyal, honorable; *s.* blanc, m.; **whitecaps,** moutons [sea]; **white hot,** chauffé à blanc; **white lead,** blanc de céruse; **white lie,** petit mensonge; **white-livered,** poltron; **white slavery,** traite des blanches; *to show the white feather,* se montrer poltron. || **whiten** [-'n] *v.* blanchir. || **whiteness** [-nis] *s.* blancheur; pâleur, f. || **whitewash** [-wâsh] *v.* blanchir à la chaux; badigeonner; couvrir (fig.); réhabiliter; *s.* blanc de chaux, m.
whither [hwizh^er] *adv.* où.
whitlow [hwitlo^ou] *s.* panaris, m.
whitish [hwa^itish] *adj.* blanchâtre.
Whitsuntide [hwitsœnta^id] *s.* Pentecôte, f.
whittle [hwit'l] *v.* amincir; aiguiser; réduire; couper; rogner.
whiz [hwiz] *v.* siffler [bullet]; *s.* sifflement, m.
who [hou] *pron.* qui; qui est-ce qui; *he who,* celui qui. || **whoever** [-èv^er] *pron.* quiconque; quel que soit; celui qui.
whole [ho^oul] *adj.* entier; complet; intégral; tout; sain; *s.* ensemble, m.; totalité; intégralité, f.; *in the whole,* au total; *on the whole,* somme toute, à tout prendre. || **wholesale** [-sé^il] *s.* vente en gros, f.; commerce de gros, m.; *adj.* en gros; en masse; en série; *v.* vendre en gros. || **wholesome** [-s^em] *adj.* sain; salubre; salutaire. || **wholesomeness** [-s^emnis] *s.* salubrité, f. || **wholly** [-i] *adv.* entièrement, totalement; tout à fait.
whom [houm] *pron.* que; qui; lequel, laquelle, lesquels, lesquelles; qui est-ce qui. || **whomsoever** [-so^ouèv^er] *pron.* quiconque; n'importe qui, que.
whoop [houp] *s.* quinte (med.), f.; cri; ululement, m.; huée, f.; *v.* crier; huer; ululer; **whooping cough,** coqueluche; *Am. to whoop it up,* pousser des cris.
whore [ho^our] *s.* prostituée, f.
whose [houz] *pron.* dont; de qui, duquel, de laquelle, desquels, desquelles; à qui.
why [hwa^i] *adv.* pourquoi; *interj.* eh bien!; voilà!; voyons!; tenez!; ma foi!; vraiment!
wick [wik] *s.* mèche, f.
wicked [wikid] *adj.* méchant; mauvais. || **wickedness** [-nis] *s.* méchanceté; perversité, f.
wicker [wik^er] *s.* osier, m.
wicket [wikit] *s.* guichet, m.; barrière; barres [cricket], f.
wide [wa^id] *adj.* large; vaste; étendu; ample; *adv.* largement; loin; grandement, bien; *a yard wide,* un mètre de large; *far and wide,* partout; **wide awake,** bien éveillé; **wide open,** grand ouvert. || **widely** [-li] *adv.* amplement, largement; au loin. || **widen** [-'n] *v.* (s')élargir; évaser; étendre; (s')aggraver. || **widespread** [-sprèd] *adj.* très répandu; général; bien diffusé.
widow [wido^ou] *s.* veuve, f. || **widower** [-^er] *s.* veuf, m. || **widowhood** [-houd] *s.* veuvage, m.
width [width] *s.* largeur; étendue; ampleur, f.; lé, m.
wield [wild] *v.* manier; gouverner; exercer [power].
wife [wa^if] *s.* épouse, femme, f.
wig [wig] *s.* perruque, f.
wigwag [wigwâg] *s. Am.* signaux, m.; *v.* osciller; faire des signaux.
wild [wa^ild] *adj.* sauvage; féroce; farouche, affolé; extravagant; bizarre; impétueux, effréné; *s.* lieu désert, m.; **wildcat,** chat sauvage; **wildcat scheme,** projet extravagant. || **wilderness** [wild^ernis] *s.* désert; lieu sauvage, m.; solitude, f. || **wildness** [wa^ildnis] *s.* sauvagerie; férocité; étrangeté, f.
wile [wa^il] *s.* ruse, astuce, f.
wil(l)ful [wilf^el] *adj.* obstiné; volontaire; délibéré; intentionnel. || **will** [wil] *s.* volonté; décision, f.; gré; testament, m.; *v.* vouloir; ordonner; léguer; avoir l'habitude de; *defect. aux. : I will tell you,* je vais vous dire; je vous dirai; *she will knit for hours,* elle a l'habitude de tricoter pendant des

heures; *the arena will hold a thousand,* l'arène peut contenir mille personnes; *he willed himself to sleep,* il s'est endormi à force de volonté; **free-will,** libre arbitre. || **willing** [-ing] *adj.* bien disposé; enclin à; prêt à; *he is willing to,* il veut bien. || **willingly** [-ingli] *adv.* volontiers; de bon cœur. || **willingness** [-ingnis] *s.* bonne volonté, f.; empressement; consentement, m.
willow [wilo^{ou}] *s.* saule, m.
willy-nilly [wili-nili] *adv.* bon gré mal gré.
wilt [wilt] *v.* se faner; dépérir.
wily [wa^{i}li] *adj.* rusé, astucieux.
win [win] *v.** gagner; acquérir; obtenir; remporter [prize]; parvenir; fléchir; décider; *to win over,* persuader, endoctriner.
wince [wins] *v.* broncher; défaillir.
winch [wintsh] *s.* treuil, m.
wind [wind] *s.* vent; air; souffle, m.; *v.* avoir vent de; essouffler; laisser souffler [horse]; flairer [game]; *to be winded about,* s'ébruiter.
wind [wa^{i}nd] *v.** tourner; enrouler; dévider; remonter [watch]; serpenter; *s.* détour; lacet, m.
windbag [windbag] *s.* baudruche, outre, f.; orateur verbeux, m. || **windfall** [-faul] *s.* bonne aubaine, f. || **winding** [-ing] *s.* sinuosité, f.; méandre; enroulement; remontage [watch], m.; *adj.* sinueux, en spirale; en colimaçon [staircase]. || **windmill** [-mil] *s.* moulin à vent, m.
window [windo^{ou}] *s.* fenêtre; vitrine; glace [auto], f.; vitrail, m.; **window display,** étalage; **window-pane,** vitre; **window-sill,** rebord de fenêtre; *Am.* **window-shade,** store.
windpipe [windpa^{i}p] *s.* trachée-artère, f. || **windshield** [-shild] *s.* pare-brise, m. || **windy** [-i] *adj.* venteux; verbeux; froussard (pop.).
wine [wa^{i}n] *s.* vin, m.; *wine and water,* eau rougie; **wine cellar,** cave à vin; **wine glass,** verre à vin; **wine grower,** viticulteur.
wing [wing] *s.* aile; escadre aérienne; coulisse (theat.), f.; aileron, m.; *v.* donner des ailes; blesser à l'aile; voler; *to take wing,* prendre son vol; **wingspread,** envergure. || **winged** [-d, -id] *adj.* ailé.
wink [wingk] *v.* cligner de l'œil; clignoter; *s.* clin d'œil; *I didn't sleep a wink,* je n'ai pas fermé l'œil une seconde.
winner [win^{er}] *s.* gagnant; vainqueur, m. || **winning** [wining] *adj.* gagnant; engageant, attrayant; *s. pl.* gains, m. pl.
winsome [wins^{e}m] *adj.* charmant.
winter [wint^{er}] *s.* hiver, m.; *v.* hiverner; *adj.* d'hiver; hivernal. || **wintry** [-tri] *adj.* d'hiver; hivernal; glacial.
wipe [wa^{i}p] *v.* essuyer; *to wipe off,* effacer; essorer. || **wiper** [-^{er}] *s.* torchon; tampon; essuyeur, m.; *Am.* **windshield wiper,** essuie-glace.
wire [wa^{ier}] *s.* fil de fer; fil métallique; télégramme, m.; dépêche, f.; *v.* attacher avec du fil de fer; télégraphier; poser des fils électriques; **barbed wire,** fil de fer barbelé; **fence wire,** ronce pour clôture; **piano wire,** corde à piano; **telegraph wire,** fil télégraphique; *to pull wires,* pistonner. || **wireless** [-lis] *adj.* sans fil; *s.* radio, T. S. F., f.; *wireless controlled,* radioguidé; **wireless operator,** radiotélégraphiste; **wireless set,** poste de radio. || **wiry** [-ri] *adj.* en fil de fer; sec et nerveux; raide [hair].
wisdom [wizd^{e}m] *s.* sagesse; prudence, f. || **wise** [wa^{i}z] *adj.* sage; prudent; discret; sensé; *The Three Wise Men,* les trois rois mages; *to put wise,* donner un tuyau à.
wise [wa^{i}z] *s.* façon, manière, f.
wiseacre [wa^{i}zé^{i}k^{er}] *s.* benêt prétentieux, m. || **wisecrack** [-krak] *s.* plaisanterie, f.
wish [wish] *v.* désirer, souhaiter, vouloir; *s.* désir, souhait, vœu, m.; *best wishes,* meilleurs vœux; *I wish I were,* je voudrais être; **wishful,** désireux.
wistful [wistf^{e}l] *adj.* pensif; sérieux; silencieux et attentif.
wit [wit] *s.* esprit, m.; *to live by one's wits,* vivre d'expédients; *to lose one's wits,* perdre la tête; *to wit,* à savoir; *a wit,* un bel esprit.
witch [witsh] *s.* sorcière, f.; **witchcraft,** sorcellerie; **witch hazel,** teinture d'hamamélis; **witching,** séduisant, ensorcelant.
with [wizh, with] *prep.* avec; de; par; à; chez; dans; parmi; *with his hat on,* le chapeau sur la tête; *with a view,* en vue de; *he was*

with us ten years, il a été employé chez nous dix ans.
withdraw [wizhdrau] *v.** (se) retirer; se replier; rétracter [statement]. || **withdrawal** [-el] *s.* retrait; repli; rappel [order], m.; retraite; mainlevée (jur.), f. || **withdrawn** [-n] *p. p. of* **to withdraw.** || **withdrew** [wizhdrou] *pret. of* **to withdraw.**
wither [wizher] *v.* (se) faner, (se) flétrir; dépérir.
withers [wizherz] *s.* garrot, m.
withheld [withhèld] *pret., p. p. of* **to withhold.** || **withhold** [withhoould] *v.* retenir, arrêter; cacher.
within [wizhin] *prep.* dans; en dedans de; en moins de; *adv.* à l'intérieur; *within the week*, dans le courant de la semaine.
without [wizhaout] *prep.* sans; hors de; en dehors de; *adv.* à l'extérieur, au-dehors; *without my knowledge*, à mon insu.
withstand [withstànd] *v.** résister à; supporter. || **withstood** [withstoud] *pret., p. p. of* **to withstand.**
witness [witnis] *s.* témoin; déposant; témoignage, m.; *v.* déposer; témoigner; attester.
witticism [witesizem] *s.* trait d'esprit, m.
witty [witi] *adj.* spirituel.
wives [waivz] *pl. of* **wife.**
wizard [wizerd] *s.* sorcier, m.
wobble [wâb'l] *v.* vaciller; tituber; branler; *s.* vacillement, m.
woe [woou] *s.* douleur; misère, f.; malheur, m.
woke [woouk] *pret. of* **to wake.**
wolf [woulf] *s.* loup, m.; *Am.* don juan, coureur, m. || **wolves** [woulvz] *pl. of* **wolf.**
woman [woumen] *s.* femme, f. || **womanhood** [-houd] *s.* féminité, f. || **womankind** [-kaind] *s.* les femmes, f. || **womanly** [-li] *adj.* de femme; féminin; *adv.* en femme; de femme. || **women** [wimin] *pl.* of **woman.**
womb [woum] *s.* sein, ventre, m.
won [wœn] *pret., p. p. of* **to win.**
wonder [wœnder] *s.* étonnement; prodige, miracle, m.; surprise; merveille, f.; *v.* s'étonner (*at*, de); s'émerveiller; se demander (*whether*, si). || **wonderful** [-fel] *adj.* étonnant; prodigieux; admirable. || **wonderfully** [-feli] *adv.* merveilleusement; extraordinairement. || **wondrous** [wœndres] *adj.* merveilleux.
wont [woount] *s.* coutume; habitude, f.; *adj.* habitué, accoutumé; habituel; *to be wont*, avoir coutume.
won't = **will not**, *see* **will.**
woo [wou] *v.* courtiser.
wood [woud] *s.* bois, m.; **soft wood**, bois blanc; **wood engraving**, gravure sur bois; **woodcock**, bécasse; **woodcutter**, bûcheron; **wooded**, boisé; **wooden**, de bois, en bois. || **woodland** [lànd] *s.* pays boisé, m. || **wood(s)man** [-(z)men] *s.* homme des bois; trappeur; artisan du bois, m. || **woodpecker** [-pèker] *s.* pic, pivert, m. || **woodwork** [-wërk] *s.* boiserie; menuiserie; ébénisterie, f. || **woodworker** [-wërker] *s.* charpentier; menuisier; ébéniste; ouvrier du bois, m.
woof [wouf] *s.* trame, f.
wool [woul] *s.* laine, f.; *adj.* de laine; en laine. || **wool(l)en** [-in] *adj.* de laine; en laine; *s.* lainage, m. || **wool(l)y** [-i] *adj.* laineux; crépu; mou [style].
word [wërd] *s.* mot; vocable; avis, m.; parole; nouvelle, f.; *v.* exprimer; rédiger; libeller; formuler; *to have words with*, se quereller avec; **password**, mot de passe; **wordy**, prolixe, verbeux.
wore [woour] *pret. of* **to wear.**
work [wërk] *s.* travail; ouvrage; emploi, m.; œuvre; besogne, f.; *pl.* usine, f.; mécanisme; mouvement, m.; *v.** travailler; accomplir; fonctionner; fermenter; produire; exploiter; manœuvrer; se frayer; résoudre [problem]; *to work away*, travailler d'arrache pied; *to work out*, produire, opérer; calculer; *to be all worked up*, être surexcité; **workday**, jour ouvrable. || **worker** [-er] *s.* travailleur; ouvrier, m. || **working** [-ing] *s.* travail, fonctionnement; tirage, m.; opération; manœuvre, f.; *adj.* travailleur; laborieux; **working hours**, heures de travail. || **workingman** [-ingmen], **workman** [-men] *s.* ouvrier; travailleur; artisan, m. || **workmanship** [-menship] *s.* ouvrage, m.; exécution du travail, f. || **workshop** [-shâp] *s.* atelier, m.
world [wërld] *s.* monde; univers, m.; *a world of*, une infinité de; *for the world*, pour tout au monde;

World War, Grande Guerre, guerre mondiale. || **worldly** [-li] *adj.* du monde; mondain; terrestre.
worm [wë^{r}m] *s.* ver; serpentin [still]; tire-bourre (mech.), m.; vis sans fin, f.; *v.* se tortiller; se faufiler; ramper; soutirer [secret]; *to worm oneself into,* s'insinuer dans.
worn [wo^{ou}rn] *p. p. of* **to wear; worn-out,** usé; éreinté.
worry [wë^{r}i] *s.* tourment; tracas; ennui, m.; inquiétude, f.; *v.* ennuyer; importuner; (s')inquiéter; (se) tourmenter.
worse [wë^{r}s] *adj.* pire; plus mauvais; *adv.* pis, plus mal; *worse and worse,* de mal en pis; *so much the worse,* tant pis; *he is none the worse for it,* il ne s'en trouve pas plus mal; *to change for the worse,* empirer, s'aggraver.
worship [wë^{r}ship] *s.* culte; respect, m.; adoration; vénération, f.; *v.* adorer; rendre un culte à. || **worship(p)er** [-^{er}] *s.* adorateur, m.; adoratrice, f.
worst [wë^{r}st] *adj.* le pire; le pis; le plus mauvais; *adv.* le pis; le plus mal; *v.* battre, vaincre, défaire; *to get the worst of it,* avoir le dessous.
worth [wë^{r}th] *s.* valeur, f.; mérite; prix, m.; *adj.* valant; *to be worth,* valoir; *to have one's money's worth,* en avoir pour son argent. || **worthless** [-lis] *adj.* sans valeur; sans mérite; inutile; indigne. || **worthy** [wë^{r}zhi] *adj.* digne; méritant; de valeur; estimable, honorable; bien fondé; *s.* sommité; célébrité, f.; grand homme, m.
would [woud] *pret. of* **will;** *she would come every day,* elle venait tous les jours (elle avait l'habitude de venir); *if you would do it,* si vous vouliez le faire; *she said she would go,* elle a dit qu'elle irait.
wound [wound] *s.* blessure; plaie, f.; *v.* blesser.
wound [wa^{ou}nd] *pret., p. p. of* **to wind.**
wove [wo^{ou}v] *pret. of* **to weave.** || **woven** [-^{e}n] *p. p. of* **to weave.**
wrangle [ràng'l] *v.* se quereller; *s.* dispute, querelle, f.
wrap [rap] *v.* enrouler; rouler; envelopper; absorber (fig.); *s.* écharpe, f.; châle; manteau, m. || **wrapper** [-^{er}] *s.* emballeur; empaqueteur; couvre-livre, m.; toile d'emballage; robe de chambre; bande de journal, f. || **wrapping** [-ing] *s.* emballage, m.; **wrapping-paper,** papier d'emballage.
wrath [rath] *s.* colère, f.; courroux, m.; **wrathful,** furieux.
wreath [rith] *s.* guirlande; couronne, f.; *wreath of smoke,* tourbillon de fumée. || **wreathe** [rizh] *v.* tresser, entrelacer; enrouler; couronner (*with,* de).
wreck [rèk] *s.* naufrage; sinistre; accident; bris (naut.), m.; épave (naut.); ruine, f.; *v.* faire naufrager, couler; saborder; détruire; faire dérailler (railw.).
wrench [rèntsh] *s.* torsion; foulure, entorse; clé (mech.), f.; *v.* tordre; arracher; (se) fouler; **screw-wrench,** tournevis; **adjustable screw wrench,** clé universelle.
wrest [rèst] *v.* arracher en tordant; tirer de force; forcer [text]. || **wrestle** [rès'l] *v.* lutter; combattre (*with,* avec; *against,* contre); *s.* assaut de lutte, m.; **wrestler,** lutteur.
wretch [rètsh] *s.* misérable; malheureux; scélérat, m.; **poor wretch,** pauvre diable. || **wretched** [-id] *adj.* misérable; infortuné; piètre; méchant, méprisable.
wriggle [rig'l] *v.* se tortiller, frétiller; se faufiler (*into,* dans); s'insinuer (*in,* dans); *to wriggle out of a difficulty,* se tirer adroitement d'embarras.
wring [rìng] *v.** tordre; arracher; presser, serrer; essorer; déchirer [heart]; extorquer [money]; forcer (fig.).
wrinkle [rìngk'l] *s.* ride; rugosité du terrain, f.; faux pli [cloth], m.; *v.* rider; froisser; faire des faux plis.
wrist [rist] *s.* poignet, m.; **wrist-pin,** axe de piston; **wrist-watch,** montre-bracelet.
writ [rit] *s.* exploit, mandat, m.; assignation; ordonnance (jur.), f.; *Holy Writ,* l'Ecriture sainte. || **write** [ra^{i}t] *v.** écrire; tracer; *to write down,* coucher par écrit; *to write out,* transcrire; mettre au net; *to write up,* décrire; inscrire; *how is this word written?,* comment s'écrit ce mot? || **writer** [-^{er}] *s.* écrivain; auteur, m.
writhe [ra^{i}zh] *s.* se tordre.
writing [ra^{i}ting] *s.* écriture, f.; art d'écrire, m.; *pl.* écrits, m. pl.; *in*

writing, par écrit; **writing-desk**, bureau, pupitre; **writing-paper**, papier à lettres. || **written** [rit'n] *p. p. of* **to write**.

wrong [raung] *adj.* faux; erroné; mauvais; illégitime; qui a tort; *s.* mal; tort; préjudice; dommage, m.; injustice, f.; *adv.* mal; à tort; *v.* faire du tort; léser; *to be wrong*, avoir tort; se tromper; *my watch is wrong*, ma montre ne va pas; *the wrong side of a fabric*, l'envers d'un tissu; *he took the wrong train*, il s'est trompé de train; *to do wrong*, mal agir; *to do a wrong*, faire du tort; **wrong-doer**, méchant; **wrong-doing**, iniquité.

wrote [ro^{ou}t] *pret. of* **to write**.

wrought [raut] *pret., p. p. of* **to work**; *adj.* travaillé, façonné; **wrought iron**, fer forgé.

wrung [rœng] *pret., p. p. of* **to wring**.

wry [ra^{i}] *adj.* tordu; de travers; *to make a wry face*, faire la grimace; **wryneck**, torticolis.

X

X-ray [èks-r$é^{i}$] *s.* rayon X, m.; *v.* radiographier; **X-ray examination**, examen radioscopique; **X-ray photograph**, radiographie; **X-ray treatment**, radiothérapie.

xenophobia [zèn^{e}fo^{ou}bi^{e}] *s.* xénophobie, f.

xylography [za^{i}l^{e}grafi] *s.* xylographie, f.

xylophone [za^{i}l^{e}fo^{ou}n] *s.* xylophone.

Y

yacht [yât] *s.* yacht, m.; *v.* naviguer en yacht.

Yankee [yàngki] *adj., s.* yankee.

yam [yam] *s.* igname, f.

yard [yârd] *s.* yard [measure]; vergue (naut.), f.

yard [yârd] *s.* cour, f.; préau; chantier; dépôt, m.; **back yard**, arrière-cour; **churchyard**, cimetière; **classification yard**, gare de triage; **navy yard**, arsenal; **poultry yard**, basse-cour. || **yardstick** [-stik] *s.* unité de mesure, f.

yarn [yârn] *s.* fil [thread]; récit, m.; histoire, f.

yaw [yau] *s.* embardée (naut.), f.; *v.* embarder (naut.); gouverner (aviat.).

yawn [yaun] *s.* bâillement, m.; *v.* bâiller.

yea [y$é^{i}$] *adv.* oui.

year [y$i^{e r}$] *s.* année, f.; an, m.; *he is six years old*, il a six ans; *by the year*, à l'année; *twice a year*, deux fois l'an; *New Year's Day*, jour de l'an; **half-year**, semestre; **leap year**, année bissextile; **year book**, annuaire; **yearling**, animal d'un an. || **yearly** [-li] *adj.* annuel; *adv.* annuellement.

yearn [y$ë^{r}$n] *v.* désirer; soupirer (*for*, après). || **yearning** [-ing] *s.* désir, m.; aspiration, f.

yeast [yîst] *s.* levure, f.; ferment, m.

yell [yèl] *v.* hurler; vociférer; *s.* hurlement, m.; vocifération, f.

yellow [yèlo^{ou}] *adj., s.* jaune; **yellowish**, jaunâtre; **yellowness**, couleur jaune.

yelp [yèlp] *v.* japper; glapir; *s.* jappement, glapissement, m.

yeoman [yo^{ou}m^{e}n] *s.* petit propriétaire; *Br.* magasinier, *Am.* commis aux écritures (naut.), m.

yes [yès] *adv.* oui; si [after a negative].

yesterday [yèst^{er}di] *adv., s.* hier; *the day before yesterday*, avant-hier.

yet [yèt] *conj.* cependant; pourtant; néanmoins; toutefois; tout de même; *adv.* encore; toujours; déjà; malgré tout; jusqu'à maintenant; *as yet*, jusqu'ici; *not yet*, pas encore.

yield [yîld] *v.* céder; livrer; rendre; rapporter, produire; se soumettre; *s.* rendement; rapport; débit; produit, m.; récolte, f.; *to yield five per cent*, rapporter cinq pour cent; **yield point**, limite de résistance (mech.); **yielding**, doux; flexible; complaisant.

yoke [yo^ou^k] *s.* joug, m.; *v.* atteler; enjuguer.
yolk [yo^ou^k] *s.* jaune d'œuf, m.
yolk [yo^ou^k] *s.* suint, m.
yonder [yând^er^] *adv.* là-bas.
yore [yo^ou^r] *adv.* autrefois; *in days of yore,* au temps jadis.
you [you] *pron.* vous; *you never can tell,* on ne sait jamais.
young [yœng] *adj.* jeune; *s.* petit d'animal, m.; *to grow young again,* rajeunir; *young people,* la jeunesse. || **youngster** [-st^er^] *s.* gamin, mioche, gosse; jeune homme, blanc-bec, m.
your [your] *adj.* votre; vos; à vous. || **yours** [-z] *pron.* le vôtre; la vôtre; les vôtres; à vous. || **yourself** [yoursèlf] *pron.* vous-même; vous.
youth [youth] *s.* jeunesse; adolescence, f.; jeune homme, m. || **youthful** [-f^e^l] *adj.* jeune; juvénile.
Yuletide [youlta^i^d] *s.* fête de Noël, f.; temps de Noël, m.; Yulelog, bûche de Noël.

Z

zeal [zîl] *s.* zèle; enthousiasme, m.; ardeur, f. || **zealot** [zèl^e^t] *s.* zélateur; fanatique, m. || **zealous** [zèl^e^s] *adj.* zélé; ardent; enthousiaste; dévoué.
zebra [zîbr^e^] *s.* zèbre, m.
zebu [zîbyou] *s.* zébu, m.
zenith [zînith] *s.* zénith, m.
zephyr [zèf^er^] *s.* zéphir, m.
zero [ziro^ou^] *s.* zéro, m.; **zero hour,** heure H.
zest [zèst] *s.* saveur; verve, f.; piquant, m.
zigzag [zigzag] *s.* zigzag; lacet, m.; *v.* zigzaguer.
zinc [zìngk] *s.* zinc, m.
zip [zip] *v.* aller à toute vitesse, brûler le pavé.
zipper [zip^er^] *s.* fermeture éclair, f.
zither [zith^er^] *s.* cithare, f.
zodiac [zo^ou^diak] *s.* zodiaque, m || **zodiacal** [zo^ou^da^i^ek'l] *adj.* zodiacal.
zone [zo^ou^n] *s.* zone, f.; *v.* répartir en zones; **danger zone,** zone dangereuse; **prohibited zone,** zone interdite.
zoo [zou] *s.* zoo, jardin zoologique, m. || **zoological** [zo^oue^lâdjik'l] *adj.* zoologique. || **zoology** [zo^ou^âl^e^dji] *s.* zoologie, f.
zoom [zoum] *v.* monter en chandelle (aviat.); bourdonner, vrombir.